To John Elkington
SustainAbility
We met in Davos (open forum)
Best greetings
Ch. [illegible]
6/2/03 Berne

Christoph Stückelberger

Umwelt und Entwicklung

Eine sozialethische Orientierung

Mit einem Geleitwort von Günter Altner

Verlag W. Kohlhammer
Stuttgart Berlin Köln

Die Deutsche Bibliothek – CIP-Einheitsaufnahme

Stückelberger, Christoph:
Umwelt und Entwicklung : eine sozialethische Orientierung / Christoph Stückelberger. Mit einem Geleitw. von Günter Altner. - Stuttgart ; Berlin ; Köln : Kohlhammer, 1997
ISBN 3-17-014230-5

Umschlagabbildung: © Eidgenössische Technische Hochschule Zürich, Abteilung für Mathematik und Physik, Fach Atmosphärenphysik

Stuttgart Berlin Köln
Verlagsort: Stuttgart
Umschlag: Data Images
audiovisuelle Kommunikation GmbH
Gesamtherstellung:
W. Kohlhammer Druckerei GmbH + Co. Stuttgart
Printed in Germany

Inhaltsverzeichnis

Abkürzungen

CGG: Christlicher Glaube in moderner Gesellschaft, hg. von F. Böckle et al, 30 Bände, 2. Auflage, Freiburg 1981f.
Evang. Theol.: Evangelische Theologie. Zweimonatsschrift, hg. von G. Altner et al, München.
EvKomm: Evangelische Kommentare, Stuttgart.
HCE: Handbuch der Christlichen Ethik, hg. von A. Hertz et al, 3 Bände, Freiburg 1978–1982.
RGG: Die Religion in Geschichte und Gegenwart, hg. von K. Galling, 6 Bände, 3. Auflage, Tübingen 1957–1965.
ThWNT: Theologisches Wörterbuch zum Neuen Testament, begr. von H. Kittel, hg. von G. Friedrich, Stuttgart 1933ff.
TRE: Theologische Realenzyklopädie, hg. von G. Müller, Berlin 1977ff.
ZEE: Zeitschrift für Evangelische Ethik, hg. von R. Calliess et al, Gütersloh.

Geleitwort

Ich habe das Manuskript dieses Buches mit wachsender Spannung und viel Zustimmung gelesen. Es geht um eine sozialethische Orientierung im Spannungsfeld zwischen Fortschrittsdynamik und Schöpfungsverantwortung. Dabei steht die Frage nach den Maßen und dem Maßhalten im Zentrum der Überlegungen. Die weltweite Umweltzerstörung, aber auch die immer tiefer werdende Kluft zwischen Reich und Arm spiegeln die aktuelle Maßlosigkeit. In einer solchen Situation gehört die Suche nach den Maßen zum Dringlichsten.

Auch der heute so aktuelle Begriff der Nachhaltigkeit (= Zukunftsfähigkeit) „schreit" nach Maßen. Er besagt: Wem die Wohlfahrt künftiger Generationen eine Verpflichtung ist, der darf die natürlichen Grundlagen menschlicher Existenz nur so bewirtschaften, daß ihre Regenerationspotentiale erhalten bleiben. Aber es gilt auch das Umgekehrte: Wer die irdische Natur aus tieferliegenden Gründen nur schonend bewirtschaften kann, der sorgt gleichzeitig für kommende Menschen-Generationen. Es geht also um die Suche nach Maßen in der menschlichen und in der natürlichen Dimension. Erst die Interpretation beider Aspekte ermöglicht das, was wir im vollen Sinn des Wortes als Ökologie bezeichnen. Christoph Stückelberger ist im Sinne eines solchen Ökologiebegriffes vor jedem Naturalismus, aber auch vor jeder Anthropozentrik gefeit. Seine Arbeit ist hinsichtlich der verwendeten Erkenntnismethoden interdisziplinär und pluralistisch. Das kommt insbesondere den problemgeschichtlichen Kapiteln zugute, in denen Maß und Maßhalten in der Natur, in der Geschichte der Ethik und in den aktuellen Ethiken untersucht werden.

Der von Stückelberger gewählte inklusive Arbeitsstil bewahrt ihn vor jeder dogmatischen Besserwisserei und läßt ihn gleichzeitig mit seiner Analyse eine reiche Ernte einfahren. Die genannten Kapitel weisen eine breite Palette an prüfenswerten Maßen aus, vom aktuellen Begriff der Selbstorganisation über die neutestamentliche Sophrosyne bis hin zu Kriterien der Bioethik von heute. Kein geschlossenes Weltethos, sondern ein breites Feld von einander berührenden und auch auseinanderlaufenden Maßen, eine Erfahrungspalette und eine Fundgrube, die von den verschiedensten fachlichen und weltanschaulichen Seiten her betreten werden kann. Insofern hat Stückelberger wirklich ein interdisziplinäres Buch geschrieben.

Mit besonderer Spannung erwartet man nun aber auch den Schlußteil, in dem der Autor unter der Überschrift „Leitlinien für eine christliche Mitweltethik des Maßes" sein eigenes Konzept entfaltet: zwei mal zwölf Leitlinien einer christlichen Gästeordnung für das Leben auf der Erde! Die Stichworte dieser Gästeordnung (vom kommenden Reich Gottes bis zur Artenvielfalt) zeigen, daß Stückelberger auch hier seinen integrativ-interdisziplinären Arbeitsstil beibehält. Bemerkenswert ist das gnaden-theologische Vorzeichen, das für jede Leitlinie in Gestalt eines dem Menschen zugesagten Gastrechtes auf Erden unterstrichen wird. Aber daneben gibt es immer auch eine säkular formulierte Parallelversion.

Für den allgemeinen gesellschaftlichen Diskurs über Umweltverantwortung ist es weiterführend und hilfreich, daß Stückelberger keine theologisch geschlossene Wertordnung anbietet, sondern zu einem Versuch der „Wertbalancierung“ zwischen komplementären ethischen Ansätzen anleitet. Wie sonst sollten wir den ökologischen Diskurs über unsere Verantwortung in der Überlebenskrise führen?

Heidelberg, Mai 1996 *Günter Altner*

Vorwort

Wie lassen sich Entwicklung und Umweltbewahrung in einer *maßvollen, nachhaltigen Entwicklung* verbinden? Wie lassen sich die damit verbundenen Interessen- und Wertkonflikte überwinden? Wo liegt das richtige Maß im Umgang mit der Mitwelt, das Maß zwischen einem Zuviel an Eingriffen und einem Zuwenig an Gestaltung, zwischen einem lebenszerstörenden Fortschrittsoptimismus und einem lebensfeindlichen Ökofundamentalismus?
Seit zwanzig Jahren treibt mich das Ziel der Versöhnung von Umwelt und Entwicklung um, z.B. in meinem 1979 veröffentlichten Buch „Aufbruch zu einem menschengerechten Wachstum". Seit den siebziger Jahren hat sich das umweltethische Problembewußtsein wesentlich ausgeweitet und vertieft. Auch viele umweltpolitische und umweltökonomische Entwicklungen haben stattgefunden. Die UNO-Weltkonferenz „Umwelt und Entwicklung" von 1992 hat die notwendige Blickrichtung für das 21. Jahrhhundert angezeigt. Doch gleichzeitig haben sich die Spannungen zwischen Umwelt und Entwicklung weiter verschärft. Während z.B. die ostasiatischen, neu industrialisierten Länder mit ihrem enormen Wachstum die globalen Umweltbelastungen massiv verschärfen, haben große Massen Afrikas, Lateinamerikas und Asiens immer noch nicht und zum Teil immer weniger die Möglichkeit, angemessen an den reichen Ressourcen der Erde teilzuhaben.
Die vorliegende Studie möchte eine sozialethische Orientierung in diesen anstehenden drängenden Entscheidungen bieten. Zentraler Leitwert ist dabei das *Maß*, welcher naturwissenschaftlich, historisch und in aktuellen ethischen Konzepten untersucht wird. Zweimal zwölf Leitlinien für eine global maßvolle Entwicklung und einen schonenden Umgang mit der Mitwelt werden entwickelt. Ein christlicher Beitrag zu einem Weltethos des Maßes, der das Spezifische theologischer Umweltethik fruchtbar machen will und zugleich nach einer gemeinsamen Wertbasis über weltanschauliche Unterschiede hinweg sucht. Ein Beitrag zur Überwindung der Ziel- und Wertkonflikte zwischen „Umwelt und Entwicklung", wie sie mit der Weltkonferenz in Rio 1992 breit diskutiert, aber nicht gelöst und umgesetzt sind.
Die Arbeit wurde im Sommer 1995 an der theologischen Fakultät der Universität Basel als Habilitation angenommen. Folgenden Personen und Institutionen bin ich für ihre Unterstützung besonders dankbar: Die Untersuchung wurde ermöglicht durch einen sechsmonatigen Studienurlaub, den mein damaliger Arbeitgeber, der Pfarrverein als Herausgeber des Kirchenboten für den Kanton Zürich, und der Kirchenrat der Ev.-ref. Landeskirche des Kantons Zürich gewährten. Ohne diesen Urlaub hätte die Arbeit neben der damaligen vollen Berufstätigkeit als Chefredaktor und heute als Zentralsekretär von „Brot für alle", der Entwicklungsorganisation des Schweiz. Evang. Kirchenbundes, nicht entstehen können. Meine Frau Susanne hat die Arbeit aktiv mitgetragen. Professor Hans Ruh in Zürich ist mir seit langem besonders in umweltethischen Fragen ein wichtiger

und hilfreicher Gesprächspartner. Wertvolle Rückmeldungen gab Professor Günter Altner. Professor Johannes Fischer in Basel hat in der Schlußphase zu manchen Klärungen beigetragen. Unverzichtbar war auch die Auseinandersetzung mit vielen Naturwissenschaftler/innen, Unternehmern sowie kirchlichen Umwelt- und Entwicklungspraktikern. „Brot für alle" und die Emil Brunner Stiftung haben einen Druckkostenzuschuß gewährt.

Zürich, März 1996 *Christoph Stückelberger*

1. Einleitung

1.1 Am Anfang war das Staunen

Am Anfang war das Staunen. Ergriffensein statt Ergreifen ist der Ausgangspunkt der Umweltethik und die Grundlage eines Ethos des Maßes. Der Übergang zum dritten Jahrtausend ist entscheidend für den Planeten Erde und die Menschheit. Es geht dabei nicht um einen ökologischen Millenarismus, sondern um die akute Bedrohung der Lebensgrundlagen und damit vieler Lebensbereiche auf der Erde. Die bange Frage ist: Wird es gelingen, das richtige Maß zu finden und maßvoll zu leben, damit ein Leben in Würde für möglichst viele gelingt? Noch leben wir im „Zeitalter der Grenzstein-Versetzer“[1]: Was gestern als Grenzüberschreitung menschlichen Handelns galt, liegt morgen schon innerhalb der als normal scheinenden Grenzen. So als ob über Nacht jemand heimlich die Grenzsteine versetzt hätte. Gentechnologie, Computertechnologie, Mobilität sind Schlag- und Reizworte dafür. Leben wir also in einer „Welt ohne Maß und Ziel“[2]? So sehr Maßlosigkeit und Grenzversetzung Merkmale unserer Zeit sind, so sehr zeichnet sich doch gegen Ende des zweiten Jahrtausends weltweit ein neuer Konsens ab: Die moderne Maßlosigkeit im Umgang mit der Natur ist so zerstörerisch, daß ein neues Maßhalten notwendig, ja überlebensnotwendig ist. Doch welches ökologische Maß ist das richtige? Und wie ist es mit Entwicklung zu verbinden? Gelingt eine entscheidende Umkehr in diesem Jahrzehnt? Zu diesen Fragen gehen die Meinungen weit auseinander.

Adäquate Antworten darauf finden wir eher, wenn wir nicht mit der Schilderung der heutigen extremen Gefährdung der Schöpfung, mit der Präzisierung des Problems und mit Appellen beginnen, sondern mit dem Staunen[3]. Nicht die aktive Lebensgestaltung, sondern die Verwunderung über das Geheimnis des geschenkten Lebens[4], nicht das Handeln des Menschen, sondern „das Handeln Gottes am Menschen im Geist“[5] ist Ausgangspunkt der Ethik. Nicht das Ergreifenwollen der Welt, sondern das Ergriffensein von ihrer Größe und Schönheit, nicht das ethische Gebot des Maßes, sondern das göttliche Angebot der maßlosen Fülle, nicht die Klage, sondern das Lob, nicht der asketische Verzicht, sondern die Lust an der Vielfalt sind der Anfang des Maßes.

Das Universum ist unvorstellbar maßlos in seinen Ausmaßen: Wenn wir uns den Erddurchmesser auf 1 mm verkleinert vorstellen (1:10^{10}, das heißt 10 000 Millionen mal verkleinert), dann ist der Sonnendurchmesser 14 cm, der Abstand Erde-Sonne 15 m, der

---

1 So Brunner, H. H.: Mein Vater und sein Ältester. Emil Brunner in seiner und meiner Zeit, Zürich 1986, 333.

2 Ebd., 325.

3 Dieses Anliegen entspricht der ökumenischen Schöpfungstheologie von Canberra: An der 7. Vollversammlung des Ökumenischen Rates der Kirchen in Canberra 1991 zum Thema „Komm, Heiliger Geist, erneuere die ganze Schöpfung“ stand im ersten Entwurf des Berichts der Sektion I, die sich mit der ökologischen Frage beschäftigte, die Beschreibung der Umweltprobleme am Anfang. Der definitive Text beginnt nun bewußt mit dem Bekenntnis zur Schönheit und Großartigkeit der Schöpfung (Im Zeichen des Heiligen Geistes. Offizieller Bericht aus Canberra 1991, Frankfurt 1991, 58).

4 Auf dem „Gegebensein des Lebens“ baut auch Trutz Rendtorff seine Ethik auf (Ethik, Bd. 1, 1980, 32ff).

5 So Ulrich, H. G.: Eschatologie und Ethik, 1988, 47.

Abstand zum nächsten Stern 4000 km. Wenn wir 1 Lichtjahr, also die zurückgelegte Strecke des Lichtes in einem Jahr, als 1 mm annehmen (Verkleinerung 1:10^{19}), beträgt der Abstand zum nächsten Stern 4 mm, der Durchmesser des Milchstraßensystems – es enthält etwa 100 000 Millionen Sonnen – 100 m, der Radius des beobachtbaren Universums etwa 15 000 km![6]
Nicht weniger phantastisch ist der Mikrokosmos: Was sich in einem 100 Millionstel Zentimeter abspielt, übersteigt unser Vorstellungsvermögen. Daß es weltweit 9040 verschiedene Arten von Vögeln gibt, nehmen wir schon fast als selbstverständlich hin. Dazu gibt es aber 989 761 verschiedene Arten von Insekten, insgesamt 1 392 485 bisher bekannte und mit den unbekannten und unerfoschten schätzungsweise 30 Millionen verschiedene Arten von Lebewesen[7]. Dabei bilden Mikrokosmos und Makrokosmos in manchem eine geheimnisvolle Einheit und Entsprechung. Staunen und Bescheidenheit weckt auch die Zeitskala: Wenn wir das Alter der Erde mit 4,5 Milliarden Jahren annehmen und diese Zeit auf einen einzigen Tag mit 24 Stunden projizieren, besiedelte der Neanderthaler vor nicht ganz 2 Sekunden die eisfreien Zonen des Gletschervorlandes. Vor 0,1 Sekunden ist das Mammut ausgestorben.
„Alles begann mit einer großen Lust auf Bewegung ... Ich war besessen von dem Gedanken, Leben zu erhalten." So beschreibt Franco Ferrucci Gottes Lebenslust.[8] Der „Liebhaber des Lebens"[9] selbst muß über seine Schöpfung gestaunt haben. Nach jedem Schöpfungstag stellte er staunend fest, daß das Geschaffene „sehr gut war"[10]. Die Schöpfungspsalmen in der Bibel sind nicht zufällig allesamt Lobpsalmen, die die Schönheit der Schöpfung besingen[11]. Auch in der Schöpfungslehre der Reformatoren und heutigen Schöpfungstheologien wie besonders in der Umwelterziehung spielt das Loben und Staunen lernen eine bedeutende Rolle.[12] Staunen ist eine Grundfähigkeit aller Menschen, eingewurzelt in der fundamentalen Erfahrung des Lebens als Geschenk und in der Betrachtung des Sternenhimmels. So schrieb Kant ohne explizit religiöse Begründung auf seiner Suche nach dem ethischen Maß den berühmten Satz: „Zwei Dinge erfüllen das Gemüt mit immer neuer und zunehmender Bewunderung und Ehrfurcht ...: der bestirnte Himmel über mir und das moralische Gesetz in mir."[13]

---

6 Nach Stenflo, J. O.: Evolution des Weltalls – Gleichgewichstbetrachtungen in der Astronomie, in: Stolz, F. (Hg.): Gleichgewichts- und Ungleichgewichtskonzepte in der Wissenschaft, 1986, 5–19 (9f).

7 Wilson, E. O./Peter, F. M. (Hg.): Biodiversity, Washington 1988, 4f.

8 Ferrucci, F.: Das Leben Gottes, von ihm selbst erzählt, München 1988, 27 und 38.

9 Weisheit 11,26.

10 Siebenmal taucht diese Wendung in 1. Mose 1 auf.

11 Bes. die Psalmen 8, 19, 104, 136, 139, 147, 148. Exemplarisch zu Ps 104: Steck, O. H.: Welt und Umwelt, Stuttgart 1978, 63ff.

12 Daß das Staunen lernen in der Umwelterziehung doch nicht so selbstverständlich ist, zeigt sich daran, daß im umfangreichen Stichwortregister eines 740seitigen Standardwerks der Umwelterziehung weder das Stichwort staunen noch loben oder danken vorkommt: Calliess, J./Lob, R. E. (Hg.): Handbuch Praxis der Umwelt- und Friedenserziehung, Bd.2 Umwelterziehung, Düsseldorf 1987.

13 Kant, I.: Kritik der praktischen Vernunft, hg. von K. Vorländer, Hamburg 1990[10], 186 (A 288).

1.2 Das Problem. Maßfindung in einer maßlosen Zeit

Ist das Ziel der menschlichen Entwicklung der *Mensch als Maß*[14]? Oder der *Mensch nach Maß*[15]? Oder der *Mensch mit Maß*?

Daß der Mensch das Maß aller Dinge sei, wagt angesichts der vom Menschen verursachten ökologischen Belastungen kaum mehr jemand zu behaupten. Auch die anthropozentrische Umweltethik meint dies keineswegs. Oder soll sich der Mensch allein nach einem von außen bestimmten Maß verhalten, nach einem Normmaß, das einzelne Menschen für andere festlegen oder nach den Maßen der Natur? Auch die physiozentrisch begründete Umweltethik vertritt dies nicht und gesteht dem Menschen Entscheidungsfreiheit zu. Bleibt also als ethisches Ziel der Mensch mit Maß, der in Wahrnehmung seiner Freiheit und seiner Verantwortung zum Wohl seiner selbst, der Mitmenschen und der Mitwelt maßvoll handelt? Der dies, religiös gesprochen, in Verantwortung vor Gott und zum Lobe des Schöpfers aller Maße tut? Diese *Fragen* sollen in dieser Untersuchung auf die Umweltethik bezogen entfaltet und geklärt werden. Die vorliegende Studie möchte aufzeigen, wie sich ein *Mensch mit Maß* verhalten könnte, besonders im Umgang mit der Umwelt.

„Ökologie ist die Erkenntnis der immanenten Maße der Natur ... Wo immer uns in der Natur begrenzte Spielräume begegnen, erkennen wir Maße ... Der Rausch der Emanzipation von diesen Maßen war seit dem 18. Jahrhundert einer der mächtigsten Impulse für die Evolution der modernen Zivilisation. Heute haben wir zu lernen, daß die Befreiung aus einer bestimmten Ordnung der Maßverhältnisse uns nicht von dem Gesetz entbindet, daß Leben nur in Maßen möglich ist ... Wir müssen neue Maße suchen."[16] Der Philosoph Georg Picht beschreibt damit eine heute zentrale gemeinsame Aufgabe der Natur- und Geisteswissenschaften.

Die Suche nach den immanenten Maßen der Natur ist Aufgabe der Umweltnaturwissenschaften. Da aber aus dem Sein nicht (resp. nur bedingt) das Sollen abgeleitet werden kann[17], ist es Aufgabe der Umweltethik, Kriterien für das wünschbare und verantwortbare Maß des Eingreifens des Menschen in die Natur zu erarbeiten. Um diese Kernfrage kreisen die immer zahlreicheren Publikationen zur Umweltethik.[18] „Es ist das Problem

---

[14] Zu diesem Spruch von Protagoras vgl. Kapitel 3.1.1.

[15] Der Ausdruck spiegelt Befürchtungen im Zusammenhang mit der Gentechnologie. Vgl. Van den Daele, W.: Mensch nach Maß? Ethische Probleme der Genmanipulation und der Gentherapie, München 1985.

[16] Picht, G.: Zum Begriff des Maßes, in: Eisenbart, C. (Hg.): Humanökologie und Frieden, Heidelberg 1979, 418–426 (418 und 421). Mehr dazu in Kapitel 3.2.

[17] Zu diesem Problem des naturalistischen Fehlschlusses vgl. auch Kapitel 1.4.2. und 2.5.

[18] Die *Literatur zur Umweltethik* ist besonders seit Beginn der achtziger Jahre enorm angewachsen. Breite kommentierte *Bibliographien* bestehen im englischsprachigen Raum, z.B. Anglemyer, M./ Seagraves E. R.: The Natural Environment. An Annotated Bibliography on Attitudes and Values, Washington 1984; Davis, D. E.: Ecophilosophy. A Field Guide to the Literature, San Pedro/California 1989; Nash, R. F.: The Rights of Nature. A History of Environmental Ethics, Madison, Wisconsin 1989; Simmons, D. A.: Environmental Ethics: A Selected Bibliography for the Environmental Professional, CLP Bibliography Chicago 1988; Sheldon, J. (ed.): Rediscovery of Creation. A Bibliographical Study of the Churche's Response to the Environmental Crisis, Scarcrow Press/New York/London 1992 (bes. zur Debatte in den USA und zur Ökumene. Nur englischsprachige Lit.) – Im deutschsprachigen Raum fehlen entsprechend umfassende, kommentierte Bibliographien. Es gibt aber kürzere Übersichten. Einen guten Überblick mit weiterführenden Thesen bietet Frey, Ch.: Theologie und Ethik der Schöpfung. Ein Überblick. ZEE 32 (1988), 47–62; Ebenso Halter, H.: Theologie, Kirchen

der verallgemeinerbaren Grenzziehung zwischen statthafter und unstatthafter Nutzung der Natur."[19] Der Biologe Gernot Strey hat zu Recht festgestellt, daß die Maßfindung im Sinne der Grenzziehung ein gemeinsames Problem der anthropozentrischen wie der physiozentrischen Ansätze der Umweltethik ist. Der Mensch kann nicht nicht-eingreifen. Durch seine Existenz beeinflußt er immer schon die nichtmenschliche Mitwelt und damit die Maße der Natur. Er kann aber auch nicht total eingreifen und die Spielregeln der Natur selbst bestimmen. Trotz menschlichen Allmachtsphantasien bleibt dies dem Schöpfer vorbehalten. Die Suche nach dem richtigen Maß von Eingreifen und Nichteingreifen in die Natur ist deshalb ein Grundproblem menschlicher Existenz.

Schon im zweiten, älteren biblischen Schöpfungsbericht ist die Maßfindung als Auftrag dem Menschen aufgegeben: Er soll den Garten Eden „bebauen und bewahren."[20] Damit ist einerseits ein entscheidendes Kriterium für das Eingreifen bereits genannt: Der Mensch soll eingreifen, soweit es für sein menschenwürdiges Überleben notwendig ist, aber nur sofern damit die natürlichen Lebensgrundlagen nicht zerstört werden. Andererseits ist damit das Problem der Maßfindung erst deutlich gestellt und nicht gelöst, denn das Maß ist für menschliche Erkenntnis oft verborgen. So singt der Psalmdichter von der Sehnsucht nach der Erkenntnis des Maßes: „Öffne mir die Augen, daß ich schaue die Wunder an deinem Gesetze. Ich bin ein Gast auf Erden, verbirg mir deine Gebote nicht. Meine Seele verzehrt sich in Sehnsucht nach deinen Ordnungen zu aller Zeit."[21] Zwischen Kultur und Natur, Eingreifen und Nichteingreifen besteht eine Spannung, die durch je neues Erkennen des Maßes, durch ethische Güterabwägung je neu zu einem Entscheid führen muß.

Die Einsicht, daß sich das Handeln nach dem ökologisch verantwortbaren Maß richten sollte, ist weltweit zunehmend common sense. Das Ziel der Sustainability, der langfristigen Überlebensfähigkeit, ist z.B. im Rahmen der UNO und ihres Umweltprogramms unbestritten.[22] „Das ökologisch verantwortbare Maß" findet Eingang in die ethischen Selbstverpflichtungen von Unternehmern[23] und Wissenschaftlern[24] und in die neuen Tu-

---

und Umweltproblematik. Der Beitrag der Theologie zu einer Ökologischen Ethik, in: Katholische Soziallehre in neuen Zusammenhängen, Zürich 1985, 165–211; Bartolommei, S.: Etica e ambiente, Milano 1989; Besonders zur Tierethik vgl. die regelmäßigen kommentierten Literaturberichte von Gotthard Teutsch vom hodegetischen Institut der pädagogischen Hochschule Karlsruhe; Zum interdisziplinären Gespräch Hübner, H. (Hg.): Der Dialog zwischen Theologie und Naturwissenschaft. Ein bibliographischer Bericht, München 1987; Die umfassendsten Bibliographien bestehen zur Bioethik und Humangenetik: Schubert, H. von: Evangelische Ethik und Biotechnologie, Frankfurt a.M. 1991; Hübner, J./Schubert H. von (Hg.): Biotechnologie und evangelische Ethik. Die internationale Diskussion, Frankfurt a.M. 1992; Hunold, G./Kappes, C. (Hg.): Aufbrüche in eine neue Verantwortung. Annotierte Bibliographie zur Humangenetik und Embryonenforschung (zur katholischen Diskussion), Freiburg 1992.

19 Strey, G.: Umweltethik und Evolution, Göttingen 1989, 79.

20 1. Mose 2,15.

21 Psalm 119,18–20.

22 Vgl. Kapitel 1.3.3, 4.9.1 und 5.4.1.

23 Die Internationale Handelskammer verabschiedete auf der Zweiten Weltindustriekonferenz für Umweltmanagement 1991 eine „Charta der Wirtschaft für eine langfristig tragfähige Entwicklung" mit 16 Grundsätzen (Faltblatt). Grundsatz 1 lautet: „Umweltorientiertes Management als eines der vorrangigen Ziele der Unternehmenspolitik und als Schlüsselfaktor für eine umweltverträgliche Entwicklung anzuerkennen."

24 Die Schweizerische Akademie der Technischen Wissenschaften veröffentlichte 1991 einen 10-Punkte-Kodex „Ethik für Ingenieure/technische Wissenschafter" (Faltblatt). Darin heißt es in Grund-

gendkataloge[25] wie in wirtschaftsethische Leitlinien[26]. – Diese erfreuliche Entwicklung zunehmender ökologischer Sensibilität für das Maßhalten hat nur einen Haken: Mit dem Maß ist es wie mit dem Frieden. Alle wollen den Frieden – nur meint jede(r) etwas anderes damit. Alle wollen das Maß – nur meint jede(r) etwas anderes damit. Das Problem, zu dessen Klärung mit dieser Studie ein Beitrag geleistet werden soll, gilt es deshalb zu präzisieren:

– *Welches Maß ist ökologisch verantwortbar und lebensfördernd?* Die anstehende ethische Aufgabe liegt heute weniger darin zu begründen, weshalb aus ökologischen Gründen das Maßhalten notwendig ist – dies ist nachgerade evident. Die schwierige ethische Aufgabe liegt vielmehr darin zu präzisieren, worin das Maß besteht. Der maßvolle Umgang mit der Mitwelt ist mit Kriterien inhaltlich zu füllen. Darauf soll das Hauptgewicht dieser Darstellung liegen (Kapitel 3–5).

– Damit verbunden ist die erkenntnistheoretische Frage: *Aus welchen Erkenntnisquellen kann der Mensch das ökologische Maß erkennen?* Aus der Natur? Aus der Vernunft? Aus göttlicher Offenbarung? Aus geschichtlicher Erfahrung? (Kapitel 1.4)

– *Wer entscheidet über die Festsetzung des richtigen Maßes?* Ethiker/innen oder Naturwissenschaftler/innen? Demokratische Entscheide durch das Volk und Politiker/innen? Oder die Normativität des Faktischen, zum Beispiel die real verfügbaren finanziellen und technischen Mittel? Wie kann weltweit ein ethischer Konsens bezüglich des ökologisch richtigen Maßes gefunden werden? Hier kann nur der Beitrag der Umweltethik zur Maßfindung thematisiert werden. Die wichtige Diskussion um Demokratie und Umwelt muß am Rand bleiben.

– *Wo liegen die Ursachen der Maßlosigkeit, der heute maßlosen Eingriffe des Menschen in die nichtmenschliche Mitwelt?* In der Sündhaftigkeit des Menschen, die darin besteht, daß er durch Hochmut seine Grenzen überschreitet?[27] In der urmenschlichen Lust am Verbotenen?[28] Im Schwanken zwischen Allmacht und Ohnmacht, indem der Mensch selbst Gott spielen will?[29] Im unbändigen Erkenntnisdrang der Menschen?[30] In der Dynamik, die durch das Zusammentreffen des griechisch-aristotelischen Wissens über die Natur mit dem jüdisch-christlichen Weltgestaltungswillen im 12. und 13. Jahrhundert und dem christlichen Arbeitsethos ausgelöst wurde?[31] In der naturwissenschaftlich-

---

satz 4: „Ingenieure/technische Wissenschafter fördern Produkte und Technologien, die den Verbrauch knapper Rohstoffe und die Umweltbelastung auf ein verantwortbares Maß reduzieren."

25 „Heute wird der Tugendbegriff erneut aufgenommen bei der Frage des Maßhaltens im Umgang mit der Natur." So Honecker, M.: Einführung in die Theologische Ethik, Berlin 1990, 165.

26 „Das menschliche Maß" heißt die zehnte der zehn „wirtschaftsethischen Leitlinien" in der neuen Wirtschaftsethik von Spiegel, Y.: Wirtschaftsethik und Wirtschaftspraxis – ein wachsender Widerspruch? Stuttgart 1992, 207–219. Mehr dazu in Kapitel 4.3.2.

27 Z.B. Barth, K.: Kirchliche Dogmatik, IV/1, Zollikon-Zürich 1953, 395–573: Die Sünde als Hochmut.

28 Widmer, P.: Die Lust am Verbotenen und die Notwendigkeit, Grenzen zu überschreiten, Zürich 1991.

29 So Richter, H. E.: Der Gotteskomplex, Hamburg 1979; Stückelberger, Ch.: Der Mensch zwischen Allmacht und Ohnmacht, Ex Libris Nr.3/1983 (Zürich), 9–14; Faber, M./Manstetten, R.: Ihr werdet sein wie Gott. Das faustische Streben als Ursprung der Umweltkrise, Neue Zürcher Zeitung 30./31. März 1991, 9.

30 Die Maßlosigkeit im Erkenntnisstreben war schon in der klassischen Tugendlehre ein Thema. Vgl. Pieper, J.: Zucht und Maß, München 1939 (1964[9]), 104–112. Mehr dazu am Beispiel der Forschungsfreiheit in Kapitel 5.4.3.

31 So Krolzik, U.: Umweltkrise – Folge des Christentums? Stuttgart 1979, bes.77ff. Mit dem Aufzeigen der Wirkungsgeschichte des Dominium terrae widerlegt er auch die zu einfache These von Carl Amery (Das Ende der Vorsehung. Die gnadenlosen Folgen des Christentums, Hamburg 1972), wo-

technischen Entwicklung der letzten 400 Jahre?[32] Durch die mit dem Protestantismus freigesetzten Veränderungspotentiale[33] oder durch den mit der Reformation geförderten religiösen Individualismus, der sich aus der Weltgestaltung zurückzog und damit die technisch-wirtschaftliche Entwicklung ihrer Eigendynamik überließ? In der Naturteleologie und dem Geschichtsoptimismus der frühen Neuzeit, womit die Naturbeherrschung heilstheologisch gerechtfertigt wurde?[34] In der Dynamik der Marktwirtschaft, die immer die Grenzen bestehender Märkte überschreiten will, ermöglicht unter anderem durch die Dynamik des Liberalismus seit dem 19. Jahrhundert?[35] Im Kommunismus, der wie der Kapitalismus auf dem wissenschaftlich-technischen Weltbild aufbaute und ökologisch offensichtlich versagte? Oder ist die Hauptursache der Maßlosigkeit schlicht im Nutzbarmachen der fossilen Energien, besonders seit der Gewinnung von Erdöl in den letzten Jahrzehnten zu suchen?

Es ist in dieser Untersuchung nicht der Ort, diese vielfältigen geistes- und wissenschaftsgeschichtlichen Hypothesen und wichtigen Erkenntnisse über die Ursachen der Maßlosigkeit im Umgang mit der Natur zu vertiefen. Nur zwei Anliegen seien festgehalten: Die Ergebnisse konnten in den letzten zehn Jahren wesentlich differenziert werden. Zum interdisziplinären Ansatz der Ökologie gehört dabei, daß monokausale Erklärungsversuche durch multikausale abgelöst werden. Damit sind auch einfache, einseitige Schuldzuweisungen nicht mehr möglich – nicht damit sich alle aus der Verantwortung stehlen, sondern damit alle ihre Mitverantwortung in ihrem spezifischen Bereich erkennen. Ein zweites: Auch wenn unbestreitbar wichtig ist, die Entwicklung der Naturbeherrschung der letzten 400 Jahre zu analysieren, werden die spezifischen demographischen, energetischen, technologischen und politischen Faktoren der letzten fünf Jahrzehnte seit dem Zweiten Weltkrieg oft zuwenig gewichtet. René Descartes und Francis Bacon wären zum Beispiel ohne das Erdöl nie so geschichtswirksam geworden (wobei die Geschichte des Erdöls als Folge cartesianischen und bacon'schen Denkens verstanden werden kann).

– Eine weitere wichtige Frage einer Ethik des Maßes ist: *Wie werden als ökologisch erkannte Maße eingehalten und wie wird ihre Einhaltung durchgesetzt?* Dazu reicht die Fragestellung von der Ökospiritualität über Umwelterziehung und Wirtschaftspolitik bis zur Umweltpolitik. Umweltethik ist deshalb immer auch Wirtschaftsethik und politische Ethik. Obwohl die Realisierbarkeit ethischer Normen eine zentrale ethische Frage ist[36]

---

nach das „Macht Euch die Erde untertan" Ursache der maßlosen Naturausbeutung sei. Vgl. auch Krolzik, U.: Zur Wirkungsgeschichte von Gen. 1,28, in: Altner, G. (Hg.) Ökologische Theologie, Stuttgart 1989, 149–163. Vgl. auch Stückelberger, Ch.: Aufbruch zu einem menschengerechten Wachstum, Zürich 1982³, 6–26; Münk, H.J.: Umweltkrise – Folge und Erbe des Christentums? Historisch-systematische Überlegungen zu einer umstrittenen These im Vorfeld ökologischer Ethik, in: Jahrbuch für christliche Sozialwissenschaften 28 (1987), 133–206.

32 Die diesbezügliche wissenschaftsgeschichtliche Forschung der letzten zwanzig Jahre ist sehr umfangreich. Es sprengt den Rahmen, sie hier zu referieren.

33 So Strohm, Th.: Protestantische Ethik und der Unfriede in der Schöpfung. Defizite und Aufgaben evangelischer Umweltethik, in: Rau, G. et al. (Hg.): Frieden in der Schöpfung. Das Naturverständnis protestantischer Theologie, Gütersloh 1987, 194–228 (198ff).

34 So Groh, R./Groh, D.: Weltbild und Naturaneignung. Zur Kulturgeschichte der Natur, Frankfurt a.M. 1991, 11–91 (Religöse Wurzeln der ökologischen Krise).

35 So Lübbe, H.: Liberalismus und Zivilisationsdynamik, Neue Zürcher Zeitung 7. Sept. 1988, 23 (in der Serie: Liberalismus als Sprengkraft und Gestaltungswille).

36 Viele ethische Ansätze unterscheiden heute zwischen Idealnormen und Praxisnormen. Der Vorwurf „Idealistische Ethiken begnügen sich damit, Sollvorschriften zu postulieren, ohne sich darum zu

und gerade in der Umweltethik speziell begrängend ist, kann sie im folgenden nur ansatzweise aufgenommen werden (z.B. Kapitel 5.3 und 6).

– *Lassen sich überhaupt allgemeine Kriterien für das ökologische Maß formulieren? Oder ist das Maß nicht etwas sehr Subjektives?* Bekanntlich braucht nicht jeder Mensch zu seinem Wohlbefinden gleich viel Nahrung, Mobilität oder Energie.[37] Ist eine Ethik des Maßes nicht unabdingbar auch kontextuell und situativ[38] gebunden, da sie in einer Überflußgesellschaft zu anderen Fragen und Antworten kommen muß als in einer Mangelgesellschaft? Während in unserer Wohlstandsgesellschaft die Frage ansteht, welches Maß an Komfort und Wohlfahrt wir für unabdingbar halten, stellt sich in manchen Ländern der Zweidrittelwelt die Frage, für wie viele und für wen das nackte Überleben gesichert werden kann. Welches das ökologisch richtige Maß ist, wird zudem aufgrund der historischen Entwicklung sehr unterschiedlich beurteilt, wie das Fallbeispiel Flugverkehr im nächsten Kapitel 1.3.1 zeigen wird.

– *Läßt sich mit einer Ethik des Maßes die Maßlosigkeit einer Zeit abbauen?* Die Gestaltungskraft der Ethik darf nicht überschätzt werden. Wir werden auf diese Frage am Schluß der Studie zurückkommen (Kapitel 6).

Es ist nicht zufällig, daß gerade heute die Frage des Maßhaltens wieder aktuell ist und daß wir sie gerade heute mit dieser umweltethischen Arbeit reflektieren. *Bei der historischen Untersuchung, wann in der abendländischen Geschichte das Anliegen des Maßhaltens in der Ethik eine besondere Rolle spielte*, fällt auf: Dies war vor allem in Zeiten extremer (maßloser) politischer, wirtschaftlicher oder kirchenpolitischer *Expansion* der Fall! Der Höhepunkt der Expansion war jeweils zugleich der Anfang des Zusammenbruchs der Macht. Die Tugend der Mäßigung war dann oft Aufruf an die Mächtigen, in der Expansion Maß zu halten. Sie war zugleich Ermahnung an die Ohnmächtigen, sich in ihren Ansprüchen zu mäßigen, nicht revolutionär aufzustehen, sondern in ihrem Stand zu bleiben[39]:

Maat, die ägyptische Göttin der Gerechtigkeit und des Maßes, spielte besonders in der

---

kümmern, ob und auf welche Weise daraus wirkliche Verhaltensweisen gemacht werden können“ von Gerhard Szczesny (Das sogenannte Gute, Hamburg 1971) gilt heute für die wenigsten Ethiken. Trotzdem wird er immer noch erhoben (z.B. Neue Zürcher Zeitung 21./22.3.1992, S.21: „Zuviel der Guten“). Das als gut Erkannte auch umzusetzen ist allerdings eine ständige Herausforderung.

37 Dazu gibt es eine hübsche Legende, die Franz von Assisi – einem heutigen Symbol des ökologischen Maßes – zugeschrieben wird: „Eines Nachts, während die Brüder schliefen, schrie plötzlich einer um die Mitternacht: ‚Ich sterbe, ich sterbe!‘. Alle erwachten erschreckt und waren verwundert. Der heilige Franz erhob sich und sagte: ‚Stehet auf, Brüder, und machet Licht!‘ Als es geschehen war, sagte er: ‚Wer hat da gerufen: Ich sterbe?‘ Der Betreffende meldete sich: ‚Ich bin es‘. ‚Was hast du, Bruder, daß du sterben willst?‘ Sprach jener: ‚Ich sterbe vor Hunger.‘ Da ließ der heilige Franz sogleich den Tisch herrichten, und klug und liebevoll, wie er war, aß er selbst mit ihm. Und nach seinem Wunsche aßen auch alle anderen mit. Nachdem sie gegessen hatten, sagte Franz zu den anderen: ‚Meine Brüder, ich sage euch, jeder soll auf seine Natur achten. Und wenn einer von euch mit weniger Nahrung auskommt als die anderen, so soll derjenige, der mehr braucht, sich nicht gewaltsam nach dem Maß der anderen richten, sondern soll seine Natur beachten und seinem Leib das Nötige geben, damit dieser fähig sei, dem Geist zu dienen. Denn Gott will Barmherzigkeit und nicht äußere Opfer.“ (Franz von Assisi: Geliebte Armut. Ausgewählt und eingeleitet von G. und Th. Sartory, Freiburg 1977, 55.)

38 In den meisten Ansätzen theologischer Ethik wird heute die Situationsbezogenheit in die Normenfindung einbezogen. Zur Kontextualität der Ethik habe ich mich andernorts geäußert: Vermittlung und Parteinahme. Der Versöhnungsauftrag der Kirchen in gesellschaftlichen Konflikten, Zürich 1988, 11–21.

39 Genaueres dazu in Kapitel 3, z.B. 3.1.2 (Aristoteles) und 3.3.1 (Thomas von Aquin).

altägyptischen 5. und 6. Dynastie (etwa 2500 bis 2200 v.Chr.) eine große Rolle. Es war eine Zeit bewaffneter Expansion nach Palästina und Nubien wegen Gold und Vieh und eine Zeit, in der Selbstbeschränkung nachließ und Wohlstand um sich griff.
Aristoteles (384–322 v.Chr.), wohl der maßgebendste Philosoph einer Ethik des Maßes, lebte zur Zeit und unter Alexander dem Großen (Kaiser 336–323 v.Chr.). Unter ihm erlebte das Reich – als „Weltreich" angestrebt – die größte Expansion. Aristoteles betrachtete dieses als maßlos und sah im überschaubaren Stadtstaat das richtige Maß eines staatlichen Gebildes.
Die Pastoralbriefe des Neuen Testaments, in denen von allen biblischen Büchern die Tugend des Maßes am ehesten aufgenommen ist, wurden ums Jahr 100 verfaßt, als unter Kaiser Trajan (98–117) das Römische Reich die größte Ausdehnung erlebte.
Thomas von Aquin (1225–1274), der die aristotelischen Kardinaltugenden, auch jene des Maßhaltens, neu belebte und theologisch deutete, lebte zur Zeit der zwei letzten Kreuzzüge und in der Zeit des Sieges des Papsttums über das Kaisertum.
Thomas a Kempis (1380–1471), dessen Buch „imitatio Christi" als das meistgelesene Buch des Mittelalters gilt und das vom demütigen Maßhalten durchtränkt ist, starb nur 21 Jahre vor der Entdeckung und Eroberung Amerikas durch Columbus.
In unserem Jahrhundert fällt auf, daß philosophische Untersuchungen zur (aristotelischen und thomistischen) Tugend des Maßes besonders vor und während des Ersten Weltkrieges und vor dem Zweiten Weltkrieg mit Hitlers Expansion geschrieben wurden.[40]
Und heute? Weist der neuerliche Ruf nach einem Ethos des Maßes nicht wiederum darauf hin, daß wir uns in der Endphase einer gewaltigen weltweiten Expansion befinden? Die Anzeichen deuten wohl darauf hin, daß diesmal die Zusammenbrüche als Folge der Maßlosigkeit weniger machtpolitisch als ökologisch, wirtschaftlich und bevölkerungsmäßig sein könnten.
Zur zeitgeschichtlichen Situierung unseres Themas gehört im weiteren die *Entwicklung der ökologischen Diskussion in den vergangenen zwanzig Jahren.* Nur ein paar wenige Angaben zum Vergleich von 1972 mit 1992: 1972 erschien unter gewaltigem Aufsehen die Club of Rome-Studie „Die Grenzen des Wachstums" und im selben Jahr fand die UNO-Umweltkonferenz in Stockholm statt. Verbunden mit der Ölkrise 1973 gewann das ökologische Bewußtsein wie auch die alternativen Forderungen des Verzichts, der Selbstbegrenzung und der kleinräumigen Dezentralisierung rasch an Boden[41]. Die Umweltproblematik wurde seit etwa Mitte der siebziger Jahre politisch mit dem Ausbau der Umweltgesetze in den meisten Industrieländern aufgenommen, aber auch in der Umwelterziehung und -ausbildung, Umweltethik, Umweltökonomie usw. Das Umweltthema legte den Weg „von der Technik zur Ethik" zurück[42]. Es steht zudem in den Industrieländern im Bewußtsein der Bevölkerung seit langem weit oben auf der Liste der drängendsten Gegenwartsprobleme. 1992 sind die Umweltaspekte zu einem zentralen, unbestrittenen Aspekt sämtlicher politischen und wirtschaftlichen Entscheidungen geworden. Ihre

---

40 Ottmann, H.: Art. Maß als ethischer Begriff, Historisches Wörterbuch der Philosophie Bd. 5, Basel 1980, Sp. 807–814. Lit. z.B. von H. Kalchreuter 1911, W. Herrmanns 1913, R. Klingeis 1920, J. Piper 1930, H. Schilling 1930. 1937–40 wurde in Zürich eine kritische „Zweimonatszeitschrift für freie deutsche Kultur" unter dem bezeichnenden Titel „Maß und Wert" herausgegeben.

41 Symbolisiert in Werken wie z.B. Illich, I.: Selbstbegrenzung, Hamburg 1975, Schumacher, E.F.: Die Rückkehr zum menschlichen Maß, Reinbek 1977.

42 Dazu Stückelberger, Ch.: Aufbruch zu einem menschengerechten Wachstum, Zürich 1982[3], 1–6.

globale Dimension ist mit der Klimafrage und ihre Verbindung mit der Entwicklungsproblematik nicht zuletzt durch die UNO-Konferenz 1992 in Rio über Umwelt und Entwicklung allgemein anerkannt. Trotz der vielfältigen Maßnahmen hat sich die Lage der Umwelt 1972–1992 aber weiter massiv verschlechtert[43], in Bereichen wie Luft und Wasser allerdings teilweise auch verbessert.

1.3 Drei Fallbeispiele

Damit die zu entwickelnden ethischen Kriterien des ökologischen Maßes möglichst praxisrelevant sein können, werden im folgenden anhand von drei Fallbeispielen zur Mobilität, zum Artenschutz und zur Klimaerwärmung die Wertkonflikte und ethischen Dilemmata, die bei der Maßfindung zu klären sind, dargelegt. Ich verzichte dabei darauf, die ethischen Leitlinien von Kapitel 5 am Schluß auf diese Fallbeispiele anzuwenden. Ich überlasse diese Aufgabe bewußt den Leserinnen und Lesern, denn ich möchte ethische Entscheidungshilfen, keine Rezepte liefern.

1.3.1 Fallbeispiel 1: Maßvoller Flugverkehr

Wie stark soll die Mobilität zu- oder abnehmen? Diese Frage ist weltweit von vitaler Bedeutung. Sie stellt sich in Europa besonders scharf, da mit den neuen vier Freiheiten der Europäischen Gemeinschaft seit 1993 eine erhebliche Zunahme der Verkehrsströme prognostiziert wird[44]. Wir konzentrieren uns exemplarisch auf die Frage des maßvollen Flugverkehrs und nehmen den größten Schweizer Flughafen Zürich-Kloten als Beispiel.
Die *Entwicklung* der letzten 30 Jahre zeigt: Die Zahl der von der Schweiz aus beförderten Fluggäste (der größte Teil von Zürich-Kloten aus) stieg von 1,8 Millionen 1960 auf 16,3 Millionen 1989 um 901 Prozent[45]! Die Zahl der geflogenen Personenkilometer stieg im selben Zeitraum von 214,3 Millionen auf 1,732 Milliarden auf das Achtfache. Das Streckennetz der Fluglinien schweizerischer Unternehmen dehnte sich von 1950 bis 1989 von 30 083 auf 331 779 Kilometer, also auf das Elffache aus. Das Streckennetz der Schweizerischen Bundesbahnen SBB nahm im selben Zeitraum von 5131 auf 5021 Kilometer leicht ab.
Die *Prognosen* im Masterplan 1991 der Flughafendirektion Zürich für den Flughafen Zürich-Kloten lauten[46]: Von 1989 bis etwa 2005/2010 verdoppelt sich die Zahl der Passagiere von 12 Millionen 1989 auf (maximal) 23 Millionen. Die Fracht verdoppelt sich

---

[43] Die Lage der Umwelt 1972–1992: Die Rettung unseres Planeten. Bericht der UNO-Umweltbehörde UNEP, Nairobi 1992; Meadows, D. et al.: Die neuen Grenzen des Wachstums. Die Lage der Menschheit: Bedrohung und Zukunftschancen, Stuttgart 1992.

[44] Internationale Straßentransport-Union IRU: Der Straßengüterverkehr und seine Umwelt im Europa von morgen, Genf 1992. Der Straßengüterverkehr soll sich von 1989 bis 2010 von 8,6 Mrd t auf 16,5 Mrd t nochmals fast verdoppeln.

[45] Diese und die folgenden Zahlen entstammen dem Statistischen Jahrbuch der Schweiz 1992, Zürich 1991, 218ff.

[46] Flughafen Zürich: Umweltbilanz. Synthese, erarbeitet von der Envico Umweltberatung AG, Zürich 1991, 3 und 6.

von 335 000 auf (maximal) 750 000 Tonnen. Die Zahl der Flugbewegungen (Starts und Landungen) im Linien- und Charterverkehr steigt von 163 000 auf 250 000. Dieser Masterplan ging dabei von folgenden Annahmen aus: Das Pistensystem kann nicht erweitert, aber mit technischen, baulichen und organisatorischen Maßnahmen leistungsfähiger gemacht werden. Die Flugnachfrage steigt wie bisher. Die Betriebsbeschränkungen wie Nachtflugverbot bleiben im bisherigen Rahmen. Es handelt sich also um eine technisch mögliche Maximalvariante, die etwa im Jahr 2005–2010 erreicht sein könnte. Beim landseitigen Verkehr wurde mit einer Zunahme von 30% beim Individual- und 140% beim öffentlichen Verkehr gerechnet.

In einer Umweltbilanz wurde aufgrund des Masterplans die maximale zukünftige Umweltbelastung untersucht. Unter Annahme nur gesicherter technologischer Neuerungen (z.B. der Low-NOx-Technologie bei den Airbus-Flugzeugtriebwerken ab 1994) wird als „worst case scenario" mit folgenden Emissionen gerechnet[47]: Bei den Luftschadstoffen wird eine Zunahme der Stickoxidfrachten in der Region um 35%, des klimarelevanten Kohlendioxids CO_2 um 46% erwartet. Die Kohlenwasserstoffemissionen werden dagegen um rund 50%, jene des Kohlenmonoxids um 14 Prozent in der Region zurückgehen. Die Gewässerbelastung soll durch technische Maßnahmen deutlich zurückgehen. Beim Fluglärm wird mit einer gleichbleibenden Belastung gerechnet, beim Abfall mit einem erheblichen Verminderungspotential. Der Treibstoffverbrauch betrug 1989 5,1 Liter pro Flugpassagier pro 100 km. Er wird pro Flugkilometer abnehmen, aber insgesamt deutlich zunehmen.

Ob nun diese prognostizierte Entwicklung maßvoll ist oder nicht, wird naturgemäß sehr unterschiedlich bewertet:

Für die Schweizerische Fluggesellschaft Swissair, die im internationalen Vergleich als sehr umweltbewußt gilt, wie auch z.B. für das „Komitee pro Flughafen" heißt maßvoll[48]: Weiteres auch quantitatives Wachstum als Überlebensnotwendigkeit im „ruinösen Wettbewerb", kein Pistenausbau, aber weiterer Ausbau der Frachtanlagen und übrigen Infrastruktur, z.B. für den Transitfrachtverkehr, Freiraum für die Steigerung der Anzahl Flugbewegungen bis zur Maximalgrenze gemäß Masterplan, Förderung von Hochleistungszügen als mögliche Alternative für Kurzstreckenflüge, keine weitere Einschränkung des Nachtflugverbots, weitere Anstrengungen besonders im technischen Umweltschutz.

Ein anderes Verständnis von maßvoll haben die Gegner des weiteren Ausbaus des Flugverkehrs. Ein überparteiliches Initiativkomitee von Parteien, Umweltverbänden und dem Schutzverband der Flughafenanwohner reichte 1991 im Kanton Zürich eine „Volksinitiative für einen maßvollen Flugverkehr" mit folgendem Initiativtext ein: „Der Kanton Zürich setzt sich ein für eine Begrenzung des Flugverkehrs auf dem Kantonsgebiet, für eine Reduktion der Schadstoff- und Lärmemissionen des Luftverkehrs sowie eine Ausdehnung der Nachtflugbeschränkungen. Der Kanton Zürich verzichtet auf Ausbauprojekte, die der Kapazitätserhöhung der Flugplätze dienen." Das Komitee beschreibt sein Ziel so: „Das Initiativkomitee bekämpft den Flugverkehr nicht grundsätzlich, sondern lediglich

---

47 Ebd., 2–34.

48 Z.B. A. Baltensweiler, Verwaltungsratspräsident der Swissair bis 1992, in: „Wir müssen uns Europa anschließen, damit wir gleich lange Spieße bekommen." Interview in Zurich Airport, März 1992, 9f. M. Wehrli, Präsident Komitee Pro Flughafen, in: Was heißt maßvoll? Interview in Zurich Airport, März 1991, 18–20.

die maßlose Entwicklung der Flugbewegungen und die damit verbundene Lärmbelästigung."[49] Maßvoll heißt für die Initianten: Reduktion der Kurzstreckenflüge unter 600 km und insbesondere Reduktion des Transitverkehrs (in Zürich-Kloten sind 41% Transit- und Umsteigepassagiere und 65% Transitfracht), Ausweitung der Nachtflugbeschränkung, keine neuen Bauten zur Kapazitätserhöhung. Maßvoll heißt für sie auch, „daß bei der Annahme der Volksinitiative die Schweizer nach wie vor so viel fliegen können wie bisher ... und daß der Flughafen Kloten zur Deckung des Eigenbedarfs bei weitem groß genug ist."[50] Das Maß wird hier nicht bestimmt durch den Vergleich mit der internationalen Konkurrenz der Fluggesellschaften, sondern den Vergleich der Belastungen für die Bevölkerung: „Ist es maßvoll, wenn wir es auf dreieinhalb Mal mehr Flugbewegungen pro Einwohner bringen als unsere ebenfalls in einem hochindustrialisierten Land lebenden nördlichen Nachbarn?"[51] Der Ökobilanz der Swissair und der erwähnten Umweltbilanz der Flughafendirektion Zürich warfen die Initanten vor, daß sie wesentliche Faktoren wie „die von Klimatologen befürchteten Auswirkungen der Stickoxide und des Wasserdampfes der Abgase in großen Höhen auf das Klima" nicht berücksichtigte.[52]
Die „Volksinitiative für einen maßvollen Flugverkehr" wurde in der Volksabstimmung im Kanton Zürich schließlich deutlich abgelehnt.
Beim Fallbeispiel maßvoller Flugverkehr[53] zeigen sich verschiedene Wertkonflikte[54], die für Kriterien eines ökologisch verantwortbaren Maßes an Mobilität eine Güterabwägung erfordern:
– Der *Wahrheitskonflikt*: Jede Umweltbilanz muß bei den zu untersuchenden Faktoren eine Auswahl treffen. Welche Faktoren ausgeklammert werden, ist eine Wertentscheidung. Wie kann er transparenter gemacht werden?
– Der *Freiheitskonflikt*: Das Maß im Konflikt zwischen verschiedenen Freiheiten wie der Freiheit des besseren Marktzugangs und der möglichst wenig eingeschränkten Mobilität und dem Freisein von Lärm- und Luftbelastungen sowie Zukunftsängsten vor Klimakatastrophen.
– Der *Mensch/Natur-Konflikt*: Das Maß im Konflikt zwischen kurzfristiger Erhaltung von Arbeitsplätzen und langfristiger Erhaltung der natürlichen Lebensgrundlagen, zwischen dem Überleben einer einzelnen Unternehmung und dem Überleben nichtmenschlicher Mitwelt resp. eines Ökosystems.[55]

---

49 Initiativkomitee für einen maßvollen Flugverkehr: Facts zum Schweizerischen Flugverkehr, 1990, 1.

50 Argumentenkatalog des Initiativkomitees.

51 J. Gunsch, Mitglied des Initiativkomitees, in: Was heißt maßvoll? Interview in Zurich Airport, März 1991, 18.

52 Egli, R.: Staatliche Flugverkehrs-Förderung trotz massiver Umweltbelastung. Zur Umweltbilanz der Swissair, Natur und Mensch 6/1991, 227f.

53 Die Auseinandersetzung ließe sich an andern Ländern sehr ähnlich zeigen. Zu Stimmen aus dem Bereich der deutschen Kirchen vgl. z.B. Held, M. (Hg.): Ökologische Folgen des Flugverkehrs. 12 Referate, Materialien der Evang. Akademie Tutzing Nr.50/1988; Dannemann, Ch./Dannemann, U.: Die Startbahn West ist überall. Christliche Existenz heute, erlebt in den Auseinandersetzungen um den Frankfurter Flughafen, München 1982; Oeser, K./Beckers, J.H. (Hg.) Fluglärm. Ein Kompendium für Betroffene, Karlsruhe 1987.

54 Hans Ruh spricht von „ethischen Einsprüchen" gegen das „Mobilitätsparadigma" als „Grundtendenz der westlichen (und östlichen) Lebenswelt", in: Das Rad – ein Sündenfall?, in Ruh, H.: Argument Ethik, Zürich 1991, 11–16, bes. 13f.

55 Vgl. Kapitel 5.4.11.

– Der *Gerechtigkeitskonflikt*: Das Maß im Konflikt zwischen dem Gleichheitsgrundsatz (alle Menschen haben Anrecht auf gleich viel nichterneuerbare Ressourcen für ihre Mobilität) und dem Leistungsgrundsatz (Menschen haben Anrecht auf Berücksichtigung ihrer Leistung).[56]
– Der *Generationenkonflikt*: Das Maß im Konflikt zwischen dem Lebensrecht zukünftiger Generationen und dem Wohlstandsanspruch heutiger Generationen.[57]
– Der *Geschichtskonflikt*: Das Maß im Konflikt der Orientierung an der Gegenwart mit seinen eigenen Anforderungen und der vergleichenden Orientierung an Maßvorstellungen früherer Generationen.[58]
– Der *Friedenskonflikt*: Das Maß im Konflikt zwischen der Friedensförderung, indem die Menschheit eine internationale Kommunikationsgemeinschaft wird (was Mobilität voraussetzt) und der Friedensgefährdung durch zu große Migrations- und Flüchtlingsströme.[59]
– Der *Sicherheitskonflikt*: Das Maß im Konflikt zwischen größtmöglicher Sicherheit durch Mobilitätsbegrenzung und Inkaufnahme von Risiken (Flugunfälle) durch Mobilitätssteigerung.
– Der *Sinnkonflikt*: Das Maß im Konflikt zwischen mehr Sinnerfüllung durch mehr Mobilität und zunehmender Sinnleere durch ein Übermaß an Mobilität (auch Verlust der Genußfähigkeit, wenn Wertvolles wie eine Reise durch zu große Häufigkeit wertlos wird).
– Der *Kulturkonflikt*: Das Maß im Konflikt zwischen befruchtender Kulturvermischung durch Mobilität und identitäts- und traditionszerstörender Kulturnivellierung durch Mobilität.
– Der *Religionskonflikt*: Das Maß im Konflikt zwischen der Förderung der Einheit unter Christen und zwischen Religionen durch Weltmobilität und dem Verlust der religiösen Mitte durch rastlose, die Mobilität nicht verarbeitende Außenorientierung und billigen Hedonismus und Wertrelativismus.

1.3.2 Fallbeispiel 2: Erhaltung der Artenvielfalt

Die Artenvielfalt gilt ökologisch als wichtiges Maß für ein intaktes Ökosystem, das Artensterben als Alarmsignal für dessen Störung. Auch wenn diese Aussage heute selbstverständlich scheint, ergeben sich bei genauerer Betrachtung mannigfache Fragen. Teil-

---

56 Vgl. Kapitel 5.4.2.
57 Vgl. Kapitel 5.3.4.
58 Wie relativ das Mobilitätsmaß ist, zeigt eine bereits andekdotisch anmutende und zugleich ernste Geschichte: Bis 1925 herrschte im heutigen Tourismuskanton Graubünden ein totales Autoverbot auf sämtlichen Straßen. Noch in einer 9. Volksabstimmung zum Thema Autoverbot im Januar 1925 wurde das Verbot bestätigt. Es wurde erst im 10. Anlauf in der Volksabstimmung vom Juli 1925 mit einer knappen Stimmenmehrheit aufgehoben. Der im Kanton Graubünden aufgewachsene Theologe und führende Kopf der Religiös-sozialen Bewegung Leonhard Ragaz hatte vehement für die Beibehaltung des totalen Autoverbots gekämpft. (Neue Wege, 1925, 69ff. Vgl. Paul Schmid-Ammann: Die Natur im religiösen Denken von Leonhard Ragaz, Zürich 1973, 14f. Vgl. auch unten Kapitel 3.5.4.) Heute gelten 12 autofreie Sonntage oder eine Ausweitung des Nachtflugverbots bei manchen bereits als maßlos extremistisch.
59 Vgl. Kapitel 5.4.4.

antworten werden in Kapitel 2.3.4 ökologisch und in Kapitel 5.4.6 ethisch versucht. Hier geht es zunächst darum, das Problem und die damit verbundenen ethischen Fragen zu präzisieren.

Die Gesamtheit der lebenden Organismen kann nach verschiedenen Ebenen eingeteilt werden: Individuum, Art, Gattung, Klasse, Stamm, Reich usw. Eine Art ist eine Gruppe von Individuen oder Populationen, die miteinander unter natürlichen Bedingungen fruchtbare Nachkommen hervorbringen können.[60] Die Vielfalt dieser lebenden Organismen (auch Biodiversität genannt, nach dem engl. biological diversity, kurz biodiversity) kann nach drei Komponenten beschrieben werden: Die genetische Vielfalt, die Artenvielfalt, die Vielfalt von Ökosystemen in einem bestimmten Gebiet.[61] Wir gehen im folgenden von der *UNO-Definition* von Artenvielfalt aus: „Artenvielfalt bedeutet die Variabilität bei lebenden Organismen in den verschiedensten Ökosystemen wie jenen auf dem Land, im Meer und andern Gewässern und der ökologischen Komplexe, von denen sie ein Teil sind. Artenvielfalt schließt die Vielfalt innerhalb von Arten, zwischen Arten und von Ökosystemen ein."[62] Der Artbegriff und der Artenschutz entwickelt sich zunehmend als „eine fundamentale Bewertungs- und Schutzkategorie" für die Frage, „welches Maß an Veränderung und Zerstörung vertretbar und rechtfertigbar ist."[63]

Die *Zahl der bekannten Arten* lebender Organismen beträgt wie bereits erwähnt rund 1,4 Millionen (1 392 485)[64], davon am weitaus meisten Insektenarten (751 000), 9040 Vogelarten, 248 428 Gefäßpflanzenarten, 26 900 Algenarten usw. Dazu kommt eine große Zahl noch nicht erforschter Arten. Insgesamt wird durch Hochrechnungen aufgrund von Beobachtungen im tropischen Regenwald mit 10–30 Millionen Arten gerechnet. Dies ist zudem nur eine Momentaufnahme, denn die Evolutionsforscher gehen davon aus, daß die bestehenden Arten nur etwa 1% der Arten von Mehrzellern, die im Laufe der Evolution einst unseren Planeten bevölkerten, ausmachen. Der Rest ist verschwunden.[65]

Das letzte weltweite *Aussterben* von Meeresorganismen fand vor 14 Millionen Jahren statt, die jüngste Welle bei Säugetieren wie dem Mammut fand Jahrtausende vor den Anfängen der menschlichen Zivilisation statt.[66] Heute steht die Welt in sehr kurzem Zeitraum wieder vor einer – diesmal vom Menschen verursachten – Vernichtungswelle: Der Bericht „Global 2000" schätzte 1980 die Ausrottung von etwa 15–20% der Arten des Planeten bereits bis zum Jahr 2000, falls die Zerstörung der tropischen Wälder wie bisher weitergeht (d.h. bei Vernichtung von 50% der tropischen Wälder Lateinamerikas, 20% Afrikas, 60% Süd- und Südostasiens bis im Jahr 2000).[67] 1000 Vogel- und Säugetierarten sind mittlerweile als bedroht anerkannt. Die gegenwärtige Aussterberate liegt etwa 10 000 Mal höher als die natürliche Aussterberate vor der Einwirkung des Men-

---

60 Nach Junker, R./Scherer, S.: Entstehung und Geschichte der Lebewesen, Gießen 1988², 62.

61 WWF International: The Importance of Biological Diversity, Gland/Genf 1989, 5f.

62 UNO-Konvention über die Artenvielfalt, verabschiedet an der Unced-Konferenz in Rio am 5. Juni 1992, §2.

63 So Altner, G.: Naturvergessenheit, Darmstadt 1991, 219f.

64 Wilson, E.O./Peter, F.: Biodiversity, Washington 1988, 4f.

65 Laszlo, E.: Evolution. Die Neue Synthese. Club of Rome Informationsserie Nr.3, Wien/Zürich 1987, 106.

66 Wolf, E.: Artenverlust, in: Zur Lage der Welt 88/89. Worldwatch Institute Report, Frankfurt 1988, 171ff.

67 Global 2000. Der Bericht an den US-Präsidenten, Frankfurt 1980, 49. Aufl. 1983, 697.

schen und etwa 1000 mal über der Rate bei den bekannten geologischen Katastrophen[68]. Dabei werden vier Kategorien der Artengefährdung unterschieden: 0: ausgestorben, 1: vom Aussterben bedroht, 2: stark gefährdet, 3: gefährdet, 4: selten und daher potentiell gefährdet[69].
In der Schweiz sind z.B. von 575 bekannten Bienenarten 48 bereits ausgestorben, von den 1856 in der Schweiz erfaßten Insektenarten sind 864 (47%) gefährdet. 113 Vogelarten werden zu den bedrohten und gefährdeten gezählt.[70] In Deutschland gilt „etwa die Hälfte aller Arten – quer durch alle Artengruppen – als gefährdet“[71] und nur noch einige Promille der Gebiete Deutschlands sind ökologisch hochwertig mit großer Artenvielfalt.
Die *Gründe* für den dramatischen Artenrückgang liegen u.a. in der Bevölkerungszunahme, in der Zerstörung der Regenwälder, wo der größte Teil der Artenvielfalt gespeichert ist, in durch den Welthandel geförderten Monokulturen: „Etwa 3000 Pflanzenarten wurden vom Menschen im Laufe seiner Geschichte für die Ernährung benützt. Etwa 150 davon sind in dem Maß angepflanzt worden, daß sie Eingang in den Welthandel gefunden haben. Mit der Zeit entstand die Tendenz, immer weniger Pflanzenarten zu gebrauchen und sich auf jene zu konzentrieren, die den höchsten Ertrag pro Einheit Land oder Arbeit ergeben. Als Folge ernährt sich die Menschheit heute zu einem großen Teil von nur 15 Pflanzenarten.“[72]
Einmal ausgestorbene Arten können vom Menschen nicht wieder geschaffen werden. Er kann nur – aber immerhin – bestehenden Arten neue Lebensmöglichkeiten schaffen, was er auch immer wieder getan hat. So gedeihen von den 2691 einheimischen Blütenpflanzen und Farnarten 700 in der Schweiz nur, weil unsere Vorfahren für sie Lebensmöglichkeiten schufen[73]. Die heutigen Maßnahmen zur Rettung der Artenvielfalt umfassen insbesondere den Schutz der Regenwälder, der Feuchtgebiete, Landschaftsschutz, Wiederansiedlung von Arten, Genbanken z.B. für selten gewordene Apfel- oder Weizensorten usw. Am nachhaltigsten wird die Artenvielfalt durch die vom Menschen verursachte Klimaerwärmung verändert (vgl. Fallbeispiel 3). Das zeigt, daß lokale oder regionale Maßnahmen nur erfolgreich sind, wenn sie mit globalen gekoppelt sind.
Bei diesem Fallbeispiel „Erhaltung der Artenvielfalt“ zeigen sich verschiedene *Wertkonflikte* auf der Suche nach dem ökologischen Maß. Teilweise sind es dieselben, die am Beispiel Mobilität gezeigt wurden. *Zusätzlich* seien folgende genannt:
– Der *Wissenskonflikt*: Das Maß im Konflikt zwischen ethischem Dogmatismus und Relativismus. Der Dogmatismus verabsolutiert den gegenwärtigen Stand des Wissens. Der gegenwärtig bekannte Bestand an Arten wird absoluter Maßstab. Der Relativismus findet Schutzmaßnahmen nicht so dringlich, da das Artensterben ja schon im-

---

68 Vgl. die regelmäßig erscheinenden Bände: Red List of Threatend Animals der World Conservation Union IUCN, Gland/Genf.

69 Rote Listen nach Europa-Standard. Bei der Internationalen Naturschutzorganisation IUCN entspricht 0=Ex (exstinct), 1= E (endangered), 2/3=V (vulnerable), 4=R (rare).

70 WWF Schweiz: Rote Liste Schweiz. Beilage zu Panda Magazin 1/91; aufgrund der Roten Listen des Eidg. Bundesamtes für Umwelt, Wald und Landschaft BUWAL (Bern) und des Eidg. Instituts für Wald, Schnee und Landschaft WSL in Birmensdorf.

71 Kaule, G.: Arten- und Biotopschutz, Stuttgart 1991^2, 14.

72 Marschall, D.R.: The Advantages und Hazards of Genetic Homogeneity, Annuals New York Academy of Sciences, 1977, 1; ähnlich Kaule, G., a.a.O., 14f.

73 Heußer, H.: Der Artentod – ein irreversibler Prozeß. Neue Zürcher Zeitung 31.Aug./1.Sept. 1991, 23f.

mer zur Evolution gehört hat und unsere Wahrnehmung der Artenvielfalt sehr begrenzt ist.[74]
– Der *Betroffenheitskonflikt*: Das Maß im Konflikt zwischen Überforderung und Gleichgültigkeit. Kann man etwas, das man nicht kennt, schützen und muß man dafür Verantwortung übernehmen?[75] Wenn das wilde Rebhuhn, das im berühmten Kinderbuch Flurina von Alois Carigiet vor zwanzig Jahren noch selbstverständlich existierte und in der Natur beobachtet werden konnte, nun Todeskandidat ist, macht mich das betroffen und mobilisiert Verantwortung. Aber die vermutlich 1988 ausgestorbene Motte Poko Noctuid im Pazifik?
– Der *Mittelverteilungskonflikt*: Das Maß im Konflikt zwischen dem Einsatz der finanziellen, technischen, geistigen, personellen Mittel zum Schutz von Menschen und von nichtmenschlichen Arten.
– Der *Lastenverteilungskonflikt*: Das Maß im Konflikt der Verteilung der Lasten von Arterhaltungsmaßnahmen. Wie können die Opfer einer Extensivierung der Landwirtschaft oder nur noch ökologisch tragbaren Nutzung des Regenwaldes, die zur Erhaltung der Artenvielfalt nötig sind, auf Bauern, Unternehmer, Konsumenten usw. gerecht verteilt werden?[76]
– Der *Technikkonflikt*: Das Maß im Konflikt zwischen Technikgläubigkeit und Technikfeindlichkeit: Können Pflanzenarten z.B. durch Genbanken gerettet werden? Ist bei Mikroorganismen, Pflanzen und Tieren nur innerartliche Züchtung oder – durch die Gentechnologie ermöglicht – auch artübergreifende Züchtung ethisch zulässig?
– Der *Rechtskonflikt*: Das Maß im Konflikt zwischen der zunehmenden Verfügungsgewalt über Arten und der zunehmenden Forderung nach Eigenrechten der Natur. Wie ist die Patentierung von Lebewesen vom Ziel der Erhaltung der Artenvielfalt her zu beurteilen? Bedeuten die Rechte der Natur auch das Recht auf Bewahrung der Integrität einer Art und damit Ablehnung artübergreifender gentechnischer Züchtung?[77]

1.3.3 Fallbeispiel 3: Welt-Klimakonvention

Das Klimaproblem – die Erwärmung der Erdatmosphäre und die Zerstörung der Ozonschicht – ist wohl das bedrängendste Umweltproblem, weil es a) Auswirkungen auf alle andern Umweltfaktoren hat, b) sämtliche Teile der Erdkugel betrifft, allerdings in unterschiedlicher Art, c) nur global gelöst werden kann und d) so fortgeschritten ist, daß viele Wissenschaftler die Erwärmung nicht mehr für aufhaltbar, nur noch für verlangsambar halten.
Seit Ende der siebziger Jahre, besonders aber in der zweiten Hälfte der achtziger Jahre befaßte sich eine große Zahl wissenschaftlicher und politischer internationaler Konferenzen mit dem Problem. Bereits 1969 (!) wurde im US-Kongreß darauf aufmerksam gemacht, daß Fluorchlorkohlenwasserstoffe FCKW's eine Gefahr für die Ozonschicht dar-

---

[74] So kann das Verschwinden einer Art in einem Gebiet zeitlich befristet sein und einem Zyklus eines Biosystems entsprechen. Remmert, H.: Ökologie, 1989[4], 216ff.
[75] Vgl. Kapitel 5.4.12.
[76] Vgl. Kapitel 5.4.2.
[77] Vgl. Kapitel 5.3.5.

stellen und daß z.B. durch die Verbrennung von Flugzeugtreibstoffen eine lokale und globale Veränderung des Klimas zu befürchten sei.[78] Am 5. September 1974 machte Fred Iklé, der damalige Direktor der US-Abrüstungsbehörde, in einer Rede auf die Zerstörung der Ozonschicht durch Atombombenversuche in der Atmosphäre aufmerksam.[79] Besonders bedeutsam waren die Erste Weltklimakonferenz 1979, das Wiener Übereinkommen zum Schutz der Ozonschicht 1985, das Montrealer Protokoll besonders über FCKW's 1987, die Weltkonferenz über Klimaänderung in Toronto 1988, die Gründung des Globalen Treibhaus-Netzwerks 1988 in Washington[80], die Zweite Weltklimakonferenz 1990 in Genf und die UNO-Konferenz über Umwelt und Entwicklung Unced im Juni 1992 in Rio de Janeiro.

Aufgrund einer Fülle von wissenschaftlichen Untersuchungen[81] sind sich die Wissenschaftler in der Einschätzung heute weltweit erstaunlich einig, wie das im Schlußbericht des wissenschaftlichen Teils der Zweiten Weltklimakonferenz im November 1990 in Genf zum Ausdruck kam.[82] Nur wenige wichtige Ergebnisse seien in Erinnerung gerufen:

Die Erdatmosphäre ist eine äußerst dünne, fein regulierte Schutzhülle um die Erde, die das Leben auf der Erde erst ermöglicht, vergleichbar mit der Bedeutung der Haut für den menschlichen Körper. Der natürliche Treibhauseffekt – die Rückstrahlung der von der Erde abgestrahlten Wärme, die eine durchschnittliche Lufttemperatur von 15 Grad Celsius ermöglicht – wird drastisch verstärkt besonders durch die Erhöhung der CO_2-Emissionen durch das Verbrennen fossiler Energie. Das Maß der Reduktion des CO_2-Ausstoßes wird sich danach zu richten haben, welcher Anstieg der globalen Durchschnittstemperatur innerhalb einer bestimmten Zeiteinheit vom Lebenssystem Erde noch bewältigt werden kann. Gemessen an den Klimaveränderungen der Vergangenheit (4 Grad Celsius Erwärmung seit der letzten Eiszeit) gilt unter Klimafachleuten „die Zielvorgabe, den Treibhauseffekt auf maximal 2 Grad Celsius zu begrenzen. Die Geschwindigkeit des Temperaturanstiegs sollte höchstens 1 Grad Celsius pro Jahrhundert betragen."[83] Bei Fortsetzung der gegenwärtigen CO_2-Emissionen wird aber mit einem weltweiten Anstieg um 2–5 Grad Celsius in den nächsten 50 Jahren gerechnet.

---

78 United States of America, Congressional Record, Washington DC, S.H. 10439, Oct 31, 1969.

79 Zit in Strohm, H.: Erziehung zum Umweltschutz, Göttingen 1977, 77.

80 Das Global Grenhouse Network wurde im Oktober 1988 auf Initiative der Foundation on Economic Trends unter dem Umweltwissenschaftler Jeremy Rifkin (vgl. Literaturliste) gegründet. Es verfolgt das Ziel, das Bewußtsein für die Klimabedrohung zu fördern. Das neue daran war die breite, interdisziplinäre Koalition der Bereiche Wissenschaft, Politik, Umweltverbände, Wirtschaft, Konsumenten-, Bauern- und Ärzteorganisationen wie auch von Kirchenvertretern aus allen Kontinenten. Ich nahm als Delegierter der Konferenz Europäischer Kirchen KEK an der Gründungskonferenz teil.

81 Nur wenige seien genannt: Deutscher Bundestag (Hg.): Schutz der Erdatmosphäre. Eine internationale Herausforderung. Zwischenbericht der Enquête-Kommission des Deutschen Bundestages, Zur Sache 5/88, Bonn 1989^2; ders.: Schlußbericht 1990; Kaiser, K./Weizsäcker, E. U. von: Internationale Konvention zum Schutz der Erdatmosphäre. Studienkomplex E der Enquête-Kommission des Deutschen Bundestages, Endbericht 19.6.1990, vervielf.; Crutzen, P./Müller, M. (Hg.): Das Ende des blauen Planeten? Der Klimakollaps, Gefahren und Auswege, München 1989; Schneider, St.: Global Warming. Are we Entering the Grenhouse Century, San Franzisco 1989; Keppler, E.: Die Luft, in der wir leben. Physik der Atmosphäre, München 1988; Gaber, H./Natsch, B.: Gute Argumente: Klima, München 1989; Klima – Wetter – Mensch. GEO-Wissen Nr. 2/1987.

82 Zweite Weltklimakonferenz. Schlußerklärung der wissenschaftlich-technischen Sessionen, Genf 7.Nov.1990, Abschnitt I.C.1.

83 Zwischenbericht deutsche Enquête-Kommission, a.a.O., 441.

Die Auswirkungen dieser Erwärmung auf die einzelnen Weltregionen[84] sind zum Teil noch strittig, in jedem Fall wäre aber ein großer Teil der Weltbevölkerung wie der nichtmenschlichen Mitwelt betroffen. Szenarien für die nächsten vierzig Jahre könnten so aussehen: Bis zu einer Milliarde Menschen könnten zu Umweltflüchtlingen werden, indem sie durch Ansteigen des Meeresspiegels von den Küstengebieten vertrieben würden.[85] Der Wintertourismus in den Alpen käme zum Erliegen, fruchtbare Gebiete z.B. Amerikas wären zur Dürre geworden, wodurch viele nach Kanada auswandern würden, dessen Bevölkerung von 20 auf 200 Millionen steigen würde. Die Welternährungslage ist schwer voraussehbar, da in den einen Weltgegenden durch Dürre die Grundlage zerstört, in andern durch vermehrte Niederschläge evtl. verbessert oder durch Überschwemmungen verunmöglicht würde. Doch gesamthaft wären „die Auswirkungen der Klimaänderungen auf die Landwirtschaft und auf die Ernährungssituation katastrophal“[86]. Viele Tiere und Pflanzen wären massiv gefährdet. Mit jeder Erwärmung um 1 Grad verschieben sich die Klimazonen um 100–150 Kilometer. Baumarten können aber in 100 Jahren nur 10–20 Kilometer „wandern“. Durch solche Störungen der Ökosysteme wäre auch mit schlecht voraussehbaren Krankheiten, mit politischen Umwälzungen und der Gefahr militärischer Verteilungskriege zu rechnen.

„Das Verbrennen der fossilen Energien ist wie das Aufleuchten eines Streichholzes in der Ewigkeit.“[87] Seit den 50er Jahren – dem „1950er Syndrom“ – hat der Verbrauch fossiler Energien enorm zugenommen.[88] Die Vorräte des Erdöls dürften bei Fortsetzung des gegenwärtigen Konsums bereits in wenigen Jahrzehnten zu Ende gehen (abgesehen von Schieferölen, die allenfalls noch gefördert werden können, aber nur zu viel höheren Kosten). Ab etwa den Jahren 2020–30 dürfte ein rasches Abfallen der weltweiten Fördermenge eintreten.[89] Die Kohlevorräte könnten gemessen am Verbrauch Ende der achtziger Jahre rund 300 Jahre reichen.[90] Wegen der genannten Klimaerwärmung dürfen diese Ressourcen aber gar nicht im bisherigen Maß emittiert werden.

Die notwendigen *Maßnahmen* gegen Ozonloch und Klimaerwärmung konzentrieren sich hauptsächlich auf die Reduktion der Fluorchlorkohlenwasserstoffe FCKW und der fossilen Energien. Diese FCKW-Reduktion scheint durch ein Verbot bis Mitte der neunziger Jahre nicht ausgeschlossen, wobei die bereits ausgestoßenen Schadstoffe weiterwirken und die Ozonschicht noch weiter zerstören. Fast ausweglos scheint hingegen das CO_2-Problem. Die Toronto-Konferenz empfahl, die weltweiten CO_2-Emissionen bis zum Jahr 2005 um 20% gegenüber dem Stand von 1988 und bis zur Mitte des nächsten Jahrhun-

---

84 Ebd., 417–454. Als Fallstudie zu den möglichen Auswirkungen auf ein einzelnes Land vgl. Glogger, B.: Die Schweiz im Treibhaus, Zürich 1992.

85 Leatherman, St.: Impact of Climate-Induced Sea Level Rise on Coastal Areas, Vortrag auf der l. Konferenz des Global Greenhouse Network, Washington Okt. 1988.

86 Zwischenbericht deutsche Enquête-Kommission, a.a.O., 439.

87 Kesselring, P. (Paul Scherrer Institut Villigen), zit. in Energie 2000, Unipress 70 der Universität Bern, Okt. 91, 4.

88 Pfister, Ch. (Hrsg.): Das 1950er Syndrom, Bern 1994. Der Klimahistoriker vertritt begründet die These, daß bis in den 50er Jahren Europa sich auf einem relativ umweltverträglichen Entwicklungspfad bewegte.

89 Runge, H. C.: Langfristige Perspektiven der Erdölversorgung und -nutzung, Dokumentation 41 der Studiengruppe Energieperspektiven, Baden 1989, 8ff.

90 Schweiz. Physikalische Gesellschaft: Energie und Umwelt, Zürich 1990, 59.

derts um mindestens 50% zu vermindern[91]. Das entspräche einer jährlichen Reduktionsrate um 1,5%, wenn 1990 damit begonnen worden wäre. Die bei den Vereinten Nationen als NGO akkreditierten Umweltorganisationen forderten 1989 eine Reduktion um 20–30% (gegenüber 1986) bis im Jahr 2000, was eine jährliche Reduktionsrate von weltweit 2,2–3,5% erfordern würde, wenn 1990 damit begonnen worden wäre[92]. Die Forschungsgruppe der Kernforschungsanlage Jülich in Deutschland fand 1988 eine Reduktion um 70% bis zum Jahr 2030, also jährlich 3% als notwendig. Die Oekumenische Arbeitsgemeinschaft Kirche und Umwelt der Schweiz OeKU und die Ärzte für Umweltschutz der Schweiz nannten in ihrer Aktion „Die Haut der Erde retten" eine jährliche Reduktion um 2% als notwendig[93]. Wenn man nicht den Weltdurchschnitt, sondern das Verursacherprinzip anwendet, müßte die Reduktion in den Industrieländern noch sehr viel höher sein: 1950–84 wurden pro Person pro Jahr weltweit durchschnittlich 3 Tonnen CO_2 freigesetzt, durch die USA aber 18 Tonnen, Westeuropa 17 Tonnen, Osteuropa 9 Tonnen und durch die Dritte Welt 1 Tonne[94]. Entsprechend müßte die Reduktion in den Industrieländern viel höher sein, währenddem in Osteuropa und der Dritten Welt die CO_2-Emissionen noch zunehmen werden.

Diese aus wissenschaftlichen Gründen erhobenen Zielvorgaben scheinen aber vorläufig – solange nicht größere Klimakatastrophen offensichtlich sind? – *politisch* nicht erreichbar. Die Internationale Energieagentur IEA rechnet in einer Prognose von 1990 mit einer weiteren Zunahme des Weltenergieverbrauchs zwischen 1987 und 2005 um 50%!

Auf der Zweiten Weltklimakonferenz in Genf 1990 konnten sich die Minister den erwähnten wissenschaftlichen Forderungen nicht anschließen. Von einer CO_2-Reduktion war nicht die Rede. Sie „begrüßten" nur die Entscheidungen der Europäischen Gemeinschaft und einiger weiterer Industrieländer wie Canada, Japan, Schweiz, Österreich u.a., bis zum Jahr 2000 den CO_2-Ausstoß auf dem Stand von 1990 zu stabilisieren[95] (schon dies wird sehr schwierig sein, wenn man z.B. die im ersten Fallbeispiel genannten Prognosen betreffend Zunahme des Flugverkehrs in Betracht zieht). Den Entwicklungsländern wird zugestanden, daß „ihr Hauptziel die Linderung der Armut und die Erreichung sozialer und wirtschaftlicher Entwicklung ist und ihre Emissionen deshalb steigen müssen"[96]. Finanzhilfen und der Transfer umweltfreundlicher Technologie wird als Maßnahmen empfohlen, um die Emissionen nicht zu stark ansteigen zu lassen.

An der *UNO-Konferenz für Umwelt und Entwicklung UNCED* im Juni 1992 in Rio de Janeiro lag eine vorher verabschiedete *Klimakonvention*[97] zur Unterzeichnung durch die Staaten bereit. Die UNCED-Konferenz war die wichtigste Umweltkonferenz der UNO

---

[91] Conference Statement: The Changing Atmosphere: Implications for Global Security, Toronto Juni 1988.

[92] NGO Statement of Policy Options to Curb Climatic Change. Prepared for the UNEP Governing Council Meeting May 1989, Nairobi.

[93] Oekumenische Arbeitsgemeinschaft Kirche und Umwelt der Schweiz OeKU: Die Haut der Erde retten. Aktion zum Schutz der Erdatmosphäre, Bern 1990, Teil Informationen, 3.

[94] Gaber, H./Natsch, B.: Gute Argumente: Klima, a.a.O., 96f.

[95] Ministerial Declaration of the Second World Climate Conference, 7. Nov. 1990, Pkt. 12.

[96] Ebd., Pkt.15.

[97] Report of the Intergovernmental Negotiating Committee for a Framework Convention on Climate Change, New York, 9 May 1992 (im folgenden als Klimakonvention zitiert).

seit jener in Stockholm 1972.[98] Sie verband insbesondere die beiden gegenwärtigen Hauptprobleme Entwicklung und Umwelt. Viele Staaten haben zu diesen Problemkreisen als Bestandesaufnahme Länderberichte für die Konferenz verfaßt.[99] Außer der Klimakonvention wurden eine Waldkonvention, eine Konvention zur Artenvielfalt, eine Rio-Erklärung (anstelle einer zuerst vorgesehenen Erd-Charta) und die Agenda 21 (als umfassendes Aktionsprogramm für das 21. Jahrhundert)[100] verabschiedet.

Die Klimakonvention von Rio nennt als „Letztes Ziel … die Stabilisierung der Treibhausgas-Konzentrationen in der Atmosphäre auf einem Stand, der gefährliche anthropogene Einflüsse auf das Klimasystem verhindern würde. Dieser Stand sollte innerhalb eines Zeitrahmens erreicht werden, der es Ökosystemen genügend erlaubt, sich natürlich an einen Klimawandel anzupassen, der die Nahrungsmittelproduktion nicht gefährdet und der eine ökonomische Entwicklung in einer nachhaltigen Weise ermöglicht.“[101]

In dieser Zielsetzung sind *drei wichtige Kriterien für ein Maß verantwortbarer CO_2-Emissionen* genannt: 1. Die Anpassungsfähigkeit natürlicher Ökosysteme, also das Zeitmaß der Natur, an das sich der Mensch anpassen muß. 2. Die Nahrungsmittelproduktion, also die Erhaltung der wichtigsten Lebensgrundlage für die Menschheit. 3. Die Sicherung der wirtschaftlichen Grundlagen (darin klingt die Sorge um die biologischen Rahmenbedingungen der Wirtschaft, aber auch das Kriterium der wirtschaftlichen Machbarkeit an). Die drei Kriterien besagen zugleich, daß ein Klimawandel evolutionär gedacht nicht grundsätzlich auszuschließen ist, daß aber die Anpassungsprozesse nur langsam möglich sind. Daß das heutige Ausmaß anthropogener CO_2-Emissionen diese Anpassungsprozesse der Natur verunmöglicht, ist aufgrund der erwähnten wissenschaftlichen Beobachtungen wahrscheinlich.

Die Klimakonvention war im Vorfeld bereits sehr umstritten. Insbesondere die USA und die arabischen erdölexportierenden Länder verhinderten verbindliche Vereinbarungen, während die europäischen Staaten wenigstens das Ziel einer Stabilisierung des CO_2-Ausstoßes bis zum Jahr 2000 als verpflichtend aufnehmen wollten.

Entwicklungs- und umweltethisch aufschlußreich sind die fünf „Prinzipien“, die der Klimakonvention zugrunde liegen[102]: 1. Als Begründung für den Klimaschutz wird, ganz anthropozentrisch, „der Nutzen für gegenwärtige und zukünftige Generationen der Menschheit“ genannt, wobei die Staaten „auf der Basis der Gerechtigkeit und in Übereinstimmung mit ihren gemeinsamen und zugleich unterschiedlichen Verantwortlichkeiten und Fähigkeiten“ handeln sollen. 2. Die durch Klimaveränderungen besonders verletzlichen Staaten sollen besonders beachtet werden.[103] 3. Mangel an wissenschaftlicher

---

98 Zur Entwicklung in den zwanzig Jahren zwischen den beiden Konferenzen vgl. die Analyse von Radtke, Ch.: Von Stockholm nach Rio. Ein Überblick über die internationale Öko-Debatte vor der UN-Konferenz für Umwelt und Entwicklung UNCED 1992, in: Widerspruch 11 (1991), Nr. 22, 63–76.

99 Für die Schweiz vgl.: Bericht der Schweiz zur Konferenz über Umwelt und Entwicklung der Vereinten Nationen, hg. vom Bundesamt für Umwelt, Wald und Landschaft BUWAL, Bern April 1992.

100 Die sieben Hauptkapitel umfassen die Themen: Die prosperierende Welt, die gerechte Welt, die bewohnbare Welt, die fruchtbare Welt, die (Ressourcen) teilende Welt, die saubere Welt, die Welt der Völker (Partizipation). Vgl. auch The Global Partnership for Environment and Development. A Guide to Agenda 21, UNCED, Genf 1992.

101 Klimakonvention, a.a.O., Art. 2.

102 Klimakonvention, a.a.O., Art. 3.

103 Vgl. dazu Bleischwitz, R./Etzbach, M.: Der Treibhauseffekt im Spannungsfeld der Nord-Süd-Beziehungen, ZEE 36 (1992), Nr. 1, 19–31.

Gewißheit ist kein Grund, Maßnahmen hinauszuschieben. 4. Klimaschutzprogramme sollen in die jeweiligen Entwicklungsprogramme der Staaten integriert sein. 5. Die Unterzeichnerstaaten sollen ein offenes internationales Wirtschaftssystem fördern, das zu nachhaltigem Wirtschaftswachstum und entsprechender Entwicklung führt.

Manche *Kirchen* und internationale Kirchenversammlungen haben sich seit 1989 ebenfalls stark mit der Klimafrage befaßt: Die Europäische Ökumenische Versammlung Frieden in Gerechtigkeit in Basel 1989[104], die Vollversammlung des Reformierten Weltbundes in Seoul 1990 und die Weltversammlung Gerechtigkeit, Frieden und Bewahrung der Schöpfung ebenfalls 1990 in Seoul[105], die Konsultation in Gwatt/Schweiz im Januar 1991[106], die 7. Vollversammlung des Ökumenischen Rates der Kirchen ÖRK 1991 in Canberra[107], die Unced-Arbeitsgruppe des ÖRK, die für die Unced-Weltversammlung Vorschläge erarbeitete und die Unced-Ergebnisse auswertete[108], der Zentralausschuß des ÖRK mit der 1994 verabschiedeten Studie „Beschleunigter Klimawandel“[109], wie auch einige nationale Kirchen[110]. 1996 lancierte der ÖRK eine internationale Klimapetition, unterstützt von zahlreichen internationalen Institutionen und nationalen Kirchen und Hilfswerken.
Die Kirchen gehen in all diesen Stellungnahmen weiter als die Beschlüsse der UNCED-Konferenz. In den meisten Stellungnahmen fordern sie nicht eine Stabilisierung, sondern eine *Reduktion* des CO_2-Ausstoßes um weltweit jährlich zwei Prozent, für Industrieländer jährlich mindestens drei Prozent. Der Ökumenische Rat der Kirchen bezeichnete die UNCED-Klimakonvention entsprechend als „ersten Schritt“, dem aber „eine drastische Änderung des Lebensstils in den Industrieländern folgen“ müsse.[111]

---

104 Frieden in Gerechtigkeit, Basel/Zürich 1989, 80 (Schlußdokument Art.87e).

105 Die Zeit ist da. Schlußdokument und andere Texte der Weltversammlung für Gerechtigkeit, Frieden und Bewahrung der Schöpfung, Seoul 1990, Genf 1990, 35–40.

106 Die Rolle der Kirchen beim Schutz der Erdatmosphäre. Bericht einer ökumenischen Konsultation von Kirchen aus Industrienationen der nördlichen Hemisphäre, auf Einladung von Schweiz. Evang. Kirchenbund, Schweiz. Bischofskonferenz und Christkath. Kirche der Schweiz, Bern 1991.

107 Im Zeichen des Heiligen Geistes, Offizieller Bericht aus Canberra, Frankfurt 1991, 74f, 232.

108 One earth Community. A declaration and statement of principles for an Earth Charter, presented to the Third Preparatory Meeting of UNCED, prepared by representatives of religious traditions and organisations from around the world, Bossey/Switzerland 14 August 1991; Climate Change Negotiations, Report of the Observers to the Fourth Session of the International Negotiating Committee for a Framework Convention on Climate Change in Geneva, Dec 1991, in: Churches on Climate Change, a.a.O., 94–108. Searching for the New Heavens and the New Earth. An Ecumenical Response to Unced, WCC, Genf Sept. 1992; Granberg-Michaelson, W.: Redeeming the Creation. The Rio Earth Summit: Challenges for the Churches, Genf 1992.

109 Beschleunigter Klimawandel. Zeichen der Gefahr, Bewährung des Glaubens. Ein Studienpapier des Ökumenischen Rates der Kirchen, Genf 1994.

110 Eine Übersicht bietet: Churches on Climate Change. A Collection of Statements and Resolutions on Global Warming and Climate Change, on behalf of the World Council of Churches Unit on Justice, Peace and Creation, ed. by L. Vischer. Texte der Evang. Arbeitsstelle Ökumene Schweiz 18, Bern 1992; für die Schweiz auch: Gesprächskreis Kirche – Wirtschaft: Bedrohung Treibhauseffekt. Notwendigkeit neuer Handlungsorientierung für ökologisches Wirtschaften, Bern 1992; für Kanada: Hallmann, D.: Caring for Creation. The Environmental Crisis: A Canadian Christian Call to Action, Winfield 1989, 115–128.

111 Ökumenischer Rat der Kirchen: Brief an die Kirchen, Pfingsten 1992, in: Searching for the New Heavens, a.a.O., 13f.

Worin bestehen in diesem Fallbeispiel die *ethischen Konflikte* auf der Suche nach dem für Mensch und Natur angemessenen Maß des Handelns, hier besonders des Verbrennens fossiler Energie? Wiederum sind die in den ersten beiden Fallbeispielen genannten Konflikte auch hier weitgehend relevant. Zusätzlich seien genannt:

– Der *Wissenschaft-Politik-Konflikt*: Das Maß im Konflikt zwischen wissenschaftlicher Erkenntnis und politischer Realisierbarkeit. Wo ist das ethische verantwortliche Maß anzusetzen?

– Der *Nutzenverteilungskonflikt*: Der Nutzen aus dem Verbrauch fossiler Energie ist weltweit und intergenerationell sehr ungerecht verteilt. Wo liegt das Maß des Energieverbrauchs vom Kriterium der Gerechtigkeit her?[112]

– Der *Lastenverteilungskonflikt*: Der Treibhauseffekt macht wie kein anderes Problem heute die ungerechte Verteilung der Lasten einer Klimaerwärmung deutlich. Nicht die Industrieländer als Hauptverursacher der Klimaerwärmung, sondern die armen Länder tragen als erste die Lasten.

– Der *Zeitkonflikt*[113]: Die sehr zögerliche politische Bereitschaft, weltweit drastische Maßnahmen zur CO_2-Reduktion zu ergreifen, führt zur Frage, ob wir uns auf so etwas wie eine „Es-ist-zu-spät-Ethik" vorbereiten müssen. Aufgrund des heutigen Standes der Wissenschaft bezüglich Klimaerwärmung, aufgrund der faktischen Zunahme des Weltenergieverbrauchs und aufgrund bisheriger politischer Beschlüsse muß davon ausgegangen werden, daß die Menschheit die fossile Energie nur unwesentlich langsamer als bisher verbraucht und damit die Klimaerwärmung in bedrohlichem Ausmaß stattfinden wird – unter dem Vorbehalt von allfälligen naturwissenschaftlich noch nicht bekannten Steuerungsmechanismen und Sprüngen der Natur, wie sie in offenen Systemen nicht auszuschließen sind. Wir müssen uns ethisch nicht nur mit Vermeidungsstrategien, sondern bereits mit Reparaturstrategien und den Fragen von Reparationszahlungen an zuerst betroffene Länder wie z.B. Inseln des Pazifik und an zukünftige Generationen befassen. Sie sind insbesondere bei der Festlegung eines gerechten Energiepreises einzubeziehen.

– Der *Raumkonflikt*[114]: Umweltethisch prüfenswerte Autarkiekonzepte, wonach die Stoff- und Güterkreisläufe in möglichst autarken Einheiten vollzogen werden müßten, müssen die globalen klimatischen Auswirkungen des Energieverbrauchs einbeziehen.

– Der *(Welt-)Machtkonflikt*[115]: Aus der Tatsache, daß besonders die erdölexportierenden Länder und die Weltmacht USA verbindliche zeitliche Ziele einer Klimakonvention verhindert haben, stellt sich die ethische Frage, wie solche Länder von der Weltgemeinschaft zur Rechenschaft gezogen werden können, wenn es um die erwähnten Abgeltungen für eintretende Schäden aus Klimaveränderungen geht. Es stellt sich zudem die ethische Frage, welches Maß an Macht eines einzelnen Staates für die Weltgemeinschaft zuträglich ist und ob sie nicht im Rahmen der Uno entschiedener an einer Begrenzung der Macht einzelner Staaten arbeiten müßte.

---

112 Vgl. Kapitel 5.4.2.
113 Vgl. Kapitel 5.4.8.
114 Vgl. Kapitel 5.4.9.
115 Vgl. Kapitel 5.4.12.

1.4 Die Methodik

Auf welchem Weg läßt sich das richtige Maß erkennen? Welchen Geltungsanspruch stellt dabei die christliche Umweltethik? Wie verhält sich ihre auf Offenbarung gründende Erkenntnis zu derjenigen der philosophischen Vernunftethik? Welche Bedeutung haben naturwissenschaftliche Erkenntnisse für die Umweltethik (und umgekehrt)? Diese methodischen Fragen gilt es im folgenden zu klären. Da der Schwerpunkt unserer Untersuchung auf der materialen Entfaltung einer Ethik des Maßes liegt, muß es hier allerdings bei Andeutungen bleiben.

1.4.1 Vier Quellen zur Erkenntnis des Maßes

„Es kommt besonders darauf an, daß der Mensch den Plan des Schöpfers erkennt und versucht, ein Mitschöpfer, Mitplaner mit Gott zu werden – aber nicht einer, der sich selber an Gottes Stelle setzt."[116] Damit stellt der Ethiker Sigurd M. Daecke das erkenntnistheoretische Problem jeder christlichen Umweltethik: Wie kann der Mensch die Ordnung, den Plan, die Entwicklungsperspektive und damit das Maß im Geschaffenen erkennen? Wie kann er das so tun, daß er das Erkannte dabei nicht zerstört, sondern zum Wohl des Menschen und der Natur einsetzt? Der Philosoph Georg Picht formuliert es in kritischer Abgrenzung zur neuzeitlichen naturwissenschaftlichen Methodik so: „Die Menschheit ist heute in Gefahr, durch ihre Wissenschaft von der Natur den Bereich der Natur, in dem sie selbst lebt und der ihrem Zugriff ausgesetzt ist, zu zerstören. Eine Erkenntnis, die sich dadurch bezeugt, daß sie das, was erkannt werden soll, vernichtet, kann nicht wahr sein."[117] Zu Recht stellt Günter Altner fest, daß bei der „Veränderung der Erkenntnismethoden ... die Neuorientierung für den handelnden Umgang mit der Natur beginnen muß."[118] Es geht um eine neue Art der Wahrnehmung der Schöpfung.[119]
Unsere Untersuchung geht von vier Erkenntnisquellen der ethischen Normenfindung und damit auch der Umweltethik aus: *Offenbarung, Vernunft, Erfahrung und Gemeinschaft*. Sie sind miteinander verbunden durch den Heiligen Geist, der diesen Erkenntnisquellen erst die richtige Qualität, Zuordnung und Ausrichtung geben kann. Diese vier Erkenntnisquellen theologischer Ethik lassen sich auch so beschreiben: Gott offenbart sich im *„Buch der Heiligen Schrift"*, im *„Buch der Natur"*[120] und im *„Buch der Geschichte"*.

---

116 Daecke, S.M.: Gott der Vernunft, Gott der Natur und persönlicher Gott. Natürliche Theologie im Gespräch zwischen Naturphilosophie und Worttheologie, in: Bresch, K./Daecke, S.M./Riedlinger, H. (Hg.): Kann man Gott aus der Natur erkennen? Evolution als Offenbarung, Freiburg 1990, 135–155 (174).

117 Picht, G.: Der Begriff der Natur und seine Geschichte, Stuttgart 1989, 80. Freundschaftliche Kritik dazu äußert C.F. von Weizsäcker in seiner Einleitung im selben Band, XIIff. Neuere Ansätze einer ganzheitlichen Naturwissenschaft versuchen deutlich, dieses zerstörende Erkennen der Natur zu überwinden (vgl. Kapitel 2.1).

118 Altner, G.: Naturvergessenheit, Darmstadt 1991, 153.

119 Dazu Müller, A.M.K.: Wende der Wahrnehmung, München 1978. Zum Beitrag des Glaubens für eine neue Wahrnehmung im Rahmen der Ethik vgl. Fischer, J.: Glaube als Erkenntnis. Zum Wahrnehmungscharakter des christlichen Glaubens, München 1989, bes. 91–118: Wahrnehmung als Proprium und Aufgabe christlicher Ethik.

120 Die Auffassung, daß Gott nicht nur ein Buch, sondern nebeneinander zwei Bücher geschenkt hat, das „Buch der Natur" und „Buch der Schrift", findet sich bereits bei Philo von Alexandrien (25 v.–

Bei diesen vier Erkenntnisquellen ist insbesondere die Bedeutung der biblischen Offenbarung für die Ethik im Verhältnis zur vernünftigen Erkenntnis strittig und klärungsbedürftig. Für die Umweltethik ist zudem das Verhältnis der naturwissenschaftlichen zur theologischen Erkenntnis – wenigstens andeutungsweise – zu thematisieren. Offenbarung, Vernunft, Erfahrung und Gemeinschaft wie auch die naturwissenschaftliche Erkenntnis werden dabei heute als geschichtliche Größen wahrgenommen.[121] Sie alle fließen im Fluß der Geschichte.

1.4.1.1 Offenbarung

Welche Bedeutung hat die biblische Offenbarung für die christliche Ethik?

Theologie fragt als erstes nach Gottes Handeln. Entsprechend fragt theologische Umweltethik als erstes nach Gottes Handeln in der Schöpfung. Alles auf Erden verdankt sein Leben Gott und hängt von Gottes Treue ab. Menschliches Handeln ist Antwort auf Gottes Handeln und hat sich deshalb immer an Gott zu orientieren und coram Deo zu verantworten.[122]
In poetischer Form faßte F. Rückert das Erkenntnisproblem christlicher Umweltethik in folgende Form:

„Die Natur ist Gottes Buch.
Doch ohne Gottes Offenbarung
mißlingt daran der Leseversuch
den anstellt menschliche Erfahrung."[123]

Gott offenbart sein Sein und Handeln vorrangig im „Buch der Schrift", der Bibel. Damit ist die Frage nach der *Bedeutung der Bibel für die christliche (Umwelt-) Ethik* gestellt.[124] Die Bibel ist ständige und notwendige Quelle, um Gottes geschichtliches und gegenwärtiges Handeln zu erkennen. In ihrer Einzigartigkeit hat die Bibel für die christliche Theologie und damit auch für die christliche Ethik Vorrang vor allen andern Erkenntnisquellen. Sie ist aber nicht ausreichend, nämlich insofern, als sich Gottes Heilshandeln auch in Tradition und Erfahrung zeigt[125]. Ja die Bibel selbst ist nicht ein monolithischer Block, sondern – dies ist eine Frucht historisch-kritischer Erkenntnis – mit der Vielfalt biblischer Überlieferung selbst eine überaus vielfältige Sammlung von Traditionen und

---

50 n.Chr.) und Clemens von Alexandrien (gest. ca. 215) und von da an durch die ganze Theologiegeschichte.

121 Vgl. Kapitel 1.4.2. Zu Natur und Geschichte vgl. Kapitel 1.4.3 und 2.2.

122 So auch in der Definition der Verantwortung bei Niebuhr: „Responsibility affirms: God is acting in all actions upon you. So respond to all actions upon you as to respond to his action." (Niebuhr, R.: The Responsible Self, New York 1978[2], 126.)

123 Rückert, F.: Werke in sechs Bänden, 4. Bd. 1. Abt., Leipzig 1900, 212. Der Text stammt von 1836.

124 Hilfreich dazu neu Birch, B.C./Rasmussen, L.L.: Bibel und Ethik im christlichen Leben, Gütersloh 1993, bes. 178–232. Mein Ansatz deckt sich in manchem mit ihren Ausführungen.

125 Ähnlich J. Gustafson: „Die Schrift *allein* ist nie endgültige Berufungsinstanz der christlichen Ethik … Ihr Verständnis von Gott und Gottes Absichten … bietet jedoch die grundlegende *Orientierung* für bestimmte Urteile." (Gustafson, J.: Der Ort der Schrift in der christlichen Ethik. Eine methodologische Studie, in: Ulrich, H.G. (Hg.): Evangelische Ethik. Diskussionsbeiträge zu ihrer Grundlegung und ihren Aufgaben, München 1990, 246–279 (279).

Erfahrungen göttlichen und menschlichen Handelns und ihrer Interaktionen. (Ein Offenbarungspositivismus ist damit ausgeschlossen.) Damit tritt an die Stelle der scharfen Trennung von Schrift, Tradition und Erfahrung ein Kontinuum der heilschaffenden Schöpferkraft Gottes[126], wobei die Offenbarung in Jesus Christus (mit Tillich) als die „letzte originale Offenbarung" und Tradition und Erfahrung als von jener „abhängige Offenbarung" zu unterscheiden sind.[127] Damit bleibt der Kanon notwendiger Kontrollrahmen, Maß-Stab (die semitische Wurzel von Kanon bedeutet nicht zufällig Stab, Maßstab), ohne den die christliche Ethik der Beliebigkeit der Deutung von Erfahrung und Tradition ausgesetzt ist. Innerhalb des biblischen Zeugnisses ist für die Ethik nicht nur eine Form wie z.B. die Paränese, sondern die ganze Bandbreite der Überlieferungsformen zu beachten: geschichtliche Ereignisse, Gleichnisse, Erzählungen, Ermahnungen, theologische Reflexionen, liturgische Teile, Prophetie, tröstende Paraklese, Weisheitsworte usw.[128] Oft ist nicht nur der Inhalt, sondern die Form eines biblischen Zeugnisses ethisch bedeutsam.

Der *Prozeß der Vermittlung biblischer Offenbarung hin zu ethischer Urteilsfindung* ist nun allerdings keineswegs eindeutig und einfach. Er geschah und geschieht in der theologischen Ethik sehr unterschiedlich und kontrovers. Ein paar Hinweise müssen an dieser Stelle genügen.

Fundamentalistische Ethik[129] leitet Handlungsnormen offenbarungspositivistisch direkt aus dem als wörtlich inspiriert verstandenen Wort Gottes ab. Sie will die Treue zum Wort Gottes ernst nehmen, wird aber durch ihre oft reduktionistische Deduktion materialer Werte aus einzelnen biblischen Aussagen weder der Vielfarbigkeit göttlicher Wahrheit noch der Pluralität damaliger wie heutiger menschlicher Lebenswirklichkeit gerecht. Sie wird auch dem christlichen Auftrag zu verantwortlich gestalteter Freiheit (auch als Freiheit vom Gesetz) nicht gerecht und bindet sich mancherorts einseitig an eine bestimmte konservative politische Ordnung. Doch gerade der Fundamentalismus fordert die theologische Ethik heraus, immer wieder neu Rechenschaft zu geben über ihr biblisches Fundament. Deshalb ist es kein Zufall, daß in unserer Zeit des wachsenden Fundamentalismus diese Debatte über Offenbarungsethik an Bedeutung gewinnt.

Im Gegensatz zu fundamentalistisch verengter Deduktion ethischer Normen aus biblischer Überlieferung postulieren andere, auf der *Zwei-Reiche-Lehre* basierende Ethiken (z.B. Gerhard Ebeling und z.T. Martin Honecker), der Glaube *motiviere* zum Handeln, doch materiale sittliche Normen seien nicht aus dem Glauben, sondern nur aus der Vernunft zu begründen[130]. Der Glaube zeigt dem Menschen seine Sünde auf (Gesetz) wie auch die Erlösung durch das Wort (Evangelium). Vor Gott zählt allein der Glaube, vor der Welt allein die (ethische) Lebenspraxis. Dogmatik und Ethik sind in diesem Modell

---

[126] Ebd., 195.

[127] Tillich, P.: Systematische Theologie I, 3. Aufl. 1956, z.B. 159.

[128] In den neutestamentlichen Ethiken von H.-D. Wendland, S. Schulz, W. Schrage ist dies (mehr implizit als explizit) einbezogen.

[129] Vgl. z.B. Barr, J.: Fundamentalismus, München 1981, 145–158. Von fundamentalistischer Ethik zu unterscheiden ist evangelikale Ethik, wie sie in Artikel 5 der Lausanner Verpflichtung zum Ausdruck kommt. Diese muß nicht offenbarungspositivistisch sein. Ihr Anliegen ist, die Evangelisation gleichwertig neben die soziale Verantwortung zu stellen. Vgl. Bockmühl, K.: Evangelikale Sozialethik. Der Artikel 5 der Lausanner Verpflichtung, Gießen 1975, 7ff.

[130] Ebeling, G.: Zum Verhältnis von Dogmatik und Ethik, ZEE 1982, 10–18. Honecker, M.: Konzept einer sozialethischen Theorie, Tübingen 1971, 54ff, 68.

getrennt. Im Gewissen des einzelnen fallen die beiden „Reiche“ aber zusammen. (In jüngerer Zeit äußert Martin Honecker allerdings eine kritischere Haltung gegenüber den Möglichkeiten der Vernunft und bezieht biblisch-theologische Perspektiven vermehrt ein.[131]) So wichtig bei diesem Ansatz die Betonung der Motivation zum Handeln durch den Glauben und die Unterscheidung von Glauben und Handeln ist, so wird er doch der Tatsache nicht gerecht, daß die biblischen Zeugnisse bei aller Vielfalt durchaus einen roten Faden materialer sittlicher Normen erkennen lassen, wie er z.B. in Jesu erstem öffentlichem Auftritt (Lk 4,18f) zum Ausdruck kommt und sich im Doppelgebot der Liebe (Mt 22, 37–39) verdichtet.

Ein anderer Strang protestantischer Ethik bezieht die biblische Begründung auf dem Weg *von der Dogmatik zur Ethik*[132] ein, ohne offenbarungspositivistisch oder rein deduktiv zu sein[133] und ohne Dogmatik und Ethik zu trennen oder zu verschmelzen.[134] Hier wird versucht, aus der dogmatisch geklärten Offenbarung unter Berücksichtigung der heutigen Situation die ethischen Konsequenzen zu ziehen. Die einen verankern die Ethik dabei eher schöpfungstheologisch (z.B. E. Brunner), andere christologisch (z.B. K. Barth, W. Kreck), eschatologisch-pneumatologisch (z.B. H.G. Ulrich), eschatologisch-geschichtstheologisch (z.B. J. Moltmann, L. Ragaz, Theologie der Befreiung) oder existential-eschatologisch (z.B. A. Rich). Ihnen gemeinsam ist, daß der Glaube mehr ist als nur Motivation zum Handeln, aber zugleich keine einfachen, ewiggültigen ethischen Antworten liefert. Hier wird – zwar in sehr unterschiedlicher materialer Entfaltung – Ethik als Einheit von Bindung an das göttliche Wort und „Freiheit eines Christenmenschen“ verstanden. Die biblische Begründung führt hier zu einer materialen „Perspektivierung von Normensystemen“[135]. Vernunftethik hat darin ihren Platz, aber nicht getrennt von Offenbarungsethik, sondern in diese eingebunden im Sinne der ratio fide illuminata. Was dies – auch für die vorliegende Darstellung – heißt, wird im folgenden Abschnitt zu erörtern sein.

Für die (primär in der katholischen Ethik vertretene, aber auch von den Reformatoren in

---

[131] Honecker, M.: Einführung in die theologische Ethik, Berlin 1990, 357ff; ders.: Ethikkrise – Krisenethik. Die Hinterfragung der Vernunft im ethischen Urteil, in: Germann, H.U. et al.: Das Ethos der Liberalität. Festschrift für Hermann Ringeling, Freiburg 1993, 81–94: „Vernunftethik und auf Offenbarung begründete Ethik bedeuten keine Alternativen mehr, sondern beschreiben nurmehr unterschiedliche Zugänge zur Ethik ... Weder die Theodizeefrage oder das Rätsel des Bösen noch die Sünde sind mit Hilfe der Vernunft zu lösen.“ (91f) Mehr zu seiner Vernunftkritik im folgenden Abschnitt 1.4.1.2b.

[132] Zur Geschichte des Verhältnisses von Dogmatik und Ethik vgl. als Überblick H.-J. Birkner in HCE Bd.1, 281–296.

[133] Der immer wieder geäußerte Vorwurf gegen Karl Barth, er deduziere durch seine analogia relationis relativ willkürlich ethische Normen, trifft auf sein Gesamtwerk nicht zu, auch wenn es z.B. in „Christengemeinde und Bürgergemeinde“ den Anschein machen könnte.

[134] Diese Verschmelzung geschieht bei Trutz Rendtorff. Er geht davon aus, daß das Christentum in sein ethisches Zeitalter eingetreten sei und alle Theologie eigentlich „ethische Theologie“ zu sein habe (Rendtorff, T.: Ethik Bd. 1, Stuttgart 1980, 14ff). So wichtig sein damit verfolgtes Anliegen ist, Theologie als „Wirklichkeitswissenschaft“ zu verstehen, so fraglich ist der heute inflationäre Gebrauch von Ethik, den er damit fördert, indem er z.B. ökologische Theologie und ökologische Ethik ineins setzt (ebd., 16). Die Einheit von Dogmatik und Ethik kann und muß anders gewährleistet werden als durch Reduktion der Theologie auf Ethik resp. Ausweitung der Ethik zur Fundamentaltheologie.

[135] So Frey, Ch.: Vernunftbegründung in der Ethik. Eine protestantische Sicht, ZEE 37/1993, 22–32 (29). Der Begriff der Perspektiven stammt von Tödt, H.E.: Perspektiven theologischer Ethik, München 1988, 38, 68ff. Ethik hat nach Tödt die Aufgabe, „Normen, Güter und Perspektiven“ zu prüfen.

Varianten z.T. unterstützte) *Naturrechtslehre* bringt das Offenbarungswort im wesentlichen eine Bestätigung der vernünftigen Erkenntnis der Naturordnung. Das Naturrecht beansprucht deshalb, eine gemeinsame Basis für Christen und Nichtchristen zu bilden. „Das Grundanliegen der Naturrechtslehre war stets dasselbe, nämlich die objektive Begründung einer sozialen Ordnung."[136] Dabei versucht das als statisch und nicht situationsgerecht unter Beschuß geratene Naturrecht heute durch Einbezug der Situation der komplexen pluralistischen Wirklichkeit gerecht zu werden[137]. Die Abhängigkeit der sittlichen Vernunft vom Glauben wird im naturrechtlichen Ansatz heute deutlicher herausgearbeitet[138]. Umgekehrt gewinnt die Suche nach allgemein gültigen Normen auch in biblisch begründeten (protestantischen) Ethiken an Bedeutung, so daß da und dort ein Prozeß der Annäherung zu beobachten ist[139]. Gerade für eine Schöpfungsethik, bei der es (zumindest vordergründig) um die Erhaltung des Geschaffenen geht, scheint sich der naturrechtliche Ansatz nahezulegen. Doch gerade hier wird das Defizit des naturrechtlichen Ansatzes deutlich: Die erwähnte „Perspektivierung" fehlt weitgehend. In der Schöpfungsethik geht es im heutigen rasenden Wandel weniger um das *Erhalten* scheinbar vorgegebener, naturrechtlich erfaßter Ordnungen als um das verantwortliche *Gestalten* unter ständig sich wandelnden Bedingungen. Dieses Gestalten hat in der Perspektive des Zieles der Schöpfung, in der Ausrichtung auf das Reich Gottes, das alles Geschaffene umfaßt, zu geschehen. Diese eschatologische Dimension ist offenbarungsethisch zu gewinnen.[140] Der Mensch kann sie nicht kraft seiner Natur (analogia entis) erkennen. (Damit ist nur ein Kritikpunkt am Naturrecht erwähnt. Die theologischen, z.B. pneumatologischen, geschichtlichen, methodischen und juristischen Einwände gegen den naturrechtlichen Ansatz und die Unterschiede zwischen antikem, christlichem und aufklärerischem Naturrecht können hier nicht entfaltet werden.) Trotz dieser Kritik ist allerdings der Dialog mit der naturrechtlichen Begründung der Ethik weiterzuführen, nicht zuletzt deshalb, weil sie in der katholischen Moraltheologie nach wie vor bedeutend, ja offiziell verbindlich ist und Schöpfungsethik im Interesse gemeinsamen Handelns für die Bewahrung der Schöpfung so weit wie möglich ökumenisch ausgerichtet sein muß. Die Auseinandersetzung ist zudem weiterzuführen nicht zuletzt auch deshalb, weil Naturrecht

---

[136] Böckle, F.: Wiederkehr oder Ende des Naturrechts?, in: ders./Böckenförde, E. W.: Naturrecht in der Kritik, Mainz 1973, 304–311 (304); Die Kritik der dialektischen Theologie am Naturrecht durch das Christusrecht (bes. durch K. Barth) ist prägnant dargelegt bei Wolf, E.: Sozialethik, Göttingen 1975, 89–114: Das sittliche Vernunftgesetz und die Offenbarung. Naturrecht oder Christusrecht?. Eine neue Auseinandersetzung mit dem Naturrechtsdenken in der evangelischen Theologie, mit Schwerpunkt auf Ernst Troeltsch, führt Tanner, K.: Der lange Schatten des Naturrechts. Eine fundamentaltheologische Untersuchung, Stuttgart 1993.

[137] Böckle, F., a.a.O., 306ff.

[138] So z.B. Klaus Demmer, Vernunftbegründung und biblische Begründung in der Ethik, ZEE 37/1993, 10–21: „Das II. Vatikanische Konzil hat in seinem Dekret über die Priesterausbildung ‚Optatam totius' (16) einen eindringlichen Verweis auf die Bedeutung des Schriftarguments in der Moraltheologie gegeben ... Die Hochschätzung des Schriftarguments rückt sie – lehramtlich bestätigt – in die Nähe der evangelischen Theologischen Ethik." (12f). Er beeilt sich allerdings anzufügen – und hier wird die Differenz zu evangelischen Ethiken wieder deutlich –, die Schrift brauche „in re morali" die „Ergänzung durch das naturrechtliche Argument." (ebd.,13) Vgl. dazu auch Bubmann, P.: Naturrecht und christliche Ethik, ZEE 37/1993, 267–280 (274ff).

[139] Für M. Honecker aus lutherischer Sicht kann sich bei einem „pragmatischen Verständnis des Naturrechts als Bezugsgröße einer ‚Vernunftmoral' heute evangelische Ethik mit katholischer Moraltheologie verständigen." (Honecker, M.: Einführung in die theologische Ethik, Berlin 1990, 124.)

[140] Vgl. dazu z.B. Kapitel 5.3.6.

Vernunftrecht ist (insofern nach naturrechtlicher Auffassung die Vernunft eine angemessene Erkenntnis Gottes und seiner Ordnungen ermöglicht) und die Vernunft in der Ethik ihren Platz hat. Dieses Verhältnis der Offenbarungsethik zur Vernunftethik ist nun zu klären.

1.4.1.2 Vernunft

Welches ist die Bedeutung der Vernunft für die christliche Ethik? Worauf beruht die Vernunftethik[141]*?*

a) Dimensionen und Unbestimmtheit des Vernunftbegriffs

Die Bewahrung der Schöpfung ist eine gewaltige Aufgabe der ganzen Menschheit. Sie erfordert die Zusammenarbeit der Menschen und Institutionen lokal wie weltweit. Umweltethik hat nach Werten und Normen im Umgang mit der Umwelt zu suchen, die von Menschen unterschiedlichster Weltanschauungen geteilt werden können, weil gemeinsames Handeln – z.B. aufgrund internationaler Umweltvereinbarungen – nötig ist. Auch die christliche Mitweltethik hat sich dieser Aufgabe zu stellen. Die Frage ist nun, ob eine in der Vernunft begründete Ethik dieser Aufgabe am ehesten gerecht werden kann. Christliche Ethik steht dabei immer in der Spannung zwischen diesem Anspruch auf Allgemeingültigkeit und dem Anspruch auf unbedingte Nachfolge Jesu Christi.

Die Vernunft hat viele Gesichter. Ihr Verständnis ist dem Wandel der Geschichte unterworfen. Vom philosophischen Denken der Antike über Scholastik, Nachscholastik und Luther bis ins 17. Jahrhundert bezeichnete die *Vernunft* (griech. dianoia, lat. ratio) das geistige Vermögen des diskursiven Denkens. Es setzt sinnlich erfahrene Erkenntnisse in Begriffe um und gelangt durch das diskursive Hin und Her zwischen den Begriffen zu einem Urteilsvermögen (und zum Handeln[142]). Diese Vernunft wurde wiederum in verschiedener Weise in unterschiedliche Funktionen unterteilt. Vernunft wurde vom *Verstand* (griech. nous, lat. intellectus) unterschieden. Verstand bezeichnete das geistige Vermögen der unmittelbaren, intuitiven, von sinnlicher Wahrnehmung freien Einsicht, damit auch das Vermögen der Erkenntnis der Ideen und des Schauens Gottes. Gerade die Aufklärung sah (mit religionskritischer Spitze) die Vernunft als Organ des Vernehmens der göttlichen Wahrheit und sprach in diesem Sinne von der *illuminativen Vernunft*.

Kant kehrte dann die Bedeutung von Vernunft und Verstand um, indem er dem Verstand die Konstituierung der Erfahrung aufgrund der Sinneseindrücke und der Vernunft das höchste Erkenntnisvermögen zuwies: „Alle unsere Erkenntnis hebt von den Sinnen an, geht von da zum Verstande und endigt bei der Vernunft, über welche nichts Höheres in uns angetroffen wird."[143] Der Verstand ist für ihn das „Vermögen der Regeln", die Vernunft „das Vermögen der Prinzipien"[144]. Dabei unterscheidet er die theoretische Vernunft, die unter der Leitung der Ideen alle Verstandeserkenntnis zu einem Ganzen ordnet, von der praktischen Vernunft, die vom sittlichen Willen bestimmt die Einheit des

---

141 Vgl. als Übersicht Honnefelder, L.: Die ethische Rationalität der Neuzeit, HCE Bd. 1, 19–45.

142 So sind bei Aristoteles Erkennen und Tun (die dianoetischen Tugenden und die ethischen Tugenden) eng miteinander verbunden. Vgl. Kapitel 3.1.2.

143 Kant, I.: Kritik der reinen Vernunft, hg. von R. Schmidt, Hamburg 1990, B 355.

144 Ebd., B 356.

Wollens und Handelns mit dem allgemeinen Sittengesetz ermöglicht. Dieses Vernunftverständnis war für Kants ethischen Ansatz des kategorischen Imperativs grundlegend und für die neuzeitlichen abendländischen Ethiken prägend: „Praktisch gut ist, was vermittels der Vorstellung der Vernunft mithin nicht aus subjektiven Ursachen, sondern objektiv, d.i. aus Gründen, die für jedes vernünftige Wesen als solches gültig sind, den Willen bestimmt. Die Vorstellung eines objektiven Prinzips, sofern es für einen Willen nötigend ist, heißt ein Gebot (der Vernunft) und die Formel des Gebotes heißt Imperativ. Alle Imperativen werden durch ein Sollen ausgedruckt."[145]
Diese wenigen Andeutungen zeigen bereits, was sich in der Gegenwart ausgeprägt manifestiert: Es besteht eine Vielzahl verschiedender Verständnisse und Aspekte von Vernunft. „Aus dem Universalismus des Vernunftanspruchs wird der Pluralismus unvereinbarer Vernunftprogramme", stellt Martin Honecker zu Recht fest.[146]
Neben der Unterscheidung zwischen *theoretischer Vernunft* mit ihrer verifizierenden Funktion und der *praktischen Vernunft* mit ihrer handlungsleitenden Funktion ist besonders die Auseinandersetzung zwischen *kritischer Vernunft* (der Humanität verpflichtet) und *instrumenteller Vernunft* (der Effizienz verpflichtet) bedeutsam. Diese Diskussion ist nicht abgeschlossen. Die Unterscheidung von Max Horkheimer[147] geht auf Max Webers Differenzierung zwischen der *Wertrationalität*, die der Vernunft Ziele setzt, und der *Zweckrationalität*, die bestimmte Ziele mit möglichst effizienten Mitteln zu erreichen sucht (Zweck-Mittel-Rationalität), zurück. Die zeitweise scharfe Kritik an der instrumentellen Vernunft als einem Herrschaftsinstrument ist heute durch eine dialektische Auffassung aufgeweicht, die die normativen Anliegen mit der Zweckrationalität verbindet, wie das z.B. Vittorio Hösle tut: „Strategisches Handeln ist keineswegs per definitionem schlecht ... Gefährlich ist nur eine Verselbständigung der Zweckrationalität, die die normative Frage vergißt"[148] und die damit die Menschheit und Mitwelt ausschließlich als Mittel mißbrauchen würde. Zweckrationalität würde dann zum Gegensatz der Wertrationalität und der kommunikativen Rationalität, wenn sie einfach als „List zum Zwecke der Durchsetzung der eigenen Absichten" eingesetzt würde.[149]
Deutlichen Rückhalt auch in theologischen Ethiken und breite Anwendung findet heute die *kommunikative Rationalität* der *Diskursethik.* Ein ethischer Konsens wird in diesem Ansatz durch die vernünftige Kommunikation zwischen Menschen unter fairen, möglichst herrschaftsfreien Bedingungen angestrebt. So geht es in der Diskursethik von Jürgen Habermas um eine auf Verständigung und Konsens über Normen abzielende Kommunikation.[150] K.-O. Apel spricht von einer „Ethik der Kommunikation ... als Grundla-

---

[145] Kant, I.: Grundlegung zur Metaphysik der Sitten, Werke in sechs Bänden, hg. von W. Weischedel, Darmstadt 1963, Bd.IV, 35, 41. Mehr zur Bedeutung seines Ansatzes für eine Ethik des Maßes vgl. Kapitel 3.4.3.

[146] Honecker, M.: Ethikkrise – Krisenethik: Die Hinterfragung der Vernunft im ethischen Urteil, in: Germann, H.U. et al.: Das Ethos der Liberalität. Festschrift für Hermann Ringeling, Freiburg 1993, 81–94 (88).

[147] Horkheimer, M.: Traditionelle und kritische Theorie, Frankfurt 1970.

[148] Hösle, V.: Zur Dialektik von strategischer und kommunikativer Rationalität, in: Orientierung durch Ethik? Eine Zwischenbilanz, Paderborn u.a. 1993, 11–35 (19).

[149] Ebd., 21.

[150] Habermas, J.: Theorie des kommunikativen Handelns, Bd. 1, Frankfurt 1981, 525 (Bd.2: 1988); ders.: Erläuterungen zur Diskursethik, Frankfurt 1991. Zur kritischen Diskussion darüber Bolte, G. (Hg.): Unkritische Theorie. Gegen Habermas, Lüneburg 1989; Kaiser, H.: Die ethische Integration der öko-

ge einer Ethik der demokratischen Willensbildung durch Übereinkunft (‚Konvention')"[151] und J.S. Dryzek plädiert für eine Umweltethik im Sinne einer vernünftigen „kommunikativen Ethik" als Alternative sowohl zur instrumentellen Vernunft wie zur Ökospiritualität[152].

Dieser primär in der philosophischen Ethik verwurzelte Ansatz wird auch in der protestantischen und katholischen theologischen Umweltethik aufgenommen. So z.B. von Hans Ruh: „Die reformatorische Ethik muß sich neu mit dem Wahrheitsgehalt der ethischen Vernunft … auseinandersetzen."[153] Er geht vom „Konstrukt einer fairen Vernunftgemeinschaft" aus mit der Begründung: „Wenn ich vom christlich-theologischen Standort ausgehe, dann laufe ich Gefahr, daß man mir sagt: Alles schön und gut, aber wir machen die Voraussetzungen nicht mit. Also bleibt mir nur der zweite Weg: Ich gehe davon aus, daß man bereit ist, in fairer Weise, das heißt unter Ausklammerung von Interessen, mit mir nach Regeln und Bestimmungsfaktoren für menschliche und soziale Werte zu fragen."[154] Alfons Auer baut seine Umweltethik auf der „Autonomen Moral", auf der „mündigen Selbstbestimmung des Menschen" auf. Die Verbindlichkeit von Normen stammt für ihn aus deren inneren Vernünftigkeit und nicht aus der Autorität, die sie vermittelt. Dabei weist er von der Theologie her eine absolutistisch verstandene Autonomie zurück und betont die „Relationalität der Autonomie im Bereich des Menschen und des Natürlichen". „Diese Autonomie des Menschen gründet in der Rationalität der Wirklichkeit insgesamt", die auf naturrechtlich erfaßbaren Schöpfungsordnungen beruht[155].

Vernunftethik versteht sich heute weitgehend als „metaphysikfreie, humanistische Ethik", die den Menschen „als selbstverantwortliches, praktisch vernünftiges Subjekt seines Handelns ernst nimmt" und die „diesseits aller Metaphysik" „nur noch als praktische Philosophie im Sinne der sich methodisch selbst begrenzenden (und ihre Begründungsdefizite selbst kritisierenden) praktischen Vernunft des Menschen möglich ist."[156] Die dabei zutage tretenden unterschiedlichen Rationalitätsverständnisse – z.B. zwischen ethischer und ökonomischer Rationalität – können hier nicht weiter entfaltet werden.[157]

---

nomischen Rationalität: Grundelemente und Konkretion einer „modernen" Wirtschaftsethik, Bern 1992, 185ff, 258ff. Zur Kritik der Rolle der Umweltethik in der ökologischen Kommunikation vom Standpunkt der kommunikativen Rationalität aus vgl. Luhmann, N.: Ökologische Kommunikation, Opladen 1986, 259–265.

[151] Apel, K.-O.: Transformation der Philosophie II. Das Apriori der Kommunikationsgemeinschaft, Frankfurt 1985, 426.

[152] Dryzek, J.S.: Green Reason: Communicative Ethics for the Biosphere, Environmental Ethics 12 (1990), 195–210 (195): „I argue against both instrumental rationalists and ecological spiritualists in favour of a communicative rationality which encompasses the natural world."

[153] Ruh, H.: Wandel im christlichen Tugendverständnis, in: Braun, H.J.: Ethische Perspektiven: Wandel der Tugenden, Zürich 1989, 71–81 (80).

[154] Ruh, H.: Argument Ethik, Zürich 1991, 29f.

[155] Auer, A.: Umweltethik, Düsseldorf 1984, 228.

[156] So Ulrich, P.: Transformation der ökonomischen Vernunft. Fortschrittsperspektiven der modernen Industriegesellschaft, Bern/Stuttgart 1986, 274f. Ebenfalls von dieser praktischen Vernunft geht D. Birnbacher mit seiner „rationalen Zukunftsbewertung" in seiner utilitaristisch begründeten Umweltethik aus (Birnbacher, D.: Verantwortung für zukünftige Generationen, Stuttgart 1988, 35ff, 101ff).

[157] Die Verhältnisbestimmung von ethischer und ökonomischer Rationalität leistet umfassend der (theologische) Wirtschaftsethiker H. Kaiser: Die ethische Integration ökonomischer Rationalität: Grundelemente und Konkretion einer „modernen" Wirtschaftsethik, Bern 1992. Sein Ansatz „beabsichtigt, in die ökonomischen Prozesse selbst einzudringen und ethische Vernunft … *in* der ökonomischen Ratio-

Diese wenigen Hinweise zeigen die Weite und Unbestimmtheit des Vernunftbegriffs. In *unserer umweltethischen Arbeit* gehen wir von folgendem *Verständnis von (praktischer) Vernunft* aus:
Vernunft ist das Prinzip der Argumentation. Sie ist eine (aber wahrlich nicht die einzige!) Grundlage kommunikativer Verständigung. Sie ist eher ein Verfahren als ein Inhalt. Sie ist die Fähigkeit, bei der gemeinsamen Suche nach dem richtigen Handeln die eigenen Interessen und Erfahrungen einzubringen und durch das Ernstnehmen der Interessen und Erfahrungen anderer zugleich davon Abstand zu nehmen. Erfahrung verdichtet sich so zu weisheitlicher Erkenntnis als Grundlage der Vernunft. Vernunft ist die Fähigkeit, aus der Gesamtsicht der Interessen und Erfahrungen Handlungsleitlinien in Form von Prinzipien zu formulieren, die für alle oder bestimmte Teile der Menschheit einsichtig und nachvollziehbar sind. „Vernunft hat aufgrund von Erfahrung und Überlieferung zu prüfen, was ethisch vertretbar ist."[158] Zu solcher vernunftgemäßer Argumentation gehört methodische Systematik, Auseinandersetzung mit alternativen Bezugspositionen, Erfüllung der Forderungen der Exaktheit, der Begründbarkeit und der (teilweisen) Generalisierung. Der vernünftige Diskurs über umweltethische Normen ist sowohl für das lokale Handeln wie für die weltweite Einigung auf ein ökologisches Maß und auf Maßnahmen wichtig.
Umweltethik als Vernunftethik muß sich von der einseitigen Betonung der instrumentellen Vernunft abgrenzen, wie das heute viele Vernunftethiken wie z.B. die Kritische Theorie tun.[159] Die instrumentelle Vernunft betont als Zweck-Mittel-Rationalität die (technische) Rationalisierung der Mittel und hat damit eine weltverändernde Dynamik ausgelöst, löst sie weiter aus und dient oft als Herrschaftsinstrument über die Natur.[160] Umgekehrt ist die instrumentelle Vernunft z.B. zum möglichst rationellen Einsatz von Energie auch umweltethisch relevant. Die ethische Beurteilung der instrumentellen Vernunft hängt u.a. davon ab, welche Ziele sie verfolgt.
Umweltethik als Vernunftethik hat sich im weiteren – in diesem Punkt das Anliegen des Kritischen Rationalismus aufnehmend[161] – gegen jenen Rationalismus abzugrenzen, der die Vernunft verabsolutiert und z.B. die geschichtsphilosophischen Prämissen vernünftiger Aussagen übersieht[162].

b) Grenzen der Vernunft

W. Korff bezeichnet von seinem naturrechtlichen Ansatz her „Vernunft als Ermögli-

---

nalität zu aktualisieren."(46) Der spezifisch theologische Beitrag zur Wirtschaftsethik kommt darin leider wenig zum Ausdruck, während er in seiner dem Buch zugrundeliegenden Habilitationsschrift historisch ausführlich einbezogen ist.

158 Honecker, M.: Einführung in die Theologische Ethik, Berlin 1990, 202.

159 Z.B. bei Max Horkheimer, Theodor Adorno, Herbert Marcuse, Jürgen Habermas. Wieweit letzterer noch dazu zu zählen ist, ist Gegenstand der Diskussion.

160 Daß auch bei Kant Vernunft als Herrschaftsinstrument mißbraucht wird, die die Natur als Objekt und nicht als Subjekt betrachtet und sie vergewaltigt, zeigt seine Aussage, „daß die Vernunft nur das einsieht, was sie selbst nach ihrem Entwurfe hervorbringt, daß sie mit Prinzipien ihrer Urteile nach beständigen Gesetzen vorangehen und die Natur nötigen müsse, auf ihre Fragen zu antworten." (Kant, I.: Kritik der reinen Vernunft, Hamburg 1990^3, 18; Vorrede, B XIII).

161 Z.B. Karl Popper, Hans Albert, Paul Feyerabend.

162 Zu Recht stellt Arthur Rich fest, daß in der Kritischen Theorie „unzweifelhaft geschichtstheologische Implikationen als rationalisierte Basisüberzeugungen" begegnen (Wirtschaftsethik, Bd. 1, Gütersloh 1984, 89).

chungsgrund des Sittlichen in der Geschichte“[163]. Dieser Optimismus ist trotz der Wertschätzung der Leistungen der Vernunft angesichts ihrer offensichtlichen Grenzen heute brüchig geworden. Die Grenzen der Vernunft werden heute ebenso häufig thematisiert wie ihre Chancen.[164] Worin liegen ihre Grenzen?

1. Die Vernunft ermöglicht nicht absolute, sondern nur geschichts- und damit situationsabhängige Urteile, da Vernunft nach unserer Definition immer auch auf Erfahrung beruht. Auch Sozialethiker wie Martin Honecker, für den die Vernunftethik in seinem von der Zwei-Reiche-Lehre geprägten Ansatz eine sehr wichtige Rolle spielt, urteilt heute sehr zurückhaltend: „Die Idee der *einen* Vernunft ist gescheitert ... Die Annahme einer zeitlosen Vernunft gilt als Mythos.“[165] Er billigt der Vernunft nurmehr einen begrenzten Wert zu: „Vernunftethik kennt nur vorläufige Antworten, relative Einsichten, relativ im Sinne von: bezogen auf jeweilige Sachverhalte und Umstände ... Eine Vernunftethik kann im günstigsten Fall die relativ beste Lösung finden. Was sie anstrebt, ist jedoch eine gewaltfreie Verständigung.“[166]

2. Auch vernünftig ausgehandelte Normen beruhen letztlich auf einer existentiellen Erfahrungs- oder Glaubensgewißheit, die für den einzelnen evident und nicht weiter begründbar ist, z.B. auf der Erfahrung, daß ich ohne mein Zutun geboren wurde, auf dem Grundvertrauen in das Leben oder auf den Schöpfer des Lebens und auf der Entscheidung, daß ich leben will[167]. Eine Letztbegründung kann die Vernunft nicht leisten, weder durch Apels ideale Kommunikationsgemeinschaft noch durch A. Smiths unparteiischen Zuschauer oder durch Kants kategorischen Imperativ.

3. Am Anfang der Ethik, auch einer Vernunftethik, steht die Betroffenheit: sei es das Erstaunen (oben Kapitel 1.1) oder das Erschrecken (H. Jonas), die Dankbarkeit über eine Errettung (Zwingli[168]) oder die Tränen im Traum (C.F. von Weizsäcker[169]). Zu einer ganzheitlichen Ethik gehören diese oft als irrational bezeichneten Erlebnisse und Gefühle dazu. Man muß in der Vernunftkritik nicht so weit gehen wie Nietzsche, der die Welt insgesamt als irrational, vernunftlos und zufällig betrachtet hat. Die Ratio wird aber nur durch Integration des Irrationalen vernünftig.[170]

4. Der Mensch hat heute technologische Möglichkeiten entwickelt, die seine menschlichen Verantwortungsmöglichkeiten übersteigen. Die Vernunft bleibt aber den Grenzen

---

163 Korff, W.: Die naturale und geschichtliche Unbeliebigkeit menschlicher Normativität, Handbuch der christlichen Ethik Bd.1, Freiburg 1978, 147–167 (147)).

164 Symptomatisch dafür sind Buchtitel wie der folgende: Kolmer, P./Korten, H. (Hg.): Grenzbestimmungen der Vernunft. Philosophische Beiträge zur Rationalitätsdebatte, Freiburg 1993.

165 Honecker, M.: Ethikkrise – Krisenethik: Die Hinterfragung der Vernunnft im ethischen Urteil, a.a.O., 92f.

166 Ebd., 92.

167 Mit Rich, A.: Wirtschaftsethik Bd. 1, Gütersloh 1994, 105ff, 170.

168 Die Errettung von der Pesterkrankung war für Zwinglis Theologie und Ethik ähnlich bedeutsam wie das Turmerlebnis für Luther. Vgl. Rich, A.: Die Anfänge der Theologie Huldrych Zwinglis, Zürich 1949, 104–119.

169 C.F. von Weizsäcker schließt sein appellatives Buch „Die Zeit drängt“ (München 1986, 116f), indem er auf drei Träume, die er am Ende des Zweiten Weltkriegs träumte, als Wegweiser seines Handelns verweist.

170 So auch Primas, H.: „Irrationalität ist ein Faktum: Wir haben die Verschränkung der rationalen und irrationalen Ebenen zu akzeptieren ... Es ist unvernünftig, die Existenz des Irrationalen zu leugnen ... Zudem kann man tiefliegende Probleme nie mit der Denkfunktion allein angehen.“ (Die Einheit der Wissenschaften: Ein gebrochener Mythos, in: Thomas, Ch. [Hg.] Auf der Suche nach dem ganzheitlichen Augenblick. Der Aspekt Ganzheit in den Wissenschaften, Zürich 1992, 267–271 [270]).

des Menschseins verhaftet. Daraus entsteht jene Spannung, die zu den Risiken der modernen Gesellschaft führt. Albert Schweitzer brachte dies angesichts der Verleihung des Friedensnobelpreises 1952 auf den Punkt: „Es hat sich ereignet, daß der Mensch ein Übermensch geworden ist ... Er bringt die übermenschliche Vernünftigkeit, die dem Besitz übermenschlicher Macht entsprechen sollte, nicht auf."[171]
5. Bleibt die Vernunftethik mit der vernünftigen Kommunikationsgemeinschaft nicht letztlich anthropozentrisch, verhaftet in der Instrumentalisierung der Natur[172], sofern ihr der außermenschliche Bezugspunkt fehlt? Bleibt sie nicht zu idealistisch und damit zu wenig wirksam, weil sie den vernünftigen Menschen überschätzt und seine – auch zerstörerische – Abgründigkeit unterschätzt? Martin Luther betonte zu Recht, man könne von der Vernunft nicht sprechen, ohne auch von der Sünde zu sprechen, da auch die Vernunft teilhabe an der sündigen Natur des Menschen. So ist mit Luther die durch den Glauben geläuterte von der gottfeindlichen Vernunft zu unterscheiden[173]. Damit ist der Verabsolutierung der Vernunft in der Aufklärung die Frage entgegenzuhalten: „Wer klärt die Aufklärung über die Aufklärung auf?"[174] Ein durch die Aufklärung geläutertes biblisch-reformatorisches Menschenbild ist ein Weg dazu.
6. Die Grenzen der Berufung auf die Vernunft als allgemein anerkannter Grundlage der Urteilsfindung der Menschheit können auch aufgezeigt werden an der heutigen Auseinandersetzung um die Menschenrechte. In der „Allgemeinen Erklärung der Menschenrechte" der UNO von 1948 wird die Gleichheit und Gleichberechtigung aller Menschen u.a. damit begründet, daß alle Menschen „mit Vernunft und Gewissen begabt"[175] sind. In der „Allgemeinen Islamischen Menschenrechtserklärung" von 1981 wird der Glaube an Gott zur gemeinsamen Grundlage der Menschenrechte und die Rolle der Vernunft wird bestritten. Es wird explizit betont, „daß die Vernunft allein, ohne das Licht der göttlichen Offenbarung, weder eine sichere Führerin in menschlichen Angelegenheiten sein noch der menschlichen Seele geistliche Nahrung bieten kann ..."[176]. Auch die „Kairoer Erklärung der Menschenrechte im Islam" von 1990 sieht die „Unterwerfung unter Gott" und den „wahrhaften Glauben" als Grundlage der Einheit der Menschheit[177].
7. Die Vernunft ist für die theologische Ethik hilfreich und notwendig, sofern sie keine Absolutheitsansprüche, also soteriologischen Heilsansprüche stellt. Wo sie das tut, über-

---

171 Schweitzer, A.: Friede oder Atomkrieg, München 1981, 20.

172 Z.B. beim intergenerationellen Utilitarismus von Birnbacher, D.: Verantwortung für zukünftige Generationen, a.a.O, 101ff.

173 Luther, M: WA 40 I, 418,7f.

174 So Frey, Ch.: Die Ethik des Protestantismus von der Reformation bis zur Gegenwart, Gütersloh 1989, 123 (in Auseinandersetzung mit Kants Ethik).

175 Allgemeine Erklärung der Mennschenrechte der UNO, 10.12.1948, Art. 1: „Alle Menschen sind frei und gleich an Würde und Rechten geboren. Sie sind mit Vernunft und Gewissen begabt und sollen einander im Geiste der Brüderlichkeit begegnen."

176 Allgemeine Islamische Menschenrechtserklärung von 1981, in: CIBEDO-Dokumentation 15/16, 1982, Art. 4. Die Erklärung fand große Beachtung, die Repräsentativität des Islamischen Rats für Europa, von dem diese Menschenrechtserklärung stammt, ist aber zugleich umstritten. Vgl. zu den verschiedenen islamischen Menschenrechtskonzepten den informativen Literaturbericht: Stahmann, Ch.: Islamische Menschenrechtskonzepte, ZEE 38/1994, 142–152.

177 Die Kairoer Erklärung der Menschenrechte im Islam, in: Gewissen und Freiheit 36/1991, 93–98, Art. 1a: „Alle Menschen bilden eine Familie, deren Mitglieder durch die Unterwerfung unter Gott vereint sind und alle von Ansehen von Rasse, Hautfarbe, Sprache, Geschlecht, Religion, politischer Einstellung, sozialem Status oder andern Gründen. Der wahrhafte Glaube ist die Garantie für das Erlangen solcher Würde auf dem Pfad zur menschenlichen Vollkommenheit."

schreitet sie ihre Grenzen und tritt in Konkurrenz zur Offenbarung. Zwischen Vernunft und Offenbarung muß aber keineswegs eine Konkurrenz bestehen.

c) Vernunft und Offenbarung

Gerade indem sich die Vernunft der Offenbarung öffnet, erkennt sie ihre Grenzen und wird zur vernünftigen Vernunft. Heute ist die Vernunft in Gefahr, ziellos in eine „vernunftlose Rationalität" abzugleiten, „die gegen Vernunft und Unvernunft indifferent ist", wie es Georg Picht einmal ausdrückte[178]. Die triumphalistisch wirkende aufklärerische Einschätzung, der Streit zwischen Vernunft und Offenbarung sei im 18. Jahrhundert erledigt und zugunsten der Vernunft entschieden worden, stimmt ebenso wenig wie die Proklamation des Endes der Vernunft. Beide haben sich behauptet und beide haben ihren Wert. „Eine Vernunft, die vor dem Offenbarungsglauben abzudanken hätte, ist ebenso Unsinn wie eine Offenbarung, die auf die Vernunft begrenzt wäre."[179] Aufgeklärte Vernunft bekämpft nicht mehr die Offenbarung, sondern ihre eigene Verabsolutierung, indem sie sich selbst ständig kritisch prüft und ihre Grenzen respektiert. Für eine so verstandene Vernunft kann es geradezu vernünftig sein, im ethischen, auch umweltethischen, Urteil der Offenbarungsperspektive zu folgen! In den vernünftigen Diskurs wird damit die Erzählung der Heilsgeschichte Gottes (als einer gelebten und erfahrenen Praxis von Menschen im Ganzen der Schöpfung) einbezogen. Umgekehrt ist der Glaube an die Offenbarung, der sich dem kritischen Potential der Vernunft stellt, befähigt, Verabsolutierungen von Relativem, von Weltlich-Menschlichem zu vermeiden[180].
Eine weitere Verhältnisbestimmung von Vernunft und Offenbarung erfolgt später in Auseinandersetzung mit der Rolle des Heiligen Geistes[181].

1.4.1.3 Erfahrung

Kann Erfahrung eine Quelle normativer Erkenntnis sein?

Erfahrung ist eine Grundlage der Vernunft, wie bereits in unserer obigen Umschreibung von Vernunft zum Ausdruck kam. Erfahrung überzeugt durch eine ihr innewohnende Evidenz. „Erfahrung als Erlebnis erzeugt statt diskursiver Gewißheit eine Art intuitiver Evidenz. Auch hier gibt es eine Art experimenteller Überprüfung. An die Stelle des wissenschaftlichen Experimentes tritt jedoch hier das Experiment des Lebens."[182] Doch ist Erfahrung eine normative Erkenntnisquelle? Läßt sich aus der Erfahrung ableiten, was ein maßvoller Umgang mit der Mitwelt heißt? Oder erliegt Ethik damit der Normativität

---

178 Picht, G.: Aufklärung und Offenbarung, in: ders.: Wahrheit, Vernunft, Verantwortung, Stuttgart 1969, 183–202 (199).

179 Seckler, M.: Aufklärung und Offenbarung, in: CGG Bd. 21, 5–78 (63).

180 In diesem Sinn schreibt D. Lange zur Rolle der Vernunft für den Glauben: „Der Glaube ... wird ... selbst zum Prinzip rationaler Kritik an jeder religiösen Überhöhung fragwürdiger, weil der Strittigkeit alles Weltlichen und der Rechenschaftspflicht entzogener, ethischer Appelle und Strategien (kritische Vernunft)." (Lange, D.: Ethik in evangelischer Perspektive, Göttingen 1992, 252.)

181 Vgl. Kapitel 1.4.2.

182 So Mieth, D.: Norm und Erfahrung. Die Relevanz der Erfahrung für die ethische Theorie und die sittliche Praxis, ZEE 37/1993, 33–45 (39). Vgl. auch ders.: Moral und Erfahrung, Freiburg 1977.

des Faktischen, indem sie das faktisch Erfahrene, z.B. den Zustand der Natur, wie er sich im ausgehenden 20. Jahrhundert zeigt, zur Norm erhebt?
Die Bedeutung der Erfahrung für die ethische Urteilsbildung wird z.B. von Befreiungstheologien und feministischen Theologien betont, indem sie den Vorrang der Praxis[183] vor der Theorie[184] und damit auch vor der (offenbarungsethischen oder vernunftethischen) Letztbegründung der Ethik zur methodischen Grundlage erheben. Ihr Erkenntnisweg heißt ethische Evidenz durch Erfahrung: „Die Frage nach der Letztbegründung ethischer Urteile ... ist für feministische Zugänge zur Ethik bisher peripher geblieben ...; birgt doch die Erfahrung des Unterdrücktseins mit einer gewissen Evidenz den Ruf nach veränderndem Tun in sich."[185] Die Praxis wird da und dort zum „Offenbarungsgeschehen". Die biblische Offenbarung dient noch der Bestätigung der Evidenz der Erfahrung: „Mit ihrer bewußten Parteilichkeit für die Unterdrückten und im Konfliktfall Schwächeren findet sich feministische Ethik vom biblischen Ethos bestätigt."[186] Zur Praxis als Erfahrungsgrund für Ethik gehört übrigens auch die geistliche Praxis des Gebets, des Lobes und des Hörens auf Gottes Wort.[187]
Erfahrung ist ein komplexer Vorgang. Sie umfaßt Elemente der Wahrnehmung (des empirischen Erkennens nach trial and error und des unmittelbaren Erfassens), des unmittelbaren Erlebens im Sinne der Betroffenheit und der Begegnung[188], aber auch Elemente der Verheißung und der damit verbundenen Hoffnung[189]. Während das Erleben durch Unmittelbarkeit gekennzeichnet ist, ist Erfahrung mittelbar und hat integrierenden, deutenden und orientierenden Charakter: das gleiche Erleben von Wirklichkeit wird in einem Prozeß der (auch religiösen) Deutung und Verarbeitung zu Erfahrungen, die durchaus verschieden sein können[190].
Nach der Rückweisung der Erfahrung als Quelle der Erkenntnis besonders in der dialektischen Theologie ist heute eine breite „Rehabilitierung der Erfahrung" in Theologie und Ethik[191] zu beobachten. Doch welchen Stellenwert hat sie für die ethische Erkenntnis?
Erfahrung bildet eine unumgängliche und wichtige Basis ethischer Urteilsbildung. Sechs Bedeutungen seien genannt: 1. Vergewisserung: Leben ist vor aller Reflexion vorgegeben. Die Erfahrung von Leben in seiner ganzen Vielfalt und Widersprüchlichkeit bildet

---

[183] Zum Praxisbegriff in der ethischen Methodologie vgl. auch Stückelberger, Ch.: Vermittlung und Parteinahme, Zürich 1988, 15–21.

[184] Das vielschichtige und differenzierte Praxisverständis der Befreiungstheologien kann hier nicht entfaltet werden. Vgl. z.B. Castillo, F.: Befreiende Praxis und theologische Reflexion, in: ders. (Hg.): Theologie aus der Praxis des Volkes, München 1978, 13–60; Casalis, G.: Die richtigen Ideen fallen nicht vom Himmel. Elemente einer induktiven Theologie, Stuttgart 1980.

[185] Praetorius, I./Schiele, B.: Art. Moral/Ethik in: Wörterbuch der feministischen Theologie, hg. von E. Gössmann et al., Gütersloh 1991, 289–296 (293f).

[186] Ebd., 294. Damit verbunden ist die Gefahr, daß die Offenbarung – hier im Dienste der „Ideologiekritik" (ebd., 290f) – instrumentalisiert wird. Eine Gefahr, die natürlich auch bei vielen andern ethischen Ansätzen besteht.

[187] Wie es Karl Barth immer wieder betonte.

[188] Diese Dreiteilung ist ausgeführt bei Mieth, D.: Norm und Erfahrung, a.a.O., 34–39.

[189] Eschatologisch ausgerichtete Existenz führt zum „allgemeinmenschlichen Erfahrungshorizont von Glauben, Hoffnung, Liebe" (so Rich, A.: Wirtschaftsethik, Bd. 1, Gütersloh 1984, 105–108). Auf die „Wirklichkeit der Hoffnung" verweist auch Ulrich, H.G.: Ethische Rechenschaft als Praxis der Freiheit. Bemerkungen zu ‚Norm und Erfahrung' in der Ethik, ZEE 37/1993, 46–58 (53f).

[190] Vgl. dazu auch Stückelberger, Ch.: Vermittlung und Parteinahme, Zürich 1988, 17–19.

[191] So auch Honecker, M.: Einführung in die Theologische Ethik, Berlin 1990, 198f.

das vorwissenschaftliche Fundament der Normenbildung[192]. Die (individuelle wie kollektive und institutionelle) Lebenspraxis hat durchaus Bekenntnischarakter. 2. Kommunikation: allgemeinmenschliche Erfahrung bildet die gemeinsame Grundlage für gelingende Kommunikation und für den ethischen Diskurs. Sie behindert aber zugleich (z.B. in Form der Erfahrung des Bösen) diese Verständigung. 3. Motivation: das (individuelle oder kollektive) Erleben des Betroffenseins motiviert ganz stark für eine bestimmte ethische Fragestellung und läßt andere Fragen zurücktreten. Dieses Betroffensein ist mitbestimmend für die Prioritäten, die in der ethischen Reflexion gesetzt werden. 4. Sachgemäßheit: Erfahrung im Sinne der erwähnten empirischen Wahrnehmung ist bedeutend für die Situationsanalyse[193] und entsprechend für die Sachkenntnis und Sachgemäßheit ethischen Urteilens[194]. 5. Realisierbarkeit: Erfahrung vermittelt Einsicht in das, was machbar resp. nicht machbar ist. Die Frage der Realisierbarkeit einer ethischen Norm beeinflußt häufig schon deren Formulierung und ist für die verantwortungsethische Frage nach der Praxis, nach den Folgen des Tuns und nach der Praxisangemessenheit (Adäquanz[195]) ethischer Urteile bedeutsam[196]. 6. Partizipation: Der Einbezug der Erfahrung von Betroffenen ist vom Wert der Partizipation und Achtung der Menschenwürde der Menschen her ein Kriterium für ethische Urteilsfindung.
Diese sechs Bedeutungen der Erfahrung für die ethische Normenfindung gelten auch für die vorliegende Studie: Die je nach Lebenslage verschiedene Erfahrung von Mangel oder Überfluß an Gütern ist Voraussetzung für die Suche nach einer Ethik des Maßes. Daß gerade das Thema Maßhalten hier zur Priorität gemacht wird, entspringt heutiger Erfahrung der Überflußgesellschaft. Die empirische Erfassung dessen, was als Natur und Naturgefährdung bezeichnet wird, prägt die ethischen Fragestellungen und beeinflußt deren Sachgemäßheit.[197] Die geschichtliche und gegenwärtige Erfahrung realisierten oder nichtgelebten Maßhaltens prägt die Ethiken des Maßes.[198] Die heute erfahrene Globalität der Probleme, der moderne Umgang mit der Zeit, das Ausmaß der Weltbevölkerung beeinflussen die eigenen ethischen Leitlinien zum Maßhalten[199] usw.
Der Einbezug der Erfahrung in die ethische Urteilsfindung bedeutet nicht, im Gegensatz zu einer deduktiven Normenethik nun rein induktiv aus der Erfahrung Normen herleiten zu wollen. Die erwähnte Gefahr der Normativität des Faktischen wäre zu groß und Erfahrung kann bei aller Evidenz, die sie beinhaltet, doch viele Wertkonflikte nicht lösen und schon gar nicht der eschatologischen Perspektive des Glaubens genügen. Vielfalt, Komplexität und oftmals Nichteindeutigkeit oder Widersprüchlichkeit von Erfahrung zwingen, ein ethisches Urteil in der Verbindung des Erzählens von Erfahrung (narrative Weisheit) mit argumentativer Vernunft und der Orientierung an biblischer Offenbarung

---

192 In Anlehnung an A. Rich. Er unterscheidet drei Ebenen sozialethischer Argumentation: 1. Die fundamentale Erfahrungsgewißheit, 2. die Kriterien und 3. die Maximen. Rich, A.: Wirschaftsethik, Bd. 1, 105–122 und 169f.

193 Zur Funktion der Situationsanalyse für die Ethik vgl. Kapitel 1.4.6.

194 A. Richs Grundansatz, „daß nicht wirklich menschengerecht sein könne, was nicht sachgemäß ist" (Wirtschaftsethik, Bd. 1, a.a.O., 81), liegt auch dem Ansatz dieser Studie zugrunde.

195 Zur Adäquanzkontrolle als letztem Schritt ethischer Urteilsfindung vgl. Kapitel 1.4.6.

196 Dietmar Mieth unterscheidet die Sachrelevanz, Sinnrelevanz und Praxisrelevanz der Erfahrung für die Ethik (was hier im 3.–5. Punkt anklingt). Mieth, D.: Norm und Erfahrung, a.a.O., 40f.

197 Vgl. die Fallbeispiele Kapitel 1.3 und das „naturwissenschaftliche" Kapitel 2.

198 Vgl. Kapitel 3 und 4.

199 Vgl. besonders Kapitel 5.4.

zu suchen. Im Zusammenspiel von Offenbarung, Vernunft, Erfahrung und Gemeinschaft kommt der Erfahrung aber eine wichtige und zugleich begrenzte Funktion im Prozeß ethischer Normenfindung und insbesondere Normenumsetzung zu, so wie es Dietmar Mieth sagt: „Wenn wir also von der Erfahrung als Quelle des sittlich Richtigen sprechen, dann soll die Erfahrung nicht zur Instanz des sittlich Richtigen erhoben werden, wohl aber soll sie als unerläßliche Vorbereitung des sittlichen Urteils, der sittlichen Haltung und der sittlichen Bewährung der Institutionen anerkannt werden."[200]

Die teilweise Rehabilitierung der Erfahrung in Theologie und Ethik geschah nicht zuletzt aus der Einsicht, daß allgemeingültige ethische Normen und schöne ethische Leitlinien die Welt noch nicht gestalten. Menschen lassen sich ja nicht einfach durch Begriffe und Postulate motivieren und verändern. Der tschechische Philosoph Milan Machovec antwortet auf seine Frage „Gibt es eine Rettung durch die Wissenschaft?": „Die Wissenschaft scheint schwach zu sein, weil der Druck der Liebe und der Angst zu schwach ist."[201] Deshalb können ethische Kriterien wohl nur verändernd wirken, wenn Begriffe mit Erfahrungen und Bildern gefüllt werden. Umgekehrt können und müssen Erfahrungen und Bilder durch den ethischen Diskurs und auf Begriffe gebrachte Argumentation geklärt werden. Ethik braucht Erzählungen und Bilder der Hoffnung und der Verzweiflung, Bilder der Angst und der Liebe. Wenn sie im handelnden Subjekt zu „Haltungsbildern"[202] werden, leiten sie das Handeln. Nicht zufällig ist uns die jesuanische Ethik vor allem in Geschichten, Gleichnissen und Bildern übermittelt und trägt gerade darin ihre Wirkkraft.

Solche Vermittlung zwischen Erfahrung und Ethik geschieht in besonders starkem Maß in der narrativen Ethik. Diese entsteht in Auseinandersetzung mit der Dichtung[203] oder im theologisch reflektierenden Erzählen prägender Lebenssituationen und gesellschaftlicher Zustände, wie dies besonders in ethischen Ansätzen aus der Dritten Welt geschieht[204]. Narrative Ethik kann sich – wie in amerikanischen Ethiken von der „story" her – bis zur „narrativen Kasuistik" entwickeln, auf die wir gleich zurückkommen werden.[205]

---

200 Mieth, D.: Norm und Erfahrung, a.a.O., 41.

201 Machovec, M.: Die Rückkehr zur Weisheit. Philosophie angesichts des Abgrunds. Stuttgart 1988, 117f.

202 Der Begriff ist zentral in der Neufassung der Tugenden bei D. Mieth. Vgl. Kapitel 4.2.4.

203 Entwickelt in Auseinandersetzung mit der Dichtung z.B. von Mieth, D.: Dichtung, Glaube und Moral. Studien zur Begründung einer narrativen Ethik, Mainz 1976, bes. 98–115; ders.: Moral und Erfahrung, a.a.O., 60–90. Allgemein zur narrativen Theologie vgl. auch Weinrich, H.: Narrative Theologie, Concilium 9/1973, 329–334; Metz, J.B.: Kleine Apologie des Erzählens, Concilium 9/1973, 334–341.

204 Als Beispiele seien genannt. Aus Taiwan: Song, Ch.-S.: Die Tränen der Lady Meng. Ein Gleichnis für eine politische Theologie des Volkes. Basel 1982. Aus Peru: Equipo Pastoral de Bambamarca: Vamos Caminando. Machen wir uns auf den Weg! Glaube, Gefangenschaft und Befreiung in den peruanischen Anden, Freiburg 1983.

205 Vgl. im folgenden Abschnitt den Ansatz von S. Hauerwas nach R. Hütter.

1.4.1.4 Gemeinschaft

Welche Bedeutung hat die Praxis der kirchlichen Gemeinschaft für die ethische Normenfindung?

Theologische Ethik geschieht – auch wenn sie den Anspruch auf Universalität erhebt – nicht im luftleeren Raum, sondern steht jeweils in einem bestimmten geschichtlichen und kirchlichen Kontext. Das Verhältnis der theologischen Ethik zur kirchlichen Verkündigung, Praxis, Gemeinschaft und Struktur ist immer wieder neu zu bestimmen.[206] Einen gewissen Kontrapunkt zur Vernunftethik setzt Reinhard Hütter mit dem programmatischen Titel seiner Dissertation: „Evangelische Ethik als kirchliches Zeugnis“[207]. Er begründet theologische Ethik weder naturrechtlich noch schöpfungstheologisch oder christologisch im ersten oder zweiten Glaubensartikel, sondern ekklesiologisch im dritten Glaubensartikel[208]. Der Versuch einer rationalen Letztbegründung einer allgemeinen Ethik mit Bezug auf einen archimedischen Punkt außerhalb und unabhängig von einer bestimmten Geschichte ist für ihn (mit Berufung vor allem auf die amerikanischen Ethiker Alasdair MacIntyre[209] und Stanley Hauerwas) „gescheitert“[210]. Ethik ist für ihn immer an Geschichte, theologische Ethik an die Heilsgeschichte Gottes gebunden. Theologische Ethik ist „narrative Kasuistik“: „Narrative Kasuistik heißt, daß an die Bedeutsamkeit der bestimmten Geschichte Gottes für das Leben der Christen dadurch erinnert wird, daß diese Geschichte sowohl im Begründungszusammenhang wie auch im Entdeckungszusammenhang kirchlicher Ethik geltend gemacht wird.“[211] So betriebene theologische Ethik erzählt reflektiert von der Heilsgeschichte Gottes und der Praxis kirchlichen Handelns. Sie erfährt seine Rechtfertigung von Gottes Handeln her und ist befreit von der Selbstrechtfertigung durch rationale und universale Letztbegründung[212]. Indem die Kirche diese Heilsgeschichte bezeugt, hat sie eine heuristische Funktion für die Welt: Die Welt kann daran erkennen, wie Gott die Welt liebt[213]. Narrative Kasuistik grenzt sich

---

206 Die Zuordnung evangelischer Ethik zur Ekklesiologie wurde in neuerer Zeit, d.h. seit den berühmten Ansätzen von Karl Barth und Dietrich Bonhoeffer, immer wieder vorgenommen, z.B. bei Wendland, H.D.: Über Ort und Bedeutung des Kirchenbegriffs in der Sozialethik, ThLZ 87/1962, 175–182; Honecker, M.: Kirche als Gestalt und Ereignis, München 1963, Rendtorff, T.: Kirche und Theologie. Die systematische Funktion des Kirchenbegriffs in der neueren Theologie, Gütersloh 1966; Ruh, H.: Sozialethischer Auftrag und Gestalt der Kirche, Zürich 1971; Huber, W.: Kirche und Öffentlichkeit, Stuttgart 1973; Moltmann, J.: Kirche in der Kraft des Geistes. Ein Beitrag zur messianischen Ekklesiologie, München 1975; Pannenberg, W.: Ethik und Ekklesiologie. Gesammelte Aufsätze, Göttingen 1977; Huber, W.: Folgen christlicher Freiheit. Ethik und Theorie der Kirche im Horizont der Barmer theologischen Erklärung, Neukirchen-Vluyn 1983; Ulrich, H.G.: Eschatologie und Ethik, München 1988.

207 Hütter, R.: Evangelische Ethik als kirchliches Zeugnis. Interpretationen zu Schlüsselfragen theologischer Ethik in der Gegenwart, Neukirchen-Vluyn 1993.

208 Ebd., 267ff. Er setzt sich insbesondere mit dem Verhältnis von Ekklesiologie und Ethik bei K. Barth und S. Hauerwas auseinander.

209 MacIntyre, A.: Der Verlust der Tugend. Zur moralischen Krise der Gegenwart, Frankfurt 1987, 75–109.

210 Hütter, R., a.a.O., 239, Anm. 329.

211 Ebd., 242.

212 Ebd., 240.

213 Ebd., 233ff.

dabei deutlich von traditioneller Kasuistik ab. Sie geht nicht von einer Kasuistik auf Vorrat aus, sondern von der Entscheidung in konkreter Situation.[214]
Dieser ethische Ansatz Hütters bedeutet nun aber nicht den Verzicht auf argumentative Kommunikation. An die Stelle einer philosophischen Diskurstradition setzt Hütter – wiederum mit Hauerwas – die „Kirche als Diskursgemeinschaft"[215]. „Daran, daß um das rechte Zeugnis des Glaubens im Handeln der Christen und in den Praxisformen der Kirche miteinander argumentativ (Hervorhebung vom Verf.) gerungen und gesucht wird, ist demnach Kirche zu erkennen."[216] Narrative Kasuistik heißt hier eine Diskurspraxis, in der durch analogen Vergleich[217] anhand paradigmatischer Beispiele aus der Heilsgeschichte ethisches Urteilen gewonnen wird. Damit entfaltet sich hier eine Konzeption praktischer Vernunft, die sich aus der zur „Weisheit" geronnenen Erfahrung der Christen der Geschichte bildet, am Prüfstein der Schrift läutert, sich im Diskurs dem Urteil der andern stellt und sich im Konsens bewährt[218]. Diese praktische Vernunft ist wie jene der Diskursethik gemeinschaftsabhängig[219]. Der Wahrheitsanspruch solcher Ethik besteht nicht darin, daß durch Rationalität bewiesen, sondern durch die Praxis (der Kirche) Gottes Wahrheit bezeugt wird. Vernunft heißt hier, argumentativ verständlich zu machen, was man mit einer konsistenten Praxis bezeugt.
Zu Recht weist Hütter mit seinem Ansatz, der in einer breiten theologischen Tradition steht, darauf hin, daß theologische Ethik Gottes Handeln in der Geschichte zu spiegeln hat. Diese nur eschatologisch angemessen zu erfassende Heilsgeschichte ist mit den Kirchen als dem Leib Christi verbunden und weist zugleich weit über diese Kirchen hinaus. So sind die Kirchen als Ort der Wahrnehmung von Gottes Heilshandeln, als Ort ethischer Praxis und als Gemeinschaften, in der der ethische Diskurs stattfindet, unverzichtbarer Bezugspunkt für theologische Ethik. Gleichzeitig hat theologische Ethik aber weit über die sichtbare Gestalt der Kirchen und ihre Praxis hinauszuweisen, weil sich christliche Praxis ebenso außerhalb der Kirchen ereignet; denn „Kirche ist überall, ... wo Menschen ... durch ihr Leben die Hoffnung auf das Kommen des Reiches Gottes bezeugen."[220] Die notwendige kirchliche Verankerung der theologischen Ethik darf nicht zu einer kirchlichen Verengung und Vereinnahmung der theologischen Ethik führen.

1.4.2 ... und der Heilige Geist in der Geschichte

Die vier genannten Erkenntnisquellen theologisch-ethischen Urteilens – Offenbarung, Vernunft, Erfahrung und (kirchliche) Gemeinschaft – erhalten ihre Qualität als Erkenntnisquellen ethischen Urteilens erst, wenn sie vom Heiligen Geist getrieben sind. Der Heilige Geist als Schöpfergeist Gottes ist nun aber nicht einfach eine fünfte Erkenntnis-

---

214 Diese Unterscheidung geschieht schon bei der Kritik an der Kasuistik durch Barth, K., KD III/4, 6–9.
215 Hütter, R., a.a.O., 254–257.
216 Ebd., 255.
217 Mit der Methode der Analogie knüpft er wiederum an K. Barth (analogia relationis) an.
218 Ebd., 258.
219 Die Bedeutung der Gemeinschaft für die Ethik wurde – im Kontext einer Bundestheologie – eindrücklich und mit nachhaltiger Wirkung entwickelt von Lehmann, P.: Ethik als Antwort. Methodik einer Koinonia-Ethik, München 1963.
220 Kirchenordnung der Evangelisch-reformierten Landeskirche des Kantons Zürich (1967), Art. 1: Grundlage.

quelle neben den erwähnten vier, sondern der Ermöglichungsgrund, die Voraussetzung aller vier andern und die Klammer um alle andern.[221]
Vor der ethischen Frage „Was soll ich tun?“ steht theologisch die Frage: „Wer bin ich?“ und „Wozu bin ich berufen?“ Der Indikativ von Gottes Angebot geht dem Imperativ von Gottes Gebot voraus.
Wer bin ich? Ich bin ein Mensch, von Gott geliebt, inmitten der weltweiten Mitmenschen und der kreatürlichen Mitwelt, die von Gott geliebt sind. Als solcher bin ich ein Gast unter Gästen im gastlichen Haus Erde.[222]
Wozu bin ich berufen? Ich bin zur Nachfolge Jesu Christi berufen. Innerhalb des biblischen Zeugnisses ist Jesu Ruf zur Nachfolge der Ausgangspunkt der christlichen Ethik.[223] Nachfolge ist dabei nicht Nachahmung des Lebens Jesu (imitatio), sondern Leben aus dem Geist Christi. So ist sie schöpferische Nachfolge. Sie ist Antwort auf Gottes Einladung zur Partizipation an verantwortlicher Weltgestaltung.[224]
Was soll ich tun? Um eine Antwort auf diese Frage ringt derjenige, der die Bitte ausspricht, ja den Schrei ausstößt: „Komm, Schöpfer Geist!“ Hinter der Bitte steht der Ruf der ersten Christen: „Maranatha“, „Komm, unser Herr (Jesus)!“ (1. Kor 16,22, Offb 22,20). Es war nicht nur der Ruf jener, die die nahe Wiederkunft Christi erwarteten, sondern es ist auch der Schrei derjenigen, die angesichts der rasanten globalen Umweltzerstörung mit ihrem Latein bald am Ende sind. Die Weiterführung des Bisherigen genügt nicht, es braucht eine wahrhaft schöpferische Neuausrichtung, eine erneuerte Schöpfung. *Der schöpferische Geist Gottes wird zum Kriterium des Verständnisses der Offenbarung und Ermöglichungsgrund offenbarungsgemäßen Handelns.* Mit Bibelworten läßt sich bekanntlich (fast) alles begründen. Die technologische Euphorie wurde anfangs des Jahrhunderts mit dem „Macht euch die Erde untertan“ von Gen 1,28 ebenso begründet wie der heutige Umweltschutz mit dem „Bebauen und bewahren“ in Gen 2,15. Der Geist des Schöpfergottes und Jesu Christi erst macht die Offenbarungsworte lebendig[225] und schafft neues Leben, das die Schöpfung weiterführt (creatio continua) und vollendet (creatio nova).
Erhellend ist der ursprüngliche Text des Rufes „Komm, Schöpfer Geist.“ Das Pfingstlied des Hrabanus Maurus (776–856) beginnt so: „Veni, creator spiritus. Mentes tuorum visita.“ „Komm, Schöpfer Geist. Besuche den Verstand (die verstandesmäßigen Kräfte) der

---

221 Vgl. Fischer, J.: Leben aus dem Geist. Zur Grundlegung christlicher Ethik, Zürich 1994.

222 Dieser Ansatz wird in Kapitel 5.2 ausgeführt.

223 Vgl. den ethikgeschichtlichen Überblick zur Nachfolge bei Wolf, E.: Sozialethik. Theologische Grundfragen, Göttingen 1975, 148–168. Entgegen dem exegetischen Befund der neutestamentlichen Ethik, die die zentrale Stellung des Rufs zur Nachfolge hervorhebt (Schrage, W.: Ethik des Neuen Testaments, Göttingen 1982, 49–54; Schulz, S.: Neutestamentliche Ethik, Zürich 1987, 61ff) und der häufigen Verwendung des Begriffs in der kirchlichen Praxis, ist das Thema Nachfolge in der gegenwärtigen protestantischen Ethik eher wenig aufgenommen, oft wegen des Vorwurfs der Gesetzlichkeit. Ausnahmen bilden z.B. D. Bonhoeffer (Nachfolge, 1937), K. Barth (KD IV/2, 603–628), E. Wolf (a.a.O.), W. Kreck (Grundfragen christlicher Ethik, München 1975, 125–129), M. Honecker (Einführung in die theologische Ethik, Berlin 1990, 145–151, vorwiegend kritisch).

224 Ausgeführt in Stückelberger, Ch.: Vermittlung und Parteinahme, Zürich 1988, 370–374.

225 Karl Barth wandte sich immer wieder gegen die Verfügbarkeit der Offenbarung. Jesus Christus ist das Wort Gottes selbst und die biblische Offenbarung kann Wort Gottes nur je neu werden – durch den Geist. Vgl. Barth, K.: KD I/1, 114–128.

Deinen."[226] Wo der Schöpfergeist Gottes Verstand und Vernunft leitet, entsteht ethisch verantwortliches Handeln. *Der schöpferische Geist Gottes wird zum Kriterium der Vernunft und Ermöglichungsgrund vernünftigen Handelns.* Die Taufe mit dem Heiligen Geist ermöglicht die eschatologische Erneuerung des ganzen Menschen und damit auch die „Erneuerung der Sinne", d.h. auch der Vernunft (Röm 12,2)[227]. Gleichzeitig befreit der Geist Gottes zu einem Handeln, das Verstand und Vernunft einbezieht. Darauf hat Paulus immer wieder hingewiesen, wenn er sich gegen die Schwärmer wandte. Reden aus Eingebung stand für ihn höher als Zungenreden. „Ich will mit dem Geist beten, ich will aber auch mit dem Verstand beten." (1. Kor 14,15) Wir haben oben Vernunft unter anderem als Fähigkeit definiert, von eigenen Interessen, Trieben und Ängsten Abstand zu nehmen und das Gemeinwohl in den Vordergrund zu stellen. Gottes Geist befreit zu vernunftgemäßem Handeln, indem er von Selbstbezogenheit frei macht. Gottes Geist ermöglicht, Vernunft im Dienste der Liebe einzusetzen. Sie umfaßt die Liebe zu Gott, zu den Mitmenschen und zur Mitwelt.

Der geistgewirkte Verstand stand für Paulus im Dienst der Kommunikation und der Gemeinschaft. „Ich will lieber fünf Worte mit meinem Verstand reden, damit ich auch andere unterweise, als zehntausend Worte in Zungenrede." (1. Kor 14,19) *Der Schöpfergeist Gottes wird damit zum Kriterium der Gemeinschaft und ermöglicht Gemeinschaft.* Gottes Geist will zur Gemeinschaft, auch im Sinne der Kommunikationsgemeinschaft, hinführen.

Auch die vierte der erwähnten Erkenntnisquellen, die Erfahrung, erhält erst durch den Schöpfergeist Gottes die nötige Eindeutigkeit. So wichtig die Erfahrung für die Normenbildung ist und so evident sie scheint, so ist es doch erst der Geist Gottes, der der Erfahrung die Qualität einer ethischen Erkenntnisquelle gibt. *Dieser Schöpfergeist ist das Kriterium, an dem eigene Erfahrungen zu messen sind und der Erlebnisse zu Erfahrungen im Dienste der Liebe werden läßt.*

Der Schöpfergeist ist der Geist der *Heilsgeschichte*. Er ist damit geschichtlich eingebunden. Er schwebt nicht über der Zeit, sondern wirkt in der Geschichte und ist in ihr – eins mit Gott dem Schöpfer und Jesus Christus – inkarniert. Alle erwähnten ethischen Erkenntnisquellen – Offenbarung, Vernunft, Erfahrung und Gemeinschaft – sind geschichtliche Größen. Der Schöpfergeist leitet deren geschichtlichen Wandel. Zugleich leitet er als Geist, der den Kosmos durchdringt, den Wandel der Natur in der ganzen kosmischen Dimension[228]. Die Wirklichkeit der Schöpfung ist nicht eine statische Wirklichkeit, die ein für allemal erkannt werden kann, sondern sie geht ständig neu aus Gottes aktuellem schöpferischem Handeln durch seinen Geist hervor.[229] Dieses göttliche Han-

[226] Zur Auslegung dieses Rufes vgl. auch Müller-Fahrenholz, G.: Erwecke die Welt. Unser Glaube an Gottes Geist in dieser bedrohten Zeit, Gütersloh 1993, 15–23.

[227] So auch die Deutung von Käsemann, E.: An die Römer, Tübingen 1974³, 318.

[228] Weiterführend zum kosmischen Schöpfergeist vgl. Kapitel 5.3.3.

[229] Ähnlich Johannes Fischer. Für ihn ist die Frage, ob die Erkenntnis der Wirklichkeit aus Gottes Offenbarung oder aus der Vernunft herzuleiten sei, falsch gestellt, denn „der Gegenstand theologischer Erkenntnis (ist) gar nicht die Wirklichkeit, sondern der Geist, den die christliche Kirche mit ihrer Existenz bezeugt." (Fischer, J.: Zum Wahrheitsanspruch der Theologie. Antrittsvorlesung an der Universität Basel vom 14. 1. 1994, Manuskript, 14.) Nach unseren bisherigen Ausführungen sind Offenbarung und Vernunft Erkenntnisquellen, sofern sie von diesem Geist geleitet sind.

deln ist zugleich geprägt von Treue und Kontinuität zu seinem bisherigen heilsgeschichtlichen Handeln in der Schöpfung.
Theologische Umweltethik ist somit immer kontextuell-geschichtlich in Gottes aktuelles Handeln eingebunden. Sie erhebt zugleich den Anspruch an sich selbst, daß ihre Normen schrittweise universalisierbar sind durch den Prozeß des geistgewirkten Hörens auf das geoffenbarte Wort, den durch den Schöpfergeist geleiteten vernünftigen, auch interreligiösen und interkulturellen Diskurs, das Teilen gemeinsamer Erfahrungen und die Offenheit gegenüber der weltweiten Kommunikationsgemeinschaft der Kirchen und der internationalen Gemeinschaft. Theologische Umweltethik kann und soll dabei ihre unaufgebbaren theologischen Prämissen nicht leugnen, sie kann und soll aber argumentativ verständlich machen, welches der Beitrag der theologischen Umweltethik zu einem Weltethos der Menschheit zur Bewahrung der Schöpfung ist.

1.4.3 Die Rolle der Naturwissenschaften für die Umweltethik

In Kapitel zwei unserer Darstellung werden Naturwissenschaften daraufhin befragt, ob und wenn ja welche immanenten Maße der Natur sie erkennen können. Damit stellt sich methodisch die Frage, welchen Stellenwert solche naturwissenschaftlich-ökologische Erkenntnisse für die theologische Umweltethik haben.
Die Naturwissenschaften tragen sehr stark zur Beherrschung der Natur im doppelten Sinne der Nutzbarmachung und der Zerstörung bei. Sie fördern zugleich sehr stark das Verständnis der ökologischen Zusammenhänge. Ob und wenn ja welche Handlungsperspektiven aus diesen Erkenntnissen zu folgern sind, ist Gegenstand der Diskussion zwischen Naturwissenschaft und Ethik (wie auch der politischen und wirtschaftlichen Entscheidungsfindung). Jedenfalls ist jede Umweltethik von naturwissenschaftlich-ökologischen Erkenntnissen wesentlich beeinflußt. Umweltethik hätte sich gar nicht in dem Maße entwickelt, wenn nicht tägliche Erfahrung und naturwissenschaftliche Analyse der Umweltzerstörung dazu motiviert hätten.
Die naturwissenschaftliche Erkenntnis der Natur beruht – das zeigen zum Beispiel die Zahlen in den drei Fallbeispielen in Kapitel 1.3 – weitgehend auf einer vernünftigen, intersubjektiv nachprüfbaren und zumeist quantifizierbaren Beschreibung und Analyse der Vorgänge und Entwicklungen in der Natur. Diese Analyse ist nicht wertfrei – was untersucht wird und was nicht, ist bereits eine Wertentscheidung und der Mensch als Teil der Natur ist selbst Untersuchungsgegenstand –, aber sie ist rational begründbar und überprüfbar.
Wieweit Natur-Wissenschaften wirklich erfassen, was Natur ist, ist allerdings je länger desto strittiger. Einerseits, weil der Naturbegriff selbst sehr unterschiedlich gefaßt wird[230], andererseits, weil die Naturwissenschaften in ihrer Spezialisierung meist nur kleinste Ausschnitte von Natur im Blick haben und in ihrer Wahrnehmung von Natur von ihrer jeweiligen Theorie abhängig sind[231]. Immer mehr Naturwissenschaftler selbst fordern deshalb ein neues naturwissenschaftliches Paradigma[232], so z.B. der Zürcher

---

230 Vgl. dazu Kapitel 1.5.1.
231 So vom Standpunkt der philosophischen Ethik aus auch Honnefelder, L.: Welche Natur sollen wir schützen?, Gaia 2/1993, 253–264 (255).
232 Mehr dazu in Kapitel 2.1 zum Holismus.

Chemiker Hans Primas: „Die heutige Naturwissenschaft umfaßt einen viel zu kleinen Ausschnitt der Wirklichkeit, um in diesem Sinne als vernünftig gelten zu können."[233] Die erwähnten Grenzen der Vernunft[234] verweisen auch auf Grenzen der auf Vernunft aufbauenden naturwissenschaftlichen Erkenntnis der Natur. Die damit nur angedeutete wichtige wissenschaftstheoretische Diskussion über den naturwissenschaftlichen Erkenntnisweg[235] kann hier aber nicht geführt werden.

Die Entwicklung der Naturwissenschaften hat besonders durch die Quantenphysik dazu geführt, daß die Trennung von *Natur und Geschichte* abgebaut wurde. Die Geschichte wurde neu in die Natur „hineingeholt". Natur wird als ein Geschehen in der Geschichte, also in der Zeit[236] erkannt, und die Erkenntnis dieser Natur geschieht durch Menschen als geschichtliche Wesen. Umgekehrt wird erkannt: „Unser Denken ist selbst ein Vorgang in der Natur."[237]

Analog und fast gleichzeitig zu dieser Entwicklung in den Naturwissenschaften wurde auch in der Theologie das Verhältnis von Natur und Geschichte, von Schöpfungsgeschehen und Heilsgeschichte neu verstanden. Seit den dreißiger Jahren dieses Jahrhunderts kam die Auslegung auf, daß die Schöpfungsgeschichte vom Heilsgeschehen Gottes mit den Menschen her verstanden werden müsse[238] (nicht zuletzt als notwendige Abwehr des Schöpfungsordnungsdenkens der Deutschen Christen). Seit Ende der sechziger Jahre wurde die Natur als Schöpfung besonders in der weisheitlichen Tradition unabhängig von der Heilsgeschichte neu wahrgenommen und damit in ihrer eigenständigen Bedeutung wieder entdeckt.[239] Die Natur wurde aus ihrer Vereinnahmung durch die menschliche Heilsgeschichte „entlassen". Es fanden also gleichsam zwei Gegenbewegungen in Naturwissenschaft und Theologie statt, die zu einer Konvergenz der lange zueinander distanzierten Bereiche von Naturwissenschaft und Theologie beitrugen. Das „Buch der Natur" und das „Buch der Geschichte" scheinen mehr und mehr nur *ein* Buch der Erkenntnis zu sein.

Naturwissenschaftliche Erkenntnisse der immanenten Maße der Natur, nach denen wir in Kapitel zwei suchen werden, haben für die Ethik den *Stellenwert von Erfahrung*: Natur und Geschichte werden durch unmittelbares Erleben, empirische Wahrnehmung und wissenschaftliche Deutung in der wissenschaftlichen Kommunikationsgemeinschaft zu mittelbarer Erfahrung. Erfahrung haben wir – in all ihrer Begrenzung – als legitime und

---

233 Primas, H.: Umdenken in der Naturwissenschaft. Gaia 1/1992, 5–15 (11).

234 Vgl. Kapitel 1.4.1.2.

235 Vgl. z.B. Prigogine, I./Stenger, I.: Dialog mit der Natur. Neue Wege naturwissenschaftlichen Denkens, München 1981; Altner, G.: Naturvergessenheit, Darmstadt 1991, 19–31; Mittelstrass, J. (Hg): Enzyklopädie Philosophie und Wissenschaftstheorie, 3 Bde, Mannheim 1984; populär: Capra, F.: Wendezeit, Bern 1983, 77–107.

236 Erstmals von C. F. von Weizsäcker in einer Vorlesung 1948 entfaltet: Die Geschichte der Natur, Göttingen 1954². Vgl. auch Prigogine, I./Stengers, I.: Dialog mit der Natur, a.a.O., 245–275.; Weizsäcker, E. von: Offene Systeme I. Beiträge zur Zeitstruktur von Information, Entropie und Evolution, Stuttgart 1974.

237 Picht, G.: Der Begriff der Natur und seine Geschichte, Stuttgart 1989, 137–144 (XI).

238 Erstmals bei von Rad, G.: Das formgeschichtliche Problem des Hexateuch, 1938, in: Gesammelte Studien, München 1958, 9ff.; Noth, M.: Überlieferungsgeschichte des Pentateuch, Stuttgart 1948.

239 Bei von Rad, G.: Weisheit in Israel, Neukirchen 1970; Weiter Westermann, C.: Genesis 1–11, 1976²; Steck, O.H.: Welt und Umwelt, Stuttgart 1978, z.B. 95ff.; Liedke, G.: Im Bauch des Fisches, Ökologische Theologie, Stuttgart 1979, 71–153; Halkes, C.: Das Antlitz der Erde erneuern, Gütersloh 1990, 99ff; Link, Ch.: Schöpfung, Bd. 2, Gütersloh 1991, 334–357.

notwendige Erkenntnisquelle für theologische Ethik bezeichnet[240]. Naturwissenschaftliche Erkenntnis fördert das, was wir als Ertrag von Erfahrung für die Ethik erwähnt haben: Vergewisserung, eine gemeinsame Verständigungsbasis (zugleich allerdings Dissens, wie die Expertenstreite unter Naturwissenschaftlern zeigen), Motivation zum Handeln durch Betroffensein (wie naturwissenschaftliche Erkenntnisse z.B. über die Klimaerwärmung zeigen), Sachgemäßheit und die Abschätzung der Realisierbarkeit ethischer Postulate.

Zudem ist die Zusammenarbeit der theologischen Umweltethik mit den Naturwissenschaften – bei allen Unterschieden in der Methodik und im Erkenntnisinteresse – nicht zuletzt notwendig als „Notgemeinschaft in der ökologischen Krise“ [241].

Trotz dieser Anerkennung der Bedeutung naturwissenschaftlicher Erkenntnis für die theologische Umweltethik sind *zwei Grenzen* zu ziehen, die hier allerdings nur angedeutet werden können:

1. Alle Erkenntnis, auch die naturwissenschaftliche Darstellung und Erklärung von Wirklichkeit, ist theologisch nur relevant, sofern sie vom Schöpfergeist Gottes getrieben ist. Dieser Maßstab gilt, wie wir im letzten Kapitel dargelegt haben, für alle Erkenntnisquellen gleichermaßen. Naturwissenschaftliche Vernunft kann deshalb nicht gleichsam automatisch Gottes Offenbarung und Gottes Heilshandeln in der Natur erkennen.[242] Der Respekt vor Gottes Freiheit im Handeln bedeutet, daß er sich und sein Handeln in der Natur sowohl offenbart[243] als auch verbirgt. Der Natur immanente Maße[244], die naturwissenschaftlich erkennbar sind, können also durch Gottes Geist auf Gottes Handeln hinweisen, tun es aber nicht notwendigerweise, da die Natur mit dem Handeln des Menschen Teil der gefallenen und auf Weiterentwicklung und Vollendung ausgerichteten Schöpfung ist. Nicht jeder Stein oder jedes Naturgesetz ist Gott. Solcher Pantheismus ist theologisch nicht haltbar. Aber Gott wirkt in seiner Schöpfung und inkarniert sich in ihr (Panentheismus) – so der Kolosserhymnus (Kol 1,15–20)[245].
2. Eine zweite Grenze der Bedeutung naturwissenschaftlicher Erkenntnis für theologische Ethik besteht in folgendem: Mit der Naturwissenschaft wird das Sein der Natur und mit der Ethik das Sollen des Menschen zu erkennen versucht. Die neuere umweltethische Diskussion ist sich dabei weitgehend einig, daß sowohl der *„naturalistische Fehlschluß“*[246], wonach aus dem Sein der Natur zwingend auf das Sollen geschlossen wird,

---

240 Vgl. Kapitel 1.4.1.3.

241 Moltmann, J.: Gott in der Schöpfung. Ökologische Schöpfungslehre, München 1985, 48.

242 So vertritt z.B. der bekannte Genetiker C. Bresch die These, die Naturwissenschaft biete einen sichereren Weg zu Gott als die Religion. Bresch, C. et al.: Kann man Gott aus der Natur erkennen?, Freiburg 1990, 169. Ähnlich Davies, P.: Gott und die moderne Physik, München 1986, 146. Es ist hier nicht der Ort, die breite Diskussion über die Berechtigung und die Grenzen solcher Antworten, die Teile der natürlichen Theologie sind, zu führen.

243 So sagt Paulus in Röm 1,20, daß Gottes unsichtbares Wesen „seit Erschaffung der Welt, wenn man es in den Werken betrachtet, deutlich zu ersehen“ ist.

244 Ob es sie überhaupt gibt, ist in Kapitel zwei erst näher zu prüfen.

245 Mehr dazu in Kapitel 5.3.2.

246 Seit David Hume (1711–1776) gilt der ethische Grundsatz, daß vom Sein nicht auf das Sollen geschlossen werden könne. Vgl. dazu Höffe, O.: Naturrecht ohne naturalistischen Fehlschluß. Ein rechtsphilosophisches Programm, Wien 1980, bes. 18ff. Einem naturalistischen Fehlschluß unterlagen z.B. die Physikotheologen in der zweiten Hälfte des 18. Jahrhunderts, die allein aus der empirisch beobachteten Natur einen Beweis Gottes und seines Bauplanes ableiteten. Quellen z.B. bei Groh,

also aus der Beschreibung der Natur zwingend ethische Werte abgeleitet werden, wie auch der *„normativistische Fehlschluß"*, wonach sich „allein aus normativen Überlegungen konkrete Verbindlichkeiten ableiten" ließen[247], vermieden werden müssen. Der naturalistische Fehlschluß gibt die Ethik als Ausdruck der Entscheidungsfreiheit und des Handlungsspielraums des Menschen auf. Der normativistische Fehlschluß beansprucht umgekehrt für die Ethik einen generellen Freiraum gegenüber der Natur. Beides ist vom christlichen Menschenbild her abzulehnen. Dieses beruht darauf, daß der Mensch in schöpferischer Nachfolge und Freiheit auf Gottes Ruf antwortet und daß gleichzeitig der Mensch und die nichtmenschliche Mitwelt als Geschöpfe des Schöpfers Teile desselben Bundes und damit miteinander verwoben sind.

Das Sein der Natur und das Sollen des Menschen sind „unvermischt und ungetrennt", also voneinander zu unterscheiden und doch aufeinander bezogen[248] – ein geheimnisvolles Zusammenspiel und für die Ethik oft genug eine Knacknuß. Um es nochmals zu verdeutlichen: Die Kritik am naturalistischen Fehlschluß schließt nicht jegliche Möglichkeit aus, vom Sein auf das Sollen zu schließen. Maße der Natur sind ethisch ernst zu nehmen[249]. So kann z.B. aus der Erkenntnis, daß ein zu großer CO_2-Ausstoß die Atmosphäre in einer Mensch und Ökosysteme gefährdenden Weise zu rasch erwärmt, die Forderung nach der CO_2-Reduktion abgeleitet werden – natürlich nur unter der Wertentscheidung, daß das Überleben möglichst vieler Lebewesen erstrebenswert ist. Daraus noch nicht abzuleiten ist, wer wieviel wann reduzieren soll.

Wenn man unter dem Sein auch das Sein Gottes und sein Handeln versteht, wie das die Theologie tut, ist es sogar zwingend, aus diesem Sein Gottes auf das Sollen des Menschen zu schließen, denn Gottes Sein ist Maß aller menschlichen Existenz. Obige Kritik am naturalistischen Fehlschluß bezieht sich aber selbstredend nicht auf dieses theologische Verständnis des Seins Gottes, sondern kritisiert den *Naturalismus*, der wie alle -ismen etwas an sich Richtiges durch Verabsolutierung verzerrt und damit ethisch unbrauchbar macht: Artenvielfalt, Gleichgewicht, Selbstorganisation oder Nachhaltigkeit sind zunächst deskriptive Begriffe der Biologie. Der Naturalismus erhebt die Empirie und Deskription zur Norm. Dann hätte auch das Verschwinden sehr vieler Arten in der Geschichte der Natur oder das Auftauchen von Krankheiten wie Aids normativen Charakter, was sowohl die theologische wie philosophische Ethik verneinen muß.[250]

R./Groh, D.: Weltbild und Naturaneignung. Zur Kulturgeschichte der Natur, Frankfurt 1991, 50–60. Zu einem normativen Naturbegriff vgl. unten Kapitel 1.5.1.

[247] So Höffe, O.: Sittlich-politische Diskurse, Frankfurt 1981, 16.

[248] Die Verknüpfung von Sein und Sollen, von Sachverhalt und Werturteil betont auch A. Rich in seiner Wirtschaftsethik mit dem Grundsatz, „daß nicht wirklich menschengerecht sein könne, was nicht sachgemäß ist, und nicht wirklich sachgemäß, was dem Menschengerechten widerstreitet." (Rich, A.: Wirtschaftsethik, Bd. 1, Gütersloh 1984, 81. Ähnlich bereits 1973 in seinem Buch Mitbestimmung in der Industrie, Zürich 1973, 59.)

[249] Vgl. dazu auch Kapitel 2.5.

[250] So z.B. der philosophische Ethiker Honnefelder, L.: Welche Natur sollen wir schützen?, Gaia 2/1993, 253–264 (257): „Von der ‚Weisheit der Natur' zu sprechen oder die Devise ‚Nature knows its best' als ein ‚ökologisches Grundgesetz' im normativen Sinn zu bezeichnen, ist ein philosophisch problematischer und der Naturbeschreibung des Biologen wiedersprechender Naturalismus."

1.4.4 Interdisziplinarität als Schritt zur Ganzheit

Eine ganzheitliche Wahrnehmung der Wirklichkeit und damit der natürlichen Mitwelt wird in der Ökologie immer mehr als Voraussetzung und Bestandteil ökologisch verantwortlichen Handelns betrachtet. Doch was ist mit dieser *Ganzheit*[251] gemeint? Die „Einheit der Natur"[252]? Die ganzheitliche Wahrnehmung überwindet den materialistischen Monismus (alles Wirkliche ist Materie) ebenso wie den spiritualistischen Monismus (alles Wirkliche ist Geist), weil sie von der Einheit von Materie und Geist[253] ausgeht. Ich kann allerdings nicht so weit gehen wie der Atomphysiker G. Süßmann, der unter Aufnahme von Relativitäts-, Feld-, Quanten- und Informationstheorie von der Austauschbarkeit (Konvertibilität) von Materie und Geist spricht. Seine pneumatologische Begründung ist hingegen nachvollziehbar: „Unerforschlicher Grund für die innere Einheit von Geist und Stoff ist nach biblischer Sicht der pneumatische Logos ... Eben die sich dem weltlichen Zugriff entziehende Freiheit des Gottesgeistes ist es, die Leib, Seele und Geist des Geschöpfes zusammenhält."[254]
Kritiker der heutigen Bemühungen um Ganzheit äußern die ernstzunehmende Befürchtung, „daß ganzheitliches Denken immer wieder unversehens in totalitäres Denken umgeschlagen hat"[255]. Dies muß sicher wachsam im Auge behalten werden, ist aber kein Grund, nicht methodisch und praktisch nach Ganzheit zu suchen. Gerade der Bezug zu Gottes Geist kann dabei kritisches Korrektiv sein, indem damit klar wird, daß menschliches Erkennen, auch wenn es sich um Ganzheit bemüht, immer partikulares „Stückwerk" ist und die Totalität Gott vorbehalten bleibt. Deshalb kann Ganzheit der Wirklichkeit auch nicht die Überwindung der Dualität von Schöpfer und Geschaffenem bedeuten, wie das z.B. E. Jantsch vertritt[256], sondern „nur" die Einheit des Geschaffenen.
Nochmals anders gesagt: Kriterium dafür, ob ein Erkenntnisweg ganzheitlich ist (und dabei sich seiner Grenzen bewußt bleibt), ist die *Liebe*. Es gibt ganz verschiedene Wege zur Erkenntnis der Maße der Natur und des Menschen, aber letztlich müssen sie sich daran messen lassen, ob sie aus dem Geist der Liebe (zu allem Geschaffenen) stammen und diese Liebe fördern. So kommt auch C. F. von Weiszäcker zum Schluß: „Kommt es nicht am Ende nur darauf an, daß man Natur nicht erkennen kann, wenn man sie nicht liebt?"[257]

---

[251] Was Ganzheit naturwissenschaftlich und naturphilosophisch für die Maßfindung bedeutet, wird in Kapitel 2.1, was es theologisch-ethisch bedeutet, in Kapitel 5.3.3., 5.3.12 und 5.4.11 dargelegt. Für die Umweltpraxis vgl. z.B. Faulstich, M./Lorber, K. E. (Hg.): Ganzheitlicher Umweltschutz, Stuttgart 1990; Abt, T.: Fortschritt ohne Seelenverlust. Versuch einer ganzheitlichen Schau gesellschaftlicher Probleme am Beispiel des Wandels im ländlichen Raum, Bern 1984.

[252] Weizsäcker, C.F. von: Die Einheit der Natur, München 1971.

[253] Von dieser Einheit gehen aus: Weizsäcker, C. F. von, a.a.O., 365f; Moltmann, J.: Gott in der Schöpfung, a.a.O., 219; Hollenweger, W.: Geist und Materie. Interkulturelle Theologie III, München 1988, 271–301.; Jonas, H.: Materie, Geist und Schöpfung, Frankfurt 1988, 46ff.

[254] Süßmann, G.: Geist und Materie, in: Gott – Geist – Materie. Theologie und Naturwissenschaft im Gespräch, Hamburg 1980, 14ff (30). Ähnlich der Theologe S. M. Daecke: Säkulare Welt – sakrale Schöpfung – geistige Materie. Vorüberlegungen zu einer trinitarisch begründeten Praktischen und Systematischen Theologie der Natur, EvTheol 1985, 261–276 (275): „Der Heilige Geist ist die Weise, in der Gott in der Weltwirklichkeit präsent ist, also sein Geist im Geist der Materie."

[255] Hasler, U.: Anmerkungen zu einem Bestseller. Fritjof Capra. Wendezeit, Reformatio 1984, 5–8 (7).

[256] Jantsch, E.: Die Selbstorganisation des Universums, München 1992, 411ff. Vgl. auch Kapitel 2.3.2.

[257] Picht, G.: Der Begriff der Natur und seine Geschichte, a.a.O., Vorwort von C. F. von Weizsäcker, XV; Vgl. auch Steiner, D.: „Wissenschaft mit Liebe" als transwissenschaftliche Ganzheitlichkeit, in:

Welche wissenschaftliche Methodik ermöglicht ganzheitliches Erkennen? Ein Schritt darauf hin ist die *Interdisziplinarität*. Diese ist ein geradezu konstitutives Merkmal der Ökologie und damit auch der Umweltethik. Wir gehen von folgender Definition aus: „Interdisziplinarität ist eine Form wissenschaftlicher Kooperation in Bezug auf gemeinsam zu erarbeitende Inhalte und Methoden, welche darauf ausgerichtet ist, durch Zusammenwirken geeigneter Wissenschaftler/innen unterschiedlicher fachlicher Herkunft das jeweils angemessenste Problemlösungspotential für gemeinsam bestimmte Zielsetzungen bereitzustellen. Eine Vielzahl unterschiedlicher Faktoren und deren Verhältnis zueinander legt eine solche Zusammenarbeit von Fall zu Fall fest."[258]
Drei Faktoren bestimmen Interdisziplinarität: Das gemeinsame Ziel, die Verknüpfungsleistung und die Verbindung von Natur- und Geisteswissenschaften. Interdisziplinarität beginnt dabei nicht erst bei der Verknüpfung von Ergebnissen der Einzeldisziplinen, sondern bei der Problemstellung selbst.
Interdisziplinarität kann nach verschiedenen Anwendungsebenen unterteilt werden[259]. Die Grenzfeld-Interdisziplinarität findet dort statt, wo zwei Wissenschaftszweige sich so annähern, daß sich ihre Grenzen überschneiden. Die Problem-Interdisziplinarität kümmert sich um Probleme, die keiner einzelnen Disziplin zuzuordnen sind. Die Methoden-Interdisziplinarität entwickelt Methoden aus verschiedenen Wissenschaften. Die vertikale Interdisziplinarität verfolgt eine Aufgabe von der Idee bis zur praktischen Realisierung, die horizontale Interdisziplinarität bleibt auf derselben Ebene, z.B. der Forschung.
Interdisziplinarität ist ein Oberbegriff, der verschiedene Intensitätsformen der Zusammenarbeit beinhaltet[260]. So kann unterschieden werden zwischen *Intradisziplinarität* als Zusammenarbeit innerhalb einer Disziplin, was noch keine echte Interdisziplinarität ist. *Multi- oder Pluridisziplinarität* ist das „Nebeneinander verschiedener, nicht bzw. mehr oder weniger verwandter Disziplinen"[261]. *„Transdisziplinarität* ist das zu disziplinärer Kompetenz hinzutretende Verständnis für die übrigen Dimensionen eines Problems, verbunden mit der Fähigkeit, diese Dimensionen in die eigene Arbeit zu integrieren."[262]
Als *Kondisziplinarität* bezeichnet H. H. Schmid jene „wirkliche Zusammenarbeit, ein Zusammenwirken verschiedener Disziplinen, Fragestellungen und Methoden", die über

---

Thomas, Ch. (Hg.): Auf der Suche nach dem ganzheitlichen Augenblick. Der Aspekt Ganzheit in den Wissenschaften, Zürich 1992, 273–279. – Daß dasselbe hebräische Wort jadah (erkennen, erfahren) im Alten Testament auch für die (körperliche) Liebe verwendet wird (Adam erkannte Eva, 1. Mose 4,1), ist wohl nicht nur der „Keuschheit der Sprache" (G. von Rad im Kommentar zu 1. Mose 4,1) zuzuschreiben, sondern ist Ausdruck des tiefen Wissens um diese Einheit von erkennen und lieben.

258 Balsiger, Ph.: Begriffsbestimmungen Ökologie und Interdisziplinarität. Bericht zuhanden der Kommission Ökologie/Umweltwissenschaften der Schweiz. Hochschulkonferenz, Bern 1991, 74. Eine detaillierte Bibliographie zu den zwei Begriffen 78–86; Im Hinblick auf eine europäische Verständigung zur Interdisziplinarität in der Umweltforschung vgl.: Bundesminister für Bildung und Wissenschaft (Hg): Umweltbildung in der EG. Dokumentation einer internationalen Fachtagung und Ergebnisse einer Umfrage, Bad Honnef 1989.

259 Balsiger, Ph.: Begriffsbestimmungen Ökologie und Interdisziplinarität, a.a.O., 68–71. Vgl. auch Gräfrath, B. et al.: Einheit. Interdisziplinarität, Komplementarität. Akademie der Wissenschaften zu Berlin, Forschungsbericht 3, Berlin 1991, 142–185.

260 Ebd., 51–59.

261 Holzhey, H.: Art. interdisziplinär, in: Hist. Wörterbuch der Philosophie, Bd. 4, Basel 1976, 476–478 (477).

262 So die Herausgeber der seit 1992 erscheinenden umweltwissenschaftlichen Zeitschrift „Gaia" mit dem interdisziplinären Untertitel „Ecological Perspectives in Science, Humanities and Economics", Gaia 2/1992, 65. Der Begriff bezeichnet hier die höchste Stufe geregelter Zusammenarbeit.

die gegenseitige Kenntnisnahme hinausgeht und insbesondere „neue Fragen“ stellt und bearbeitet.[263] Sie stellt damit die intensivste Form der Interdisziplinarität dar.
Unsere Studie versucht die Transdisziplinarität im obigen Sinn wenigstens ansatzweise umzusetzen, indem sie von der eigenen Disziplin der theologischen Sozialethik ausgeht und ausgewählte natur- und sozialwissenschaftliche Dimensionen einbezieht. Eine Weiterführung zur Kondisziplinarität ist für eine umfassende Ethik des Maßes notwendig, kann hier aber nicht geleistet werden.[264]

1.4.5 Verbindlichkeit im Methodenpluralismus

Interdisziplinarität anerkennt den Pluralismus der wissenschaftlichen Methoden als notwendig und der Komplexität der Wirklichkeit angemessen. Das heißt aber auch, daß Wissenschaft ein neugieriges Interesse an der Erweiterung ihrer Methoden haben muß statt ängstlich alles Ungewohnte als „unwissenschaftlich“ abzulehnen. So stellt der Wissenschaftstheoretiker P. Feyerabend aufgrund wissenschaftsgeschichtlicher Erfahrung fest: „Erfolg ist vielfach das Ergebnis methodologischer Kühnheit und nicht des Festhaltens an einer klar zurechtgelegten ‚Rationalität‘.“[265]
Das gilt auch für den Methodenpluralismus innerhalb der Ethik und für den intradisziplinären Dialog unter Ethiker/innen. „Es gibt keine allgemein anerkannte Argumentation zur Normenbegründung.“[266] Das ist vom Bedürfnis nach Gewißheit und Absolutheit her schmerzlich, aber zugleich tröstlich: So wie alle Monokulturen sind auch ethische Monokulturen (z.B. in Form von Fundamentalismen oder lehramtlicher Verordnung) für Störungen durch „Schädlinge“ sehr anfällig. So wie biologische Artenvielfalt ein Merkmal eines gesunden Ökosystems ist, so kann auch ethischer Pluralismus nicht nur ein Ärger, sondern Ausdruck der Vitalität, Stärke und Anpassungsfähigkeit an verschiedene Situationen sein (ich sage bewußt „kann“. Er ist es nicht in jedem Fall). Ähnlich betrachtet J. Young, der bereits von „Post Environmentalism“ spricht, „die Vielfalt des nachökologischen Denkens als eine Quelle der Stärke“[267]. Vielleicht betrachtet sogar der Schöpfergott selbst den Methodenpluralismus in den Wissenschaften und in der Ethik mit einem lächelnden Augenzwinkern, weil er der mit seiner Schöpfung beabsichtigten Vielfältigkeit entspricht?
Damit ist die Aufgabe nicht aufgegeben, nach verallgemeinerungsfähigen Normen zu suchen. Nur gestehen wir ein, daß die Allgemeingültigkeit von Normen nicht erreichbar ist. So sehr z.B. die Allgemeine Erklärung der Menschenrechte ein Fortschritt in Rich-

---

263 Schmid, H. H.: Interdisziplinarität der Wissenschaften, in: Ökologie. Unizürich. Informationsblatt der Universität Zürich 2/1990, 10f (11).

264 Unsere Studie spiegelt damit die praktischen Grenzen der Interdisziplinarität, denen die Forscher/innen bei aller grundsätzlichen Zustimmung zu deren Notwendigkeit begegnen. Interdisziplinarität „ist bis heute weitgehend ein Randphänomen“, stellt eine Studie über Interdisziplinarität an Schweizer Hochschulen von 1989/90 fest (Mudroch, V.: Interdisziplinarität an Schweizer Hochschulen, Neue Zürcher Zeitung, 25./26. Mai 1991, 25).

265 Feyerabend, P.: Wissenschaft ist keine Monokultur. Ein Plädoyer gegen den Glauben an die Allmacht der wissenschaftlichen Rationalität, Zürcher Tages-Anzeiger, 27. Feb. 1992, 39.

266 Honecker, M.: Einführung in die theologische Ethik, Berlin 1990, 219.

267 Young, J.: Post Environmentalism, London 1990, 120. Mit „post-environmental thinking“ meint er z.B. die Ökospiritualität, Gaia-Bewegung u.ä.

tung auf eine gemeinsame ethische Basis der Menschheit darstellt, so sehr wird nur ein halbes Jahrhundert nach deren Proklamation 1948 deutlich, daß sie stark westlich-aufklärerisch geprägt ist. Die islamische Welt fordert zunehmend vehementer, ihre eigenen Menschenrechtsvorstellungen in die Weltgemeinschaft einbringen zu können. Ein ethischer Kolonialismus ist – auch im Gewand ethischer Rationalität[268] – am Ende des 20. Jahrhunderts nicht mehr möglich. Das bedeutet aber auch für unseren Beitrag zu einer Ethik des Maßes, daß er nicht Allgemeingültigkeit in einem statischen Sinn beanspruchen kann und will, sondern – wenn man die Wertordnungen wie ein dynamisches, ökologisches, vernetztes System betrachtet – als einen Impuls in einem dynamischen Netzwerk von Werten.

Bedeutet das nun aber nicht, die Wissenschaften und damit auch die Ethik der formalen und materialen Beliebigkeit und Unverbindlichkeit auszuliefern? Nein! Verbindlichkeit ist gerade zur Bewältigung der ökologischen Krise dringend notwendig. Das Ziel des katholischen Theologen Hans Küng kann nur unterstützt werden, „die Weltreligionen, Millionen Menschen für ein Weltethos zu mobilisieren. Zu mobilisieren, indem sie ethische Ziele formulieren, moralische Leitideen präsentieren und die Menschen rational wie emotional motivieren, damit die ethischen Normen auch in der Praxis gelebt werden können“[269]. Das Weltethos besteht aber nicht in methodischer und inhaltlicher ethischer Monokultur und Uniformität – davon grenzt sich auch Küng ab[270] –, sondern in der Verbindlichkeit der oben erwähnten Liebe. Diese leidenschaftliche Liebe zu allem Leben und damit zur Schöpfung ist es, die – als vorwissenschaftliche, axiomatische Entscheidung – Verbindlichkeit im Pluralismus erzeugt. Es ist die (im paulinischen Freiheitsverständnis verwurzelte) „Verbindlichkeit der Freiheit“[271], die sich auch in der Methodenfreiheit zu bewähren hat.

1.4.6 In sechs methodischen Schritten zu Leitlinien

In welchen methodischen Schritten ist nun eine ethische Entscheidung zu unserem Problem der Maßfindung erreichbar? Die evangelische Sozialethik praktiziert weitgehend eine Verbindung von Normen- und Situationsethik. H. E. Tödt hat sie in *sechs Schritten* zusammengefaßt, die mit Variationen heute breit angenommen und – auch in der vorliegenden Darstellung – angewandt werden[272]:

---

[268] Eine solche Verabsolutierung der rationalen Argumentation, die allein Allgemeingültigkeit beansprucht, geschieht z.B. beim Philosophen D. Birnbacher (der im übrigen wichtige Beiträge auf der Suche nach verallgemeinerungsfähigen Normen in der Umweltethik leistet). „Eines der definierenden Kennzeichen moralischer – im Unterschied zu religiösen, juridischen Normen oder Normen der Etikette – ist der von ihnen erhobene Anspruch auf Allgemeingültigkeit ... Eine theologische Begründung moralischer, allgemeinverbindlicher Normen ist unmöglich.“ (Birnbacher, D.: Sind wir für die Natur verantwortlich?, in ders. [Hg.]: Ökologie und Ethik, Stuttgart 1980, 103–139 [113f].)

[269] Küng, H.: Projekt Weltethos, München 1990, 87.

[270] Ebd., 14: „Keine Einheitsreligion und Einheitsideologie, wohl aber einige verbindende und verbindliche Normen, Werte, Ideale und Ziele.“

[271] Vgl. dazu Huber, W.: Die Verbindlichkeit der Freiheit. Über das Verhältnis von Verbindlichkeit und Freiheit in der evangelischen Ethik, ZEE 37/1993, 70–81. Ich teile seine in diesem Aufsatz dargelegte Überzeugung, daß Verbindlichkeit in der Ethik nicht durch ein Lehramt oder sonst eine Instanz, sondern durch einen ständigen konziliaren Kommunikationsprozeß erreicht werden muß.

[272] Tödt, H.E.: Versuch zu einer Theorie ethischer Urteilsfindung, ZEE 21/1977, 81–93; Zur Auseinandersetzung damit vgl. z.B. Höffe, O.: Bemerkungen zu einer Theorie ethischer Urteilsfindung (H.E. Tödt), ZEE 22/1978, 181–188; Link, Ch.: Überlegungen zum Problem der Norm in der theologischen

1. Problemfeststellung: Was ist das ethische Problem? Worin besteht der ethische Konflikt? (In unserer Studie in Kapitel 1.2)
2. Situationsanalyse: Für welche Situation ist das Problem zu lösen? (Kapitel 1.3 u. 2)
3. Verhaltensalternativen: Welche Lösungswege wären möglich? (Kapitel 3 und 4)
4. Normenprüfung: Was sollen wir tun? (Kapitel 5)[273]
5. Urteilsentscheid: Was müssen und können wir tun? (Kapitel 5)
6. Rückblickende Adäquanzkontrolle: War die Entscheidung angemessen? Was könnte man besser machen? (Dieser Schritt muß nachträglich erfolgen.)[274]

Bei der Normenprüfung werden in der Geschichte der theologischen und philosophischen Ethik sehr häufig – unter ganz verschiedenen Begriffen – *zwei oder drei Ebenen von Normen* (beim vierten Schritt der Normenprüfung) unterschieden: Bei Aristoteles das ius naturale (Naturrecht), ius gentium (gilt für die ganze Menschheit) und das ius civilis (staatliches, positives Recht); bei Augustin die lex aeterna (göttliches Gesetz), die lex naturalis (universale Norm, der Vernunft immanentes Naturgesetz) und die lex temporalis (positives Recht); auch Thomas von Aquin schließt an Aristoteles und Augustin an. Zwingli unterschied die göttliche und menschliche Gerechtigkeit, Luther die Normen des weltlichen und des geistlichen Regiments mit dem usus politicus und dem usus theologicus legis. In der heutigen theologischen Sozialethik unterscheidet z.B. A. Rich[275] die drei Ebenen der Humanität aus Glaube, Hoffnung, Liebe (fundamentale Erfahrungsgewißheit), der Kriterien (am Absoluten orientierte Grundwerte) und der Maximen (praktikable, situationsbezogene Richtpunkte des Handelns, H. Ringeling[276] die Haltung (deontologisch bestimmte, situationsunabhängige Werte) und die Handlung (teleologisch

---

Ethik, ZEE 22/1978, 188–199; Frey, Ch.: Humane Erfahrung und selbstkritische Vernunft, ZEE 22/1978, 200–213; Rich, A.: Wirtschaftsethik Bd.1, Gütersloh 1984, 223ff; Ringeling, H.: Ethische Normativität und Urteilsfindung, ZEE 28/1984, 402–425; Tödt, H.E..: Perspektiven theologischer Ethik, München 1988, 21–84; Ringeling, H.: Christliche Ethik im Dialog, Freiburg 1991, 123–127; Honecker, M.: Einführung in die theologische Ethik, Berlin 1990, 208–210. An Tödt orientiert sich auch Lange, D.: Ethik in evangelischer Perspektive, Göttingen 1992, 519–521. Zur Auseinandersetzung mit dem Ansatz von Tödt vgl. auch Stückelberger, Ch.: Vermittlung und Parteinahme, Zürich 1988, 8–11.

273 Gegenüber dem Entwurf von 1977 erweitert und präzisiert Tödt in „Perspektiven …“ 1988: „Auswahl und Prüfung von *Normen, Gütern und Perspektiven*, die für die Wahl unter möglichen Verhaltensoptionen angesichts eines Problems relevant sind.“ (68. Hervorhebung durch den Verf.) Damit verbindet er Normenethik, Ethik der Güterabwägung und an der Perspektive des Reiches Gottes orientierte Verantwortungsethik (43–45, 65–74). Diese Verbindung geschieht auch in der vorliegenden Umweltethik (Kapitel 5), da es sich um drei komplementäre Aspekte des verantwortlichen ethischen Urteils handelt. Im Unterschied zu Tödt wird im folgenden zwischen *ethisch* im Sinne wissenschaftlicher Theorie und *sittlich* im Sinne des praktischen Urteils in der Regel nicht unterschieden, da m.E. der Begriff *ethisch* im heutigen Sprachgebrauch auch das kognitive und voluntative sittliche Urteil im Sinne von Tödt einschließt.

274 Bei Tödt entfällt dieser Schritt in der Darlegung von 1988 leider. Man kann zwar zu Recht argumentieren, er gehöre nicht mehr zum Weg sittlichen Urteils im engeren Sinn, er ist aber für das individuelle wie kollektive ethische Lernen wichtig und gerade für die Verantwortungsethik, die die realen Folgen des Tuns einbezieht, nötig. Tödt fügt statt der Adäquanzkontrolle neu als fünften Schritt die „Prüfung der sittlich-kommunikativen Verbindlichkeit der in Aussicht genommenen Verhaltensoptionen“ ein (1988, 74–77). Damit hebt er zu Recht besonders hervor, was im vierten Schritt der Normenprüfung eigentlich bereits impliziert ist, daß nämlich das sittliche Urteil nicht nur ein individuelles sein kann, sondern „die Einheit der Menschen als maßgebend für ihr menschliches Verhalten postuliert.“ (Ebd., 74)

275 Rich, A.: Wirtschaftsethik Bd. 1, a.a.O., 169ff.

276 Ringeling, H.: Christliche Ethik im Dialog, a.a.O., 126.

bestimmt, situationsabhängig). In der heutigen philosophischen Ethik differenziert H. Jonas[277] zwischen Idealwissen und Realwissen, D. Birnbacher[278] zwischen idealen Normen (bei nahezu vollständigem Wissen und bei begrenztem Wissen) und Praxisnormen (real durchsetzbar).

So unterschiedlich diese ethischen Ansätze sind, so ist all diesen Bemühungen doch gemeinsam, daß sie das Absolute und das Relative in eine Beziehung zueinander bringen möchten, um etwas vom Absoluten im Relativen aufscheinen zu lassen.

Damit kann präzisiert werden, in welchem methodischen Rahmen die ethischen Kriterien des Maßes, die in dieser Studie erarbeitet werden sollen, stehen. Ich verstehe sie als Kriterien im Sinne Richs resp. als Idealwissen im Sinne von Jonas. Die Anwendung auf die Fallbeispiele als Maximen resp. situationsabhängige Praxisnormen kann hier nur sehr andeutungsweise geschehen.

1.5 Begriffe

Einige wenige Begriffe, die in unserer Untersuchung eine zentrale Rolle spielen, gilt es durch Definitionen nun zu klären. Die Begriffsverwirrung und -verwilderung gerade im Umweltbereich ist groß und deshalb die Literatur, die diese zu zähmen versucht, entsprechend umfangreich, ja bereits fast unübersehbar. Ich will mich deshalb darauf beschränken zu präzisieren, in welchem Sinn die Begriffe im folgenden verwendet werden.

1.5.1 Natur – Umwelt – Mitwelt – Schöpfung

Die vier Begriffe Natur, Umwelt, Mitwelt und Schöpfung bezeichnen im heutigen Alltagsverständnis (was mit dem theologischen Verständnis nicht identisch ist) vorwiegend jenen Teil der Gesamtwirklichkeit, der auch ohne den Menschen besteht oder bestehen kann, vom Menschen aber wesentlich gestaltet und verändert wird. Bei den vier Begriffen ist die Verhältnisbestimmung zum Menschen in der Umweltethik aber je anders akzentuiert. Ich verwende bewußt alle vier Begriffe, je nachdem, welcher Akzent besonders betont werden soll.

Natur[279] *im ökologischen und humanökologischen Sinn*[280] bezeichnet die Gesamtheit der (bekannten oder noch unbekannten) gewachsenen anorganischen und organischen,

277 Jonas, H.: Das Prinzip Verantwortung, Frankfurt 1984, 61ff.

278 Birnbacher, D.: Verantwortung für zukünftige Generationen, Stuttgart 1988, 92ff, 197ff.

279 Weiterführend: Die Artikel „Natur“ in: Historisches Wörterbuch der Philosophie, Bd. 6, Basel 1984, 421–478 (Lit.); in: Teutsch, G.: Lexikon der Umweltethik, 1985, 72f; in: Höffe, O.: Lexikon der Ethik, 1986³, 176f; in: Stoeckle, B.: Wörterbuch der ökologischen Ethik, 1986, 88–92. Weiter Rapp, F. (Hg.): Naturverständnis und Naturbeherrschung, München 1981, bes. 10ff (E.Knoblauch), 36ff (J. Mittelstrass); Schwemmer, O.: Über Natur. Philosophische Beiträge zum Naturverständnis, Frankfurt a.M. 1987; Weber, H.-D.: Vom Wandel des neuzeitlichen Naturbegriffs, Konstanz 1989; Schreiber, H.-P.: Der Wandel des Naturverständnisses. Philosophische Aspekte, in: Verhandlungen der Naturforschenden Gesellschaft Basel Bd.98, 1988, 1–10; Scherer, G.: Welt – Natur oder Schöpfung?, Darmstadt 1990, bes. 1–18; Picht, G.: Der Begriff der Natur und seine Geschichte, Stuttgart 1989, bes. 80–95.

280 Zum Begriff Humanökologie vgl. das nächste Kapitel 1.5.2.

pflanzlichen und tierischen Gegebenheiten, die entweder ohne Einwirkung des Menschen und außerhalb des menschlichen Bewußtseins bestehen oder die durch menschliche Einwirkung teilweise (heute bereits großteils) verändert sind, aber deren vom Menschen unabhängige Gewordenheit, Eigenarten und Wirksamkeiten größernteils bewahrt sind. Diese Gegebenheiten bilden zusammen ein System resp. eine Vielzahl von Systemen. Die Natur des Menschen ist Teil der gesamten Natur. Mensch und übrige Natur sind vielfältig vernetzt.[281]

Natur kann aufgrund heutiger naturwissenschaftlicher, naturphilosophischer und theologischer Erkenntnisse und aufgrund des weltumfassenden Einwirkens des Menschen in praktisch sämtliche Bereiche der Natur nur noch sehr bedingt als Gegenbegriff zu Kultur[282], zu Geist (Hegel), zu Freiheit (Kant) oder zu Gesellschaft[283] verwendet werden. Deshalb ist die Einwirkung des Menschen in obiger ökologischer und humanökologischer Definition von Natur eingeschlossen.

Jeder Naturbegriff ist notwendigerweise anthropomorph. Was als Natur identifiziert wird, ist selbst ein Kulturphänomen. Es soll über zweihundert Definitionen von Natur geben. Natur bezeichnet das, was der Mensch als Natur erlebt und sich als Natur vorstellt, und zwar in der anthropozentrischen wie in der physiozentrischen Sicht. Deshalb ist auch alles andere als klar, welche Natur eigentlich zu schützen ist: ein bestimmter Zustand der Vergangenheit, der gegenwärtige oder ein zukünftiger Zustand[284]? Ein naturalistischer Naturbegriff, der Natur auf einen bestimmten Zustand fixiert und daraus zudem normative Aussagen ableitet, ist deshalb ethisch unzulässig.

Natur ist wissenschaftlich primär ein deskriptiver Begriff. Dennoch umfaßt er in der (in die Wissenschaft einfließenden) vorwissenschaftlichen Alltagserfahrung – wir lernen früh, daß man seltene Blumen nicht gedankenlos ausreißt oder Tiere nicht quält – auch normative Aspekte[285].

Aus theologischer Sicht ist der Begriff Natur eine Art säkularisiertes Synonym für Schöpfung. Er verbindet sich alltagssprachlich allenfalls mit einem deistischen oder pantheistischen Gottesbild, in der Regel aber nicht mit der Vorstellung des Schöpfergottes im untenstehenden umweltethischen Sinn. Wir kommen unter dem Stichwort Schöpfung sogleich darauf zurück.

Umwelt[286] im ökologischen Zusammenhang bezeichnet die den Menschen umgebende, ihn beeinflussende, von ihm beeinflußte und seine Lebensgrundlage bildende Natur, mithin Natur vor allem unter dem Gesichtspunkt der Interessen des Menschen.[287] Die

---

[281] Neben diesem materialen Naturbegriff gibt es den formalen, der die gesetzmäßig erfaßbare Bestimmung eines Dinges oder Menschen, z.B. im Naturrecht oder als Naturgesetz, bezeichnet.

[282] Hilfreich ist die knappe Übersicht von Stolz, F.: Typen religiöser Unterscheidung von Natur und Kultur, in: ders. (Hg.): Religiöse Wahrnehmung der Welt, Zürich 1988, 15–32.

[283] Oechsle, M.: Der ökologische Naturalismus. Zum Verhältnis von Natur und Gesellschaft im ökologischen Diskurs, Frankfurt 1988, 120ff.

[284] So auch Honnefelder, L.: Welche Natur sollen wir schützen?, Gaia 2/1993, 253–264, bes. 254f.

[285] Im Anschluß an Rust, A.: Ist ein normativer Naturbegriff möglich? In: Ökologie. Unizürich. Informationsblatt der Universität Zürich 2/1990, 14–17.

[286] Weiterführend die entsprechenden Artikel in den beim Begriff „Natur" erwähnten Lexiken.

[287] Während der Begriff im 19. Jahrhundert noch allgemein für Umgebung oder soziologisch verwendet wurde, wurde er erstmals 1909 von J. von Uexküll biologisch-ökologisch verwendet: „Alles, was ein Subjekt merkt, wird zu seiner Merkwelt, und alles, was es wirkt, zu seiner Wirkwelt. Merkwelt und Wirkwelt bilden zusammen eine geschlossene Einheit, die Umwelt." (Umwelt und Innenwelt der Tiere, zit. nach Strey, G.: Umweltethik und Evolution, Göttingen 1989, 9).

primäre Umwelt umfaßt die Biosphäre mit ihren Ökosystemen, die sekundäre Umwelt jene durch den Menschen geistig, technisch und ökonomisch gestaltete zivilisatorische Welt, die die Biosphäre mitprägt. Umwelt ist ein anthropozentrischer Begriff und reduziert Welt und Natur auf das, was der Mensch für seine Zwecke braucht, mit dieser Absicht gestaltet und erhalten muß. Der Eigenwert der Natur wird auf den Gebrauchswert für den Menschen reduziert. Im Umweltschutz wird Naturschutz zum Menschenschutz, das heißt primäres Motiv des Naturschutzes wird der Schutz der Lebensgrundlagen des Menschen. Dieses Motiv ist absolut berechtigt, aber ungenügend, wie wir noch sehen werden.

Mitwelt[288] im ökologischen Zusammenhang bezeichnet demgegenüber die Natur in ihrem Eigenwert. Der Mensch sucht zur Mitwelt nicht nur eine vom Nützlichkeitsdenken geprägte, sondern eine partnerschaftliche Beziehung. Er nimmt auf die Mitwelt auch um ihrer selbst willen Rücksicht. Der Begriff betont, daß Mensch und nichtmenschliche Mitwelt – obwohl klar unterschieden – Teile eines gemeinsamen Ganzen sind und zueinander in einer Subjekt-Subjekt-Beziehung stehen. Wenn ich abgekürzt von Mitwelt spreche, meine ich diese nichtmenschliche (nicht die menschliche) Mitwelt.

Schöpfung[289] bezeichnet die von Gott geschaffene, von der Sünde des Menschen mitbetroffene, von Christus befreite und auf Vollendung harrende und sich hinbewegende Wirklichkeit. Sie umfaßt Mensch und Natur. Der Mensch hat in ihr einen speziellen gestaltenden und bewahrenden Auftrag. Die Unterscheidung zwischen einer erschaffenden Schöpferkraft und einer geschaffenen Schöpfung ist für die Vorstellung der Welt als Schöpfung konstitutiv. Die Schöpfung lebt aus der Beziehung zum Schöpfer, der sie bewahrt, befreit (vom Leiden), beflügelt (mit seinem Geist) und begrenzt. Während Natur evolutionär unbegrenzt oder durch Selbstorganisation sich selbst begrenzend vorgestellt wird, ist Schöpfung als *Kreatur* begrenzt als „Vorletztes, das auf das Letzte ausgerichtet ist.“[290] Der Begriff Schöpfung beinhaltet immer auch schon die Verantwortung der Geschöpfe – zumindest des Menschen als verantwortungsfähigem Geschöpf – gegenüber dem Schöpfer!

Die Rede von der Schöpfung *im Kontext der Schöpfungs- resp. Umweltethik* ist ähnlich dem Begriff Natur in der Ökologie primär auf die nichtmenschliche Mitwelt ausgerichtet (wobei der Mensch als bedeutender Teil im Ganzen der Schöpfung nie auszuklammern ist), sieht diese aber aus der Perspektive des Handelns Gottes und der Verantwortung des Menschen gegenüber dem Schöpfer. Schöpfung *im dogmatischen Sinn* ist hingegen inso-

---

[288] Während „Mitwelt“ Ende des 18. Jahrhunderts auf die Menschen bezogen im Unterschied zu „Vorwelt“ und „Nachwelt“ die Zeitgenossen meinte, wurde der Begriff in die ökologische Diskussion besonders von K. M. Meyer-Abich eingeführt (Wege zum Frieden mit der Natur, München 1984, 14, 245ff; Aufstand für die Natur. Von der Umwelt zur Mitwelt, München 1990, bes. 35ff.). Er begründet den Begriff mit der „naturgeschichtlichen Verwandtschaft des Menschen mit der natürlichen Mitwelt“ (1990, 35), mit dem „Gleichermaßen-Geborensein“: „In dieser Allgemeinheit sind unsere naturgeschichtlichen Verwandten, die Tiere, und die Pflanzen, gemeinsam mit Landschaften, Meeren, Luft und Licht unsere natürliche Mit-Welt, so wie Menschen in der menschlichen Allgemeinheit, der Menschheit, unsere Mit-Menschen sind.“ (ebd., 48)

[289] Vgl. Art. Schöpfung in G. Teutsch und B. Stoeckle, oben Anm. 277; auch G. Picht und G. Scherer, oben Anm. 277; zudem Teutsch, G.: Schöpfung ist mehr als Umwelt, in: Bayertz, K.: Ökologische Ethik, Freiburg 1988, 55–65. Zum Verhältnis von Natur und Schöpfung auch Trillhaas, W.: Art. Natur und Christentum, RGG^3, Bd. IV, Sp. 1326–1329.

[290] Bonhoeffer, D.: Ethik, München 1975^8, 154. Zu „Natur und Kreatur“ vgl. auch Link, Ch.: Schöpfung, Bd.2, Gütersloh 1991, 520–526.

fern umfassender als die Eingrenzung des Begriffs in der theologischen Umweltethik, als sie alles von Gott Geschaffene vom Anfang bis zur Vollendung, von der creatio originalis (ex nihilo) über die creatio continua bis zur creatio nova, einschließt. In diesem Sinn umfaßt sie auch das vom creator spiritus, dem Schöpfergeist, durch den Menschen Geschaffene wie Kultur, Wissenschaft, Technik, politische und wirtschaftliche Systeme usw. Dies ist Teil der creatio continua. So notwendig diese umfassende Weite des Schöpfungsbegriffs für die dogmatische und ethische Reflexion ist, so berechtigt ist es doch, im Teilgebiet der *Umweltethik* Schöpfung vorwiegend im eingegrenzten Sinn der nichtmenschlichen Mitwelt, die von Gott geschaffen, erhalten und erneuert und vom Menschen mitgestaltet ist, zu verwenden. Diese eingegrenzte Bedeutung ist umgangssprachlich wie in der umweltethischen Kommunikation mit den andern Wissenschaften vorwiegend in Gebrauch.

Die Rede von der „Zerstörung der Schöpfung" und der „Bewahrung der Schöpfung", wie sie Bestandteil jeder Umweltethik und insbesondere der weltweiten ökumenischen Programme[291] ist, ist im eingegrenzten Sinn des Begriffs Schöpfung berechtigt, insofern damit die konkrete und partielle Zerstörung resp. Bewahrung von Tier- und Pflanzenarten, Landschaften, nichterneuerbaren Ressourcen usw. bezeichnet wird.[292] Die Schöpfung im dogmatisch umfassenden Sinn kann vom Menschen aber weder völlig zerstört noch umfassend bewahrt werden, weil der Mensch damit trotz seiner heutigen Machtfülle seine Handlungsmöglichkeiten weit überschätzen würde und dies Ausdruck seiner vermeintlichen Selbstinthronisierung anstelle des Schöpfers wäre.

Mitgeschöpflichkeit[293] verbindet das Anliegen des Begriffs Mitwelt mit dem Anliegen des Begriffs Schöpfung und betont die Schicksalsgemeinschaft des Menschen mit den übrigen Mitgeschöpfen.

1.5.2 Ökologie – ökologische Ethik – Schöpfungsethik

Ökologie[294] als „Haushaltslehre von der Natur"[295] handelt von den wechselseitigen Wirkungszusammenhängen zwischen Lebewesen und ihrer Umwelt, zwischen Lebensgemeinschaften und ihren Lebensräumen. Ein Ökosystem ist die Gesamtheit aller Wechselwirkungen eines Lebensraumes. Neben der primär biologischen Erkenntnis der Wirkungszusammenhänge ist Ökologie „die Lehre von den wechselseitigen Wirkungszusammenhängen zwischen Mensch und Umwelt mit ihren sozialen, kulturellen, wirt-

---

291 Vgl. Kapitel 4.2. und 4.6.1.

292 Graf, F.: Von der creatio ex nihilo zur Bewahrung der Schöpfung, ZThK 87/1990, 206ff.

293 Der Begriff taucht m. W. erstmals 1959 beim Zürcher Theologen F. Blanke auf (Blanke, F.: Unsere Verantwortlichkeit gegenüber der Schöpfung, in: Der Auftrag der Kirche in der modernen Welt. Festgabe zum 70. Geburtstag von E. Brunner, Zürich 1959, 193–198). Der Begriff wird als eines von sieben sozialethischen Kriterien aufgenommen bei Rich, A.: Wirtschaftsethik, Bd. 1, Zürich 1984, 193–196.

294 Der Begriff Ökologie wurde 1886 von E. Haeckel im biologischen Sinn eingeführt. Zum Begriff in der gegenwärtigen europäischen Diskussion detailliert bei Balsiger, Ph.: Begriffsbestimmungen Ökologie und Interdisziplinarität, Bern 1991, 13–41. Er zeigt auf, daß die verschiedenen Ökologiedefinitionen an den Hochschulen im wesentlichen durch verschiedene forschungspolitische Ziele bedingt sind.

295 Remmert, H.: Ökologie. Ein Lehrbuch, Berlin 1989^{4}, 1.

schaftlichen, physischen, evolutionären wie politischen Aspekten. Diese ganzheitliche Betrachtungsweise bezieht deshalb alle Wissenschaften ein."[296]
Ökologie als Wissenschaft setzt einen Pluralismus der Erkenntnismethoden und interdisziplinäre Zusammenarbeit voraus. Es kann zwischen Umweltnaturwissenschaften (z.B. Umweltchemie), Umweltgeisteswissenschaften (z.B. Umweltpsychologie), Umweltsozialwissenschaften (z.B. Umweltökonomie) unterschieden werden. Es gibt entsprechend fast beliebig viele „Bindestrich-Ökologien". An die Ökologie wird zunehmend der Anspruch erhoben, daß sie zur Integrationswissenschaft wird. Obwohl sie gute Voraussetzungen dazu mitbringt, bezweifle ich, ob sie diese Erwartung erfüllen kann. Ich vermute eher, daß heute keine Wissenschaft, auch Ökologie und Ethik[297] nicht, allein Integrationswissenschaft sein kann.
Ökologie ist ein deskriptiver und zugleich normativer Begriff, weil er die Verantwortung zur Erhaltung der Ökosysteme einschließt. So definiert C.F. von Weizsäcker normativ: „Ökologie ist vernünftige Verantwortung für unsere Heimat, die Natur."[298] Entsprechend ist ***Humanökologie***, die sich mit dem Mensch-Umwelt-Verhältnis beschäftigt, weitgehend eine normative Wissenschaft[299]. Die Hochschule St. Gallen definiert in Anlehnung an G. Picht: „Humanökologie ist die Erkenntnis davon, wie Menschen innerhalb dieser Umwelten ihren eigenen Oikos bauen können, daß er die Umwelt, aus der er lebt, nicht zerstört."[300] Damit sind wir unmittelbar bei der ökologischen Ethik.
Ökologische Ethik – eine Disziplin der Umweltgeisteswissenschaften, besonders von Philosophie und Theologie – sucht nach Normen für das menschliche Handeln unter Berücksichtigung der wechselseitigen Wirkungszusammenhänge zwischen Lebewesen und ihren Umwelten. Sie „zielt nicht auf die Interessen einzelner Lebewesen, sondern auf Arten und deren Interdependenzen."[301] Sie ist (resp. sollte sein) ein Aspekt in allen ethischen Anwendungsgebieten, so den sozialethischen Bereichen der Wirtschaftsethik, der Bioethik, der politischen Ethik, der Friedensethik wie den personal- und individualethischen Bereichen.
Umweltethik bezeichnet dasselbe wie ökologische Ethik, ist nicht zuletzt in Analogie zu Teilgebieten der Ethik wie Wirtschafts- oder Friedensethik als Begriff im deutschsprachigen Raum viel stärker eingebürgert als ökologische Ethik und wird deshalb auch von mir verwendet, wo es um einen allgemeinen Kontext geht.
Schöpfungsethik nimmt die erwähnten theologischen Dimensionen des Begriffs Schöpfung, die über Natur und Umwelt hinausgehen, besonders auf. Schöpfungsethik ist in Entsprechung zur Schöpfungstheologie für die theologische Ethik der angemessenere und präzisere Ausdruck als Umweltethik. Im theologischen Kontext werde ich deshalb vor allem diesen Begriff verwenden, wo es aber um das Anliegen der Begründung über

---

296 Offizielle Definition der Universität Basel. Bericht der Regenzkommission MGU über den Ausbau von Lehre und Forschung im Bereich Mensch-Gesellschaft-Umwelt an der Universität Basel, Basel 1987, 3. Ähnlich lautet die Definition der Universität Bern.
297 Vgl. HCE, Bd. 1, 3. Teil, 391–518: Christliche Ethik als Integrationswissenschaft.
298 Weizsäcker, C. F. von : Vorwort zu Picht, G.: Der Begriff der Natur und seine Geschichte, a.a.O., XV.
299 Das wird auch deutlich in den 19 Aufsätzen des Sammelbandes von Glaeser, B. (Hg.): Humanökologie. Grundlagen präventiver Umweltpolitik, Opladen 1989.
300 Zit. bei Balsiger, Ph.: Begriffsbestimmungen Ökologie und Interdisziplinarität, a.a.O., 25.
301 So Ruh, H.: Argument Ethik, Zürich 1991, 17.

den christlichen Kontext hinaus geht, werde ich auch von Umweltethik und ökologischer Ethik sprechen. Entsprechend wird nicht nur von Schöpfungstheologie, sondern auch von ökologischer Theologie gesprochen.
Im franszösischsprachigen Raum besteht ebenfalls die Unterscheidung zwischen éthique écologique und éthique de la création, im englischsprachigen Raum überwiegt der Terminus environmental ethics.
Bioethik befaßt sich mit ethisch relevanten Fragen besonders der Biologie und Medizin. Im Vordergrund steht die Diskussion um neue wissenschaftliche und technische Methoden wie Bio- und Gentechnologie bei Eingriffen an Mensch und Tier. Dabei geht es weniger um die Interdependenzen zwischen Arten wie in der Umweltethik, sondern mehr um die Auswirkungen auf die Lebewesen als Individuen. Der Begriff Bioethik wird aber sehr unterschiedlich weit gefaßt. Als „umfassende Bioethik" ist der Begriff mit Umweltethik fast synonym[302]. Da Bioethik in der öffentlichen Diskussion aber doch vorwiegend mit medizinischer Ethik in Zusammenhang gebracht wird (obwohl terminologisch nicht gerechtfertigt), verwende ich den Begriff für unser Thema selten.
Lebensethik könnte anstelle eines umfassenden Begriffs von Bioethik verwendet werden.[303] Damit wäre zugleich signalisiert, daß es bei Umwelt-, Schöpfungs- und Bioethik um die umfassende Ermöglichung gelingenden Lebens geht. Doch damit wird zugleich deutlich, daß der Terminus zu weit ist. Denn gibt es überhaupt eine Ethik, in der es nicht um die Ermöglichung und den Schutz von Leben geht?

1.5.3 Maß – Maßhalten

Das Maß ist ein sehr vielschichtiger Begriff[304]. Er wird an dieser Stelle nur kurz erwähnt, da ein Ziel der Untersuchung ja gerade darin besteht, diesen Begriff umweltethisch zu analysieren und zu füllen.
Naturphilosophisch spielt der Begriff des Maßes in den Proportionen- und Vermessungslehren von Mathematik, Geometrie, Physik, Astronomie und Biologie eine wichtige Rolle und hat darin mit der Vorstellung von Ordnung zu tun. Auch als ästhetischer Begriff ist er in der abendländischen Geschichte überaus wichtig. In der Ethik geht es bei der Suche nach dem richtigen Maß um das relative Optimum zwischen einem Zuviel und einem Zuwenig (eines Wertes). Dabei geht es oft um eine Güterabwägung. Das erkannte Maß wird negativ als Begrenzung und Grenze erlebt. Positiv wird es als Wissen und Fähigkeit, die persönlichen, gesellschaftlichen und natürlichen Möglichkeiten dauerhaft und in einem Gleichgewicht zu nutzen, angestrebt. Beim Maß geht es nicht um das Maximum, sondern um das Optimum, nicht um die Überwindung von Grenzen als Ziel menschlichen Lebens, sondern um die Erkenntnis, Akzeptanz und fruchtbare Nutzung von Grenzen als Erfüllung menschlichen Lebens.
Im Kontext unserer ökologischen Ethik des Maßes interessiert uns das Maß selbstredend

---

302 So bei Altner, G.: Naturvergessenheit. Grundlagen einer umfassenden Bioethik, Darmstadt 1991, 1: „Bioethik ist keine Spezialethik für Biologen. Sie zielt vielmehr auf eine umfassende Neuorientierung der menschlichen Verantwortung gegenüber allen Formen der belebten Natur."
303 So der Vorschlag von Wolfgang Huber, Heidelberg, im Gespräch mit dem Verf.
304 Vgl. die Artikel zu „Maß" im Historischen Wörterbuch der Philosophie, Bd. 5, Basel 1980, 807–825.

besonders als *ethischer Leitwert* sowie als Tugend und Ethos des Maßhaltens. „Das Maß“ bezeichnet die ethische Norm, **„das Maßhalten“** (als „sophrosyne“ war es eine der vier Kardinaltugenden) die Fähigkeit, das richtige Maß einzuhalten. Für unsere Ethik des Maßes geht es darum, beim Umgang mit der nichtmenschlichen Mitwelt das Optimum zwischen dem Zuviel an Eingriffen (das die Mitwelt zerstört und Nachhaltigkeit verunmöglicht) und dem Zuwenig an Nutzung (das Entwicklung im Dienste eines menschenwürdigen Lebens für alle gefährdet) zu finden.
Auf der Suche nach „immanenten Maßen der Natur“ wird auch die Frage der Meßbarkeit als Inbegriff heutigen naturwissenschaftlichen Erkennens des Maßes zu bedenken sein. So verbindet der Begriff des Maßes in geheimnisvoller Weise naturwissenschaftliche und ethische, quantitative und qualitative Aspekte. Theologisch steht bei der Suche nach dem richtigen Maß weniger der berühmte aristotelische Ansatz, die richtige „Mitte“ zu finden, im Vordergrund[305]. Die Maßfindung wird vielmehr als dynamischer Prozeß sowie als relationales Geschehen dargelegt: das Maß wird je neu gefunden durch das richtige In-der-Beziehung-Bleiben mit dem Schöpfer und mit den Mitgeschöpfen.[306] Das führt ethisch zu einem dynamischen Gleichgewicht der Werte.[307]

1.5.4 Tugend – Ethos – Weltethos

Tugend bezeichnet klassisch „das Ideal der (Selbst-)Erziehung zu einer menschlich vortrefflichen Persönlichkeit“[308]. Der Habitusgedanke der Tugendlehre ist sehr aktuell. Er sucht eine Antwort auf die Frage, wie man von der Erkenntnis des Guten zum Tun des Guten kommen kann. Habitus heißt, daß Tugend eine durch fortgesetzte Übung und Charakterbildung erworbene Lebenshaltung wird. Übende Selbsterziehung weckt natürlich protestantischen Argwohn gegen pharisäerhafte Selbsterlösung. Daß der Mensch jedoch weder Spielball seiner Triebkräfte noch der sozialen Rollenerwartungen sein soll, kann man ja nur wünschen. Tugenden als „Haltungsbilder“ (Mieth) sollen die ethischen Antriebskräfte im Menschen stärken. Angesichts der leidvollen Beobachtung der häufigen Wirkungslosigkeit ethischer Normenkataloge gewinnt die Einsicht an Bedeutung, wie sie Wolfgang Huber formulierte: „Genauso wichtig wie die Frage nach den Kriterien verantwortbarer Entscheidungen ist die Frage nach den Quellen der Charakterbildung.“[309] Die Tugendethik ist dabei komplementäre Ergänzung und nicht Gegensatz zur Verantwortungsethik.[310] Es fehlt ihr aber der unbedingte sittliche Anspruch, wie er besonders dem Pflichtbegriff eigen ist. Der Tugendbegriff erlebt heute eine eigentliche Renaissance, wie die populär-ethische Textsammlung des bekannten Fernsehmoderators Ulrich Wickert zeigt.[311]

---

305 Vgl. dazu Kapitel 3.1.2.

306 Vgl. dazu bes. Kapitel 5.3.1 bis 5.3.5.

307 Das Maß als relationaler Begriff steht hier auch im Sinne von Arthur Richs Kriterium der Relationalität. Vgl. Kapitel 4.3.1.

308 Höffe, O.: Art. Tugend, Lexikon der Ethik, München 1986³, 257.

309 Huber, W.: Vorwort zu Birch, R.C./Rasmussen L.L.: Bibel und Ethik im christlichen Leben, Gütersloh 1993, 11.

310 So auch Tödt, H.E.: Perspektiven theologischer Ethik, München 1988, 43ff.

311 Wickert, U.: Das Buch der Tugenden, Hamburg 1995. Er ordnet die Texte nach neun Tugendgruppen: 1 Wahrheit, Wahrhaftigkeit, Ehrlichkeit, 2 Vernunft, Weisheit, Klugheit, 3 Gerechtigkeit, 4 Pflicht,

Der Begriff Tugend gehört dennoch zu den „Altlasten" der Ethik, da er im Laufe der Geschichte wiederholt individualistisch verengt wurde und immer wieder zu einer kleinbürgerlichen Moral verkam, wie wir in Kapitel drei aufzeigen werden. Die Tugendlehre muß aber nicht grundsätzlich Individualethik sein, wie man besonders aus der stoischen Tradition meinen könnte. Josef Pieper, Dietmar Mieth, Hans Jonas u.a. zeigten überzeugend auch die strukturgestaltende Seite der Tugenden.[312] Die Einbettung des Begriffs Tugend in eine ständische Ordnung (von Aristoteles über Thomas von Aquin bis zu den Reformatoren) kann aber nicht so schnell überwunden werden. So stehen hinter dem Begriff Tugend einerseits viele bedenkenswerte Anliegen. Da es andererseits schwerlich gelingen wird, ihn von den genannten „Altlasten" zu befreien, ziehe ich es vor, ihn nur im historischen Kapitel drei, wo es um die Wirkungsgeschichte der Kardinaltugend des Maßhaltens geht und wo der Begriff von den Quellen her zentral ist, zu verwenden. Im übrigen ersetze ich zumeist Tugend durch *Ethos*.

Ethos ist mehr als Ethik. Ethik meint vor allem die wissenschaftliche und begriffliche Darlegung der Prinzipien des Sollens. Der Begriff Ethos schließt neben der Reflexion die faktische Lebensgewohnheit und den Charakter als subjektive Aneignung ethischer Prinzipien ein. Das Ethos verbindet also tradierte Erfahrung und normative Erkenntnis zu einer ethisch verantworteten Grundhaltung und Praxis eines einzelnen, einer Gruppe oder einer Institution.[313] Der Begriff Ethos kommt damit dem Begriff Tugend recht nahe, hat aber gegenüber diesem den Vorteil, daß er weniger belastet und verbraucht ist.

Weltethos bezeichnet ein globales Ethos der Menschheit in jenen Fragen, in denen gemeinsame verbindliche Ziele, Werte und Grundhaltungen für das gemeinsame Überleben[314] notwendig sind. Die Vorstellung eines Weltethos[315] weist also auf die Notwendigkeit hin, in der heutigen interdependenten Welt bei allem Respekt vor den Freiheitschancen des Pluralismus zu gemeinsamem, ethisch verantwortbarem Handeln zu gelangen. Mit dem Weltethos ist weder ein synkretistischer Einheitsbrei noch eine imperialistische, von einer Kultur anderen übergestülpte Einheitsethik angestrebt, sondern ein Prozeß der Besinnung auf ein paar fundamentale, der Menschheit gemeinsame und verbindlich respektierte Grundwerte, wie das – bei aller Respektierung der kultureller Vielfalt – die Menschenrechte weitgehend sind. Hans Küngs Definition können wir uns

---

Selbstverpflichtung, Verantwortung, 5 Solidarität, Brüderlichkeit, Güte, 6 Mut, Tapferkeit, Zivilcourage, 7 Toleranz, 8 Zuverlässigkeit und Treue, 9 Demut, Bescheidenheit, Fleiß, Geduld.

312 Vgl. Kapitel 4.2.4 und 4.8.2.

313 Ethos gibt die Einheit der griechischen Begriffe aethos/Gewöhnung und ethos/Charakter, Gewissen wieder. Eine ausführliche Auseinandersetzung mit dem Begriff Ethos findet sich bei Kuchler, W.: Sportethos. Beitrag zu einer Phänomenologie der Ethosformen, München 1969. Er definiert Ethos selbst so (13): „Ethos im weiteren Sinne ist … die in einem Menschen oder einer Gruppe für das gesamte Leben oder einen Lebensbereich in Idealen, Werten und Normen lebendige Sittlichkeit." Dabei ist der verpflichtende Charakter ein Kennzeichen des Ethos. Vgl. weiter auch Kluxen, W.: Ethik des Ethos, Freiburg 1974. Zur Spannung zwischen dem philosophischen Ideal des Ethos und dem Evangelium: Hirsch, E.: Ethos und Evangelium, Berlin 1966, 1–150.

314 „Kein Überleben ohne Weltethos" ist die Grundthese von Küng, H.: Projekt Weltethos, München 1990, 13, 19ff. Zur weiteren Auseinandersetzung mit seinem Ansatz des Weltethos vgl. unten Kp. 4.7.

315 Andere brauchen synonym zu Weltethos den m. E. ebenso geeigneten Begriff Menschheitsethos (z.B. Irrgang, B.: Christliche Umweltethik, München 1992, 50f, 73f).

anschließen: „Mit Weltethos meinen wir keine einheitliche Weltreligion jenseits aller bestehenden Religionen, erst recht nicht die Herrschaft einer Religion über alle anderen. Mit Weltethos meinen wir einen Grundkonsens bezüglich verbindender Werte, unbedingter Maßstäbe und persönlicher Grundhaltungen."[316]

316 Küng, H.: Auf dem Weg zu einem Weltethos – Probleme und Perspektiven, Zeitschrift für Kulturaustausch 43. Jg, 1/1993, 11–20 (19).

2. Das „natürliche" Maß in der Natur

„Verantwortung für die Natur beginnt mit der Wahrnehmung des ihr innewohnenden Maßes"[1], stellt der Sozialethiker Wolfgang Huber, in sichtlicher Nähe zu Georg Picht, fest. Und der Sozialethiker Hans Ruh stellt die Frage: „Das Natürliche ist nicht per se ethisch. Die Frage ist aber, ob es ethisch sein kann, das Natürliche als Norm gelten zu lassen."[2] Genau um diese Frage geht es in diesem 2. Kapitel. Um sie beantworten zu können, müssen wir zuerst feststellen, was das Natürliche nach dem heutigen Stand des Wissens ist, das heißt was sich die Naturwissenschaften als Wissenschaften der Natur darunter vorstellen.[3]

Schon der Kirchenvater Clemens von Alexandria (gest. 215) stellte neben den Dekalog des Mose den zweimal zehn Gesetze umfassenden „natürlichen Dekalog des Himmels und der Erde": „Wenn man den Dekalog als Bild des Himmels ansieht, so umfaßt er Sonne und Mond, Gestirne, Wolken, Licht, Wind, Wasser, Luft, Finsternis, Feuer. Dieses ist der natürliche Dekalog des Himmels. Als Bild der Erde aber umfaßt der Dekalog Menschen, Haustiere, kriechende Tiere, wilde Tiere und von den im Wasser lebenden Tieren Fische und Seeungeheuer und von den Vögeln ebenso die Raubvögel wie die von Pflanzen sich nährenden Vögel und von den Pflanzen in gleicher Weise die fruchttragenden wie die ohne Früchte."[4]

Während hier noch das Gesetz des Mose und die Gesetze der Natur als zwei nebeneinander gültige Offenbarungen Gottes gesehen wurden, erhielt zu Beginn der neuzeitlichen Naturwissenschaft das Naturgesetz so universale Bedeutung auch für Ethik und Politik, daß es gleichsam an Stelle des mosaischen ethischen Gesetzes trat und dieses überflüssig machte. Newton wurde im England des 18. Jahrhunderts als der neue Moses gefeiert:

„Nature and Nature's laws lay hid in night:
God said, let Newton be! and all was light."

Dies schlug Alexander Pope als Grabspruch für Isaac Newton (gest. 1727) vor[5].

Die Gesetze der Natur können und dürfen – theologisch gesehen – das Gesetz Mose der zehn Gebote resp. das neue „Gesetz" Jesu der Bergpredigt keinesfalls ersetzen. Die Gesetze der Natur immer tiefer zu verstehen kann und soll aber dazu beitragen, die Schöpfung als Ordnung Gottes in ihrer Großartigkeit und auch Bedeutung für das Handeln des Menschen zu erkennen.

Dabei ist es aufgrund der beobachtbaren Entsprechungen zwischen Mikrokosmos und Makrokosmos – wenigstens für unseren Zusammenhang – letztlich nicht sehr entschei-

---

1 Huber, W.: Friedensethik, Stuttgart 1990, 244.

2 Ruh, H.: Argument Ethik, Zürich 1991, 19.

3 Wertvolle Anregungen dazu erhielt ich durch Gespräche mit Naturwissenschaftler/innen der Eidg. Tech. Hochschule ETH Zürich, der Eidg. Forschungsinstitute für Gewässerschutz EAWAG, für Landwirtschaft und Pflanzenbau EFLP und des Paul Scherrer Instituts PSI, z.B. von H. Primas (physikal. Chemie), H.U. Wanner (Umwelthygiene), P. Kesselring (Energietechnik), M. Taube (Energie), D. und H.P. Kohler (Mikrobiologie), P. Fried (Pflanzenbau), S. und H. Eichenberger (Biologie und Forstwirtschaft), G. Altner (Biologie/Theologie, Koblenz-Landau)) und J. Hübner (Biologie/Theologie, Heidelberg).

4 Teppiche VI 133, 3f, in: Bibliothek der Kirchenväter, 2. Reihe Bd. 19, München 1937, 329.

5 Zit. nach Prigogine, I./Stengers, I.: Dialog mit der Natur. Neue Wege naturwissenschaftlichen Denkens, München 1981, 33.

dend, anhand welcher naturwissenschaftlichen Disziplinen die immanenten Maße zu erkennen gesucht werden, ob bei Physik oder Chemie, Astronomie oder Mikrobiologie, sofern die Einzeldisziplin nicht verabsolutiert, sondern – zwar z.T. komplementär und damit vordergründig in Spannung zueinander stehend – als Teil des Ganzen gesehen wird. Es kann sich hier nur um exemplarisch ausgewählte Aspekte handeln. Eine ökologische Ethik kann sich auch getrost auf die immanenten Maße des Planeten Erde konzentrieren. Natur im Sinne des übrigen Universums ist „nur" insofern relevant, als es die Lebensbedingungen auf diesem Planeten mitprägt. Zwar gilt leider immer noch der Spruch: „Wir gehen mit der Erde um, als hätten wir eine zweite im Keller."[6] Wir haben aber keine zweite, auch wenn Wissenschaftler – hier kippt wissenschaftliche Spielerei leicht in gefährliche Hybris um – berechneten, daß der Mensch auf dem Mars ein Klima schaffen könnte, das diesen bewohnbar machen würde – nur bräuchte er dazu 100 000 Jahre![7]

Die Erkenntnis der Maße der Natur wird durch zwei Faktoren wesentlich relativiert:

1. Es kann sich nur um eine Momentaufnahme handeln, um „Naturkonstanten, die keine sind"[8] resp. um „dynamische Normen"[9], die nicht feste Größen, sondern Tendenzen und Entwicklungen angeben. Nicht daß Naturgesetze wie die Schwerkraft plötzlich nicht mehr gelten würden, aber der Boden scheinbar gesicherter Erkenntnisse wird laufend und in atemberaubender Geschwindigkeit durch neue Erkenntnisse unter den Füßen weggezogen. Während die Lichtgeschwindigkeit (300 000 km pro Sekunde) noch bis vor kurzem als oberste, nicht überschreitbare Grenze der Bewegung in Raum und Zeit galt, wird dies heute durch die Vermutung, daß es Tachyonen als überlichtschnelle Teilchen gebe, in Frage gestellt. Während das Atom (Größe: ein Zehntel eines Milliardstel Meters) bis vor nicht allzu langer Zeit als kleinster Baustein der Materie galt, werden heute als die drei „Grundbausteine" stabiler Materie (es sind faktisch nicht Bausteine der Materie, sondern menschliche Konstruktionen zur Untersuchung der Materie) das u-Quark, das d-Quark und das Elektron untersucht, bei denen man bis auf einen Milliardstel eines Milliardstel Meters (10^{-18}m) vordringt und die man im größten Teilchenbeschleuniger der Welt, dem Genfer CERN-Forschungszentrum, erforscht.
2. Natur und Alltagserfahrung von Natur sind umfassender, als was die Naturwissenschaften als Natur beschreiben. Darauf verweisen insbesondere holistisch und naturphilosophisch denkende Wissenschaftler. Gernot Böhme nennt fünf Unterschiede zwischen „lebensweltlicher Erfahrung" und naturwissenschaftlicher Erkenntnis[10]:

---

6 Sprayinschrift 1980 in Zürich.

7 Vonarburg, B.: Aus dem Planeten Mars eine zweite Erde machen, Zürcher Tages-Anzeiger, 24. Sept. 1991, 76, aufgrund eines Berichts in der engl. Wissenschaftszeitschrift nature, Bd. 352.

8 So Vester, F.: Neuland des Denkens. Vom technokratischen zum kybernetischen Zeitalter, Stuttgart 1985[3], 460.

9 Ebd., 464–466.

10 Böhme, G.: Verwissenschaftlichung der Erfahrung, in: Böhme, G./von Engelhardt, M. (Hg.): Entfremdete Wissenschaft, Frankfurt 1979, 114–136 (124ff).

lebensweltlich	*naturwissenschaftlich*
– Sinneserfahrung	– Apparate, Messungen
– synästhetisch (immer mehrere Sinne beteiligt)	– Fragmentierung
– objektgebundene Erfahrung	– nicht objektgebundene Erfahrung
– situationsgebunden	– situationsunabhängig
– Qualitäten der Natur sind polarisiert (z.B. kalt – warm)	– Es gibt nur unterschiedliche Quantitäten einer Qualität (Wärmegrad des Eises)

So unbestreitbar wichtig die Naturwissenschaften gerade auch für die Ökologie sind, so sehr werden sie z.B. von politischen Entscheidungsträgern überschätzt, als ob die Naturwissenschaften eine Beschreibung der Natur, wie sie wirklich ist, liefern würden. Das können sie aber nur sehr bedingt wegen der „vorherrschenden Tendenz in der Naturwissenschaft, in den Begriffen eines fragmentierten Selbst-Weltbildes zu denken und wahrzunehmen.“[11] Der in Zürich lehrende Chemiker Hans Primas geht sogar so weit zu sagen: „Die Naturwissenschaft hat in den meisten Fällen gar nicht mehr mit Natur zu tun.“[12]

Deshalb beginnen wir die ausgewählten Aspekte des Maßes in der Natur, die untersucht werden sollen, mit dem Problem der Wahrnehmung der Natur als Ganzheit, gefolgt von der Frage nach einem Maß in der evolutionären Veränderung, in der Funktionsweise der Ökosysteme und im Verhältnis von Quantität und Qualität. Dabei stoßen wir immer wieder auf die drei Grundformen des natürlichen Seins: die Information, die Materie und die Energie.

Das Kapitel macht deutlich, daß die naturwissenschaftliche Erfassung des Maßes der Natur immer schon mit Weltbildern und damit auch ethischen Prämissen verbunden ist!

2.1 Holismus: Von der Ganzheit ausgehen

Wenn ein Polizist einem Autofahrer den Alkoholgehalt seines Blutes mißt oder eine Lufthygienikerin in einem Meßwagen feststellt, ob der Stickstoffdioxid-Grenzwert der Luft überschritten ist, wird das Maß analytisch durch Messen festgestellt. Sollten wir also bei der Suche nach immanenten Maßen der Natur nicht beim Messen einzelner Bereiche und bei Grenzwerten als den Folgerungen aus diesen meßbaren Maßen der Natur beginnen? Immer deutlicher zeichnet sich – wenn auch zur Zeit noch als Minderheitsposition – ein neues naturwissenschaftliches Paradigma ab, das nicht analytisch vom Einzelnen ausgeht und dieses am Schluß synthetisch und interdisziplinär zu einem Ganzen „zusammensetzt“, sondern das vom Ganzen ausgeht. Vom Einzelnen wollte ich zunächst ausgehen. Der Ausgangspunkt beim Holismus löst zunächst Angst aus: Wird damit Wissenschaft nicht sofort spekulativ und hört auf, „exakt“ zu sein? Ist Natur als Ganzes überhaupt erfaßbar oder wird sie damit zur Heilslehre, zur Ideologie? Oder besteht um-

---

[11] Bohm, D.: Die implizite Ordnung. Grundlagen eines dynamischen Holismus, München 1985, 36 (1. Ausg. engl. 1980).

[12] H. Primas im Gespräch mit dem Verf.; ähnlich Primas, H.: Umdenken in der Naturwissenschaft, Gaia 1 (1992), 5–15.

gekehrt gerade darin der Ansatz des längst geforderten neuen ökologischen Denkens? Handelt es sich nicht nur um eine kleine Umstellung im Aufbau einer Studie oder um eine Modeströmung, sondern um eine zweite kopernikanische Wende, eine holistische Wende?

Die Worte ganz und Ganzsein haben schon rein sprachlich mit heil und Heilsein zu tun: Die deutschen Worte heil und heilig wie die englischen whole (ganz), holy (heilig), healthy (gesund) stammen von derselben Wurzel. Das lateinische mederi (heilen), das sich in den Worten Medizin wie in Meditation wiederfindet, hat mit dem Maß im Wortstamm mod- zu tun (modus Maß, modestus maßvoll, moderari mäßigen). Hinter diesen Wortwurzeln verbirgt sich das Wissen, daß heilen bedeutet, wieder ein Ganzes zu werden. Dieses wird möglich, wenn man das rechte Maß, die Mitte findet, z.B. durch Meditation, dem Wahrnehmen des Ganzen als Gegenbewegung zur Analyse des einzelnen. Gesundheit ist ein Zustand, in dem sich alle Teile und Funktionen eines menschlichen Körpers oder sonst eines lebenden Organismus im rechten inneren Maß befinden. An diesen Zusammenhängen knüpft der Holismus an.

Der holistische Weg zur Erkenntnis der Maße der Natur kann bis zum Vorsokratiker Heraklit („Aus Allem Eins und aus Einem Alles"[13]), zu Platos Weltseele und zu Aristoteles zurückgeführt werden. Später wurde er dann bei Spinoza, Leibniz, Goethe und Schelling wieder aufgenommen. In unserem Jahrhundert – ein Vorläufer war der Vitalismus im letzten Jahrhundert – spielt er bei J. C. Smuts und A. Meyer-Abich, bei der darin an Goethe anknüpfenden Anthroposophie wie in manchen Ansätzen des „neuen naturwissenschaftlichen Denkens" und der Umweltethik eine Rolle.[14] Der Holismus war von Plato (gegen Anaxagoras' Mechanismus) bis zur Gegenwart immer eine Gegenbewegung gegen das mechanistische Weltbild, indem er vom Ganzen das Einzelne, vom Lebendigen das Tote und die Materie beurteilte und nicht umgekehrt.

Drei holistische Ansätze – von der Quantentheorie, von der Geophysiologie und von der Naturphilosophie her, stehen heute in der umweltnaturwissenschaftlichen und umweltethischen Diskussion im Vordergrund und können an drei Exponenten gezeigt werden. Alle drei Ansätze wurden seit der zweiten Hälfte der siebziger Jahre entwickelt und seit Mitte der achtziger Jahre breiter aufgenommen:

2.1.1 David Bohm

David Bohm (geb. 1917), amerikanischer Atomphysiker, entwickelte seinen „dynamischen Holismus" auf der Grundlage der *Quantentheorie*, durch die er eine „implizite Ordnung" der Natur beschreibt.[15] In der Quantentheorie läßt sich ein Atom seinem Verhalten nach ebenso als Teilchen wie als Welle beschreiben. Dessen Gestalt hängt vom

---

13 Diels, H.: Die Fragmente der Vorsokratiker, Bd. 1, Berlin 1960[10], VS 22, B 10.

14 Vgl. Meyer-Abich, K. M.: Der Holismus im 20. Jahrhundert, in: Böhme, G. (Hg.): Klassiker der Naturphilosophie, München 1989, 313–329; Johnson, L.: A morally deep world. An Essay on moral significance and environmental ethics, Cambridge 1991, 148–184. Weiter A. Leopolds Landethik, A. N. Whiteheads Prozeßphilosophie und organismische Kosmologie, J. Cobbs Prozeßtheologie, A. Naess' Tiefenökologie, die Ganzheitsdiskussion in der feministischen Theologie u.a. Zur eigenen schöpfungstheologischen Sicht von Ganzheit vgl. Kp. 5.4.11.

15 Bohm, D.: Die implizite Ordnung, a.a.O.

Umfeld einschließlich des Beobachtungsinstruments ab. Die Trennung zwischen Beobachtetem und Beobachter läßt sich hier nicht aufrechterhalten. Deshalb muß für Bohm „die Welt als ein ungeteiltes Ganzes" gesehen werden, „worin alle Teile des Universums einschließlich dem Beobachter und seiner Instrumente zu einer einzigen Totalität verschmelzen ... Die neue Ansicht kann man vielleicht am besten als ‚Ungeteilte Ganzheit in fließender Bewegung' bezeichnen."[16] In der Quantentheorie ist Ganzheit dabei nicht nur „mehr als die Summe seiner Teile" oder ein kybernetisches Zusammenspiel von Teilen wie in der Systemtheorie, sondern besteht gar nicht mehr aus Teilen. So schreibt der Zürcher Spezialist für Quantenmechanik Hans Primas: „Nach den Vorstellungen der modernen Quantenphysik ist die materielle Realität eine Ganzheit, und zwar eine Ganzheit, die nicht aus Teilen besteht. Dabei heißt ganz, was nur durch eine Vielheit von komplementären Beschreibungen erfaßt werden kann."[17] Die klassische Physik geht von Maß (es steckt in erster Linie die Grenze der Qualitäten bzw. der Quantitäten ab; so liegt das Maß des Wassers zwischen 0 und 100 Grad), von Ordnung (sie bezeichnet eine regelmäßige Gruppierung von Objekten und Formen) und von Struktur (als harmonisch organisierter Totalität von Ordnung und Maßen) aus.

Davon unterscheidet sich die Quantentheorie – noch stärker als die Relativitätstheorie – durch vier Merkmale[18]: l. Die Unteilbarkeit des Wirkungsquantums; 2. der erwähnte Dualismus von Welle und Teilchen; 3. die Eigenschaften der Materie nicht nur als wirklicher Zustand, sondern als Möglichkeit (die Wellenfunktion als Wahrscheinlichkeitsmaß für die Verwirklichung verschiedener Möglichkeiten); 4. nichtkausale Korrelationen (z.B. zwei Ereignisse, die räumlich getrennt sind und unmöglich eine Ursache-Wirkung-Beziehung haben und doch in einer Beziehung zueinander stehen). Gerade letzteres zeigt den fundamentalen Neuansatz, da Naturwissenschaft die Natur im wesentlichen nach Ursache und Wirkung erklärt.

Diese durch die Quantentheorie umschriebene „Ordnung" liegt nach heutigem Stand des Wissens dem ganzen Universum zugrunde und ist letztlich doch nicht beschreibbar. Bohm nennt sie in Abgrenzung zur mechanistischen, expliziten Ordnung der vorherrschenden Physik die „implizite Ordnung"[19]. Während in unserer Vorstellung das Fragment, der Teil real und das Ganze dagegen Ideal und Ziel ist, kehrt die Quantentheorie die Reihenfolge um: „Es ist nämlich die Ganzheit, die real ist, dies sollte zum Ausdruck kommen, und Fragmentierung ist nur die Antwort dieses Ganzen auf das Handeln des Menschen ... Was also dem Menschen nottut, ist Aufmerksamkeit gegenüber seinem gewohnheitsmäßig fragmentierenden Denken, sich dessen bewußt zu sein und es dadurch zu beenden. Dann kann der Mensch vielleicht ganzheitlich an die Realität herantreten."[20]

Damit sind bereits forschungsethische Folgerungen aus dieser quantenphysikalisch-ganzheitlichen Sicht der Natur angedeutet. H. Primas folgert: „Ein genuin ganzheitliches

---

16 Ebd., 31.

17 Primas, H.: Umdenken in der Naturwissenschaft, Gaia l (1992), 5–15 (10).

18 Bohm, D.: Die implizite Ordnung, a.a.O., 173ff.

19 Ebd., 226ff, bes.231.

20 Ebd., 19–50 (27). Dieses Kapitel Fragmentierung und Ganzheit ist auch abgedruckt in Dürr, H.-P. (Hg.): Physik und Transzendenz, Bern 1986, 263–293.

Denken … muß anerkennen, das wir selbst Teil der Natur sind … Was eine zukunftsorientierte Naturforschung braucht, sind neben den unvermeidlichen Expertensystemen vor allem Denker, die in lebendiger Beziehung zu ihrer Innenwelt leben. Erst dann kann die wachsende Naturentfremdung mit ihrer selbstzerstörerischen Tendenz vermieden werden."[21]

2.1.2 James E. Lovelock

James E. Lovelock, englischer Meeresbiologe und Geophysiologe[22], löste und löst besonders durch seine *„Gaia-Hypothese"*[23] lebhafte Kontroversen aus. Sie besagt, daß die Erde nicht nur ein Planet ist, auf dem zahlreiche einzelne interdependente Ökosysteme bestehen, sondern daß die Erde selbst ein lebender Organismus, ein lebendes Wesen, ein Ganzes ist. Die Gaia-Hypothese – sie erhielt auf Anregung des Schriftstellers William Golding den Namen der Erdgöttin Gaia – wurde von manchen zu einem religiösen Weltbild gemacht, will aber zunächst eine naturwissenschaftliche Theorie sein: „Gaia ist eine Evolutionstheorie, die die Evolution der Gesteine, der Arten und der Meere und die Evolution der Arten von Organismen als einen einzigen, sehr eng verbundenen Prozeß sieht."[24] Lovelock vergleicht die Erde mit einem Baum: Ein schmales Band von Leben im Stamm, umgeben von toter Materie, die einst Teil von früher lebenden Organismen war. Man kann die Erde auch in manchem mit dem menschlichen Körper vergleichen. Dabei kann man überraschende Parallelen im Aufbau der Schichten der menschlichen Haut und der Erdatmosphäre als der „Haut der Erde" feststellen[25].

„Gaia ist als Geophysiologie eine Wissenschaft wie die Physiologie", aber „Gaia sieht die Erde von oben nach unten, währenddem die moderne Biologie einen Zugang von unten nach oben hat. Die Sicht von oben nach unten ist jene der Astronauten oder der Physiologen über ein lebendes System. Die Sicht von oben nach unten und die reduktionistische unten-oben-Sicht sind nötig."[26] Während die Biologie oder die Geochemie das natürliche Gleichgewicht als Folge der Interaktion von Organismen oder nichtlebenden chemischen Prozessen und als ständige Anpassung an eine gegebene Umwelt sehen, lehnt Lovelock diese Sicht der Anpassung ab: „Ich lehne die Idee der Adaption ab. Als Geophysiologe sehe ich die Umwelt als etwas, das durch die Organismen selbst bestimmt wird, die mit ihr in Interaktion stehen. Umwelt ist nicht fest bestimmt durch die blinden chemischen und physikalischen Kräfte … Auch Luft, Meere, Felsen sind Pro-

---

21 Primas, H.: Umdenken in der Naturwissenschaft, a.a.O., 14.

22 Physiologie als Lehre von den Funktionen des lebenden Körpers, seiner Organe und Zellen wird in der Geophysiologie auf die Erde als Ganzes angewendet.

23 Lovelock, J. E.: Gaia: A New Look at Life on Earth, New York 1979; ders.: The Ages of Gaia: A Biography of Our Living Earth, New York 1988; ders.: Gaia and the Balance of Nature, in: Bourdeau, Ph. et al.: Environmental Ethics. Man's Relationship with Nature. Interactions with Science, Commission of the European Communities, Brüssel 1989, 241–252; Der erste Aufsatz von ihm zu Gaia erschien in New Scientist 6/1975, 304ff.

24 Lovelock, J. E.: Gaia and the Balance of Nature, a.a.O., 244.

25 So der Biologe Leuthold, Ch.: Die Erdatmosphäre – „Haut" eines lebenden Organismus?, Kirchenbote für den Kanton Zürich Nr.9, 24. April 1989, 5f.

26 Lovelock, J. E.: Gaia and the Balance …, a.a.O., 241.

dukte lebender Organismen oder wurden durch deren Anwesenheit stark verändert.“[27] Die Gaia-Sicht der Erde ist wie der Ansatz von Bohm holistisch, indem sie vom Ganzen und nicht vom Einzelnen ausgeht. Historisch weist Lovelock auf James Hutton, den Vater der Geologie, hin, der schon 1785 von der Erde als einem Superorganismus gesprochen hatte. Auch Adolf Meyer-Abich, der Vater des im nächsten Kapitel vorgestellten Klaus Michael Meyer-Abich, schrieb 1948: „Die Natur ist eine Ganzheit, also ein mächtiger, lebendiger Weltorganismus.“[28] Er kam zu dieser Erkenntnis nicht naturwissenschaftlich, sondern naturphilosophisch.

Die ethische Konsequenz der Gaia-Hypothese sieht Lovelock z.B. darin, daß dem Menschen der haushälterisch-fürsorgende Umgang (stewardship) mit der Erde als Ganzer aufgetragen ist: „Aus Gaia-Sicht bedeutet stewardship, daß wir anerkennen, daß wir Teil eines lebenden Planeten sind und daß wir als Art Verantwortung wie auch Rechte haben.“[29] Interessant ist, daß gerade Lovelock, der Mitglied des Nasa-Teams war, das die Möglichkeit von Leben auf Mars und Venus untersuchte, zur Erkenntnis kommt, daß alles zur Erhaltung dieser einen Erde eingesetzt werden muß, da wir keine zweite „Gaia“ im Keller haben. Die Gaia-Sicht der Erde ist gerade für die Auseinandersetzung mit der globalen Erwärmung der Erdatmosphäre eine Herausforderung.

Die klar biozentrische Gaia-Sicht führt bei manchen ihrer Vertreter – z.T. als vulgärphilosophische Ableitung – dazu, daß sie den Menschen eher als Störfaktor betrachten und jene Lebewesen für sie am wertvollsten sind, die das ökologische Gleichgewicht ermöglichen. „Was jetzt nötig ist, ist das Überleben von Gaia und des ihr zugrundeliegenden Ökosystems, nicht die Erhaltung jeder einzelnen Art koste es was es wolle, selbst der unsrigen nicht.“[30] Dagegen müßte aus christlicher Sicht Gottes Projekt mit der Welt eindeutig als gescheitert betrachtet werden, wenn die Erde als Organismus nur ohne den Menschen überlebte. Sowenig es eine Vollendung des Menschen ohne Mitwelt gibt, sowenig gibt es eine Vollendung der Schöpfung ohne den Menschen![31] Der Planet Erde ist aus christlicher Sicht nicht Gott und nicht Gottheit, sondern Teil des Geschaffenen[32]. Bei Lovelock selbst erscheint Religion ungeklärt zwiespältig. Er fragt einerseits: „Und wenn Maria ein anderer Name für Gaia ist? Dann ist ihre Fähigkeit zur Jungfrauengeburt kein Wunder. Sie ist ein Teil Gottes. Auf Erden ist sie ewige Quelle des Lebens und auch jetzt lebendig. Sie gebar die Menschheit und wir sind Teil von ihr.“[33] Andererseits schreibt er: „Auf keinen Fall sehe ich Gaia als fühlendes Wesen, als Ersatz für Gott. Für mich lebt Gaia und ist Teil des unbeschreibbaren Universums und ich bin Teil von ihr.“[34] Lovelock bezeichnet sich selbst als Agnostiker[35].

---

27 Ebd., 243.

28 Meyer-Abich, A.: Naturphilosophie auf neuen Wegen, Stuttgart 1948, 40,44.

29 Lovelock, J. E.: Gaia and the Balance …, a.a.O., 251.

30 So Clark, St. R.: Gaia and the Forms of Life, in: Elliot, R./Gare, A.: Environmental Philosophy, A Collection of Readings, University Parks, 1983, 190.

31 Mehr dazu in Kapitel 5.3.1 zur Bundestheologie.

32 Zur christlichen Auseinandersetzung mit Lovelock's Gaia-Hypothese vgl. Bonifazi, C.: The Soul of the World, Lanham 1978; Schäfer-Guignier, O.: Ethique de la création et diaconie écologique, Foi et Vie (87) 1988/3–4, 3–30 (22–24). Die Theologin A. Primavesi aus England, die mit Lovelock zusammenarbeitet, bereitet eine „Theologie von Gaia“ vor, wie sie gegenüber dem Verf. erklärte.

33 Lovelock J. E.: The Ages of Gaia, a.a.O., 206.

34 Ebd., 217.

35 Gemäß der Aussage von A. Primavesi (Anm.32) gegenüber dem Verf.

2.1.3 Klaus Michael Meyer-Abich

Klaus Michael Meyer-Abich (geb. 1936) ist wohl der zur Zeit bekannteste Vertreter des Holismus naturphilosophischer Richtung im deutschsprachigen Raum[36]. Auch er sucht das Maß der Natur zuerst in der Ganzheit: „Der Ansatzpunkt zum holistischen Denken liegt im Verständnis des Einzelnen nicht als Teil, der mit anderen Teilen zu etwas anderem zusammengesetzt ist – einem ‚System' im wörtlichen Sinn –, sondern als Glied eines Ganzen, das sich in bestimmter Weise zerlegen und dadurch bestimmen läßt. Die Frage nach der Zerlegbarkeit-in unterscheidet sich dadurch von der nach dem Aufgebautsein-aus, daß im ersteren Fall vom Ganzen aus gedacht wird, bei dem die Zerlegung beginnt, im letzteren Fall hingegen von den Teilen her, deren Zusammensetzung am Ende zu einem aus ihnen Aufgebauten führt."[37] Das Einzelne ist von seiner Umwelt her bestimmt zu sehen.[38] Das Ganze ist für Meyer-Abich wie für Lovelock „letztlich als belebt zu denken."[39] Er vertritt wie alle Holisten einen physiozentrischen Ansatz: „Im Mittelpunkt steht die Natur, weder das einzelne Ding oder Lebewesen noch die Art, und dies gilt für sie alle, nicht nur für den Menschen", d.h. alle Lebewesen „erfahren ihre eigentliche Bedeutung vom Ganzen her"[40]. Christen erinnert er an 1. Kor 15,10 („Von Gottes Gnade bin ich, was ich bin."), d. h. daran, daß Gläubige aller Religionen erst in Gott sich selber erkennen.[41]
Der Mensch ist bei Meyer-Abich im Gegensatz zu Clark aber nicht nur Störfaktor, sondern notwendiger Teil des Ganzen. „Eine Welt mit Menschen soll schöner und besser sein als eine Welt ohne Menschen."[42] Daraus entwickelt er seine „holistische Ethik"[43], die er auf Kultur, Ernährung, Kunst, Arbeit, Wirtschaft anwendet und die er in Anknüpfung an seinen Vater, den Naturphilosophen und Holistiker Adolf Meyer-Abich, auch deutlich als politische Ethik versteht[44]. Seine holistische Ethik geht immer von den Interessen des Ganzen, der Natur und der Menschheit, und nicht des Einzelmenschen aus. Ihr Ansatz steht im klaren Gegensatz z.B. zu utilitaristischen Umweltethiken wie von D. Birnbacher, führt aber in vielen Punkten zu ähnlichen Schlußfolgerungen.

2.1.4 Komplementarität

Holismus ist in vielen ihrer Ansätze mit dem Konzept der *Komplementarität* verknüpft, das aus der Quantentheorie stammt. Komplementarität bedeutet in der Definition von

---

36 Meyer-Abich, K. M.: Wege zum Frieden mit der Natur, München 1984, z.B. 93ff; ders.: Wissenschaft für die Zukunft. Holistisches Denken in ökologischer und gesellschaftlicher Verantwortung, München 1988; ders.: Der Holismus im 20. Jahrhundert, in Böhme G.: Klassiker der Naturphilosophie, München 1989, 313–329; ders.: Aufstand für die Natur. Von der Umwelt zur Mitwelt, München 1990, 83–117; ders.: Philosophie der Ganzheit, in Thomas, Ch. (Hg.): „Auf der Suche nach dem ganzheitlichen Augenblick". Der Aspekt Ganzheit in den Wissenschaften, Zürich 1992, 205–223.

37 Meyer-Abich, K. M.: Der Holismus im 20. Jahrhundert, a.a.O., 321.

38 Ders.: Der Holismus im 20. Jahrhundert, a.a.O., 328.

39 Ebd., 328.

40 Ders.: Aufstand für die Natur, a.a.O., 90f.

41 Ebd., 86.

42 Ebd., 111.

43 Ebd., 83–117.

44 Ebd., 89.

Niels Bohr, daß gewisse wissenschaftliche Ergebnisse oder Beschreibungen, zwischen denen ein Widerspruch oder „Gegensatz" besteht, die aber in sich stimmig sind, beide berechtigt sind, nicht vereinheitlicht werden dürfen und erst gemeinsam die ganze Wirklichkeit beschreiben können. Klaus Michael Meyer-Abich definiert noch präziser: „Komplementarität heißt die Zusammengehörigkeit verschiedener Möglichkeiten, dasselbe Objekt als verschiedenes zu erfahren. Komplementäre Erkenntnisse gehören zusammen, insofern sie Erkenntnis desselben Objekts sind; sie schließen einander jedoch insofern aus, als sie nicht zugleich und für denselben Zeitpunkt erfolgen können."[45] *Komplementarität* meint nicht den Verzicht auf Objektivierbarkeit. Sie ist vielmehr der Versuch, das Ideal der Objektivität zu retten. Komplementäre Aussagen stehen weder additiv noch synonym noch dialektisch und weder in Analogie noch in Kausalverbindung zueinander. Komplementarität betont das Sowohl-als-auch statt des Entweder-oder.[46]
Wie der Holismus ist auch die Komplementarität bereits beim erwähnten vorsokratischen Philosophen Heraklit angelegt: „Sie verstehen nicht, wie Auseinandergezogenes mit sich selbst zusammengezogen wird: gegenstrebige Fügung, wie die des Bogens und der Leier."[47] Ähnlich in einem andern seiner Fragmente: „Das widereinander Strebende zusammengehend. Aus dem auseinander Gehenden die schönste Fügung."[48] Komplementäre Einheit durch gegenstrebige Fügung bedeutet also Schönheit wie Spannung.

2.1.5 Folgerungen

Wir ziehen für unsere Suche nach dem immanenten Maß der Natur aus dem Holismus drei vorläufige Folgerungen:
1. Das Maß der Natur kann nicht nur aus ihren Teilen, sondern muß aus dem lebendigen Ganzen der Natur erkannt werden. Bei den Einzelanalysen ist immer zu fragen, wie ihr Bezug zu diesem lebendigen Ganzen ist.
2. Der holistisch-ganzheitliche und der analytisch-systemische Zugang zur Natur schließen sich nicht aus, sondern sind zwei Wege, die ständig komplementär gegeneinander laufen müssen. Der ganzheitliche muß aber deutlich stärker gefördert werden als der analytische, da dieser noch weit überwiegt.
3. Die Folgerung des Holismus für die Ethik, daß das Gemeinwohl des Ganzen Vorrang vor dem Wohl der Teile hat, ist ökologisch bedeutsam, aber ethisch ambivalent und noch näher zu prüfen.[49]

---

45 Zit. bei Primas, H.: Komplementarität in den exakten Naturwissenschaften. Vortrag am Symposium Komplementarität und Dialogik in Wissenschaft und Alltag, Lenzburg/Schweiz 16.–20. Sept. 1990, Manuskr.

46 Vgl. Vischer, E.P.: Sowohl als auch. Denkerfahrungen der Naturwissenschaften, Hamburg 1987.

47 Diels, H.: Fragmente der Vorsokratiker, a.a.O., VS 22, B 51. Vgl. auch Kapitel 3.1.1.

48 Ebd., B 8.

49 Kapitel 4.2., 4.8., 5.4.11.

2.2 Evolution: das dynamische Maß

Wie sollen nun aber die immanenten Maße der Natur eigentlich erkannt werden können, wenn durch die Evolution alles in Bewegung ist, oder um den berühmten Spruch von – schon wieder! – Heraklit aufzunehmen, wenn „alles fließt" (panta rei)? Gibt es ein evolutionäres Maß? Das Verhältnis von Evolution und Schöpfung ist dabei hier nicht das Thema. Wir gehen von der Tatsache aus, daß die große Mehrzahl der Schöpfungstheologien, außer der Schöpfungslehre des Kreationismus[50], die Vereinbarkeit von Evolutionslehre und biblischem Schöpfungsverständnis bejahen.[51]
Evolution ist jener Prozeß, durch den die vielen auf der Erde bestehenden Arten und Organismen, der Mensch eingeschlossen, entstehen und zum Teil wieder vergehen. Die Evolution der Lebewesen und der Biosphäre ist wesentlich durch die „Entdeckung" der Möglichkeit sexueller Fortpflanzung gegeben. Sie ermöglicht durch ständige Neukombination des genetischen Materials Selektion, Weiterentwicklung und Anpassungsfähigkeit – allerdings nur in langen Zeiträumen – und fügt Individuen zu Arten mit gemeinsamem genetischem Besitz zusammen[52].

2.2.1 Notwendigkeit und Freiheit

Die Evolutionstheorien basieren immer noch auf Darwin, haben sich aber stark weiterentwickelt. Während die Evolutionslehre anfänglich auf die Biosphäre beschränkt war, wird sie heute als universale Theorie verstanden und auch auf den Kosmos, die menschliche Gesellschaft und als „evolutionäre Ethik" sogar auf das Handeln des Menschen angewendet. Es geht den neuen Evolutionsauffassungen nach Ervin Laszlo, Leiter des amerikanischen Zentrums für allgemeine Evolutionsforschung und Verfasser verschiedener Club of Rome-Studien, um die „Schaffung einer neuen Synthese, welche die physikalische, biologische und soziale Evolution in einem widerspruchsfreien allgemeinen Rahmen zusammenfaßt."[53] Ihre Bedeutung liegt nach Laszlo nicht einfach in der Erklärung der Entwicklung der Vergangenheit, sondern „Evolution bedeutet Schöpfung des Künftigen, und mit jedem Schritt auf diesem Weg entwirft sie das Szenarium ihrer eigenen Entfaltung"[54]. Dies geschieht nach Laszlo nicht primär durch die genetische Evolution, sondern durch die soziokulturelle Evolution des Menschen. Diese Evolution sei, meint Alexander King, Präsident des Club of Rome, „nicht vorhersehbar, aber be-

---

50 Naturwissenschaftlich: Junker, R./Scherer S.: Entstehung und Geschichte der Lebewesen, Gießen 1986.

51 Vgl. unter den neueren schöpfungstheologischen Veröffentlichungen dazu z.B. Moltmann, J.: Gott in der Schöpfung, München 1985, 193–221; Pannenberg, W.: Schöpfungstheologie und moderne Naturwissenschaft, in: Gottes Zukunft – Zukunft der Welt (FS Moltmann), München 1987, 276–291; Link, Ch.: Schöpfung, Bd. 2, München 1991, 415–428; Koch, T.: Das göttliche Gesetz der Natur, Zürich 1991, 69–77; Stückelberger, Ch.: Schöpfung und Evolution. Interview mit G. Altner, C. Bresch, R. Junker, Kirchenbote für den Kanton Zürich Nr. 21/1991, 5–8; älter z.B. Schöpfungsglaube und Evolutionslehre, Stuttgart 1955 (mit Beiträgen von Naturwissenschaftlern und Theologen).

52 Dazu Markl, H.: Evolution und Freiheit. Das schöpferische Leben, in: Maier-Leibnitz, H.v. (Hg.): Zeugen des Wissens, Mainz 1986, 433–466 (457).

53 Laszlo, E.: Evolution. Die neue Synthese. Wege in die Zukunft, Club of Rome Information Series 3, Wien 1987, 18. Das Buch bietet eine Zusammenfassung des Standes der Diskussion.

54 Ebd., 17.

herrschbar“ und Ziel der synthetischen Evolutionstheorie sei „die Entwicklung von Mitteln zur Beherrschung von Komplexität und Unbestimmtheit“[55].
Also wieder primär Herrschaftswissen? Das Verlangen danach wird um so verständlicher, je mehr alle Erkenntnis ins Offene führt und der Boden scheinbar gesicherter Erkenntnis unter den Füßen weggezogen wird. In der Tat ist die neue Sicht der Evolution nicht mehr so deterministisch klar wie diejenige Darwins. Die heutige Evolutionsauffassung ist durch die Quantentheorie seit den zwanziger Jahren und durch die Theorie der Offenen Systeme seit den sechziger Jahren wesentlich mitgeprägt. Alte und neue Evolutionsauffassung können so gegenübergestellt werden[56]:

Alte Evolutionsauffassung	Neue Synthese
– Evolution als deterministischer Prozeß der Gleichgewichtserhaltung	– Evolution nicht zwingend, aber auch nicht Zufall. Offene Systeme
– Naturgesetze deterministisch und universal	– Entwicklung als freie Möglichkeiten innerhalb von Spielregeln
– Singuläre Kurve der Entwicklung	– Kurvenbündel möglicher Entwicklungen
– Entwicklung kontinuierlich	– Entwicklung oft in Sprüngen
– Bewegung linear	– Bewegung „chaotisch“
– Determinismus (Schicksal)	– Probabilismus (Möglichkeit)

Für den Handlungsspielraum des Menschen und damit für die Ethik wie für das Gottesbild ist natürlich die Frage bedeutsam, ob Evolution Zufall oder Notwendigkeit oder eine Mischung von beidem ist. Heute sind die mechanistisch-deterministischen Positionen wie auch jene, die den Ursprung der evolutionären Mutationen im Zufall sehen[57], zugunsten des skizzierten Probabilismus der Offenen Systeme, also einer Verbindung von Notwendigkeit und Freiheit, weitgehend überwunden. „Seit Anfang der achtziger Jahre kommen viele Wissenschaftler zur Überzeugung, daß die Evolution kein Zufall ist, sondern immer dann notwendig eintritt, wenn bestimmte Parameterbedingungen vorhanden sind.“[58] Dies meint auch das seit den siebziger Jahren in der Physik aufgetauchte *anthropische Prinzip*. Mit der Frage „was wäre gewesen, wenn …“ zeigt es auf, wie eng der Freiraum möglicher Bedingungen war, unter denen sich denkendes menschliches Leben entwickeln konnte[59].

2.2.2 Offene Systeme

Evolution ist aber auch nicht einfach Notwendigkeit, sondern nach Laszlo „im einzelnen nicht vorhersehbar“[60]. Auch nach dem Evolutionsforscher Carsten Bresch „existieren Zufall und Systemzwang in der Evolution nebeneinander.“[61]

---

55 Ebd., Vorwort, 10.

56 Ebd., 34ff.

57 Am prägnantesten bei Monod, J.: Zufall und Notwendigkeit. Philosophische Fragen der modernen Biologie, München 1971.

58 Laszlo, E., a.a.O., 45.

59 Bresch, C.: Das Alpha-Prinzip der Natur, in: ders. et al.: Kann man Gott aus der Natur erkennen? Evolution und Offenbarung, Freiburg 1990, 72–86 (77f).

60 Lazlo, E.: Evolution, a.a.O., 56; ähnlich Altner, G: Naturvergessenheit, Darmstadt 1991, 38ff, 124ff.

61 C. Bresch im Interview mit Ch. Stückelberger (Anm. 51), 7. Ähnlich bei Prigogine, I./Stengers, I.: Dialog mit der Natur, München 1981, 190ff.

Diese Einschätzung hat im wesentlichen mit der Theorie der *Offenen Systeme*[62] zu tun. Offene Systeme – sie sind primär an Erkenntnissen der Thermodynamik orientiert – sind Systeme, die sich in einem gleichgewichtsfernen Zustand befinden. Sie scheinen damit unstabil, sind aber durch Selbstorganisation stabile, dynamische Organismen. Drei Gleichgewichtszustände können unterschieden werden: Im Zustand des Gleichgewichts[63] sind Energie- und Materieflüsse beendet, das System ist homogen und ungeordnet. Gleichgewichtsnahe Zustände tendieren zum Gleichgewicht und ihre Entwicklung ist voraussagbar, da das System zum höchsten Entropieniveau tendiert. Im gleichgewichtsfernen Zustand[64] verhält sich ein System nonlinear, indeterminiert. Es kann seinen Komplexitäts- und Organisationsgrad steigern und energiereicher werden.
So lassen sich zwei Evolutionsprozesse – aus physikalischer und aus biologischer Sicht – beschreiben, die sich zu widersprechen scheinen oder komplementär zueinander sind: Der zweite Hauptsatz der Thermodynamik besagt, daß ein geschlossenes System immer energieärmer wird und seine Komplexität/Ordnung Richtung Unordnung abnimmt, seine Entropie also zunimmt. Biologische Entwicklung wird demgegenüber als Höherstrukturierung, Zunahme der Komplexität und Abnahme der Entropie beschrieben.
Die Lösung dieses Widerspruchs wird heute darin gesehen, daß der zweite Hauptsatz der Thermodynamik in geschlossenen Systemen nach wie vor gilt, evolutionäre Systeme aber keine isolierten, sondern eben offene Systeme sind. Sie können freie Energiemengen für weitere Leistungen aus der Umgebung, also aus andern Systemen „importieren". Es gibt so eine Bewegung freier Energie – die negative Entropie oder Negentropie – über Systemgrenzen hinweg. Da geschlossene Systeme mit der zunehmenden Unordnung wieder in ein Nicht-System zerfallen, folgert F. Vester: „Nur offene Systeme sind lebensfähig."[65] Der Mensch als Akteur in diesen offenen Systemen ist dabei immer Teil des Systems, das er durch seine Existenz ständig mit verändert. Die Theorie der Offenen Systeme besagt nicht, daß alles offen und möglich sei. Es handelt sich um eine partielle und periodische Offenheit: „Biosysteme unterliegen der periodischen Aufeinanderfolge von Phasen der vollen und partiellen Offenheit; einem dynamischen, streng periodischen Wechsel von Offenheits- und Geschlossenheitsphasen, etwa periodisch wiederkehrenden Schlafphasen als Zeiten der Abschirmung gegen Umwelt, Unterbrechung der Nahrungsaufnahme, reduzierter Informationsflüsse. (Winterschläfer sind Prototypen dieser Offenen Systeme.)"[66]
Damit ist ein weiteres Merkmal dieser Evolution offener Systeme genannt: die *Sprünge, die Bifurkationen*, die schnellen Phasenwechsel. Dynamische Systeme im gleichgewichtsfernen Zustand entwickeln sich nicht kontinuierlich, sondern in Sprüngen und Schüben. Längere Phasen der Stabilität wechseln mit kürzeren Phasen der Instabilität. In diesen finden nach den heutigen sogenannten Katastrophen- und Chaostheorien die evolutionären Sprünge statt. Für unsere Frage des Maßes ist dies insofern bedeutsam, als das menschliche Handeln in Phasen der Instabilität weit größere evolutionäre Auswir-

---

62 Ausführlich in Weizsäcker, E. v.: Offene Systeme I. Beiträge zur Zeitstruktur von Information, Entropie und Evolution, Stuttgart 1974; darin bes. Wehrt, H.: Über Irreversibilität, Naturprozesse und Zeitstruktur, 114–199 (135ff).

63 Mehr zum Gleichgewicht in Kapitel 2.3.3.

64 Vgl. dazu Prigogine, I./Stengers, I.: Dialog mit der Natur, a.a.O., 148ff.

65 Vester, F.: Neuland des Denkens, München 1985[3], 29–31 (29).

66 Wehrt, H., a.a.O., 143.

kungen haben kann als in Phasen der Stabilität. Um z.B. ökologische Umkippeffekte, die plötzlich eintreten können, zu vermeiden, ist es in instabilen Phasen viel wichtiger als in stabilen, das richtige Maß menschlichen Handelns zu finden.
Evolution im Rahmen dieser neueren Theorie der Offenen Systeme ist viel weniger erklärbar und berechenbar als man bisher annahm. Der Biologe und Theologe Günter Altner sagt dies so: „Mit dem Begriff der Offenheit ist die vollständige Erklärung des Evolutionsgeschehens vom Anfang bis zum Ende in Frage gestellt."[67] Damit wird auch Gott nicht mehr zum deistischen Uhrmachergott degradiert, der „nur" in seinen deterministischen Natur- und Evolutionsgesetzen wirkt. Diese Auffassung der dynamischen, offenen Evolution muß zwar nicht, kann aber durchaus mit dem Glauben an einen in der Geschichte andauernd wirkenden und in diesem Handeln freien (!) Gott vereinbart werden. Mit der Theorie der offenen Systeme kann nicht nur von Schöpfung als Evolution, sondern auch von Evolution als Schöpfung gesprochen werden. Mit dem Begriff Schöpfung kommt unabdingbar der Schöpfer in seiner Unverfügbarkeit und Wirkmächtigkeit zum Ausdruck. Das Weltall wird, wie Jürgen Moltmann zu Recht sagt, „ein gottoffenes System", in dem sich „die Offenheit aller Lebenssysteme für die unerschöpfliche Lebensfülle Gottes" zeigt. „Das offene System der Schöpfung ist auf das geschichtliche Schaffen Gottes angelegt. In ihm realisiert sich die Anlage und die Zukunft der Schöpfung."[68] Die alte Lehre der creatio continua, der fortgesetzten Schöpfung, die die Schöpfung am Anfang und die vollendete Schöpfung am Ende verbindet, erhält durch die naturwissenschaftlichen Erkenntnisse eine neue Großartigkeit. Einsteins Frage, ob Gott bei der Erschaffung der Welt Freiheiten hatte, kann daher heute auch naturwissenschaftlich mit ja beantwortet werden. Evolution als offenes System ist ein Geschehen, das aus Freiheit neue Freiheit hervorbringt.[69]

2.2.3 Evolution ohne erkennbares Ziel

Der Evolutionsforscher und Genetiker Carsten Bresch spricht in Anlehnung an Teilhard de Chardin – aus naturwissenschaftlicher, nicht religiöser – Erkenntnis von einem Alpha-Prinzip, das am Anfang die Grundbedingungen der Evolution festlegte: „Wenn man immer wieder die Frage stellt, warum in der Evolution etwas passiert, stößt man auf das Grundprinzip der Integration, so daß immer komplexere Ganzheiten entstehen. Letztlich ist all dies in der Ursprungssituation, in den Anfangsbedingungen des Universums, in den Eigenschaften der Materie festgelegt."[70] Dieses Alpha-Prinzip ist zwar ein deistischer „Schöpfergott, der in einem großen Wurf nur den Anstoß gegeben hat", damit aber gleichzeitig der Evolution schon eine teleologische Richtung, ein Ziel – Bresch nennt es

---

67 G. Altner im Interview mit Ch. Stückelberger (Anm. 51), 5. Ausführlich: Altner, G. (Hg.): Die Welt als offenes System. Eine Kontroverse um das Werk von Ilya Prigogine, Frankfurt 1986.

68 Moltmann, J.: Gott in der Schöpfung, a.a.O., 217, 220.; ähnlich Link, Ch.: Schöpfung, a.a.O., 443ff; Altner, G.: Naturvergessenheit, a.a.O., 124ff; Jantsch, E.: Die Selbstorganisation des Universums, München 1992, 411ff.

69 Ähnlich auch Weissmahr, B.: Evolution als Offenbarung der freiheitlichen Dimension der Wirklichkeit, in: Bresch, C. et al.: Kann man Gott aus der Natur erkennen?, Freiburg 1990, 87–101 (87).

70 C. Bresch im Interview mit Ch. Stückelberger, a.a.O., 6.

Omega-Prinzip – gegeben hat.[71] Andere Evolutionsforscher wie E. Laszlo bestätigen zwar, daß Evolution eine Tendenz zu mehr Komplexität hat, betonen aber: „Die Evolution ist nicht teleologisch; sie strebt nicht einem bestimmten Ziel in Form einer besonderen Art von Organismus oder Ökosystem zu."[72] Sie folgt keinem von außen gesetzten Zweck. Sie ist Zweck in sich selbst.
Aus dem Evolutionsgeschehen selbst läßt sich das Ziel nicht ablesen. Auch Bresch's Prinzip Omega bleibt letztlich eine vage Chiffre. Evolutionsphänomene, die vom Menschen mit wertenden Ausdrücken wie Symmetrie, Chaos, katastrophisch, gesund, Höherentwicklung, Leben und Tod beschrieben werden, sind für die Natur selbst zumeist wertneutral. Erst menschliche oder metaphysische Ziel- und Wertbestimmung macht sie gut oder böse. Deshalb beschreibt evolutionäre Ethik, was geworden ist und was heute ist, während erst Schöpfungsethik vom eschatologischen Ende her sagt, was sein wird und was kommen soll.

2.2.4 Irreversibilität

Ist Evolution ein irreversibler Prozeß? Bei vielen ökologischen Problemen stellt sich die Frage konkret, ob und wieweit Zerstörungsprozesse wie die Zerstörung der Ozonschicht oder die Ausrottung von Arten rückgängig gemacht werden können oder irreversible evolutionäre Veränderungen bewirken. Sind Handlungen, die irreversible Veränderungen bewirken, als maßlos abzulehnen?
Irreversibilität hat verschiedene Bedeutungen in verschiedenen Bereichen. Z.B. beim Schutz von Ökosystemen und Landschaftsschutz heißt der Grundsatz: „Alter ist nicht herstellbar."[73] Stadtökosysteme sind 10–50 Jahre alt, Mähwiesen bis 250, Hochmoore 10 000 und die Urwälder Borneos 80 Millionen Jahre alt. Ökosysteme, die älter als 150 Jahre alt sind, sind nach ihrer Zerstörung irreversibel verloren, „praktisch unersetzbar", 50–150 Jahre alte Ökosysteme liegen „im Grenzbereich dessen, was langfristig als ‚machbar' gelten kann."[74] Entsprechend gelten auch bei den Energieformen jene als nicht erneuerbar, die wie die fossilen Energien höchstens in Zeitdimensionen von Jahrmillionen entstehen können und damit das menschliche Zeitmaß längst überschreiten. Das Maß für die Irreversibilität resp. für die Unmöglichkeit des Menschen, gewisse Naturzerstörungen und -veränderungen zu reparieren, ist hier also die zeitliche Begrenztheit menschlichen Lebens.
In Physik und Biologie hängt die Reversibilität resp. Irreversibilität von Prozessen mit der Entropie[75] und der Struktur der erwähnten offenen Systeme zusammen. Aus dieser Sicht heißen reversible Änderungen solche, die sich durch blosse Umkehr des Weges rückgängig machen lassen, ohne permanente Veränderungen zurückzulassen. Sie voll-

---

[71] Ebd. 7.; Weiter Bresch C.: Das Alpha-Prinzip der Natur, in: ders. et al.: Kann man Gott aus der Natur erkennen? Freiburg 1990, 72–86; ders.: Zwischenstufe Leben – Evolution ohne Ziel? München 1977. Obwohl bei Bresch deutlich T. de Chardin anklingt, unterscheiden sie sich wesentlich. Bei Bresch fehlt z.B. der Christusbezug völlig.

[72] Laszlo, E.: Evolution, a.a.O., 110.

[73] Kaule, G.: Arten- und Biotopschutz, Stuttgart 1991², 266.

[74] Ebd., 267.

[75] Vgl. Kapitel 2.4.3.

ziehen sich zudem so langsam, in so kleinen Schritten, daß das System immer im Gleichgewicht bleibt, also eine lückenlose Folge benachbarter Gleichgewichtszustände besteht.[76] Irreversible Änderungen sind demgegenüber Prozesse, die nur in einer Richtung laufen und in der Natur bleibende Veränderungen bewirken. Entropie ist das Maß für die Energiemenge, die nicht mehr in Arbeit verwandelt werden kann, also nicht mehr zur Verfügung steht. Sie nimmt in geschlossenen Systemen ständig zu. Damit kann ein ökologisch bedeutsames Maß der Irreversibilität angegeben werden: „Der Grad der Irreversibilität eines Prozesses läßt sich theoretisch durch die Messung der zur Rückgängigmachung dieses Prozesses notwendigen Arbeit feststellen. Diese Arbeit wird zum Maß der Irreversibilität.“[77] Je weniger Energie in einem Prozeß verbraucht, d.h. in Arbeit verwandelt wird, desto kleiner ist die Irreversibilität.

Die ethische Bewertung von durch den Menschen bewirkten irreversiblen Prozessen erfolgt später. Das Kriterium der dauerhaften, überlebensfähigen Entwicklung wird dabei Maßstab sein.[78]

2.2.5 Evolutionäre Ethik

Evolutionstheorien wurden immer wieder auch auf gesellschaftliche Prozesse übertragen, z.B. im Sozialdarwinismus. Auch *Ervin Laszlo* sieht die „neue Synthese“ darin, daß Erkenntnisse der Physik (Evolution des Kosmos), der Biologie (Evolution des Lebens) und der Sozialwissenschaften (Evolution der Gesellschaft) zu *einer* Theorie verbunden werden können. Dabei meint er nicht, die Gesetze der biologischen Evolution bestimmten jene der Gesellschaft, „sondern bestimmen nur die Spielregeln, die Grenzen und die Möglichkeiten, die von den Beteiligten genutzt werden können.“[79] So beschreibt er die Gesellschaft als ein dynamisches System im gleichgewichtsfernen Zustand, mit Sprüngen, Selbsterneuerungs- und selbstevolvierenden Mechanismen, fortschrittsorientiert, aber nicht linear, angetrieben vom „Motor der Technik, im weitesten Sinn als Werkzeugnutzung“.[80] Unter dem technokratisch klingenden Titel „Die Evolution in unserer Hand“ entwickelt er eine aus der Evolutionstheorie abgeleitete Ethik. In Übertragung der Vorstellung offener, vernetzter Systeme auf die Weltgesellschaft plädiert er z.B. für Überwindung der Nationalstaatlichkeit durch internationale Organisationen, wobei er Großsystemen wie den USA Vorbildcharakter zumißt.

Ebenfalls eine „evolutionäre Ethik“, aber mit anderem Inhalt, entwickelte der Biologe *Hans Mohr*[81]. Er verfolgt damit keine normativen Ziele, sondern die Absicht, „die historische Genese des tatsächlichen sittlichen Verhaltens wissenschaftlich zu erklären.“[82] Seine evolutionäre Ethik will die naturalen, biologisch-genetischen Bedingtheiten und Grenzen des Menschen aufzeigen, da idealistische Ethik „praktisch wirkungslos“ bleibe, wenn sie diese Determinanten nicht kenne. Wenn der Mensch sie kenne, könne er sie

---

76 So Wehrt, H.: Über Irreversibilität ..., a.a.O, 123.
77 Ebd., 122.
78 Kapitel 5.4.1.
79 Laszlo, E.: Evolution, a.a.O., 111.
80 Ebd. 113ff, 118.
81 Mohr, H.: Natur und Moral. Ethik in der Biologie, Darmstadt 1987, 76–87; ders.: Art. Evolutionäre Ethik, in: Stoeckle, B. (Hg.): Wörterbuch der ökologischen Ethik, Freiburg 1986, 52–56.
82 Mohr, H., Natur und Moral, a.a.O., 77.

durch Vernunft transzendieren.[83] Drei wesentliche von ihm genannte Determinanten seien erwähnt: l. Die Vorstellung vom Nächsten ist von der biologischen Sippenerfahrung geprägt und kann nie über die Gruppensolidarität hinauswachsen. 2. Altruismus, d.h. das Wohl der ganzen eigenen Gemeinschaft, die Gesamtfitness sehen (mit der damit verbundenen Fähigkeit zu Mitleid, Liebe, Verzicht), ist im Menschen genetisch verankert. 3. Das kollektive Aggressionspotential bis zur Möglichkeit des Genozids ist genetisch vorgegeben. Mohrs Folgerung besteht in einem ethischen Dilemma: „Wir brauchen moralisches Verhalten nicht zu lernen – es ist eine angeborene Disposition, die uns befähigt, das moralisch Richtige zu treffen." Doch „das Natürliche mag in der heutigen Welt weit davon entfernt sein, gut zu sein. Was früher vernünftig gewesen sein mag, kann heute unvernünftig sein."[84] Deshalb ist die überlebensnotwendige kosmopolitische Haltung durch evolutionär vererbte Verhaltensweisen nicht möglich, sondern nur durch die dünne Schicht bewußt konzipierter Regeln. Diese kann Mohr nicht aus der Evolution ableiten. Nicht zufällig greift er dafür als „subjektives Bekenntnis" auf die alten vier christlichen Kardinaltugenden zurück! So formuliert er als vierte Tugend: „*Maßvoll* ist derjenige, der sich in Selbstbestimmung Grenzen setzt und seinen Mitmenschen und der Natur nicht mehr abverlangt, als er selbst zum Erhalt des Ganzen beitragen kann."[85]
Ethik im Sinne normativer Sollens-Aussagen ist die evolutionäre Ethik nicht[86]. Sie kann damit auch nicht die Grundlage für die Umweltethik bilden. Sie gibt aber wie die Sozialwissenschaften wichtige Hinweise zu den Möglichkeiten und Grenzen der Umsetzbarkeit ethischer Normen.[87]

2.2.6 Folgerungen

Aus den immanenten Maßen der Natur, wie sie in den dargelegten neueren Evolutionstheorien vertreten werden, lassen sich für unsere Ethik des Maßes vorläufige Folgerungen ziehen:
1. Das ökologische Maß ist von der Evolution her als dynamisches Maß zu verstehen, das sich in einem offenen Prozeß verändert. Die nicht anthropogenen evolutionären Veränderungsprozesse verlaufen allerdings so langsam, daß das ökologische Maß für die Lebensbedingungen auf der Erde doch als erstaunlich konstant gesehen werden muß.
2. In Phasen evolutionärer Sprünge (in der dynamischen Systemtheorie katastrophische Bifurkationen genannt) ist nicht dasselbe maßvoll wie in Phasen relativer Stabilität.
3. Aus den evolutionären Prozessen selbst läßt sich keine teleologische Zielgerichtetheit erkennen. Die Frage, an welchem Ziel sich das dynamische Maß orientieren soll, ist nicht naturwissenschaftlich, sondern ethisch zu beantworten.

---

[83] Ebd., 77 und 88.
[84] Ebd., 84f.
[85] Ebd., 178.
[86] So auch Irrgang, B.: Christliche Umweltethik, München 1992, 290 (286–90 zur evolutionären Ethik).
[87] G. Strey (Umweltethik und Evolution. Herkunft und Grenzen moralischen Verhaltens gegenüber der Natur, Göttingen 1989) geht ebenfalls von der stammesgeschichtlichen Disposition des Menschen aus (82ff), möchte aber seine Ethik eher nicht als evolutionäre Ethik verstehen (121). Es geht ihm vielmehr darum aufzuzeigen, „wieviel Freiheitsgrade die genetische Ausstattung dem Menschen läßt" (121). Faktisch kommt er m. E. der evolutionären Ethik einschließlich ihrer Begrenzung in vielem nahe.

4. Evolutionäre Ethik als Beschreibung der genetischen Rahmenbedingungen des menschlichen Handelns ist für die Adäquanzkontrolle und reale Umsetzung ethischer Werte hilfreich. Da aber aus dem Sein nur äußerst bedingt auf das Sollen geschlossen werden kann, ersetzt sie die Entwicklung ethischer Normen nicht. Sie darf auch nicht dazu mißbraucht werden, daß ethische Forderungen als den genetischen Bedingungen nicht entsprechend und deshalb den Menschen überfordernd abgetan werden, wie das in der Diskussion um den homo oeconomicus bisweilen geschieht.[88]
5. Die Evolutionstheorie versteht sich zunehmend als Integrationswissenschaft für die verschiedensten Bereiche. Mit diesem Anspruch sollte sehr zurückhaltend umgegangen werden, da immer mehr Wissenschaften denselben Anspruch erheben, was faktisch aber zu einer gewissen Verabsolutierung der jeweiligen Theorie führt.

2.3 Ökosysteme: Maß durch Vernetzung

Für die ökologische Maßfindung sehr wesentlich ist die Erkenntnis der Ökosysteme, jenes faszinierenden, hochkomplexen Zusammenspiels von Lebendem, das in uns nur höchstes Staunen hervorrufen kann. Ein *Ökosystem*[89] ist die Gesamtheit einer Lebensgemeinschaft (Biozönose) zusammen mit ihrer Umwelt, in die sie integriert und mit der sie zu einem überlebensfähigen System organisiert ist. Überlebensfähigkeit heißt dabei eine gewisse Stabilität im Wandel des Lebendigen, hergestellt durch Gleichgewichte und Selbstregulation unter Verwendung von möglichst wenig Energie von außen und der Erneuerung der vorhandenen Rohstoffe. Dabei kann zwischen ursprünglichen, vor dem Eingreifen des Menschen bestehenden Ökosystemen (Beispiel Waldland in Mitteleuropa) und abgeleiteten, vom Menschen beeinflußten Ökosystemen (Bsp. Kulturlandschaft) unterschieden werden, wobei auch letztere ökologisch sehr wichtig sind.[90]
Ein *System*[91] besteht aus mehreren Teilen, die voneinander verschieden, aber nicht wahllos nebeneinander, sondern miteinander vernetzt bestehen. (Ein Fischernetz ist ein System, ein Haufen Sand aber nicht.) Ein System ist ein Ganzes, ein Ökosystem ein Organismus, wobei Teilsysteme wiederum Individuen/Organismen sind. Eine lebende Zelle kann als einfachstes, selbstreguliertes System bezeichnet werden. Das Entscheidende eines Systems wie eines Ökosystems ist die Kommunikation und Information zwischen den Teilen.
Ökologisch wie ethisch bedeutsam ist dabei die Frage, von welchen Teilen man ausgeht und was man als das Ganze betrachtet. Ist z.B. in jedem Teilökosystem ein Gleichge-

---

88 Vgl. Biervert, B./Held, M. (Hg.): Das Menschenbild der ökonomischen Theorie. Zur Natur des Menschen, Frankfurt 1991.

89 Zum Begriff vgl. z.B. Remmert, H.: Ökologie. Ein Lehrbuch, Berlin 1989^4, 213ff; Vester, F.: Leitmotiv vernetztes Denken, Münchend 1989^2, 13ff.

90 Kaule, G.: Arten- und Biotopschutz, a.a.O., 50ff.

91 Für den Systembegriff wie auch die Einteilung der Ökosysteme nach Ebenen gibt es unterschiedliche Sprachregelungen. Vgl. Strey, G.: Umweltethik und Evolution, a.a.O., 29ff; Schaefer, M./Tischler, W.: Ökologie (Wörterbuch der Biologie), Stuttgart 1983; Streit, B.: Umweltlexikon, Freiburg 1992, 224f. Im allgemeinen wird unterschieden zwischen Autökologie (Ansprüche des Einzelorganismus an seine Umwelt, unter der er gedeihen kann), Populationsökologie (interne und externe Wechselwirkungen eines Organismen-Kollektivs mit der Hauptfrage, warum es sich bei einem bestimmten Maß stabilisiert) und Synökologie (Zusammenwirken verschiedener Lebensgemeinschaften/Ökosysteme).

wicht und eine möglichst große Artenvielfalt herzustellen oder nur in zusammenhängenden größeren Systemen?[92] Wie schlimm ist es, wenn eine Vogelart in Europa ausgestorben ist, solange sie in Asien besteht? Was heißt Bioregionalismus für eine Ethik des Maßes? Welche Größe für ein Ökosystem ist in Blick zu nehmen, wenn man das Ziel ökologischer Autarkie verfolgt, mit dem man anstrebt, „die Materie- und Energiekreisläufe lokal oder regional zu schließen"[93]?

2.3.1 Biokybernetik

Kybernetik[94] (griech. kybernetes, der Steuermann) bezeichnet die Erkennung und selbsttätige Steuerung der vernetzten Abläufe, *Biokybernetik* die hochkomplexe Steuerung, wie sie in lebenden Organismen und Ökosystemen spielt. Frederic Vester formulierte als biokybernetische Steuerungsmechanismen in Ökosystemen „acht Prinzipien der Natur, die das Überleben garantieren"[95]. Sie können als Maße der Natur bezeichnet werden und seien deshalb voll wiedergegeben:

„– *Das Prinzip der negativen Rückkopplung.* Das bedeutet Selbststeuerung durch Aufbau von Regelkreisen statt ungehemmter Selbstverstärkung oder – nach dem Umkippen – Selbstvernichtung. Negative Rückkopplung muß daher über positive Rückkopplung dominieren.
– *Das Prinzip der Unabhängigkeit von Wachstum.* Die Funktion eines Systems muß auch in einer Gleichgewichtsphase gewährleistet sein, das heißt von quantitativem Wachstum unabhängig sein. Denn ein permanentes Wachstum ist für alle Systeme eine Illusion.
– *Das Prinzip der Unabhängigkeit vom Produkt.* Überlebensfähige Systeme müssen funktions- und nicht produktorientiert arbeiten. Produkte kommen und gehen. Funktionen aber bleiben.
– *Das Jiu-Jitsu-Prinzip.* Hier geht es um die Nutzung vorhandener, auch störender Kräfte nach dem Prinzip der asiatischen Selbstverteidigung, statt ihrer Bekämpfung nach der Boxermethode mit teurer eigener Kraft.

---

92 Die neuen Ansätze des Naturschutzes betonen die Notwendigkeit größerer, unzerschnittener geschützter Lebensräume (Lebensraumverbundsystem). So z.B. Kuhn, U. et al.: Naturschutz-Gesamtkonzept für den Kanton Zürich. Entwurf im Auftrag des Regierungsrates, Zürich 1992, 34f, 72–82.

93 Büchli, H.: Autarkie als ökologisches Leitziel? Projektbeschreibung eines Forschungsprojekts, Zürich 1992, Pkt.2.2.3.4. (Manuskr.) Er fährt fort: „Mensch-Umwelt-Systeme könnten dann als autark bezeichnet werden, wenn ihr Material- und Energieumsatz innerhalb der natürlichen Fließgleichgewichte geschieht, d.h. wenn (kurz- oder langfristig) weder eine Stützung von außen noch ein Rückgriff auf nicht erneuerbare Ressourcen notwendig ist. Als ökologisches Leitbild würde dies heißen, sich in der räumlichen Eingegrenztheit dem steten Wandel der äußeren Rahmenbedingungen anzupassen. Autarkie wäre so als lokal gebundener, aber hochdynamischer Prozeß zu verstehen." Wird damit die entwicklungspolitische Forderung der siebziger Jahre nach Abkoppelung und Selfreliance auf ökologischem Weg wieder aktuell? Der Zusammenhang von Entwicklungs- und Umweltpolitik beim Autarkiekonzept wäre jedenfalls zu bedenken.

94 Immer noch aktuell ist die philosophische Auseinandersetzung mit der Kybernetik durch C. F. von Weizsäcker in seinen Aufsätzen aus den sechziger Jahren in: Einheit der Natur, München 1972[4], 277–366. Durchaus ökologisch sah er schon damals als „Sinn der Kybernetik ..., den Menschen in die Natur einzuordnen." (279)

95 Vester, F.: Leitmotiv vernetztes Denken, a.a.O., 20f; ausführlicher ders.: Neuland des Denkens, a.a.O., 81–86.

– *Das Prinzip der Mehrfachnutzung.* Es gilt für Produkte, Funktionen und Organisationsstrukturen. Es führt durch Verbundlösungen zu Multistabilität und bedeutet eine Absage an sogenannte Hundertprozentlösungen.
– *Das Prinzip des Recycling.* Es bedeutet Nutzung von Kreisprozessen zur Abfall- und Wärmeverwertung. Das vermeidet sowohl Knappheit als auch Überschüsse.
– *Das Prinzip der Symbiose.* Das heißt gegenseitige Nutzung von Verschiedenartigkeit durch Kopplung und Austausch. Das aber verlangt kleinräumigen Verbund. Monostrukturen können daher nicht von den Vorteilen der Symbiose profitieren.
– *Das Prinzip des biologischen Designs.* Auch diese Regel läßt sich auf Produkte, Verfahren und Organisationsformen gleichermaßen anwenden. Es bedeutet Feedbackplanung mit der Umwelt, Vereinbarkeit und Resonanz mit biologischen Strukturen, insbesondere auch derjenigen des Menschen."

2.3.2 Selbstorganisation

Ein zentrales Merkmal und Motor des Maßhaltens überlebensfähiger Ökosysteme ist jene Steuerungsfähigkeit, die mit Begriffen wie Selbstorganisation, Selbsterneuerung, Selbstregulation, ja Selbsttranszendenz umschrieben wird.[96] Selbstorganisation ist die Fähigkeit, ohne zwingende Beeinflussung von außen ein stabiles dynamisches Gleichgewicht je neu herzustellen. So zerfallen Zellen in Geweben und Organen in stetigen Zyklen und werden neu aufgebaut. Selbstregulation z.B. bei einer Tier- oder Pflanzenart besteht in der Einhaltung einer mittleren Populationsdichte.[97] Dies sind keine statischen, sondern dynamische, sich an Umweltveränderungen anpassende Vorgänge. Selbstorganisation im Sinne der Selbsterneuerung ist also die Fähigkeit lebender Systeme, ihre Komponenten ständig zu erneuern, wieder in Gang zu bringen und dabei die Integrität ihrer Gesamtstruktur zu bewahren. Selbstorganisation im Sinne der Selbsttranszendenz geht noch einen Schritt weiter und bezeichnet die Fähigkeit eines Ökosystems, durch den Wechsel von Störung und Wiederherstellung zu lernen und damit kreativ über die eigenen physischen und geistigen Grenzen hinauszugehen.
Als Prinzip der Selbstorganisation kann man auch das *Klimax*[98] bezeichnen. Klimax besagt, daß sich ohne Eingriffe unter gegebenen klimatischen Bedingungen unabhängig von den Bodenverhältnissen auf die Dauer das gleiche Ökosystem entwickelt, das dann ökologische Stabilität verkörpert. In Mitteleuropa wäre z.B. die Klimaxvegetation ein Rotbuchenwald. Auch Moore oder Seen können während Jahrtausenden stabil sein. Doch solche scheinbar stabilen Klimaxgesellschaften sind nach dem Ökologen Remmert eine „Fiktion", da z.B. natürliche Waldbrände auch diese immer wieder verändern können. Er meint deshalb: „Man sollte besser von der standortgemäßen, von der natürlichen oder von der naturnahen Vegetation und ihrer entsprechenden Tierwelt sprechen."[99]

---

96 Vgl. dazu z.B. Jantsch, E.: Die Selbstorganisation des Universums, München 1992; Altner, G.: Naturvergessenheit, a.a.O., 124ff, 164ff; Capra, F.: Wendezeit, Bern 1983[6], 298ff; Strey, G., Umweltethik und Evolution, a.a.O., 139ff; Ballmer, Th./Weizsäcker, E. v.: Biogenese und Selbstorganisation, in: Weizsäcker, E. v. (Hg.): Offene Systeme I, a.a.O., 229–264.

97 Remmert, H.: Ökologie, a.a.O., 156–164.

98 Ebd., 216ff.

99 Ebd., 216f; auch Gisela Kaule spricht in ihrem Standardwerk (Arten- und Biotopschutz, Stuttgart

Die Klimavegetation ist auch deshalb nicht so klar feststellbar, wie man meinen könnte, da auch in vom Menschen nicht beeinflußten Gebieten regelmäßig *Sukzessionen, Folgeserien* sich abwickeln. In ihnen ist zwar ein Ablauf von niedriger zu hoher und wieder zu niedriger Artenvielfalt festzustellen, doch verlaufen diese Sukzessionen z.T. in großen Zeiträumen, so daß der Mensch oft nur jeweils eine bestimmte Phase erlebt oder feststellt. Auch die *Mosaik-Zyklus-Theorie* weist auf den steten Wechsel von Stabilität und Wandel natürlicher Ökosysteme hin.[100] Dazu kommt, daß – und diese Aussage ist bereits eine Wertentscheidung – nicht nur eine „Urlandschaft“ mit ihren Ökosystemen schützenswert ist, sondern auch die durch den Menschen zur Kulturlandschaft umgeformten sogenannten abgeleiteten Ökosystemtypen.
Wenn nun „die“ natürliche Landschaft oder „das“ Ökosystem geschützt werden soll, kann es sich immer nur um eine Übereinkunft – und damit ein Werturteil – handeln, welche Phase in der Sukzession man vor weiteren Eingriffen schützen oder durch Renaturierung wiederherstellen will. Die Beobachtungen der Selbstorganisation durch verschiedene naturwissenschaftliche Disziplinen kann zur Findung des ökologischen Maßes viel beitragen. Dennoch ist auf ungeklärte Implikationen hinzuweisen:
a) Was dieses „Selbst“ in der Selbststeuerung, Selbstorganisation und Selbsttranszendenz eigentlich ist, ist im Grunde genommen weiterhin ein Geheimnis. Mit einem Begriff wird versucht, ein Unbekanntes in Griff zu bekommen. Dabei klingen halboffen und oft verschämt religiöse Vorstellungen an, die auch von Naturwissenschaftler/innen schon um der wissenschaftlichen Redlichkeit willen explizit gemacht werden müßten. Wir kommen darauf zurück.[101]
b) Die Erkenntnis von sich selbst organisierenden Systemen ist zur Schulung vernetzten ökologischen Denkens sicher hilfreich, gibt aber auf die ethischen Konflikte keine Antwort. Daß ein selbstorganisierendes System bei Störung immer neue Strukturen ausbilden kann, ist eigentlich eine relativ triviale Aussage. Nur ethisch zu beantworten ist dabei die Frage, welche Werte (z.B. welche Tier- und Pflanzenarten inkl. der Art Mensch oder welche und wie ertragreiche Landschaften) in einem gestörten und neue Strukturen bildenden System erhalten werden sollen und welche nicht.
c) Die Vorstellung der Selbstregulation der Natur wird immer wieder zur Rechtfertigung der Fortsetzung ungehemmten Wachstums verwendet. Die Natur habe ja enorme Regenerationskräfte[102]. So sehr sie dies hat, so sehr ist es ethisch unzulässig, einen Organismus zu schänden mit der Begründung, er genese ja schon wieder![103]

1991[2]) nur noch von natürlichen und naturnahen Systemen und braucht den Klimaxbegriff im Stichwortverzeichnis gar nicht mehr.

[100] Remmert, H.: Ökologie, a.a.O., 221–229.

[101] Mehr dazu Kapitel 2.5, Pkt. 4.

[102] So der Bankier und Theologe Bieri, E.: Die Menschlichkeit unserer technischen Zivilisation, Siemens Aktiengesellschaft 1980, 78: „Die Natur birgt in ihrem Schoß ungeheure Vorräte an Rohstoffen und ungeheure Regenerationskräfte. Nehmen wir den menschlichen Erfindungsgeist hinzu, so dürfte die Angst unbegründet sein, die Menschheit steure auf dem ‚Raumschiff Erde‘ unausweichlich der Katastrophe zu, wenn nicht der industriellen Zivilisation rasch Einhalt geboten werde … Wenn der Zeithorizont Millionen von Jahren beträgt, sind wir persönlich nicht betroffen und brauchen auch sittlich nicht betroffen zu sein.“

[103] Eine kritische Auseinandersetzung mit den Theorien der Selbstorganisation bes. aus geistes- und sozialwissenschaftlicher Sicht (Philosophie, Soziologie, Psychiatrie, Familientherapie, aber auch Neurophysiologie und Biologie) findet sich bei: Fischer, H. R. (Hg.): Autopoiesis. Eine Theorie im Brennpunkt der Kritik, Heidelberg 1991.

2.3.3 Gleichgewicht

Mit Ökosystemen unlösbar verknüpft ist die Frage nach natürlichen Gleichgewichten. Gibt es Gleichgewichtszustände in der Natur, die vom Menschen anzustreben beziehungsweise zu respektieren sind und ein Maß für ökologisch verantwortliches Handeln des Menschen bilden? Symbol für Gleichgewicht – gleiche Gewichte auf beiden Seiten – ist die Waage. Sie war schon im alten Ägypten Symbol für die Göttin Maat, der Personifikation jener Ordnung, die das Gleichgewicht innerhalb der Gesellschaft und mit der Natur garantierte.

Von Gleichgewicht der Natur wird in ganz verschiedenen Zusammenhängen und mit verschiedener Bedeutung gesprochen. Auf die für den Umgang mit der Natur höchst folgenreiche Vorstellung des „Gleichgewichts" von Angebot und Nachfrage in der Ökonomie, die von manchen wie ein unabänderlich geltendes Naturgesetz verstanden wird, ist später einzugehen[104]. Das physikalische Gleichgewicht z.B. in der Mechanik bezeichnet einen stationären, zeitunabhängigen Zustand, wobei stabile und instabile Gleichgewichte unterschieden werden. Für unseren Zusammenhang können wir dieses mechanische Gleichgewicht ebenso beiseite lassen wie die astronomische Frage eines Gleichgewichts im Universum („Es gibt für das Universum kein globales Gleichgewicht"[105]).

Uns geht es jetzt um das biologische Gleichgewicht auf dem Planeten Erde und in der Vielzahl seiner Ökosysteme[106]. In der Populationsökologie z.B. kann dieses Gleichgewicht am Verhältnis von Geburts- und Sterberate einer Art gemessen werden[107]. Das ökologische Gleichgewicht ist – wie bei der Evolution und der Dynamik der Ökosysteme bereits festgestellt – nicht statisch, sondern einem ständigen Wandel unterworfen, weshalb man von Fließgleichgewicht spricht. Ein ökologisches Gleichgewicht ist nie starr, auch dann nicht, wenn äußerlich momentan keine Veränderungen zu beobachten sind. Wiederum scheint uns der feste Boden unter den Füßen weggezogen und wir befinden uns wie auf schwimmenden Inseln. Doch solche „Inseln" zeichnen sich nicht nur durch Bewegung, sondern auch Stabilität in der Bewegung aus. Das Klima auf dieser Erde war in den 3,8 Milliarden Jahren ihres Bestehens trotz Veränderungen in einem erstaunlich konstanten Gleichgewicht! Das Gleichgewicht von Ökosystemen wird nach heutigem Verständnis als ein solches stabiles dynamisches Gleichgewicht gesehen. Wir haben offene Systeme als gleichgewichtsferne Systeme bezeichnet. Ökosysteme als offene Systeme können deshalb auch als gleichgewichtsferne Systeme bezeichnet werden. Sie teilen die nichtlineare, chaotisch erscheinende Dynamik der Systeme, in denen sich Regelmäßigkeit im Chaos und Konstanz im Wandel zeigt.[108]

Ein zunehmend wichtigeres Maß für das ökologische Gleichgewicht werden besonders im Zusammenhang mit gentechnologischen Eingriffen die sogenannten *Resistenzbalancen.* Die Natur bringt nie absolute, sondern nur relative Resistenz gegen schädliche Or-

---

104 Kapitel 3.4.2. und 4.9.

105 Stenflo, J. O.: Evolution des Weltalls – Gleichgewichtsbetrachtungen in der Astronomie, in: Stolz, F.: Gleichgewichts- und Ungleichgewichtskonzepte, a.a.O., 5–19 (18).

106 Zum physiologischen Verständnis von Gleichgewicht im Körper vgl. Kapitel 2.3.5.

107 Vgl. Remmert, H.: Ökologie, a.a.O., 189ff.

108 Vgl. Brun E.: Hierarchien von Gleichgewichtszuständen selbstordnender Systeme. Experiment und Theorie, in: Stolz, F. (Hg.): Gleichgewichts- und Ungleichgewichts-konzepte, a.a.O., 21–40.

ganismen hervor. Damit ist auch die Überlebenssicherheit immer nur relativ, was andererseits die Flexibilität von Arten für Anpassungen an neue Bedingungen ermöglicht. Gerade eine scheinbar absolute Sicherheit durch einen Schutzpanzer vor Schädlingen würde einen Organismus wegen fehlender Anpassungsfähigkeit anfällig machen. So gehört zum Überleben von Arten die eindrückliche „Strategie der Unvorhersehbarkeit“[109]: Indem sich eine Pflanzenart nicht gleichmäßig, sondern zufällig in einem Lebensraum verteilt, ist sie z.B. für einen Pilzbefall weniger anfällig. Sie opfert zwar einzelne Individuen ihrer Art, die zufällig gefunden werden (und verzichtet so auf absolute Sicherheit), erhöht aber zugleich ihre Chancen in der Selektion. Neben dieser räumlichen gibt es auch noch die Strategie der zeitlichen und chemischen Unvorhersehbarkeit. Günter Altner folgert als ein wichtiges Maß für das Eingreifen in die Natur die Notwendigkeit der Beachtung der Resistenzbalancen, und zwar bei Mikroorganismen, Pflanzen und Tieren. Für den Einsatz der Gentechnologie, den er aufs Ganze gesehen nur in klaren Grenzen und zurückhaltend bejaht, folgert er: „Evolution ist die permanente Herstellung von Resistenzbalancen und der immer wieder neu erfolgende Aufbruch aus den Resistenzbalancen. Alle Biotechnologien, die an die Resistenzbalancen anknüpfen und eine vorsichtige Moderierung dieses bewährten Prinzips bewirken, sind als vertretbare Instrumente menschlichen Handelns anzusehen.“[110]

Die Strategie der Unvorhersehbarkeit, die die Natur anwendet, bedeutet auch, daß ökologische Schutz- und Wiederherstellungsmaßnahmen in ihren Auswirkungen nie voll vorhersehbar sind und ein angestrebtes Gleichgewicht auch hier ein dynamischer Prozeß ist. So erfordert z.B. im Gewässerschutz die Frage, welche Phosphatkonzentration zulässig ist und welches Gleichgewicht dabei hergestellt wird, ein Abwägungsurteil. Das Gleichgewichtsmaß für einen See ist nicht in jedem Fall der mehr oder weniger unberührte Bergsee. „Zu gesunde“ Seen sind nährstoffarm und haben entsprechend wenig Fische, was die Lebensqualität der Fischotter wie der Fischer beeinträchtigt. Magerwiesen, die ökologisch den intensiv bewirtschafteten Wiesen vorgezogen werden, weisen einen großen Artenrückgang aus, wenn sie, sich selbst überlassen, verganden.[111]

Wiederum ist es also eine ethische Frage, welches Gleichgewicht der Mensch durch sein Eingreifen oder Nichteingreifen herstellen und welche Werte (z.B. welche Arten) er damit fördern will! Auf die Frage „Gibt es ein natürliches Gleichgewicht?“ antwortet der spanische Ökologe Margalef meines Erachtens zu Recht folgendermaßen: „Die Wahrnehmung von ‚natürlichen Grenzen‘ ist als Mittel zur Erzeugung einer Verhaltenskorrektur ein wichtiges Konzept in der Ökologie und speziell der angewandten Ökologie. Es ist aber eher eine Sache des Glaubens als real existierender materieller Grenzen ... Umweltethik kann somit entwickelt werden als ein Konsens über die Wahrnehmung von Umweltqualitäten, als Bezugspunkt, um eine soziale Verhaltenskorrektur zu fördern ... Die Wahrnehmung der Grenzen kann in einem kulturellen Organismus, der so stark beeinflußbar und eigentümlich sozial ist wie derjenige des Menschen, nicht uniform

---

109 Remmert, H.: Ökologie, a.a.O., 174ff.

110 Altner, G.: Naturvergessenheit, a.a.O., 221.

111 Stampfli, A. et al.: Artenrückgang in Magerwiesen. Wissenschaftlicher Naturschutz am Monte San Giorgio, Gaia Nr. 2 (1992), 105–109.

sein."[112] Daß diese Aussage nicht zu ethischem Relativismus mißbraucht werden darf, werden wir im weiteren noch darlegen.

2.3.4 Artenvielfalt

Ergibt die vorhandene oder anzustrebende Zahl der Arten in einem Ökosystem ein ökologisches Maß, an dem der Mensch seinen Umgang mit der Natur orientieren kann? Diese Frage soll hier zunächst naturwissenschaftlich zu beantworten versucht werden. Eine schöpfungstheologische und ethische Antwort folgt später.[113]
Das überwältigende Ausmaß der Artenbedrohung wurde bereits erwähnt.[114] Die bisherigen Ausführungen über Evolution, Offene Systeme und dynamisches Gleichgewicht in Ökosystemen haben gezeigt, daß es auch keine statische Betrachtung der Artenvielfalt geben kann. Die ideale Zahl von Arten ist standortgemäß und sukzessionsbedingt verschieden. Ein gestörtes Gleichgewicht durch einen „Artenfehlbetrag" zu quantifizieren, hat sich als sehr problematisch erwiesen[115].
Nicht als absolute, aber als relative Größe läßt sich dennoch die Diversität als Maß für ein gesundes Ökosystem angeben, mit zwei biozönotischen Grundgesetzen: 1. Je vielfältiger die Umweltbedingungen und je näher sie dem grundsätzlichen biologischen Optimum sind, um so größer ist die Artenzahl. 2. Je einseitiger die Umweltbedingungen und je weiter entfernt vom grundsätzlichen biologischen Optimum (evtl. nur zeitweise), um so geringer wird die Artenzahl und um so stärker treten einzelne Arten zahlenmäßig in den Vordergrund.[116] Für das ökologische Gleichgewicht wichtig ist dabei nicht nur eine möglichst große Zahl von Arten, sondern eine ungefähr gleichmäßige Häufigkeit der vergleichbaren Arten.[117] Eine hohe Zahl von Arten kann allerdings auch auf einen instabilen, vor dem Umkippen sich befindenden Zustand hindeuten.
Durch heutiges menschliches Eingreifen in die Natur sinkt die Vielfalt der Arten. Dafür kann die Zahl der Individuen einzelner Arten (z.B. Vögel in Städten) stark ansteigen. Durch das Zurückdrängen des ursprünglichen mitteleuropäischen Waldlandes und durch das Gestalten der Kulturlandschaften – die heutige Verteilung von Wald und offener Landschaft war bereits vor etwa 500 Jahren erreicht – wurde Europa durch den Menschen artenreicher. Etwa die Hälfte der Gefäßpflanzenarten und mehr als ein Viertel der Brutvogelarten in Europa sind erst als Kulturfolger nach Mitteleuropa gekommen.[118] Ob hingegen durch Züchtung und gentechnische Eingriffe entstehende Arten die Artenvielfalt erhöhen, ist sehr fraglich, da dies erfahrungsgemäß eher die Monokulturen und die Reduktion der Nutzpflanzen und -tiere auf die ertragreichsten fördert. Damit ist aber auch deutlich, daß die Eingriffe des Menschen nicht per se für die Artenvielfalt gut oder schädlich sind. Wiederum ist es eine Frage des Maßes des Eingreifens!

---

112 Margalef, R.: Is there a ‚Balance of Nature'?, in: Bourdeau, Ph. et al. (ed.): Environmental Ethics, Brüssel 1990, 225–232 (232).
113 Vgl. Kapitel 5.4.6.
114 Vgl. Kapitel 1.3.3.
115 Vgl. z.B. Norton, B.: Commodity, Amenity, and Morality: The Limits of Quantification in Valuing Biodiversity, in: Wilson, E./Peter, F.: Biodiversity, Washington 1988, 200–205.
116 Remmert, H.: Ökologie, a.a.O., 229.
117 Ebd., 289.
118 Mohr, H.: Natur und Moral. Ethik in der Biologie, Darmstadt 1987, 171f.

Können wir dem Artenschwund aber nicht mit einer etwas größeren Sorglosigkeit begegnen, wenn man die Regenerations- und Innovationsfähigkeiten der Natur berücksichtigt? Entscheidend für die Antwort ist der Faktor Zeit. Während Artenvielfalt in sekundären Lebensräumen wie Kiesgruben bei Sicherung des Artenpotentials wieder herstellbar ist, ist es bei Nutzökosystemen oft nur über Jahrhunderte und in primären, d.h. vom Menschen kaum beeinflußten Ökosystemen überhaupt nicht möglich[119]. Was über Jahrmillionen der Evolution an Arten entsteht und vergeht, liegt jenseits menschlicher Verfügungsmacht.

Für den dringend notwendigen Schutz der Artenvielfalt, wie er nun in der Artenschutzkonvention von der Weltgemeinschaft angestrebt wird, die an der Uno-Konferenz über Entwicklung und Umwelt 1992 von über 150 Staaten unterzeichnet wurde, sprechen viele *Gründe*[120]:

– Erhaltung der Funktion von Ökosystemen (Stabilität von Ökosystemen, Erzeugung von Nahrungsmitteln für Tiere und Pflanzen, biologische Schädlingsbekämpfung, Blütenbestäubung bei Kulturpflanzen, biologische Entgifter, Humuserzeugung, Bioindikationspotential);

– Erhaltung der biochemischen Information (Erhaltung des evolutionären Anpassungspotentials, Resistenzzüchtung, Pharmakologie);

– Beitrag zur Ernährung und Gesundheit der Menschen (Erzeugung von Nahrungsmitteln und Entdeckung neuer Arten als Nahrungsmittel, Medikamente);

– Erholung und Heimatschutz (Erholung durch Vielfalt der Arten und des Landschaftsbildes);

– Menschenbildung (sensitive Vielfalt, Vielfalt der Farben, Formen, Bewegungsmuster, Freude);

– Beitrag zu Forschung, Technik, Industrie (Erhaltung von Forschungsobjekten für Bionik <Technik, der Natur abgeschaut>, biotechnologische Energiegewinnung, ökologische und ingenieurbiologische Grundlagenforschung; Stoffe für heutige und noch zu entwickelnde industrielle Produktion).

Die ersten zwei der genannten Gründe sind primär biozentrisch, entsprechen also den Eigeninteressen der Natur. Die übrigen sind anthropozentrische Gründe, entsprechen also primär menschlichen Interessen, was ersteren nicht widersprechen muß.

Sind nun aber 1,4 Millionen verschiedene Arten tatsächlich ökologisch notwendig? Der Zellbiologe André Berkaloff stellt zur Artenvielfalt fest: „Es gibt quantitative und qualitative Elemente in unserem Urteil. Keines dieser Elemente ist durch objektive Daten wirklich getragen. Wir brauchen Beurteilungskriterien."[121] Die Unterscheidung von schützenswerten Kräutern und zu bekämpfenden Unkräutern (z.B. in der Landwirtschaft) ist nicht objektiv, sondern an menschlichen Werten und Interessen gemessen: „Der Begriff Unkraut ist wirtschaftlich begründet", nämlich nach Kriterien wie Schadwirkungen, Bekämpfungskosten, Lebensdauer, stellt ein landwirtschaftlicher Forschungsbericht fest

---

119 Kaule, G.: Arten- und Biotopschutz, a.a.O., 264f.

120 Vgl. z.B. Kaule, G.: Arten- und Biotopschutz, a.a.O., 16; Wilson, E./Peter, F. (Hg.): Biodiversity, a.a.O., 193–225; The Importance of Biological Diversity. A Statement by the WWF, Gland/Genf o.J., 12–22.

121 Berkaloff, A.: Loss of Biodiversity. Effects of the release of bioengineered organisms, in: Bourdeau, Ph. (ed.): Environmental Ethics, Brüssel 1990, 67–71 (67).

und folgert: „Der Landwirt als Entscheidungsträger hat diese Kriterien in einen Abwägungsprozeß einzubeziehen und eine schlagspezifische Entscheidung über die Notwendigkeit der Unkrautbekämpfung in einem bestimmten Jahr zu fällen."[122] Der Biologe Gernot Strey vertritt entsprechend die Auffassung, „daß Artenvielfalt als Postulat den Vorstellungen und Wünschen und damit dem Komfortverhalten des Menschen entspringt"[123]. Die Natur tendiere von sich aus eher zur relativ artenarmen Klimaxgesellschaft. Der Biologe Hans Mohr geht sogar soweit, Artenschutz als „ein nicht näher begründbares Postulat" zu bezeichnen, sofern und weil man auf transzendentale Begründungen verzichten müsse[124]. Die Biologin Gisela Kaule meint umgekehrt in ihrem Standardwerk zum Artenschutz, „daß es im Naturhaushalt entbehrliche Arten eigentlich nicht gibt"[125]. Sie begründet die Aussage damit, daß eine Vielzahl von ähnlichen und doch nicht gleichen Arten, die überlappende ökologische Ansprüche haben, ihre Populationen gegenseitig niedrig halten und einander teilweise ersetzen können, zum ökologischen Gleichgewicht beitragen.
Diese naturwissenschaftlichen Aussagen zeigen, daß die Erhaltung der Artenvielfalt tendenziell zwar als biologische Notwendigkeit für die Ökosysteme betrachtet werden kann, daß sie aber im wesentlichen durch eine Abwägung verschiedener menschlicher Interessen ethisch begründet werden muß. Gisela Kaule ist dabei zu widersprechen, wenn sie schreibt: „Die Ethik liefert keine zusätzlichen Kriterien, die neben dem Nutzen, der quantitativen Bedeutung von Arten und Ökosystemen im Naturhaushalt, der Schönheit oder der Zukunftsvorsorge weitere zusätzliche Argumente für den Naturschutz darstellen."[126] Gerade die von ihr genannten Kriterien beinhalten ja bereits ethische Entscheidungen (Nutzen für wen? Zukunftsvorsorge für welche und auf Kosten von welcher Art? usw.).

2.3.5 Menschlicher Körper

Der eigene Körper ist dasjenige Stück Natur, das dem Menschen am nächsten ist. So ist es wörtlich naheliegend, die immanenten Maße der Natur am menschlichen Körper zu entdecken zu suchen. Er ist als Organismus selbst ein Ökosystem, das aus der Entsprechung von Mikrokosmos und Makrokosmos und aus den erwähnten holistischen Erkenntnissen auch Einsicht in die Maße größerer Ökosysteme gibt.
Besonders die feministische Umweltethik weist zudem mit Nachdruck darauf hin, daß zwischen der Entfremdung des Menschen von der Natur und der Entfremdung vom Körper wie zwischen der Unterdrückung der Natur und des Körpers ein enger Zusammenhang besteht.[127] Ein neuer Bezug zur Natur wird deshalb heute von vielen Menschen über einen neuen Bezug zum Körper gesucht: „In der biologischen und sozialen Erfah-

---

[122] Niemann, P.: Ein Ansatz zur Bewertung von Ackerunkrautarten, in: Auswirkungen von Ackerschonstreifen. Mitteilungen aus der biologischen Bundesanstalt für Land- und Forstwirtschaft Berlin-Dahlem, Heft 247, 1988, 124.
[123] Strey, G.: Umweltethik und Evolution, a.a.O., 140.
[124] Mohr, H.: Natur und Moral, a.a.O., 170.
[125] Kaule, G.: Arten- und Biotopschutz, a.a.O., 15.
[126] Ebd., 16.
[127] Z.B. Halkes, C. J.: Das Antlitz der Erde erneuern. Mensch, Kultur, Schöpfung, Gütersloh 1990, 37ff (zu F. Bacon).

rung unserer Körper kommunizieren wir mit der ganzen Natur und Geschichte ... Natur ist Verkörperung, Verleiblichung des Geistes (spiritual embodiment)."[128] Auch wenn diese Erkenntnis in heutigen ökospirituellen Bewegungen teilweise zu stark mystifiziert und Körpererfahrung oft pantheistisch divinisiert wird[129], ist der Körperbezug für eine Ethik des Maßes bedeutsam. Nicht zufällig wird dabei oft auf die Mystikerin und Heilkräftekennerin Hildegard von Bingen verwiesen[130].

Durch Fasten, Meditation, Körperübungen, Schulung der Sinne, einen neuen Umgang mit Krankheit als Störung[131], also durch die Erfahrung der Maße des eigenen Körpers, wächst eine erhöhte Sensibilität für die Maße der nichtmenschlichen Mitwelt. *Vier Ansätze* zur Erkenntnis des Maßes der Natur über den Körper seien als Beispiele angedeutet.

1. Die *natürliche Lebenserwartung des Menschen* liegt aufgrund der Abbauprozesse des Körpers bei etwa 85 Jahren. Diese physische Begrenztheit durch den Alterungsprozeß ist ein Maß für das menschliche Leben. Auch wenn durch lebensverlängernde Maßnahmen diese Grenze etwas hinausgeschoben werden kann, bleibt die relativ kurze Dauer eines Lebens ein wichtiges Maß für die Verantwortbarkeit menschlicher Eingriffe in die Natur. Je langfristiger deren Folgen sind, desto weniger kann der Mensch die Verantwortung dafür übernehmen.

2. Die *Physiologie*[132], die Lehre von den Funktionen des lebenden Körpers, beschreibt dessen immanente, einem Ökosystem vergleichbare Maße. Ein solches Maß ist die Homöostase, jener durch physiologische Kreisprozesse erzielte Gleichgewichtszustand der Organismen, der zur Erhaltung ihres Daseins erforderlich ist[133]. So kennt der Körper Regeln, um bei einer großen Varianz äußerer Zustände (z.B. Hitze in der Wüste und Kälte am Nordpol) eine erstaunliche innere Konstanz (z.B. Körpertemperatur von 37 Grad) zu erzeugen. Kenngrößen dieser Konstanz sind Isotonie (fester osmotischer Druck in den Körperflüssigkeiten), Isoionie (normale Zusammensetzung der in den Körperflüssigkeiten gelösten anorganischen Stoffe) und Isohydrie (Einstellung der Reaktion in den Körperflüssigkeiten, pH-Wert von 7,36 als für den menschlichen Körper am günstigsten). Dazu kommt ein faszinierendes komplexes System von Regelkreisen wie Atmung und biologische Rhythmen (z.B. Wach – Schlaf). Die Konstanz der inneren Bedingungen bildet ein dynamisches Gleichgewicht. Ein statisches Gleichgewicht tritt beim Tod ein.

3. Die *Kinesiologie*[134], die Lehre von der Bewegung, ist ein seit den siebziger Jahren

---

128 Holland, J.: A Postmodern Vision of Spirituality and Society, in: Griffin, D. R. (Hg.): Spirituality and Society, New York 1988, 41–62 (52). Mehr zur feministischen Sicht des Körperbezugs Kapitel 4.4.

129 Ebd., 53.

130 Hildegard von Bingen: Gott sehen, hg. und eingeleitet von H. Schipperges, München 1990[3], 117ff: Der Mensch als Leiblichkeit.

131 F. Vester wendet die biokybernetische Betrachtung der Ökosysteme auf den Umgang mit Krankheit an (Neuland des Denkens, a.a.O., 172–201).

132 Ich stütze mich hier weitgehend auf Koller, E.: Varianz und Konstanz physiologischer Systeme, in: Stolz, F.: Gleichgewichts- und Ungleichgewichtskonzepte in der Wissenschaft, a.a.O., 41–56.

133 Der amerikanische Physiologe W.B. Cannon, der den Begriff Homöostase prägte, spricht nicht zufällig von der „Weisheit des Körpers" (The Wisdom of the Body, New York 1932). Weisheitstraditionen, auch die religiösen, erkannten die im Körper gespeicherte Weisheit.

134 Z.B. Diamond, J.: Der Körper lügt nicht, Freiburg 1983; Topping, W.: Körperenergien in der Balance, Freiburg 1986.

entwickelter neuer Weg der Erkenntnis der Energieflüsse im Körper, der therapeutisch einsetzbar ist. So wird z.B. bei Touch for Health, einem Bereich der Kinesiologie, durch Muskelfunktionsprüfungen ein allfälliges Ungleichgewicht im differenzierten Zusammenspiel der Muskeln aufgezeigt und kann wieder ins Gleichgewicht gebracht werden. Kinesiologie macht das (bei der Physiologie bereits beschriebene) dynamische Gleichgewicht oder Ungleichgewicht der Kreisläufe des Blutes, der Lymphe und der Meridian-Energien erfahrbar und unterstützt die Selbstheilungskräfte des Organismus. Sie zeigt auch, daß der Körper viel mehr Informationen über den Menschen und seine Maße, auch seinen Geist und seine Biographie, speichert, als durch Vernunft und Erinnerung abrufbar ist.

4. Die *Proportionenlehre*[135] in Kunst und Architektur hat immer wieder versucht, in den Körpermaßen einen naturgegebenen Maßstab für das Schöne zu finden. So zeichnete Leonardo da Vinci seinen berühmten Mann mit ausgestreckten Armen und gespreizten Beinen in Quadrat und Kreis, „Der Mensch des Vitruv" (1490), bei dem er sich wie viele in der Renaissance auf den Baumeister Vitruv (1. Jahrhundert v.Chr.) bezog. Dieser hatte aus den Gliedmaßen des Körpers das Maß seiner Bauwerke und der ganzen Baukunst abgeleitet. So schreibt Leonardo: „Der Baumeister Vitruv schreibt in seinem Buch über die Baukunst, daß die Maße des Menschen von der Natur folgendermaßen eingeteilt sind: vier Finger breit sind eine Handbreite und vier Handbreiten ein Fuß, sechs Handbreiten machen eine Elle und vier Ellen einen Mann und vier Ellen einen Schritt und vierundzwanzig Handbreiten einen Mann und aus diesen Maßen bestehen seine Bauten."[136] Die Proportionenlehre spielte insbesondere auch beim Renaissancekünstler Albrecht Dürer eine große Rolle. Seine „Vier Bücher von menschlicher Proportion" von 1528[137] waren sein Versuch, aus der Natur die wahren Maße zu erkennen. Er bringt damit die neuplatonische Vorstellung neu zur Geltung, daß der Künstler die in der Natur Gestalt findende innere Wesenheit der Dinge erkennen kann. In diesem Zusammenhang ist sein berühmter Ausspruch zu sehen: „Denn wahrhaft steckt die Kunst in der Natur, wer sie heraus kann reißen, der hat sie. Überkummst du sie, so wirdet sie dir viel Fehls nehmen in deinem Werk."[138] Bei da Vinci wie bei Dürer steht dahinter der Glaube an Gott als den Schöpfer eines von mathematisch meßbaren Gesetzen strukturierten Kosmos.

2.3.6 Folgerungen

Führt nun also die Erforschung der Ökosysteme inklusive des menschlichen Körpers als eines solchen zur Erkenntnis der vom Menschen zu schützenden immanenten Maße der Natur oder nicht? Aus dem Bisherigen lassen sich folgende Grundsätze ableiten:

---

[135] Vgl. Rücker, H.: Art. Maß als ästhetischer Begriff. Historisches Wörterbuch der Philosophie, Bd. 5, Basel 1980, 814–823; Panofsky, E.: Die Entwicklung der Proportionslehre als Abbild der Stilentwicklung, in: ders.: Aufsätze zu Grundfragen der Kunstwissenschaft, Berlin 1985, 169–204.

[136] Chastel, A. (Hg.): Leonardo da Vinci: Sämtliche Gemälde und die Schriften zur Malerei, Darmstadt 1990, 291.

[137] Dürer, A.: Schriftlicher Nachlaß, hg. von R. Rupprich, Bd. 3: Die Lehre von menschlicher Proportion, 1969.

[138] Zit. nach Kultermann, U.: Kleine Geschichte der Kunsttheorie, Darmstadt 1987, 66.

1. Es gibt keine allgemeine, objektive Antwort auf die Frage, was ein „natürliches", zu erhaltendes oder anzustrebendes Ökosystem ist, weder aufgrund von Klimax- noch Selbstorganisations- oder Gleichgewichtsvorstellungen von Ökosystemen. Sogenannt natürliche Gleichgewichte sind dynamische Fließgleichgewichte, auch Resistenzbalancen sind relative, nicht absolute Größen. Was als natürliches Ökosystem zu schützen ist, ist eine menschliche Übereinkunft, beinhaltet also ethische Wertentscheidungen. Biokybernetische oder holistische Erkenntnisse, die Hinweise auf dynamische natürliche Maße geben, sind aber notwendige Grundlagen für diese Entscheidungen. So unterstützt z.B. die Erkenntnis, daß Alter nicht herstellbar ist, den ethischen Grundsatz: Je älter ein Ökosystem ist, um so mehr muß es geschützt werden.
2. Wenn man sich für ein bestimmtes bestehendes Ökosystem entschieden hat, gilt der Grundsatz: Der Mensch muß seine regulierende Tätigkeit auf das Minimum beschränken, das ausreicht, um den status quo zu sichern (also übermäßige Pflege ist unökologisch). Der Mensch soll zudem bei Regulationen von Ökosystemen der Gesamtheit aller im Gebiet vorkommenden Pflanzen- und Tierarten Überlebensbedingungen schaffen helfen.
3. Was das „Selbst" in den selbstorganisierenden Systemen ist, ist alles andere als geklärt. Die philosophisch-theologischen Implikationen sollten auch in der naturwissenschaftlichen Verwendung des Begriffs expliziter gemacht werden.
4. Die im Fallbeispiel 3 genannten Konflikte um die Artenvielfalt wie der Wissens-, der Mittelverteilungs-, der Lastenverteilungs- oder der Rechtskonflikt können nicht durch biologisch begründete, sondern müssen durch *ethisch* begründete Entscheidungen gelöst werden.
5. Der menschliche Körper ist der dem Menschen nächste Organismus, an dem er die Funktionsweise und die Maße von Ökosystemen entdecken kann. Ein bewußter, sorgfältiger Umgang mit dem eigenen Körper kann einen entsprechend sorgsamen Umgang mit den Ökosystemen der Mitwelt fördern. Das muß nicht anthropozentrische Übertragung menschlicher Maße auf die Natur bedeuten, sondern unterstützt die Feststellung, daß der Mensch gerade durch seinen Körper Teil des Ganzen der Schöpfung ist. Es bedeutet auch nicht, die Maße des Körpers ungebrochen zum ethischen Maßstab zu machen, aber die Signale des Körpers wie andere Signale der Natur in die ethische Urteilsfindung einzubeziehen.

2.4 Quantität und Qualität: Maß ist mehr als messen

Sind immanente Maße der Natur anhand der Belastungsgrenze (festgelegt in Grenzwerten) für Lärm, Luftverunreinigungen, Erschütterungen, Strahlen oder andere Schadstoffe zu erkennen und zu messen? Oder anhand der Quantität vorhandener materieller Ressourcen? Gibt es als Maß eine ökologisch bedingte Grenze der Quantität der Weltbevölkerung, die die Erde verkraftet?

2.4.1 Grenzwerte

Verschiedene Arten von Grenzwerten sind zu unterscheiden[139]: *Emissionsgrenzwerte* legen den maximal zulässigen Ausstoß an Schadstoffen fest. Sie wollen diesen durch Maßnahmen bei der Quelle begrenzen. *Immissionsgrenzwerte* legen die maximal zulässigen schädlichen oder lästigen Einwirkungen auf Menschen, Tiere und Pflanzen fest und wollen diese durch Maßnahmen bei der Emissionsquelle wie bei den Betroffenen begrenzen. Emissions- wie Immissionsgrenzwerte sind dann *wirkungsorientierte Grenzwerte*, wenn sie die Grenze der nicht mehr zumutbaren Belastung (das heißt einer Belastung, die nicht mehr kompensiert werden kann und damit zu bleibenden Schädigungen führt) festlegen. Auf Ökosysteme bezogen liegt der Grenzwert dort, wo ein normalerweise sich selbst regulierendes System so stark gestört wird, daß es sich nicht mehr regulieren kann und zusammenbricht. Diese wirkungsorientierten Grenzwerte sind gleichsam objektiv an der Wirkung der Schadstoffe orientierte Grenzwerte und werden durch wissenschaftliche epidemiologische und experimentelle Studien erhoben.

Davon zu unterscheiden sind die *politisch definierten Grenzwerte.*[140] Sie legen in einem politischen Konsensprozeß Ziele fest, die – in der Regel schrittweise – angestrebt werden sollen, z.B. die CO_2-Stabilisierung auf dem Stand von 1990 bis zum Jahr 2000 mit anschließender schrittweiser Reduktion. Sowohl wirkungsorientiert wie politisch motiviert sind die *Alarmwerte* in Notsituationen wie Smog. Sie werden in einem Bereich festgelegt, in dem in der Regel die auftretenden akuten Wirkungen gesamthaft als schwer zu beurteilen sind. Es ist nun ebenfalls ein Ermessensentscheidung resp. politische Entscheidung, wann die Auswirkungen als schwer einzustufen sind. Ein politisches Kriterium liegt auch in der Frage, ob bei Überschreitung des Alarmwertes wirksame Sofortmaßnahmen ausgelöst werden können. Während bei Überschreitung von Alarmwerten die Schädigungen akut auftreten können, sind sie bei Überschreitung von Immissionsgrenzwerten in der Regel nur langfristig erkennbar.

Weiter ist zu unterscheiden zwischen Grenzwerten, die für Menschen und Tiere/Pflanzen unterschiedlich festgelegt sind (z.B. primary and secundary standards in den USA) und den sich mehr und mehr durchsetzenden einheitlichen Grenzwerten, die für Mensch und nichtmenschliche Mitwelt gleichermaßen gelten[141], ausgehend von der (anthropozentrischen) Überzeugung, daß die Gesundheit des Menschen nur in einer gesunden Umwelt gewährleistet ist.

Die Umweltbelastungen können mit verschiedenen *Meßmethoden* erhoben werden. Neben den traditionellen Meßmethoden wie z.B. den Luftschadstoffmeßsystemen, die die Schadstoffverteilung in der Luft direkt messen, werden neu z.B. auch Bioindikations-Meßsysteme angewandt: Sie zeigen die Wirkungen von Schadstoffen auf ein biologisches System wie z.B. Flechten. Sie sind damit direkter am Lebendigen orientiert.[142]

---

139 Wesentliche Hinweise zu diesem Kapitel verdanke ich Gesprächen mit H.-U. Wanner, Umwelthygieniker an der Eidg. Tech. Hochschule Zürich und Präsident der Eidg. Kommission für Lufthygiene.

140 Vgl. dazu auch das nächste Kapitel über Umweltstandards.

141 Vgl. WHO Regionalbüro für Europa: Workshop on Air Quality Guidelines for Air Pollution Control Strategies in Western and Northern Europe, Paris 2–5 July 1991, Summary Report.

142 Vgl. Ammann, K. et al.: Bioindikatoren – Das Lebendige als Beurteilungsmaß von Umweltschäden, in: Ascom Holding Bern: Die Menschen und das Klima. Vortragsreihe Winter/Frühjahr 1991, 20–30;

Nach welchen *Kriterien* werden die Grenzwerte festgelegt? Nehmen wir als Beispiel die Immissionsgrenzwerte für Luftverunreinigungen in der Schweiz[143]. Fünf Kriterien für diese Grenzwerte werden im schweizerischen Umweltschutzgesetz angegeben:
„Die Immissionsgrenzwerte für Luftverunreinigungen sind so festzulegen, daß nach dem Stand der Wissenschaft oder der Erfahrung Immissionen unterhalb dieser Werte
a) Menschen, Tiere und Pflanzen, ihre Lebensgemeinschaften und Lebensräume nicht gefährden;
b) die Bevölkerung in ihrem Wohlbefinden nicht erheblich stören;
c) Bauwerke nicht beschädigen;
d) die Fruchtbarkeit des Bodens, die Vegetation und die Gewässer nicht beeinträchtigen.“[144]
Als fünftes Kriterium gilt für alle Immissionsgrenzwerte: „Er (der Bundesrat. Der Verf.) berücksichtigt dabei auch die Wirkungen der Immissionen auf Personengruppen mit erhöhter Empfindlichkeit, wie Kinder, Kranke, Betagte und Schwangere.“[145]
Diese Immissionsgrenzwerte werden unabhängig von der technischen und betrieblichen Realisierbarkeit sowie der wirtschaftlichen Tragbarkeit allfälliger Luftreinhaltemaßnahmen festgelegt[146]. Können sie also als immanente Maße der Natur betrachtet werden? Ja und nein. Ja, indem Schädigungen aufgrund von Erfahrung und wissenschaftlicher Untersuchung objektiv festgestellt werden können. Nein, indem die Grenzwerte nicht wertneutral, sondern aufgrund wichtiger, aber vom Menschen gesetzter ethischer Kriterien festgelegt werden: Schutz des Lebens, und zwar gemeinsam für Menschen und die übrigen Lebewesen in einem Ökosystem; dabei insbesondere Schutz der Schwachen; nachhaltige Bewahrung der Lebensgrundlagen; Förderung der Lebensqualität; Einheit von Umwelt- und Kulturgüterschutz. Werturteile und Güterabwägung kommen auch bei der Präzisierung von Begriffen wie Schädlichkeit, Gefährdung, Beeinträchtigung oder Störung ins Spiel.
Damit wird der Wert wie die Grenze von Grenzwerten bei der Suche nach einer Ethik des Maßes deutlich:
– Immissionsgrenzwerte sind heute wichtige Größen zur Erkenntnis des für Mensch und Mitwelt zuträglichen ökologischen Maßes und zur Ergreifung von Maßnahmen.
– Sie sind wissenschaftlich festlegbar, aber nur aufgrund vorgängiger menschlicher Werturteile bei der Auswahl der Kriterien. So könnte ja auch ein Luftreinhaltegrenzwert festgesetzt werden, der sich nicht an einer zarten Kinderlunge, sondern am gesunden Durchschnittserwachsenen orientiert. Grenzwerte sind kein Naturphänomen, sondern soziale Handlungsbeschränkungen. Sie werden aufgrund der Risikobereitschaft der Handelnden resp. der Betroffenen vereinbart.
– Sofern die Grenzwerte nicht nur humantoxikologisch festgelegt sind, sondern die Wir-

---

Herzig, R. et al.: Flechten als Bioindikatoren der Luftverschmutzung in der Schweiz. Methoden-Evaluation und Eichung mit wichtigen Luftschadstoffen, VDI-Bericht 609 Bioindikation, 1987, 619–639.

143 Eidg. Bundesamt für Umweltschutz: Immissionsgrenzwerte für Luftschadstoffe. Schriftenreihe Umweltschutz Nr. 52, Bern 1986; Eidg. Bundesamt für Umwelt, Wald und Landschaft.: Die Bedeutung der Immissionsgrenzwerte der Luftreinhalteverordnung, Schriftenreihe Nr. 180, Bern 1992; Wanner, H.-U.: Grenzwerte, aber keine Alarmwerte für Ozon, Neue Zürcher Zeitung, 26. Mai 1992, 23.

144 Bundesgesetz über den Umweltschutz (vom 3. 10. 1983, Stand 1. 10. 1991), Art. 14.

145 Ebd., Art. 13.2.

146 Eidg. Bundesamt für Umweltschutz: Immissionsgrenzwerte, a.a.O., 6.

kung von Schadstoffen auch auf Pflanzen und Tiere berücksichtigt ist, wie dies heute in der Regel der Fall ist, sind sie ein Indikator für die Lebensgemeinschaft von Mensch und Mitwelt.

– Grenzwerte sind undenkbar ohne das Messen. Das Maß orientiert sich an dem, was gemessen wird und gemessen werden kann. Insofern sind sie folgerichtiger Ausdruck des bisherigen naturwissenschaftlichen Paradigmas. Schadstoffe, die nicht oder nicht genügend einfach gemessen werden können, können nicht berücksichtigt werden (man hat zudem mit den meßbaren Schadstoffen genug zu kämpfen). Vermehrt wird auch die Qualität von Schadstoffen zu berücksichtigen sein. Stoffe, die in der Natur nicht vorkommen oder nur langsam abgebaut werden, sind zu eliminieren oder nurmehr in geschlossenen Kreisläufen zu verwenden. Subjektiv verschieden wahrgenommene Aspekte von Immissionen wie die Beeinträchtigung der Bevölkerung durch Gerüche oder Lärm werden berücksichtigt. Doch würde eine holistische Naturwissenschaft überhaupt noch von Grenzwerten ausgehen? Und was würde das für die umweltpolitische Umsetzung bedeuten? Eine offene Frage.

– Bei Grenzwerten wird die Grenze zum Maß. „Übermäßig sind Immissionen, die einen oder mehrere Immissionsgrenzwerte überschreiten."[147] Alles, was innerhalb der Grenze ist, ist maßvoll, was jenseits der Grenze ist, gilt als über dem Maß. Obwohl Grenzwerte nur Leitplankenfunktion haben sollten und nicht den richtigen Weg in der Mitte bezeichnen, ist den Grenzwerten die Auffüllungsproblematik inhärent: sie werden oft und gern dahingehend fehlinterpretiert, daß man möglichst bis an die Grenze gehen darf. Was nicht verboten ist, ist erlaubt. Grenzwerte sind sehr notwendige, aber nicht hinreichende Instrumente des Maßes[148]. Umweltstandards sind eine Weiterentwicklung.

2.4.2 Umweltstandards

Ein Risiko ist eine bewußt in Kauf genommene Gefährdung um einer Chance willen. Wo liegt das akzeptierbare Maß für Risiken? Läßt sich ein Maß für die zulässigen anthropogenen, also z.B. durch Technologien wie die Kernenergie verursachten, Risiken aus den „natürlichen" Risiken ablesen, denen der Mensch ausgesetzt ist? So wird immer wieder die Strahlung, der der Mensch durch (unfallfrei funktionierende) Kernenergieanlagen ausgesetzt ist, an der natürlichen kosmischen und terrestrischen Strahlung gemessen und damit gerechtfertigt, daß die anthropogene Strahlung weit geringer ist als die natürliche[149]. Eine Studie der Schweizerischen Rückversicherungs-Gesellschaft analysierte die Entwicklung der Naturkatastrophen und Großschäden von 1970–1989. Bei den 3111 erfaßten Großereignissen kamen in diesem Zeitraum 1,5 Millionen Menschen durch Naturkatastrophen (eine Million durch Erdbeben) ums Leben, was 92 Prozent aller Opfer ausmachte. Bei allen andern Schadenereignissen kamen 130 000 Menschen ums Le-

---

147 Eidg. Luftreinhalteverordnung vom 16. 12. 1985, Stand 1. 4. 1991, Art. 2.5.

148 Vgl. auch Kortenkamp, A./Grahl, B./Grimme, L. (Hg.): Die Grenzenlosigkeit der Grenzwerte. Zur Problematik eines politischen Instruments im Umweltschutz, Karlsruhe 1989.

149 Umweltstandards. Grundlagen, Tatsachen und Bewertungen am Beispiel des Strahlenrisikos, Akademie der Wissenschaften zu Berlin, Forschungsbericht 2, Berlin/New York 1992, 8 und 118–131.

ben.[150] Kann man daraus schließen, daß das technische Risikopotential immer noch viel geringer als das natürliche ist und deshalb weniger zu dramatisieren ist, als dies im heutigen Risikodiskurs bisweilen geschieht? Läßt sich das Maß akzeptierbarer Risiken und Gefährdungen von Mensch und Umwelt anhand der natürlichen Gefährdungen bestimmen? Wenn nicht, wie sonst?

Dieter Birnbacher stellte zu Recht fest: „Die Natur ist kein Maßstab für den Menschen. Auch das ‚natürliche' Risiko ist vielfach unakzeptabel hoch."[151] Die Haltung, der Mensch dürfe soviel Risiken eingehen, wie ihm die Natur auch auferlegt, wäre ethisch ein naturalistischer Fehlschluß, abgesehen davon, daß heute immer deutlicher wird, wie viele sogenannt natürliche Risiken mindestens teilweise anthropogen sind, wenn man nur an die Stürme denkt, die nach heutiger Erkenntnis in ihrer Heftigkeit mit der vom Menschen verursachten Klimaerwärmung zusammenhängen können.

In vielen relevanten Umweltbereichen und bei vielen Risiken gibt es keine Grenz- oder Schwellenwerte. Aus der Diskussion um die Frage, welche und wie viele *Risiken* eine Person, eine Unternehmung oder eine Gesellschaft als ganze einzugehen bereit ist[152] und welches Risikopotential konsensfähig ist, entstand die Erarbeitung von Umweltstandards. Die Arbeitsgruppe Umweltstandards der Akademie der Wissenschaften zu Berlin hat neu eine gründliche und umfangreiche Methodik zur Erarbeitung solcher Standards (am Beispiel Strahlenschutz) veröffentlicht[153]. Ich übernehme davon folgende Definitionen:

„Umweltstandards haben die generelle Funktion, in bestimmten Fällen des Handelns unter Risiko Grenzen anzugeben, und zwar derart, daß auf die Frage, wo denn der Grenzwert liegt, immer die Gegenfrage zu stellen ist, was die Betroffenen einzusetzen bereit sind ... Umweltstandards sind demgemäß konventionelle Beschränkungen des Handelns unter Risiko."[154] Naturwissenschaftliche Erkenntnisse von Grenzwerten bilden unverzichtbare Bestandteile von Umweltstandards. Diese dürfen aber nicht naturalistisch als „natürliche" Maße der Natur mißverstanden werden. Vielmehr sind sie „kulturalistisch" als gesellschaftliche Übereinkunft über akzeptable Risiken zu verstehen.[155] „Unter Umweltstandards verstehen wir Rechtsvorschriften, Verwaltungsvorschriften oder private Regelungen (wie z.B. DIN-Vorschriften), durch die umweltbezogene, unbestimmte Rechtsbegriffe (wie ‚schädliche Wirkung', ‚Vorsorge', ‚erforderliche Sorgfalt', ‚anerkannte Regeln der Technik') durch Operationalisierung und Standardisierung von

---

150 Aus Schaden klug werden. Risk Management bei der Schweizer Rück. Neue Zürcher Zeitung Nr. 154, 6./7. Juli 1991, 19.

151 Birnbacher, D.: Verantwortung für zukünftige Generationen, Stuttgart 1988, 209. Es ist hier nicht der Ort, auf den umfangreichen ethischen Risikodiskurs, wie er gegenwärtig auch im Rahmen der Umweltethik stattfindet, einzugehen. Vgl. z.B. Ruh, H.: Ethik und Risiko, in ders.: Argument Ethik, Zürich 1991, 77–89; Gethmann, C.F./Klöpfer, M. (Hg.): Handeln unter Risiko im Umweltstaat, Berlin 1990; Beck, U.: Risikogesellschaft, Frankfurt 1986.

152 Das Maß für die Risikobestimmung und das wirksamste Mittel für die Begrenzung des Risikos großtechnischer Anlagen ist vermutlich die Versicherbarkeit der Risiken. Bereits zeichnet sich ab, daß durch das stark gewachsene industrielle Risikopotential das Versicherungswesen an Grenzen stößt. Umgekehrt hat bisher die Versicherbarkeit technische Großanlagen wesentlich gefördert.

153 Umweltstandards, a.a.O. Einen wertvollen Überblick über den Ansatz und die philosophischen Voraussetzungen der Umweltstandards bieten zwei Mitverfasser des Berichts Umweltstandards: Gethmann, C. F./Mittelstrass, J.: Maße für die Umwelt, Gaia 1 (1992) Nr. 1, 16–25.

154 Umweltstandards, a.a.O., 6.

155 Ebd., 5.

meßbaren Größen in konkrete Verbote, Gebote oder Erlaubnisse umgesetzt werden … Das Zustandekommen von Umweltstandards ist ein komplexer Prozeß, an dem wissenschaftliche Einsichten verschiedener Disziplinen, normative Überzeugungen und soziale Rahmenbedingungen in jeweils spezifischer Weise beteiligt sind."[156]
Umweltstandards gehen von der Umwelt aus, wie sie seit einigen Generationen besteht, und wollen diese bewahren. Sie orientieren sich also nicht an einem idealen Sollzustand der Umwelt.[157] Umweltstandards werden in der Regel als Verbote formuliert. Ziel ist der Schutz vor schädlichen Einflüssen. Sie sind weder zeit- und wertunabhängig noch sind sie beliebig. Die politische Beliebigkeit wird durch Bedingungen, die Umweltstandards erfüllen müssen, eingeschränkt[158]: 1. Die naturwissenschaftlich ermittelten Fakten. Es geht vor allem um die Wirkungsforschung, also die naturgesetzlich bestimmten Auswirkungen bestimmter Chemikalien, Strahlungen, Techniken oder menschlicher Verhaltensweisen auf Natur und Mensch. 2. Der Einbezug aller Dimensionen unterschiedlicher Auswirkungen und unterschiedlicher Zielvorgaben im Beurteilunsgprozeß. 3. Die Notwendigkeit einer rationalen Beurteilung aufgrund der ersten zwei Bedingungen.
So können Umweltstandards durch vier Merkmale charakterisiert werden: Sie sind konventionell (eine Konvention), rational, normativ und institutionalisiert.
Die Verbindlichkeit der Umweltstandards beruht auf diesem rationalen Diskurs[159]. Umweltstandards sind abhängig von den Zielen einer Gesellschaft und eines Staates. Insofern ist „nicht zu erwarten, daß ihre Festsetzung global und zeitlich für immer gültig ist."[160] Sie sind aber innerhalb einer bestimmten politischen Einheit wie z.B. einem Staat verbindlich. Ihre Verletzung kann durch Sanktionen verfolgt werden. Damit dies in Demokratien möglich ist, setzt es die Akzeptanz (die *faktische* Geltung) durch die Bevölkerung voraus. Diese wiederum erfordert Akzeptabilität (definiert als *normative* Geltung). Die *Unterscheidung von Akzeptanz und Akzeptabilität* ist grundlegend für den hier referierten Ansatz der Umweltstandards[161]. Akzeptabilität bedeutet die Festlegung ethischer Normen für Konfliktsituationen, in denen zwei Handlungsträger unvereinbare Zwecke anstreben. Ziel der Umweltstandards ist also, durch ein demokratisch legitimiertes Verfahren festzulegen, welche Risiken durch Gesetze den Bürgerinnen und Bürgern zugemutet werden können. „Dabei ist der Staat hinsichtlich der Legitimität seiner Verfahren zu prüfen, nicht jeweils nach der Konsensfähigkeit der Verfahrensergebnisse."[162] Sofern diese Legitimität besteht, gibt es nach Auffassung der Berliner Arbeitsgruppe Umweltstandards kein umweltrechtlich begründetes Widerstandsrecht, wie es z.B. Mayer-Tasch postulierte[163].
Grundlegend für die normative Verbindlichkeit von Umweltstandards ist für die erwähn-

---

156 Ebd., 33 und 4f.
157 Ebd., 35.
158 Ebd., 36–38.
159 Ebd., 38–50.
160 Ebd., 35.
161 Ebd., 51–68.
162 Ebd., 53.
163 Mayer-Tasch, P. C.: Recht auf bürgerlichen Ungehorsam?, in: Amery, C. et al.: Energie-Politik ohne Basis, Frankfurt 1979, 40–45; ders.: Widerstandsrecht und Widerstandspflicht im Zeichen der sozioökologischen Krise, in: Widerstand im Rechtsstaat, hg. von P. Saladin und B. Sitter, Freiburg 1988, 29–44.

te Arbeitsgruppe das *Konsistenzprinzip*[164]: „Hat jemand durch die Wahl einer Lebensform eine Risikobereitschaft gewählt, so darf diese auch für eine zur Debatte stehende Handlungsoption unterstellt werden.“[165] Wer sich Risiken durch Autofahren oder Sportarten aussetzt, muß danach also auch bereit sein, gewisse Umweltrisiken in Kauf zu nehmen. Er oder sie muß zudem – ethisch spielt hier die Goldene Regel – bereit sein, sich selbst Risiken zuzumuten, die er oder sie andern zumutet.[166] Das Konsistenzprinzip setzt allerdings die Kommensurabilität von Risiken, also ihre Vergleichbarkeit trotz ihrer Ungleichheit, voraus, was ethisch nicht unbestritten ist.[167] Die Vergleichbarkeit von Ungleichem kann m. E. ethisch nicht grundsätzlich abgelehnt werden, da sonst Ethik überhaupt verunmöglicht wäre und insbesondere der Wert Gerechtigkeit ethisch nicht mehr faßbar wäre.

Der meiner Einschätzung nach zur Zeit bedeutendste Teil der Bemühungen um Umweltstandards ist die *Institutionalisierung des Verfahrens* zur Festlegung von Umweltstandards[168]. Das Problem ist ja, daß eine Vielzahl verschiedenster Grenzwerte, Schwellenwerte, Belastungsgrenzen bestehen und die Frage auftaucht, wer nun darüber entscheidet, welche für eine Gesellschaft verbindlich sind. Der Widerstand von immer mehr Bürgerinnen und Bürgern gegen Risiken, zu denen sie nichts zu sagen haben, macht eine breite Partizipation der Bevölkerung bei gleichzeitiger Wahrung des Einbezugs der Wissenschaftler nötig. So schlägt die Berliner Arbeitsgruppe Umweltstandards einen Umweltrat mit einem Zweikammer-System vor: einer Fachkammer mit Wissenschaftlern (aus allen umweltrelevanten Wissenschaftsbereichen, neben den Natur- also auch die Sozial- und Geisteswissenschaften) und einer Verwaltungs- und politischen Kammer mit Vertretern der Legislative, der Exekutive und der Judikative.[169] Einen Schritt weiter gehen jene Anstrengungen z.B. in den USA, die die Bevölkerung noch direkter in demokratischen Entscheidungsverfahren einbeziehen.[170] Besonders auf lokaler und regionaler Ebene ist dies möglich. In der Schweiz sind Volksinitiative und Referendum häufig angewandte demokratische Mittel, um auch „Maße der Umwelt“ demokratisch zu bestimmen.

Manche mögen sich nun fragen, warum eigentlich die Umweltstandards in diesem 2. Hauptkapitel behandelt werden, wo es doch um die Maße der Natur geht und Umweltstandards so stark sozial und normativ bestimmt sind. Die Begründung liegt darin, daß gerade die Umweltstandards besonders deutlich machen, was wir bereits in den

---

[164] Umweltstandards, a.a.O., 56–63.

[165] Ebd., 57f.

[166] Ebd., 6.

[167] Das Konsistenzprinzip wird aufgrund der Inkommensurabilitätsthese z.B. bestritten von Meyer-Abich, K.M.: Von der Wohlstandsgesellschaft zur Risikogesellschaft. Die gesellschaftliche Bewertung industriewirtschaftlicher Risiken, in: Aus Politik und Zeitgeschichte. Beilage der Wochenzeitung Das Parlament 1989/36, 31–42.

[168] Vgl. dazu Umweltstandards, a.a.O., 345–493. Auch Gethmann, C. F./Mittelstrass, J.: Maße für die Umwelt, a.a.O., 23–25.

[169] Umweltstandards, a.a.O., 475ff.

[170] Eine Zusammenfassung des Risikodialogs in Basel seit dem Chemieunfall in Schweizerhalle 1986 leistet Schlumpf, R.: Zwischen Aufklärung und Angst. Die Risikokommunikation als Instrument eines gesellschaftlichen Prozesses, Neue Zürcher Zeitung Nr. 128, 4. Juni 1992, B 3; ein partizipatorisches Verfahren am Beispiel der Klärschlammbeseitigung in New Jersey beschreiben Renn, O./Webler, Th.: Anticipating Conflicts: Public Participation in Managing the Solid Waste Crisis, Gaia 1 (1992), Nr. 2, 84–94. Das Kriterium der Partizipation auch bei Umweltfragen betonten immer wieder sozialethische Stellungnahmen der Kirchen.

meisten andern Abschnitten dieses 2. Kapitels gesehen haben, daß nämlich die sogenannt objektiven, naturwissenschaftlich zu erhebenden Maße der Natur oft nicht zu trennen sind von Wertsetzungen des Menschen. Jene sind zugleich unabdingbare Grundlage für diese. Dies betrifft nun eben auch die Frage des Maßes natürlicher und anthropogener Strahlungen, für die der Mensch das Risiko zu übernehmen bereit oder nicht bereit ist.

2.4.3 Energie und Entropie

Energie ist der Schlüssel für die wirtschaftlich-technisch-landwirtschaftliche Entwicklung wie für die enormen Umweltprobleme. Gibt es von der Natur her für den Menschen ein optimales Maß des Energieverbrauchs und einen Grenzwert? Ich beschränke mich auf *drei Aspekte* aus dem unendlich weiten und zentralen Thema: Die Energieressourcen, die Umweltbelastung als Frage von Quantität und Qualität und die Entropie.
Auf der Erde gibt es zwei Energiequellen: Die Vorräte aus der Erde und die Sonnenenergie. Erstere bestehen aus nach menschlichen Zeitmaßen erneuerbaren Energien und aus nur nach geologischen Zeitmaßen erneuerbaren Energien, die angesichts der bisherigen kurzen Zeitspanne der Menschheit auf Erden als nichterneuerbar bezeichnet werden müssen. Die Menschheit lebt heute größtenteils von solchen nicht erneuerbaren Energien: von den fossilen Energien Erdöl, Gas und Kohle. Auch die Atomenergie muß – wenn man von der eher unwahrscheinlichen Möglichkeit der Fusionsenergie absieht – durch die Nichterneuerbarkeit und Begrenztheit des Urans dazu gezählt werden. Das Energiemaß als die von der Natur gesetzte Grenze dieser Art von Energieverbrauch wurde deshalb lange in der *Ressourcenknappheit* gesehen – besonders durch wachrüttelnde Veröffentlichung „Grenzen des Wachstums" des Club of Rome 1972[171]. In der Tat wird das Erdöl, wenn man von nur teuer zu fördernden Schieferölen absieht, voraussichtlich spätestens Mitte des nächsten Jahrhunderts zu Ende sein. Kohle wird allerdings bei heutigem Verbrauch noch ein paar Jahrhunderte zur Verfügung stehen. Auch das ist aber menschheitsgeschichtlich eine äußerst kurze Zeit.
Dennoch zeichnet sich spätestens seit anfangs der neunziger Jahre der *„Übergang vom Ressourcen- zum Umweltproblem"*[172] deutlich ab. Es besteht weitgehend ein Konsens, daß die Umweltschädigungen durch die nicht erneuerbaren Energien noch drängender sind als die Ressourcenknappheit (die damit allerdings nicht vom Tisch ist). Der Erdölverbrauch muß also nicht nur wegen der Erdölknappheit, sondern wegen der Klimafolgen drastisch reduziert werden. Dazu kommt die Erkenntnis: „Erneuerbare Energiequellen sind viel reichlicher vorhanden als fossile Brennstoffe."[173] Das Energieministerium der USA schätzt für die USA die jährlich nutzbaren erneuerbaren Energiequellen auf das Zehnfache der abbaubaren Reserven fossiler und nuklearer Brennstoffe im Lande. Damit könnten bis zum Jahr 2030 50–70 Prozent des heutigen US-Verbrauchs gedeckt wer-

---

[171] Meadows, D.: Die Grenzen des Wachstums. Bericht des Club of Rome zur Lage der Menschheit, Stuttgart 1972, 45–57.

[172] Fritsch, B.: Mensch – Umwelt – Wissen. Evolutionsgeschichtliche Aspekte des Umweltproblems. Zürich 1990, Kp. 3.4.

[173] Brown, L.: Zur Rettung des Planeten Erde. Strategien für eine ökologisch nachhaltige Weltwirtschaft. Eine Publikation des Worldwatch Instituts, Frankfurt 1992, 49.

den.[174] Das richtige Energiemaß ist also weniger vordringlich eine Frage der vorhandenen und erschließbaren Quantität als der ökologischen Qualität der Energieträger. Diese läßt sich an ökologischen Kriterien wie Erneuerbarkeit, Abbaubarkeit, Emissionsverminderung, möglichst geringer Einfluß auf die Ökosysteme bei Erzeugung und Verbrauch usw. messen. Eine nachhaltige Wirtschaft wird deshalb immer häufiger als eine „Solarwirtschaft"[175] gesehen. Damit würden auch die beschriebenen biokybernetischen Grundsätze für den Energiebereich berücksichtigt. Der Mensch hat ja primär mit derselben Energieform wie die übrige Natur zu leben: Der Prozeß der Umwandlung von Sonnenenergie in biochemische Energie durch Photosynthese ist der gemeinsame Nenner biologischer Systeme. Durch Berücksichtigung dieser Kriterien und Erhöhung der Effizienz der Energienutzung läßt sich theoretisch ein „ideales", das heißt heutigen Ansprüchen von Menschen in industrialisierten Ländern entsprechendes und von der Natur tragbares Energiemaß nennen. Für die Schweiz wurde ein „idealer" Energieverbrauch von zwölf MWh pro Kopf und Jahr errechnet. Das wäre nur noch ein Viertel des heutigen Wertes, aber immer noch fast das Dreifache dessen, was heute in Entwicklungsländern konsumiert wird[176]. Gerade solche Zahlen zeigen jedoch wiederum, daß sie nicht wertneutral aus der Natur abgelesen werden können, sondern von bestimmten Wertvorstellungen wie Lebensqualität, gerechte Energieverteilung usw. ausgehen. Das Energiemaß als ethische Frage wird uns besonders unter dem Aspekt Gerechtigkeit noch beschäftigen.
Als Maß, an dem sich der Umgang des Menschen mit Energie messen sollte, wird immer wieder die *Entropie*[177] genannt. Entropie ist eine physikalische Größe aus der Thermodynamik, erstmals 1865 von R. Clausius formuliert, erfahrbar in der Tatsache, daß Energie immer vom wärmeren zum kälteren Körper fließt, nie umgekehrt, bis beide Körper gleich warm resp. kalt sind. Die zwei thermodynamischen Gesetze können so zusammengefaßt werden:
„Die Energie der Welt ist konstant.
Die Entropie der Welt strebt einem Maximum zu."[178]
Zugrunde liegt die Erkenntnis, daß es unmöglich ist, Energie zu schaffen oder zu zerstören. Sie kann nur von einer Form in die andere verwandelt werden. Wenn wir eine bestimmte Menge Wärme in Arbeit verwandeln, ist damit die Wärme nicht zerstört, sie wurde nur in eine andere Energieform verwandelt. Dahinter steht die auch theologisch höchst bedeutsame Einsicht: Der Mensch kann nicht aus dem Nichts etwas schaffen, auch Energie nicht. Er kann „nur" bestehende Energie verwandeln. Energie gibt es in zwei Formen, der freien, verfügbaren und der gebundenen, nicht mehr verfügbaren. Entropie ist ein Maß für die Energiemenge, die nicht mehr in Arbeit verwandelt werden kann, also für die nicht mehr verfügbare Energie. Die Entropiezunahme ist irreversibel. Das Entropiegesetz besagt auch, daß alle Energie in einem geschlossenen System von einem Zustand der Ordnung zur Unordnung tendiert. Das Ende als „Hitzetod", ein stati-

---

174 Ebd.

175 Ebd., 47–63.

176 Schiesser, W.: Engpass Energie, Neue Zürcher Zeitung, 30. Nov./1. Dez. 1991, 21.

177 Ich stütze mich z.B. auf Prigogine, I./Stengers, I.: Dialog mit der Natur, München 1981, 125ff; Rifkin, J.: Entropy: Into the Greenhouse World, New York 1989; Weizsäcker, E. v. (Hg.): Offene Systeme I. Beiträge zur Zeitstruktur von Information, Entropie und Evolution, Stuttgart 1974, z.B. 35ff (F. Zukker), 200ff (C. F. von Weizsäcker), 222 ff (R. Ebert).

178 Prigogine/Stengers, a.a.O., 128. Unter Welt ist das Universum zu verstehen.

sches Gleichgewicht, tritt dann ein, wenn alle Energie in ungeordneter Materie gebunden ist.
Nun gilt das Entropiegesetz allerdings nur für geschlossene Systeme. Kann nun das Universum als geschlossenes System betrachtet werden? Jedenfalls sind biologische Systeme offene Systeme[179], die mit der Umwelt in einem ständigen Austausch von Energie und Materie stehen. Damit scheint eine Erklärung dafür gefunden zu werden, daß es eben nicht nur die irreversible Entropiezunahme gibt, sondern offensichtlich auch – wie jedermann beobachten kann – eine Zunahme an Leben, an (biologischer) Ordnung, an Komplexität und Wachstum. Die Frage stellt sich deshalb, ob Entropie als physikalisches Gesetz auf organische Lebewesen, auf Leben überhaupt übertragbar ist. Die Energie der Sonne schafft in Lebewesen Wachstum, Erneuerung usw. (Doch auch die Energie der Sonne kann keine Materie und auch – für sich allein – kein Leben schaffen.[180]) Die Beobachtung, daß auf der Erde in Ökosystemen Struktur und Komplexität zunimmt und Entropie abnimmt, bedeutet, daß die Natur auf der Erde ein gegenläufiges Prinzip zur Entropie aufgebaut hat, genannt *Negentropie*. Ein Beispiel: Während sich Flüssigkeiten bei Abkühlung zusammenziehen, dehnt sich Wasser kurz vor dem Gefrierpunkt aus. (Deshalb schwimmt Eis.) Diese Anomalie des Wassers ist ein wichtiger Faktor für die Funktionsweise von Leben auf der Erde.
Der Ökonome Nicholas Georgescu-Roegen, der das Entropiegesetz auf die Gestaltung der Wirtschaft anwandte[181], löst das Dilemma zwischen Entropie und Negentropie mit drei Aussagen: „Als erstes gilt das Entropiegesetz nur für völlig geschlossene Systeme, währenddem ein lebender Organismus als offenes System Materie und Energie mit seiner Umwelt austauscht. Es besteht also solange kein Widerspruch zum Entropiegesetz, als die Entropiezunahme der Umwelt größer ist als die Entropieabnahme des Organismus. Zweitens bestimmt das Entropiegesetz nicht die Geschwindigkeit der Degradation. Sie kann beschleunigt (so durch alle Tiere) oder verlangsamt werden (so durch grüne Pflanzen). Drittens bestimmt das Entropiegesetz nicht die Strukturen, die aus dem entropischen Strudel hervorgehen. Ein Vergleich: Geometrie bestimmt die Länge der Diagonalen in einem Quadrat, aber sie bestimmt nicht die Farbe des Quadrats."[182]
Welche ökologische und ethische Relevanz hat das Entropiegesetz? Die in geozeitlichen Dimensionen, also sehr langsam stattfindende Entropiezunahme könnte bedeuten, daß das Entropiegesetz keine reale Bedeutung für unseren Umgang mit der Natur hat. Umgekehrt ist es für unseren Umgang mit Materie, z.B. Abfall, durchaus relevant. Da Entropiezunahme immer Deponiezunahme bedeutet, sollte versucht werden, mit einem möglichst geringen Energieaufwand Materie zu verwandeln, örtlich zu verschieben und zu deponieren.[183] Die Mischung von Materie, die nachher als Abfall aus ökologischen Gründen wieder getrennt werden muß, bedeutet eine übermäßig große Entropiezunahme. Somit kann Entropie als ein wirtschaftliches, energiesparsames Gesetz der Natur gesehen werden. Der bekannte amerikanische Umweltautor Jeremy Rifkin leitet aus dem Entro-

---

179 Vgl. Kapitel 2.2.2.
180 So N. Georgescu-Roegen, zit. in Rifkin, J.: Entropy, a.a.O., 51.
181 Georgescu-Roegen, N.: The Entropy Law and the Economic Process, Cambridge/Mass. 1971.
182 Georgescu-Roegen, N.: Nachwort, in: Rifkin, J.: Entropy, a.a.O., 299–307 (302).
183 Angewandt z.B. von Baccini, P. et al.: Die Deponie in einer ökologisch orientierten Volkswirtschaft, Gaia 1 (1992), 34–49.

pie-Gesetz „eine Philosophie und einen Lebensstil der niedrigen Entropie“ (Low-entropy philosophy and life-stile) ab[184]. Wirtschaft, Landwirtschaft, Verkehr, Armee, Gesundheit, Bildung, Religion usw. sollen als „entropische Gesellschaft“ neu orientiert werden. Diese Vorstellung ist sehr ähnlich dem Ziel der nachhaltigen, am Gleichgewicht orientierten Gesellschaft. Ein ethisch bedenkenswerter Ansatz. Doch auch hier zeigt sich die ethisch fragwürdige Tendenz, aus einem physikalischen Gesetz eine ganze Weltanschauung und Gesellschaftstheorie zu entwerfen.

2.4.4 Bevölkerungswachstum

Gibt es eine von der Natur gesetzte Grenze nicht nur für die Größe von Populationen von Tieren und Pflanzen in einem Ökosystem, sondern auch für die maximale Bevölkerungszahl von Menschen? Das Bevölkerungswachstum ist ja ein wichtiger und bedrängender Aspekt in der Übernutzung des Ökosystems Erde. Gibt es ein natürliches Maß der Tragekapazität der Erde?
Ein absolutes Maß gibt es auch hier nicht, aber ein relatives, dynamisches. Im Paläolithikum lag die Tragekapazität der Erde bei 1–10 Millionen Menschen, also bei einigen wenigen Personen pro Quadratkilometer. Mit dem Ackerbau stieg sie auf 10–100 Millionen, mit von Tieren gezogenen Pflügen auf 1 Milliarde, mit der heutigen Landwirtschaft auf über 10 Milliarden Menschen. Die Erträge pro Hektar nahmen besonders in den letzten hundert Jahren beträchtlich zu. Mit der Entwicklung von Technik und Landwirtschaft – diese Entwicklung war immer auch von der Veränderung religiöser Normen begleitet – erweiterte sich auch die Möglichkeit, mehr Menschen zu ernähren. Der Biologe Hans Mohr meint dabei: „Die Menschheit lebte im Grunde immer an der Grenze der Tragekapazität“[185] – und erweiterte sie zugleich ständig.
Von vier UNO-Prognosevarianten von 1977 zur Bevölkerungsentwicklung bestätigte sich die mittlere Variante weitgehend: Diese schätzte 1977, die Weltbevölkerung betrage 1990 5,24 und 1995 5,76 Milliarden Menschen[186]. Sie betrug 1991 5,4 Milliarden. Darf und kann die Weltbevölkerung aber noch auf 12 Milliarden ums Jahr 2100 wachsen, wie die Weltbank schätzt, sofern die Entwicklung weitergeht wie bisher?[187] Stabilisiert sich die Weltbevölkerung aus demographisch beobachtbaren Gesetzmäßigkeiten auf hohem Niveau?[188] Oder gibt es doch keine obere Bevölkerungsgrenze für den Planeten Erde? Ernährungswissenschaftler schätzten, die Erde könnte theoretisch vierzig Milliarden Menschen ernähren. Ökologen sahen die Tragekapazität bei maximal zehn Milliarden. Das renommierte Worldwatch Institute gibt als Obergrenze acht Milliarden an: „Wir meinen, die Zahl der Menschen darf acht Milliarden nicht überschreiten – also die heutige um nicht mehr als die Hälfte übertreffen –, wenn die Welt massenhaften Tod durch Verhungern und Krankheit vermeiden soll.“[189] Eine Stabilisierung bei acht Milliarden

---

184 Rifkin, J.: Entropy, a.a.O., 274.
185 Mohr, H.: Natur und Moral, a.a.O., 91.
186 Nach Hauser, J.: Bevölkerungslehre, Bern 1982, 218.
187 Brown, L. et al.: Zur Rettung des Planeten Erde. Strategien für eine ökologisch nachhaltige Weltwirtschaft, Frankfurt 1992, 99.
188 So Hauser, J.: Bevölkerungslehre, a.a.O., 224ff.
189 Brown, L. et al.: Zur Rettung des Planeten Erde, a.a.O., 99.

könnte bis zum Jahr 2030 erreicht werden, wenn das Bevölkerungswachstum weltweit bis zum Jahr 2000 auf ein Prozent gesenkt werden könnte[190].
Diese Zahlen zeigen, daß es kein natürliches Maß für die Weltbevölkerung gibt, dieses vielmehr von den Zielen und Werten abhängt, die die Menschheit anstrebt, also welcher Lebensstandard für wie viele Menschen verwirklicht werden soll. Die entscheidende Frage ist also nicht, wie viele Menschen die Erde verkraftet, sondern wie viele wir wollen. Sonst geben wir den ethischen Anspruch auf Weltgestaltung auf.[191] Damit läßt sich auch bei der Frage der Weltbevölkerung das Maß nicht an der Natur ablesen. Dieses ist primär nach ethischen Kriterien festzulegen: Wollen wir 18 Milliarden Menschen mit dem CO_2-Ausstoß der Inder oder 1 Milliarde mit dem CO_2-Ausstoß der Amerikaner?[192] Ein Bevölkerungsmaß ist dadurch zu suchen, daß ein Konsens über die Werte, welche Lebensqualität und menschenwürdiges Leben ausmachen, gesucht wird.

2.4.5 Folgerungen

Bei der Grenzwertbestimmung wie bei der Risikoeinschätzung, bei der Erhebung der Energieressourcen wie bei der quantitativen Betrachtung des Bevölkerungswachstums ist das richtige ökologische Maß zu einem bedeutenden Teil eine Frage der Quantität. Paracelsus' Einsicht „Allein die Dosis macht's, daß ein Gift kein Gift sei“[193] weist auf die Bedeutung der Dosierung als dem richtigen quantitativen Maß hin. So sind z.B. durch Bakterien biologisch erzeugte Pflanzenschutzmittel nicht per se gut und chemisch erzeugte nicht per se schlecht. Auch biologisch erzeugte können – in übermäßiger Menge – zu Gift werden.
In der neuzeitlichen Naturwissenschaft wird das Maß viel stärker als im Altertum als eine Frage der Quantität gesehen, und Meßbarkeit wird zur kategorialen Voraussetzung eines jeden Forschungsgegenstandes erhoben. Bei *Plato und Aristoteles* wurden die Dinge als qualitativ verschieden beurteilt und Maß war eine qualitative Größe. Die Dinge konnten nur unter der Bedingung als meßbare Mengen angesehen werden, als sie mit der Maßeinheit von derselben Qualität waren. *Descartes* stellte demgegenüber die These auf, daß allen Dingen eine gemeinsame Substanz zugrunde liegt, deren Attribut einzig die Ausdehnung ist (Breite, Länge, Tiefe, nicht Härte, Gewicht, Farbe).[194] Descartes spricht den Dingen eine ihnen zugrundeliegende Idee wie auch eine qualitative Bestimmung ab. Mathematik wird damit zur Grundwissenschaft all dessen, was als Maß bestimmt werden soll, in den Bevölkerungslehren wie den Risikoberechnungen von Versicherungsgesellschaften, in den Energieprognosen wie z.T. den Grenzwertberechnungen.

---

190 Ebd., 105f.

191 Ähnlich der Bevölkerungswissenschaftler H.-P. Müller: Die Weltbevölkerung wird sich stabilisieren. Interview von S. Kramer und Ch. Stückelberger, Kirchenbote für den Kanton Zürich Nr.8, 8. 4. 1988, 5.

192 Die gemittelte Kohlendioxidfreisetzung pro Person und Jahr 1950–1984 betrug für US-Amerikaner 18 t, für Asiaten 1 t. Nach Gaber, H./Natsch, B.: Gute Argumente: Klima, München 1989, 96.

193 Schipperges, H.: Paracelsus, in: Böhme, G.: Klassiker der Naturphilosophie, München 1989, 99–116 (108).

194 Descartes, R.: Die Prinzipien der Philosophie, Leizig 1922, 32. Zit. nach Pechmann, A. v.: Die Kategorie des Maßes in Hegels „Wissenschaft der Logik“, Köln 1980, 55.

Anders als Descartes versuchte *Hegel* Qualität (Eigenschaften und Bestimmtheit eines Dings) und Quantität (Ausdehnung und Menge eines Dings) zu verbinden, und zwar gerade mit der Kategorie des Maßes. In seinem Werk „Wissenschaft der Logik“ bestimmt er dialektisch das unmittelbare Maß als Position, das gegenüber der Qualität gleichgültige Quantum als Negation und das konkrete Maß als Synthese von unmittelbarem Maß und gleichgültigem Quantum. So bestimmt Hegel „die Kategorie des Maßes als Einheit von Qualität und Quantität“[195]. Diese Einheit des einen mit dem andern nennt Hegel auch das „Fürsichsein im Maße“[196]. Hegel schwebte eine „Mathematik der Natur“[197] vor, die die Einheit der mathematischen Größenbestimmtheiten mit den natürlichen Qualitäten herzustellen hätte. Diese Aufgabe betrachtete er selbst allerdings als kaum realisierbar. Mit heutigen Ansätzen der Ökologie und Ökologisierung aller Wissenschaftsbereiche ist dieser Paradigmenwechsel von der Mathematisierung der Natur zu einer Mathematik der Natur, wie er hier anhand von Descartes und Hegel nur angedeutet ist, in Gang gekommen.

Die in diesem Kapitel 2.4 unter dem Stichwort Quantität und Qualität zusammengefaßten Maße der Natur zeigen, daß auch hier mannigfache ethische Wertungen impliziert sind, bei der Grenzwert- wie der Risikobestimmung, beim Energiemaß wie bei der Beurteilung der Menge der noch tragbaren Weltbevölkerung. Das Denken in Quantitäten und Durchschnittswerten ist dabei selbst ein ethisches Problem[198].

2.5 Zusammenfassende Folgerungen

1. Verantwortung für die Natur beginnt mit der Wahrnehmung des ihr innewohnenden Maßes. Mit dieser Aussage begannen wir dieses 2. Hauptkapitel. Die als repräsentative Beispiele ausgewählten Aspekte zeigten uns folgende Einschätzung der *immanenten Maße der Natur*:

– Leben auf diesem Planeten Erde ist ein hochkomplexes Zusammenwirken physikalischer, chemischer, biologischer und geistiger Kräfte. Um das ökologische Maß zu erkennen, muß vermehrt das Einzelne vom Ganzen her gesehen werden. Die dazu komplementäre Analyse vom Einzelnen zum Ganzen ist nicht verzichtbar, muß aber gegenüber der holistischen Sicht an Bedeutung abnehmen.

– Die Maße der Natur sind nicht statische, alles determinierende Naturgesetze, sondern dynamische Prozesse mit einem faszinierenden dynamischen Gleichgewicht von Varianz und Konstanz. So gibt es in der Evolution der Ökosysteme Grenzen des Wachstums wie ein Wachstum der Grenzen, Notwendigkeit wie Freiheit, Offenheit wie Bestimmtheit, Irreversibilität wie Reversibilität, alles letztlich im Fluß. Das Ziel dieses Prozesses ist nicht aus der Natur selbst ableitbar.

---

[195] Pechmann, A. v., a.a.O., 278ff.

[196] Ebd., 143–158.

[197] Ebd., 282ff.

[198] Vgl. z.B. Birnbacher, D.: Verantwortung für zukünftige Generationen, Stuttgart 1988, 60–67: Die Irrelevanz von Durchschnittswerten; ders.: Prolegomena zu einer Ethik der Quantitäten, Ratio 28 (1986), 30–45.

– Als (relative, nicht absolute) Maße von Ökosystemen sind z.B. erkennbar: negative Rückkopplung durch Vernetzung, Selbstorganisation, Gleichgewicht auch ohne Wachstum, Artenvielfalt (mit Vorbehalten), Ressourcenerhaltung, Mehrfachnutzung und Recycling, niedrige Entropie und Negentropie, Evolutionsfähigkeit.
– Der menschliche Körper als Teil der Natur zeigt viele Aspekte natürlicher Maße. Seine bewußtere Wahrnehmung kann der Sensibilisierung für die Maße in der Mitwelt dienen.
– Der Zeitfaktor ist einer der entscheidendsten im Umgang des Menschen mit der Mitwelt. Die biologischen Prozesse haben ein anderes, in der Regel viel langsameres Zeitmaß als technische Prozesse. Inwiefern sich das menschliche Zeitmaß an biologischen Prozessen orientieren muß, werden wir später sehen.[199]
2. Die Suche nach dem der Natur innewohnenden Maß hat sehr deutlich gezeigt, daß die Antwort weniger klar sein kann, als manche erhoffen oder deklarieren. Immer wieder sind wir auf *ethische Entscheidungsfragen* gestoßen, die uns die Natur nicht beantwortet. Die Überwindung des mechanistischen und die Entdeckung des offenen Weltbildes verweist uns ganz stark an die Ethik. Manche möchten aus der Natur Richtlinien und Gesetzmäßigkeiten ableiten, nach denen wir uns ethisch richten könnten. Damit wäre uns auch die Last der Entscheidung und der ethischen Verantwortung abgenommen. Aber auch die Würde und Freiheit der Mitgestaltung der Welt als Co-Creator auf ein Ziel hin wäre uns damit genommen. So ist die Weltordnung Gabe und Aufgabe: Gabe der natürlichen Maße der sich stets weiter entwickelnden Schöpfung und Aufgabe der ethischen Mitgestaltung dieser zur Zukunft hin offenen Schöpfung. Zu diesen ethisch zu beantwortenden Fragen gehören insbesondere die Frage nach dem Ziel der Evolution und damit zusammenhängend die Entscheidungen über Lebens- und Überlebenskonflikte innerhalb der Natur wie z.B. zwischen Mensch und Tier. Diese erfordern eine ethische Güterabwägung und Vorzugsregeln.[200]
Ein Beispiel: Das Ausmaß der wünschbaren Artenvielfalt ist aus der Natur nicht selbst ablesbar. Sie selbst läßt viele Arten aussterben und kennt neben sehr artenreichen sehr artenarme Gleichgewichtszustände. Es gibt das Maß des dynamischen Gleichgewichts in der Natur, aber dieses ist nicht durch einen absoluten Maßstab, sondern nur durch relativ bessere oder schlechtere Lösungen, also Abwägungsurteile, find- und herstellbar. Vielleicht gehört das sogar zur Resistenzbalance des Menschen: Er hat damit zwar keinen „Schutzpanzer“ absolut sicherer Werte. Er geht vielmehr das Risiko von Fehlurteilen und damit von Opfern ein. Er ist mit einer solchen Ethik aber überlebensfähiger, weil anpassungsfähiger an je neue Herausforderungen des Lebens.
Der naturalistische Fehlschluß, der aus der Natur selbst schlüssige Handlungsperspektiven ableiten will, gibt die Ethik als Ausdruck verantwortlicher Entscheidung des Menschen auf. Umgekehrt beansprucht der normativistische Fehlschluß für die Ethik einen generellen Freiraum gegenüber der Natur. Beides ist von der theologischen Ethik her abzulehnen, wie wir bereits ausgeführt haben.[201] Mensch und natürliche Mitwelt stehen

---

199 Vgl. Kapitel 5.4.8.

200 Ähnlich Honnefelder, L.: Welche Natur sollen wir schützen?, Gaia 2/1993, 253–264 (263): „Da die Natur als praktische Orientierungsgröße nicht eindeutig ist und die Teilziele einander widerstreiten, ist die konkret zu schützende Natur stets Resultat einer Güterabwägung, für die sich Vorzugsregeln formulieren lassen.“

201 Vgl. Kapitel 1.4.3.

in einer gottgewollten unlösbaren (Bundes-) Beziehung zueinander und hängen voneinander ab.[202] Maße der Natur sind aus dieser Beziehung heraus für den Menschen ethisch verpflichtend. Da diese Maße aber alles andere als klar und fix sind, ist der Mensch in seiner Entscheidungsfreiheit immer noch mehr als genug gefordert.
Ohne einem Naturalismus zu erliegen, ist es für die Ethik wichtig, die Maße der Natur ernst zu nehmen – nicht zuletzt deshalb, weil der Mensch durch seine evolutionsgeschichtliche Entwicklung und seine körperlichen Verhaltensdispositionen ja selbst in diese Maße eingebunden ist. Der ethische Grundsatz, „daß nicht wirklich menschengerecht sein könne, was nicht sachgemäß ist, und nicht wirklich sachgemäß, was dem Menschengerechten widerstreitet"[203], muß auch auf die natürliche Mitwelt bezogen werden: *Es kann nicht menschengerecht sein, was nicht naturgerecht ist, und es kann nicht naturgerecht sein, was nicht auch menschengerecht ist.* Nur wenn der Mensch die Maße der Natur ernst nimmt, kann er sich aus ethischen Gründen auch einmal bewußt dagegen entscheiden. Da unser Wissen darüber, was naturgerecht ist, trotz großer ökologischer Erkenntnisfortschritte immer noch sehr bruchstückhaft und unsicher ist und wohl auch bleiben wird, wird der Respekt vor der Natur und die grundsätzliche Zurückhaltung bei Eingriffen zur umweltethischen Norm.[204]
3. Die dargelegten naturwissenschaftlichen Theorien zeigen: Naturwissenschaftliche Erkenntnisse werden immer wieder aus einem Gebiet, z.B. der Quantenphysik, der biologischen Evolutionslehre, der Biokybernetik oder der Thermodynamik auf sämtliche, auch gesellschaftliche, ethische und religiöse Lebensbereiche angewandt. Dies führt oft zu einer Überinterpretation dieser Theorien, zu neuen geschlossenen Weltbildern und ethisch fragwürdigen, weil letztlich naturalistischen Konzepten. So faszinierend z.B. die Beobachtung ist, daß die Theorie der offenen Systeme in vielen naturwissenschaftlichen Disziplinen zuzutreffen scheint, und so richtig die Erkenntnis der Einheit der Wirklichkeit ist, die auch bedeutet, daß zwischen natürlichen und gesellschaftlichen Prozessen Relationen bestehen, so sehr ist bei der Übertragung naturwissenschaftlicher Theorien auf gesellschaftliche Prozesse Zurückhaltung geboten.
Gleichzeitig ist an manche naturwissenschaftliche Theorien die Frage zu stellen, ob sie nicht auch stark beeinflußt sind von den Welt- und Gesellschaftskonzeptionen ihrer jeweiligen Zeit. Dies ist an sich nicht negativ, solange es transparent ist und nicht unter dem Mantel einer falsch verstandenen Objektivität verborgen bleibt. So wie Darwin in der Evolution das Überleben der Fittesten vermutlich nicht unbeeinflußt von der damaligen frühkapitalistischen Wirtschaftsordnung beobachtete, so entdeckt man in der heutigen „offenen Gesellschaft"[205] und mit der „offenen Wissenschaft"[206] die offenen Systeme der Natur und im Informations- und Computerzeitalter die Biokybernetik[207].
4. In vielen der dargestellten naturwissenschaftlichen und naturphilosophischen Ansätze fällt auf, daß das Religiöse, die Metaphysik, die Transzendenz immer wieder aufscheint, aber oft in einer eigenartig ungeklärten Weise, einer Mischung von Faszinosum und

---

202 Dies wird in Kapitel 5.3.1–5 entfaltet.
203 Rich, A.: Wirtschaftsethik, Bd. 1, Gütersloh 1984, 81.
204 So z.B. Taylor, P. W.: Respect for Nature, Princeton 1986, 80ff; Ruh, H.: Argument Ethik, Zürich 1991, 85. Mehr dazu in Kapitel 4.2.2 und 4.8.3.
205 Vgl. Laszlo, E.: Evolution. Die neue Synthese, Wien 1987, 11ff.
206 Prigogine, I./Stengers, I.: Dialog mit der Natur, München 1981, 276ff.
207 Vester, F.: Neuland des Denkens, a.a.O., 93ff.

Tremendum, von Ahnung des Göttlichen und Verdrängung. Diese Beobachtung läßt sich zum Beispiel am Verständnis des „Selbst“ in der naturwissenschaftlichen Vorstellung der Selbstorganisation der Natur aufzeigen:
Vester stellt fest, daß bei Regeltechniken die Steuerung einmal von außen eingegeben werden muß, während sie bei der Selbststeuerung einfach im System selbst drin ist.[208] Für Jantsch ist es die natürliche Dynamik des Lebendigen, wobei der Mensch Teil dieser Dynamik ist.[209] Für Bresch ist das Selbst durch das Alpha-Prinzip in Gang gesetzt. Im Klartext heißt das, daß man naturwissenschaftlich über dieses Selbst weiterhin im Dunkeln tappt. Es ist der immer wieder unternommene Versuch, einen unbekannten Mechanismus durch einen Begriff in Griff zu bekommen – so auch z.B. die Selbstorganisation der Marktwirtschaft durch A. Smiths Begriff „unsichtbare Hand“. Der biblische Mythos „Am Anfang schuf Gott“ oder „Am Anfang war das Wort“ wird durch die scheinbar rational-wissenschaftliche Aussage „Am Anfang war das Selbst“ ersetzt, die aber in Wirklichkeit ebenso ein Mythos, wenn auch ein mit Fakten angereicherter, bleiben muß.[210] Diese wie auch immer benannten Selbststeuerungskräfte bleiben anonym. Werden sie damit nicht zu dem, was K. Barth die „herrenlosen Gewalten“ genannt hat, jene „pseudo-objektiven Realitäten“, die „herrenlos sein wollenden und eindrucksvoll genug sich als herrenlos gebenden und darstellenden Gewalten“, die aber „an sich nichts Anderes als des Menschen eigene, d.h. seiner geschöpflichen Natur verliehene und eigentümliche Kräfte“ sind[211]?
Das Selbst kann nun aber als Gott oder Gottheit identifiziert werden[212]. Es ist auffällig, wie Naturwissenschaftler zunehmend auf die griechische Mythologie und Götterwelt, z.B. die Erdgöttin Gaia, den Naturgott Pan oder die Fruchtbarkeitsgöttin Demeter zurückgreifen[213]! Damit ist nicht automatisch der christliche Schöpfergott im Blick. Schon eher geschieht dies, wenn C. F. von Weizsäcker sein ausführliches Philosophieren über den „Sinn der Kybernetik“ mit dem Satz schließt (der wohl gegen den Pantheismus und für die Unterscheidung von Schöpfer und Geschaffenem zu verstehen ist): „Gott ist nicht

---

208 Ebd., 31.

209 Jantsch, E.: Die Selbstorganisation des Universums, München 1992, 35f, 49ff.

210 Vgl. auch den Philosophen Waldvogel, M.: Das Einzigartige und die Sprache. Ein Essay, Wien 1990. Er schreibt im Kapitel „Die Selbstorganisation“ (49–59): „Unwillkürlich fragt man sich, woher diese Sehnsucht nach Enttarnung religiöser Mythen und nach Letzterklärungen oder zumindest nach dem Diskurs der Meßbarkeit in einer ewig sich wandelnden Welt eigentlich komme“ (51). Seine Antwort: „Die Herrschaftsgebärde …“ (50).

211 Barth, K.: Das christliche Leben. Die Kirchliche Dogmatik IV,4. Fragmente aus dem Nachlaß, Vorlesungen 1959–1961, Zürich 1979², 366, 368, 369.

212 Es wäre wohl aufklärend und könnte die mythologischen Wurzeln der Rede von Selbstorganisation (auch Autopoiesis genannt) aufzeigen, wenn man Autopoiesis mit der „Poiesis von Göttern“ vergleichen würde (Poiesis meint ein Tun, das ein Werk hervorbringt, das vorher nicht da war und, einmal hervorgebracht, für sich selbst besteht). Vgl. dazu Huppenbauer, M.: Poiesis als Problem einer Humanökologie, in: Braun, H.-J. (Hg.): Martin Heidegger und der christliche Glaube, Zürich 1990, 115–158, bes. 123ff.

213 Vgl. Lovelock mit der Gaia-Hypthese (oben Kp. 2.1.2) und die neue, qualifizierte Zeitschrift „Gaia“ für interdisziplinäre Umweltwissenschaft; F. Vester, der sein Buch „Leitmotiv vernetztes Denken“ (1989²) mit dem Kapitel „Warum wurde Naturgott Pan verteufelt?“ pantheistisch abschließt und I. Prigogine, der seinem der Kommission der Europäischen Gemeinschaft vorgeschlagenen Umweltforschungsprogramm den Namen Demeter gab (Prigogine, I.: Environmental Ethics in a Time of Bounded Rationality, in: Bourdeau, Ph. et al.: Environmental Ethics, Brüssel 1990, 89–103 (97).

der Inbegriff der Formen, sondern der Grund der Form."[214] Oder dort, wo das Selbst als Geist, als der im Geist handelnde Gott verstanden wird[215]?
Jedenfalls liegt hier eine Verbindungsstelle zwischen Naturwissenschaft und theologischer Ethik, indem die Klärung der Rede von Gott der Klärung der existentiellen und erkenntnismäßigen Grenzen menschlichen Handelns dienen kann. Die gemeinsame Verantwortung von Naturwissenschaft, Theologie und Philosophie für die Bewahrung der Schöpfung setzt voraus, daß die Naturwissenschaftler/innen und Philosoph/innen die religiöse Frage explizit zulassen[216] und persönlich wie wissenschaftlich aufarbeiten. Die theologische Umweltethik hat umgekehrt die naturwissenschaftliche Beschreibung der Funktionsweise der Natur (Wenn-Dann-Aussagen) als Versuch der empirischen Erfassung von Gottes Schöpfungswirklichkeit ernst zu nehmen. Die Kenntnis der Ursache-Wirkungs-Zusammenhänge ist eine Voraussetzung für die ethische Urteilsbildung.

---

214 Weizsäcker, C. F. v.: Die Einheit der Natur, München 1972^4, 277–366 (366).

215 Vgl. zum theologischen Problem von Selbstorganisation und Selbsttranszendenz: Link, Ch.: Schöpfung, Gütersloh 1991, Bd. 2, 440–446.

216 Wie dies bei manchen der Fall ist. Vgl. Dürr, H.-P.: Physik und Transzendenz. Die großen Physiker unseres Jahrhunderts über ihre Begegnung mit dem Wunderbaren, Bern 1986.

3. Die Tugend des Maßes in der Geschichte der Ethik

„Die Weltgesellschaft, auf die wir zusteuern, kann nur entstehen, wenn sie sich aus moralischen und geistigen Werten speist, die ihr die Bahn vorschreiben ... Wir müssen die Bedeutung von ethischen Werten in den verschiedenen Bereichen der Weltproblematik schärfer herausarbeiten, denn dies wird ein Kampfplatz der Zukunft und ein grundlegender Bestandteil der Weltlösungsstrategie."[1]

Dieser Ruf des Club of Rome nach Werten ertönt zur Zeit überall. Das Maßhalten wird dabei immer häufiger als zentraler Wert genannt. So hat das Zentralkomitee der deutschen Katholiken in einer Erklärung am 8. August 1991 zur Entwicklung einer „Ethik der Technik" aufgerufen und dabei mit Hilfe der Kardinaltugenden Weisheit, Tapferkeit, Gerechtigkeit, Zucht und Maß die Richtung angegeben[2]. Und der Biologe Hans Mohr, der in seiner evolutionären Ethik nach den biologischen Wurzeln der Ethik fragt und zugleich Ethik nicht aus der Natur selbst ableiten kann, schließt wie bereits erwähnt[3] in einem „subjektiven Bekenntnis" überraschend mit einem Rückgriff auf die vier Kardinaltugenden, darunter jene des Maßes: „Ich kann mir nicht vorstellen, wie der einzelne glücklich sein und die Gesellschaft auf die Dauer lebensfähig bleiben könnte, wenn wir nicht zu jenen Tugenden zurückfinden, die in der klassischen Ethik ‚Kardinaltugenden' genannt wurden: Klugkeit, Gerechtigkeit, Tapferkeit und Maß ... *Maßvoll* ist derjenige, der sich in Selbstbestimmung Grenzen setzt und seinen Mitmenschen und der Natur nicht mehr abverlangt als er selbst zum Erhalt des Ganzen beitragen kann."[4]

So wollen wir in diesem dritten Kapitel der Tugend des Maßes (als einer der vier Kardinaltugenden) in der Geschichte der Ethik nachgehen. Wir tun dies an ausgewählten, für eine jeweilige Zeit repräsentativen Positionen. Da es bei unserem Thema speziell um den maßvollen Umgang mit der Mitwelt geht, werden wir da und dort das jeweilige Verständnis von Mäßigung mit dem jeweiligen Naturverständnis in Beziehung setzen. Ziel ist zu prüfen, wieweit die Tugend des Maßes ein Maß-Stab für einen schonenden, maßvollen Umgang mit der Mitwelt sein kann.

Das *Maßhalten* war in der ganzen abendländischen Geschichte ein zentraler Wert mit *gemeinsamer Wurzel.* Diese zeigt sich schon rein *sprachlich* im selben Wortstamm: Maat (im Alten Ägypten für Ordnung, Gerechtigkeit und Maß), metron (griechisch für Maß), midah (hebräisch für das rechte Maß bei Bauten wie für die Ordnung der Erde [Hiob 38,5], in der Septuaginta die Übersetzung von metron), modestia (lateinisch für Mäßigung, Besonnenheit, Bescheidenheit, Gehorsam, Milde), moderatio (lateinisch für rechtes Maß, Selbstbeherrschung, Lenkung), immoderantia (lateinisch für Maßlosigkeit), mensura (lateinisch für das meßbare Maß), ma^zu (althochdeutsch), Maß (deutsch), mesure (französisch), measure (englisch). Der durchaus moderne Begriff des Moderators könnte dabei die ursprüngliche Bedeutung des weisen Lenkers, der Einhalt gebietet und zum Maßhalten auffordert oder einlädt, zurückgewinnen.

Die Tugend des Maßes wurde in der griechischen Philosophie besonders mit dem

---

1 Club of Rome (King, A./Schneider B.): Die erste globale Revolution. Ein Bericht des Rates des Club of Rome, Frankfurt 1992, 195 und 211.

2 Evangelische Information 33/1991, 21.

3 Kapitel 2.2.5.

4 Mohr, H.: Natur und Moral. Ethik in der Biologie, Darmstadt 1987, 6 und 178.

Begriff *sophrosyne*[5] ausgedrückt. Er ist aus den Wurzeln soos (gesund, heil) und phren (Verstand) zusammengesetzt. Sophrosyne wird damit als Haltung des gesunden Menschenverstandes, als vernünftig und rational gewertet, während maßlose Grenzüberschreitung als irrational und ungesund betrachtet wird. Sophrosyne bezeichnet auch den vernünftigen, dem Ziel angemessenen Einsatz der Mittel, die Besonnenheit als kluge Zurückhaltung, die Selbstbeschränkung und Mäßigung der Triebe sowie Weisheit und Ordnung im Politischen.

Sophrosyne wurde lateinisch meist mit *temperantia* als Maßhaltung (und intemperantia als Zuchtlosigkeit) wiedergegeben[6]. Der Stamm temp- heißt spannen (tempus als Zeitspanne, die Zeit zwischen zwei Zeiten) und weist möglicherweise auf die griechische Vorstellung des Maßes als das zwischen zwei Extremen Eingespannte, auf das wir zurückkommen werden, hin. Temperantia bedeutet aber auch, aus verschiedenen Teilen ein geordnetes Ganzes zusammenzufügen.

Unbedingt vermieden werden muß, sophrosyne und temperantia mit Mittelmäßigkeit und lauem Mittelmaß zu verwechseln. Am angemessensten scheint mir, es heute mit *Maß, Maßhalten, Mäßigung Selbstbeschränkung*, ja sogar mit dynamischem Gleichgewicht, mit Weisheit, mit Angemessenheit oder Mittefindung zu übersetzen. Ich werde dem Gemeinten mit verschiedenen Begriffen näherzukommen versuchen, am häufigsten mit Maßhalten.

Ich verwende in diesem dritten Kapitel den Begriff *Tugend*, da sophrosyne und temperantia in der Geschichte der Ethik eng mit der Tugendlehre verbunden ist. Da der Begriff in der heutigen ethischen Diskussion aber in der Regel belastet ist und oft verengt wurde, ersetze ich ihn anschließend durch *Ethos*[7].

3.1 Griechische Philosophie

Schon im *alten Ägypten* war die Waage Symbol für das richtige Maß und für Gerechtigkeit. Besonders im Alten Reich (2780–2260 v.Ch.) war sie Symbol für die Göttin *Maat*, jener „Personifikation des Geflechts von Regeln, welche die menschliche Gesellschaft und die ganze Natur bestimmen“[8], jenem universalen Prinzip der Ordnung, das Staat, Welt und Kosmos gleichermaßen in Gang hält. So kann man Maat als Göttin des Maßes bezeichnen. Der Pharao und seine Beamten hatten die Aufgabe, mit ihrem Kult- und Staatsgesetz der Weltordnung Maat Gestalt zu geben. Maat war eine Art politischer Theologie. Im Neuen Reich wird Maat dann verinnerlicht zur Maat im Herzen, zur Tugend der Wahrhaftigkeit, zur inneren Frömmigkeit.[9] Maat steht in der weisheitlichen Tradition[10] und hatte wohl einen bisher unterschätzten Einfluß auf die griechische und

---

5 Vgl. Art. sophron, sophroneo, sophrosyne, ThWNT, Bd. VII, 1094–1102.

6 Josef Pieper übersetzt sophrosyne und temperantia mit „Zucht und Maß“ (Pieper, J.: Zucht und Maß. Über die vierte Kardinaltugend, München 1964[9], 11–16). Heute erinnert Zucht zu stark an autoritäre Züchtigung und sexuelle Prüderie und engt damit die Bedeutung von sophrosyne zu stark ein.

7 Vgl. Kapitel 1.5.3 zu den Begriffen Tugend und Ethos.

8 Stolz, F. in seiner Einführung in: Stolz F. (Hg.): Gleichgewichts- und Ungleichgewichtskonzepte in der Wissenschaft, Zürich 1986, 1–4 (1).

9 So Art. Ägypten II, RGG[3] Bd. 1, Sp. 112–116.

10 Vgl. Brunner, H.: Die Weisheitsbücher der Ägypter. Lehren für das Leben. Zürich 1991.

lateinische Antike, worauf der Ägyptologe J. Assmann hingewiesen hat[11]. So scheint die verbreitete Auffassung, die Wiege des Maß-Denkens liege in der antiken griechischen Kultur, revisionsbedürftig. Müßte vielleicht der *Mittelmeerraum als Kulturraum des Maßes* bezeichnet werden? Dies dürfte allerdings nicht eurozentrisch ausgelegt werden, da außereuropäisch das Maßdenken ebenfalls eine lange Tradition hat.[12]
Die *griechisch-mittelmeerische Kultur des Maßes* faßte Albert Camus 1948 in einen kurzen, prägnanten Essay. Auch wenn er unter dem Eindruck des Zweiten Weltkrieges das nördliche Europa vom griechischen Denken zu schematisch unterscheidet und die Einheit der Mittelmeerkultur idealisiert[13], weist er auf das Zentrum unseres Themas: „Das griechische Denken hat sich immer auf die Idee der Begrenzung (limite) bezogen … Unser Europa dagegen, auf Eroberung der Totalität aus, ist Tochter der Maßlosigkeit … Es stößt in seinem Wahn die ewigen Grenzen zurück … Die Nemesis wacht als Göttin des Maßes, nicht der Rache. Alle jene, die die Grenze überschreiten, werden durch sie unbarmherzig bestraft … Wir haben die Macht vorgezogen, die die Größe (grandeur) nachäfft. Wir haben uns Himmel und Erde untertan gemacht … Wir errichten unser Machtgebäude in der Wüste. Welche Vorstelllung hätten wir für dieses höhere Gleichgewicht, in dem die Natur die Geschichte, die Schönheit, das Gute ausbalancierte? … Wir kehren der Natur den Rücken zu. Unsere Epoche will die Welt verändern, bevor sie sie ausreichend erfaßt hat, will sie ordnen, bevor sie sie verstanden hat. Sie verwüstet diese Welt … Uns fehlt nur der Stolz des Menschen, der in der Treue zu seinen Grenzen, in der klarsichtigen Liebe zu seiner Bestimmung besteht.“[14]
Die Übung des Maßes ist ein Grundelement der griechischen Kultur im geometrischen Stil, der Baukunst, der Wissenschaft wie der Philosophie. Diese Suche nach dem Maßvollen ist nicht fade Mittelmäßigkeit, auch nicht asketische Einfachheit oder Gegensatz zu dionysischer Ekstase. K. Schefold charakterisiert die griechische Kultur des Maßes so: „Das Geheimnis der griechischen Verbindung von Ekstase, Maß und Askese: sie alle entspringen aus der Lust am vollkommenen Menschenbild. Ekstase steht nicht im Gegensatz zum Maß. Von der Leidenschaft der Liebe ergriffen, erblickt die Seele die Idee des Maßes. Ihre Askese ist kein Müssen, sondern entspringt hoher Freude an der Gestalt. Solche ekstatische Askese führt vom Zufälligen und Vergänglichen zum Maß, zum Wesen und zum Sein.“[15] In der griechischen Kultur des Maßes ist das Unendliche unvollkommen, das Begrenzte hingegen vollkommen! Dies wollen wir an Beispielen aus der griechischen Philosophie aufzeigen.

---

11 Assmann, J.: Ma'at. Gerechtigkeit und Unsterblichkeit im Alten Ägypten, München 1990.

12 Vgl. Kapitel 4.7. zu den Weltreligionen.

13 Camus, A.: La culture indigène. La nouvelle culture méditerranéenne, in: Essays d`Albert Camus, Paris 1965, 1321–1327.

14 Camus A.: L'exil d'Hélène, in der Essaysammlung l'été, in: Essays d'Albert Camus, Paris 1965, 851–857 (Übersetzung CS). Das Thema klingt auch an in seiner Abhandlung: Entre Plotin et Saint Augustin, ebd. 1220–1313.

15 Schefold, K.: Ekstase, Maß und Askese in der griechischen Kultur, in: Bremi, W. et al.: Ekstase, Maß und Askese als Kulturfaktoren, Basel 1967, 91–106 (106).

3.1.1 Vorsokratiker

Der bedeutendste Philosoph des Maßes unter den Vorsokratikern ist wohl **Heraklit** aus Ephesus (ca. 540–480 v.Chr.)[16]. Für ihn hat alles, was ist, sein Maß und kann dieses niemals verlassen. Es gibt ein Ur-Maß in der Schöpfung. Durch dieses verwandelt sich Feuer durch Luft in Wasser und beim Weltenbrand zurück: „Feuers Umwende: erstens Meer, vom Meere aber die eine Hälfte Erde, die andere Hälfte Gluthauch. Die Erde zerfließt als Meer und dieses erhält sein Maß nach demselben Sinn (logos), wie er galt, ehe denn es Erde ward."[17] Damit ist keine Elementenlehre, sondern eine (nicht hierarchische) „Stufenfolge von Modifikationen der Möglichkeiten von Sein"[18] gemeint. Feuer ist Ausdruck für das ewige Licht der Wahrheit: „Diese Weltordnung, dieselbige für alle Wesen, schuf weder einer der Götter noch der Menschen, sondern sie war immerdar und ist und wird sein ewig lebendiges Feuer, erglimmend nach Maßen und erlöschend nach Maßen."[19]

Damit ist bereits auch die Dynamik dieses Maßes zum Ausdruck gebracht. Panta rei, alles fließt, ist wohl der berühmteste Satz Heraklits. Wörtlich heißt er: „In dieselben Flüsse steigen wir und steigen wir auch nicht. Wir sind und wir sind nicht." Und: „Man kann nicht zweimal in denselben Fluß steigen."[20] Auch wenn alles fließt, bleibt doch die Proportionalität, das Grundmaß bestehen. Sogar „Helios wird seine Maße nicht überschreiten"[21]. Der Logos, den Heraklit mit der Weisheit verbindet, steuert das Ganze: „Eines, das Weise: zu wissen den Ratschluß, der Alles durch Alles hindurch steuert."[22] Damit klingt manches von dem an, was wir unter Fließgleichgewicht oder Selbststeuerung von Systemen im 2. Kapitel dargelegt haben. Doch für Heraklit liegt dieses Maß so tief innerhalb des Seienden verborgen, daß es letztlich nicht erkannt, nur geahnt werden kann.

Auch heutige Vorstellungen der Komplementarität des richtigen Maßes und der holistischen Ganzheit finden sich bei Heraklit: „Das widereinander Strebende zusammengehend. Aus dem auseinander Gehenden die schönste Fügung."[23] So wie beim Pfeilbogen oder der Leier der Bogen nach außen strebt und die Saite nach innen zieht und dadurch die Spannung entsteht, so entsteht das Maß aus der Spannung: „Gegenstrebige Vereinigung wie die des Bogens und der Leier."[24] Auch Gott ist für Heraklit die coincidentia oppositorum: „Gott ist Tag Nacht, Winter Sommer, Krieg Frieden, Sattheit Hunger. Er wandelt sich aber gerade wie das Feuer, das, wenn es mit Räucherwerk vermengt wird, nach dem Duft eines jeglichen heißt."[25]

---

[16] Sehr eindrücklich ist dies herausgearbeitet bei Picht, G.: Der Begriff der Natur und seine Geschichte, Stuttgart 1989, 167–196.

[17] VS 22 B 31 (d.h.: Diels, H.: Die Fragmente der Vorsokratiker, hg. von W. Krenz, Bd. 1 und 2, Berlin 1960[10]. VS für Vorsokratiker, 22 für die Nummer des Philosophen Heraklit bei Diels, B 31 für Fragment Nr. 31).

[18] Picht, G., a.a.O., 176.

[19] VS 22 B 30.

[20] VS 22 B 49a und B 91.

[21] VS 22 B 94.

[22] VS 22 B 41.

[23] VS 22 B 8.

[24] VS 22 B 51. Heraklits berühmte Aussage, der Krieg sei der Vater aller Dinge, ist nicht militärisch, sondern in diesem Sinne der Spannung zu verstehen.

[25] VS 22 B 67.

Heraklit beeinflußte Kant wie Hegel, Nietzsche wie Camus, Picht wie C. F. von Weizsäcker. Er bietet ein faszinierend aktuelles, dynamisches Verständnis des Maßes in der Physis, der Natur. Dieses kann allerdings eher naturphilosophisch als direkt umweltethisch fruchtbar gemacht werden. Ethisch bedeutsam ist seine Einsicht in die Einheit der Natur, in die immanenten Maße, die es zu respektieren gilt, und seine Vorstellung der Komplementarität.

Nicht übergehen können wir den Vorksokratiker **Protagoras** (484/3–414/3 v.Chr.). Seine Aussage, *der Mensch sei das Maß aller Dinge*, wurde zu oft als anthropozentrische Rechtfertigung der Beherrschung der Natur mißverstanden. Was meint er mit dem Satz? „Aller Dinge Maß ist der Mensch, der seienden, daß (wie) sie sind, der nicht seienden, daß (wie) sie nicht sind. – Sein ist gleich jemandem Erscheinen."[26] Es geht hier nicht darum, daß der Mensch sich zum Maßstab setzen soll, im Gegenteil. „Sein Satz spricht über die Grenzen, nicht über die unbedingte Vollmacht des Menschen", stellte schon Picht zu diesem Protagoras-Satz fest.[27] Es geht um die erkenntnistheoretische Aussage, daß etwas für sich Seiendes nicht gedacht werden könne. Es ist der Mensch, der das Seiende als Seiendes bezeugt. Hier klingt eine Bescheidenheit an, die der Erkenntnis der Endlichkeit menschlichen Wissens entspringt. Sie wird bei Protagoras allerdings zu einem Relativismus, auch einem ethischen, der sich religiös als Agnostizismus zeigt (Protagoras wurde in Athen als Atheist angeklagt): „Über die Götter allerdings habe ich keine Möglichkeit zu wissen, weder daß sie sind, noch daß sie nicht sind, noch wie sie etwa an Gestalt sind; denn vieles gibt es, was das Wissen hindert: die Nichtwahrnehmbarkeit und daß das Leben des Menschen zu kurz ist."[28]

Demokrit (460/59–371/70 v.Chr.), der sehr umfassende Fragmente zu vielen Wissensbereichen verfaßte, stellt in seiner Ethik das Maß ins Zentrum. Er sieht es bereits stärker als seine Vorgänger als inneres Gleichgewicht, als *Beherrschung von Gier und Leidenschaft*: „Denn den Menschen wird Wohlgemutheit zuteil durch Mäßigung der Lust und des Lebens rechtes Maß. Mangel und Überfluß dagegen pflegen umzuschlagen und große Bewegungen in der Seele zu verursachen."[29] Maßhalten kommt bei ihm nahe an das Sicherheit erstrebende Mittelmäßige: „Die mäßige Fülle ist etwas Sichereres als die Überfülle."[30] Die Erfahrung lehrt ihn: „Schön ist überall das Gleichmaß; Übermaß und Mangel scheint mir nicht so."[31] Und: „Überschreitet man das richtige Maß, so kann das Angenehmste zum Unangenehmsten werden."[32] Sogar im Erkenntnisstreben verlangt er eine Mäßigung, was heute gerade umwelt- und forschungsethisch eine aktuelle Frage ist: „Nicht alle Dinge verlange zu wissen, daß du nicht aller Dinge unkundig wirst."[33]

---

26 VS 80 B 1.
27 Picht, G.: Zum philosophischen Begriff der Ethik, ZEE 22 (1978), 243–261 (249).
28 VS 80 B 4.
29 VS 68 B 191.
30 VS 68 B 3.
31 VS 68 B 102.
32 VS 68 B 233.
33 VS 68 B 169.

3.1.2 Aristoteles

Aristoteles (384–322 v.Chr.) hat die abendländische Vorstellung der Tugend des Maßes am nachhaltigsten geprägt. Er knüpfte dabei mit seiner Lehre der Mitte (mesotes) wie des besonnenen Maßhaltens (sophrosyne) in starkem Maße an Platos Vorstellung des Maßes (metrion) resp. des Begehrens (epithymia) an. Er bezog auch die vier Kardinaltugenden von Plato[34]. Während bei Plato das Maß wesentlich in einem kosmischen Rahmen stand, war es bei Aristoteles auf die Tugend der Mitte konzentriert. Aristoteles entwickelte das Prinzip der mesotes vermutlich zuerst für die Naturwissenschaften[35] und übertrug es erst nachher auf die Individualethik und schließlich auf die politische Ethik.
Aristoteles bestimmt *Naturphilosophie* als Wissenschaft vom Naturseienden. Ähnlich wie bei Heraklit ist auch bei Aristoteles das Hauptmerkmal von Natur die Bewegung[36]. Natur ist aus sich selbst heraus prozeßhaft. Prozeß ist für ihn das Geschehen zwischen „Möglichkeit" und „Erfüllung": „Prozeß ist die Erfüllung (= Verwirklichung) des der Möglichkeit nach Seienden als solchem."[37] Für Aristoteles ist das in der Natur Seiende vor allem Lebendiges. Anorganisches deutet er vom Organischen her und nicht umgekehrt. Naturprozesse sind durch vier Faktoren, „Ursachen" bestimmt: Material, Form, Wirkursache und Ziel. Der Prozeß von der Möglichkeit zur Erfüllung findet auf ein Mittleres, eben die mesotes hin statt: Was durch eine von zwei einander extrem entgegengesetzte Eigenschaften wie kalt oder warm bestimmt ist, ist der Möglichkeit nach auf deren Gegenteil hin angelegt. Was heiß ist, kann kalt werden. Das Ergebnis dieses Prozesses ist ein Mittleres, die Mitte.
Nachdem die aristotelische Naturauffassung z.B. durch Thomas von Aquin christlich dogmatisiert worden war, wurde sie vom Newtonschen mechanistischen Weltbild über den Haufen geworfen und wurde „nahezu bedeutungslos"[38]. Seit dem Zerbrechen des mechanistischen Weltbildes wird auch die aristotelische Naturauffassung wieder entdeckt. C. F. von Weizsäcker hat darauf hingewiesen[39].
Das naturwissenschaftlich-naturphilosophische Prinzip der Mitte macht Aristoteles nun auch zur Grundlage seiner *Ethik* und besonders seiner *Tugendlehre*. Höchster Lebenszweck ist die Gotteserkenntnis. Oberster Zweck des Handelns sind Glück, Eudämonie, gutes Leben. Glück besteht im Genuß, in einem Leben im Dienste des Staates und in der Hingabe an die Philosophie. Dieses Glück ergibt sich durch tugendhaftes Leben. Dabei ist Tugend für ihn nicht nur eine moralische Größe. Die dianoetischen Tugenden betreffen das vernünftige Denkvermögen, die ethischen Tugenden das Begehrungsvermögen. Die ethischen Tugenden gehorchen auch der Vernunft, sind also vernunftgemäßes Be-

---

[34] Das diesbezügliche Verhältnis von Plato und Artistoteles kann hier nicht ausgeführt werden. Vgl. Aristoteles: Nikomachische Ethik, übersetzt und kommentiert von F. Dirlmeier, Berlin 1964[3], in den zahlreichen Anmerkungen von F. Dirlmeier, z.B. 299ff, 310. Die Zitate von Aristoteles werden im folgenden nach der durchlaufenden Numerierung seines Werkes angegeben.

[35] So Schilling, H.: Das Ethos der Mesotes, Tübingen 1930, 15.

[36] Phys. I 1, 184 b – 185 a. Vgl. Craemer-Ruegenberg, I.: Aristoteles, in: Böhme, G. (Hg.): Klassiker der Naturphilosophie, München 1989, 45–60 (49 und 52ff).

[37] Phys. III 1, 201 a.

[38] Craemer-Ruegenberg, I.: Aristoteles, a.a.O., 60.

[39] Weizsäcker, C. F. v.: Möglichkeit und Bewegung. Eine Notiz zur aristotelischen Physik, in: ders.: Die Einheit der Natur, München 1972[4], 428–440.

gehren. Freiwilligkeit und Freude ihrer Ausübung[40] sowie Kenntnis sind Voraussetzungen dafür. Die Tugenden sind für Aristoteles weder momentaner Affekt noch angeborene Fähigkeit, sondern durch Übung erworbene Gewöhnung. Sie sind Ausdruck einer Grundhaltung (Habituslehre). Sie sind damit auch nicht nur das Wissen des Guten, sondern die Fähigkeit, das Gute zu tun. „Die sittlichen Werte gewinnen wir erst, wenn wir uns tätig bemühen."[41] Aristoteles versucht mit der Tugendlehre jenen Graben zwischen Wissen und Tun zu überbrücken, der gerade auch in der heutigen Umweltethik ein Kernproblem darstellt.

Im Zentrum der aristotelischen Ethik steht die Lehre, daß die Tugend eine *mesotes*, eine *Mitte zwischen zwei Extremen* (akra) ist, nämlich zwischen dem Zuwenig (elleipsis) und dem Zuviel (hyperbole). So ist die Tapferkeit Mitte zwischen Feigheit und übermütiger Kühnheit. Diese Mitte ist aber nicht der goldene Mittelweg im Sinne der bei Demokrit erwähnten vorsichtigen Mittelmäßigkeit, sondern ontologisch, der Seinsweise nach das Mittlere, in ihrem ethischen Wert aber das Beste.

Folgende Stelle faßt viele Aspekte seiner mesotes-Lehre zusammen: „So ist also sittliche Werthaftigkeit eine feste, auf Entscheidung hingeordnete Haltung; sie liegt in jener Mitte, die die Mitte in bezug auf uns ist, jener Mitte, die durch den richtigen Plan festgelegt ist, d.h. durch jenen, mit dessen Hilfe der Einsichtige (die Mitte) festlegen würde. Sie ist Mitte zwischen den beiden falschen Weisen, die durch Übermaß und Unzulänglichkeit charakterisiert sind, und weiter: sie ist es dadurch, daß das Minderwertige teils hinter dem Richtigen zurückbleibt, teils darüber hinausschießt und zwar im Bereiche der irrationalen Regungen und des Handelns – wohingegen die sittliche Tüchtigkeit das Mittlere zu finden weiß und sich dafür entscheidet. Wenn wir daher auf ihr immanentes Wesen und die begriffliche Darstellung dieses Wesens schauen, so ist die sittliche Vortrefflichkeit eine Mitte, fragen wir jedoch nach Wert und gültiger Leistung, so steht sie auf höchster Warte."[42]

Die Mitte ist situationsabhängig, sie ist meistens *„Mitte für uns"* (mesotes pros hemas)[43], also die der persönlichen Reifestufe und Situation entsprechende Leistung. Sie ist einerseits auf das Individuum abgestimmt, andererseits den natürlichen Trieben dieses Individuums entgegengesetzt[44]. So liegt die Mitte für einen Vieltrinker näher bei der Enthaltsamkeit und, würde man Aristoteles auf die Umweltethik anwenden, für einen Autosüchtigen näher beim Autoverzicht als in einer mäßigen Reduktion des Autofahrens. In der Gerechtigkeitslehre kennt Aristoteles aber auch die absolute Mitte: Während die austeilende Gerechtigkeit (sie spielt im Staatsrecht z.B. bei der Umverteilung von Gütern) die situationsbezogene „Mitte in bezug auf uns" (mesotes pros hemas) suchen muß, gilt bei der ausgleichenden Gerechtigkeit (sie wird im Straf- und Zivilrecht z.B. bei Mord oder Diebstahl angewandt) eine absolute Mitte.[45]

Das zweite wichtige Stichwort im erwähnten Zitat ist *„der richtige Plan"* (orthos logos). Obwohl das Stichwort bereits am Anfang der Nikomachischen Ethik erscheint, wird es

---

40 „Niemand kann als gerecht bezeichnet werden, wenn er nicht Freude hat am gerechten Tun." Nik. Eth. II, 1099 a.

41 Nik. Eth. II, 1103 a.

42 Nik Eth. II, 1107 a.

43 Vgl. dazu Schilling, Das Ethos der Mesotes, a.a.O., 40–42.

44 Nik. Eth. II, 1106 b.

45 Nik. Eth. V, 1131 a; II 1107 a.

erst im sechsten Buch erläutert.[46] Während bei Plato das richtige Maß transzendental im ewigen Bild, in der Idee verankert ist, fällt diese Möglichkeit für Aristoteles weg. Für ihn liegt die Begründung des Maßvollen in der vernünftigen Einsicht (phronesis), wozu Natur (physis), Tradition und Sinneswahrnehmung (aisthesis als nous) gehören. Weshalb diese vernünftige Einsicht zu diesen Mitteentscheidungen führt, kann er letztlich nicht weiter begründen. Den richtigen Plan zu erkennen ist Weisheit als staunend-schauendes Erkennen. Sie unterscheidet sich von Klugheit, die nach äußerem Gewinn strebt. So ist es folgerichtig, daß der tschechische Philosoph Milan Machovec in seiner philosophischen Umweltethik „Rückkehr zur Weisheit" ausführlich Aristoteles als Vorbild einer „Weisheit auf den Grundlagen der Wissenschaft" darstellt und Aristoteles als wahren Weisen porträtiert[47].

Die Mitte ist für Aristoteles im weiteren immer die *Mitte zwischen einem Übermaß und einem Mangel*. „Als erste Erkenntnis ist festzuhalten, daß alles, was irgendwie einen Wert darstellt, seiner Natur nach durch ein Zuviel oder ein Zuwenig zerstört werden kann"[48], da „ein Zuviel und ein Zuwenig die Harmonie zerstört"[49]. Er gesteht aber zu, „daß es jedoch unvermeidlich ist, gelegentlich nach der Seite des Zuviel, dann nach der des Zuwenig auszubiegen, denn so werden wir am leichtesten die Mitte und das Richtige treffen."[50] Aristoteles macht aber selbst eine gewichtige Einschränkung seiner „Theorie der Mitte", wie er es nennt: Beim Bösen gibt es keinen Mitteweg, sondern nur die klare Ablehnung: „... Ehebruch, Diebstahl, Mord. All diese und ähnliche Dinge werden ja deshalb getadelt, weil sie in sich negativ sind und nicht nur dann, wenn sie in einem übersteigerten oder unzureichenden Maße auftreten. Es ist also unmöglich, hier jemals das Richtige zu treffen: es gibt nur das Falschmachen."[51]

Aristoteles wendet seine „Theorie der Mitte" insbesondere auf die *Gerechtigkeit*[52] an, in seiner *Tugendlehre* auch auf eine breite Palette „richtiger" Charaktereigenschaften und Gefühlsregungen: Tapferkeit ist Mitte zwischen Verwegenheit und Angst, Großzügigkeit die Mitte zwischen Verschwendungssucht und Knausrigkeit, Hochsinnigkeit die Mitte zwischen Stolz und Engsinnigkeit, ehrliche Empörung die Mitte zwischen Schadenfreude und Mißgunst.

Die aristotelische Ethik der Mitte ist eine ausgeprägte Ethik des Maßes. In spezifischer Weise kommt dies bei der *Tugend des Maßhaltens* (sophrosyne) zum Ausdruck. Sie ist bei Aristoteles die vierte der vier Kardinaltugenden. Maßhalten, oft auch als Besonnenheit übersetzt, ist Mitte zwischen Gefühllosigkeit (anaisthesia) und Ausschweifung (akolasia), zwischen Lustgier und Unlust.[53] Man kann ihm also nicht Lustfeindlichkeit vor-

---

46 Nik. Eth. VI, 1138 b und 1143 b, ausführlich kommentiert von F. Dirlmeier, a.a.O., 298–304 und 440f.

47 Machovec, M.: Die Rückkehr zur Weisheit, Philosophie angesichts des Abgrunds, München 1988, 99–118 (102ff und 105ff).

48 Nik. Eth. II, 1104 a.

49 Nik. Eth. II, 1106 b.

50 Nik. Eth. II, 1109 b.

51 Nik. Eth. II, 1107 a.

52 Nik. Eth. V, ganz der Gerechtigkeit gewidmet, leitet Aristoteles so ein: „In bezug auf die Gerechtigkeit ... ist zu untersuchen, ... was für eine Mitte die Gerechtigkeit ist, und wovon das Gerechte die Mitte ist." (Nik. Eth. V, 1129 a). Zu Gerechtigkeit und Mesotes-Lehre vgl. auch Witschen, D.: Gerechtigkeit und teleologische Ethik, Freiburg-Wien 1992, 81–95.

53 Nik. Eth. III, 1118 a, 1119 a u.a.

werfen. Er weist die Lust in ihre Grenzen, um den Genuß bewahren zu können, der bei Lustgier verlorengeht. Da der Mensch aber natürlicherweise zur Ausschweifung tendiert, muß er sich nach seiner Theorie der Mitte eher zur Zurückhaltung hinbewegen, um die Mitte zu finden. Das Maßhalten wurde bereits von Aristoteles wie später von seinen Nachfolgern vor allem auf Essen, Trinken und Sexualität bezogen. Damit ist er mitverantwortlich für eine historisch gesehen tragische Engführung der Ethik des Maßhaltens.
Gleichzeitig ist bei Aristoteles die politische Ethik ausgeprägt entwickelt. Um die Tugenden leben zu können, ist der Mensch auf Gemeinschaft angewiesen. „Es ist mithin die Polis, auf die das durch die Einsicht geleitete ethisch gute Leben ausgerichtet sein muß, und folglich bedarf die Individualethik der Einbindung in die Sozialethik der ‚Politik'."[54] Besonders die kleinräumigen Gemeinschaften wie Freundschaft, Familie, Dorf und Stadtstaat hat dabei Aristoteles im Blick. Auch die *politische Ethik* richtet er also an der mesotes, dem Mittleren, aus. Während ihm Alexanders Großreich für ein Leben im Maß nicht geeignet scheint, weil es schwierig sei, verfassungsgemäß zu regieren, ist ein zu kleiner Staat nicht fähig, autark zu existieren. Die mittlere Größe scheint ihm die beste[55]. Die beste Verfassung ist ebenfalls die mittlere[56]. Sie ist Mischung von Demokratie, Oligarchie und Aristokratie. Das sicherste Fundament des Staates ist der Mittel-Stand, der weder zu arm noch zu wohlhabend ist, um von unten oder oben einen Umsturz anzuzetteln.[57]
Die aristotelische Ethik des Mittleren und des Maßes ist ein auch für eine moderne Umweltethik bedenkenswerter Ansatz. Statt nach dem Immer-noch-mehr und nach unbegrenztem Wachstum zu streben, wird hier die Mitte zwischen dem Überfluß und dem Mangel zum ethischen Ziel! Damit verbunden ist eine demokratische, Gegensätze abbauende und ausgleichende Tendenz, ohne der Gefahr der Mittelmäßigkeit zu erliegen. Andererseits stellt dieser Ansatz auch verschiedene Probleme. Das wichtigste scheint mir durch den Philosophen Nikolai Hartmann präzis gestellt: „Wie eigentlich soll die rechte Mitte zwischen den unrechten Extremen erfaßt werden und welche Handhabe hat der Mensch im Leben dafür, sich des rechten Ideals seiner Handlungsweise zu versichern? Es muß in aller Klarheit ausgesprochen werden, daß wir bei Aristoteles eine Beantwortung dieser Frage nicht finden."[58] Eine gewisse Beliebigkeit der Festlegung dessen, was Mitte konkret ist, ist offensichtlich. Was er als maßvoll und Mittleres bezeichnet, ist weitgehend Abbild der ständischen Ordnung seiner Zeit. Neben der erwähnten demokratischen Stoßrichtung ist eine elitäre sehr deutlich: Nur der vernunftbegabte, philosophierende, körperlich wohlgebaute, in der Polis tätige, erwachsene griechische Mann

---

54 So die Charakterisierung der aristotelischen Tugendlehre bei Rohls, J.: Geschichte der Ethik, Tübingen 1991, 73. Immer wieder wird der Vorwurf erhoben, „Die Tugendlehre ist grundsätzlich Individualethik", im Subjekt verankert (so Weder, H.: Die Abwesenheit der Tugend. Neutestamentliche Überlegungen zum Problem der Tugendhaften, in Braun, H.-J., [Hg.]: Ethische Perspektiven: Wandel der Tugenden, Zürich 1989, 61–70 [69]). So sehr dies z.B. in der Stoa oder z.T. katholischen Tugendlehren der Fall ist, trifft es auf Aristoteles nur bedingt zu.

55 Politik IV, 1326 b.

56 Ebd., 1296 a.

57 Ebd., 1295 b – 1296 b.

58 Hartmann, N.: Die Wertdimensionen der Nikomachischen Ethik, Berlin 1944, 20.

entspricht dem anzustrebenden Maß[59]. Die Frauen können es nie erreichen[60] und „mit dem Glück des Mannes ist es schlecht bestellt, der ein ganz abstoßendes Äußeres oder eine niedrige Herkunft hat oder ganz allein im Leben steht und kinderlos ist“[61].
Die Lehre des Mittleren muß auch für einen völkischen Hellenzentrismus herhalten, wonach Griechenland die ideale Mitte zwischen dem barbarischen Nordwesteuropa und dem vergeistigten Asien bilde[62]. Trotz dieser kritischen Bemerkungen ist Aristoteles für eine Ethik des Maßes fruchtbar.

3.2 Altes und Neues Testament

Über die Ethik des Maßes in den biblischen Schriften ließe sich ein eigenes Werk schreiben. Hier geht es zunächst nur darum anzudeuten, welche Stoßrichtungen im Alten und Neuen Testament sichtbar sind. Ausführlicher werden wir im eigenen ethischen Ansatz im 4. Kapitel darauf zurückkommen.

3.2.1 Das göttliche Gesetz als Maß

„Öffne mir die Augen, daß ich schaue die Wunder an deinem Gesetze.
Ich bin ein Gast auf Erden; verbirg mir deine Gebote nicht.
Meine Seele verzehrt sich in Sehnsucht nach deinen Ordnungen zu aller Zeit.
Ja, deine Vorschriften sind mein Ergötzen, sie sind mein Ratgeber.“ (Ps 119, 18–20.24)
In diesen Psalmversen wird der rote Faden der biblischen Ethik des Maßes eindrücklich sichtbar: *Gottes Bundesordnung,* seine Schöpfungsordnungen und der in Gottes Gesetz aufgezeigte Erlösungsweg sind Lebenshilfe und einzige Richtschnur für das maßvolle Handeln. Der Mensch erkennt nach alttestamentlicher Auffassung das Gesetz, die Tora, nur durch Gottes Offenbarung, nicht als natürliches Gesetz.[63] Der ältere der beiden biblischen Schöpfungsmythen sagt es deutlich (l. Mose 2,17): Vom Baum der Erkenntnis des Guten und des Bösen zu essen, um selbst und unabhängig von Gott das Maß zu erkennen, ist die größtmögliche Grenzüberschreitung des Menschen. Das Maß aus sich selbst erkennen zu wollen, ist gerade die maßlose Anmassung des Menschen und seine Versuchung, wie Gott sein zu wollen. Diese Versuchung der Schlange zum „eritis sicut deus“, „ihr werdet wie Gott sein“ (1. Mose 3,5), ist Inbegriff der Sünde und Gottferne. Sünde heißt „Absage an jegliches Maß“[64].

---

59 Darin ist Machovec zu widersprechen, der im aristotelischen Weisen „keine elitäre Abnormalität, sondern gerade die Normalität des Menschseins“ sieht, wie sie jedem mündigen reifen Menschen möglich sei (Rückkehr zur Weisheit, a.a.O., 107).

60 Darin ist die feministische Kritik berechtigt, wie sie z.B. C. Halkes (Das Antlitz der Erde erneuern, Gütersloh 1990, 9–11 und 55–58) an Aristoteles und seiner Naturphilosophie übt.

61 Nik. Eth. I, 1099 b.

62 Politik IV, 1327 b.

63 So auch die jüdische Schöpfungstheologie von Chalier, C.: L'Alliance avec la nature, Paris 1989, 163 (im Kapitel Torah et loi naturelle): „Le judaïsme accentue le caractère non naturel de ce que prescrit la Torah. Il enseigne que si elle fut donnée au désert – là où précisément rien, ou presque rien, de naturel ne pousse – c'est parce qu'elle diffère de la naturalité de la nature.“

64 So Link, Ch.: Schöpfung, a.a.O., 367.

Damit wird auch die große Differenz zwischen dem griechisch-aristotelischen und dem hebräischen jüdisch-christlichen Zugang zu einer Ethik des Maßes deutlich. Die *Grenze zwischen Schöpfer und Geschöpf* zu respektieren, ist nach biblischem Verständnis das wichtigste Maß. Sie kommt z.B. in der schöpfungstheologisch bedeutenden Rede Gottes an Hiob zum Ausdruck: „Wo warst du, als ich die Erde gründete? Sag an, wenn du Bescheid weißt! Wer hat ihre Maße bestimmt?" (Hiob 38,4f). Auch im Neuen Testament gilt dieser Ansatz, auch wenn in den Evangelien und bei Paulus die Tora von der Gesetzlichkeit befreit resp. auf ihren Kern, die Liebe, zurückgeführt wird.
Als die wichtigste „Tugend des Maßes" in biblischer Sicht muß man deshalb die *Demut* bezeichnen. Demut ist nicht Unterwürfigkeit gegenüber Mitmenschen und nicht Selbstverleugnung, sondern die „Sehnsucht" (Ps. 119,19), ein Hörender bleiben zu können, der Mut des Darunter-Bleibens, nämlich unter der Tora resp. unter dem Evangelium[65], unter Gott, unter Jesus Christus als dem Gebot Gottes[66] und unter seinem Geist. Maßfindung ist nach biblischer Auffassung also immer ein Beziehungsgeschehen, nämlich aus der Beziehung zu Gott heraus zu handeln[67].
Aus Gesetz und Evangelium ließen sich nun vielfältige Maß-Stäbe für eine Mitweltethik aufzeigen. Wir tun dies später. Ein Beispiel muß hier genügen. Im *jahwistischen Schöpfungsbericht* (1. Mose 2,4–25) wird – übrigens noch vor dem Sündenfall – dem Menschen der schöpfungsethisch zentrale Auftrag erteilt, den Garten Eden zu bebauen und zu bewahren (1. Mose 2,15)[68]. Das hebräische abad bedeutet bearbeiten, bebauen, ein Werk ausführen, und zwar nicht als „Selbständigerwerbender", sondern immer im Auftrag von jemandem, als Diener eines Königs oder als Mitarbeiter Gottes. Auch das zweite Verb schamar heißt, einen Auftrag auszuführen, und zwar etwas zu beschützen: als Hirte eine Herde zu hüten, als Aufseher ein Heiligtum zu bewachen oder eben als Gärtner und Wächter einen Garten vor Eindringlingen zu bewahren. Die Frage, wie weit der Mensch in die Mitwelt eingreifen darf, wird hier also mit einem doppelten Maß beantwortet: Das Land soll bebaut, gestaltet und bearbeitet werden, aber so, daß der Bestand gewahrt wird. Der Mensch tut dies im Auftragsverhältnis, da er nicht Besitzer, sondern Gottes Gast auf Erden und sein Mitarbeiter ist.

3.2.2 Leidenschaftliche Liebe bei Jesus

Die erwähnte alttestamentliche *Versuchungsgeschichte* mit der Schlange, die das Sein-wollen-wie-Gott als Inbegriff der Maßlosigkeit aufdeckt, wiederholt sich im Neuen

65 Die ethisch zentrale Frage nach dem Verhältnis von Gesetz und Evangelium und nach dem dreifachen Verständnis des Gesetzes kann für diesen Zusammenhang beiseite gelassen werden. Vgl. dazu z.B. Honecker, M: Einführung in die Theologische Ethik, Berlin 1990, 60–83; Wolf, E: Sozialethik, Göttingen 1975, 74–89.

66 Kreck, W.: Grundfragen christlicher Ethik, München 1975, 76ff.

67 Mehr dazu Kp. 5.3.1–3.

68 Dieser Text gewinnt gegenüber dem Auftrag, die Erde untertan zu machen (1. Mose 1,28), langsam an Bedeutung. Dennoch fällt auf, daß ihn viele Schöpfungstheologien leider immer noch wenig einbeziehen und sich primär mit dem dominium terrae auseinandersetzen, was wegen des tief verwurzelten Mißverständnisses über diesen Text notgedrungen apologetisch bleibt. So Link, Ch.: Schöpfung, Gütersloh 1991, 391ff; Liedke, G.: Im Bauch des Fisches, Ökologische Theologie, Stuttgart 1979, 63ff; Auer, A.: Umweltethik, Düsseldorf 1984, 214ff.

Testament. Jesus wurde vor seinem ersten Auftritt in der Öffentlichkeit vom Teufel in der Wüste drei Mal versucht, wie Gott zu sein (Mt 4,1–11). Wenn Jesus Stein in Brot verwandelt hätte, hätte er das Welternährungs- und Weltenergieproblem und damit alle Ressourcenprobleme endgültig gelöst. Wenn er von der Terrasse des Tempels gesprungen wäre, ohne Schaden zu nehmen, hätte er das Naturgesetz der Schwerkraft und damit alle Naturgesetze außer Kraft gesetzt. Wenn er den Teufel angebetet hätte, hätte er die größte menschliche Machtfülle erhalten. Indem er diesen drei Versuchungen widerstand, setzte er ein dreifaches, sehr klares menschliches Maß:
1. Die Einsicht, daß der Mensch trotz bester neuer Technologien und Machtmittel die großen Weltprobleme nicht ein für allemal lösen kann, sondern in seiner Gestaltungskraft begrenzt ist. 2. Die Anerkennung der natürlichen Gesetzmäßigkeiten der Schöpfung und damit auch der Ökosysteme, die als Rahmen für menschliches Handeln zu respektieren sind. 3. Die Bereitschaft zur Teilung von Macht, da zu große Machtfülle von Menschen dem menschlichen Maß widerspricht und unmenschliche Folgen hat.
Während der alte Adam der Versuchung, wie Gott sein zu wollen, erlag und damit sündiger Mensch wurde, widerstand Jesus als der *neue Adam*[69] der Versuchung und wurde damit der neue, sündlose „wahre Mensch“, ein Mensch des Maßes! Und gerade indem er dieses menschliche Maß einhalten konnte, war er Gott nahe, Gott-ebenbildlich, Gottes Sohn. Die christologische Zweinaturenlehre, „dieses Ineinandersein von göttlicher und menschlicher Wirklichkeit“[70], verknüpft die Maßlosigkeit und Unbegrenztheit Gottes und die Maßhaltung und Begrenztheit des Menschen: Im Jesus der Versuchungsgeschichte zeigt sich der „wahre Gott“, der freiwillig das menschengemäße Maß einhält und sich damit auf den Menschen zubewegt, wie auch der „wahre Mensch“, der gerade im ungeteilten Ja zu seiner Begrenzung die Sünde überwindet und sich auf Gott zubewegt.
Nach dieser bestandenen „Versuchungsprüfung“ steht Jesus in der Vollmacht des *neuen Gesetzes*: Das alttestamentliche Gesetz wird von Jesus nicht außer Kraft gesetzt, sondern radikalisiert und auf sein Zentrum, die Liebe, konzentriert. Am deutlichsten kommt dies in der Bergpredigt zum Ausdruck. Nicht die Vervollkommnung meiner eigenen Tugendhaftigkeit ist das Ziel des Lebens. Das Maß der Liebe besteht vielmehr darin, vom andern her zu denken. In der Feindesliebe[71] findet sie ihre härteste Bewährungsprobe. So stellt Hans Weder zu Recht fest: „Die Zurückhaltung in Sachen Tugend kann damit zu tun haben, daß das Neue Testament eine tiefe Skepsis entwickelt gegenüber der Beschäftigung mit eigener Gerechtigkeit ... Die Zuwendung zur Not des andern ist neutestamentlich gesehen das Fundamentalkriterium aller Ethik.“[72]
Der jüdisch-christliche Gott setzt sich *leidenschaftlich* dafür ein, daß die Menschen fähig und bereit werden, seine maßvollen Gesetze einzuhalten und *Liebe zu leben*. Während in der griechischen Tugendlehre die Zügelung der Gefühle ein wichtiger Teil maßvollen Handelns ist[73], ist die Leidenschaftlichkeit Gottes und als Antwort darauf die Leiden-

---

69 Röm 5,12ff; 1. Kor 15,45.
70 So Ott, H.: Die Antwort des Glaubens. Systematische Theologie in 50 Artikeln, Stuttgart 1972, 258.
71 Mt 5, 43–48. Vgl. prägnant Luz, U.: Das Evangelium nach Matthäus 1–7, EKK I/1, Zürich 1985, 304–318; Stückelberger, Ch.: Vermittlung und Parteinahme, a.a.O., 405ff.
72 Weder, H.: Die Abwesenheit der Tugend, a.a.O., 64.
73 So ist bei Aristoteles „vornehme Ruhe die rechte Mitte in Hinsicht auf Erregbarkeit“, also zwischen Jähzorn und Phlegma. Nik. Eth. IV, 1125 b – 1126 b.

schaftlichkeit des Menschen ein Charakteristikum einer biblischen Ethik des Maßes. Eifer und Zorn sind im Alten Testament sehr häufig erwähnte (und oft anthropomorph anmutende) Eigenschaften Gottes. Nicht Rachsucht oder Jähzorn steht dahinter, sondern die leidenschaftliche Liebe Gottes, der alles daran setzt, daß sein „Projekt" der fortgesetzten Schöpfung mit dem Menschen gelingt. Dies ist nur der Fall, wenn der Mensch maßvoll Co-Creator zu sein lernt. Auch im Neuen Testament ist Gott leidenschaftlich, wörtlich mit-leidend mit den Menschen und der ganzen Schöpfung; „Er nahm an sich ein Knechts Gestalt, der Schöpfer aller Ding."[74] Seine Selbsthingabe am Kreuz[75] war bisher[76] die Kulmination seiner Leidenschaftlichkeit. Die leidenschaftliche Liebe für Mitmensch und Mitwelt ist die ethische Antwort des Menschen auf die leidenschaftliche Liebe Gottes[77]. Deshalb werden in der Bergpredigt jene selig gepriesen, die mit Mitmensch und Mitwelt mit-leiden und die sich leidenschaftlich für Gerechtigkeit einsetzen[78]. Das jüdisch-christliche Verständnis der Ethik des Maßes, wie es im Hauptstrang des Alten und Neuen Testaments erscheint, hat also nichts mit vorsichtiger Mittelmäßigkeit oder vornehmer Gefühlsdämpfung zu tun, sondern sie will „alles für das Ganze riskieren"[79] – gerade um des Maßes willen.

3.2.3 Tugend in der Weisheitstradition

Die vier griechischen Kardinaltugenden und damit die Tugend des Maßhaltens kommen auch in der Bibel vor, allerdings nur in einem Nebenstrang : „Was sie (die Weisheit) bewirkt sind Tugenden. Denn sie lehrt Mäßigung und Klugheit, Gerechtigkeit und Starkmut. Etwas Vorteilhafteres als diese gibt es im Leben für den Menschen nicht."[80] Mit diesem Satz nahm ein hellenistischer Jude die Kardinaltugenden für die jüdische Diaspora in Alexandrien in Ägypten vermutlich Mitte des 1. Jahrhunderts v.Chr. in sein Buch der Weisheit auf. Daß die vier griechischen Kardinaltugenden in der ganzen Bibel nur an dieser Stelle erscheinen, die Reformatoren das Buch der Weisheit zudem aus dem Kanon zu den apokryphen Schriften[81] verbannten und das Wort Tugend (arete) im Neuen Testa-

---

74 Weihnachtslied „Lobt Gott, ihr Christen, allzugleich", von N. Herman, Gesangbuch der Ev.-ref. Kirchen der deutschsprachigen Schweiz, Nr. 113.

75 Mehr zu den ethischen Auswirkungen davon bei Stückelberger, Ch.: Vermittlung und Parteinahme. Der Versöhnungsauftrag der Kirchen in gesellschaftlichen Konflikten, Zürich 1988, 428ff.

76 Auch wenn man Kreuz und Auferstehung mit H. Conzelmann als Mitte der Zeit bezeichnen kann, ist aus Ehrfurcht vor dem freien Willen Gottes die Zukunft und damit auch die Möglichkeit ganz neuer Leidenschaftlichkeit Gottes offenzuhalten.

77 In diesem Sinne eine leidenschaftliche Theologie vertritt D. Sölle, z.B. in ihren Werken: Sympathie. Theologisch-politische Traktate, Stuttgart 1978, z.B. 83ff (Gibt es einen schöpferischen Haß?); Leiden, Stuttgart 1973, z.B. 45ff (Kritik der nachchristlichen Apathie).

78 Mehr dazu bei Stückelberger, Ch.: Die Bergpredigt – ökologisch ausgelegt, in: Frieden in Gerechtigkeit für die ganze Schöpfung. Drei Bibelarbeiten zur Schöpfungsbewahrung von der Europäischen Ökumenischen Konferenz in Basel 1989, hg. von der Ökumenischen Arbeitsgemeinschaft Kirche und Umwelt, Bern 1989, 1–11.

79 So ein Motto des Konzils der Jugend der ökumenischen Gemeinschaft von Taizé 1974.

80 Weisheit 8,7.

81 Das apokryphe Vierte Buch der Makkabäer, im 1. Jh. n.Chr. in Antiochien oder Alexandrien verfaßt, entwickelt auch eine Tugendlehre, ausgehend von der Frage, „ob die fromme Vernunft Selbstherrscherin der Triebe ist." (4. Makk 1,1) Das Buch kommt zum Schluß, „daß die Vernunft die der Besonnenheit hindernd entgegenstehenden Triebe, Fressucht und Gier, beherrscht" (4. Makk 1,3).

ment nur gerade zwei Mal im ethischen Sinn verwendet wird, zeigt die *randständige Bedeutung des Tugenddenkens für die biblische Ethik.*

Dennoch klingt die Tugend des Maßhaltens in der biblischen *Weisheitsliteratur* verschiedentlich an. Jesus Sirach warnt vor Völlerei[82], und der Prediger ruft in seiner so vieles relativierenden Weisheitskrise sogar zum maßvollen Mitteweg im Glauben auf: „Sei nicht überfromm … Sei auch nicht zu gottlos."[83]

Für weisheitliches Denken zeigt sich das Maß in der *Erkenntnis der gerechten kosmischen Weltordnung*[84]. Durch die „Identifizierung von Schöpfungsordnung Jahwes und Tora in der Weisheit"[85] wird Weisheitstheologie zur Schöpfungstheologie, worauf heute vermehrt hingewiesen wird[86]. Die als Frau *personifizierte Weisheit*, die von Anfang an bei Gottes Schöpfungsschaffen dabei und „spielend" und „als Liebling ihm zur Seite" war[87], wird zum Inbegriff des Maßes. Das Spielerisch-Tänzerische ist dabei nicht das Beliebige, sondern das ästhetisch Geordnete und sich in maßgewährenden Regeln Bewegende[88].

Das Neue Testament hat ebenfalls weisheitliche Traditionen aufgenommen, und zwar sowohl in der Jesusüberlieferung der Evangelien (Logientradition)[89] wie in der Christologie (z.B. 1. Kor 1–2)[90] und besonders in der Paränese[91]. Als Beispiel sei nur auf die in der Bergpredigt erwähnte *Goldene Regel* hingewiesen, in der ein bedeutendes weisheitliches Maß übernommen wird: „Alles nun, was ihr wollt, daß es euch die Menschen tun, das sollt auch ihr ihnen tun."[92] Und wenn Paulus den Korinthern schreibt: „Alles ist mir erlaubt, aber nicht alles ist heilsam"[93], klingt weisheitliches Maßhalten im Sinne des Jesus Sirach („Nicht alles ist für alle gut"[94]) oder der aristotelischen „Mitte für uns" an, aber verbunden mit der zentralen christlichen Botschaft der Freiheit.

3.2.4 Sophrosyne in den Pastoralbriefen und bei Paulus

Die griechische weisheitliche Ethik des Maßes wird im Neuen Testament besonders in der popularphilosophischen Form der Tugend- und Lasterkataloge in den Pastoralbriefen aufgenommen. So wie bereits bei Plato und Aristoteles, ist die Tugend des Maßhaltens (sophrosyne) hier in ein ständisches Denken eingebettet, wonach maßvoll handelt, wer seinem Stand gemäß das von ihm Erwartete tut. Das Maßhalten ist damit Familien- wie

---

82 Sir 37,30: „Im Übermaß von Speise nistet die Krankheit."

83 Pred 7,17f.

84 Vgl. Schmid, H. H.: Gerechtigkeit als Weltordnung, Tübingen 1968.

85 Steck, O. H.: Welt und Umwelt, Stuttgart 1978, 167.

86 Vgl. unter der neueren Literatur Preuß, H. D.: Einführung in die alttestamentliche Weisheitsliteratur, Stuttgart 1987, 177ff; Schubert, M.: Schöpfungstheologie bei Kohelet, Frankfurt 1989; Steck, O. H.: Welt und Umwelt, a.a.O., 124ff, 164ff; Johnston, R.: Wisdom Literature and Its Contribution to a Biblical Environmental Ethics, in: Granberg-Michaelson, W.: Tending the Garden, Grand Rapids/Mich. 1987, 66–82.

87 Spr 8,22–36.

88 Zu Maß und Spiel vgl. Kp. 5.3.7. Zur spielenden Weisheit auch Link, Ch.: Schöpfung, Gütersloh 1991, Bd. 2, 373ff.

89 Lips, H. v.: Weisheitliche Traditionen im Neuen Testament, Neukirchen-Vluyn 1990, 197ff.

90 Ebd., 318ff.

91 Ebd., 356ff.

92 Mt 7,12.

93 1. Kor 6,12.

94 Sir 37,28.

Berufsethik und politische Ethik (immer verbunden mit der Gefahr, als Herrschaftsinstrument mißbraucht zu werden). Betrachten wir die neutestamentlichen Stellen, bei denen sophrosyne auftaucht, im einzelnen:

In den *Pastoralbriefen* ist das Maßhalten ein zentrales Anliegen, bleibt aber weitgehend in der kleinbürgerlich-ständischen spätgriechischen Ordnung verhaftet: Frauen sollen sich maßvoll (im Sinne von bescheiden) kleiden (1. Tim 2,9), die Amtsträger in der Kirche sollen – in genauer Entsprechung zur griechischen Tugend für Politiker – besonnen sein (1. Tim 3,2), ebenso jüngere und ältere Männer wie ältere Frauen (Tit 2,2f und 6). Zu dieser Mäßigung gehört, sich von irdischen Begierden loszusagen (Tit 2,12). Die Pastoralbriefe betonen damit wie schon Paulus den Weg zwischen Ekstase und Askese, „den goldenen Mittelweg zwischen der von den Gnostikern praktizierten weltflüchtigen Askese und der heidnischen Verweltlichung“[95]. Da „alles von Gott Geschaffene gut“ ist (1. Tim 4,4), darf es auch gebraucht werden. Da der Mensch aber „nichts in die Welt hereingebracht hat“ (1. Tim 6,7), d.h. die Welt nicht selbst erschaffen kann (eine schöpfungstheologisch bedeutsame Aussage!), soll er nicht ihre Güter gierig zusammenraffen, sondern bescheiden bleiben. „Wenn wir aber Nahrung und Kleidung haben, sollen wir uns daran genügen lassen.“ (1. Tim 6,8) Der Glaube bewährt sich damit im maßvollen Umgang mit der Welt und ihren Gütern! Ganz in der aristotelischen und spätgriechischen mesotes-Tradition klingt am Schluß des Timotheusbriefes nochmals an, daß weder Reichtum noch Armut, sondern das Maßhalten den besten Genuß ermögliche (1. Tim 6,17). Dies gilt auch für Zeiten der Weltuntergangsstimmung oder der Endzeiterwartung. Gerade dann soll man nicht durch übermäßigen Genuß nach dem Motto „nach mir die Sintflut“ oder durch egoistisch-ängstliche Habsucht die Zerstörung verstärken oder durch ekstatischen Überschwang aus der Wirklichkeit fliehen, sondern durch nüchternes Maßhalten und aufmerksames Wachsein die Welt weiterhin verantwortlich gestalten: „Das Ende aller Dinge ist nahe. Seid also besonnen-maßvoll und nüchtern und betet! Vor allem haltet fest an der Liebe zueinander“ (1. Petr. 4,7).

Besonders *Paulus* entfaltet diese tiefere Verankerung der sophrosyne in der Liebe. Sophrosyne ist für ihn nicht die durch Selbstbeherrschung zu erwerbende stoische Tugend der Besonnenheit, sondern das Ergebnis der Liebe aus Glauben: „Denn kraft der mir verliehenen Gnade sage ich jedem, der unter euch ist, daß er den Sinn nicht höher richten soll, als zu sinnen sich geziemt, sondern darauf sinnen soll, besonnen zu sein, so wie Gott jedem ein gewisses Maß an Glauben zugeteilt hat.“ (Röm 12,3) Obwohl Paulus hier auch das ständische In-seinem-Stand-Bleiben vertritt, ist das Maßhalten gemäß seiner Charismenlehre durch die verschiedenen Gnadengaben und Fähigkeiten bestimmt. Während bei Aristoteles die Tugend der Mäßigung im vollen Sinn nur der reife erwachsene hellenische Mann erreichen kann, hat bei Paulus durch Gnade und Geist Gottes jede und jeder Anteil daran. Niemand geht leer aus, doch jeder und jede soll sich auf das von Gott Empfangene beschränken und die Ergänzung und Begrenzung durch die andern respektieren.[96]

Das Maß ist für Paulus nicht eine vom Individuum allein bestimmte Größe, sondern mißt sich an dem, was der andere braucht. Es ist auf die *Gemeinschaft* ausgerichtet (Röm 12, 6ff). Man könnte auch sagen, es ist eine holistische und organismische Ethik des Maßes:

---

95 Schulz, S.: Neutestamentliche Ethik, Zürich 1987, 598 zu den Pastoralbriefen.

96 So zu Röm 12,3 auch Käsemann, E.: An die Römer. Handbuch zum Neuen Testament, Tübingen 1974³, 322.

Maßstab ist nicht der einzelne Teil, sondern das Ganze. Für Paulus ist dieses Ganze vor allem die christliche Gemeinde. Sie funktioniert als Leib Christi einem Organismus vergleichbar, wie wir ihn als Ökosystem beschrieben haben[97]. Für Paulus ist deshalb seine Charismenlehre unlösbar mit dem Bild der Gemeinde als dem Leib Christi verknüpft (Röm 12,4ff und 1. Kor 12,12ff). Zur ekstatischen Hinwendung zu Gott gehört unlösbar die nüchtern-besonnene Hinwendung zu den Mitmenschen in der Gemeinde. Gerade die Liebe hält in Schranken: „Wenn wir nämlich von Sinnen waren, waren wir es für Gott; wenn wir maßvoll besonnen sind, geschieht es für euch. Denn die Liebe drängt uns" (2. Kor 5,13f).

Die *Charismenlehre* unterscheidet sich von der griechischen Tugendlehre auch darin, daß das Maßhalten weniger durch Übung und Selbstbeherrschung selbst erarbeitet als durch Gottes Gabe des Geistes geschenkt wird. Ausschlaggebend für das Maßhalten ist die geschenkte „Gnade nach dem Maß der Gabe Christi" (Eph 4,7). Auch in den Pastoralbriefen ist es Gott, der den Geist der Besonnenheit ermöglicht (2. Tim 1,7). Im ganzen Neuen Testament kommt das Wort Selbstbeherrschung/Enthaltsamkeit (engkrateia), das in der stoischen Philosophie ein wichtiger Bestandteil der Tugend des Maßhaltens ist, nur gerade zehn Mal vor, in den Evangelien gar nie, das Wort Liebe dagegen 103 Mal! Diese Liebe führt auch dazu, die Verschiedenartigkeit der Charismen anzuerkennen, so daß jeder Mensch „nach dem Maß seiner Kraft" (Eph 4,16) seinen Beitrag zum Ganzen leistet.

3.3 Scholastik und Reformation

Die Tugend des Maßes wirkt in der Alten Kirche weiter.[98] Während sie bei Clemens von Alexandrien im Osten zur Tugend der alltäglichen Tätigkeiten ausgeweitet wird, wird sie bei Ambrosius im Westen zur Tugend der Priester. In der Gnosis wird die Befreiung von allem Unmäßigen zu einer wichtigen Reinigungsstufe der Seele. Für Augustin ermöglicht das Maßhalten die Zügelung der Leidenschaften, die den Menschen von Gott trennen können. Die Mäßigung schützt vor Hochmut und ermöglicht Demut als Weg zu Gott. Darin liegt der Weg zum glücklichen Leben.

Die Verbindung von aristotelischer Tugendlehre und christlicher Ethik leistete am prägnantesten und für die katholische Ethik am geschichtswirksamsten Thomas von Aquin. Die Reformatoren lehnten vieles davon ab, führten manches aber auch weiter. Die neuzeitlichen Auffassungen der Tugend des Maßes sind von der thomistischen und der reformatorischen wesentlich geprägt. Ihnen wollen wir uns deshalb nun zuwenden.

3.3.1 Thomas von Aquin

Bis zum 12. Jahrhundert war von der aristotelischen Ethik nur das zweite und dritte Buch der Nikomachischen Ethik bekannt; im 13. Jahrhundert war dann seine ganze prak-

---

97 Vgl. Kp. 2.3.5.

98 Vgl. Art. Maß, Historisches Wörterbuch der Philosophie, Bd. 5, Basel 1980, Sp. 810; Hermanns, W.: Über den Begriff der Mäßigung in der patristisch-scholastischen Ethik von Clemens von Alexandrien bis Albertus Magnus, 1913.

tische Philosophie zugänglich. Thomas von Aquin (1225–1274) stützte seine Ethik ganz stark auf der – damals gleichsam „brandneuen“ – Ethik des Aristoteles ab und verband sie mit der *Naturrechtslehre*. Das Naturgesetz (lex naturalis) ist für ihn Inbegriff der obersten Handlungsprinzipien und dient ihm als Grundlage allen positiven Rechts. Das Naturgesetz ist der menschlichen Vernunft immanent[99] und mit dem göttlichen Willen, wie er im göttlichen Gesetz zum Ausdruck kommt, identisch. Es ist deshalb universal und unveränderlich und es läßt sich daraus das Naturrecht (ius naturalis) wie das positive Recht (ius civilis und ius gentium) ableiten. Die Fähigkeit zur praktischen Vernunft und damit zur Erkenntnis des Naturgesetzes ist für Thomas durch die Sünde nicht vernebelt. Die Vernunft kann deshalb nicht irren. Irren kann nur das Gewissen (conscientia), das das Naturgesetz auf die konkrete Situation anwenden muß.

In diesem Rahmen steht die *Tugendlehre* des Thomas. „Alles, was der natürlichen Ordnung widerspricht, ist lasterhaft.“[100] Alles, was ihr entspricht, ist tugendhaft. Tugenden sind zudem teleologisch an einem Ziel orientiert: „Ein Akt ist dadurch tugendhaft, daß er durch die Vernunft auf ein sittliches Gut hingeordnet wird.“[101]

Thomas übernimmt von Aristoteles die *Hierarchie der Tugenden*, setzt aber zusätzlich zuoberst die drei göttlichen Tugenden Glaube, Liebe, Hoffnung. Darauf folgen die vier Kardinaltugenden Klugheit (sittliche Leitungsmacht), Gerechtigkeit (Ordnung der Gemeinschaft), Tapferkeit (Schutz der Ordnung) und Maßhaltung (Regelung der Begierden und Lust im Individuum)[102]. Klugheit ist die höchste der Kardinaltugenden. Gerechtigkeit und Tapferkeit sind höher als Maßhaltung. Seine Begründung ist auch umweltethisch aktuell: „Das Gemeinwohl ist göttlicher als das Einzelwohl (Aristoteles). Und daher ist eine Tugend um so besser, je mehr sie zum Gemeinwohl gehört. Die Gerechtigkeit und Tapferkeit gehören aber mehr zum Gemeinwohl als die Maßhaltung.“[103]

Thomas vertritt eine *Zweistufenethik*, wonach die drei göttlichen Tugenden nur von Gott durch seine Gnade dem Menschen geschenkt werden können, während der Mensch durch Übung die Fähigkeit (habitus) erlangen kann, die übrigen Tugenden in der Praxis zu verwirklichen. Die Gnade kann dabei nur durch die Kirche sakramental zugeteilt werden. Wie die aristotelische Politik ekklesiologisch so wird die aristotelische Ethik bei Thomas sakramental überhöht.[104]

Maß und Mitte gehören wie bei Aristoteles auch bei Thomas zusammen. Er betont, „daß die sittliche Tugend in der Mittehaltung besteht“[105]. So liegt Tapferkeit zwischen Furcht und Vermessenheit[106], Demut (gepaart mit Hochgemutheit[107]) zwischen Kleinmütigkeit

---

[99] Thomas von Aquin: Summa Theologica, vollständige deutsch-lateinische Ausgabe, Heidelberg u.a., 36 Bände, I/II, q 92.1. Die abgekürzte Quellenangabe bedeutet: I/II: erster Teil des zweiten Buches; q 92.1: Frage 92, 1. Artikel). Das Naturrecht ist bes. in I/II, q 90–108 dargelegt. Zur Verbindung thomistischen Naturrechts mit der Umweltethik vgl. Irrgang, B.: Christliche Umweltethik, München 1992, 98–103.

[100] II/II q 142.1. Die Tugend des Maßhaltens ist besonders im zweiten Teil des zweiten Buches der Summa in den Fragen 141–169 dargelegt, ausführlich kommentiert von J. F. Groner, Bd. 21, 532–599.

[101] II/II, q 147.1.

[102] II/II, q 141.8.

[103] Ebd. Bei Aristoteles findet sich eine ähnliche Aussage z.B. in Nik. Eth. I, 1094 b.

[104] So die Einschätzung von Rohls, J.: Geschichte der Ethik, Tübingen 1991, 154, der ich mich anschließe.

[105] II/II, q 17.5 ad 2.

[106] II/II, q 125–130.

und Hochmut. Zorn als Mitte zwischen Jähzorn und Verbitterung ist dann gut, wenn er im Dienst der wahren Ziele des Menschen steht.[108] Die Tugend der Maßhaltung ermöglicht, daß die sinnlichen Triebe den Zielen der Vernunft dienen und ihnen nicht widersprechen. Sie ermöglicht aber auch, körperliches Leiden zu ertragen, sofern dies von den Zielen der Vernunft her nötig ist.[109] Die *inneren Leidenschaften* müssen gezügelt werden, damit die äußeren Handlungen maßvoll sind. „Die Maßhaltung betrifft den Bereich der Begierde und Lust", wobei Thomas dies wie Aristoteles – in der Folge folgenschwer für die Unterdrückung des Körperlichen – auf „die Lust an Speise und Trank und die Lust am Geschlechtlichen"[110] reduziert. Er zielt auf „die hauptsächlichen Lüste, die besonders zur Erhaltung des menschlichen Lebens gehören, sei es der Art, sei es des Einzelwesens … In erster Linie nämlich der Gebrauch einer notwendigen Sache (res) selbst, z.B. der Frau, die notwendig ist zur Erhaltung der Art."[111] Demgegenüber faßt z.B. Augustin die Begierden weiter und zählt dazu auch jene nach Reichtum, weltlichem Ruhm und Lob.

Der Intellektualismus, der den Tugendlehren seit Plato anhaftet, ist bei Thomas wieder anzutreffen, indem er nur die körperlichen, nicht aber die geistigen Begierden durch die Tugend des Maßes zügeln will: „Geistige Lust an sich ist vernunftgemäß. Daher braucht sie nicht gezügelt zu werden."[112] Auch für Thomas bedarf der Erkenntniswille allerdings der Grenzsetzung durch die Weisheit[113]. Er hat dabei weniger die Wissenschaft als z.B. die Magie im Blick[114]. Für eine heutige ökologische Ethik des Maßes ist die Maßlosigkeit des Erkenntnisstrebens[115], sichtbar im Forscherdrang, ein mindestens so ernstes Problem wie die körperlichen Begierden.

Thomas bestimmt „das für dieses Leben *Notwendige* als das Maß für das Lustvolle" und dem Leben Angemessene[116]. „Daß man nicht nach Überflüssigem verlangt"[117] und nicht nach „Ausgesuchtem" (superflua et exquisita) zeigt mönchisches Maß von Sparsamkeit und Einfachheit, wie sie auch bei den Reformatoren wieder auftaucht. Wie kasuistisch die Tugendlehre des Thomas ausformuliert ist, zeigt die sehr breite Behandlung des

---

107 Ein Begriff von J. Pieper (Zucht und Maß, München 1964⁹, 90f), der damit die unerschrockene Aufrichtigkeit, die Festigkeit des Hoffens und den Mut, die Wahrheit zu sagen, bezeichnet.

108 II/II, q 158.1.

109 II/II, q 141.3.

110 II/II, q 141.4.

111 II/II, q 141.5. Der Kommentator Groner (Anm. 100) beeilt sich zu betonen, res beziehe sich auf die Zeugung und nicht auf die Frau (S.428), was aus dem Text aber nicht hervorgeht. Die Frau scheint hier wirklich Objekt und Besitz des Mannes. Andernorts benennt er explizit die Minderwertigkeit der Frau: „Was ihre Einzelnatur betrifft, so ist die Frau etwas Minderwertiges und Zufälliges." (I, q 92.1 ad 1.) Die feministische These, zwischen der Unterdrückung des menschlichen Körpers, der Unterdrückung der Frau und der Unterdrückung der nichtmenschlichen Mitwelt bestehe ein enger Zusammenhang (Halkes, C.: Das Antlitz der Erde erneuern, Gütersloh 1990, 45ff), läßt sich bei Thomas bestätigen. So sagt Thomas auch: „Alle Tiere sind dem Menschen naturhaft unterworfen … Dadurch nimmt der Mensch in Anspruch, was natürlicherweise sein eigen ist." (I/II, q 96.1)

112 II/II, q 141.4 ad 4.

113 II/II, q 166.2 ad 3.

114 II/II, q 167.1 ad 3.

115 Pieper, J.: Zucht und Maß, München 1964[9], 104ff. Bei Thomas II/II, q 166–167. Mehr dazu im Zusammenhang mit der Forschungsfreiheit in Kp. 5.4.3.

116 II/II, q 141.6.

117 II/II, q 143.1.

Fastens als einem wesentlichen Teil der Tugend des Maßhaltens[118]. Fasten hat für ihn drei Ziele: Es unterdrückt die körperlichen Begierden, macht den Geist frei zur Betrachtung hoher Dinge und leistet Buße für Sünden. Er legt bis ins einzelne für die kirchliche Praxis Zeit, Dauer, erste Mahlzeit usw. fest.
Als weiteren Teilen der Tugend der Maßhaltung macht Thomas – weniger kasuistisch – Ausführungen zu Schamgefühl, Ehrbarkeit, Enthaltsamkeit, Gaumenlust, Nüchternheit, Trunkenheit, Bescheidenheit, Demut, Bildungseifer, Einfachheit.[119] J. F. Groner stellt in seinem Kommentar zu diesen Teilen der thomistischen Tugend zu Recht fest, daß die Tugend des Maßhaltens durch das „vorwärtsschreitende Durchdringen der materiellen Welt im Laufe der Zeit" eine sachliche Ausweitung erfahren habe, z.B. auf Nikotinsucht, Drogen, Geschwindigkeitsrausch beim Autofahren, Musiksucht, Schausucht usw.[120] Die thomistische Tugendlehre läßt sich auch auf die umweltethischen Probleme wie die Lust auf Mobilität, auf Energieverbrauch oder auf den Umgang mit Ökosystemen anwenden. Ob dieser Ansatz allerdings eine adäquate Antwort darauf bieten kann, wird später zu prüfen sein.

3.3.2 Die Reformatoren

Der reformatorische Protest gegen die mittelalterlich-thomistische Tugendlehre ist scharf. Er läßt sich mit Hans Ruh in den folgenden sieben Punkten zusammenfassen[121]:
„l. Die Habituslehre verführt zur Annahme, daß am Menschen etwas von Gutsein zu finden sei …
2. Die Habituslehre verfehlt die Einsicht in die Radikalität des Bösen.
3. Die Habituslehre sieht das ethische Ereignis im Handeln des Menschen. Dies ist aber gerade nicht so: Gott, nicht der Mensch handelt. Der Mensch ist das schlechthin empfangende Wesen …
4. Die Habituslehre leistet der Moralisierung des Evangeliums Vorschub: Nicht die Vervollkommnung der menschlichen Natur, auch nicht das moralische Vernunftgesetz, sondern die Befreiung zum vollen Leben ist der Botschaft der Bibel angemessen.
5. Das freimachende Wort Gottes, nicht die innere Haltung des menschlichen Geistes, führt zur Praxis.
6. Die menschliche Vernunft täuscht ein nicht vorhandenes Vermögen des Menschen zum Gutsein vor.
7. Die Habituslehre führt uns an der Erfahrung der Schwachheit und des Kreuzes, des Scheiterns vorbei."
In der Begründung der Ethik ist der Gegensatz zwischen der aristotelisch-thomistischen und der reformatorischen Auffassung hart. In den einzelnen materialen Werten der Maßhaltung ist er aber viel geringer, ja stehen sie sich in manchem recht nahe. Die Mäßigung

---

118 II/II, q 147.
119 II/II, q 144–169.
120 Summa, a.a.O. (Anm. 97), Bd. 21, 541ff.
121 Ruh, H.: Wandel im christlichen Tugendverständnis, in: Braun, H.-J.: Ethische Perspektiven: Wandel der Tugenden, Zürich 1989, 71–81 (76). Ähnlich auch Klein, J.: Art. Tugend, RGG^3, Bd VI, Sp. 1080–85.

im Überfluß, die Bescheidenheit und Einfachheit, die Zügelung der Begierden und die Demut sind auch für die Reformatoren wichtige Werte. Das reformatorische Verhältnis zur Natur hingegen zeigt wieder deutlich eigene Akzente. An Luther, Zwingli und Calvin soll dies nun mit knappen Pinselstrichen – mehr würde auch hier den Rahmen sprengen – skizziert werden.

3.3.2.1 Martin Luther

Der Reformator Martin Luther (1483–1546) verfaßte 1520, nur drei Jahre nach seinem Thesenanschlag, seine kleine Schrift „Von der *Freiheit* eines Christenmenschen", die er – wohl in bewußter Anspielung auf die Summa des Thomas von Aquin – gegenüber dem Adressaten Papst Leo X. „die ganze Summa eines christlichen Lebens" nannte. Darin schreibt er: „Ebenso hilft es der Seele nichts, wenn der Leib heilige Kleider anlegt, wie's die Priester und Geistlichen tun, auch nicht, wenn er sich in Kirchen und heiligen Stätten befindet; auch nicht, wenn er sich mit heiligen Dingen befaßt; auch nicht, wenn er leiblich betet, fastet, wallfahrtet und alle guten Werke tut, die in alle Ewigkeit durch und in dem Leib geschehen können. Es muß allemal noch etwas anderes sein, was der Seele Rechtschaffenheit und Freiheit bringen und geben kann. Denn alle diese genannten Dinge, Werke und Weisen kann auch ein böser Mensch ... ausüben ... Umgekehrt schadet es der Seele nichts, wenn der Leib unheilige Kleider trägt, sich an unheiligen Orten befindet, wenn er ißt und trinkt ... Wir müssen also gewiß sein, daß die Seele alle Dinge entbehren kann, außer dem Wort Gottes, und ohne das Wort Gottes ist ihr mit keinem Ding geholfen."[122] Doch in derselben Schrift holt Luther die Tugenden gleich wieder herein, allerdings nicht mehr als Heilbringer: „Obwohl der Mensch innerlich der Seele nach durch den Glauben genügend gerechtfertigt ist und alles hat, was er haben soll – ... bleibt er doch noch in diesem leiblichen Leben auf der Erde und muß seinen eigenen Leib regieren und mit Leuten umgehen. Da fangen nun die Werke an, hier darf er nicht müßig bleiben. Da muß der Leib in der Tat mit Fasten, Wachen, Arbeiten und mit jeder Art maßvoller Zucht angetrieben und geübt werden", um ihn „von seinen bösen Lüsten zu reinigen"[123]; dies geschieht aber nicht zur eigenen Rechtfertigung, sondern „aus freier Liebe, um Gott zu gefallen"[124].

In Luthers *Ethik* spielt das *Maßhalten* durchaus eine Rolle, wenn auch nicht systematisch und kasuistisch wie bei Thomas. Die *Arbeitsethik* ist für die Reformatoren ein wichtiges Mittel, Maß zu halten. Doch gerade mit dem protestantischen Arbeitsethos wurde unbeabsichtigt eine Grundlage für die Dynamik der modernen „maßlosen" Wachstumswirtschaft gelegt.[125] Bei Luther klingt sogar die aristotelische Mitte-Lehre an. Sie erfährt eine charakteristische Neudeutung, da sie nicht an der Vernunft, sondern an der Gnade orien-

---

[122] Martin Luthers Werke, Weimarer Ausgabe WA, Bd. 7, 20f.

[123] WA 7, 30.

[124] Ebd., 31.

[125] Weber, M.: Die protestantische Ethik I, München 1969²; ders.: Die protestantische Ethik II. Kritiken und Antikritiken, München 1968. Auch wenn seine These vom Zusammenhang zwischen Calvinismus und Kapitalismus nicht unbestritten blieb, ist die Rolle rastloser Berufsarbeit im Protestantismus für die Entwicklung der modernen Wirtschaft kaum bestreitbar. Vgl. Stückelberger, Ch.: Aufbruch zu einem menschengerechten Wachstum, Zürich 1982³, 9–11.

tiert ist. So schreibt Luther in einer Auslegung des 101. Psalms: „Maße ist in allen Dingen gut; da gehört Kunst, ja Gottes Gnade zu, daß ma es treffe. Doch in solchem Fall, weil der mittel Kern nicht wohl zu treffen ist, so ist das zum nächsten dem Zweck geschossen, daß die Gnade den Vorgang (Vorrang?CS) habe vor dem Recht.“[126] In einer Auslegung des 2. Petrusbriefes betont er explizit die Tugend der Mäßigkeit. Er befreit sie von der Beschränkung auf Essen und Sexualität: „Mäßigkeit ist nicht allein in Essen und Trinken, sondern ein Maß in allem Wesen und Wandel, Worten, Werken und Geberden, das man nicht zu köstlich lebe, und meide den Überfluß an Geschmuck und Kleidern.“ Er fährt gleich situationsethisch fort: „Es leidet sich nicht in der Christenheit, daß man's mit Gesetzen fasse, daß eine gemeine Regel sei auf die Mäßigkeit; denn die Leute sind unter einander ungleich, eines ist starker, ein anderes schwacher Natur, und keines aller Dinge allzeit geschickt wie das andere. Darum soll ein jeglicher sein selbst wahrnehmen, wie er geschickt sei, und was er ertragen könne.“[127] Bei Luther ist das Maßhalten wie bei Aristoteles und in der Scholastik in eine ständische Ordnung eingebettet. In seinem Maße bleiben bedeutet in seinem Stande bleiben. Das kommt zum Ausdruck, wenn sich Luther über die Maßlosigkeit seiner Zeit beklagt: „Wie jetzt in der Welt auch Übermaß Überhand genommen, das nirgend kein Maß mehr ist des übermachten Kostens mit Kleidung, Hochzeiten, Wirthschaften, Bankettieren, Bauen u., darob beide Herrschaft und Land und Leute verarmen müssen, weil niemand mehr in seinem Maße bleibt, sondern schier ein jeder Bauer einem Edelmann gleich, darnach der Adel auch den Fürsten zuvorthun will … Nun wird hier auch nicht verboten, was in solchen Sachen eines jeden Stand ziemlich und ehrlich ist, auch zur Lust und Freude.“[128] Mäßigung im Lebensstil ist dabei nicht Selbstzweck und schon gar nicht ein Werk zur Selbsterlösung, sondern wäre ein Mittel, Wohlstand und eine gerechte Verteilung der Güter zu erlangen (letzteres kommt bei Zwingli und Calvin noch deutlicher zum Ausdruck), statt sie durch Bauernrevolutionen erzwingen zu wollen: „Wenn wir etwas mäßiger wären und die Kosten ersparen könnten, die jährlich auf das unmäßige Getränk, Bier und Wein, gewendet würden, so würden wir viel mehr Geld und Gut haben.“[129]

Die Tugend des Maßhaltens soll also Wohlstand und Glück fördern, sie beinhaltet bei Luther aber zugleich – wie schon bei Aristoteles – die implizite, an andern Stellen sehr explizite Ermahnung an die unteren Stände, nicht aufzubegehren. Luthers *Hierarchienlehre* unterscheidet sich dabei von der mittelalterlichen Dreiständelehre deutlich dadurch, daß alle Stände und Ämter vor Gott gleich sind und daß sie nicht naturrechtlich begründet, sondern alle dem Herrschaftsbereich Gottes unterstellt sind.[130]

Damit ist bereits auch ein Maß für den Umgang mit der Schöpfung als Mitwelt angegeben. Luther sieht den Menschen als Mitarbeiter und Mitarbeiterin Gottes bei der Erhaltung und Gestaltung der Schöpfung. Diese „cooperatio hominis cum Deo“ wurde in der thomistischen Tradition naturrechtlich als Herrschaftsanspruch und angeborener Habitus

---

126 Auslegung des 101. Psalms, WA 51, 206.

127 Auslegungen über die 2. Epistel St. Petri, WA 14, 20 (zu 2. Petr 1,6).

128 Aus einer Predigt zu 1. Petr 4,8–11 (zitiert nach: Luthers sämtliche Schriften, hg. von G. Walch, XII, 603. Ähnlich WA 12, 377ff).

129 WA 44, 560 (Auslegung von 1. Mose 43,32: maßvolles Mahl des Josef mit seinen Brüdern).

130 Vgl. dazu Maurer, W.: Luthers Lehre von den drei Hierarchien und ihr mittelalterlicher Hintergrund, 1970; Link, Ch.: Schöpfung, Gütersloh 1991, 66–72; Bayer, O.: Schöpfung als Anrede, Tübingen 1986, 54–57.

gedeutet. Bei Luther ist cooperatio „eine Folge der theologischen Bestimmung als Geschöpf“[131], d.h. nur in der ständigen Beziehung zu Gott kann die Cooperatio wahrgenommen werden. Indem der Mensch in seinem Stande bleibt, bleibt er für Luther in dieser seiner Bestimmung. Die Institutionen und Stände ermöglichen einen Rahmen der Maßhaltung. Dieser soll die schrankenlose Verfügbarkeit der Welt verhindern. Damit ist auf ein Kernproblem einer heutigen Ethik des Maßes hingewiesen, wie nämlich in einer nichtständischen, offenen Gesellschaft, in der durch die Demokratisierung alle am Wohlstand teilhaben sollen und das Maß durch Maße und Massenproduktion gefährdet ist, das Maßhalten gewährleistet werden soll.[132]

Für Luther gilt das Maßhalten nicht nur für und zwischen Menschen, sondern auch im Verhältnis zur nichtmenschlichen *Mitwelt*[133]. Er sieht den Menschen wie die Mitwelt als Teil desselben göttlichen Erlösungsgeschehens. Er weitet die Rechtfertigung auch auf die Mitwelt aus. Er klagt aber auch den maßlos zerstörerischen Umgang des Menschen mit Gottes Schöpfungswerken an: „Sie brauchen derselbigen und wühlen darin wie eine Sau im Habersack.“[134] Beim Jüngsten Gericht wird die Natur den Menschen anklagen und zur Rechenschaft ziehen wie der arme Lazarus den reichen Mann[135]. Und während Thomas von Aquin auf die Frage, ob die *Tiere* auch in den Himmel kommen, nein sagt, antwortet Luther klar mit Ja.[136] Tiere erleiden den ersten Tod, nicht aber den zweiten, müssen also nicht durchs Gericht. Luther sieht die Maßlosigkeit allerdings nicht nur als Schuld des Menschen, sondern nüchtern auch als Folge der Überfülle der Natur selbst, also als „ökonomische“ Frage von Angebot und Nachfrage und eines – höchst aktuell! – ökologisch gerechten Preises: „Wenn allein ein Brunnen in aller Welt wäre, ich acht wohl, ein Tröpflein Wasser sollte mehr denn hunderttausend Gulden gelten und dagegen Wein und Bier eitel unflat sein.“[137]

Ansätze nicht nur einer Theologie der Natur, sondern auch einer natürlichen Theologie werden bei den Reformatoren heute stärker gesehen als früher. Zur Frage, ob Gott in der Natur erkannt werden kann, gibt es bei Luther gegensätzliche Aussagen, die auf den Nenner gebracht werden können: Gott gibt sich in der Natur zu erkennen, aber der wahre Zugang zu ihm erschließt sich erst „durch die am Kreuz geborene Liebe des Kreuzes hindurch“[138].

---

[131] So Link, a.a.O., 74.

[132] Vgl. dazu Kp. 5.4.10.

[133] Zu Luthers Bild der Natur vgl. Peters, A.: Ein Kirschbaum kann uns wohl Mores lehren. Luthers Bild der Natur, in: Frieden in der Schöpfung. Das Naturverständnis protestantischer Theologie, hg. von G. Rau et al., Gütersloh 1987, 142–163; Link, Ch., a.a.O., 27–80; Bayer, O., a.a.O., 46–61; Büsser, F.: Das Buch der Natur. Große Theologen über Schöpfung und Natur, Stäfa 1990, 57–64.

[134] Auslegung von Psalm 111, WA 31/I, 407.

[135] Auslegung von Röm 8,18–23, WA 41, 308. Mehr dazu bei Peters, a.a.O., 159f.

[136] „Da D. M. Luther gefragt ward: ‚Ob auch in jenem Leben und Himmelreich würden Hunde und andere Thiere sein?‘, antwortet er und sprach: ‚Ja, freilich … Gott wird ein neu Erdrich und neuen Himmel schaffen, wird auch neue Pelverlin (Kläffer.CS) und Hündlin schaffen, welcher Haut wird gülden seyn und die Haare von Edelsteinen.‘“ (WA, Tischreden, Bd. 1, Nr.1150)

[137] Auslegung von Psalm 111, WA 31/I, 407.

[138] Z.B. Heidelberger Disputation, WA 1, 354, These 19f und 365. Ausführlich bei Link, a.a.O., 49–58; Bayer, a.a.O., 62–79.

3.3.2.2 Huldrich Zwingli

Der Zürcher Reformator Huldrich Zwingli (1484–1531) vertritt eine ähnliche Ethik des Maßes wie Luther und Calvin. Bei allen Unterschieden überwiegen die Gemeinsamkeiten. Sein *ethischer Ansatz*[139] kommt am deutlichsten in seiner Schrift „*Von göttlicher und menschlicher Gerechtigkeit*“[140] zum Ausdruck. Die göttliche Gerechtigkeit ist jener Teil der Gesetze, der „richtet sich allein auf den inneren Menschen, wie man Gott und den Nächsten liebhaben solle. Und diese Gesetze kann niemand erfüllen, also ist auch niemand gerecht als Gott allein und der, welcher durch die Gnade, deren Pfand Christus ist, gerecht gemacht wird durch den Glauben. Der andere Teil der Gesetze richtet sich allein auf den äußeren Menschen, und deswegen kann einer äußerlich untadelig und gerecht sein und innerlich nichtsdestoweniger schlecht und vor Gott verdammt.“[141] Die göttliche Gerechtigkeit muß ungehindert verkündet werden können. Das zu garantieren ist die Hauptaufgabe des Staates gegenüber der Kirche. Die Ethik spielt sich im Bereich der menschlichen Gerechtigkeit ab, die zu fördern Aufgabe der Regierung ist. Die menschliche Gerechtigkeit muß aber immer wieder an der göttlichen gemessen werden. „Die Gläubigen ... treibt es, sich je länger je mehr nach der göttlichen Gerechtigkeit zu gestalten.“[142] Sie haben ein Widerstandsrecht, ja eine Widerstandspflicht gegenüber der Regierung, „sobald die Fürsten etwas gebieten, was gegen die göttliche Wahrheit streitet oder diese verbietet“[143]. Nicht die Theokratie ist also das Ziel Zwinglis, aber die Obrigkeit ist von Gott dazu eingesetzt, die menschliche Gerechtigkeit zu verwirklichen. „Darum soll sie alles, wofür weder im göttlichen Wort oder Gebot noch in der menschlichen Gerechtigkeit eine Begründung gefunden werden kann, abschaffen und als falsch, unrechtmäßig und ungerecht auch nach menschlicher Gerechtigkeit behandeln.“[144]
Aufgabe des einzelnen Menschen ist entsprechend, das *Reich Gottes* und seine Gerechtigkeit zu suchen, „damit wir mit unermüdlichem Fleiß allezeit in allem Guten wachsen und dabei nicht wegen unserer Gerechtigkeit hochmütig werden sollen; denn das von Gott geforderte Maß haben wir noch nie erreicht.“[145] Tugendhaftigkeit wird also von Zwingli wie von Luther nicht abgelehnt, sondern als kleiner Beitrag zum Reich Gottes gewertet. Ihr wird keine Heilsbedeutung zugemessen.
Dies läßt sich an der *Fastenfrage* verdeutlichen. Christen sind frei zum Genuß aller Speisen und zu jeder Zeit. „Die Speise (ist) an und für sich weder gut noch böse. Sie ist notwendig und deshalb eher gut zu nennen. Sie kann niet böse werden, außer man ißt zuviel. Auch der Zeitpunkt, wann gegessen wird, kann die Speise nicht böse machen. Nur der Mißbrauch durch den Menschen macht's, wenn nämlich im Übermaß oder ohne

---

139 Neu knapp und prägnant zusammengefaßt bei Frey, Ch.: Die Ethik des Protestantismus von der Reformation bis zur Gegenwart, Gütersloh 1989, 53–57. Ebenfalls, aber zu rudimentär für eine Ethikübersicht aus evangelischer Sicht, bei Rohls, J.: Geschichte der Ethik, Tübingen 1991, 186f.

140 Von göttlicher und menschlicher Gerechtigkeit (1523), Zwinglis Hauptschriften, bearbeitet von F. Blanke, O. Farner, R. Pfister, Bd. 7, Zürich 1942, 31–103 (auch CR 88.). Neu in : Zwingli, H.: Schriften I, Zürich 1995, 155–213.

141 Zit. nach Ausgabe 1995, 172. (1942: 52)

142 Ebd., 186.

143 Ebd., 192.

144 Zit nach Ausgabe 1995, 209f (1942: 98).

145 Ebd., 210 (1942: 99).

Glauben gegessen wird ... Faste jeder so viel, wie ihn dazu der Geist des rechten Glaubens anhält."[146]

Ein strenges *Arbeitsethos* hilft dabei zur Mäßigung: „Willst du gerne fasten, dann tue es! Willst du dabei auf Fleisch verzichten, dann iß auch kein Fleisch! Laß mir aber dabei dem Christen die freie Wahl! Im Falle, daß du keiner Arbeit nachgehst, solltest du sogar viel fasten und häufig auf Speisen verzichten, die dich zum Schlendrian verführen. Dem Arbeiter aber vergeht der Spaß von selbst an der Hacke, am Pflug, auf dem Feld."[147] Nicht das zeitlich befristete Fasten, sondern das Maßhalten zu jeder Zeit ist also ethisches Ziel. „Christen halten überall Maß, sparen am leiblichen Wohl und leben von ihrer Hände Arbeit, damit sie den bedürftigen Brüdern zu Hilfe eilen können."[148] Den „Füllbüch" (Prassern), die frohlocken, das Fasten sei abgeschafft und die nur zur Reformation übertreten, um zuchtlos leben zu können, rät er, lieber katholisch zu bleiben.[149] Ganz paulinisch dient für Zwingli das Maßhalten also nicht der Selbstvervollkommnung, sondern steht ganz im Dienst an der Gemeinschaft, konkret der leidenden Mitmenschen! Später löste sich dieses puritanische Arbeitsethos und Maßhalten in Bescheidenheit von ihrer gemeinschaftsbildenden ursprünglichen Stoßrichtung und wurde eigendynamisch zu einer der Grundlagen der Wirtschaftsentwicklung Zürichs. Puritanismus wurde „das erfolgreichste Exportprodukt der Schweiz"[150].

Zu dieser Gemeinschaft gehört für Zwingli auch die nichtmenschliche *Mitwelt*. Obwohl er sich nicht sehr häufig dazu äußert, kommt ein großer Respekt vor aller Kreatur und Fürsorglichkeit für sie als dem Werk Gottes zum Ausdruck. *Tiere* bewundert er, offensichtlich aus eigener berglerischer Anschauung, und achtet sie hoch: „Das menschliche Leben ist, wenn man daraus die Gotteserkenntnis wegnimmt, vom tierischen nicht verschieden. Denn was haben die Menschen, was nicht auch die Tiere hätten. Die Menschen schützen sich und ihre Kinder, sie befriedigen ihre Begierden, sie fliehen Mangel und Armut. Nicht anders die Tiere ... Sie halten einander meist größere Treue als die Menschen."[151] Er spricht den Tieren im Rahmen seiner Providentialehre sogar beinahe Gottebenbildlichkeit zu: „Nicht nur der Mensch ist göttlichen Geschlechts, sondern alle Kreaturen, obschon die eine edler und vornehmer ist als die andere. Aber ihrer Abkunft nach sind sie aus Gott und in Gott ... Oder verkündet nicht auch das Geschlecht der Mäuse die Weisheit und Vorsehung der Gottheit? Das Eichhörnchen zieht ein größeres Holzstück mit dem Mund ans Ufer und gebraucht es zum Überqueren, indem es dabei den buschigen Schwanz emporrichtet; wenn der Wind hineinbläst, braucht es kein anderes Segel. Welches Wort, welche Rede könnte die göttliche Weisheit gleicherweise preisen wie diese doch ganz geringen Tiere."[152] Maßhalten ist für Zwingli deshalb auch ge-

---

146 Die freie Wahl der Speisen (1522), Zwingli. H.: Schriften I, Zürich 1995, 13–73 (30f).

147 Ebd., 39.

148 Wer Ursache zum Aufruhr gibt (1524), Zwingli H., Schriften I, Zürich 1995, 331–426 (346). (Hauptschriften Bd. 7, Zürich 1942, 123–229, 139.)

149 Ebd.

150 So Jäger, H. U.: Puritanismus: das erfolgreichste Exportprodukt der Schweiz, Kirchenbote für den Kanton Zürich, Nr.6, 11. März 1988, 4.

151 Kommentar über die wahre und falsche Religion (1525), Zwingli, H.: Schriften III, Zürich 1995, 31–452 (445) (Hauptschriften, Bd. 10, Zürich 1963, 274.)

152 Von der Vorsehung Gottes (1530), zitiert nach Büsser, F.: Das Buch der Natur, Stäfa 1990, 67. Hier zeigen sich Ansätze einer natürlichen Theologie bei Zwingli. Eine natürliche Theologie, die den Menschen als integralen Bestandteil des Kosmos betrachtet, entwickelte der von Zwingli beeinflußte Arzt

genüber der Mitwelt geboten, damit der Mensch seinem Auftrag, die Erde zu bebauen und zu bewahren, nachkommen kann „wie ein Familienvater, daß er ihn (den Garten Eden. CS) in Ehren halte“[153].

3.3.2.3 Johannes Calvin

Für den Genfer Reformator Johannes Calvin (1509–1564) bilden Glaube und Rechtfertigung und daraus folgend das Lob Gottes das Herzstück seiner Theologie. Wie Luther und Zwingli stellt auch er die christliche Freiheit ins Zentrum seiner *Ethik*[154].
Die Vernunft ist durch den Sündenfall verdorben und die Wahrnehmung des natürlichen Sittengesetzes verzerrt, da der Blick auf Gott als dessen Urheber verstellt ist.[155] Dennoch ist das natürliche Sittengesetz nicht außer Kraft gesetzt. Der Dekalog ist Ausdruck davon. Dieses *Gesetz* hat einen dreifachen Sinn[156], drei „Ämter“: 1. Es weist unsere Ungerechtigkeit und unsere Unmöglichkeit, das Gesetz aus eigenem Antrieb zu erfüllen, auf (usus elenchticus). Es will aber nicht entmutigen, sondern auf Christus hinführen. 2. Es soll die Ungläubigen (und auch die Glaubenden gehören immer wieder dazu) am Tun des Bösen hindern und die Gemeinschaft wiederherstellen und erhalten (usus politicus). 3. Es soll auch die Glaubenden als Wiedergeborene (ein Spezifikum Calvins) leiten (usus in renatis), wobei das Gesetz insofern außer Kraft ist, als es uns nicht mehr verdammt.
Die *durch die Gnade erlangte christliche Freiheit*[157] macht frei vom Zwang des Gesetzes und macht gerade dadurch fähig, daß wir Gott und seinem Gesetz „fröhlich und in großer Freudigkeit antworten und seiner Führung folgen“[158]. Die Freiheit zielt also darauf, mit Gott freiwillig und gehorsam in Verbindung zu bleiben.
Entsprechend sind auch die *Tugenden* nicht abgeschafft, aber ihrer Heilsbedeutung enthoben. „Gewiß werden solche Tugenden, die uns mit ihrem eitlen Schimmer täuschen, im öffentlichen Empfinden und im allgemeinen Urteil der Menschen Lob ernten, aber vor dem himmlischen Richterstuhl werden sie keinen Wert haben, vermöge dessen der Mensch sich etwa die Gerechtigkeit verdienen könnte.“[159]
Calvins Auffassung des *Maßhaltens und des Umgangs mit den Gütern* ist von diesem *Freiheitsverständnis* geprägt. Wie die Freiheit frei vom Gesetz und zum rechten Gehorsam fähig macht, macht sie auch frei im Gebrauch der Güter.[160] Nicht zufällig wird also das Maßhalten in Calvins Institutio unter anderem in den Kapiteln zur Freiheit behan-

---

Conrad Gesner (sein Vater starb mit Zwingli in der Schlacht von Kappel). Vgl. Leu, U.: Conrad Gesner als Theologe, Bern 1990.

153 Erläuterungen zur Genesis, Huldreich Zwinglis sämtliche Werke, Bd. 13, Zürich 1963, 19.

154 Zu Calvins Ethik vgl. z.B. Fuchs, E.: La morale selon Calvin, Paris 1986; Frey, Ch.: Die Ethik des Protestantismus, a.a.O., 61–69; Rohls, J.: Geschichte der Ethik, a.a.O., 187–189; Bieler, A.: La pensée économique et sociale de Calvin, Genf 1961.

155 Calvin, J.: Unterricht in der christlichen Religion (Institutio Christianae Religionis), übersetzt und bearbeitet von O. Weber, Neukirchen 1988^5, II, 2,12–3,14.

156 Institutio, II, 7.

157 III, 19.

158 III, 19,5.

159 II, 3,4.

160 III, 19,7–9.

delt! Die Menschen sind „vor Gott in keinem der äußerlichen Dinge, die an sich Mitteldinge sind, an irgendwelche heilige Scheu gebunden, sondern dürfen sie ohne Unterschied bald brauchen, bald auch beiseitelassen“[161]. Die Freiheit soll „die erschrockenen Gewissen ruhig machen“, daß sie nicht ständig ängstlich fragen, ob die Werke Gottes Wohlgefallen finden. Damit wird der Mensch frei zum Dienst in der Welt.

Freiheit wird aber mißbraucht, „wenn einige sie zum Deckmantel für ihre Begierden machen, um Gottes Gaben zu ihrer Lust zu mißbrauchen – oder wenn man dementsprechend bei ihrer Anwendung keine Rücksicht auf die schwachen Brüder nimmt!“[162] Fast wörtlich wie Luther kritisiert er den „üppigen Glanz“, beim „Aufwand an Speisen oder im Schmuck des Leibes oder beim Bau von Häusern“. Calvin plädiert nicht für Askese, denn „ganz gewiß sind doch Elfenbein, Gold und Reichtümer gute Geschöpfe Gottes, die dem Gebrauch des Menschen überlassen, ja von Gottes Vorsehung dazu bestimmt sind“. Lachen, Besitz vermehren und Wein trinken sei durchaus erlaubt, aber die Menschen sollen „die unmäßige Gier, die maßlose Vergeudung, die Eitelkeit und Anmaßung fahren lassen“ und „Bescheidenheit“ üben.[163]

Damit sind in Calvins Auffassung des Maßhaltens bereits drei *Kriterien* sichtbar: 1. Der Mensch ist befreit von der Sorge um das eigene Heil, befreit von heiliger Scheu und frei zum Gebrauch der Güter und Ressourcen. 2. Er soll die Güter als Gaben Gottes schonend, ohne Verschwendung und maßvoll gebrauchen. 3. Maßstab dafür ist, ob es den Schwachen – dazu gehört implizit auch die schwache Natur – und der Gemeinschaft dient.

Jenen, die meinen, „Freiheit dürfe durch kein gesetztes Maß begrenzt werden, sondern man müsse es dem Gewissen des einzelnen überlassen, daß er an sich nehme, soviel er für erlaubt halte“, hält Calvin entgegen, daß „die Schrift für den rechten Gebrauch (der irdischen Güter) allgemeine Regeln“ gebe[164]! Er nennt verschiedene solche *Regeln*, die zu sechs zusammengefaßt werden können: 1. *Mitte-Orientierung*: Maß heißt die Mitte finden zwischen Existenzminimum und Überfluß. „Wir müssen also Maß halten, um jene Mittel mit reinem Gewissen zur Notdurft oder auch zum Genuß zu verwenden.“[165] Die Beschränkung auf das Lebensnotwendigste ist biblisch nicht angezeigt. Doch solle man die Güter nach dem paulinischen Grundsatz „gebrauchen als gebrauchte man sie nicht“ (1. Kor 7,30f). 2. *Ziel-Orientierung*: Maßvoll ist der Gebrauch der Güter, „wenn er sich auf den Zweck ausrichtet, zu dem uns der Geber selbst diese Gaben erschaffen und bestimmt hat. Er hat sie nämlich zu unserem Besten erschaffen und nicht zum Verderben“[166]. 3. *Orientierung am Geber*: Dankbarkeit gegenüber dem Geber der Gaben verhindert Engherzigkeit und Maßlosigkeit. Die Güter sind nicht Besitz, sondern Leihgabe und anvertrautes Gut Gottes[167]. 4. *Orientierung am ewigen Leben*: Wer das gegenwärtige Leben als Pilgerschaft auf das ewige Leben hin wertet, gewinnt eine innere Distanz zu den Dingen und kann „den Mangel mit Friedsamkeit und Geduld und gleicher-

161 III, 19,7.
162 III, 19,9.
163 Ebd.
164 III, 10,1.
165 Ebd.
166 III, 10,2.
167 III, 10,3 und 5.

maßen den Überfluß mit Mäßigung zu tragen wissen.“[168] 5. *Orientierung an der Genügsamkeit*: Calvins Aufforderung, Armut geduldig zu tragen, darf nicht als Opium oder Unterdrückung ausgelegt werden, sondern ist ein Versuch, die Maßlosigkeit der „Neureichen“ zu vermeiden, denn „ist einer mit einfachem Mahl nicht zufrieden, und läßt er sich von der Begierde nach einem vornehmeren beunruhigen, so wird er auch die Genüsse maßlos mißbrauchen, wenn sie ihm einmal zufallen.“[169] 6. *Orientierung am Berufsstand*[170]: Die Pflichterfüllung im Beruf verhindert ausschweifende Maßlosigkeit. Die ständische Ordnung der Berufe ermöglicht, daß jeder und jede im eigenen Maß bleibt, „damit keiner unbedacht seine Grenzen überschreite“.

Aufgabe des *Staates* ist es zu gewährleisten, daß der einzelne diese Maße einhalten kann. Er kann dies nur, wenn er selbst das ihm gesetzte Maß der Macht einhält. Das Papsttum ist nach Calvin dazu nicht fähig und geeignet, da es selbst durch seine Machtfülle und seine Ablehnung von Gewaltentrennung „alles rechte Maß umgestürzt“ hat[171].

Maßhalten gilt nicht nur gegenüber den von Menschen erzeugten Gütern, sondern auch gegenüber der ganzen *Mitwelt*, da Gott „alle Kreaturen in seiner Hand und Botmäßigkeit hält“, wie der Genfer Katechismus sagt[172]. Calvins Schöpfungstheologie[173], fußend auf der Vorsehung, ist wie sein ganzes Werk im wesentlichen eine *Theologie des Lobes Gottes*. Man kann gar nicht die Augen auftun, ohne nicht Gott in der ganzen Schöpfung zu erblicken.[174] Die Welt ist Schauplatz der Herrlichkeit Gottes, theatrum gloriae Dei. Insofern finden sich bei Calvin Ansätze einer natürlichen Theologie und Gotteserkenntnis, sogar ausgeprägter als bei Luther und Zwingli. Zugleich verbindet er die Schöpfung enger als diese mit Christus und dem Heiligen Geist. Christus als kosmischer Christus erfüllt „immerfort die ganze Welt wie am Anfang“[175] und der Geist Gottes „ist überall gegenwärtig und erhält, nährt und belebt alle Dinge im Himmel und auf Erden“[176]. Die erwähnte Maßfindung durch Dankbarkeit konkretisiert sich dabei in der geistlichen Praxis der Gemeinde in Gebet, Lobgesang, Meditation und „geistlicher Ruhe“ am Sabbat der Schöpfung.[177]

Für die heutige Umweltsituation prägend war *Calvins Einstellung zur Naturwissenschaft*. Durch die Freisetzung der Vernunft schuf er mit die geistigen Voraussetzungen zur Erforschung und daraus resultierenden Nutzbarmachung bis hin zur Ausbeutung der Natur. Trotz Fall und Sünde ist für Calvin die Vernunft des Menschen „noch immer mit ausgezeichneten Gottesgaben bekleidet“. Mathematik, Medizin, Chemie usw. seien „auf Gott zurückzuführen“. Höchste Bewunderung äußert Calvin für die Erkenntnisse der Naturwissenschaftler. „Will uns also der Herr durch Hilfe und Dienst von Unfrommen in der Naturwissenschaft, in der Wissenschaft vom Denken oder der Mathematik oder son-

---

168 III,4.
169 III,5.
170 III, 6.
171 IV, 7 (Titel) und 7,19.
172 Zit nach Link, Ch.: Schöpfung, a.a.O., 123.
173 Mehr dazu bei Link, Ch.: Schöpfung, a.a.O., 120–178 (126ff, 146ff); Moltmann, J.: Gott in der Schöpfung, München 1985, 70ff; Stauffer, R.: Dieu, la création et la Providence dans la prédication de Calvin, 1977.
174 Institutio I, 5,1ff.
175 II, 13,4.
176 I, 13,14.
177 II, 8,29.

stigen Wissenschaften Beistand schaffen, so sollen wir davon Gebrauch machen."[178] Doch wie bei den Tugenden fügt Calvin rasch bei, daß sich mit der Wissenschaft vor Gott kein Lob, kein Heil und auch keine Gotteserkenntnis erwerben läßt.
Der bekannte englische Reformationsforscher McGrath widmet in seiner neuen Calvin-Biographie ein ganzes Kapitel dem Verhältnis Calvins zur Naturwissenschaft. Er kommt zum Ergebnis: „Ganz offensichtlich ist die rasche Entwicklung der Naturwissenschaften im 16. Jahrhundert und darüber hinaus auf einen grundlegenden religiösen Impuls zurückzuführen, der sich zumindest teilweise den Ideen und dem Einfluß Johann Calvins verdankt."[179] Calvin selbst warnt jedoch vor jener Wissenschaft, die nicht mehr an Gottes Ziel mit der Schöpfung orientiert ist. Er ahnte wohl die gefährliche Eigendynamik der Wissenschaft: „Alles Erforschen der Natur, das den Schöpfer aus dem Blick verliert, ist verkehrtes Forschen. Die Natur nutzen und ihren Schöpfer nicht anerkennen ist schändlicher Undank."[180]
Calvin befreite die Tugend des Maßes vom Gesetz und führte sie zum Maßhalten aus Dank. Er befreite die Naturwissenschaft von Tabus im Korsett eines engen Bibelverständnisses und sah in ihr einen Weg zum Lobe Gottes und zum Wohl der Menschen. Doch die befreite Tugend wurde später zur Tüchtigkeit funktionalisiert und die Wissenschaft zur Naturbeherrschung degradiert. Die Rückbesinnung auf Calvin könnte gerade bei den Protestanten, die laut Untersuchungen die Naturwissenschaften viel mehr förderten als die Katholiken[181], einen Ansatz für einen maßvolleren Umgang mit der Schöpfung bieten!

3.4 17. und 18. Jahrhundert

Die reformatorische Sicht von Gnade, von Schöpfung und vom rechten Maß bewirkt in den folgenden Jahrhunderten einerseits große Veränderungen, wird aber auch durch neue oder vereinseitigende Strömungen in vielem verdeckt. Einerseits kehrt die Gegenreformation wie teilweise die protestantische Orthodoxie zu scholastischen Traditionen zurück, andererseits extremisiert sich reformatorisches Maßhalten im Puritanismus des 16. und 17. Jahrhunderts zu spröder Freudlosigkeit, was wiederum als Gegenreaktion im 18. Jahrhundert die Lust am Überschwenglichen auslöst. Reformatorische Freiheit und Befreiung der Vernunft wandelt sich weg von der religiösen Bindung hin zum wissenschaftlichen, religiösen und ethischen Rationalismus mit ihrem Höhepunkt in der Aufklärung. Die Naturwissenschaften beginnen vom 18. Jahrhundert an ihren Siegeszug und entwickeln durch ihre Verbindung mit der Technik ihre faszinierende und zugleich beängstigende Dynamik. Die Tugend des Maßhaltens tritt weitgehend in den Hintergrund. Daß sie zum Beispiel bei Adam Smith und Immanuel Kant in je eigener Ausprägung durchaus vorhanden ist, widerspricht dieser großen Linie nicht. Bei Hegel taucht Maß als Synthese von Qualität und Quantität im geschichtsphilosophischen, nicht aber im ethischen Sinn auf.[182]

---

178 II, 2,16.
179 McGrath, A.: Johann Calvin. Eine Biographie, Zürich 1991, 328.
180 Calvin, J.: Auslegung der Genesis, übersetzt und bearbeitet von D. Goeters und D. Simon, Neukirchen 1956, 6.
181 McGrath, a.a.O., 323f.
182 Vgl. dazu Kp. 2.4.5.

3.4.1 Von Puritanismus bis Physikotheologie

Der *Puritanismus* als Herzstück der Reformation in England und Schottland nimmt reformatorische Anliegen wie Vorsehung, Ausrichtung auf das Reich Gottes, Förderung eines gerechten Staates, Arbeitsethos im Dienst am Nächsten, persönliche Frömmigkeit und gezügelte Sittlichkeit auf.[183] Der Puritanismus überzeichnet diese Glaubenswerte aber so, daß daraus freudlose Strenge und rationale Ausrichtung auf das Zweckhafte wird. Während wir bei Calvin gesehen hatten, daß für ihn das Maß nicht in der Reduktion des Lebens auf das Notwendige bestand, sondern der maßvolle Genuß – symbolisiert in Wein und Lachen – seinen Platz hat, muß das scheinbar Zwecklose wie Kunst und Spiel im Puritanismus weichen.

Die Folge ist die allmähliche *Funktionalisierung* und Instrumentalisierung sämtlicher Lebensbereiche als einem Kennzeichen der Neuzeit. Die *egalisierende Tendenz* im Puritanismus wirkt sich positiv auf die Demokratieentwicklung aus. Sie fördert auch die Technik: Schon bei den Reformatoren wie später im Puritanismus werden Hand- wie Kopfarbeit als grundsätzlich gleichwertige Art von „Gottes-Dienst" gewertet. Die Handarbeit wird also nicht mehr als minderwertig betrachtet (wie übrigens auch bei den Orden, dort aber noch weitgehend auf die Klöster beschränkt). Damit wird auch die *Technik*, die zu jener Zeit auf Handarbeit beruhte, stark gefördert[184]. Der Puritanismus fördert auch nachhaltig die experimentellen Wissenschaften und die Verbreitung ihrer Ergebnisse, indem er die Trennwand zwischen Volkskultur und Elitekultur beseitigt.

F. Bacon (1561–1626) macht aus der im Puritanismus beobachteten Verschränkung von Erkenntnis und Nutzen ein unabdingbares Postulat. Die Verknüpfung von Naturwissenschaft und Technik ist sein Programm. So wird er zu einem der Begründer des Utilitarismus. Verbunden mit der Vorsehungslehre, die auch in säkularisierter Form im Millenarismus des 17. Jahrhunderts weiter eine Rolle spielt, entsteht so der Fortschrittsoptimismus des 17. und 18. Jahrhunderts und der Glaube an die Beherrschbarkeit der Natur[185], der durch das zerstörerische Erdbeben von Lissabon 1755 nur vorübergehend eine Erschütterung erlitt.

Heute können Anzeichen eines neuen Puritanismus beobachtet werden. Er ist in der Regel nicht religiös und auch nicht altruistisch motiviert, sondern utilitaristisch am eigenen Nutzen ausgerichtet. Er ist eine Maßnahme des Selbstschutzes vor Überfluß und Sinnentleerung.[186]

Um 1700 entstand die *Physikotheologie*[187] besonders in den von der Reformation ge-

---

183 Vgl. Chambon, J.: Der Puritanismus. Sein Weg von der Reformation bis zum Ende der Stuarts, Zürich 1944, z.B. 33ff, 253ff.

184 Belege zu dieser These finden sich bei Krolzik, U.: Umweltkrise – Folge des Christentums?, Stuttgart 1979, 61–70.

185 Vgl. Groh, R./Groh, D.: Weltbild und Naturaneignung. Zur Kulturgeschichte der Natur, Frankfurt 1991, 11–91 (religiöse Wurzeln der ökologischen Krise. Naturteleologie und Geschichtsoptimismus in der frühen Neuzeit, bes. 40ff, 50f); Krolzik, U.: Säkularisierung der Natur. Povidentia-Dei-Lehre und Naturverständnis der Frühaufklärung, Neukirchen 1988.

186 Vgl. Hurton, A.: Auf zur neuen Enthaltsamkeit! Vom Lustprinzip zum Zeitgeistpuritanismus, Neue Zürcher Zeitung-Folio Jan 1992, 37–39.

187 Neuere Darstellung bei Lorenz, S.: Art. Physikotheologie, in: Hist. Wörterbuch der Philosophie, Bd. 7, Basel 1989, 948–55; Groh/Groh, a.a.O., 50–60; Krolzik, U., a.a.0.; Krolzik, U.: Vorläufer ökologischer Theologie, in: Altner, G. (Hg.): Ökologische Theologie, Stuttgart 1989, 14–29 (21ff).

prägten Gebieten. Sie sucht die Verbindung von Naturwissenschaft und Theologie mit dem Ziel, atheistische und materialistische Konsequenzen, die da und dort aus den neuen Wissenschaftserkenntnissen gezogen wurden, abzuwehren. So will der Zürcher Forscher J.J. Scheuchzer der Gefahr wehren, daß die Dinge „nicht ... als Werke Gottes, sondern als Werke der Natur" angesehen werden[188]. Die Physikotheologie versucht empirische Gottesbeweise zu erbringen, indem sie durch zahlreiche eigene Naturforschungen besonders an Kleintieren die Schönheit und Wohlgeordnetheit der Schöpfung aufzeigt. Sie betont die Zweckmäßigkeit des göttlichen Heilsplans, die Unerschöpflichkeit der Natur und ihre Nützlichkeit für den Menschen. Mit ihrer natürlichen Theologie will sie den Glauben retten, kann aber den schließlich atheistischen Rationalismus nicht aufhalten. Sie trug aber wesentlich bei, daß die neue Wissenschaft auch in skeptischen, z.B. ländlichen Gebieten Fuß fassen konnte und die Natur mehr und mehr zum Nutzen des Menschen instrumentalisiert wurde. So paßt sich hier Theologie der Naturwissenschaft an und dient der heilstheologischen Rechtfertigung technischer Naturveränderung. Widerstand gegen die sich anbahnende Maßlosigkeit der Naturbeherrschung kann sie mit diesem Ansatz nicht leisten.

3.4.2 Adam Smith

Die Frage nach einem maßvollen Umgang mit der Natur ist zu einem großen Teil ein ökonomisches Problem. Da das heute weltweit prägende marktwirtschaftliche System in seinen Anfängen wesentlich durch Ansätze von Adam Smith beeinflußt ist, interessiert uns, wie er mit einer Tugend des Maßes umgeht. Adam Smith (1723–1790) war bekanntlich nicht nur Volkswirtschaftler, sondern auch ausgeprägter Moralphilosoph[189]. Es ist hier nicht der Ort, sein ökonomisches System darzulegen. Wir konzentrieren uns vor allem auf seine Tugendlehre, wie sie in seinem moralphilosophischen Hauptwerk „Theorie der ethischen Gefühle"[190] zum Ausdruck kommt (im folgenden als TEG abgekürzt. Die *Seitenzahlen in Klammern* beziehen sich darauf). Die Integration von Ökonomie und Ethik ist eine der großen Aufgaben unserer Zeit, gerade auch innerhalb des Liberalismus. Die Wiederentdeckung von Smith ist in diesem Zusammenhang bedeutsam, worauf z.B. der St. Galler Wirtschaftsethiker Peter Ulrich aufmerksam macht: „Für einen neuen Liberalismus in Smithianischem Geist ist es entscheidend, zu Smiths integrativem Konzept von Ethik und Ökonomie zurückzufinden, und das heißt: zu einer ökonomischen Vernunft, die die ethisch-politischen Voraussetzungen einer zeitgemäßen, auch ökologisch verantwortbaren Marktwirtschaft stets mitbedenkt."[191]

---

188 Jobi Physica sacra Oder Hiobs Natur-Wissenschaft verglichen mit der Heutigen, Zürich 1721, 73.

189 Smith als Ökonom und Moralphilosoph erlebt eine eigentliche Renaissance. Vgl. z.B. Meyer-Faye, A./Ulrich, P. (Hrsg.): Der andere Adam Smith. Beiträge zur Neubestimmung von Ökonomie als Politischer Ökonomie, Bern 1991; Recktenwald, H. C.: Ethik, Wirtschaft und Staat. Adam Smiths politische Ökonomie heute, Darmstadt 1985; Rich, A.: Wirtschaftsethik, Bd. 2. Marktwirtschaft, Planwirtschaft, Weltwirtschaft aus sozialethischer Sicht, Gütersloh 1990, 229–233; Kaiser, H.: Theologische Wirtschaftsethik: Das Modell einer ethischen Integration ökonomischer Rationalität – eine Grundlegung. Manuskript (Habil.), Zürich/Spiez 1989, 40–77; Raphael, D.D.: Adam Smith, Frankfurt 1991.

190 Smith, A.: Theorie der ethischen Gefühle, mit Einleitung hg. von W. Eckstein, Hamburg 1977 (1. Aufl. 1759).

191 Ulrich, P.: Warten auf einen neuen Adam Smith, Reflexionen Nr.25/1991 des Liberalen Instituts Zürich, 13–25 (25); ausführlich in Meyer-Faye/Ulrich: Der andere Adam Smith, a.a.O.

Wir fassen den Ansatz von Smith in Form seiner Antwort auf *fünf* von uns gestellte *Fragen* zusammen: Wer ist tugendhaft? Worin besteht das Maß bei der Tugend des Maßes? Wie läßt sich das Maß erkennen? Was bedeutet dies für die Ökonomie, den Markt? Wie läßt sich das Maß einhalten?

1. *Wer ist tugendhaft?* Smith wurde schon als „Cicero der Aufklärung" bezeichnet. 17mal beruft er sich in TEG auf Cicero[192]. Beide plädieren für die maßvolle Herrschaft der Vernunft über die Leidenschaften, damit so eine Übereinstimmung des Menschen mit der Natur zustande kommt. „In der Herrschaft über jene körperlichen Begierden besteht diejenige Tugend, welche im eigentlichen Sinne Mäßigkeit[193] genannt wird. Die Begierden in jenen Grenzen zu halten, welche die Rücksicht auf Gesundheit und Vermögen vorschreibt, ist Aufgabe der Klugheit" (35). Begierden hat der Mensch wie die Tiere, sie sind deshalb unter der Würde des Menschen (34) und sind zu überwinden. Klugheit (360–370) und Selbstbeherrschung (401–441) sind die beiden Merkmale des Tugendhaften. „Ein Mensch, der in Übereinstimmung mit den Regeln vollkommener Klugheit, strenger Gerechtigkeit und richtigen Wohlwollens handelt, mag vollkommen tugendhaft genannt werden ... Aber die vollkommenste Kenntnis dieser Regeln wird ihn nicht immer befähigen, seine Pflicht zu tun, wenn sie nicht von der vollkommensten Selbstbeherrschung unterstützt wird" (401). Der Versuchung, der Pflicht[194] untreu zu werden, kann man widerstehen durch „Mäßigkeit, Anstand, Bescheidenheit, Mäßigung" (402), durch „Gleichförmigkeit, Gleichmäßigkeit, nie nachlassende Beständigkeit" (403), was Smith auch als „Gelassenheit, Harmonie der Seele" (453) bezeichnet. Offensichtlich greift er auf das griechisch-stoische wie ciceronische Ideal der Zügelung der Gefühle zurück.

2. Worin besteht das Maß bei der Tugend des Maßes? Auch diese Frage beantwortet Smith direkt und indirekt im Rückgriff auf die griechische Tugendlehre. Er selbst sagt, Aristoteles' Lehre des Maßes als des Mittleren zwischen zwei Extremen entspreche „ziemlich genau demjenigen, was oben in bezug auf die Schicklichkeit und Unschicklichkeit des Verhaltens gesagt wurde", also seiner eigenen Lehre (456). Für Smith besteht das Maß in der *Sympathie* (bes. 1–14). Diese liegt in der Mitte zwischen den Extremen des Egoismus und des Altruismus. Sympathie ist nicht die aktive Liebe zum Nächsten, aber die Fähigkeit, die Bedürfnisse der andern zu verstehen, zu berücksichtigen, „die Lage des Betroffenen mit dessen Augen anzusehen" (25), also vom andern her zu denken[195]; es ist das „Mitgefühl mit jeder Art von Affekten", nicht nur mit dem Kummer, wie das bei Mitleid und Erbarmen anklinge (4).

Mit diesem Verständnis von Sympathie wählt Smith einen Mitte-Weg, mit dem er sich von zwei entgegengesetzten Positionen seiner Zeit absetzt: *Bernhard de Mandeville*

---

192 Zum Maßhalten bei Cicero vgl. Art. Maß, Historisches Wörterbuch der Philosophie, Bd. 5, Basel 1980, 809f.

193 Mit Mäßigkeit ist Smith's engl. Wort temperence übersetzt. Es steht ganz in der Tradition der vierten Kardinaltugend der temperantia.

194 Pflicht ist für Smith wie für Kant (vgl. nächstes Kapitel) eine zentrale ethische Kategorie: „Die Achtung vor jenen allgemeinen Regeln für das Verhalten ist das, was man im eigentlichen Sinne Pflichtgefühl nennt, ein Prinzip von der größten Wichtigkeit im menschlichen Leben, und das einzige Prinzip, nach welchem die große Masse der Menschen ihre Handlungen zu lenken vermag."(TEG, 243)

195 Empathie drückt heute vielleicht präziser aus, was Smith mit Sympathie meint.

(1670–1733) propagierte den Egoismus als Motor des sittlichen Lebens.[196] Er hatte mit Aristoteles, der thomistischen Tugendlehre und dem protestantischen Puritanismus gebrochen und machte die Erfahrung, daß der Egoismus die eigentliche Triebfeder des Handelns sei, zur Norm. Nicht die Tugend, sondern die Laster seien schließlich das, was dem Allgemeinwohl am meisten diene. Die Gegenposition zu Mandeville vertrat dessen Zeitgenosse *Francis Hutcheson* (1694–1747)[197], den Smith später auf dem Lehrstuhl für Moralphilosophie in Glasgow ablöste. Er stellt den Nächsten anstelle der Ichbezogenheit ins Zentrum seiner Ethik. Die Agape (Liebe) im neutestamentlichen Sinn ist Kriterium des Tugenhaften. Das Glück des andern ist Bedingung für das eigene Glück! Er folgert daraus die Regel, die später zum Spitzensatz des Utilitarismus wurde: „Diejenige Handlung ist die beste, die das größte Glück der größten Anzahl zeitigt."[198] Smith setzt sich in seiner TEG mit beiden Positionen intensiv auseinander (500–523). Mandeville lehnt er ab als „Systeme, welche jede sittliche Bindung aufheben" (510) und Laster zur Tugend machen. Hutchesons Ansatz lehnt er nicht ab, aber relativiert ihn. Es seien „Systeme, welche die Tugend im Wohlwollen bestehen lassen" (500), also eine für den Alltag ungeeignete, nicht zu verwirklichende Moral. (Mit Zwingli könnte man sagen, Hutcheson macht die göttliche Gerechtigkeit zur absoluten Norm für die menschliche Gerechtigkeit und vermischt beide.) Smith versucht mit seiner Theorie der Sympathie Eigeninteresse und Gemeinwohl zu verbinden. Er unterscheidet dabei zwischen den zwei Maßstäben („standards") der sittlichen Vollkommenheit (Idealnorm) und der erreichbaren Norm (Praxisnorm) (417).

3. Wie läßt sich nun aber das Maß erkennen? Wer sagt, was die richtige Mitte zwischen Egoismus und Altruismus sei? Da Smith als Philosoph und nicht als Theologe argumentiert, liegt der Maßstab nicht bei Gott und doch sucht er einen Standpunkt außerhalb der menschlichen Gemeinschaft. Er nennt dies anonym den *„unparteiischen Zuschauer"*. „Niemals können wir unsere Empfindungen und Beweggründe überblicken, niemals können wir irgendein Urteil über sie fällen, wofern wir uns nicht gleichsam von unserem natürlichen Standort entfernen, und sie gleichsam aus einem gewissen Abstand von uns selbst anzusehen trachten ... Wir bemühen uns, unser Verhalten so zu prüfen, wie es unserer Ansicht nach irgendein anderer gerechter und unparteiischer Zuschauer prüfen würde." (167) Das Maß ist also nicht eine absolute, sondern eine relationale Größe. Es wird in der Beziehung zum Mitmenschen resp. zu diesem unparteiischen fiktiven Zuschauer festgelegt. Die soziale Struktur wird damit Teil des ethischen Urteils. Die paulinische Gemeinschaftsbezogenheit des Maßhaltens tritt hier in nichtreligiöser Form auf. Der unparteiische Zuschauer ist der „große Richter und Schiedsherr" (442), die Autorität des Gewissens (199ff), die die Generalisierbarkeit einer Norm ermöglicht. Der unparteiische Zuschauer ist nahe bei Kants kategorischem Imperativ.

4. Was bedeutet dies nun für die Ökonomie, für den Markt? Der *homo oeconomicus* ist bei Smith der weise Mensch und als solcher ein *Mensch des Maßes*. Sein Selbstinteresse (es ist bei Smith empirisch und zugleich naturrechtlich begründet) ist die treibende Kraft

---

[196] Bes. in Mandeville, B.: Die Bienenfabel oder Private Laster, Öffentliche Vorteile. Einleitung von W. Euchner, Frankfurt 1968 (1. Aufl. 1714).

[197] Hutcheson, F.: Über den Ursprung unserer Ideen von Schönheit und Tugend. Einleitung von W. Leidhold, Hamburg 1986 (1. Aufl. 1725).

[198] Ebd., 75.

für ökonomischen und sozialen Fortschritt. Das darf nach Smith nun aber gerade nicht mit egoistischem Eigeninteresse oder dem platten liberalen Satz, was dem eigenen Geschäft am meisten nütze, nütze am meisten auch der Menschheit, verwechselt werden! Selbstinteresse hat das eigene Wohlergehen wie das Gemeinwohl im Blick. „Der Weise und Tugendhafte ist jederzeit damit einverstanden, daß sein eigenes Privatinteresse dem allgemeinen Interesse des Standes oder der Gemeinschaft aufgeopfert wird, der er eben angehört. Er ist aber auch jeder Zeit damit einverstanden, daß das Interesse dieses Standes oder dieser Gemeinschaft dem größeren Interesse des Staates oder der Landesherrschaft aufgeopfert wird, von der jene nur untergeordnete Teile bilden. Er sollte deshalb ebenso damit einverstanden sein, daß alle jene niedrigeren Interessen dem größeren Interesse des Universums aufgeopfert werden sollen, dem Interesse jener großen Gemeinschaft aller fühlenden und verstandesbegabten Wesen, in der Gott selbst den unmittelbaren Verwalter und Leiter darstellt“ (398f).

5. *Wie läßt sich das Maß einhalten?* Verschiedene Maßnahmen sind nötig, damit das Selbstinteresse auf das Gemeinwohl ausgerichtet bleibt: 1. Die erwähnte *Zügelung der Begierden* ist nach Smith ein wichtiger Teil zur Maßhaltung. 2. Die rationale *Sympathie* als Einfühlen in den andern bindet mein Selbstinteresse an die Gemeinschaft. 3. Was der unparteiische Zuschauer für die Tugend des einzelnen, ist die „unsichtbare Hand“ für das Funktionieren des Marktes. Der *Wettbewerb* und die gegenseitige Konkurrenz nehmen eine Kontrollaufgabe wahr. „Maß durch Wettbewerb“ kann man seine Maxime nennen[199]. 4. Das Individuum wie der Markt müssen – und das wird in der Smithrezeption der Wirtschaftspraxis meist zuwenig beachtet – durch *staatliche Regelungen* gestützt werden. Da der Trieb oft über den Verstand herrscht und der unparteiische Zuschauer zuwenig beachtet wird, sind außerindividuelle Regeln und Konventionen nötig (86–95), die von politischen Instanzen festgelegt werden (243–259). „Die Achtung vor jenen allgemeinen Regeln für das Verhalten ist das, was man im eigentlichen Sinne Pflichtgefühl nennt, ein Prinzip von der größten Wichtigkeit im menschlichen Leben.“ (243) Smith überhöht diese Regeln sogar metaphysisch und bezeichnet sie als „Gesetze der Gottheit“ (250).

Diese vier Maßnahmen sind nicht isoliert anzuwenden, sondern bedingen und stützen sich gegenseitig.

Wie ist die Ethik des Maßes von Smith zu *beurteilen*? Er bietet einen faszinierenden Versuch, im Rückgriff auf griechische und römische Vorstellungen von Maß und Mitte und verbunden mit empirischem Rationalismus, Eigennutz und Gemeinwohl in praktikabler Weise und immer orientiert am Gemeinwohl zu verbinden. Der Eigennutz bleibt dabei im Vordergrund, wenn auch auf das Wir-Gefühl der Sympathie abgestützt. Die Gerechtigkeitsvorstellung bleibt unscharf. Er geht aus der Sicht christlicher Ethik wie die griechische Tugendlehre – aufklärerisch noch verstärkt – von einem zu optimistischen Menschenbild aus. Der Mensch schafft nach reformatorischer Auffassung diese Tugendhaftigkeit nicht. Mit den recht vielen korrektiven Sicherungen trägt Smith dem allerdings teilweise Rechnung. Smith vertritt einen Deismus, eine Metaphysik ohne Gott, auch

---

199 Besonders entfaltet in seinem ökonomischen Hauptwerk: Der Wohlstand der Nationen. Eine Untersuchung seiner Natur und seiner Ursachen. Einleitung H. C. Recktenwald, München 1978 (1. Aufl. 1776).

wenn er da und dort auf eine Gottheit Bezug zu nehmen scheint.[200] Gott als Bezugspunkt wird zum anonymen und fiktiven Konstrukt des „unparteiischen Zuschauers", das moralisch wenig bindende Kraft hat. Smiths Ansatz bleibt auch auf weite Strecken individualethisch[201], wobei die sozialethische Seite vorhanden ist und bei der Nutzbarmachung von Smith für die heutige Wirtschaftsethik und Ethik des Maßes noch stärker hervorgehoben werden kann. Die zitierte Aussage von Smith, wonach die Einzelinteressen dem Wohl der Gemeinschaft, ja des Universums untergeordnet sind, ließe sich durchaus als Grundlage für eine ökologisch und sozial orientierte Weltwirtschaft verwenden!

3.4.3 Immanuel Kant

Immanuel Kant (1724–1804) scheint auf den ersten Blick in vielem einen Gegenpol zu seinem Zeitgenossen Adam Smith zu bilden. Während dieser vom englischen Empirismus geprägt seine Moralphilosophie auf den „ethischen Gefühlen" aufzubauen scheint, scheint jener eine vom deutschen Rationalismus geprägte Vernunft- und Pflichtethik zu vertreten. Kant gelangt aber von einem anderen Ansatz her zu einer erstaunlich ähnlichen, in einzelnen Formulierungen fast identischen Moralphilosophie und Tugendlehre wie Smith![202] Beide vertreten eine *vernunftethische Position* (wobei sie zugleich die Grenzen der Vernunft erkennen, Kant klarer als Smith) und beide betonen die *Tugend des Maßhaltens*. Mit nur einem Jahr Unterschied zur Welt gekommen, veröffentlichte Smith seine „Theorie der ethischen Gefühle" (1759) aber ein Vierteljahrhundert bevor Kant seine „Grundlegung der Metaphysik der Sitten" (1785) und fast vierzig Jahre bevor er seine „Metaphysik der Sitten" (1797) publizierte.[203] *(Die folgenden Zahlen in Klammern beziehen sich auf die Seitenzahlen seiner Metaphysik der Sitten.)*
Für Kant gründet die Ethik in einem apriorischen praktischen Vernunftgesetz, aus dem universelle Regeln formuliert werden können. Das *Vernunftgesetz* kann sich nicht auf Empirie, auf Naturkausalität oder auf subjektive Neigung abstützen. Es gründet auf der Pflicht, die sich der gute Wille selbst setzt. Kants Ethik wird deshalb zu Recht als *Pflichtethik* bezeichnet. Pflicht ist Moral in Form des Gebotes, des Imperativs. „Pflicht

---

200 Vgl. Büscher, M.: Gott und Markt. Religionsgeschichtliche Wurzeln A. Smiths, in: Meyer-Faje, A./Ulrich, P. (Hg.): Der andere Adam Smith, Bern 1991, 123–144.

201 M. Held fragt zu Recht: „Wie konnte die ökonomische Theorie des ausschließlich eigeninteressierten Menschen trotz der vielfältigen methodologischen Unklarheiten und begrenzten Reichweite so erfolgreich sein?" Ich teile seine Antwort: „Weil die wichtigsten gesellschaftlich und ökonomisch relevanten Institutionen in der Grundhaltung am Individualismus ausgerichtet wurden" (Held, M.: „Die Ökonomik hat kein Menschenbild" – Institutionen, Normen, Menschenbild, in: Biervert, B./Held, H. [Hg.]: Das Menschenbild der ökonomischen Theorie. Zur Natur des Menschen, Frankfurt 1991, 10–41 [29, 31]). Eine gute knappe Übersicht bes. zu den Weichenstellungen der Menschenbilder im 16.–18. Jh. bietet Biervert, B.: Menschenbilder in der ökonomischen Theoriebildung. Historisch-genetische Grundzüge, in: ebd., 42–55.

202 So auch Ulrich, P.: Warten auf einen andern Adam Smith, a.a.O., 17: „Adam Smith steht dem vernunfts-ethischen Denken des kritischen Philosophen Immanuel Kant näher als dem methodologischen Individualismus der heutigen neoklassischen Ökonomen."

203 Kant, I.: Die Metaphysik der Sitten, in: Werke in sechs Bänden, hg. von W. Weischedel, Bd. 4, Schriften zur Ethik und Religionsphilosophie, Darmstadt 1963, 309–634 (abgekürzt Metaphysik); in demselben Band: Grundlegung der Metaphysik der Sitten, 11–102 (abgekürzt Grundlegung); ebenso: Kritik der praktischen Vernunft, 107–302.

ist eine Nötigung zu einem ungern angenommenen Zweck" (515). Pflicht ist zugleich – und da zeigt sich bei Kant eine nicht lösbare Spannung – nicht einfach Zwang, sondern basiert auf dem freien Willen, denn „Freiheit muß als Eigenschaft des Willens aller vernünftigen Wesen vorausgesetzt werden"[204]. Der gute, vernünftige Wille unterwirft sich also freiwillig einem Gesetz, das er sich selbst gegeben hat: „Da aber der Mensch doch ein freies (moralisches) Wesen ist, so kann der Pflichtbegriff keinen andern als den Selbstzwang (durch die Vorstellung des Gesetzes allein) enthalten" (509).
Imperative sind hypothetische Imperative, wenn sie eine subjektive Absicht, ein Können bezeichnen. Kant bezeichnet sie als Maximen. Das Vernunftgesetz hingegen beinhaltet einen *kategorischen Imperativ*[205], weil es das allgemein gültige, unbedingt notwendige Sittengesetz ist. Das Können folgt hier aus dem Sollen. Kant bezeichnet dieses deshalb nicht als Maxime, sondern als Gesetz. Diesen Stellenwert hat Kants berühmter Kategorischer Imperativ, den er „Grundgesetz der reinen praktischen Vernunft" nennt: „*Handle so, daß die Maxime deines Willens jederzeit zugleich als Prinzip einer allgemeinen Gesetzgebung gelten könne.*"[206] Subjektive Maximen können nur dann allgemeine Gesetze werden, wenn sie nicht inhaltlich, sondern nur formal bestimmt sind.[207] Wenn eine Maxime als allgemeines Gesetz gedacht oder gewollt werden kann, handelt es sich um eine vollkommene, sonst um eine unvollkommene Pflicht.
In diesem ethischen Rahmen entfaltet Kant seine *Tugendlehre*. Er tut dies insbesondere in „Die Metaphysik der Sitten". Der erste Teil umfaßt die „Rechtslehre", also die in Gesetzen festzulegende „Sozialethik" oder „politische Ethik", wie wir heute sagen würden. Der zweite Teil umfaßt die „Tugendlehre" für das individuelle Handeln (503–636), was wir heute „Individual- und Personalethik" nennen würden. Sein Ansatz entspricht in beiden Teilen seiner Pflichtethik.
Handlungen sind immer teleologisch auf einen Zweck ausgerichtet. Der Zweck ist „an sich selbst Pflicht" (510). Die Tugend ist an zwei Zwecken zu orientieren, die zugleich Pflichten sind: „Sie sind: *Eigene Vollkommenheit – Fremde Glückseligkeit*" (515). Damit sucht Kant auch eine Verhältnisbestimmung von Eigennutz und Gemeinwohl, wie Smith sie mit seinem Begriff der Sympathie versucht. Tugendhaft ist für Kant nicht, wer eigene Glückseligkeit anstrebt, denn sie ist nicht Pflicht, sondern selbstverständlicher, auch Tieren eigener Wunsch. Eigene Vollkommenheit dagegen ist der Versuch, sich „aus der Tierheit emporzuarbeiten" (517). Die zweite Tugendpflicht besteht darin, die Glückseligkeit der andern zu fördern. „Was diese zu ihrer Glückseligkeit zählen mögen, bleibt ihnen selbst überlassen; nur daß mir auch zusteht, manches zu weigern, was sie dazu rechnen" (518).
Zur Förderung der eigenen Vollkommenheit hat der Mensch nun vollkommene, also absolute *Pflichten gegen sich selbst* auf drei Ebenen: 1. „Als einem animalischen Wesen" hat er die Pflicht der „Selbsterhaltung in seiner animalischen Natur" (553). Er hat also seine physische Natur und seine Kräfte zu schützen. Dazu gehört für Kant – er legt dies ausführlich, auch kasuistisch dar (553–562) – die Ablehnung von Selbstmord, Selbstbefriedigung, Selbstbetäubung durch unmäßigen Gebrauch von Genuß und Nah-

---

204 Grundlegung, a.a.O., 82.
205 Kritik der praktischen Vernunft, a.a.O., 125ff.
206 Ebd., 140.
207 Ebd., 135, Lehrsatz 3.

rungsmitteln sowie die Überwindung von Armut, da sie Laster erzeugt. 2. „Als einem moralischen Wesen" hat der Mensch die Pflicht, die Laster der Lüge, des Geizes und der Kriecherei als falscher Demut zu überwinden (562–572). 3. „Als dem angeborenen Richter über sich selbst" hat der Mensch die Pflicht des Gehorsams gegenüber dem Gewissen (572–576). Dieses kann in Form einer anderen „wirklichen oder bloß idealischen Person sein, welche die Vernunft sich selbst schafft" (574). Die über das ethisch Richtige urteilende Instanz ist also sehr ähnlich wie bei Smiths unparteiischem Zuschauer die Vernunft als einem in mir und doch mir gegenüberstehenden Korrektiv. Wo Gott als gnädiger Richter fehlt[208], wird die Vernunft und damit letztlich doch der Mensch selbst zum Richter des Menschen!

In einem zweiten Teil seiner materialen Tugendlehre entwickelt Kant die *Tugendpflichten gegen andere* (584–614). Sie bestehen 1. gegenüber den andern „bloß als Menschen", also unabhängig ihrer Eigenschaften, gleichsam was ihnen von den Menschenrechten her zusteht. Dazu zählt er die Liebespflicht (584–600) in Form von Pflicht zur Wohltätigkeit, zur Dankbarkeit und zur teilnehmenden Empfindung, „sympathia moralis"[209], sowie die Pflicht zur Achtung (600–607), die durch eigene „Mäßigung in Ansprüchen" und eigene „Bescheidenheit" als „Einschränkung der Selbstliebe" die Laster des Hochmutes, der Afterreden und der Verhöhnung überwindet.

Für Kant ist der Tugendhafte der sich in seiner Begierde und seiner Selbstliebe mäßigende, ohne daß er sich damit in falscher Demut selbst verleugnet. Tugend hat für ihn also durchaus mit *Maßhalten* zu tun. Gleichzeitig grenzt er sich von der aristotelischen Vorstellung des Maßes als Mitte ab, da die Mitte zwischen zwei Lastern nicht die Tugend, sondern immer noch das Laster sei. So könne die gute Wirtschaft nicht das Mittlere zwischen den zwei Lastern der Verschwendung und des Geizes sein (566). Nicht das Maß der Ausübung sittlicher Maximen, sondern das objektive Prinzip sei entscheidend. Allerdings deutet er Aristoteles hier falsch, da dieser mesotes als Mitte zwischen zwei bösen Zuständen ausdrücklich abgelehnt hat.[210]

Welches sind die Auswirkungen von Kants Pflichtethik auf den *Umgang mit der Natur*? So sehr sein Kategorischer Imperativ wie seine Tugendlehre am Ziel einer maßvollen Ordnung im zwischenmenschlich-gesellschaftlichen Bereich ausgerichtet ist, so wenig überträgt er das auf den Umgang mit der nichtmenschlichen Mitwelt. Seine Naturauffassung[211] geht von der strikten Trennung von erkennendem Subjekt und erkanntem Gegenstand aus. Ein *dreifacher Naturbegriff* läßt sich bei ihm unterscheiden: 1. Die naturgesetzlich objektivierte, physikalische Natur, wie sie sich zeigt. Diese Natur im Newtonschen Sinn ist tote Materie, eine Sache, res, besonders durch die Mathematik erfaßbar.[212] 2. Der organismische Naturbegriff. Kant anerkennt neben der toten Natur eine organische. Sie kann aber naturwissenschaftlich-mechanisch nicht erfaßt werden. Was diese Natur ist, läßt sich nur beschreiben als das, was wir als Natur erkennen. Diese Natur ist

---

208 Zum theologischen Verständnis von Gott als gnädigem und versöhnendem Richter vgl. Stückelberger, Ch.: Vermittlung und Parteinahme. Der Versöhnungsauftrag der Kirchen in gesellschaftlichen Konflikten, Zürich 1988, 357–464.

209 Wiederum könnte man wie bei Smith von Empathie reden.

210 Vgl. Kp. 3.1.2., bes. Anm 51.

211 Vgl. dazu Wolters, G.: Immanuel Kant, in: Böhme, G (Hg.): Klassiker der Naturphilosophie, München 1989, 203–219 (417f Lit.); Schäfer, L.: Kants Metaphysik der Natur, Berlin 1966.

212 Kant, I.: Metaphysische Anfangsgründe der Naturwissenschaft, Vorrede, A VIII, 14.

nicht naturwissenschaftlich, sondern nur teleologisch von den Zwecken her zu verstehen und zu bestimmen.[213] Er grenzt sich dabei von der physikotheologischen und der ethikotheologischen Bestimmung des Zweckes der Natur ab.[214] 3. Das religiöse Naturverständnis, die „fromme" Natur. Es kommt in Kants berühmtem Satz zum Ausdruck, der wohl ein Stück seiner pietistischen Erziehung widerspiegelt: „Zwei Dinge erfüllen das Gemüt mit immer neuer und zunehmender Bewunderung und Ehrfurcht, je öfter und anhaltender sich das Nachdenken damit beschäftigt: Der bestirnte Himmel über mir und das moralische Gesetz in mir."[215] Der Mensch fühlt in solcher „Stimmung seines Gemüts ... in sich ein Bedürfnis, irgend jemand dafür dankbar zu sein."[216]

Das erstgenannte, mechanistisch-objektivierende Naturverständnis Kants zeigt sich in seiner *Herrschaftshaltung* gegenüber der Natur. Sie hat im Konzert der Stimmen der mechanistischen Naturbeherrschung zur neuzeitlichen Naturzerstörung beigetragen. Der Mensch ist nicht Teil der Natur, sondern Herrscher über sie: „Darin besteht eben seine (des Menschen. CS) Würde (die Persönlichkeit), dadurch er sich über alle andere Weltwesen, die nicht Menschen sind, und doch gebraucht werden können, mithin über alle Sachen erhebt."[217] Natur ist eine Sache zum Gebrauch, der Mensch ist Herrscher und Richter über sie: „So ging allen Naturforschern ein Licht auf. Sie begriffen, daß die Vernunft nur das einsieht, was sie selbst nach ihrem Entwurfe hervorbringt, daß sie mit Prinzipien ihrer Urteile nach beständigen Gesetzen vorangehen und die Natur nötigen müsse, auf ihre Fragen zu antworten, nicht aber sich von ihr gleichsam am Leitbande gängeln lassen müsse ... Zwar um von ihr belehrt zu werden, aber nicht in der Qualität eines Schülers, der sich alles vorsagen läßt, was der Lehrer will, sondern eines bestallten Richters, der die Zeugen nötigt, auf die Fragen zu antworten, die er ihnen vorlegt."[218] Es gibt für Kant also keine Pflicht gegenüber der Natur. Die Pflicht gegenüber der eigenen menschlichen Würde kann den Menschen aber (anthropozentrisch) zur Rücksicht auf die Natur führen.

Die Ethik Kants beeindruckt durch die Klarheit und Strenge ihrer Prinzipien und durch den Versuch, durch die freiwillige Bindung an die Pflicht des kategorischen Imperativs zu einer vernunftgemäßen maßvollen Ordnung zu gelangen. Doch gerade durch diesen Weg der Selbstvervollkommnung überschätzt und überfordert Kant die Menschen. Der Ansatz klammert sowohl Kräfte der menschlichen Wirklichkeit aus (die später z.B. von Nietzsche rebellisch in Erinnerung gerufen werden) wie auch das Angebot der Gnade. Dieser „kategorische Indikativ" könnte gerade die Verwirklichung des kategorischen Imperativs ermöglichen.

---

213 Kant, I.: Kritik der Urteilskraft, hg. von Karl Vorländer, Hamburg 1990^7. Die Kritik der teleologischen Urteilskraft umfaßt den ganzen zweiten Teil seiner KdU, § 61–91 (219–361).

214 Ebd., § 85 und 86 (306–318). Vgl. dazu auch Büttner, M.: Kant und die Überwindung der physikotheologischen Betrachtung der geographisch-kosmologischen Fakten, in ders. (Hg.): Religion/Umwelt/Forschung im Aufbruch, Bochum 1989, 17–29.

215 Kant, I.: Kritik der praktischen Vernunft, a.a.O., 186 (A 288).

216 Kant, I.: Kritik der Urteilskraft, a.a.O., 316 (§ 86, A 416).

217 Kant, I.: Metaphysik der Sitten, a.a.O., 601 (A 141).

218 Kant I.: Kritik der reinen Vernunft, hg. von R. Schmidt, Hamburg 1990^3, 17f (B 13).

3.5 19. und 20. Jahrhundert

Wie wurde die Tugend des Maßhaltens in der Ethik des 19. und 20. Jahrhunderts aufgenommen und wie wirkte sie sich, verbunden mit dem jeweiligen Naturverständnis, auf den Umgang mit der Natur aus? Die vier ausgewählten, sehr unterschiedlichen Ansätze stehen stellvertretend für bedeutende theologische und philosophische Richtungen dieser Zeit.

3.5.1 Friedrich Schleiermacher

Friedrich Schleiermacher (1768–1834), einst als „Kirchenvater des 19. Jahrhunderts" gefeiert und durch die dialektische Theologie später bekämpft, richtet seine „Ethik"[219] (*darauf beziehen sich im folgenden die Zahlen in Klammern)* und damit auch seine Tugendlehre gegen die formale Pflichtethik Kants, indem er nicht die objektive Pflicht, sondern die subjektive Individualität betont. Religion (das Gefühl des Unendlichen im Endlichen) ist für ihn klar von Moral als dem Handeln und von der Metaphysik als dem Denken getrennt. Sein Hauptinteresse gilt dem Handeln, oder wie es Karl Barth zusammenfaßte: „Sein Interesse galt in erster Linie dem handelnden Leben der Religion, in zweiter Linie dem Gefühl als dem eigentlichen Sitz dieses Lebens, erst in dritter Linie den Sätzen."[220] So ist für Schleiermacher die christliche *Sittenlehre* von der christlichen Glaubenslehre getrennt und ihr *vorgeordnet*, während die dialektische Theologie genau umgekehrt Ethik als Teil der Dogmatik und ihr nachgeordnet versteht.

Schleiermacher versucht dabei nicht, *Vernunft und Natur* möglichst klar auseinanderzuhalten wie Kant, sondern gerade in Verbindung zu bringen und schließlich zu *vereinen.* Ethik ist für ihn das Naturwerden der Vernunft in der Geschichte. Damit soll das Unvernünftige der Natur schrittweise überwunden werden, aber die Vernunft soll gleichzeitig vernatürlicht werden.

Schleiermacher teilt die Ethik in *Güter-, Tugend- und Pflichtenlehre* ein. Ziel der ganzen Ethik ist Freiheit in Gemeinschaft, das heißt die Gemeinschaft freier Individuen. Ethik ist für Schleiermacher vorwiegend Individualethik: „Der Gegenstand der Tugendlehre ist unmittelbar nicht die Totalität der Vernunft gegenüber der Totalität der Natur, sondern die Vernunft in dem einzelnen Menschen" (135). Ethik ist für ihn insofern auch Personalethik, als das Handeln des einzelnen immer auf die Gemeinschaft hin (auf die Kirche als Gemeinde) ausgerichtet sein muß.[221] Die *Tugend* ist innere Haltung, Ethik daher Gesinnungsethik, verbunden mit verantwortlicher Praxis: „Die Tugend als reiner Idealgehalt des Handelns ist Gesinnung. Die Tugend als unter die Zeitform gestellte Vernunft ist Fertigkeit. Beides kann nie ganz getrennt werden" (138). Schleiermacher bezieht seine Tugendlehre so ausdrücklich auf die vier Kardinaltugenden, wie es sonst in der evangelischen Ethik nur selten geschieht. Die Weisheit (klassisch Klugheit) und die Liebe (klas-

---

219 Schleiermacher, F.: Ethik, hg. von H.-J. Birkner, Hamburg 1981 (1812/13); ethisch wichtig ist auch sein Werk: Die christliche Sitte nach den Grundsätzen der evangelischen Kirche im Zusammenhang dargestellt (1832); vgl. auch Birkner, H.J.: Schleiermachers christliche Sittenlehre, Berlin 1964.

220 Barth, K.: Die protestantische Theologie im 19. Jahrhundert, Zollikon/Zürich 1947, 400 (379–424 kritisch zu Schleiermacher).

221 Sozialethische Ansätze in bezug auf den Staat finden sich in: Die christliche Sitte ... Vgl. dazu Birkner, H. J.: Schleiermachers christliche Sittenlehre, a.a.O., 132–141.

sisch Gerechtigkeit) sind für ihn die zwei Tugenden als Gesinnung (140–154), die Besonnenheit (klassisch sophrosyne/Maßhalten) und die Beharrlichkeit (klassisch Tapferkeit) sind die zwei Tugenden als Fertigkeit (154–165). Besonders typisch und auffällig ist die Bedeutungsverschiebung von der Gerechtigkeit als Teil der politischen Ethik hin zur Liebe, die sich eher individuell als strukturell zeigt (147f). Diese vier Tugenden sind „unter sich gebunden ... Wo eine Tugend ist, da sind alle." Die Tugend der Besonnenheit, die wir als Maßhalten übersetzen, bezeichnet er als „das Entwerfen einer richtigen Ordnung für das ganze Leben" (157). In der Verknüpfung der vier Kardinaltugenden unterscheidet er vier Charakteristiken der Besonnenheit: „Die individuelle Besonnenheit ist die geistreiche, die universelle ist die verständige; die combinatorische ist die aneignende, die disjunctive ist die abwehrende; combinatorisch universell = Klugheit, combinatorisch individuell = Erfindsamkeit; disjunctiv universell = Vorsicht; disjunctiv individuell = Rechtlichkeit" (158).

Die ganze Tugendlehre Schleiermachers strahlt eine fade, ohne Tiefgang psychologisierende und ohne Transzendenzbezug auskommende Angepaßtheit aus. Auch wenn er „vom Entwerfen einer richtigen Ordnung" schreibt, ist kaum etwas von der großartigen Suche der Griechen nach der Einordnung in die kosmische Ordnung des Maßes oder von der starken Sehnsucht des Psalmisten (Ps 119,19) nach Erkenntnis der göttlichen Schöpfungsordnung und Erlösungsverheißung spürbar.

Dennoch: Im *Umgang mit der Natur* kommt ein anderes Paradigma als bei Kant oder im mechanistischen Weltbild zum Vorschein. Ueli Hasler kommt in seiner sorgfältigen Untersuchung über Schleiermachers Naturverständnis zum Schluß: Schleiermacher fügt sich „nicht ohne weiteres ein ins Schema der cartesischen Naturverdinglichung, der man die ökologische Krise anzulasten pflegt. Die ... Einsicht, daß der Mensch selbst Teil eines evolutionären Naturprozesses sei und daß die technischen Eingriffe in die Natur in einem System von Wechselwirkungen erfolgen, die eine schlechthinnige Freiheit im Umgang mit der Natur verbieten, steht jedenfalls Schleiermachers Grundgedanken weit näher als gemeinhin vermutet."[222] Sein Anliegen ist eben nicht nur die Vernunftwerdung der Natur, sondern auch die Naturwerdung der Vernunft und damit die Überwindung der Subjekt-Objekt-Spaltung und der Erniedrigung der Natur zur Sache.[223] Aber indem er Vernunft und Natur wie Gott und Welt optimistisch und idealistisch verschmelzen und versöhnen will, entmachtet er faktisch Gott und macht den Menschen zum Subjekt der Geschichte, dem kein Maß an einem extra nos gegeben ist (außer dem Maß der Natur, von dem der Mensch als Teil abhängig ist).

Immerhin hat Schleiermacher aus seinem Naturverständnis heraus die *Brücke zwischen Theologie und Naturwissenschaft* gesucht und bauen helfen, die durch seine Kritiker wieder weitgehend abgebrochen wurde. Doch die Brücken dieser Theologien des 19. Jahrhunderts wie jene von Schleiermacher führten zu Angepaßtheit und boten keinen Widerstand oder wenigstens ein kritisches Korrektiv gegen Naturausbeutung und Technikeuphorie ihres Jahrhunderts. Interessanterweise entstanden die gegen Naturausbeu-

---

222 So Hasler, U.: Beherrschte Natur. Die Anpassung an die bürgerliche Naturauffassung im 19. Jahrhundert (Schleiermacher, Ritschl, Herrmann), Bern 1982, 168f (61–171 zu Schleiermacher).

223 Damit steht Schleiermacher in einer gewissen Nähe zur Naturphilosophie seines Zeitgenossen F. W. J. Schelling. Zu dessen Naturphilosophie vgl. Schmied-Kowarzik, W.: F. W. J. Schelling, in: Böhme, G. (Hg.): Klassiker der Naturphilosophie, München 1989, 241–262.

tung sensiblen theologischen Umweltethiken unseres Jahrhunderts viel stärker in der Nachfolge jener Theologien (wie z.B. der dialektischen), die zwischen Gott und Mensch wie Gott und Natur streng unterschieden.[224]

3.5.2 Friedrich Nietzsche

Friedrich Nietzsche (1844–1900)[225] steht auf gegen die fromm-bürgerliche und triebgehemmte Mittelmäßigkeit des 19. Jahrhunderts wie gegen die vernunftkontrollierte Pflichtethik Kants und die weltverneinende Philosophie eines Schopenhauer. Zugleich spricht er eigenartig ehrfürchtig von der Tugend des Maßhaltens, wie er sie bei den Griechen erkennt. Er stellt besonders in „Die Geburt der Tragödie" zwei Grundhaltungen einander gegenüber, „die beiden entgegengesetzten und doch zusammengehörigen Welten des Apollinischen und Dionysischen"[226]. Das *Dionysische* ist für ihn das Trieb- und Rauschhafte, die Wollust, die Geschlechtlichkeit, das Lebensbejahende und Grenzüberschreitende, das Ekstatische, der Umsturz von Ordnung durch das Chaos, die „ewige Lust des Daseins"[227]. Das Apollinische symbolisiert für ihn dagegen „jene schwer zu erringende Meeresstille der Seele, die der apollinische Grieche Sophrosyne nannte"[228], sie ist „das verzückte Verharren in einer erdichteten Welt"[229], wobei Wollust darin nicht fehlt[230]. Seine Abwertung des *Apollinischen* ist sein Protest gegen sokratisch-platonischen Intellektualismus und die „ethischen Dichter" als apollinische Künstler[231].
Bei Smith und Kant haben wir gesehen, daß sie das Tier im Menschen überwinden wollen. Nietzsche dagegen will mit dem Dionysischen das *Tier in uns wieder zulassen*, den „Aberglauben der Furcht vor dem ‚wilden grausamen Tiere'" überwinden, denn durch seine Verdrängung ist „‚jenes wilde Tier' gar nicht abgetötet worden, es lebt, es blüht, es hat sich nur – vergöttlicht."[232] Gleichzeitig klagt Nietzsche: „Der Glaube an seine (des Menschen.CS) Würde, Einzigkeit, Unersetzlichkeit in der Rangabfolge der Wesen ist dahin, – er ist Tier geworden."[233] Gerade die Rückholung des wilden Tiers im Dionysischen gibt dem Menschen seinen Stolz zurück, der ihn über die tierische Mitwelt erhebt.
Nietzsche kämpft *gegen das Mittelmäßige*, jene „Langweiligkeit" bisheriger Tugendlehre, jene „englische Moralität, die nach „dem ‚allgemeinen Nutzen' oder ‚dem Glück der meisten'" strebt.[234] Das „Mitleiden mit der ‚sozialen Not', mit der ‚Gesellschaft' und ihren Kranken und Verunglückten, mit Lasterhaften und Zerbrochnen von Anbeginn, ... mit murrenden, gedrückten, aufrührerischen Sklaven-Schichten, welche nach Herrschaft,

---

224 Vgl. dazu die nächsten Kapitel zu Barth und Ragaz.
225 Im folgenden zitiert nach Nietzsche, F.: Sämtliche Werke in zwölf Bänden (Ausgabe Kröner), Stuttgart 1964f.
226 Nietzsche, F.: Die Geburt der Tragödie (1871), a.a.O., Bd. 1, 205.
227 Ebd., 138f.
228 Ebd., 130.
229 Nietzsche, F.: Die Unschuld des Werdens I, a.a.O., Bd. 10, 386.
230 Nietzsche, F.: Der Wille zur Macht, a.a.O., Bd. 9, 534.
231 Nietzsche, F.: Die Geburt der Tragödie, a.a.O., Bd. 1, 173.
232 Nietzsche, F.: Jenseits von Gut und Böse, a.a.O., Bd. 7, 155.
233 Nietzsche, F.: Zur Genealogie der Moral, a.a.O., Bd. 7, 403.
234 Nietzsche, F.: Jenseits von Gut und Böse, a.a.O., Bd. 7, 153f.

sie nennen's ‚Freiheit' trachten", lehnt er vehement ab.[235] Spöttisch meint er: „Die Mittelmäßigen allein haben Aussicht, sich fortzusetzen. Sie sind die Menschen der Zukunft, die einzig Überlebenden; diese Moral der Mittelmäßigkeit ... muß von Maß und Würde und Pflicht und Nächstenliebe reden – sie wird Not haben, die Ironie zu verbergen."[236] Diese demütige, Rücksicht nehmende, Gleichheit und Glück für alle anstrebende „Sklavenmoral" ist durch eine „Herrenmoral" zu ersetzen, die Ehrfurcht, Heroismus und das „Vornehme"[237] betont und auch Leiden einschließt. Dieses „aristokratische Tugendverständnis"[238] Nietzsches führt zu einer Zweistufenethik, wonach die neuen Tugenden eben nicht für alle, sondern nur für die Übermenschen gelten können.

Nietzsches Spott über das Mittelmäßige ist nun aber gekoppelt mit *Ehrfurcht vor dem richtigen Maß*. Die „griechische Abneigung gegen das Übermaß ist sehr vornehm"[239]. Respektvoll spricht er „von Maß und Mitte, zwei ganz hohen Dingen"[240]. Nur „die Barbaren zeigten, daß Maßhalten bei ihnen nicht zuhause ist"[241]. Auch in der Natur beobachtet er „das natürliche Wohlgefallen der ästhetischen Natur am Maß"[242]. Nur in kurzen Augenblicken kann der Mensch das Wunder des Maßhaltens leben: „Wir Menschen des ‚historischen Sinnes' ... vermögen gerade die kleinen kurzen und höchsten Glücksfälle und Verklärungen des menschlichen Lebens, wie sie hier und da einmal aufglänzen, nur schlecht, nur zögernd, nur mit Zwang in uns nachzubilden: jene Augenblicke und Wunder, wo eine große Kraft freiwillig vor dem Maßlosen und Unbegrenzten stehenblieb –, wo ein Überfluß von feiner Lust in der plötzlichen Bändigung und Versteinerung, im Feststehn und Sich-fest-Stellen auf einem noch zitternden Boden genossen wurde. Das Maß ist uns fremd, gestehen wir es uns; unser Kitzel ist gerade der Kitzel des unendlichen, Ungemessenen. Gleich dem Reiter auf vorwärts schnaubendem Rosse lassen wir vor dem Unendlichen die Zügel fallen, wir modernen Menschen, wir Halbbarbaren – und sind erst dort in unserer Seligkeit, wo wir auch am meisten – in Gefahr sind."[243]

In seinem Werk „Der Wille zur Macht" skizziert er das Ideal des „Wohlgeratenen", der das Maß des Zuträglichen anerkennt:

„Ihm schmeckt, was ihm zuträglich ist;
sein Gefallen an etwas hört auf, wo das Maß des Zuträglichen überschritten wird;
er errät die Heilmittel gegen partielle Schädigungen; er hat Krankheiten als große Stimulantia seines Lebens; ...
er sammelt instinktiv aus allem, was er sieht, hört, erlebt, zugunsten seiner Hauptsache –

[235] Ebd., 150. Mäßigung wurde in den letzten Jahrzehnten des 19. Jahrhunderts besonders als Maßhalten im Alkoholkonsum und damit als Kampf gegen die soziale Not des Alkoholismus verstanden. So erschien in Basel, dem Wirkungsort Nietzsches, 1885 die Schrift von Kündig, J.: Die Mäßigkeitssache nach der Heiligen Schrift und es gab zahlreiche „Mäßigkeitsvereine".

[236] Ebd., 209.

[237] Ebd., 197–234 (9. Hauptstück: Was ist vornehm?).

[238] So zu Recht Braun, H. J.: Umwertung der Tugenden: F. Nietzsche, in ders. (Hg.): Ethische Perspektiven: „Wandel der Tugenden", Zürich 1989, 237–246 (243).

[239] Nietzsche, F.: Unschuld des Werdens I, a.a.O., Bd. 10, 95.

[240] Nietzsche, F.: Menschliches, Allzumenschliches, a.a.O., Bd. 3, 115.

[241] Nietzsche, F.: Der Wille zur Macht, a.a.O., Bd. 9, 592.

[242] Ebd., 593.

[243] Nietzsche, F.: Jenseits von Gut und Böse, a.a.O., Bd. 7, 149.

er folgt einem *auswählenden* Prinzip – er läßt viel durchfallen; …
er ehrt, indem er *wählt,* indem er *zuläßt*, indem er *vertraut*.“[244]

Der von Nietzsche kritisierte „mittelmäßige“, „halb-barbarische“ Mensch ist zugleich derjenige, bei dem die *Maßlosigkeit* in Form der Unterdrückung der Natur durchbricht. „Hybris ist unsere ganze Stellung zur Natur, unsere Natur-Vergewaltigung mit Hilfe der Maschinen und der so unbedenklichen Techniker- und Ingenieur-Erfindsamkeit. Hybris ist unsere Stellung zu Gott … Hybris ist unsere Stellung zu uns, denn wir experimentieren mit uns, wie wir es uns mit keinem Tiere erlauben würden.“[245] Nietzsche zeichnet ein überwiegend negatives Bild der *Naturwissenschaft*, denn sie will „die Sklaverei der Natur herbeiführen“ und die „Umwandlung der Natur in Begriffe zum Zwecke der Beherrschung der Natur“[246]. Der „dionysische“, „vornehme“ Mensch dagegen verzichtet auf diese Beherrschung.[247]
So fragwürdig und gefährlich Nietzsches Aussagen über den Übermenschen und die Verherrlichung des Egoismus sind, so sehr hat er auf wichtige wunde Punkte vieler Tugendlehren scharfsinnig hingewiesen. Ethik ist nur tragfähig, wenn sie die Trieb-Kräfte im Menschen integriert und umwertet statt abspaltet. „Wir werden vermutlich, wenn wir Tugenden haben sollten, nur solche haben, die sich mit unseren heimlichsten und herzlichsten Hängen, mit unseren heißesten Bedürfnissen am besten vertragen lernten.“[248] Zudem hilft sein Spott gegen die Mittelmäßigkeit den Weg freilegen für eine Ethik des Maßes, die eine am Vollkommenen ausgerichtete Ethik ist und damit eine Ethik der Stärke. Sein Anliegen einer „moralinfreien Tugend“[249] führt durchaus in die Nähe des theologischen Einspruchs gegen die Tugendhaftigkeit, wie wir ihn an Karl Barth gleich sehen werden.

3.5.3 Karl Barth

Der reformierte schweizer Theologe Karl Barth (1886–1968), der protestantische „Kirchenvater des 20. Jahrhunderts“, Hauptexponent der dialektischen Theologie wie der Bekennenden Kirche Deutschlands, grenzt sich von der liberalen und idealistischen Theologie des 19. Jahrhunderts, besonders von Schleiermacher, gerade damit ab, daß er zwischen Gott und Welt, Gott und Natur, Natur und Glaube eine scharfe Trennlinie zieht. Gott als der „ganz Andere“ ist weder durch eine natürliche Theologie in der Natur noch durch das fromme Gefühl im Menschen aufweisbar. Entsprechend basiert seine ethische Methodik nicht auf einer „analogia entis“ wie in der katholischen Naturrechtslehre, wonach durch die Vernunft der Wille Gottes für die Ethik erkannt werden kann, sondern auf

---

244 Nietzsche, F.: Der Wille zur Macht, a.a.O., Bd. 9, 659.
245 Nietzsche, F.: Jenseits von Gut und Böse, a.a.O., Bd. 7, 353.
246 Nietzsche, F.: Der Wille zur Macht, a.a.O., 416 und 635.
247 Entgegen der Parallelität von Unterdrückung der Natur und Unterdrückung der Frau z.B. bei Thomas von Aquin oder Bacon (Kapitel 3.3.1, Anm. 110) stehen bei Nietzsche sehr verächtliche Äußerungen über die Frau (z.B. Jenseits von Gut und Böse, a.a.O., Bd. 7, 160–168) neben Aussagen der Aufwertung der Natur.
248 Nietzsche, F.: Jenseits von Gut und Böse, a.a.O., Bd. 7, 140.
249 Nietzsche, F.: Der Wille zur Macht, a.a.O., Bd. 9, 498.

der *„analogia fidei“* resp. „analogia relationis“: Aus dem Glauben an den dreieinen Gott und die Beziehung zu ihm erkennen wir seinen Willen für unser Handeln.[250]
In diesem Kontext bewegt sich seine Haltung zu Tugendlehren, wie sie sowohl am Anfang seines Schaffens in seiner „Ethik“ (Vorlesung von 1928/29) wie am Ende seiner Vorlesungen in „Das christliche Leben“ (Vorlesungen 1959–1961) zum Ausdruck kommt.[251] Während die *Tugendlehre* auf den zehntausend Seiten seiner „Kirchlichen Dogmatik“ schlicht nicht vorkommt, wird sie in der Ethik negativ beurteilt: Das griechische Ideal der Einheit von Schönheit und Tugend, Kalokagathie, lehnt er als „Bildungsideal der politisch führenden griechischen Klassen der ionisch-attischen Periode“ ebenso ab wie die thomistischen vier philosophischen und drei theologischen Tugenden. Diese bezeichnet er freilich als „eine der grandiosesten Leistungen auf unserem ganzen Gebiet“[252].
All diese Systeme gehen für Barth aber „den Weg der Abstraktionen, den Weg des Idealismus im weitesten Sinn des Begriffs“[253]. Er spürt dabei, daß seine Kritik fundamental ist und fügt deshalb anerkennend bei: „Wo ist das Christentum wirklich gewesen ohne die Mystik, die Lehre und Praxis des Eingangs in eine zeitlose Gemeinschaft mit Gott, und ohne Moral, die Lehre und Praxis der allgemeinen Gesetzesbegriffe? … Nehmt der Kirche die Mystik, nehmt ihr die Moral, von was soll sie dann leben?“[254] Dann fährt er aber fort: „Es ist nicht leicht zu sagen, daß jene in sich ruhende Gottheit samt ihrer Transzendenz und Immanenz *nicht* der lebendige Gott und daß die zeitlose Wahrheit, trage sie welchen griechischen oder christlichen Namen sie immer wolle, nicht die Wahrheit Gottes, nicht das Gesetz des Versöhners, das Gesetz der Gnade und des Gerichts ist. Aber gerade das muß jetzt allerdings gesagt werden.“[255] Diese christliche Ethik kommt für Barth zwar „ohne positive Begriffe wie Gut, Wert, Zweck, Pflicht, Tugend, Freiheit, Idee nicht aus“, entzieht ihnen aber „Letztwirklichkeit“, da sie keine menschliche Setzung sein, sondern nur als Gehorsam gegenüber Gott verstanden werden können.[256] Während für Kant der Mensch in seinem Gewissen sein eigener Richter sein muß, kann er für Barth gerade „keineswegs Richter zwischen Tugend und Laster“[257] sein, da er sonst sein wollte wie Gott (Gen 3,5).
Das *Maßhalten* findet in den ethischen Äußerungen Barths kaum spezielle Erwähnung. Es ist in der Sache aber im Ansatz seiner Ethik angelegt: Die Methode der analogia relationis bedeutet das In-Beziehung-Bleiben mit Gott. Genau in diesem iterativen Prozeß wird das Maß je neu hergestellt. So lehnt er auch seinsmäßig festgelegte geschlechtsspezifische Tugenden von Frau und Mann ab und betont die Relation zwischen beiden als Maß: „Alle jene Zuweisungen besonderer Tugenden, Vorteile, Vorrechte, wie sie die alte, in der Regel von Männern verfertigte Ethik zugunsten des Mannes und wie sie dann

---

250 Barth, K.: Kirchliche Dogmatik (KD), Bd. 1/1–IV/4, Zollikon/Zürich 1955–1970, z.B. III/1, 219; IV/2, 185ff. Vgl. auch Stückelberger, Ch.: Vermittlung und Parteinahme, Zürich 1988, 123ff.

251 Barth, K.: Ethik, Bd. I und II, Zürich 1973 und 1978; Das christliche Leben. Die Kirchliche Dogmatik IV/4. Fragmente aus dem Nachlaß, Zürich 1976.

252 Barth, K.: Ethik I, a.a.O., 47.

253 Barth, K.: Ethik II, a.a.O., 91.

254 Ebd.

255 Ebd., 91f.

256 Barth, K.: Ethik I, a.a.O., 70f.

257 Ebd., 122.

die Ideologie der Frauenbewegung mit viel Geräusch zugunsten der Frau vollzogen hat, kranken daran ..., daß sie jene gegenseitige *Zugehörigkeit*, in der der Mann allein Mann und die Frau allein Frau sein kann, in Frage stellen."[258] In seiner Arbeitsethik – er bezeichnet Arbeit wie Ehe und Familie in seiner „Ethik" noch als „Schöpfungsordnung" – kommt derselbe Ansatz in bezug auf die Gestaltung der Natur zum Ausdruck: „Als Mensch leben heißt für den Pfahlbauer wie für uns Gestaltung der Natur durch den Geist und Erfüllung des Geistes mit Natur, Objektivierung des Subjekts und Subjektivierung des Objekts, ... Beseelung des Leiblichen und Verleiblichung der Seele. In dieser Bewegung hin und her, von oben nach unten und von unten nach oben (und beides ist gleich unentbehrlich) leben wir alles. Das Alles heißt Arbeit."[259] Zentraler Ausdruck dieses *In-Beziehung-Bleibens* sind für Barth Demut und Liebe. Als Zusammenfassung dafür lautet seine These zur Liebe: „Gottes Gebot wird von mir erfüllt, d.h. mein Tun ist gut, ist Gehorsam gegen das Gebot des Gesetzes, geschieht in Anerkennung der mir gesetzten Autorität und als Werk der Demut[260], sofern mir gesagt ist und ich mir gesagt sein lasse, daß ich selbst ein an Gott und durch ihn an meinen Nächsten Gebundener bin. Daß mir das gesagt ist und daß ich mir das gesagt sein lasse, das ist als Werk des Wortes Gottes die Wirklichkeit der Liebe."[261]

Aus der demütigen, d.h. auch dien-mutigen Gottesbeziehung drängt sich ein *respektvoller und maßvoller Umgang mit der Mitwelt* auf. So legt er den Auftrag, die Erde untertan zu machen (Gen 1,28), so aus, daß der Mensch die Erde nicht zum Besitz, sondern – man hört Calvin – „nur zur Ehre Gottes zu eigen hat" und daß er sein Recht „grundsätzlich nur als Geliehenes, und zwar unverdient geliehenes Recht ausüben" kann.[262] „Wir stehen dem zur Verfügung, der uns erschaffen hat."[263] Barths Schöpfungstheologie[264] und Schöpfungsethik ist durchaus Freiheitstheologie und -ethik[265], aber Freiheit heißt nicht Freipaß, mit Mitmenschen und Mitwelt umzugehen, wie man will, sondern Freiheit zum Gehorsam gegenüber Gott und kommunikative Freiheit in der Gemeinschaft mit Gott und im Dienst an der Welt. Es ist die Freiheit, „diesen Anderen zu meinen und zu suchen"[266]. Es geht ihm um die „Freiheit in der Beschränkung"[267]. Die Moral ist nicht autonom, sondern theonom. Während für Kant, wie wir gesehen haben, der Mensch mit seiner mündigen Vernunft die Pflicht hat, die Natur nicht als Schüler zu befragen, sondern als Richter zu beurteilen, ist es bei Barth genau umgekehrt. Gott ist Richter und der Mensch ordnet sich als Schüler in die Schöpfung ein und geht mit Pflanzen und Tieren wie mit Leihgaben um.[268] Deshalb kritisiert er auch die neuzeitlichen metaphysischen Systeme, daß sie unfähig seien, „die Begrenztheit durch Übel, Sünde und Tod" zu erken-

---

[258] Ebd., 307.
[259] Ebd., 368f.
[260] Der Demut ist ein großes Kapitel in Ethik II, a.a.O., 254–343 gewidmet.
[261] Ebd., 343.
[262] Ebd., 263f.
[263] Ebd.
[264] Bes. KD III/4. Eine präzise, umfassende und mit heutigen Fragestellungen konfrontierte Darstellung von Barths Schöpfungstheologie findet sich bei Link, Ch.: Schöpfung, Bd. 1, Gütersloh 1991, 257–329.
[265] Barth, K.: KD III/4, 366ff.
[266] Barth, K.: KD III/2, 329.
[267] Barth, K.: KD III/4, 648–789 (649).
[268] Barth, K.: KD III/4, 396ff.

nen[269] und entsprechend die Gefährdung der Geschöpfwelt von ihrer Grenze her wahrzunehmen.
Auch wenn seine Schöpfungsethik die heutigen umweltethischen Fragestellungen nur in Ansätzen kennen konnte und auch ohne expliziten Bezug zu den Tugenden des Maßes – oder gerade deshalb? –, bietet Barth mit seiner analogia relationis ein wichtiges Fundament für eine heutige Ethik des maßvollen Umgangs mit der Mitwelt.

3.5.4 Leonhard Ragaz

Leonhard Ragaz (1868–1945), der vorwiegend in Zürich Theologie lehrte und der bedeutendste Exponent der religiös-sozialen Bewegung ist, vertritt lange vor der Umweltbewegung eine erstaunlich prägnante *ökologische Theologie*[270]. Seine Schöpfungstheologie ist z.T. anders begründet und theologisch weniger umfassend dargelegt als bei Barth, aber seine Mitweltethik dafür von einer klaren politischen Analyse und ethischen Konkretion geprägt.
In Tamins im schweizer Bergkanton Graubünden war er aufgewachsen. Dort lagen seine „Naturwurzeln“[271] und wurde seine intensive Beziehung zur Natur geprägt[272]. Dort setzte er sich konkret für die Bewahrung der Schöpfung ein, z.B. gegen den Bau neuer Wasserkraftwerke und gegen den Autoverkehr. Wie bereits erwähnt[273], setzte er sich 1925 vehement für die Beibehaltung des bis dahin bestehenden generellen Autoverbots im Kanton Graubünden ein. Immer noch aktuell ist sein ethisches Kriterium, das er zur Beurteilung einer solchen ökologischen Sachfrage nennt: „Wenn es irgendein Merkmal dafür gibt, was man als Fortschritt gelten lassen darf, so doch gewiß dies, ob durch eine Sache der *Mensch* mehr zum Menschen werde oder umgekehrt. Nun kann man sich nicht leicht etwas Unmenschlicheres denken als das Automobil in der jetzigen Art seiner Verwendung. Es bedeutet die vollendete Rücksichtslosigkeit gegenüber dem Menschen, seiner Gesundheit, seiner Nerven, seiner Sicherheit, ja seines Lebens, um von allem Ästhetischen zu schweigen. Es ist die verkörperte Brutalität des Maschinenzeitalters … Nein, das ist kein Fortschritt, sondern Rückschritt der schlimmsten Art … Die Bewahrung einer stillen und von Gottes Hauch durchwehten, nicht vom Automobilgebrüll durchtönten und vom Benzingeruch verpesteten Natur ist eine Sache, die über allen eiligen Geldgewinn geht. Stellen wir nicht Gott Mammon in das Allerheiligste des Alpentempels … Von der *technischen Besessenheit* sollten wir auf alle Fälle loskommen.“[274]

---

269 Barth, K.: KD III/1, 466.

270 Einen wertvollen Überblick bieten Schmid-Ammann, P.: Die Natur im religiösen Denken von Leonhard Ragaz, Zürich 1973; Dannemann, Ch. und U.: Befreiung aller Kreatur. Das Bibelwerk von Leonhard Ragaz. Wegbereitung ökologischer Theologie, Darmstadt 1987; Dannemann, Ch. (Hg.): Zukunft der Schöpfung. Messianische Utopie und ökologisches Ethos. Ein Seminar des Leonhard-Ragaz-Instituts Darmstadt, Darmstadt 1990; Mattmüller, M.: Leonhard Ragaz als ökologischer Theologe, in: Dürr. H./Ramsein Ch.: Basileia. Festschrift für Eduard Buess, Basel 1993.

271 „Meine Naturwurzeln“ überschrieb er das erste Kapitel seiner Autobiographie: Mein Weg, 2 Bände, Zürich 1952.

272 Beschrieben in Schmid-Ammann, Die Natur …, a.a.O., 7–12.

273 Kp. 1.3.1, Anm. 59.

274 Neue Wege 1925, 69ff („Neue Wege“ ist die von Ragaz gegründete und damals geleitete Zeitschrift der religiös-sozialen Bewegung).

In diesem Zitat sind bereits die wesentlichen Elemente seiner *Analyse der Maßlosigkeit* der Neuzeit im Umgang mit der Natur enthalten. Er wendet sich wiederholt gegen den Moloch *Technik* mit ihrem Absolutheitsanspruch und ihren Opfern, die sie wie der im Alten Testament erwähnte Gott Moloch fordert. Die moderne Technik ist für ihn ein Kind der Renaissance, die „zum mindesten auf ihrer weltlichen Linie, von der Antike, der heidnischen Welt ausgeht: von der sich im Machtdrang vergottenden römischen Herrschaft, aber auch von Griechenland, dem Griechenland des Maßes, dem Griechenland der Kunst, dem Griechenland der Wissenschaft. Von beiden Formen des Heidentums strömt Macht, Geist, Herrlichkeit in die Welt … Darin offenbart sich zuletzt der Moloch-Charakter, den das Heidentum auch in seinen sublimsten Formen nicht los wird. Denn jeder ‚unbekannte Gott' wird zum Moloch, und das Fatum verschlingt in jeder Form, auch als Idee, Götter und Menschen … Die Technik wird zur Gottheit … Der Mensch wird der Technik geopfert."[275] Ragaz deutet aber auch den „Segen der Technik" an, wenn sie einen Beitrag zur Wiederherstellung der Schöpfung leistet.[276] Technik ist für ihn bedingt durch die *kapitalistische Wirtschaft*: „Die Maschine, die von Gott aus eine Waffe gegen die Not sein sollte, wird eine Dienerin der Welteroberung im Dienste der Machtgier und besonders auch der Geldgier … Damit ist die Götzenmacht des modernen Kapitalismus begründet."[277] Die Zerstörung der Natur geschieht für Ragaz insbesondere „aus der widergöttlichen und widerrechtlichen Aneignung von Grund und Boden durch Wenige … Die Güter der Erde gehören Gott, sind Gott heilig. Darum gehören sie Allen."[278] Darin scheint Ragaz' positive Erfahrung mit genossenschaftlichem Bodenbesitz der Bünder Bergbauern auf, die für ihn Erfahrungsgrundlage seines genossenschaftlichen Denkens war.

Wie kann nun aber Maßlosigkeit durch *Maßhalten* überwunden werden? Die Tugend der Besonnenheit (sophrosyne), wie sie in den neutestamentlichen Pastoralbriefen vertreten wird, ist für ihn nicht die Lösung. So schreibt er in der Auslegung dieser Briefe, darin geschehe „die Ersetzung der sittlichen Botschaft des Evangeliums durch die konventionelle, besser gesagt bürgerliche Moral."[279] Immerhin sei sogar noch diese „ängstliche Konventionalität von einem letzten Hauch des Heiligen Geistes der Apostelzeit berührt", die aber „nicht die obere, sondern die untere Grenze der Wahrheit des Reiches Gottes bezeichnen"[280].

Das Maß des Umgangs mit der Natur muß am *Reich Gottes* gemessen werden. Ragaz umschrieb seine theologische Entwicklung mit der kurzen Formel: „Vom Pantheismus zum persönlichen Gott, von Gott zum Reich Gottes und vom Reich Gottes zu Christus, seiner ‚Fleischwerdung'"[281]. Seine Reich-Gottes-Theologie umfaßt die Befreiung des Menschen wie der Mitwelt: „Zum Reich Gottes gehört die Erlösung der Kreatur."[282]

---

275 Ragaz, L.: Die Bibel – eine Deutung. Neuauflage der siebenbändigen Originalausgabe in vier Bänden, Fribourg/Brig 1990 (zitiert als BD, in Klammer die Seitenzahl der Originalausgabe), I, 156–158 (I, 160–162). Ragaz schrieb das umfangreiche Werk in kurzer Zeit 1942/43.

276 Ebd., 161 (165).

277 Ebd., 157 (161).

278 Ebd., II, 395f (IV, 149f).

279 Ebd., IV, 193 (VI, 197).

280 Ebd., 196 (200).

281 Zitiert ohne Quellenangabe von A. Rich: Leonhard Ragaz, in: Schultz, J. (Hg.): Tendenzen der Theologie im 20. Jahrhundert, Stuttgart 1966, 109–113 (110).

282 Ragaz, L.: Die Botschaft vom Reich Gottes, Bern 1942, 39.

Reich Gottes heißt für Ragaz „die durch Gott und Christus gereinigte und wiedergeborene Natur“[283], das heißt: „Die Schöpfung ist wiederhergestellt durch Christus“.[284] Das Reich Gottes vollendet sich, wie er in der Auslegung von Offenbarung 21 schreibt, durch die „kosmische Erlösung“ als die „Befreiung der Natur von Kampf und Jammer“, aber nicht erst am Ende der Zeit, sondern durch das „Kommen Gottes und Christi in Entwicklungen und Stufen gewaltigsten Stiles“, „das in Evolution wie in Revolution, von Äon zu Äon, vor sich geht bis zur Vollendung“.[285] Nicht die Befreiung von der Natur, sondern die Befreiung der Natur ist Aufgabe des Menschen. Schon im mosaischen Gesetz sieht er den Auftrag, daß „der Mensch ein Schützer und Erlöser der Natur sein sollte“[286]. Dazu gehört „der Pflanzenschutz, der Tierschutz, der Schutz aller Natur, auch der Stille, auch der Nacht!“[287]

Für Ragaz ist – schon in der ersten Hälfte unseres Jahrhunderts! – *ökologische Theologie als Theologie der Befreiung* zu verstehen. Dazu gehört die Befreiung von den genannten widergöttlichen Mächten der Naturzerstörung. Ein maßvoller Umgang mit der Natur ist bei ihm nicht durch individualethische Tugenden der Mäßigung, sondern durch *sozialethisch* verantwortete Strukturänderungen anzustreben (wobei gemäß der „Polarität als Grundstruktur“ seines Denkens[288] Individual- und Sozialethik wie „Individualismus und Sozialismus des Gottesreiches“ für ihn zusammengehören). So stellt er in seiner Auslegung der Geschichte des Turmbaus von Babel die traditionelle Tugend der Mäßigung (des Trinkens und Essens) in den größeren Zusammenhang des Rausches als eines „Götzendienstes“, wozu er auch den „modernen Verkehr mit seiner betäubenden Eile wie mit seiner berauschenden Überwindung von Raum und Zeit“[289] zählt. Die „Losung der Rückkehr zur Natur“, wie sie „immer in Zeiten entarteter Hochkultur eintritt“, z.B. „in den Einzelformen des Vegetarismus und der Alkohol-Abstinenz, wie in allerlei Formen der Askese, genügt nicht, sie mag als Hinweis auf das Paradies, rückwärts und vorwärts, notwendig sein, mag auch etwas wie eine Arche bedeuten, aber sie kann von sich aus die Katastrophe nicht verhindern“.[290] Askese lehnt er als „Abirrung von Gott und Verachtung seiner Schöpfung“[291] ebenso ab wie Körperfeindlichkeit, denn „der Leib entstammt nicht weniger Gott als die Seele“[292]. Die Lösung liegt für Ragaz viel mehr z.B. in der Neugestaltung der Besitzverhältnisse, denn „der Besitz zerstört auch alle Ehrfurcht vor der Schöpfung Gottes und führt zu einer Ausbeutung und Vergewaltigung der Natur, die zu deren Zerstörung wird. Ihm ist keine Landschaft zu schön, als daß er sie durch die Technik entstellte, kein Bergtal mit seiner Geschichte zu heilig, als daß er es in einem Stausee ertränkte, wenn das dem Profite dient oder zu dienen scheint.“[293]

---

283 Ragaz, L.: Mein Weg, Bd. 1, Zürich 1952, 70.

284 Ragaz, L.: Der Kampf um das Reich Gottes in Blumhardt, Vater und Sohn – und weiter!, Zürich 1922, 73.

285 Ragaz, L.: BD IV, 446f (VII, 244f).

286 Ragaz, L.: BD I, 401 (II, 145).

287 Ebd., 400 (401).

288 So Jäger, H.U.: Leonhard Ragaz, in: Leimgruber, St./Schoch, M. (Hg.): Gegen die Gottvergessenheit. Schweizer Theologen im 19. und 20. Jahrhundert, Freiburg 1990, 164–179 (174).

289 Ragaz, L.: BD I, 178f (I, 182f).

290 Ebd., 180 (184).

291 Ragaz, L.: Der Kampf um das Reich Gottes, a.a.O., 70.

292 Ebd., 69.

293 Ragaz, L.: BD III, 95f (V, 99f).

Aus Ragaz' Ethik lassen sich die folgenden *Kriterien* für Eingriffe des Menschen in die Natur zusammenfassen[294]:

1. Eingriffe müssen lebensfördernd sein für Umwelt und Mitwelt. Sie müssen positive Auswirkungen auf den Gesamtzusammenhang des Geschöpflichen haben und verhelfen, das Reich Gottes ein Stück aufscheinen zu lassen.
2. Zerstörerische Eingriffe dürfen nur dann vorgenommen werden, wenn sie die einzig mögliche und denkbare Hilfe gegen einen gravierenden Notzustand sind und keine Alternative besteht.
3. Technik ist gut, wenn sie der Einigung der Menschheit dient, aber sie dient oft der falschen Einheit des Totalitarismus.
4. Technische Eingriffe sind vertretbar unter der Bedingung, daß die heilige Scheu nicht zerstört wird, des Menschen Arbeit nicht entwertet, sondern aufgewertet wird, die Trennung der Menschheit in Klassen abgebaut und der Hochmut des Menschen nicht verstärkt wird.
5. Das Maß der Eingriffe ist nicht absolut festzulegen, sondern ist Ergebnis der lebendigen Beziehung zum Schöpfergott.

294 Aus dem Bisherigen und bes. aus BD I, 151–185 (I, 155–189). Vgl. auch Dannemann, Ch. und U.: Befreiung aller Kreatur, a.a.O., 39f.

4. Das Ethos des Maßhaltens in der heutigen Ethik

Seit Anfang der siebziger Jahre erschien eine große Fülle von Publikationen zur Umweltethik, besonders in den deutschsprachigen Ländern und den USA.[1] Die Frage des Maßhaltens spielt darin eine wesentliche Rolle. Das Anliegen taucht aber oft nicht unter diesem Begriff, sondern unter Begriffen wie Selbstbegrenzung, Verzicht, Ehrfurcht, Gleichgewichtsökonomie oder Nachhaltigkeit auf. Mit einigen repräsentativen Ansätzen wollen wir uns im folgenden auseinandersetzen. Entsprechend dem Aufbau des historischen 3. Kapitels erfolgt dies wiederum nach Autoren und Autorinnen. Die problemorientierte thematische Systematisierung erfolgt im 5. Kapitel. Ich konzentriere mich im wesentlichen auf die ethischen Kriterien und Regeln des Maßes, die in diesen Ansätzen genannt werden. Dabei ist in vielen Umweltethiken eine Tendenz zu einem Konsens in wichtigen Punkten festzustellen, und zwar trotz sehr unterschiedlichen Begründungen wie der anthropozentrischen, physiozentrischen, theozentrischen, utilitaristischen, verantwortungsethischen, naturrechtlichen, eschatologischen usw.

4.1 Schöpfungstheologien

Schöpfungs*theologie* hat im Unterschied zur Umwelt- resp. Schöpfungs*ethik* nicht die Aufgabe, Kriterien und Maximen für das Handeln des Menschen gegenüber der Mitwelt zu formulieren, sondern die Grundlage dazu zu legen, indem sie Gottes Plan mit der Schöpfung und sein Handeln in dieser Welt aufzeigt.

4.1.1 Jürgen Moltmann: Gott als Trinität

Der Tübinger Systematiker Jürgen Moltmann baut seine ganze Theologie wie auch seine Schöpfungslehre[2] auf der Trinität Gottes auf und entwickelt sie in eschatologischer Perspektive.

---

1 Vgl. die Bibliographien in Kp. 1.2, Anm. 18. Für die USA bietet R.F. Nash (The Rights of Nature. A History of Environmental Ethics, Wisconsin 1989) einen sehr guten Überblick! Die intensive deutschsprachige Diskussion wird darin allerdings überhaupt nicht zur Kenntnis genommen. Die Einschränkung einer Geschichte der Umweltethik auf die US-amerikanische Diskussion – sie ist im Titel oder im Vorwort auch nicht vermerkt – ist angesichts heutiger weltweiter Interdependenzen unverständlich und zeigt nicht zuletzt, welche Hindernisse auf dem Weg zu einem „Weltethos" noch zu überwinden sind.

2 Moltmann, J.: Kirche in der Kraft des Geistes, München 1975; ders.: Zukunft der Schöpfung, München 1977; ders.: Trinität und Reich Gottes, München 1980; ders.: Gott in der Schöpfung. Ökologische Schöpfungslehre, München 1985; ders.: Gerechtigkeit schafft Zukunft. Friedenspolitik und Schöpfungsethik in einer bedrohten Welt, München/Mainz 1989; ders.: Menschenbild zwischen Evolution und Schöpfung, in: Altner, G. (Hg.): Ökologische Theologie, Stuttgart 1989, 196–212; ders./Gießer,E.: Menschenrechte, Rechte der Menschheit und Rechte der Natur, in: Vischer, L. (Hg.): Rechte künftiger Generationen, Rechte der Natur. Vorschlag zu einer Erweiterung der Allgemeinen Erklärung der Menschenrechte, Bern 1990, 15–25; ders.: Der Geist des Lebens. Eine ganzheitliche Pneumatologie, München 1991.

Er bringt dies auf die Kurzformel: „Die Schöpfung existiert *im* Geist, ist geprägt *durch* den Sohn und geschaffen *vom* Vater. Sie ist also *aus* Gott, *durch* Gott und *in* Gott."[3] Sie existiert – Moltmann nimmt hier die dogmengeschichtliche Tradition auf – in den drei Zeitdimensionen der Schöpfung am Anfang (creatio originalis), der fortgesetzten Schöpfung (creatio continua) und der Schöpfung am Ende (creatio nova), womit er auch die Kontinuität der Schöpfung betont.[4] Die Vollendung der Schöpfung wird möglich durch die „messianische Bereitung der Schöpfung zum Reich" durch Jesus Christus. Ihr entspricht die messianische Berufung des Menschen zur imago Christi.[5] Die Vollendung geschieht auch durch das Wirken des Heiligen Geistes als einem „kosmischen Geist"[6]. Durch seine Selbstbegrenzung bindet sich Gott mit seinem Bund an die Menschen wie an seine ganze Kreatur. Dieser Bund, diese Beziehung ist Fundament für die Maßfindung im Umgang mit der Schöpfung.

Aus seiner Schöpfungstheologie ergibt sich so für Moltmann eine Ethik der Schöpfung.[7] Sie führt zu einem maßvollen Umgang mit der Schöpfung. Sie kann verkürzt in folgenden *Postulaten* zusammengefaßt werden:

1. Einseitige Herrschaft ist durch *wechselseitige Gemeinschaft* zu ersetzen, sowohl zwischen Menschen wie im Verhältnis zur Natur.[8]
2. Schöpfungsgemeinschaft ist als *Rechtsgemeinschaft der Geschöpfe* zu verstehen, bei der der Natur ein Eigenwert mit eigenen Rechten zusteht. „Natur muß von Menschen auch um ihrer selbst willen geschützt und das heißt um ihrer eigenen Würde willen bewahrt werden."[9]
3. Der *Rhythmus von Ruhe und Arbeit*, von Brachzeit und Bebauen der Erde ist Voraussetzung für eine dauerhafte Bewohnbarkeit und Nutzung der Erde. Die biblischen Sabbatregeln sind „Gottes ökologische Strategie" und „göttliche Therapie", um das Leben zu bewahren, das er geschaffen hat.[10]
4. Schöpfung als *zukunftsoffener Prozeß* erfordert einen „lebensfähigen Ausgleich zwischen ‚Gleichgewicht' und ‚Fortschritt'" als eine spannungsvolle Harmonie wie zwischen Jin und Yang. Das Maß ist also dynamisch, aber nicht beliebig, Entwicklung muß Fortschritt im Dienste des Gleichgewichts sein.[11]
5. Der Selbstbeschränkung Gottes und der daraus folgenden Freiheit des Menschen entspricht die freie *Selbstbeschränkung des Menschen* im Umgang mit der Mitwelt, verankert im Bund mit Gott.[12]

---

3 Gott in der Schöpfung, a.a.O., 109.

4 Zu Vorbehalten gegenüber dieser Kontinuität vgl. W. Huber, unten Kp. 4.2.3, Anm. 62.

5 Gott in der Schöpfung, a.a.O., 21ff, 78ff, 231ff.

6 Ebd., 23ff, 110ff, 266ff.

7 Moltmann führt sie in „Gerechtigkeit schafft Zukunft" aus. Allerdings bleibt sie auch hier relativ allgemein und für nichtchristliche Kreise weniger leicht vermittelbar als z.B. die Umweltethiken von Altner oder Ruh.

8 Gerechtigkeit schafft Zukunft, a.a.O., 75ff; Trinität, a.a.O., 144ff; Kirche, a.a.O., 318ff.

9 Menschenrechte, a.a.O., 23.

10 Kirche, a.a.O., 302ff; Gott in der Schöpfung, a.a.O., 281ff; Gerechtigkeit, a.a.O., 82ff, 104ff.

11 Gerechtigkeit, a.a.O., 125ff; Gott in der Schöpfung, a.a.O., 214ff.

12 Trinität, a.a.O., 123ff.

4.1.2 Christian Link: Welt als Schöpfung

Der Systematiker Christian Link setzt sich in seiner umfassenden „Schöpfungstheologie angesichts der Herausforderungen des 20. Jahrhunderts“[13] mit naturwissenschaftlichen und ökologischen Fragen an die Schöpfungstheologie auseinander und sucht Antworten in Anknüpfung an reformatorische und dialektische Theologie. Dies tut er wie Moltmann in „trinitarischer Perspektive“[14], allerdings viel weniger zentral als jener, wogegen er stärker die Auseinandersetzung mit den biblischen Schöpfungstexten, den Naturwissenschaften und der natürlichen Theologie führt.

Link erkennt aus der biblischen Offenbarung „Grenzen und Maße der Schöpfung“[15]. Diese beschreiben „keinen Zustand, den der Mensch von sich aus herbeiführen und schaffen könnte, der also nur von ihm her und auf ihn hin sein Recht und seinen Sinn erhält. Sie begründen vielmehr eine Verfassung der Welt, in die er eingebettet ist“, die „inneren Proportionen der Schöpfungswelt“[16]. Indem es die Maße sind, die Gottes Absicht mit der Schöpfung manifestieren, beinhalten sie immanent eine Ethik als Antwort auf Gottes Willen. Link nennt verschiedene solche *„Maße der Schöpfung“*:

– Die *Begrenztheit der Erde* (Ps 74,17) als mit ihrer Erschaffung angelegte Bedingung des Lebens auf diesem Planeten.

– Die *Begrenztheit des Menschen* als subjektive Grenze. „Geschöpfsein heißt in Grenzen zu existieren.“[17] Die Absage an Maß und Grenze ist Inbegriff der Sünde.

– *Raum und Zeit* sind objektive Grenzen, die die Entscheidungsmöglichkeiten des Menschen begrenzen.

– *Gerechtigkeit* bezeichnet – als Gesetz und als Heil – die Grundordnung des Kosmos. Diese zerbrochene Ordnung wiederherzustellen heißt „für das Lebensrecht der Schöpfung einzutreten, wo immer es bedroht ist“[18].

– *Friede* (Schalom) ist jene von Gott gesetzte und nur von ihm zu garantierende Ganzheit, die Mensch und Natur umfaßt.

– Die *Schönheit* der Natur ist als „Abglanz der Ehre, oder besser: der Aura, die Gott selbst umgibt“[19] ein wichtiges Maß der Schöpfung. In der Schönheit zeigt sich „das Geheimnis der Schöpfung“[20].

– Die *Würde der Schöpfung* ist ein Maß für den sorgfältigen Umgang mit ihr. Diese Würde besteht in der Unverfügbarkeit der Schöpfung. Die (in den Menschenrechten festgehaltene) Würde des Menschen ist „ein Abglanz der Würde der Kreatur insgesamt“[21]. So wie die Menschenrechte dem Menschen nicht von Menschen gewährt wer-

---

13 Link, Ch.: Schöpfung, Bd. 1 Schöpfungstheologie in reformatorischer Tradition, Bd. 2 Schöpfungstheologie angesichts der Herausforderungen des 20. Jahrhunderts, Gütersloh 1991.

14 Ebd., Bd. 2, 528ff.

15 Ebd., 365–372.

16 Ebd., 370.

17 Ebd., 367.

18 Ebd., 398.

19 Ebd., 371.

20 Ebd., 468ff.

21 Link, Ch.: Rechte der Schöpfung – Theologische Perspektiven, in: Vischer, L. (Hg.): Rechte künftiger Generationen. Rechte der Natur. Vorschlag zu einer Erweiterung der Allgemeinen Erklärung der Menschenrechte, Bern 1990, 48–60 (53).

den, sondern ihm zugesprochen sind, so gehört die Würde der Natur dieser unverfügbar, sie ist dem Bestimmungsrecht des Menschen entzogen[22].
Wie bei Moltmann ist bei Link das Maß primär eschatologisch „im Horizont der Zukunft Gottes", als „Entwurf des Reiches Gottes"[23] zu bestimmen, also von Gottes Weg mit der Schöpfung auf ihre Vollendung hin. Damit wird auch die Schöpfung „Gleichnis" für die gegenwärtige und zukünftige Herrlichkeit Gottes[24].
Da Link eine Schöpfungstheologie und nicht eine *Umweltethik* formuliert, bleiben die relativ spärlichen ethischen Folgerungen notgedrungen allgemein. Dennoch beinhalten sie wesentliche Hinweise für eine *Ethik des Maßhaltens*: Unter den „Leitlinien einer ökologischen Theologie" nimmt er sehr kurz Bezug auf die Werte Schöpfungsgemeinschaft, Ganzheitlichkeit, Solidarität, Weisheit statt Wissen, Sabbat als Schlüssel der Schöpfungstheologie, schöpferische Präsenz des Geistes und Bundestheologie.[25] Doch am ehesten entsteht Ehrfurcht gegenüber der Mitwelt, wenn wir unser Handeln – mit Bonhoeffer – als Handeln im vorletzten, offen für die Ankunft des Letzten betrachten, d.h. die Illusion aufgeben, wir könnten uns die Zukunft garantieren lassen und uns ihrer bemächtigen. Der eschatologische Vorbehalt ist ein „Eigentumsvorbehalt": Die Schöpfung ist nicht unser, sondern Christi Eigentum (Joh 1,11).[26]

4.1.3 Traugott Koch: Bejahung des Lebens

Der an der Universität Hamburg lehrende Systematiker Traugott Koch baut seine Schöpfungstheologie in seiner Schrift „Das göttliche Gesetz der Natur"[27] ganz auf dem Begriff des Lebens, besonders der „Bejahung des Lebens" auf *(die folgenden Zahlen im Text beziehen sich auf die Seiten dieses Werkes)*. Während die Naturwissenschaft nach der Ursache von etwas fragt, fragt die Theologie nach dem Sinn. Während die Natur für den Menschen wunderbar und schrecklich, also immer ambivalent ist, kennt die Natur selbst diesen Unterschied nicht. Sie ist „außerhalb jeder Moral", „sie zerstört ohne Trauer" und die Evolution ist ohne erkennbaren Zweck außer dem des Überlebens (70ff, 77f). Da die Natur selbst für den Menschen nicht orientierend ist, er andererseits nicht bei der Zwiespältigkeit der Natur stehen bleiben kann, weil sonst „sein Blick beim Tode hängen bleibt", braucht er die Erkenntnis des „göttlichen Gesetzes in der Natur". Dieses liegt für Koch in der „Bejahung des Lebens angesichts der Todverfallenheit des natürlichen Lebens" (79). Das „Gesetz der Lebendigkeit des Lebens" (59) wird damit zum ethischen Gebot, nämlich „*das* Leben zu lieben, das im Gelingen von Wahrheit und Liebe dem Tod überlegen ist – und *darum* und darin *alles* Leben zu wollen" (85). Damit betont

---

[22] Von der Würde der Schöpfung statt von Rechten der Natur spricht auch Huber, W.: Rights of Nature or Dignity of Nature, in: Annual of the Society for Christian Ethics, Washington DC 1991. Vgl. Kp. 4.2.3 und 5.3.5.

[23] Link, Ch.: Schöpfung, Bd. 2, a.a.O., 372ff, 494ff.

[24] Mehr dazu in Link, Ch.: Die Welt als Gleichnis, 1982[2]. Damit verbunden ist Calvins Bild der Welt als theatrum gloriae Dei. Vgl. zu Calvin Kp. 3.3.2.3.

[25] Link, Ch.: Schöpfung, Bd. 2, 461ff.

[26] Ebd., 599.

[27] Koch, T.: Das göttliche Gesetz der Natur. Zur Geschichte des neuzeitlichen Naturverständnisses und zu einer gegenwärtigen theologischen Lehre von der Schöpfung, Theol. Studien 136, Zürich 1991.

Koch – in Abgrenzung zu manchen umweltethischen Ansätzen, die den Vorrang der Art vor dem Individuum postulieren – die Bedeutung jedes einzelnen Lebens und des Individuums gegenüber dem Kollektiv. „Alles reden von einem gewollten Opfern, gar des Individuums für das Überleben eines Kollektivs, hat da ein definitives Ende." (83) Denn alles, was lebt, hat sein Leben von Gott „und so will Gott alles, was ist." (88) Mit seinem Geist der Wahrheit und der Liebe schafft er unaufhörlich „Leben im Guten", das „nur so von Gott geschaffen und gewollt" ist, dem er aber zugleich die Freiheit läßt, anders zu sein (89).

Aus seinem Ansatz folgert Koch vier Maße, *vier Imperative für das Handeln gegenüber der Natur* (92f. Hervorhebungen durch CS):

„– Sei bei allem, das du an der Natur tust, an ihrer *Lebendigkeit*, an ihrer Vielfalt und am Wunder neuen Lebens interessiert; bedenke, du hast es mit Lebendigem, Selbstbewegtem, Sinnvollem, nicht mit totem Material zu tun.

– Versuche, die Natur, soweit wir Menschen dazu beitragen können, in ihrer *vielfältigen* Lebendigkeit nicht zu reduzieren, sondern zu fördern, auf daß sie also reicher wird; das heißt vor allem: laß leben.

– Beachte bei jedem Eingriff in die Natur, daß das, was du bearbeitest und veränderst, etwas in sich Lebendiges ist, das deinen Eingriff in seine eigene Lebendigkeit aufnehmen muß: *Verkraftet es das* oder geht es daran zugrunde – kann es sich weiter in seiner Form und Gestalt selbst erhalten oder degeneriert es durch diesen Eingriff?

– *Schädige nicht*, wo immer sich das vermeiden läßt; schädige einzig dann, wenn du überzeugt bist, daß es nicht zu vermeiden ist."

Kochs Ansatz beim „Gesetz der Lebendigkeit des Lebens" und bei der „Bejahung allen Lebens" gegen allen Tod kann Ehrfurcht und Respekt gegenüber der Mitwelt sowie eine Zurückhaltung bei Eingriffen fördern. Dennoch sind theologische Bedenken gegen seine Lehre von der Schöpfung zu erheben: Die Christologie fehlt bei ihm praktisch ganz und auch Gottes Geist ist eigentümlich blaß und in keiner Weise trinitarisch eingebunden. Entsprechend fehlt auch die eschatologische Ausrichtung der Schöpfung auf die Neuschöpfung, überhaupt die heilsgeschichtliche Entwicklung von der zerstörerischen und leidenden zur neuen Schöpfung. Verbunden mit einem Subjektivismus teilt sein Ansatz die Schwächen der idealistischen natürlichen Theologie und Naturphilosophie des 19. Jahrhunderts, wie sie z.B. bei Ph. Marheineke und J. Schaller im Umfeld von Hegel in der ersten Hälfte des letzten Jahrhunderts vertreten wurde und auf die sich Koch wiederholt bezieht (z.B. 29ff, 66). So sehr seine vier ethischen Prinzipien in sich sinnvoll sind, so sehr genügen sie nicht, um die Kräfte der Naturzerstörung aufzuhalten. Der Grundsatz, *alles* Leben retten zu wollen, hilft auch wenig weiter, wo es um Überlebenskonflikte zwischen Lebendigem geht. So ist der Vorwurf, er vertrete einen „fromm verklärten Positivismus", den er zwar gleich selbst zurückweist (91), nicht ganz von der Hand zu weisen. Gegenüber Kultur- und Technikpessimisten ist sein Aufruf, „das eigene Leben, das Leben aller Menschen und die Lebendigkeit des Natürlichen gut sein zu *lassen*" (91), trotzdem ein Anstoß.

4.1.4 John B. Cobb: Prozeßtheologie

John B. Cobb jr., Theologieprofessor in Claremont/USA sowie Gründer und Leiter des dortigen „Center for Process Studies", ist Begründer und zusammen mit dem amerikanischen Religionsphilosophen David R. Griffin und dem australischen Biologen Charles Birch Hauptvertreter der Prozeßtheologie.[28] Diese verbindet Alfred N. Whiteheads Prozeßphilosophie mit der christlichen Schöpfungstheologie.[29] Als weitgehend natürliche Theologie grenzt sie sich deutlich gegen Offenbarungstheologien ab. Cobb leitet aus der Prozeßtheologie seit Anfang der siebziger Jahre, als einer der ersten in der amerikanischen Theologie, eine engagierte *ökologische Theologie* ab[30], die er als *politische Theologie* versteht. Im Rahmen der weltweiten Ökumene entfaltete sie gewisse Wirkung[31] und erfuhr sie zugleich ihre Kritik.

Für die Prozeßtheologie besteht die Wirklichkeit nicht aus Dingen, sondern gleicht mehr einem Organismus, der in einem dauernden *Prozeß* im Werden ist. Gott handelt in diesem Prozeß einerseits in seiner anfänglichen Natur[32], indem er dem Prozeß sein Ziel und seine Ausrichtung gibt, andererseits in seiner Folgenatur[33], indem er in diesem Schöpfungsprozeß ständig anwesend und wirkend tätig ist, als Gott in der Natur. Die Zukunft der Schöpfung ist Kontinuität dieses Prozesses, d.h. Christus ist „in allen Dingen gegenwärtig"[34]. *Schöpfer und Schöpfung* sind in der Prozeßtheologie *kaum zu unterscheiden*, da Gott sich ganz an seine Schöpfung bindet. Unabhängigkeit und Allmacht Gottes werden bewußt in Frage gestellt. Das führt in letzter Konsequenz aber dazu, daß mit der Zerstörung der Schöpfung auch Gott sterben kann und stirbt. „Schöpfung wird zu einem Synonym für Entwicklung, Evolution."[35]

Welches sind die *Konsequenzen* dieser prozeßtheologischen Schöpfungslehre für die Umweltethik? Sie führen bei Cobb schon früh zu einem Einsatz für die *Rechte der Natur*. Die Natur ist nicht nur utilitaristisch aus Eigeninteresse zu schützen, sondern um ihrer eigenen Würde willen, als Folge der Anwendung des christlichen Liebesgebots auf

---

28 Cobb, J. B. jr./Griffin, D. R.: Prozeß-Theologie, Göttingen 1979; Griffin, D. R./Altizer, Th. (eds.): John Cobb's Theology in Process, Philadelphia 1977; Welker, M.: Universalität Gottes und Relativität der Welt. Theologische Kosmologie im Dialog mit dem amerikanischen Prozeßdenken nach Whitehead, Neukirchen 1981.

29 Cobb, J. B. jr.: A Christian Natural Theology: Based on the Thought of A. N. Whitehead, Philadelphia 1965. Die Prozeßtheologie steht auch in deutlicher Nähe zur Tiefenökologie (deep ecology) des Norwegischen Philosophen A. Naess.

30 Cobb, J. B. jr.: Is It Too Late? A Theology of Ecology, Beverly Hills 1972; ders.: Der Preis des Fortschritts, München 1972; ders./Birch, Ch.: The Liberation of Life: From the Cell to the Community, Cambridge/GB 1981; ders.: Postmodern Social Policy, in: Griffin, D. R. (ed.): Spirituality and Society, New York 1988, 99–106.

31 Besonders durch die Reden von Ch. Birch an der Vollversammlung des Ökumenischen Rates der Kirchen in Nairobi 1975 und an der Weltkonsultation 1979 in Boston. Birch, Ch.: Schöpfung, Technik und Überleben der Menschheit, in: Jesus befreit und eint. Vorträge von der Fünften Vollversammlung des ökumenischen Rates der Kirchen in Nairobi, Beiheft zur Ökumen. Rundschau Nr. 30, 1976, 95–111; ders.: Nature, Humanity and God in Ecological Perspective, in: Shinn, R. (ed.): Faith and Science in An Unjust World. Report of the WCC's Conference on Faith, Science and the Future, Genf 1980, Bd. 1, 62–73.

32 Primordial nature, vergleichbar der creatio originalis.

33 Consequent nature, vergleichbar der creatio continua.

34 Cobb, J. B./Griffin, D. R.: Prozeß-Theologie, a.a.O., 97.

35 So Link, Ch.: Schöpfung, Bd. 2, Gütersloh 1991, 437. Zur Prozeßtheologie 434–439.

die Natur.[36] An diesem Maß muß sich der Umgang mit der Natur messen lassen. Liebe, Leben („religion of life“), Glück, Befreiung von unterdrückenden und ausbeutenden Strukturen sind die Grundwerte, an denen er den Umgang mit der Natur orientiert.
Für die *Umweltethik als politische Ethik* heißt das für Cobb: Abbau der Nationalstaaten hin zu kleineren Einheiten („bioregions and cultural regions“) und gleichzeitig Aufbau einer verbindlichen Weltordnung („global authority“);[37] Für die Ökonomie bedeutet das die Veränderung der heutigen Weltwirtschaftsordnung weg vom Individualismus der Konsumenten hin zu einer Wirtschaft für die Gemeinschaft („economics for community“). Sie würde die größtmögliche regionale ökologische Autonomie, Partizipation der Bevölkerung und durch beides eine nachhaltige Wirtschaft ermöglichen.[38] Zur internationalen Meßbarkeit und Vergleichbarkeit dieser wirtschaftlichen Ziele entwickelte Cobb zusammen mit dem berühmten Weltbank-Ökonomen Herman Daly einen meines Erachtens sehr bedeutsamen und zukunftsweisenden „Index Dauerhafter Ökonomischer Wohlfahrt“[39] als Alternative zum seit langem umstrittenen Index des Bruttosozialproduktes. Damit formulierte Cobb ein sehr konkretes, wirtschaftlich umsetzbares umweltethisches Maß.

4.2 Schöpfungsethiken

Die bisher erwähnten Beispiele heutiger Schöpfungstheologie haben gezeigt, daß sie wichtige dogmatische Probleme angesichts heutiger Fragestellungen reflektieren. Damit liefern sie die theologischen Grundlagen für die Schöpfungsethik.[40] Konkretere umweltethische Regeln des Maßes sollen an folgenden Ansätzen gezeigt werden. Sie können wiederum nur exemplarischen Charakter haben.[41] Dabei wird auch deutlich, daß die Integration dogmatischer und ethischer Gesichtspunkte in heutiger Ökologischer Theologie oft noch nicht genügend und umfassend gelingt.[42] Auch in meinem Ansatz kann sie nur ansatzweise ausgeführt werden, obwohl sie mir ein Anliegen ist.
Die heutigen Schöpfungstheologien wie -ethiken knüpfen nur selten direkt an der Tugendlehre und an der Kardinaltugend des Maßhaltens an. Im folgenden tun dies am direktesten Mieth und Ruh. Dennoch ist bei allen folgenden Ansätzen die Ethik des Maßhaltens unter verschiedenen Begriffen zentral.

---

36 Cobb, J. B.: Is It Too Late?, a.a.O., 48–52.

37 In: Griffin, D. R.: Spirituality and Society, a.a.O., 19.

38 Ebd., 103ff.

39 Mehr dazu in Kp. 4.9.2.

40 Zum Begriff Schöpfungsethik im Verhältnis zur Umweltethik vgl. Kp. 1.5.2.

41 Neuere theologische Ansätze zu einer Ethik des Maßhaltens, die hier nicht ausgeführt werden können, finden sich z.B. auch bei Rendtorff, T.: Ethik, Bd. 2, Stuttgart 1981, 32ff, 64ff, 104ff (Umgang mit Kultur, Technik, Grenzen); Ringeling, H.: Christliche Ethik im Dialog, Freiburg 1991, 213ff (zur Gentechnologie); Furger, F.: Christliche Sozialethik, Stuttgart 1991, 192f (die Umweltethik ist insgesamt nur sehr am Rand behandelt); Schäfer-Guignier, O.: … et demain la terre. Christianisme et écologie, Genf 1990, 81ff.

42 Diesbezüglich vorbildlich ist der Aufbau des Buches von Altner, G. (Hg.): Ökologische Theologie. Perspektiven zur Orientierung, Stuttgart 1989. Es sucht historische, interreligiöse, biblische, dogmatische, ethische und kirchenpraktische Aspekte zu verbinden.

4.2.1 Günter Altner: umfassende Bioethik

Der an der Universität Koblenz-Landau lehrende theologische Ethiker und Biologe Günter Altner gehört im deutschsprachigen Raum zu den ersten, die besonders seit Anfang der siebziger Jahre[43] die theologische Umweltethik mit Nachdruck entwickelten. In seinem theologischen Ansatz nimmt der *heilsgeschichtliche und christologische Bezug* eine wichtige Stellung ein[44], verbunden mit der Perspektive der „Verheißung eines neuen Himmels und einer neuen Erde“ gerade auch angesichts von Weltangst und Weltzerstörung. Durch die Treue Gottes ist der Schöpfung zwar „nicht Ewigkeit zugesagt, wohl aber Bestand im Wechsel der Zeiten ... Das Weltende im Sinne der Selbstzerstörung der Menschheit durch Hybris wäre nicht das Ende der Erde, aber gewiß Ausdruck der Vergeblichkeit dieses einen, einmaligen Weges.“[45] In seinen jüngsten Publikationen bezieht sich Altner auch immer stärker auf die *Ethik der Ehrfurcht vor allem Lebendigen* von Albert Schweitzer[46] und damit auf einen umfassenden biozentrischen Ansatz.
In seinem neuen Buch *„Naturvergessenheit“*[47] (die folgenden Zahlen im Text beziehen sich auf die Seitenzahlen in diesem Buch) nennt er allgemeine *Kriterien* wie praxisbezogene konkrete Maximen, also Maß-Stäbe für die Umweltethik, die er als Bioethik im Sinne einer „umfassenden Neuorientierung der menschlichen Verantwortung gegenüber allen Formen der belebten Natur“ (1) versteht. Aufgrund von A. Schweitzers Ansatz „Ich bin Leben, das leben will, inmitten von Leben, das leben will“ formuliert er *13 Grundsätze der Bioethik* (68–72), die so zusammengefaßt werden können:
– Leben „schließt alle Lebensformen (von den Mikroorganismen bis zum Menschen und selbstverständlich auch die Pflanzen) ein.“
– Der Mensch kann Lebendes nicht schaffen, er antwortet nur auf das „Gegebensein des Lebens“. Daraus resultiert die „Unverfügbarkeit des Lebendigen“.
– „Allem Leben ist die gleiche Achtung zu schulden.“ „Es gibt kein lebensunwertes Leben.“
– Die Erfahrung des Einsseins von Mensch und Natur ist nur durch Schmerz und Mitleiden zu gewinnen. Ziel ist nicht leidfreies Leben wie in der utilitaristischen Ethik, sondern Minimierung des Leidens.
– Maßhalten betrifft nicht nur den einzelnen Menschen, sondern ebenso naturwissenschaftliche Erkenntnismethoden[48] und ökonomische Prozesse.
– Aufgabe des Menschen ist es, der Natur ihre Rechte zu garantieren.
Altner konkretisiert diese Grundsätze in einem zweiten Durchgang in *elf Regeln* (108–111) mit folgender Stoßrichtung:

---

43 Altner, G.: Grammatik der Schöpfung, Stuttgart 1971; ders: Schöpfung am Abgrund. Die Theologie vor der Umweltfrage, Neukirchen 1974.

44 Z.B. Altner, G.: Schöpfung am Abgrund, a.a.O., 130, 145ff; ders.: Leidenschaft für das Ganze. Zwischen Weltflucht und Machbarkeitswahn, Stuttgart 1980, 168ff, 233ff.

45 Altner, G.: Bewahrung der Schöpfung und Weltende, in: ders. (Hg.): Ökologische Theologie, Stuttgart 1989, 409–423 (422f).

46 Altner, G.: Naturvergessenheit. Grundlagen einer umfassenden Bioethik, Darmstadt 1991, bes. 44–72.

47 Ebd.

48 Für die Arbeit der Wissenschaftler formuliert Altner eine Art „hippokratischen Eid“, eine persönliche „Verpflichtungsformel“ in sieben Punkten (ebd., 174).

– Alles Leben ist vorläufig, endlich, einmalig. Dabei ist zwischen Lebensrechten der Arten und der Individuen zu unterscheiden.
– „Die Anerkennung von Rechten der nichtmenschlichen Natur darf nicht die Relativierung und Entrechtung irgendeines Stadiums der menschlichen Existenz zur Folge haben.“, also z.B. werdenden oder kranken menschlichen Lebens.
– Die aktuelle Vielfalt der Arten und ihr Zusammenspiel ist zu wahren. „Es gibt keine überflüssigen Arten.“
– „Wenn Lebewesen ein Recht auf artgerechtes Leben und artgerechte Fortpflanzung haben, sind Eingriffe ins Erbgut und dadurch bewirkte Umprogrammierungen äußerst problematisch.“
– Die Nutzung der Nutzorganismen ist restriktiver zu handhaben (z.B. durch Verschärfung der Tierschutzgesetzgebung).
– Die Spannung zwischen der Dynamik der Menschengeschichte und der langsameren Naturgeschichte ist durch demokratisch legitimierte Moratorien abzubauen.
– Rechte der Natur müssen sich in einer konsequent ökologisch orientierten Technologiepolitik und Ökonomie (Ökosozialprodukt statt Bruttosozialprodukt) niederschlagen.
– Ein einfacherer Lebensstil wie die vermehrte Mitsprache der Bevölkerung bei der weiteren Rechtsentwicklung der Rechte der Natur sind notwendig.
Altner wendet diese Regeln auf Gentechnik, Artenschutz, Tierzucht, Tierversuche, Landwirtschaft, Energie- und Chemiepolitik, Bevölkerungs- und Behindertenpolitik an. Sein *„Maß für den Umgang mit den Arten“* (219–226) sei als *Beispiel seines Ansatzes* hier erwähnt. Auf die Frage „Welches Maß an Veränderung und Zerstörung ist vertretbar und rechtfertigbar?“ (219) – genau die Frage unserer Arbeit – antwortet er weder mit einem Freipaß noch mit einem generellen ethischen Nein zur Gen- und Biotechnologie. Seine *Regeln* zum Umgang mit Arten lauten:
– „Alle Biotechnologien, die an die Resistenzbalance anknüpfen und eine vorsichtige Moderierung dieses bewährten Prinzips bewirken, sind als vertretbare Instrumente menschlichen Handelns anzusehen.“ (221)
– „Das Gleiche ist nach seiner Gleichheit gleich und das Verschiedene nach seiner Verschiedenheit verschieden“ zu behandeln, wobei „Gleichheit mehr wiegt als die Verschiedenheit“ (223).
– „Die für die Lebensformen erforderlichen Schutzmaßnahmen nehmen mit steigender Organisationshöhe zu. Die Quantität und die Qualität der Schutzaspekte nimmt zu.“ (223)
Daraus ergibt sich ein Maß zwischen einem Zuviel und einem Zuwenig des Eingreifens in Form von Schutzaspekten und verantwortbaren Nutzungsmöglichkeiten.
Damit sich solche Maß-Stäbe auch durchsetzen können, geht es nach Altner um *vier gleichzeitige Schritte* (153–189): „die Veränderung der Erkenntnismethoden“, „die Selbstorganisation der wissenschaftlichen Verantwortung“, den „Diskurs zwischen Öffentlichkeit und Wissenschaft“ und den Druck des „Ökoprotests als zivilen Ungehorsams“.

4.2.2 Hans Ruh: Argument Ethik

Der an der Universität Zürich lehrende und dort das Institut für Sozialethik leitende Sozialethiker Hans Ruh sucht in seiner ganzen Sozialethik immer „nach der Sicherung der

Überlebensfähigkeit und nach Modellen gelingenden Lebens"[49]. Sein Buchtitel *„Argument Ethik"* spiegelt sein Programm *(die Zahlen in Klammern im Text beziehen sich auf die Seitenzahlen dieses Werkes).* Er begründet seine ökologische Ethik wenig und nur sehr zurückhaltend schöpfungstheologisch, sondern vorwiegend vernunftethisch im Sinne der vernünftigen, herrschaftsfreien Kommunikation über Normen, vertrauend auf die Kraft der vernünftigen Argumentation.[50] Damit wird seine Ethik auch für Nichtchristen nachvollziehbar, was Voraussetzung für einen mehrheitsfähigen ethischen Konsens ist. Seine theologische Ethik unterscheidet sich damit aber oft kaum von philosophischer Ethik. Ruh stellt immer wieder selbst die Frage: „Kann man aufgrund vernünftiger Argumentation leben?"[51] und führt damit zur theologischen Argumentation zurück.
In seinen umweltethischen Aufsätzen und Büchern zur Mobilität, zum Energieverbrauch, zur Bodennutzung, zum technologischen Risiko, zur Tierethik[52] oder zum Naturschutz[53] geht er immer wieder von einem in Abwandlungen ähnlichen *Grundbestand von Werten* aus.[54] Als *Beispiel* seien seine *elf Regeln für einen maßvollen Umgang mit dem Boden* genannt (54–62). Sie spiegeln gut seinen in vielem biozentrischen umweltethischen Ansatz. Meine eigenen Leitlinien[55] sind da und dort davon beeinflußt.
„1. Jedermann hat das Recht auf Leben und Entfaltung."
„2. Jedermann hat das gleiche Recht auf Leben und Entfaltung."
„3. Negative Beeinträchtigung des Bodens durch Bedürfnisse, die über die Notwendigkeiten des Lebens hinausgehen und den Durchschnitt der Beeinträchtigungen überschreiten, sind ethisch nicht gerechtfertigt."
„4. Jeder, der gerne lebt, muß aus logischen und ethischen Gründen dafür einstehen und derart leben, daß andere, insbesondere zukünftige Generationen, auch so leben können."
„5. Jedes Lebewesen hat prinzipiell das gleiche Recht auf Leben. Da zum Recht auf Leben aber das Recht auf Fortpflanzung gehört, sind wir damit bei der ethischen Begründung des Artenschutzes angelangt und damit beim haushälterischen Umgang mit dem Boden."
„6. Wenn es ethisch geboten ist, den Lebensraum prinzipiell für alle Lebewesen zu bewahren, dann ist die Stabilität des Lebensraumes eine wichtige Voraussetzung dafür."
„7. Sofern wir die Lebenswelt als ein System von Lebensrechte besitzenden Wesen verstehen, ist nach einer fairen Aufteilung von Lust und Last, Ansprüchen und Versagen zu suchen. Dabei reden wir immer auf der Ebene der Arten, nicht der Individuen."
„8. Keine Art hat das Recht, derart massiven Einfluß auszuüben, daß in kurzer Zeit vielen Arten die Lebensmöglichkeiten verlorengehen."

---

49 Ruh, H.: Argument Ethik. Orientierung für die Praxis in Ökologie, Medizin, Wirtschaft, Politik, Zürich 1991, 7. Vgl. weiterführend auch Ruh, H.: Störfall Mensch. Wege aus der ökologischen Krise, Gütersloh 1995. Dieses Werk konnte nicht mehr berücksichtigt werden.

50 Vgl. dazu Kp. 1.4.1.

51 So in seinem Aufsatz über Tierrechte – neue Fragen der Tierethik, in: Argument Ethik 90–123 (109), erschienen auch in ZEE 33 (1989), 59–71.

52 Ruh, H.: Argument Ethik, a.a.O., 11–123; Bovay, C./Campiche, R./Ruh, H. et al.: Energie im Alltag. Soziologische und ethische Aspekte des Energieverbrauchs, Zürich 1989.

53 Ruh, H.: Zur Frage nach der Begründung des Naturschutzes, ZEE 31 (1987), 125–133.

54 So z.B. in: Argument Ethik, a.a.O., 14, 19, 30–32, 54–62; Zur Frage nach der Begründung des Naturschutzes, a.a.O., 127f.

55 Kp. 5.3–4.

„9. Niemand darf eine Handlung mit schwerwiegenden und langfristigen Folgen begehen, solange er die Auswirkungen nicht genau kennt."

„10. Niemand darf den Prozeß einer irreversiblen Zerstörung einleiten bei etwas, das er nicht geschaffen hat, noch je wird wieder schaffen können."

„11. Niemand darf eine Dynamik in Gang setzen, die er nicht mehr steuern kann."

Andernorts nennt Ruh als *weitere, verwandte Kriterien für einen maßvollen Umgang mit der Natur* die gerechte Verteilung der Ressourcen als Konsequenz des Gleichheitsgrundsatzes (14, 24), die Ehrfurcht vor der Würde des in langer Zeit Gewordenen (19), die Minimierung von Schäden und Leiden (19), die Verpflichtung der Übernahme von Verantwortung für sich und die Allgemeinheit (19), das Recht auf Verteidigung seines Lebens (23), die Übernahme von Kompensations- oder Wiederherstellungsaufwendungen bei Verletzung der Fairneßregeln (24), Bedürfnisbefriedigung so, daß Sinnerfahrung und Erfüllung des Menschseins möglich wird (30), Mitgeschöpflichkeit als Bereitschaft, die Bedürfnisse der andern, besonders der Schwächeren, zu berücksichtigen (31), Relativität allen menschlichen Tuns (31), Universalisierbarkeit des eigenen Handelns entsprechend Kants Kategorischem Imperativ (32).

Diese Werte treten nun immer wieder unvermeidbar in Konflikt miteinander. Ruh formuliert *Vorzugsregeln resp. eine Prioritätenordnung für Konflikte besonders zwischen Mensch und Natur*:

– „Die Erhaltung der Lebensgrundlagen für Mensch und Natur (ist) allem andern vorgeordnet. Ziele auf nächstunteren Ebenen dürfen nur angestrebt werden, wenn sie die nächstobere Ebene nicht gefährden." (25)

– „Im Konflikt zwischen nichtelementaren Interessen von Menschen und elementaren Interessen nichtmenschlicher Lebewesen sind die ersteren begründungspflichtig; allfällige Alternativen sind abzuklären." (24)

– „Bei unvermeidlicher Schädigung ist die folgende Prioritätenordnung zu beachten: Individuum, Art, biotische Gemeinschaft." (24)

Diese Vorzugsregeln stehen in deutlicher Nähe zum biozentrischen Ansatz des amerikanischen Philosophen *Paul Taylor*.[56] Die umweltethischen Regeln von Hans Ruh und jene von *Günter Altner* stimmen in vielem überein, so z.B. das prinzipiell gleiche Recht aller Lebewesen auf Leben, die Unverfügbarkeit von Leben und die Betonung biozentrischer neben rein anthropozentrischen Argumenten und damit die Ablehnung eines utilitaristischen Umgangs mit der Natur. Diese Verwandtschaft zu betonen scheint mir wichtig, um die Differenzen richtig zu gewichten. Sie liegen – am Beispiel der Tierversuche verdeutlicht – in der Frage, wieweit Ethik möglichst praktikable oder wieweit sie an der Radikalität biblischer Botschaft orientierte Normen benennen soll. Ruh äußert „lebenspraktisch realistisch" „ein fast selbstverständliches Ja" zum Fleischverzehr und – wenn restriktiv gehandhabt – zu Tierversuchen (122f). Er gesteht dem Argument, daß „auch dem Menschen ein gewisses Maß an Tötungsrechten zusteht" wie der übrigen Natur, eine „gewisse Plausibilität" zu (120). Demgegenüber wirft ihm Altner vor, mit solcher Argumentation „ändert sich nichts, dann setzen sich die bisherigen Trends fort"[57]. Er stellt Ruhs Kriterium der Praktikabilität die „eschatologische Zusage des Kreaturfriedens

---

56 Taylor, P.: Respect for Nature. A Theory of Environmental Ethics, Princeton 1989². Vgl. unten Kp. 4.8.3.

57 Altner, G.: Naturvergessenheit, a.a.O., 94.

als einer radikal anderen Gegenwelt" entgegen und fordert: „Der christliche Ethiker sollte Mut fassen, das ihm anvertraute Utopiepotential des kreatürlichen Gesamtfriedens uneingeschränkt zu vertreten!"[58] So sehr Altners wachsende Ungeduld und Schärfe gerade gegenüber bedrohlichen gentechnologischen Entwicklungen eine notwendige Stimme ist, so sehr ist Ruhs Suche nach einer praktikablen Ethik nicht billiger Pragmatismus, sondern sein intensiver Versuch, Ethik so auszuformen, daß sie für den einzelnen zu einer „Grundhaltung", einem praktizierten Habitus wird, wie er anhand seiner positiven Bewertung einer Rehabilitierung der Tugendlehre zeigt.[59]

Genau in diesem *Spannungsfeld von Praktikabilität und eschatologischem Zug nach vorn steht die ökologische Ethik des Maßhaltens.* Um Praktikabilität muß sich christliche Umweltethik kümmern, wenn sie nicht rein deklamatorisch sein will und damit nichts ändert! Sonst gleitet sie von der Verantwortungsethik in Gesinnungsethik ab, die sich mit der richtigen Gesinnung begnügt. Wo andererseits die teleologische Ausrichtung auf das Ziel der vollen Versöhnung zwischen Mensch, Natur und Gott verwässert und die Spannung nicht aufrechterhalten wird, verliert die Ethik des Maßes das Salz und wird zu einer Ethik der Mäßigkeit, die ebenfalls wenig verändert, sondern die Menschen in ihrem Sosein bestätigt, da sich sowieso kaum jemand selbst als maßlos bezeichnet.

Diese Kontroverse zeigt deutlich die Notwendigkeit, die theologische Umweltethik schöpfungstheologisch und eschatologisch zu verankern. Gerade Moltmanns trinitarischer Ansatz mit der Verheißung von Gnade und Entscheidungsfreiheit in Christus und dem pneumatologischen Drang nach dem Reich Gottes hilft, die erwähnte Spannung wach zu halten und damit jene Unruhe auszulösen, die gerade die Ethik des Maßes braucht, da sie besonders der Gefahr ausgesetzt ist, zur Mittelmäßigkeit zu verkommen.

4.2.3 Wolfgang Huber: Selbstbegrenzung

Der Heidelberger Sozialethiker Wolfgang Huber nennt in seinen umweltethischen Aufsätzen immer wieder das *Kriterium der Selbstbegrenzung*[60]. Darin klingt die Tugend des freiwilligen Maßhaltens an. In seiner „Ethik der Verantwortung" setzt er seinen schöpfungstheologischen „Ausgangspunkt bei der Versöhnung Gottes mit seiner Schöpfung"[61]. Die Verläßlichkeit der Schöpfung besteht für ihn nicht in der Kontinuität der Schöpfung, sondern in Gottes Zusage seiner Treue trotz menschlicher Zerstörung der Schöpfung.[62] In dieser geschehenen und angebotenen Versöhnung hat die Liebe des

---

58 Ebd., 95 und 255.

59 Ruh, H.: Wandel im christlichen Tugendverständnis, in: Braun, H. J. (Hg.): Ethische Perspektiven: „Wandel der Tugenden", Zürich 1989, 71–81, bes. 80f.

60 Huber, W.: Konflikt und Konsens. Studien zur Ethik der Verantwortung, München 1990, bes. 176–194 (über Naturzerstörung und Schöpfungsglaube) und 195–207 (über die Verantwortung der Wissenschaft); ders.: Selbstbegrenzung aus Freiheit. Über das ethische Grundproblem des technischen Zeitalters, Evangelische Theologie 52 (1992), 128–146.

61 Huber, W.: Konflikt und Konsens, a.a.O., 191.

62 Ebd., 188. Indem Huber die Diskontinuität in der Schöpfung betont, grenzt er sich von Moltmanns Verständnis der Kontinuität der Schöpfung ab. Auch Moltmann bezieht aber das Versöhnungshandeln Gottes, wenn auch nicht so explizit wie Huber, in der Rede von der Gnade als „messianischer Bereitung der Schöpfung zum Reich" ein (Moltmann: Gott in der Schöpfung, a.a.O., 21).

Menschen zur Schöpfung ihren Grund.[63] Daraus ergeben sich für Huber *vier ethische Folgerungen*[64]: 1. Das staunende Wahrnehmen der der Natur innewohnenden Maße, 2. der Vorrang des ökologischen Erhaltungsinteresses vor dem ökonomischen Steigerungsinteresse, 3. die Verminderung der Gewalt gegenüber der Natur, 4. die Bereitschaft zur Selbstbegrenzung.

Die „Ethik der Selbstbegrenzung“[65] versteht er als *„Selbstbegrenzung aus Freiheit“*. Selbstbestimmung heißt im Sinne der von Gott geschenkten Freiheit, den andern inklusive den zukünftigen Generationen jenes Maß an Freiheit zuzugestehen, das wir selbst auch beanspruchen. Das heißt darauf zu „verzichten, sich das Verfügungsrecht über fremdes Leben anzumaßen ... Selbstbegrenzung ist deshalb nicht ein Gegensatz menschlicher Freiheit, sondern deren Ausdruck.“[66]

Diese Selbstbegrenzung aus Freiheit bedeutet z.B. für den Wissenschaftsbetrieb, daß „neben der Wahrheitssuche die Selbstbegrenzung als verbindliche Leitidee des wissenschaftlichen Ethos“ aufzunehmen wäre.[67] Darin klingt die alte Anwendung der Tugend des Maßes auf das Maßhalten im Erkenntnisstreben und deren Anwendung an.

Da Freiheit nicht Beliebigkeit bedeutet, sondern Verbindlichkeit einschließen muß, kann die *Selbstbegrenzung* nicht Appell an den einzelnen bleiben, sondern *muß rechtlich verankert werden*, denn „für eine Gesellschaft bleibt die Wirkung der Moral äußerst begrenzt, solange sie nicht zum Recht wird“[68]. Deshalb braucht es das „Recht als Instrument der Selbstbegrenzung aus Freiheit“[69]. Die Liebe des Menschen zur Schöpfung muß Gestalt finden in einem „Recht im Horizont der Liebe“[70]. Die Rechtsethik liegt in der protestantischen Theologie seit Erik Wolf ziemlich brach. Es besteht diesbezüglich sowohl gegenüber der katholischen Soziallehre wie in der Umweltethik als Rechtsethik ein Nachholbedarf. Es ist ein großes Verdienst Hubers, daran zu arbeiten.

Aus der Verbindung von Freiheit, Selbstbegrenzung und Recht lassen sich bei Huber *Regeln für eine Ethik des Maßes* herausarbeiten. Ich kleide sie in *vier Punkte*:

1. Der Mensch muß die Durchsetzung eigener Lebensinteressen aus Achtung vor fremdem Leben begrenzen. „Humanität zeigt sich in der Fähigkeit, das Interesse am eigenen Leben und die Achtung vor fremdem Leben miteinander zu verbinden.“[71]
2. „Handle so, daß die Wirkungen deiner Handlung verträglich sind mit der Permanenz echten menschlichen Lebens auf Erden.“[72]
3. Der Staat, insbesondere der demokratische und soziale Rechtsstaat, muß „ein Staat institutionalisierter Selbstbegrenzung“ sein. Er hat „seinen tiefsten Sinn gerade darin, Selbstbegrenzungen politische Gestalt zu geben“. Deshalb muß er im Umweltrecht und

---

63 So auch mein eigener Ansatz in: Vermittlung und Parteinahme. Der Versöhnungsauftrag der Kirchen in gesellschaftlichen Konflikten, Zürich 1988, z.B. 349ff, 444ff, 516ff.

64 Huber, W.: Konflikt und Konsens, a.a.O., 191–194.

65 Ebd., 204–207.

66 Huber, W.: Selbstbegrenzung in Freiheit, a.a.O., 137.

67 Huber, W.: Konflikt und Konsens, a.a.O., 207.

68 Huber, W.: Selbstbegrenzung in Freiheit, a.a.O., 135.

69 Ebd., 142–146.

70 So der Titel seines Aufsatzes in: Konflikt und Konsens, 236–250. Er bezieht ihn zwar nicht auf die Schöpfungsethik, ist aber ohne weiteres darauf anzuwenden.

71 Huber, W.: Selbstbegrenzung in Freiheit, a.a.O., 137.

72 Ebd., 140. (Diese Regel stammt von H. Jonas: Das Prinzip Verantwortung, Frankfurt 1979, 36.)

auch im Völkerrecht „den Respekt vor der Würde der Natur als Grenze der menschlichen Handlungsfreiheit anerkennen“[73].
4. Die Begrenztheit menschlicher Verantwortungsfähigkeit im Zeithorizont führt zur Regel: „Diejenigen Entscheidungen verdienen den Vorzug, die in ihrem zeitlichen Wirkungsradius überschaubar und in ihren Folgen freiheitsverträglich sind.“[74]
Indem Huber betont, daß die Selbstbegrenzung im Recht verankert sein müsse, entgeht er der individualistischen Engführung, der die Forderung der Selbstbegrenzung besonders in der ersten Hälfte der siebziger Jahre mit den Verzichtappellen teilweise ausgesetzt war.[75] Er löst damit allerdings die Aporien, in denen die nationalen Umweltschutzgesetzgebungen z.B. bezüglich des Vollzugsnotstands sowie das internationale Völkerrecht z.B. bezüglich seiner Verbindlichkeit sind, noch nicht.[76] Daran ist dringend umweltethisch weiterzuarbeiten.

4.2.4 Dietmar Mieth: neue Tugenden

Der katholische, in Tübingen lehrende Ethiker Dietmar Mieth greift zur Zeit am direktesten von den theologischen Ethikern und Ethikerinnen die Tugendlehre, die vier Kardinaltugenden und auch den Begriff Tugend auf.[77] Der Unterschied zwischen Wert und Tugend besteht darin, daß Wert für Mieth „die Verbindlichkeitsseite eines anerkannten Sinngehaltes der Wirklichkeit“ ist, während *Tugend* als „operationales Element“ die Fähigkeit ist, diese Werte „in einer immer fester verknüpften Kette von Handlungen zu vollziehen“[78], also den Graben zwischen dem Wollen und Können zu überbrücken. Damit knüpft er an der klassischen Habituslehre des „habitus operativus bonus“ an.[79] Die Tugend ist für ihn eine Vermittlungsinstanz zwischen der auf einzelne Handlungen bezogenen Individual- und der auf Strukturen bezogenen Sozialethik.[80]
In dieser *Vermittlungsfunktion* liegt auch der Grund, weshalb die Ethik seines Erachtens auf Tugenden zurückgreifen muß: Daß die Individualethik nicht genügt, ist evident. Doch auch die sozialethische Strukturgestaltung genügt nicht, wenn sie nicht von „Haltungsbildern“ begleitet ist, die es dem einzelnen ermöglichen, institutionelle Normen zu vollziehen und seinerseits mitzugestalten. Tugend bedeutet für Mieth die Verbindung abstrakter Normenprinzipien mit der Anschaulichkeit praktisch gelebter Überzeugungen. So wie Institutionen von den Motiven und Haltungen der Menschen, die sie tragen, geprägt sind, so brauchen umgekehrt die Tugenden als praktisch gelebte Haltungen eine „soziale Trägerschaft“. Dieser institutionelle Rahmen bestand in den Tugendlehren von

---

[73] Ebd., 143, 144, 145.
[74] Ebd, 145f.
[75] Vgl. die eigene Kritik an dieser Engführung in: Stückelberger, Ch.: Aufbruch zu einem menschengerechten Wachstum. Sozialethische Ansätze für einen neuen Lebensstil, Zürich 1982³, 59–77.
[76] Weiterführend dazu ist Ruh, H.: Recht, Gesetz und Akzeptanz, oder: Wieviel Opportunismus erträgt die Politik und wieviel Ethik braucht sie? in: Argument Ethik, a.a.O., 243–259.
[77] Mieth, D.: Die neuen Tugenden. Ein ethischer Entwurf, Düsseldorf 1984; ders.: Wiederbelebung und Wandel der Tugenden, in: Braun, H. J. (Hg.): Ethische Perspektiven: „Wandel der Tugenden“, Zürich 1989, 5–23.
[78] Mieth, D.: Wiederbelebung, a.a.O., 9f.
[79] Mieth, D.: Die neuen Tugenden, a.a.O., 21ff.
[80] Ebd., 67–72; Wiederbelebung, a.a.O., 10f.

Aristoteles bis zu den Reformatoren in der Ordnung von Ständen und Klassen.[81] Auch heutige Tugenden brauchen einen institutionellen Rahmen. Mieth führt die Tugenden aus der individualistischen Engführung des 19. Jahrhunderts, die Tugend weitgehend auf Wohlanständigkeit reduzierte, ebenso heraus wie aus dem belastenden Mißbrauch als Heldentugenden im Dritten Reich.

Mieth benennt *vier ethische Hauptprobleme der Gegenwart*: die technische Lebenswelt, die Umweltgefährdung, die Friedensgefährdung und die Güterverteilung. Entsprechend sieht er *vier Haltungsbilder als vordringlich*: Lebensförderlichkeit (Biophilie), Selbstbegrenzung, Friedensfähigkeit und Verteilungsgerechtigkeit[82] resp. Wahrhaftigkeit[83]. In gut thomistischer Tradition ergänzt er diese vier Kardinaltugenden durch die „Tugenden des Glaubens: die Kunst des Hoffens und Liebens“[84].

Uns interessiert nun natürlich speziell die *Kardinaltugend des Maßes*, die Mieth *„Tugend der Selbstbegrenzung“* wie auch „Selbstzucht“ nennt. Er grenzt sich dabei ab gegen das Abgleiten dieser Tugend „in das Thema der Mäßigung des einzelnen“[85]. Die klassische temperantia aktualisiert er als „Selbstzucht und Hingabe“[86]. Dazu gehören gelassene Selbstannahme, Selbstliebe und Selbsterziehung. Drei Ziele sollen damit erreicht werden: die sittliche Autonomie (als Fähigkeit, dem Handeln selbständig Ziele zu setzen und sich nicht von andern bestimmen zu lassen), das eigene Maß finden (in der persönlichen Abwägung der Güter und Sinnangebote und in der Frage, zu welchem gesellschaftlichen Maß man selber beiträgt) und die Hingabefähigkeit (als Sensibilität für die andern). Damit gelingt Mieth eine Aktualisierung der temperantia, er nimmt aber das reformatorische Anliegen gegenüber der thomistischen Tugendauffassung, daß nämlich der Selbstannahme die Annahme durch Gott vorausgeht und jene nur durch diese gelingen kann, nicht auf.

Spezifischer auf die *Verantwortung gegenüber der Umwelt* bezogen versteht Mieth die Tugend des Maßes in dreifachem Sinn[87]: als *Konvivialität* (die Fähigkeit, miteinander im gleichen Raum zur gleichen Zeit lebendig sein zu können), als *Selbstbegrenzung* (im Sinne einer gesellschaftlichen Aufgabe) und als neues *Gleichgewicht* im Verhältnis zur Umwelt. Das führt ihn zur *Vorzugsregel*[88]: „Handle so, daß die menschlichen Institutionen der Entfaltung und Erhaltung der eigenen Leiblichkeit des Menschen in der Weise dienen, daß auf der einen Seite der Eigenwert der vormenschlichen Welt, das ist die Natur, soviel als möglich erhalten bleibt, wiederhergestellt und gefördert wird, und daß auf der anderen Seite das spezifisch menschliche Leben in schöpferischer Selbstverwirklichung ermöglicht ist.“

Diese Regel wie die daraus abgeleiteten *pragmatischen Handlungsregeln* wie Verursacherprinzip, menschengerechte Mobilität usw. zeigen einmal mehr, daß die konkreten umweltethischen Folgerungen aus ganz verschiedenen theologischen Ansätzen sehr ähn-

---

81 Vgl. Kp. 3.1.–3.3.

82 Mieth, D.: Wiederbelebung, a.a.O., 15; Die neuen Tugenden, a.a.O., 94–170.

83 In „Die neuen Tugenden“ steht anstelle der Gerechtigkeit ein ganzes Kapitel über Wahrhaftigkeit – Aufrichtigkeit – Glaubwürdigkeit.

84 Mieth, D.: Die neuen Tugenden, a.a.O., 170–189.

85 Ebd., 146.

86 Ebd., 77–79.

87 Ebd., 142–153.

88 Ebd., 150.

lich sein können. Seine Regel zeigt auch, daß ihr in dieser Allgemeinheit jedermann zustimmen kann und sie die richtige Richtung anzeigt, sie aber zugleich für die realen Entscheidungen im Konflikt von Mensch und Natur noch zu allgemein ist. Eine Umweltethik des Maßes muß sich mit den konkreten Handlungsfeldern, z.B. dem Konflikt zwischen Ökonomie und Ökologie, auseinandersetzen.

4.2.5 Auer, Irrgang, Schlitt: Anthropozentrik

Drei katholische Umweltethiken vertreten einen dezidiert anthropozentrischen Ansatz. Sie tun dies deutlicher als die meisten gegenwärtigen protestantischen Umweltethiken. Sie suchen da und dort auch eine Brücke zwischen Anthropozentrik und Physiozentrik.
Der emeritierte Tübinger Ethiker *Alfons Auer* formuliert in seiner 1984 erschienenen *„Umweltethik“*[89] *(die folgenden Zahlen in Klammern beziehen sich auf dieses Werk)* eine „Option für die Anthropozentrik“ (54ff, 203–222).[90] Der Mensch sei „Glied“, „Mitte“ und „Herr“ der Natur und ihm sei der Alleinvertretungsanspruch im Kosmos aufgegeben. „Letztlich dient alles dem Menschen und seiner Existenz und kommt darin zu seinem Daseinssinn.“ (57) In Anknüpfung an Thomas von Aquin[91] vertritt er eine stark hierarchische Ordnung der Natur mit dem Menschen als Höhepunkt und Mitte, so daß „im Menschen der Reichtum der ‚unter ihm‘ liegenden Seinsstufen vereinigt ist, daß die ganze Welt sich in ihm trifft“ (60).
Diese Anthropozentrik ist nun aber für Auer kein Freipaß zur Ausbeutung der Natur. Der Mensch ist gerade durch seine Sonderstellung in besonderer Weise hingeordnet auf Gott und ihm gegenüber verantwortlich. Seine Kreatürlichkeit macht seine Beziehung zum Schöpfergott geradezu konstitutiv. Deshalb schließen sich für Auer *Anthropozentrik und Theozentrik* gegenseitig ein (221f). Sie gelangen zu ihrer Erfüllung in der „christozentrischen Sinnbestimmung der Schöpfung“ (240ff). Entsprechend ist die von Auer sehr betonte *Autonomie* des Menschen nicht Willkür und Grenzenlosigkeit oder gar Emanzipation vom Ethischen, sondern „Emanzipation des Ethischen“ als „mündige Selbstbestimmung des Menschen“, die „auf selbstverantwortliche Gestaltung seines ganzen Daseins, seiner selbst also und der ihn umgebenden Natur zielte“ (228). Dieses Verständnis von Autonomie gründet „in der Rationalität der Wirklichkeit insgesamt“ und in den „vorgegebenen Strukturen der Welt“ (228), die die katholische Theologie naturrechtlich und gewisse protestantische Theologien als Schöpfungsordnungen verstehen.
In diesen *Schöpfungsordnungen* ist für Auer das *Maß* des Menschen im Umgang mit der Natur enthalten. Maßhalten durch Askese kann durchaus ein Aspekt davon sein, doch im Vordergrund steht für Auer die verantwortliche Nutzung der Kräfte der Natur, auch mit Hilfe der Technik. So ist die Spaltung des Atoms durch den Menschen in der Schöpfungsordnung bereits angelegt: „Wenn der Schöpfer seiner Welt solche Möglichkeiten erschaffen hat, dann wohl nur in der Absicht, daß der Mensch sie auf dem Weg durch die Geschichte entdecken und für die Förderung seines Daseins verantwortlich einsetzen

---

89 Auer, A.: Umweltethik. Ein theologischer Beitrag zur ökologischen Diskussion, Düsseldorf 1984.

90 Weiterführend auch Auer, A.: Anthropozentrik oder Physiozentrik? Vom Wert eines Interpretaments, in: Bayertz, K. (Hg.): Ökologische Ethik, München 1988, 31–54.

91 Summa theologica I, 91,1.

soll" (289). So steht „alle technische Beherrschung der Natur im Dienste menschlicher Selbstverwirklichung" (290).
So wichtig und biblisch gerechtfertigt Auer's Betonung des Sonderauftrages des Menschen ist, so sehr kommt bei ihm der *Eigenwert der Natur*[92] und damit auch der große Respekt vor ihr *zu kurz*. Und obwohl Auer die Autonomie des Menschen relational versteht, muß das In-Beziehung-Bleiben des Menschen zu Mitmensch, Mitwelt und Gott meines Erachtens deutlicher werden, als es der Begriff Autonomie leisten kann.[93]
Die 1992 erschienene *„Christliche Umweltethik" (die folgenden Zahlen in Klammern beziehen sich darauf)* des katholischen Ethikers *Bernhard Irrgang*[94] knüpft an den anthropozentrischen Ansatz von Alfons Auer an und führt ihn weiter, auch wenn Irrgang relativ selten direkt auf ihn Bezug nimmt[95]. Irrgang gibt einen guten Überblick über den Stand der umweltethischen Diskussion. Es geht ihm weniger um konkrete Kriterien, sondern um die theologische Grundlegung der Umweltethik. So argumentiert er fast ausschließlich theologisch-philosophisch und bezieht die Naturwissenschaften relativ wenig ein. Sein Hauptanliegen ist, den anthropozentrischen Ansatz, der gegenwärtig stark unter Beschuß steht, zu verteidigen und neu zu fassen. Er stellt zu Recht fest, „daß die schöpfungstheologischen Aussagen der Bibel mit nur kleinen Einschränkungen anthropozentrisch sind" (173). Anthropozentrik im christlichen Sinn besagt nun aber gerade nicht, daß der Mensch – incurvatus in se – sich selbst zum Zentrum und Maß macht, sondern daß der Mensch und seine Geschichte als Heilsgeschichte ins Zentrum des Universums und des Interesses Gottes rückt. Er *grenzt also Anthropozentrik von egoistischem Anthropozentrismus ab* (174) und entwickelt ein *„Ethos ökologisch orientierter Humanität"* (50–82) in Abgrenzung zu einem „technisch orientierten Humanismus (63).
Der Unterschied zur Theozentrik, wie sie z.B. Sigurd Daecke vertritt, ist nicht groß. So sagt Irrgang selbst mit Berufung auf Karl Rahner: „Nur diese Form, in der sich *Anthropozentrik und Theozentrik* wechselseitig bedingen, darf legitimerweise christlich genannt werden." (176)[96] Damit ist auch der Unterschied zu humanistischer Anthropozentrik markiert, die immer die Gefahr in sich berge, „daß der Mensch sich in sich selbst verschließt". (176) Irrgang unterscheidet zudem zwischen einer *methodischen und einer materialen Anthropozentrik*. Mit der methodischen Anthropozentrik setzt er sich insbesondere dafür ein, „daß Tier und Mensch hinsichtlich ihres Wertes bei Güterabwägungen nicht auf die gleiche Ebene zu stellen sind ..., denn eine Zerstörung der Sonderstellung des Menschen in der Naturgeschichte zieht eine Auflösung der Ethik nach sich." (63)
Irrgangs Stärke ist die Fülle des Materials für die Begründung einer methodischen Anthropozentrik! Die materiale Anthropozentrik als Konkretion tritt dabei leider fast ganz

---

92 Vgl. unten Kp. 5.3.5.

93 Vgl. unten Kp. 5.3.1 bis 5.3.4.

94 Irrgang, B.: Christliche Umweltethik, München 1992.

95 Ebd., besonders 27–30. Explizit knüpft er S. 30 an Auer an: „Der Nerv einer christlichen Umweltethik ist eine geläuterte Anthropozentrik. Dieser Position (von Auer. CS) werde ich mich im folgenden anschließen."

96 Eine „moderate Anthropozentrik" mit Hinweis auf die Theozentrik und in Abgrenzung zur „Ökozentrik" vertritt auch der belgische katholische Sozialethiker und Direktor des Zentrums für Umweltethik in Leuven, Johan de Tavernier. De Tavernier, J/Vervenne M. (eds.): De mens: hoeder of verrader van de schepping?, Leuven-Amersfoort 1991; ders.: Ecology and Ethics, Vortragsmanuskript, 1994.

zurück. Sie wird nur als Problemskizze am Beispiel transgener Tiere am Schluß angedeutet (315ff), woraus sich aber im Vergleich z.B. zu Günter Altner weniger differenzierte Kriterien für eine Ethik des Maßes ergeben. Immerhin wird gerade hier deutlich, daß Irrgang seine Umweltethik als Ethik des Maßes im Sinne der Mitte versteht, nämlich als *„Mittelweg" zwischen Biozentrik/Physiozentrik und klassischer Anthropozentrik* (325). Sie führt ihn zu einem „bedingten Ja zu transgenen Tieren im biomedizinischen Experiment" (326).

Ebenfalls 1992 erschien vom jüngeren katholischen Ethiker *Michael Schlitt*[97] eine *„Umweltethik" (darauf beziehen sich die folgenden Zahlen in Klammern).* Auch er vertritt nach Prüfung der anthropozentrischen, pathozentrischen, bio- und physiozentrischen Begründungen der Umweltethik (29–122) ein *„Plädoyer für den anthropozentrischen Ansatz"* (123–125), da es „keine Gleichwertigkeit zwischen Mensch und Tier bzw. Pflanze geben kann" (124). Wie Irrgang untersucht er den biblischen Schöpfungsglauben primär unter diesem Gesichtspunkt der Anthropozentrik. Er stellt in den biblischen Texten eine solche fest und vertritt selbst unter Berufung auf das Zweite Vatikanum eine „relative Anthropozentrik" (156ff). Er knüpft dabei wie Irrgang häufig an der Anthropologie des Thomas von Aquin an.

Ein wertvolles Spezifikum der Umweltethik von Schlitt ist die Auseinandersetzung mit *kirchlichen Dokumenten zur Schöpfung*. Dabei beschränkt er sich leider praktisch ganz auf Stellungnahmen des katholischen Lehramts aus Deutschland und des Vatikans. Daß er die evangelischen Stellungnahmen erst mit der Landwirtschaftsdenkschrift der EKD von 1984 beginnen läßt, zeigt eine, milde gesagt, sehr verwunderliche Unkenntnis der protestantischen und weltweiten ökumenischen umweltethischen Diskussion!

Für eine Ethik des Maßes wertvoll sind Schlitts *neun „Kriterien für menschliches Eingreifen in die Natur"* (183–261). Er versteht sie als Leitlinien im Sinne praxisorientierter Maximen (183). Bei manchen vollzieht er die Güterabwägung in Form von Vorzugsregeln. Seine neun Kriterien betreffen folgende Bereiche: 1. Die Pflicht zur Wissensbeschaffung (besonders über ökologische Belastungsgrenzen und Risiken); 2. Das Prinzip der Doppelwirkung (Handlungen mit Doppelwirkung dürfen nicht den anzustrebenden Wert auf Dauer untergraben); 3. Ansprüche der Natur haben unter bestimmten Bedingungen Vorrang vor Ansprüchen des Menschen (also auch in einem anthropozentrischen Ansatz!); 4. Menschliche Indienstnahme der Umwelt darf nicht zu Lasten der künftigen Generationen erfolgen; 5. Der Mensch darf die Artenvielfalt nicht vernichten; 6. Elf Thesen zur Verantwortbarkeit von Risiken der modernen Technik; 7. Fehlerfreundliches Vorgehen bei Eingriffen in die Natur; 8. Neben dem Bewahren ist auch die aktive und kreative Gestaltung der Schöpfung gefordert; 9. Die Schönheit der Natur ist eine notwendige Bedingung menschlichen Lebens.

Diese Kriterien von Schlitt zeigen erneut, was wir bereits andernorts festgestellt haben: Die praxisorientierten Kriterien heutiger Umweltethiken sind sich trotz unterschiedlichster Begründungen darin nahe, daß sie fast ausnahmslos unter „maßvoll" ein sehr *zurückhaltendes Eingreifen in die Natur* verstehen.

---

[97] Schlitt, M.: Umweltethik. Philosophisch-ethische Reflexionen – theologische Grundlagen – Kriterien, Paderborn 1992.

4.3 Wirtschaftsethiken

Wir haben bereits bei Adam Smith[98] gesehen, welche Bedeutung die Ethik für die Ökonomie haben kann. Werte spielen – in Theorie und Praxis in der Regel mehr implizit als explizit – eine große Rolle, nicht erst seit dem heutigen erfreulichen Aufschwung der Wirtschaftsethik. Hinter dem homo oeconomicus, der Effizienz, der gerechten Güterverteilung, der Selbstregulation des Marktes oder dem Wert, den man einem Produkt durch den Preis zuerkennt, stecken Menschenbilder und Werthaltungen.[99] Auch klassische Tugenden wie Gerechtigkeit, Klugheit und Tapferkeit verbergen sich darin.[100]
Und wie steht es mit dem *Ethos des Maßes*? Wo ist ihr Ort und welches müßte ihre Ausprägung in der heutigen Weltwirtschaft sein? In unserem Zusammenhang geht es „nur" um die *ökologische* Wirtschaftsethik, also um die Frage, wie sich ein maßvoller Umgang mit der Schöpfung in Kriterien der *christlichen Wirtschaftsethik*[101] niederschlägt resp. niederschlagen sollte. Das Maßhalten in den *ökonomischen* Konzepten der nachhaltigen Wirtschaft kommt später zur Sprache.[102] Das Ethos des Maßhaltens sollte sowohl in der Unternehmerethik (als persönliche Haltung der Unternehmer/innen)[103] wie in der Unter-

---

98 Vgl. Kp. 3.4.2.

99 Dazu z.B. Biervert, B./Held, M. (Hg.): Das Menschenbild in der ökonomischen Theorie, Frankfurt 1991.

100 Vgl. Priddat, B. P./Seifert, E. K.: Gerechtigkeit und Klugheit – Spuren aristotelischen Denkens in der modernen Ökonomie, in: Biervert, B./Held, M. (Hg.): Ökonomische Theorie und Ethik, Frankfurt 1987, 51–77.

101 *Weitere Kriterien für eine ökologisch orientierte Wirtschaftsethik* außer den aufgeführten Beispielen finden sich z.B. bei Kaiser, H.: Die ethische Integration ökonomischer Rationalität: Grundelemente und Konkretion einer ‚modernen' Wirtschaftsethik, Bern 1992, 331–339 und 343–353 (am Beispiel von Gentechnologie resp. Tierethik). In seiner als ganzes bisher unveröffentlichten Habilitation (Theologische Wirtschaftsethik. Das Modell einer ethischen Integration ökonomischer Rationalität – eine Grundlegung, Spiez 1989. Obiges Buch ist ein Teil davon) nennt er in deutlicher Nähe zu A. Rich zehn „formal-pränormative Kriterien" (488–493), nämlich Kritische Distanz, Relativität, Relationalität, Zielerreichung, Verträglichkeit, Handlungsfähigkeit, Korrekturoffenheit, Konsequenzenprinzip, Intertemporalität, Erhaltung; dazu acht „konstitutiv-normative Kriterien (493–498), nämlich Geschöpflichkeit, Würde des Menschen, Minderung des Leidens, Mitmenschlichkeit, Bedürfnisorientierung, Mehrung der Wohlfahrt, Mitgeschöpflichkeit, humane Zeit sowie als „regulativ-normative Kriterien" universale Gerechtigkeit und Gerechtigkeit durch Teilhabe. – *Weitere Ansätze* ökologisch orientierter Wirtschaftsethik: Gemeinwohl und Eigennutz. Wirtschaftliches Handeln in Verantwortung für die Zukunft. Eine Denkschrift der Evangelischen Kirche in Deutschland, Gütersloh 1991, 85ff, 132f (zur ökologischen Orientierung der Marktwirtschaft); Stückelberger, Ch.: Aufbruch zu einem menschengerechten Wachstum. Sozialethische Ansätze für einen neuen Lebensstil, Zürich 1982³, 71–78 (besonders zum Verhältnis von Entwicklung und Umwelt); Strohm, Th.: Wirtschaft und Ethik. Leitlinien der evangelischen Sozialethik für modernes wirtschaftliches Handeln, in: Kramer, W./Spangenberger, M. (Hg.): Gemeinsam für die Zukunft. Kirchen und Wirtschaft im Gespräch, Köln 1984, 29–58, bes.47ff; Mensch sein im Ganzen der Schöpfung. Ein ökologisches Memorandum im Auftrag und zuhanden der Arbeitsgemeinschaft Christlicher Kirchen in der Schweiz, verfaßt von P. Hafner, E. Meili, H. Ruh, P. Siber, Ch. Stückelberger, L. Vischer, E. Wirth, in: Bischofberger, O./ Stückelberger, Ch. et al.: Umweltverantwortung aus religiöser Sicht, Zürich/Freiburg 1988, 123–150; Pachlatko, Ch.: Wertfragen im Management der Versicherung. Zur Rolle der Versicherung in der Wohlstandsgesellschaft, St. Gallen 1988, 233ff, 289ff (werthafte Aspekte der Risikopotentiale und der Risikofrüherkennung); Korff, W.: Wirtschaft vor der Herausforderung der Umweltkrise, ZEE 36 (1992), 163–174, bes. 167ff.

102 Vgl. Kp. 4.9.

103 Vgl. dazu die empirische Untersuchung: Ulrich P./Thielemann U.: Ethik und Erfolg. Unternehmensethische Denkmuster von Führungskräften. Eine empirische Studie, Bern 1992, vorgestellt in: Stükkelberger, Ch.: Ethik oder Erfolg? Erfolg durch Ethik? Kirchenbote für den Kanton Zürich 24/1990,

nehmensethik (z.B. in Firmenleitbildern)[104], aber auch in der Wirtschaftstheorie[105] und besonders in der Wirtschaftspolitik eine Rolle spielen. Wir beschränken uns auf zwei Beispiele von *wirtschaftsethischen Überlegungen zur Wirtschaftspolitik*, in denen Kriterien des Maßes genannt werden.

4.3.1 Arthur Rich: Relationalität

Der (1992 verstorbene) Zürcher Wirtschaftsethiker sowie Gründer und frühere Leiter des Instituts für Sozialethik in Zürich, Arthur Rich[106], baut seine ganze Sozialethik auf *drei Ebenen der Urteilsbildung* auf[107]: 1. Aller wissenschaftlichen Ethik liegen nach Rich vorwissenschaftliche Entscheidungen im Sinne einer „persönlichen Erfahrungsgewißheit" zugrunde. Dies ist die „Humanität aus Glauben, Hoffnung, Liebe". Sie entspricht allgemeinmenschlicher Erfahrung und hat zugleich für Christinnen und Christen spezifische Bedeutungsinhalte insbesondere durch die „eschatologische Dimension"[108]. 2. Die aus der Erfahrungs- und Glaubensgewißheit sich ergebenden *Kriterien*. „Auch sie sind, weil am Absoluten der Glaubensüberzeugung orientiert, rational nicht begründbar, wenngleich ihnen ein Maß an Evidenz zukommt, das in der sozialethischen Argumentation rational wirksam werden kann und soll."[109] Sie beanspruchen absolute Gültigkeit. 3. Die praktischen *Maximen*, die ethische Urteile in Sachfragen ermöglichen sollen. Sie sind sowohl an den Kriterien wie an der konkreten Situation und den sachlichen Bedingungen zu messen und sind deshalb relativ, zudem „auf die vernunftgemäße Einsicht angewiesen"[110].

Für unsern Zusammenhang interessiert uns nun, inwiefern in Richs Kriterien und in seinen wirtschaftsethischen Maximen ein *Maß zum Umgang mit der Mitwelt* aufscheint. Seine sieben „Kriterien des Menschengerechten" (Geschöpflichkeit, kritische Distanz, relative Rezeption, Relationalität, Mitmenschlichkeit, Mitgeschöpflichkeit, Partizipation)

---

3. Die Studie zeigt, daß nur ein ganz kleiner Teil der befragten Führungskräfte eine Spannung zwischen ihrem unternehmerischen Handeln und der Ethik empfindet.

[104] Vgl. z.B. Held, M.: Tutzinger Erklärung zur umweltorientierten Unternehmenspolitik, Tutzinger Materialien Nr. 59, Tutzing 1989; Lattmann, C. (Hg.): Ethik und Unternehmensführung, Heidelberg 1988; Pfriem, R.: Das Ökologieproblem als Gegenstand einer möglichen Unternehmensethik, in: Seifert, E. K./Pfriem, R. (Hg.): Wirtschaftsethik und ökologische Wirtschaftsforschung, Bern 1989, 111–128; Enderle, G.: Auf dem Weg zu einer ökologischen Wirtschaftsethik, in: Seifert, E. K./Pfriem, R. (Hg.): Wirtschaftsethik und ökologische Wirtschaftsforschung, Bern 1989, 237–249; Ruh, H.: Wieviel Ethik kann sich ein Unternehmen leisten? in: ders.: Argument Ethik, Zürich 1991, 202–221.

[105] Ulrich, P.: Lassen sich Ökonomie und Ökologie wirtschaftsethisch versöhnen?, in: Seifert, E. K./ Pfriem, R. (Hg.): Wirtschaftsethik und ökologische Wirtschaftsforschung, Bern 1989; Kaiser, H.: Die ethische Integration ökonomischer Rationalität: Grundelemente und Konkretion einer modernen Wirtschaftsethik, Bern 1992.

[106] Ich verdanke wesentliche Impulse meines eigenen Ansatzes meinem verehrten Lehrer Arthur Rich.

[107] Rich, A.: Wirtschaftsethik, Bd. 1 Grundlagen in theologischer Perspektive, Gütersloh 1984, 105–243. Der Ansatz ist bereits angelegt in seinem Werk: Christliche Existenz in der industriellen Welt, Zürich 1964, 171–186; die Unterscheidung von Kriterien und Maximen findet sich erstmals in: Die institutionelle Ordnung der Gesellschaft als sozialethisches Problem, ZEE 4/1960, 233–244.

[108] Wirtschaftsethik, Bd. 1, a.a.O., 122ff, 129ff.

[109] Ebd., 170, 172–221.

[110] Ebd., 170f, 222–243.

sind insgesamt eine *Absage an Extremismen.* Sie beinhalten eine Ethik des Maßes durch ein *Gleichgewicht der Werte.*

Am deutlichsten kommt dies beim Kriterium der *Relationalität* zum Ausdruck: Wenn Werte wie Freiheit oder Dienstbarkeit absolut gesetzt werden, verkehren sie sich in unmenschlichen Libertinismus oder in Unterwürfigkeit. Menschengerecht und der christlichen Ethik entsprechend werden sie erst in ihrer Bindung an den „polaren Gegenwert". So entsteht – bei Paulus und Luther begründet – „selbstbestimmte Freiheit in dienstbarer Mitmenschlichkeit und dienstbare Mitmenschlichkeit in selbstbestimmter Freiheit"[111]. Gleichheit wird ohne das Korrektiv der Ungleichheit zur Gleichmacherei, Ungleichheit ohne das Korrektiv der Gleichheit zur Ungerechtigkeit. *Relationalität*[112] bedeutet die Absage an die Maximierung eines Wertes zugunsten seiner Optimierung. „Radikales Ethos" ist gerade das relationale Ethos.

Im Kriterium der *Geschöpflichkeit* liegt die Grenzsetzung für den Menschen darin, „daß er Geschöpf ist und nicht Schöpfer"[113]. Wo der Mensch sich zum absoluten Subjekt setzt, wird der Humanismus absolut und inhuman.

Im Kriterium der *kritischen Distanz* und der *relativen Rezeption* wird die Vorläufigkeit der vorfindlichen Welt und damit die Bonhoeffersche Unterscheidung zwischen Vorletztem und Letztem zum Maß menschlichen Handelns.

Die Kriterien der *Mitmenschlichkeit, Mitgeschöpflichkeit* und *Partizipation* weisen darauf hin, daß der Mensch sein Maß nur in der Gemeinschaft mit den Mitmenschen und der Mitwelt, also in einem lebendigen Beziehungsgeschehen zwischen den Geschöpfen finden kann. Partizipation bezieht Rich ausdrücklich darauf, „daß der Mensch partnerschaftlich für die Natur da ist"[114].

Richs zentraler Grundsatz, „daß nicht wirklich *menschengerecht* sein könne, was nicht *sachgemäß* ist, und nicht wirklich sachgemäß, was dem Menschengerechten widerstreitet"[115], ist wie alle seine Kriterien darauf angelegt, Absolutismen zu verhindern und das Maß durch die Komplementarität der Werte zu finden. Damit ist nicht eine kraftlose Einmittung gemeint, sondern ein dynamisches Gleichgewicht der Werte.

Für eine ethisch begründete *ökologische Ausrichtung der Wirtschaftsordnung* bedeutet dies für Rich unter dem Aspekt der Mitgeschöpflichkeit: Bevölkerungsstabilisierung, Anspruchsstabilisierung und Umweltstabilisierung.[116] Für die soziale Marktwirtschaft bedeutet dies ihre Weiterentwicklung zur „ökologisch regulierten Marktwirtschaft"[117] mit u.a. folgenden umweltethischen Maximen[118]:

– Eigentumsreform, die die Nutzung der Umweltgüter kostenpflichtig macht.
– Einbezug der Umweltschadens- und Umweltschutzkosten in die Sozialproduktrechnung.

---

111 Ebd., 187.
112 Wir nehmen das Kriterium in Kp. 5.3.12 auf.
113 Ebd., 174.
114 Ebd., 200.
115 Ebd., 81.
116 Rich, A.: Wirtschaftsethik, Bd. 2 Marktwirtschaft, Planwirtschaft, Weltwirtschaft, Gütersloh 1990, 162–168.
117 Ebd., 308ff. Vgl. auch: Stückelberger, Ch.: Interview mit A. Rich: Welches Wirtschaftssystem ist menschengerecht?, Tages-Anzeiger Zürich, 28. April 1990, 2.
118 Rich, A.: Wirtschaftsethik Bd. 2, a.a.O., 311–316 und 338–41. Rich stützt sich dabei stark auf die Publikationen von H. Ch. Binswanger, St. Gallen.

– Überwälzung der Umweltkosten nach dem Verursacherprinzip auf die Marktpreise.
– Anpassung des Wirtschaftswachstums an das ökologisch Tragbare.
– Ausweitung der Effizienz von der Einzelunternehmung auf die Gesamtwirtschaft im Sinne der Minimierung der human-, sozial- und umweltschädlichen externen Effekte.
– Makroökonomische Verteilungsplanung für die genannten Ziele.
Richs Ansatz ist vorbildlich für eine undoktrinäre und doch nicht zum Pragmatismus verkommende Wirtschaftsethik, die allen Absolutismen absagt und durch die Relationalität der Werte ein unaufgebbares Kriterium des Maßhaltens formuliert.

4.3.2 Yorick Spiegel: menschliches Maß

Der in Frankfurt/Main lehrende Sozialethiker Yorick Spiegel formuliert in seiner 1992 erschienenen *Wirtschaftsethik*[119] *(die folgenden Zahlen in Klammern beziehen sich auf dieses Werk)* zehn *„wirtschaftsethische Leitlinien"*, auf denen er das ganze Buch aufbaut. Sie sind für ihn anders als die biblischen zehn Gebote „keine Gebote, sie sind aber auch keine Postulate, also Forderungen, die aus einer Glaubensauffassung oder einem philosophischen System heraus an unsere Gesellschaft gerichtet werden. Diese Leitlinien sind in die Wert- und Sozialstruktur dieser Gesellschaft eingeprägt und gegenwärtig" (14).
Alle zehn Leitlinien erarbeitet Spiegel nach demselben *Aufbau* (11–29): 1. Bestimmung (des Problems); 2. Sozialer Konflikt (der dahinter steht); 3. Theologische Traditionen und ethische Einsichten (also Normenfindung); 4. Symbolische Einigungsformeln (Analyse der Werte, die heute in diesem Problemfeld allgemein akzeptiert sind); 5. Auswirkungen auf die Dritte Welt (Folgen von wirtschaftsethischen Werten für die Ärmsten); 6. Anfragen an die Unternehmensleitung (Umsetzbarkeit in den Unternehmenszielen).
Die zehn wirtschaftsethischen Leitlinien lauten: 1. Befriedigung der Grundbedürfnisse; 2. Umverteilung; 3. Gesundsein; 4. Recht auf Arbeit; 5. Humanisierung der Arbeit; 6. Partizipation und Kontrolle; 7. Erhalt der natürlichen Ressourcen und der Umwelt; 8. Die Begrenzung des Wachstums; 9. Das Ende der Verschwendung; 10. Das menschliche Maß.
Daß in vier der zehn Leitlinien ein maßvoller Umgang mit der Natur das Thema ist, zeigt die Bedeutung der Ökologie für eine heutige Wirtschaftsethik! Die *zehnte Leitlinie zum Maß* beinhaltet die Absage an die „Growthmania", an die „Maximierungstendenz, jenen unersättlichen Drang nach dem ‚Mehr'" (209), bei dem Grenzen grundsätzlich nur dazu da sind, um überwunden zu werden. Grenzen annehmen heißt demgegenüber das „Verbleiben im menschlichen Maß" (206). Das Überschreiten der Grenzen ist für Spiegel nicht grundsätzlich verboten, aber es birgt große Gefahren in sich. Im Maß bleiben bedeutet für ihn demgegenüber
– die Beherrschbarkeit der Mittel wissenschaftlich-technischen Handelns (206),
– Technikfolgen-Abschätzung und soziale Verträglichkeit der Mittel wissenschaftlich-technischen Handelns (212–215)[120],

[119] Spiegel, Y.: Wirtschaftsethik und Wirtschaftspraxis – ein wachsender Widerspruch?, Stuttgart 1992.
[120] Zur technologischen Entwicklung vgl. auch Spiegel, Y.: Hinwegzunehmen die Lasten der Beladenen. Einführung in die Sozialethik 1, München 1979, 247–281.

– Selfreliance der Dritten Welt (als zeitlich begrenzte Abkoppelung im Dienste der Entwicklung).

Theologisch begründet ist diese „Machtrückbildung" auf das menschliche Maß im freiwilligen Machtverzicht Gottes, im Gottesbild der Nähe Gottes im Unterschied zur Größe Gottes (210).

Die Leitlinien 7–10 sind am ökologischen Maß einer *Gleichgewichts- und Kreislaufwirtschaft* orientiert.[121] Dazu gehören die Begrenzung des Wachstums auf qualitatives Wachstum (171ff)[122], die Integration der sozialen und ökologischen Kosten in die Preisbildung (157ff)[123], die Abfallkreisläufe (163ff), die Neufassung des volkswirtschaftlichen Bewertungsmaßstabes des Bruttosozialprodukts (179ff) und das „Ende der Verschwendung" durch Effizienzsteigerung in ökologischer Hinsicht (190ff).

Spiegels Leitlinien überzeugen durch ihre Orientierung an Praktikabilität und Konkretheit, durch die Analyse der gängigen Einigungsformeln, den konsequenten Einbezug der Auswirkungen auf die Dritte Welt und die Anfragen an die Unternehmsleitungen. Die theologisch-ethischen Begründungen hingegen sind oft sehr knapp und wirken manchmal zufällig. Gerade in den ethischen Überlegungen liegt das Spezifikum der Wirtschaftsethiken, ohne die sie nur wiederholen, was Ökonomen auch sagen. Daß Spiegel seine Wirtschaftsethik auf „die Probleme der sozialen Marktwirtschaft" beschränkt und im Unterschied zu Rich die Wirtschaftssysteme nicht thematisiert, ist unter anderem Ausdruck der Wende, daß weltweit faktisch nur noch die Marktwirtschaft besteht. Daß er sich auf den Rahmen der nationalen Ökonomie konzentriert, steht im Dienste der Konkretion.

4.4 Feministische Schöpfungsethiken und ökologische Befreiungstheologien

Der feministischen Theologie und der Befreiungstheologie ist gemeinsam, daß es ihnen um die Befreiung der Frauen resp. der Armen aus Unterdrückung und um die *Überwindung von Herrschaftsverhältnissen* geht. Was bedeutet das für das Ethos des Maßhaltens und den Umgang mit der Natur?

Innerhalb des Feminismus beschäftigt sich der *Öko-Feminismus*[124] besonders seit An-

---

[121] Spiegel bezieht sich dabei oft auf die Ökonomen W. Kapp, Ch. Binswanger und H. Daly, Pioniere einer ökologisch orientierten Ökonomie..

[122] Die Erfahrung der letzten zwanzig Jahre zeigt leider, daß qualitatives Wachstum bisher immer auch quantitatives Wachstum bewirkte.

[123] Vgl. dazu auch Kapp, K.: Soziale Kosten der Marktwirtschaft. Das klassische Werk der Umwelt-Ökonomie, Frankfurt 1979; Weizsäcker, E.U. v.: Erdpolitik, Darmstadt 1990², 143–158.

[124] Der Begriff *ecofeminisme* wurde 1974 eingeführt von d'Eaubonne, F.: Le féminisme ou la mort, Paris 1974, 213ff. Aus der Fülle der *Literatur* seien an *neueren Titeln* genannt: Sölle, D.: Lieben und arbeiten. Eine Theologie der Schöpfung, Stuttgart 1985; Radford Ruether, R.: Sexismus und die Rede von Gott. Schritte zu einer andern Theologie, Gütersloh 1985, 95–118; Merchant, C.: Der Tod der Natur, München 1987 (Original San Francisco 1980); Plant, J. (ed.): Healing our Wounds: The Power of Ecological Feminism, Boston 1989; Shiva, V.: Das Geschlecht des Lebens. Frauen, Ökologie und Dritte Welt, Berlin 1989; Großmann, S.: Schöpfer und Schöpfung in der feministischen Theologie, in: Altner, G. (Hg.): Ökologische Theologie, Stuttgart 1989, 213–233; Halkes, C.: Das Antlitz der Erde erneuern. Mensch, Kultur, Schöpfung, Gütersloh 1990; Warren, K.: The Power and the Promise of Ecological Feminism, Environmental Ethics 12 (1990), 125–146; Praetorius, I. et al.: Art. Schöpfung/Ökologie, in: Wörterbuch der feministischen Theologie, hg. von E. Gössmann et al., Gütersloh

fang der achtziger Jahre und innerhalb der Befreiungstheologie die *Befreiungsökologie*[125] seit etwa Mitte der achtziger Jahre mit dem Verhältnis zur Mitwelt.
Feminismus kann definiert werden „als eine Bewegung zur Beendigung aller Formen der Unterdrückung“[126]. „Ökologischer Feminismus besagt, daß wichtige Verbindungen bestehen – historisch, erfahrungsmäßig, symbolisch, theoretisch – zwischen der Beherrschung der Frauen und der Beherrschung der Natur.“[127] Diese Aussagen ziehen sich wie ein roter Faden durch die ganze erwähnte Literatur. Daraus wird die Forderung abgeleitet, daß ein maßvoller Umgang mit der Natur nur möglich ist, wenn dieses *doppelte patriarchale Herrschaftsverhältnis, der Sexismus und der Naturismus*[128], *überwunden werden kann durch eine nichthierarchische Beziehung der Liebe.*
Ethik des Maßes bedeutet hier vordringlich ein neuer Umgang mit Macht durch eine neue Gestaltung der Beziehungen. Dieser Ansatz soll an zwei Beispielen, der holländischen Theologin Catharina Halkes und der deutschen Theologin Dorothee Sölle, verdeutlicht werden. Ich konzentriere mich dabei auf die *Machtfrage.*[129]

4.4.1 Catharina Halkes: Frau und Natur

In ihrem Buch *„Das Antlitz der Erde erneuern“*[130] *(die Zahlen in Klammern beziehen sich auf dieses Buch)* geht Catharina Halkes historisch und theologisch dem Verhältnis von Frau, Natur und Kultur und dahinterliegenden Weltbildern nach (9). Den ersten vorwiegend sozialhistorischen Teil faßt sie mit M. Bookchin und in Übereinstimmung mit den feministischen Stimmen von R. Ruether und dem obigen Zitat von K. Warren so zusammen: „Die Männer versuchen nicht nur die Natur draußen zu beherrschen, sondern auch die Natur der Frau und die Natur als Frau, die gezähmt werden muß.“ (135) Schon Aristoteles' Ethik sieht sie aufgebaut auf *Hierarchien*, in denen die Seele über den Körper, der Mann über die Frau, der Grieche über die Barbaren herrscht und der Staat regiert wird durch die „auf sexueller Ungleichheit basierenden Dominanz von Klassen und Rassen“ (58). Insbesondere in der Entwicklung der modernen Naturwissenschaft und Technik zeigt sie, z.B. bei Francis Bacon, wie die Unterwerfung der Natur vom Umgang mit der Frau geprägt war: Der (männliche) Naturwissenschaftler dringt in jungfräuliches Neuland der Natur ein. Die Natur will beherrscht sein, um geführt und geformt zu werden und um so erst ihr wahres Wesen offenbaren zu können (73f).

1991, 354–360; Märke, E.: Feminismus, Ökologie und Entwicklung, Widerspruch Nr. 22/1991, 77–82; Primavesi, A.: From Apocalypse to Genesis. Ecology, Feminism and Christianity, Turnbridge Wells 1991; Bratton, S.: Loving Nature: Eros or Agape? Environmental Ethics 14 (1992), 3–25; Salleh, A.: The Ecofeminism/Deep Ecology Debate: A Reply to Patriarchal Reason, Environmental Ethics 14 (1992), 195–216; Radford Ruether, R.: Gaia und Gott. Eine ökofeministische Theologie der Heilung der Erde, Luzern 1994.

[125] Literatur vgl. Kp. 4.4.3.

[126] Warren, K.: The Power and the Promise of Ecological Feminism, a.a.O., 132.

[127] Ebd., 126.

[128] K. Warren, a.a.O., 132f, definiert Naturismus (naturism) in Analogie zu Sexismus (sexism) als „Beherrschung oder Unterdrückung der nichtmenschlichen Natur“.

[129] Die in der ökofeministischen Theologie vieldiskutierten Fragen einer neuen Spiritualität im Zusammenhang mit dem Gottesbild klingen in Kp. 4.5.1. an.

[130] Vgl. Anm. 124.

Die Frau wird in dieser Geschichte immer wieder in besonderer Nähe zum Leiblichen und zur Natur und der Mann in besonderer Nähe zum Geist und zur Kultur gesehen. Diese Aufteilung wird durch die biologische Beschaffenheit, die soziale Rolle und die psychischen Qualitäten von Mann und Frau begründet. Halkes wie andere Ökofeministische Ansätze betonen demgegenüber die *Notwendigkeit, drei Sackgassen zu überwinden*: l. Das Denken in *Werthierarchien*, das die einen Werte höher setzt als andere; 2. Das Denken in *Wertdualismen*, die exklusiv statt inklusiv sind, also z.B. Natur und Kultur oder männliche und weibliche Werte als unvereinbare Gegensätze sehen; 3. Die Rechtfertigung von *Beherrschung* und Unterordnung[131].

Diese Sackgassen sind durch eine neue Schöpfungstheologie und Wertordnung zu überwinden. Catharina Halkes betont – mit den Theologen G. Liedke, J. Moltmann, C. Westermann u.a. – die theologische Wiederentdeckung der *weisheitlichen* Traditionen der Bibel, des *segnenden* Handelns Gottes, der *Sabbatruhe* und des *trinitiarischen*, nichtmonotheistischen Gottesbildes[132] (99–112). Die von vielen Vertreterinnen der feministischen Theologie angestrebte neue Spiritualität bedeutet für Halkes nicht Verinnerlichung und bei aller Kritik an einem einseitig männlich geprägten Gottesbild[133] auch nicht eine neue Göttinnen- oder Mutter-Erde-Religion. Es heißt für sie vielmehr „Widerstand gegen die die Gesellschaft (und die Kirche) noch immer beherrschenden patriarchalen Strukturen“ (145), Wissenschaftskritik (177ff) mit dem Ziel einer Wissenschaft, die im Dienste eines schonenden Umgangs mit der Natur steht, sowie die „Besorgnis um die Humanität ... als notwendige Aufmerksamkeit für das menschliche Maß“ (144), damit „Frauen und Männer Ebenbild Gottes“ werden können (153ff).

Halkes hat, wie sie selbst anmerkt, „in großem Umfang die gängige, neuere wissenschaftliche Literatur zu Rate gezogen, die von männlichen Autoren verfaßt ist“ (13). Damit bestätigt sie, daß auch die männlich geprägte theologische Umweltethik heute zu einem großen Teil die Überwindung eines beherrschenden Verhältnisses zur Natur wie zwischen den Geschlechtern anstrebt. Der spezielle Beitrag der feministischen Umweltethik (wie der ökologischen Befreiungstheologie) ist dabei, mit Nachdruck den Zusammenhang von sozialer Unterdrückung und Unterwerfung der Natur aufzuzeigen und sich für ein Leben in partnerschaftlichen Beziehungen einzusetzen. Nicht zufällig kommen die zwei Stichworte „Unterdrückung“ und „Beziehung“ im Sachregister des Wörterbuchs der feministischen Theologie[134] am häufigsten vor! Sofern die Ursache der Naturausbeutung nicht monokausal auf die Patriarchatsthese reduziert wird, leistet die feministische Schöpfungstheologie damit einen wichtigen Beitrag zu einer Ethik des Maßes.

4.4.2 Dorothee Sölle: Liebe und Arbeit

Ungewohnt ist, die Worte *„lieben und arbeiten“*[135] zum Zentrum einer „Theologie der Schöpfung“ zu machen, wie das Dorothee Sölle tut *(die Zahlen im Text beziehen sich auf*

---

131 So Warren, K.: The Power ..., a.a.O., 128ff.

132 Vgl. dazu J. Moltmann in Kp. 4.4.1.

133 Halkes, C.: Gott hat nicht nur starke Söhne, Gütersloh 1980, 36ff.

134 Wörterbuch der feministischen Theologie, hg. von E. Gössmann et al., Gütersloh 1991.

135 Sölle, D.: lieben und arbeiten, a.a.O. Obwohl das Wort Feminismus im Titel fehlt und im Text kaum vorkommt, macht Sölle im Vorwort klar, „daß es sich hier in der Tat um eine feministische Theologie der Schöpfung handelt.“

die Seiten dieses Buches). Doch haben wir schon bei den Reformatoren die Bedeutung des Arbeitsethos für eine Ethik des Maßhaltens gesehen, und Liebe zur Mitwelt als Alternative zu ihrer Ausbeutung muß ja zum Zentrum christlicher Mitweltethik gehören. Was versteht aber Sölle darunter und inwiefern zeigt sich bei ihr darin ein Ethos des Maßhaltens? Bei Sölle scheint ein *dreifaches Maß* auf, das ich in drei Thesen fasse:
1. *Ein neues Verständnis der Allmacht Gottes führt zum Menschen als Co-Creator*. Schöpfungstheologie wurzelt für Sölle in der Befreiungsgeschichte Gottes mit den Menschen, angefangen beim Auszug aus Ägypten (17ff). Auch wenn das Verhältnis von Natur und Geschichte komplex und in der alttestamentlichen Exegese die Exodustradition nicht unbestritten der Schöpfungstradition vorgeordnet ist[136], weist Sölle damit zu Recht auf den heils- und befreiungsgeschichtlichen Aspekt der biblischen Schöpfungsaussagen hin, der gerade bei der heutigen Renaissance der natürlichen Theologie immer wieder verlorenzugehen droht. Diese Befreiungsgeschichte zeigt, daß Gott nicht in autokratischer Freiheit als allmächtiger Schöpfer herrschen will, sondern den Menschen Freiheit schenkt und sie damit als seine Partner und Co-Creatores (Mit-Schöpfer) am Fortgang der Schöpfung beteiligen will (39ff). „Feministische Theologie arbeitet an der Überwindung der traditionellen theologischen Aufspaltung in Schöpfer und Geschöpf, in Machthaber und Machtlose." (44). Bei dieser „schöpferischen Mitwirkung" des Menschen (55) geht sie allerdings nicht so weit wie die Prozeßtheologie, die die Grenze zwischen Schöpfer und Geschöpf und damit die Mäßigung des Menschen durch sein Geschöpfsein teilweise gefährlich verwischt.
2. Ein zweiter Ansatz des Maßes bei Sölle liegt in der Arbeit: *Die Befreiung von entfremdeter Arbeit macht frei zu einem maßvollen Mitwirken an der Versöhnung mit der Natur*. „Gott schuf die Menschen Gott zum Bilde als Arbeiter und als Liebende." (75) Entfremdete Arbeit, die Sölle weitgehend der kapitalistischen Poduktionsweise anlastet, behindert die Mitwirkung am Schöpfungsgeschehen (75ff). Der Mensch ist aber befreit zu einem dreifachen Sinn von Arbeit: Arbeit ist da zur Selbstverwirklichung (subjektiver Aspekt, 109ff); Arbeit schafft Gemeinschaft. Insofern ist humane Arbeit Vorbedingung für den Frieden und soll Solidarität ermöglichen (intersubjektiver Aspekt, 127ff); Arbeit dient der Versöhnung mit der Natur und der Verwandlung der Welt in etwas, das „wir dann endlich Heimat nennen können" (objektiver Aspekt, 139ff). Mit diesen drei Dimensionen entwirft Sölle eine *ökologisch orientierte Arbeitsethik*, die aber nur möglich ist, wenn sie mit der individuellen und sozialen Dimension verbunden bleibt. Erstaunlich ist dabei, daß sie keinerlei Bezug zur Sabbatruhe als einem in der heutigen Schöpfungstheologie wichtigen Ansatz herstellt.
3. Als drittes Maß nennt die Autorin die *Liebe: Die Befreiung von entfremdeter Sexualität macht frei zur Liebe, die Ekstase und Vertrauen, Ganzheit und Solidarität verbindet*. „Eine Sexualethik, die diesen Namen verdient, muß aus der freien Übereinkunft freier Partner erwachsen." (171) Die Überwindung herrschaftlicher Sexualbeziehungen ist Voraussetzung für Liebe. Diese Liebe zeigt sich in vier Dimensionen: Ekstase (169ff) heißt sich selbst verlieren, Lust am Leben, Entwicklungsmöglichkeit, sich selbst transzendieren. Vertrauen als Gegenpol (178ff) heißt Heimat, Trost, Regressionsmöglichkeit

---

136 Vgl. zur Diskussion z.B. Liedke, G.: Im Bauch des Fisches, Ökologische Theologie, Stuttgart 1979, 71–81; Steck, O.H.: Welt und Umwelt, Stuttgart 1978, 54ff.

und Verwundbarkeit finden. Ganzheit (183ff) heißt Integration der verschiedenen physischen und geistigen Fähigkeiten. Solidarität schließlich (196ff) bedeutet Einbezug der Gerechtigkeit, der öffentlichen und politischen Anliegen in die Liebe.
Indem die vier Dimensionen für Sölle unbedingt zusammengehören, zeigt sich bei ihr das Maß der Liebe in der *Relationalität* von Vertrauen, Ekstase, Ganzheit und Solidarität. Sie befreit damit das Ethos des Maßhaltens von Lustfeindlichkeit[137], da Eros und Ekstase, wenn sie partnerschaftlich und nicht herrschaftlich gebraucht werden, notwendiger Antrieb für eine lebendige Liebesfähigkeit sind. Sie befreit auch von der Verengung der Liebe auf das persönliche Glück, indem sie die Verantwortung für die gesamte Mitwelt einbezieht. Diese Liebe zur Natur ist Agape.[138]
In den Schöpfungstheologien von Sölle wie von Halkes, die beide *Theologien der Beziehung* sind, spielt das Ziel der *Ganzheitlichkeit* von Körper und Geist, von Natur und Kultur, von Liebe und Arbeit, von Vertrauen und Ekstase usw. eine bedeutende Rolle.[139] Sie wenden sich zugleich gegen das Abgleiten von Ganzheit in Totalität. Beziehung entsteht nicht, indem sich die Partner im Ganzen auflösen, sondern indem sie sich eigenständig und ganz in die Beziehung einbringen. Nicht wenn ich egozentrisch das Ich auch in der Natur entdecke, also mich in der Natur wiederfinde, sondern erkenne: „Ich ist nicht Natur“[140] und damit Respekt finde vor dem Anderssein des andern, gelingt ein maßvoller Umgang mit der Natur. Die amerikanische Ökofeministin Karen Warren drückt es so aus: „Die arrogante Wahrnehmung der Mitwelt (nonhumans) durch den Menschen (humans) geht vom Gleichsein (sameness), ... von der ‚Einheit im Gleichsein‘ aus. Die liebende Wahrnehmung dagegen geht vom Anderssein (difference), der Unterscheidung zwischen dem Ich und dem andern, zwischen dem Menschen und zumindest einem Teil der Mitwelt, aus und sieht gerade darin einen Ausdruck der Liebe.“[141]

4.4.3 Leonardo Boff: Die Armen als Maß

Die Befreiungstheologie hat ihr Zentrum in der Befreiung der Armen und damit im Thema Gerechtigkeit. Seit etwa Mitte der achtziger Jahre, also erst spät, setzt sie sich vermehrt auch mit der Bewahrung der Schöpfung auseinander.[142] Diesen Zweig bezeich-

---

137 Vgl dazu Kp. 3.3.1: Thomas von Aquin.

138 Weiterführend ist Bratton, S.: Loving Nature: Eros or Agape? Environmental Ethics 14 (Spring 1992), 3–25. Zu Recht weist sie darauf hin, daß nicht Eros, sondern „Agape die ideale Form menschlicher Beziehung zur Natur ist, weil Agape weder gleichen Status oder gleiche Fähigkeiten noch gemeinsame Ziele oder Bedürfnisse erfordert“. Gottes Agape ist vielmehr „spontan und grundlos, unabhängig von jemandes Wert, sie schafft Wert und Beziehung zum Göttlichen, respektiert Individualität, ermöglicht Freiheit und schafft Aktivität und Leiden“ (3).

139 Sölle, D., lieben und arbeiten, a.a.O., 183ff; Halkes, C.: Das Antlitz der Erde erneuern, a.a.O., 151f; vgl. auch Moltmann-Wendel, E.: Art. Ganzheit, Wörterbuch der feministischen Theologie, a.a.O., 136–142.

140 So Thürmer-Rohr, Ch.: ICH ist nicht Natur. Auf die ökologische Krise gibt's keine ökologischen Antworten, Wochenzeitung (Zürich) Nr. 46/1990, 25–27.

141 Warren, K.: The Power ..., a.a.O., 137.

142 Der methodische Ansatz der lateinamerikanischen Befreiungstheologien scheint mit den Ansätzen europäischer Umweltethiken wie Verantwortungsethiken schwer vereinbar und z.B. der Diskursethik entgegengesetzt zu sein. Seit 1989 findet ein Dialog zwischen Diskurs- und Befreiungsethikern über

ne ich im folgenden als *ökologische Befreiungstheologie oder Befreiungsökologie*[143]. Es geht hier nicht um die Auseinandersetzung mit der Befreiungstheologie als ganzer, sondern nur um die Frage, an welchem Maß sie den Umgang mit der Natur mißt. Die Grundaussage lautet: *Was maßvoll ist, ist an den Armen und an der ökologischen Gerechtigkeit zu messen.* Diese Stoßrichtung der ökologischen Befreiungstheologie läßt sich stellvertretend am brasilianischen Franziskaner Leonardo Boff (der aus dem Franziskanerorden ausgetreten ist) zeigen.

Der Ansatz der Befreiungsökologie liegt wie beim Ökofeminismus im umfassenden Denken in *Beziehungen.* „Ökologie ist Beziehung, Interaktion und Wechselwirkung, die alle (lebenden und nichtlebenden) Wesen sowohl miteinander als auch mit allem anderen haben, was real oder potentiell existiert."[144] Zu diesem Beziehungsdenken gehört die *Analyse der Verbindung von sozialer und ökologischer Unterdrückung.* So sagt Boff in einem Interview zu seinem damals im Entstehen begriffenen neuen Buch über Spiritualität und Ökologie[145]: „Ich möchte als Ausgangspunkt aufzeigen, daß der Prozeß der Herrschaft über Völker, über die Armen sich auch auf die Ausbeutung der Natur erstreckt. Es ist dieselbe Rationalität, es sind dieselben Mechanismen von Herrschaft und Ausbeutung. Die Armen spüren, daß sie Brüder der Natur, der Tiere, der Erde sind."[146] Auch wenn man die generalisierende Idealisierung des Verhältnisses der Armen zur Natur im letzten Satz nicht ganz teilen mag, verweist Boff in diesem Zitat auf den unlösbaren Zusammenhang von Gerechtigkeit und Bewahrung der Schöpfung. So spricht er auch von „ökologischer Gerechtigkeit". Die „Option für die Armen" – ein Merkmal der Befreiungstheologie – gibt er nicht mit einem modischen Schwenker zur Ökologie auf. Der Mensch steht weiterhin im Zentrum: „Uns geht es um den Menschen in der Natur. In der Tat ist für uns das am meisten bedrohte Lebewesen nicht der Pandabär, auch nicht die seltenen Bäume und Vögel. Es sind vielmehr die Armen, die Tag für Tag immer zahlreicher sterben."[147]

Das ökologische Bewußtsein der Befreiungstheologie ist stark geprägt von der *Landproblematik* und den Folgen der Umweltzerstörung im Amazonasgebiet. Die Solidarität mit den Indianern als Armen und die Auseinandersetzung mit indianischer Spiritualität gegenüber der „Mutter Erde" findet ihren Niederschlag in der Befreiungsökologie. So will Boff in seinem neuen Buch nicht indianische pantheistische Ansätze übernehmen, aber als christliche Antwort darauf den Pan*en*theismus besonders auf den Spuren des byzantinischen Theologen Gregorios Palamas (1296–1359) neu betonen: „Ich lasse mich

---

diese methodischen Differenzen statt, insbesondere zwischen K. O. Apel und E. Dussel. Vgl. den Bericht von Arens, E.: Befreiungsethik als Herausforderung, Orientierung 18/1991, 193–196.

143 Die Literatur dazu ist noch nicht sehr zahlreich. Vgl. z.B. Boff, L.: Zärtlichkeit und Kraft. Franz von Assisi mit den Augen der Armen gesehen, Düsseldorf 1983; Goldstein, H.: Kleines Lexikon zur Theologie der Befreiung, Düsseldorf 1991, 157f (Art. Ökologie); Barros Souza, M. de/Caravias, J. L.: Theologie der Erde, Düsseldorf 1990; Pater, S.: Das grüne Gewissen Brasiliens: José Lutzenberger, Göttingen 1989. – Als prozeßtheologische Befreiungsökologie könnte man bezeichnen Birch, Ch./Cobb, J. B.: The Liberation of Life, Cambridge/Mass. 1981. Ein früher europäischer Verfechter einer ökologischen Befreiungstheologie ist Leonhard Ragaz (vgl. Kp. 3.5.4).

144 Boff, L.: Von der Würde der Erde: Ökologie. Politik. Mystik, Düsseldorf 1994.

145 Ebd.

146 Für eine ‚ökologische Befreiungstheologie'. Interview mit L. Boff, Religion und Gesellschaft (Basel) 11/1991, 11–13.

147 Ebd., 13.

von einer sehr alten Denkweise inspirieren, die in Vergessenheit geraten ist und in der es um den Pan*en*theismus geht: Gott ist in allem. Das hat nicht zu tun mit dem pantheistischen Gedanken – alles ist Gott –, den die Kirche ablehnt."[148]

Boff verbindet die ökologische mit der sozialen, politischen und ökonomischen Dimension. Er fordert eine „ökologisch-soziale Demokratie". Diese „ist eine Demokratie, die ihre Bürger und Bürgerinnen nicht nur in den Menschen sieht, sondern in allen Wesen der Natur – und da vor allem in den belebten"[149]. Er strebt in der Tradition der Befreiungstheologie – aber „angesichts des Zusammenbruchs des Sozialismus"[150] – nach einer „neuen weltumfassenden politischen Ökonomie"[151], die aus den Quellen der Mystik sich nährt[152] und auf einer „planetarischen Kultur"[153] basiert. Boff sucht damit nach der für die Umweltethik konstitutiven Verbindung der ökologischen, ökonomischen, sozialen und religiösen Dimension und zeigt damit zugleich, daß dies die Quadratur des Kreises ist.

Die ökologische Befreiungstheologie führt in ihrer ethischen Konsequenz zum Einsatz gegen die Übernutzung der Regenwälder, aber zugleich auch gegen ein völliges Verbot ihrer Nutzung. Sie sieht das *Maß zwischen einem Zuviel und einem Zuwenig in der nachhaltigen Bewirtschaftung*, wie sie die Indianer leisten, indem sie die regenerierbaren Erträge wie Kautschuk und Paranüsse des Waldes zum eigenen Lebensunterhalt nutzen, aber den Wald selbst respektvoll schonen.

Der Franziskaner Boff entwickelte aber eigentlich bereits 1981 eine ökologische Befreiungstheologie in seiner immer noch aktuellen Darstellung des Franz von Assisi in *„Zärtlichkeit und Kraft"*[154] *(die folgenden Zahlen im Text beziehen sich darauf)*. Franziskus zeigte den „Weg zu einer Kultur des lebensgerechten Miteinanders" (32) durch Fürsorge, Sorge und Mitleiden mit allen Geschöpfen, also der „zärtlichen Fürsorge und Sorge für die Armen" (42ff), dem „zärtlichen Mit-Leiden mit dem Leiden Gottes" (45ff), der „Zärtlichkeit für Klara: der Integration des Weiblichen" (50ff), der „Zärtlichkeit für die Brüder im gegenseitigen Muttersein" (56ff) sowie der „Verbrüderung mit der Natur als kosmischer Demokratie" (58–73). Liebe als Eros und Agape (60) ist für Franziskus Triebfeder für ein mitweltgerechtes Leben. Sie gibt die Kraft, einerseits Armut als Übel und als Sünde zu bekämpfen (93ff) und andererseits *Armut als Ethos der Mäßigung* selbst zu leben. „Die Armut als Tugend ist zwischen der Verachtung der Güter und der Liebe zu ihnen angesiedelt. Sie besteht im *maßvollen und nüchternen Gebrauch der Dinge*, der je nach Ort und Kultur verschieden sein kann, dessen Sinn jedoch immer derselbe ist: die Freiheit des Geistes für die eigentlichen Werke des Geistes: für Freiheit, Großzügigkeit, Gebet und kulturelle Schaffenskraft." (97) Ein so verstandenes Ethos der Armut „zeigt sich in ökologischer Gesinnung, die sich verantwortlich weiß für alle Güter von Natur und Kultur, für ein Leben ohne Luxus und Konsumverfallenheit und die gegen eine Gesellschaft ist, die produziert um der Produktion willen" (ebd.). In dieser umfas-

---

148 Ebd., 11. Ausgeführt in Boff, L.: Von der Würde der Erde, a.a.O., 49–56.

149 Ebd., 86–95 (94).

150 Ebd., 116ff.

151 Ebd., 134ff.

152 Ebd., 163ff.

153 Boff, L.: Eine neue Erde in einer neuen Zeit. Plädoyer für eine planetarische Kultur, Düsseldorf 1994.

154 Zärtlichkeit und Kraft, a.a.O. Die portugiesische Originalausgabe erschien 1981 in Petrópolis/Brasilien.

senden Liebe zu allem Lebenden wird die ganze Schöpfung als Sakrament Gottes erkannt (67), wie es im berühmten Sonnengesang des Franziskus[155] zum Ausdruck kommt. Sie ist Grundlage einer Ökospiritualität, durch die sich „die innere Archäologie mit der äußeren Ökologie versöhnt“ (66).

4.5 Schöpfungsspiritualität

Die immer größer werdende Spannung zwischen der Einsicht in das, was ökologisch und entwicklungspolitisch zu tun wäre, und der persönlichen und gesellschaftlichen Unfähigkeit, dies in der gebotenen Frist zu tun, führt immer mehr Menschen zur Einsicht, daß Information und vernünftige Argumentation nicht genügen, sondern eine tiefere innere Verankerung, eine Rückbindung an eine weltjenseitige Instanz resp. an die Quellen des Lebens nötig ist.
Nicht zufällig sind oft gerade jene *Menschen, die eine globale Verantwortung tragen*, besonders spirituelle Menschen oder sie spüren den spirituellen Mangel. So waren die ersten beiden UNO-Generalsekretäre, der Protestant Dag Hammarskjöld und der Buddhist U Thant (er war sogar Mönch) wie der von U Thant geprägte stellvertretende UNO-Generalsekretär, der Elsässer Katholik Robert Muller, ausgesprochen spirituell verankerte Menschen.[156] Auch der Generalsekretär der UN-Konferenz für Umwelt und Entwicklung Unced in Rio 1992, Maurice Strong, sprach immer wieder davon, daß neben dem wirtschaftlichen und technischen Wandel eine „spirituelle Revolution“ stattfinden müsse.
Die *Öko- resp. Schöpfungsspiritualität*[157] erstrebt eine tiefe innere Beziehung des Menschen zur nichtmenschlichen Mitwelt durch mystische Liebe zur Erde. Diese wird aus Gottes Geist ermöglicht durch Mitfühlen, Mitleiden, Leidenschaft für alles Leben, durch Gebet, Meditation und andere Frömmigkeitsformen, durch eine lebendige Beziehung zur eigenen Innenwelt, durch Überwindung der Vorherrschaft des Materiellen und durch verantwortliches, auch politisches und wirtschaftliches Handeln.
Diese meine zunächst absichtlich interreligiös verwendbare Definition wird für den

---

[155] Vgl. dazu die ausführliche, auch ökologische Interpretation durch Doyle, E.: Von der Brüderlichkeit der Schöpfung. Der Sonnengesang des Franziskus, Zürich 1987, bes. 52ff.

[156] Vgl. Hammarskjöld, D.: Zeichen am Weg, München 1965; Muller, R.: Die Neuerschaffung der Welt. Auf dem Weg zu einer globalen Spiritualität, München 1985 (darin wird auch U Thant ausführlich dargestellt). Mullers Haltung ist vom New-Age-Zeitbewußtsein geprägt.

[157] Vorwiegend wird der Begriff *Ökospiritualität* (ecospirituality) verwendet, weil er religiös neutral ist und dem interreligiösen Charakter vieler ökospiritueller Bewegungen entspricht. Für den christlichen Kontext verwende ich den auch geläufigen Begriff Schöpfungsspiritualität (creation spirituality). Vgl. auch die Begriffsbestimmung Kp. 1.5. – Die folgende *Definition* aus dem Ökumenischen Rat der Kirchen läßt sich auch auf den Umgang mit der Schöpfung beziehen: „Eine ökumenische Spiritualität für unsere Zeit sollte hier und jetzt inkarniert, lebensspendend, in der Schrift verwurzelt und vom Gebet genährt, in der Gemeinschaft und der Feier Gestalt finden, ihre Mitte in der Eucharistie haben und in Vertrauen und Zuversicht ihren Ausdruck im Dienst und im Zeugnis finden. Sie wird unvermeidlich zum Leiden führen, sie ist offen für die umfassende Ökumene, freudig und hoffnungsvoll … Ihre Quelle und Orientierung ist das Wirken des Heiligen Geistes. Sie wird in der Gemeinschaft und für andere gelebt und gesucht. Sie ist ein fortdauernder Prozeß des Sichformenlassens und der Nachfolge.“ (Im Zeichen des Heiligen Geistes. Bericht aus Canberra 1991, Frankfurt 1991, 116f.)

christlichen Glauben präziser, wenn man mit dem Kapuziner Anton Rotzetter Spiritualität definiert als „Leidenschaft für das Leben in der erlebten Gemeinschaft mit Jesus, als neuentdeckte, von Christus empfangene göttliche Energie für das Reich Gottes“[158]. Damit ist auch bereits angezeigt, daß Spiritualität nichts mit individualistischer Innerlichkeit, aber viel mit geistgewirkter Weltgestaltung zu tun hat.

Man kann die Vorschläge der letzten zwanzig Jahre, die Weltprobleme zu lösen, mit einer Zwiebel vergleichen, bei der man Schale um Schale freilegte, einbezog und dabei immer mehr ins Innere der Zwiebel vorstieß. Die „Schalen“ heißen Technik – Wirtschaft – Politik – Erziehung – Ethik – Religion – Spiritualität[159]: Technologische Lösungsansätze wurden ergänzt durch die Erkenntnis, daß sie nur mit einer entsprechenden Gestaltung der Wirtschaftsbeziehungen realisierbar sind. Diese wiederum erfordern nationale und globale politische Rahmenbedingungen. Politische Änderungen sind zumindest in demokratischen Staaten aber nur durch entsprechende umwelterzieherische Bildung der Bevölkerung realisierbar. Erziehung führt sofort zur Frage, welche Werte denn nun eigentlich vermittelt werden sollen. Damit aber Werte zu einem gelebten Ethos werden, suchen immer mehr Menschen nach der religiös-spirituellen Verankerung der Ethik. In der Ökospiritualität geschieht eine neue Zuordnung von *Maß und Mitte*. Während die Tugend des Maßes seit Aristoteles mit der Formel *„Maß als Mitte“* das Mittlere zwischen Extremen anstrebte, entsteht in der Ökospiritualität das Maßhalten aus der meditativen Zentrierung auf das Göttliche als Mitte des Lebens. Damit wird es zum *„Maß aus der Mitte“*.

Christliche Schöpfungsspiritualität[160] wie auch philosophische, interreligiöse oder synkretistische Ökospiritualität bietet sich heute in einer verwirrenden Vielfalt an. Die großartige Schöpfungsmystikerin Hildegard von Bingen erlebt dabei ebenso eine Renaissance wie die evolutionäre Kosmosschau des Teilhard de Chardin. Die vom norwegischen Philosophen Arne Naess entwickelte Tiefenökologie (deep ecology) wird ebenso einbezogen wie die ihr nahestehende Prozeßtheologie von John Cobb und David Griffin[161].

Kennzeichen christlicher Schöpfungsspiritualität sind
- ihre Anknüpfung an mystische Tradition,
- ihre Wiederentdeckung des kosmischen Christus,

---

[158] Rotzetter, A.: Leidenschaft für Gottes Welt. Aspekte einer zeitgemäßen Spiritualität, Zürich 1988, Klappentext.

[159] Den Weg „Von der Technologie zur Ethik“ habe ich anhand der Club of Rome-Studien 1972–78 nachgezeichnet in: Aufbruch zu einem menschengerechten Wachstum, Zürich 1982³, 1–3. Die religiöse Dimension ist in der Umweltdiskussion seither deutlich wichtiger geworden.

[160] Vgl. z.B. Thiele, J.: Die mystische Liebe zur Erde. Denken und Fühlen mit der Natur, Stuttgart 1989; Fox, M.: Vision vom Kosmischen Christus. Aufbruch ins dritte Jahrtausend, Stuttgart 1991; Fox, M.: Der große Segen. Umarmt von der Schöpfung. Eine spirituelle Reise, München 1991 (darin 362–369 eine kommentierte Bibliographie zur Schöpfungsspiritualität); Fox, M.: Original Blessing: A Primer in Creation Spirituality, Santa Fe 1983; Ruether, R. R.: Unsere Wunden heilen, unsere Befreiung feiern. Rituale in der Frauenkirche, Stuttgart 1988; Hildegard von Bingen: Gott sehen, hg. von H. Schipperges, München 1985; Holland, J.: A Postmodern Vision of Spirituality and Society, in: Griffin, D.R. (ed.): Spirituality and Society, New York 1988, 41–61; Kessler, H.: Das Stöhnen der Natur. Plädoyer für eine Schöpfungsspiritualität und Schöpfungsethik, Düsseldorf 1990, 72–111.

[161] Das „Center for Process Studies“ in Claremont/Kalifornien, gegründet und geleitet von J. B. Cobb und D. R. Griffin, und das von Griffin gegründete „Center for a Postmodern World“ in Santa Barbara/Kalifornien arbeiten aktiv am Thema Ökospiritualität.

– ihre ganzheitliche Einbeziehung von Körper, Geist und aller Sinne wie von Männlichem und Weiblichem,
– ihre liturgisch-rituelle Verbindung des Kirchenjahrs mit den Rhythmen der Natur,
– ihre Offenheit für natürliche Theologie und interreligiöse Verständigung,
– ihr da und dort radikaler politischer Einsatz für die Mitwelt.

Gegenwärtig ist einer der bekanntesten Verfechter christlicher Schöpfungsspiritualität der kalifornische Dominikanerpater *Matthew Fox*. Er will mit der neu-alten „Schöpfungsspiritualität" die traditionelle „Sündenfall/Erlösungsspiritualität" überwinden.[162] Bei Fox tauchen manche Ansätze auf, die wir bei der feministischen und befreiungstheologischen Schöpfungstheologie und -ethik beschrieben haben: Maßhalten wird hier nicht zu erreichen versucht durch die körperfeindliche Zügelung und Unterdrückung der Begierden, sondern durch Freude am echten Genießen, durch Mitgefühl[163] mit der ganzen Schöpfung und den Glauben an Gott, der in allem ist. *Vier Pfade* führen nach Fox zu dieser neuen Beziehung zur Schöpfung: die Via Positiva als Freundschaft mit der Schöpfung[164], die Via Negativa als Freundschaft mit der Dunkelheit und dem Loslassen[165], die Via Creativa als Freundschaft mit der eigenen Göttlichkeit[166] und die Via Transformativa als Freundschaft mit der neuen Schöpfung, als Mitgefühl und Gerechtigkeit[167].

Daß Gott trinitarisch nicht nur als Schöpfer und als Heiliger Geist, sondern auch als Christus in der ganzen Schöpfung wirkt, kommt bei Fox in seiner *„Vision vom Kosmischen Christus"*[168] zum Ausdruck. Ähnlich dem notwendigen Paradigmenwechsel in den Naturwissenschaften sieht er in der Theologie den Schritt von der Suche nach dem historischen Jesus zur Suche nach dem Kosmischen Christus mit seiner Einbeziehung des ganzen Ökosystems Erde.[169] Fox kann sich dabei auf die biblischen Texte von der alttestamentlichen präexistenten Weisheit bis zum Kolosserhymnus beziehen[170]. Er stützt sich zudem insbesondere auf die Stimmen der Schöpfungsmystiker/innen. Obwohl er sich kritisch von der Überbetonung des Kreuzes in der Sündentheologie abgrenzt, fehlt die Kreuzestheologie bei ihm nicht. Christus ist für ihn „ein Kosmischer Christus mit Wunden"[171], der in der verwundeten Schöpfung und in jeder leidenden Kreatur immer noch leidet. Er geht sogar soweit, „Jesus Christus als gekreuzigte und auferstandene Mutter Erde" zu bezeichnen.[172]

Der *lebensbejahende und segnende Grundzug* in Fox' Schöpfungsspiritualität befreit zu einem Maßhalten aus Freude, Dankbarkeit und mystischer Beziehungsfähigkeit zu allem Geschaffenen und damit zu einem Engagement für die Schöpfung. Die Entfaltung der kosmischen Christologie[173] verweist auf eine unverzichtbare biblische Wahrheit. Den-

---

162 Fox, M.: Der große Segen, a.a.O., 357–361 (ein tabellarischer Vergleich der zwei Theologien).
163 Wie bei Boff und Sölle ist bei Fox das Mitgefühl eine der wichtigsten ethischen Kategorien, der er ein ganzes Buch widmete: Fox, M.: A Spirituality Named Compassion, Winston Press 1979.
164 Fox, M.: Der große Segen, a.a.O., 39–146.
165 Ebd., 147–198.
166 Ebd., 199–276.
167 Ebd., 277–345.
168 Fox, M.: Vision vom Kosmischen Christus, a.a.O. (Anm 153).
169 Ebd., 122ff.
170 Ebd., 127–163.
171 Ebd., 238.
172 Ebd., 214ff.
173 Mehr zum kosmischen Christus in Kp. 5.3.2.

noch ist für eine christliche Umweltethik zu fragen, ob das Mitfühlen mit der ganzen Kreatur und die Fürsorglichkeit durch die Orientierung am historischen Jesus und am Geist Gottes nicht ebenso gestärkt werden kann. Jedenfalls bleibt der historische Jesus bei Fox – wie bei den Mystikern – konturenlos. Und auch wenn die Betonung des segnenden Gottes absolut berechtigt ist und befreiend ist, kann die Realität der Sünde auch in einer Umweltethik nicht so leicht vom Tisch gewischt werden. Die millenaristisch tönende wiederholte Beschwörung des anbrechenden neuen Zeitalters wird von Fox theologisch wenig reflektiert. Sie entspricht zwar dem Zeitgefühl und Sendungsbewußtsein vieler kalifornischer religiöser Strömungen, wäre aber doch heilsgeschichtlich zu hinterfragen. Trotz dieser kritischen Bemerkungen ist der schöpfungsspirituelle Ansatz von Fox ein wichtiger Anstoß zur ökologischen Ethik des Maßes.
Verschiedenartigste christliche Schöpfungsspiritualität gibt es außer in der lateinamerikanischen Befreiungstheologie in *verschiedenen Theologien aus dem Süden.*[174] Als Beispiel erwähnt sei *Anand Veeraraj,* ein Pfarrer der Südindischen Kirche aus Bangalore, der seinen protestantischen Glauben mit hinduistischer Sicht der Schöpfung und Prozeßtheologie verbindet.[175] In seinem indischen Kontext war es für ihn „eine Offenbarung, Gottes Liebe in mütterlichen Begriffen auszudrücken". Gott wurde für ihn damit zur „großen Muttergottheit", die „immer aus einem ökologischen Bezugssystem entsteht"[176]. Durch diese Erweiterung des christlichen Gottesbildes um diese weiblichen Züge und durch den „Einbezug der indischen religiösen Quellen für eine globale Ökotheologie"[177] entsteht für Veeraraj eine Schöpfungsspiritualität, die sorgsamer mit der Erde umgeht als der Glaube eines rein männlich geprägten Gottesbildes.

4.6 Weltweite Ökumene

Eine *nachhaltige Entwicklung mit dem Ziel langfristiger Überlebensfähigkeit* wird von den Kirchen auf Weltebene schon lange gefordert, wobei die Verwirklichung dieses Ziels auch innerhalb der Kirchen noch in weiter Ferne liegt. Diese Stoßrichtung galt – um nur die wichtigsten kirchlichen Weltkonferenzen seit Mitte der achtziger Jahre zu nennen – bei der Vollversammlung des Ökumenischen Rates der Kirchen ÖRK 1983 in Vancouver[178], beim Treffen der Weltreligionen 1986 in Assisi, zu dem der Vatikan eingeladen hatte, bei der Europäischen Ökumenischen Versammlung Frieden in Gerechtigkeit 1989 in Basel[179], bei der Weltmissionskonferenz 1989 in San Antonio[180], beim

---

174 Vgl. z.B. die Rede der Südkoreanerin Chung Hyun Kyung an der siebten Vollversammlung des Ökumenischen Rates der Kirchen: Im Zeichen des Heiligen Geistes. Offizieller Bericht aus Canberra 1991, Frankfurt 1991, 47–56; auch John's, D.: The Relevance of Deep Ecology to the Third World, Environmental Ethics 12 (1990), 233–252.

175 Veeraraj, A.: Gott ist grün, in: Gott ist grün. Ökotheologie aus dem Süden, hg. von Brot für Brüder/Fastenopfer der Schweizer Katholiken, Bern/Luzern 1989, 15–23; ders.: Towards an Authentic Global Eco-Theology and Mission of the Church. A Search for Eco-sensible Religious Resources in Judeo-Christian und Hindu Religious Systems and Traditions, Bangalore 1986 (Manuskript. Beim Verf.).

176 Veeraraj, A.: Gott ist grün, a.a.O., 21.

177 Veeraraj, A.: Towards ..., a.a.O., 58–96, übersetzt vom Verf.

178 Bericht aus Vancouver 1983. Offizieller Bericht der Sechsten Vollversammlung des ÖRK, Frankfurt 1983.

179 Frieden in Gerechtigkeit. Die offiziellen Dokumente der Europäischen Ökumenischen Versammlung 1989 in Basel, Basel/Zürich 1989.

Kongreß für Weltevangelisation („Lausanne II") 1989 in Manila[181], bei der Generalversammlung des Reformierten Weltbundes 1989 in Seoul[182], bei der Weltkonvokation für Gerechtigkeit, Frieden und Bewahrung der Schöpfung 1990 in Seoul[183], bei der Vollversammlung des ÖRK 1991 in Canberra[184]. Die Bemühungen der Kirchen um das Problem der Erwärmung der Erdatmosphäre als einem Kernthema der Schöpfungsbewahrung wurden bereits erwähnt.[185] Eine spezielle Chance und Aufgabe der ökumenischen Bemühungen ist dabei immer wieder der interkulturelle Dialog.[186]

4.6.1 Ökumenischer Rat der Kirchen: GFS

Die Arbeit des Ökumenischen Rates der Kirchen ÖRK war zwischen der fünften Vollversammlung in Nairobi 1975 und der sechsten in Vancouver 1983 auf das Ziel der „gerechten, partizipatorischen und überlebensfähigen Gesellschaft" (Just, Participatory and Sustainable Society JPSS) ausgerichtet. Zwischen Vancouver 1983 und der Vollversammlung in Canberra 1991 stand sie unter dem Leitprogramm „Gerechtigkeit, Friede, Bewahrung der Schöpfung" GFS (Justice, Peace, Integrity of Creation JPIC)[187], das (auf Weltebene nur sehr teilweise, in Europa weitgehend) zusammen mit der römisch-katholischen Weltkirche umgesetzt wurde. Mit Bewahrung der Schöpfung und Überlebensfähigkeit ist sehr deutlich das umweltethische Ziel des schonenden, maßvollen Umgangs mit der Mitwelt in Blick genommen, das aber nach ökumenischer Überzeugung unabdingbar an weltweite Gerechtigkeit und Frieden gebunden ist![188]
Die *ökumenische Schöpfungstheologie* hat, nach einer gewissen Stagnation in der Mitte

---

180 Dein Wille geschehe. Mission in der Nachfolge Jesu Christi, Weltmissionskonferenz 1989 in San Antonio, Frankfurt 1989.

181 Manifest von Manila. Schlußpapier des Internationalen Missionskongresses des Lausanner Komitees für Weltevangelisation in Manila, hg. von idea Schweiz, Luzern 1989.

182 Dokumente und Berichte der Generalversammlung, RWB, Genf 1990.

183 Die Zeit ist da. Schlußdokument und andere Texte. Weltversammlung für Gerechtigkeit, Frieden und Bewahrung der Schöpfung in Seoul 1990, ÖRK, Genf 1990.

184 Konferenzbericht siehe Anm. 190. Eine kurze Übersicht über diese Konferenzen mit Folgerungen für die Gemeinden bietet: Christsein in der Schweiz – weltweit herausgefordert. Anstöße aus den Weltversammlungen San Antonio, Manila, Seoul, Seoul, Canberra 1989–1991, Texte der Evangelischen Arbeitsstelle Ökumene Schweiz Nr. 13, Bern 1992, bes. 15–22 (zur Bewahrung der Schöpfung).

185 Kp. 1.3.3., Anm. 104ff.

186 Exemplarisch im Vergleich von fünf Schöpfungstheologien bei Fulljames, P.: God and Creation in Intercultural Perspective: Dialogue between theologies of Barth, Dickson, Pobee, Nyamiti and Pannenberg, Bern 1993.

187 Zur gesamten Entwicklung der sozialethischen Anliegen in der ökumenischen Bewegung von 1925 (resp. der Gründung der Evang. Allianz 1846) bis 1989 vgl. die knappe, neue und sorgfältige Darstellung von Mützenberg, G.: L'éthique sociale dans l'histoire du mouvement oecuménique, Genf 1992. Daß auf dem Weg von der Überlebensfähigkeit (JPSS) zur Schöpfungsbewahrung (JPIC) die ökumenische Schöpfungstheologie an Konturen gewann, zeigt Gosling, D.: Auf dem Weg zu einer glaubwürdigen ökumenischen Theologie der Natur, Ökumenische Rundschau 1986, 129–143 (The Ecumenical Review 3/1986, 322–331). Umfassender zeigt die Entwicklung die Dissertation von Breitmaier, I.: Das Thema der Schöpfung in der ökumenischen Bewegung 1948–1988, Bern 1995. (Die Studie erschien nach Abschluß dieser Untersuchung und konnte deshalb nicht mehr berücksichtigt werden.)

188 Vgl. dazu auch die ökumenische Sammlung von Stimmen aus dem Süden und Norden: Hallmann, D. (ed.): Ecotheology. Voices from South and North, WCC, Genf/New York, 1994.

der achtziger Jahre[189], mit der Vollversammlung in Canberra in der ökumenischen Diskussion wieder an Bedeutung gewonnen, und zwar in der wichtigen Verknüpfung mit dem *Heiligen Geist.* So war die *erste von vier Sektionen der siebten Vollversammlung des ÖRK 1991* ganz der Schöpfungstheologie und -ethik gewidmet[190]. Der Sektionsbericht beginnt mit dem ermutigenden Lob der guten Schöpfung. Die Spannung von Anthropozentrik und Physiozentrik wird mit der Doppelaussage gelöst, „daß der Mensch ein wesentlicher Bestandteil der Schöpfung ist, ihr gegenüber aber auch eine besondere Verantwortung hat", er ist „sowohl Teil der geschaffenen Welt als auch damit beauftragt, Gottes Haushalter in ihr zu sein."[191] In Sektionsbericht 4 zum Heiligen Geist heißt es dazu: „Der Anthropomonismus (die Vorstellung, daß Gott nur an den Menschen wirklich gelegen sei) leugnet die Ganzheit der Schöpfung. Die Sakralisierung der Natur würde jedoch zum Pantheismus und damit zur Leugnung der Einzigartigkeit von Mann und Frau führen, die zum Bilde Gottes geschaffen sind (Gen 1,27)."[192] Gottes in-der-Schöpfung-Sein wird in Abgrenzung zum Bild eines absolut transzendenten Gottes stärker betont als früher. Den manchmal gerade pneumatologisch begründeten pantheistischen Tendenzen wird die Rückbindung des göttlichen Geistes an Jesus Christus entgegengestellt und in diesem Zusammenhang daran erinnert, „daß das Erlösungswerk Jesu Christi nicht nur eine Erneuerung des menschlichen Lebens, sondern des gesamten Kosmos bedeute"[193]. Die Beziehung zwischen Schöpfung und Geist wird im Canberra-Bericht aber insgesamt erstaunlich wenig geklärt.

Die *ethischen Konsequenzen dieses Schöpfungsauftrages der Haushalterschaft* (stewardship) werden im erwähnten Sektionsbericht I ausführlich für eine *„ökologische Wirtschaftsethik"*[194] entfaltet. Der einzelne wird eingeladen zur „Vision, daß diejenigen, die über genug materielle Güter verfügen, beginnen, mit weniger zu leben und ihre Vergötzung des Konsums durch eine neue Spiritualität zu ersetzen".[195] Maßhalten wird in diesem Bericht wie in den Dokumenten der andern erwähnten Konferenzen aber weniger als individuelle Tugend denn als *strukturelle Aufgabe* der Kirchen und der Gesellschaft gesehen. Maßlosigkeit wird als eine Folge der *institutionalisierten Gier* gesehen: „Die weltweite ökumenische Bewegung kann auf eine lange Geschichte moralischer Kritik an der Wirtschaftsordnung zurückblicken. Zu den Kritikpunkten gehörten die fehlende Demokratie in der Wirtschaft, die soziale Ungerechtigkeit und die Stimulierung der menschlichen Gier."[196] Als *maßvoll* wird die Alternative der nachhaltigen Entwicklung

---

189 Die Frage ist, ob nicht auch befreiungstheologische Positionen innerhalb des ÖRK dazu beigetragen haben, indem diese dem Umweltthema in den achtziger Jahren nicht die nötige Aufmerksamkeit schenkte.

190 Im Zeichen des Heiligen Geistes. Offizieller Bericht der Siebten Vollversammlung des ÖRK in Canberra 1991, Frankfurt 1991, 58–75; als weiterführende Verarbeitung vgl. Werner, D.: Die Bundesordnung des einen Haushalts des Lebens als ökologisches Programm der Ökumene. Bericht zu Sektion I, Ökumenische Rundschau 3/1991, 270–287.

191 Im Zeichen des Heiligen Geistes. Bericht aus Canberra, a.a.O., 61, Nr. 9f.

192 Ebd., 121, Nr. 37.

193 Ebd., 61, Nr. 11.

194 Der Ansatz wird weitergeführt in: Leben und volle Genüge für alle. Der christliche Glaube und die heutige Weltwirtschaft. Ein Studiendokument des Ökumenischen Rates der Kirchen, verabschiedet vom Zentralausschuß im Aug. 1992, Kapitel II.1, III.4 und IV.1. Theologischer Ausgangspunkt einer ökologisch orientierten Wirtschaft ist hier das „Gutsein der geschaffenen Ordnung" der Schöpfung.

195 Ebd., 63, Nr. 17.

196 Ebd., 66, Nr. 24.

entgegengestellt, die „nicht auf Geld- und Tauschwert, sondern auf Überlebensfähigkeit und Gebrauchswert beruht ... *Sinnvolle Entwicklung ... gewährleistet, daß die richtigen Dinge im rechten Maß zur rechten Zeit und im richtigen Verhältnis zueinander an den rechten Ort kommen*“[197]. Eine schöne Definition des Maßes! Zugleich eine Basis für den Dialog mit jenen immer zahlreicher werdenden Unternehmern in der Wirtschaft, die sich ebenfalls für eine „nachhaltige Wirtschaft“ einsetzen.[198]
An den erwähnten kirchlichen Konferenzen, besonders des Reformierten Weltbundes in Seoul und des ÖRK in Canberra, wurde als Weg zum Maßhalten außer der Wirtschaft *den Rechten der Natur* wachsende Beachtung geschenkt. So unterstützt und fördert der ÖRK die „Ausarbeitung einer Allgemeinen Erklärung der Pflichten des Menschen gegenüber der Natur“ durch eine Erdcharta mit dem „Status eines sittlich verbindlichen Verhaltenskodexes“[199]. Mit der Idee einer Erdcharta drang der ÖRK und alle anderen Promotoren an der Unced-Konferenz in Rio 1992 allerdings nicht durch. Sie wurde durch die unverbindlichere Rio-Erklärung ersetzt.

4.6.2 Reformierter Weltbund: Rechte der Natur

Der Reformierte Weltbund RWB, der Zusammenschluß der meisten reformierten Kirchen der Welt, beschloß an seiner Generalversammlung in Seoul 1989, ein Jahr vor der Vollversammlung des ÖRK, der RWB solle die Frage prüfen, ob die Allgemeine Erklärung der Menschenrechte nicht durch eine Erklärung der „Rechte der Natur“ erweitert werden könnte. Der RWB ging damit weiter als der ÖRK, der nicht von den Rechten der Natur, sondern nur von den Pflichten des Menschen gegenüber der Natur sprach. Als Folge der RWB-Absichtserklärung veröffentlichte eine Gruppe von Theologen und Juristen vor allem aus der Schweiz auf Einladung und unter Leitung von Lukas Vischer einen Vorschlag einer Resolution mit zehn Punkten zu den Rechten künftiger Generationen und sechs Punkten zu den Rechten der Natur. Der Reformierte Weltbund hat sie sich zu eigen gemacht und dem ÖRK unterbreitet. Wegen ihrer grundsätzlichen Bedeutung als mögliche Kriterien für eine Ethik des Maßes zitiere ich sie vollumfänglich.[200]
„*Rechte künftiger Generationen.*
1. Künftige Generationen haben ein Recht auf Leben.
2. Künftige Generationen haben ein Recht auf nichtmanipuliertes, d.h. nicht durch Menschen künstlich verändertes menschliches Erbgut.
3. Künftige Generationen haben ein Recht auf eine vielfältige Pflanzen- und Tierwelt, damit auf Leben in einer reichen Natur und auf Wahrung vielfältiger genetischer Ressourcen.
4. Künftige Generationen haben ein Recht auf gesunde Luft, auf eine intakte Ozonschicht und auf hinreichenden Wärmeaustausch zwischen Erde und Weltraum.

---

[197] Ebd., 68, Nr.33.
[198] Vgl. Kp. 4.9.1 und 5.4.1.
[199] Ebd., 69f, Nr.37.
[200] Vischer, L. (Hg.): Rechte künftiger Generationen. Rechte der Natur. Vorschlag zu einer Erweiterung der Allgemeinen Erklärung der Menschenrechte, erarbeitet von E. Giesser, A. Karrer, J. Leimbacher, Ch. Link, J. Moltmann, P. Saladin, O. Schäfer, L. Vischer, Bern 1990, 12–14. Zur eigenen Position zu den Rechten der Natur vgl. Kp. 5.3.5.

5. Künftige Generationen haben ein Recht auf gesunde und hinreichende Gewässer, besonders auf gesundes und hinreichendes Trinkwasser.
6. Künftige Generationen haben ein Recht auf einen gesunden und fruchtbaren Boden und auf einen gesunden Wald.
7. Künftige Generationen haben ein Recht auf erhebliche Vorräte an nicht (oder nur sehr langsam) erneuerbaren Rohstoffen und Energieträgern.
8. Künftige Generationen haben ein Recht, keine Erzeugnisse und Abfälle früherer Generationen vorfinden zu müssen, welche ihre Gesundheit bedrohen oder einen übermäßigen Bewachungs- und Bewirtschaftungsaufwand erfordern.
9. Künftige Generationen haben ein Recht auf ‚kulturelle Erbschaft', d.h. auf Begegnung mit der von früheren Generationen geschaffenen Kultur.
10. Künftige Generationen haben allgemein ein Recht auf physische Lebensbedingungen, die ihnen eine menschenwürdige Existenz erlauben. Insbesondere haben sie ein Recht, keine von ihren Vorfahren bewußt herbeigeführten physischen Gegebenheiten hinnehmen zu müssen, die ihre individuelle und gesellschaftliche Selbstbestimmung in kultureller, wirtschaftlicher, politischer oder sozialer Hinsicht übermäßig einschränken."[201]

„Rechte der Natur

1. Die Natur – belebt oder unbelebt – hat ein Recht auf Existenz, d.h. auf Erhaltung und Entfaltung.
2. Die Natur hat ein Recht auf Schutz ihrer Ökosysteme, Arten und Populationen in ihrer Vernetztheit.
3. Die belebte Natur hat ein Recht auf Erhaltung und Entfaltung ihres genetischen Erbes.
4. Lebewesen haben ein Recht auf artgerechtes Leben, einschließlich Fortpflanzung, in den ihnen angemessenen Ökosystemen.
5. Eingriffe in die Natur bedürfen einer Rechtfertigung. Sie sind nur zulässig,
– wenn die Eingriffsvoraussetzungen in einem demokratisch legitimierten Verfahren und unter Beachtung der Rechte der Natur festgelegt worden sind,
– wenn das Eingriffsinteresse schwerer wiegt als das Interesse an ungeschmälerter Wahrung der Rechte der Natur und
– wenn der Eingriff nicht übermäßig ist.
Nach einer Schädigung ist die Natur wenn immer möglich wiederherzustellen.
6. Seltene, vor allem artenreiche Ökosysteme sind unter absoluten Schutz zu stellen. Die Ausrottung von Arten ist untersagt.

Wir appellieren an die Vereinten Nationen, ihre allgemeine Erklärung der Menschenrechte auszuweiten und die genannten Rechte ausdrücklich zu formulieren. Gleichzeitig appellieren wir an die einzelnen Staaten, sie in ihre Verfassung und in ihre Gesetzgebung aufzunehmen."

---

[201] Die Formulierung dieser zehn Rechte ist identisch mit der „Erklärung der Rechte künftiger Generationen" von Saladin, P./Zenger, Ch.: Rechte künftiger Generationen, Basel 1988, 46f.

4.6.3 Orthodoxe Umweltethik: Ökologie des Geistes

Die Haltung der orthodoxen Kirchen zur Umweltethik hat einen nicht zu unterschätzenden Einfluß darauf, ob es binnen nützlicher Frist in Südost- und Osteuropa gelingt, die Anliegen der Bewahrung der Schöpfung in der Gesellschaft zu verankern. Nachdem die orthodoxen Kirchen bis zum Zusammenbruch der kommunistischen Regierungen mehr oder weniger gezwungen waren, fast nur das Friedensproblem zu behandeln, ist seither – bei manchen Exponenten natürlich schon früher – ein rasch wachsendes umweltethisches Interesse zu beobachten. Uns interessiert, welcher spezifisch orthodoxe Beitrag zur Schöpfungstheologie und Ethik des Maßhaltens darin sichtbar wird.

Paulos Gregorios, syrisch-orthodoxer Inder und Metropolit in Neu Delhi, ist einer der ersten, der – unter starkem Einfluß der ökumenischen Diskussion und der Prozeßtheologie – eine neuzeitliche orthodoxe Schöpfungstheologie schrieb.[202] Er stützt sich insbesondere auf den Kirchenvater Gregor von Nyssa (330–395) und verbindet diesen Ansatz mit der Kosmologie des indischen Kulturraumes. Mit Gregor von Nyssa sieht er das Maß in der Unendlichkeit Gottes angelegt. Unendlichkeit heißt aber nicht räumliche oder zeitliche Grenzenlosigkeit, also ohne Anfang und Ende zu sein, sondern die Qualität der Einfachheit, Unteilbarkeit, Ganzheit. Er betont die Kontinuität zwischen Gott und Welt, die Einheit alles Geschaffenen, so daß „alles organische Leben ein einziges Ganzes bildet“[203]. Dieser Holismus verbindet sich bei ihm mit Panentheismus, indem Gottes Sein und Gottes Wirken eins sind, nämlich „energeia (Wirkkraft), die überall im Universum ist“[204]. Diese Fülle Gottes ist durch Jesus Christus auf die Menschheit übertragen. Der Mensch ist dabei weder nur gehorsamer Diener Gottes noch kann er durch gute Werke sein Heil erlangen. Als Ikone Gottes hat der Mensch den Auftrag, das Universum zu hominisieren (hier klingt Teilhard de Chardin an). Dabei versteht er den Herrschaftsauftrag als königliche Selbstbeherrschung: „Wir sehen die königliche Würde des Menschen am besten in jenen, die wirklich frei wurden, indem sie ihren eigenen Willen beherrschen lernten. Wenn der Mensch den Purpurmantel der Tugend und die Krone der Gerechtigkeit trägt, wird er ein lebendiges Ebenbild des Königs der Könige, von Gott selbst. Die Schönheit Gottes ist die Schönheit der Freude, der Seligpreisung, des Gesegnetseins.“[205] Bei Gregorios wie bei den meisten Orthodoxen ist die Bedeutung der Kosmologie für die Schöpfungsethik hervorgehoben.

In der *Russisch-Orthodoxen Kirche* (ROK) hat sich in jüngster Zeit insbesondere *Erzbischof Kyrill von Smolensk und Kaliningrad* umweltethisch geäußert. Seine Rede „Zur Ökologie des Geistes“ an der Europäischen Ökumenischen Versammlung Frieden in Gerechtigkeit 1989 in Basel fand große Beachtung.[206] Er wendet sich gegen den Anthropozentrismus, aber auch den „Naturozentrismus“, den er als „neues Heidentum“ bezeichnet. Er sieht die Theozentrik als einzig christliche Lösung: „Die theozentrische Ethik, die die Integrität, die wechselseitige Abhängigkeit und den Wert der gesamten Schöpfung betont, betrachtet Natur und Mensch nicht als autonom und in sich selbst

---

202 Gregorios, P.: The Human Presence. An Orthodox View of Nature, Genf 1978.
203 Ebd., 64.
204 Ebd., 58.
205 Ebd., 70.
206 Frieden in Gerechtigkeit. Die offiziellen Dokumente, a.a.O., 193–217.

gegründet; vielmehr erhalten sie erst im Schöpfer ihren Sinn und ihre Bestimmung."[207] Die Ursachen der modernen Maßlosigkeit sieht er nicht im Christentum, das umgekehrt gerade „die positive Naturwissenschaft und Technik ermöglicht", sondern im modernen liberalen Humanismus.[208] Zur Maßfindung ist es nötig, „sich der Verbindung des Menschen mit dem Kosmos klar bewußt" zu werden. Daraus und aus der Gemeinschaft mit Gott entsteht Reue und Metanoia (Umkehr) als Änderung des Herzens. Diese „Ökologie des menschlichen Gewissens ... vermag die Begierden zu begrenzen, den Egoismus zu bekämpfen und das menschliche Verhalten zu ordnen"[209].

Daß dieser „geistliche Kampf" für die „Erneuerung des Geistes" und für „Selbstdisziplin"[210] nicht nur individualethisch gemeint ist, sondern ein sozialethisches Maß beinhaltet, zeigt die Erklärung der Bischofskonferenz der Russisch-Orthodoxen Kirche zu Gerechtigkeit, Frieden und Bewahrung der Schöpfung vom Oktober 1989, in der es heißt: „Das Leben selbst, ein heiliges Geschenk Gottes, ist durch sündhafte Zerstörung bedroht. Es ist unsere Überzeugung, daß der Menschheit auf diesem ruinösen Weg eine Begrenzung auferlegt werden muß" durch „eine neue Wirtschaftsordnung", „gleiche Rechte aller Nationen auf Leben, gegenseitigen Respekt und eine faire Verteilung der intellektuellen, natürlichen, materiellen und anderen Ressourcen. Diese Gerechtigkeit ist nur möglich, wenn die Menschenrechte für jedes Individuum in jeder Gesellschaft zugesichert sind."[211] Der Einfluß der Basler Versammlung von 1989 ist darin ebenso spürbar wie im Aufruf, Eingriffe in die Natur sollten nur mit „größter Umsicht und Demut" vorgenommen werden. „Es ist natürlich unmöglich, den schöpferischen Prozeß der Erkenntnis und Entdeckung der Welt zu stoppen. Es sollte aber klar erkannt werden, daß der Gebrauch von Atomenergie und das Vordringen in die genetischen Strukturen nicht nur positive Wirkungen haben können, sondern auch offensichtlich gefährliche Konsequenzen für die Bewahrung der Schöpfung haben."[212] In den russisch-orthodoxen Stellungnahmen wird immer wieder betont, „daß das Umweltproblem theologischer und religiöser Natur ist, nämlich als Problem des Glaubens und der religiösen Aktivität, der Orthodoxie und Orthopraxis"[213]. Zu dieser *Praxis* gehört die Wiederentdeckung der ökologischen Lebensweise und Kenntnisse der russisch-orthodoxen Klöster, die sich „auszeichneten durch einfühlsamen Gebrauch der Ressourcen und sorgfältiges und wirtschaftliches Management z.B. im Energieverbrauch"[214].

---

207 Ebd., 210.

208 Ebd., 204, 207.

209 Ebd., 212.

210 Ebd., 216.

211 Statement by the Bishops' Council of the ROC „Peace, Justice and the Integrity of Creation", Journal of the Moscow Patriarchate (im folgenden als JMP abgekürzt) 1/1990, 14–15.

212 Gleichwohl meldete die Russisch-Orthodoxe Kirche 1990 mit Stolz, daß sie ein Atomkraftwerk kirchlich segnen konnte.

213 Damaskinos, Metropolit: The Ecological Problem: Its Positive and Negative Aspects, JMP 3/1990, 46. Weitere russisch-orthodoxe theologische und kirchenpolitische Beiträge zur Umweltethik finden sich in JMP, der offiziellen Zeitschrift des Moskauer Patriarchats, z.B. in: 11/1988, 40–45; 5/1989, 53f; 7/1989, 65–67; 1/1990, 7–10 und 61–66; 6/1990, 44–49; 7/1990, 72f; 8/1990, 69–71; 2/1991, 57–59.

214 Ovsyannikov, V.: Spiritual Dimensions of the Global Energy Issues, JMP 2/91, 58. „In russischen Klöstern essen die Mönche kein Fleisch. Die Menge an Fisch, Eiern und Milch ist begrenzt. Maßhalten in allem, aber besonders im Essen. Gemäß den Kirchenregeln sind ungefähr zweihundert Tage (!) pro Jahr für Fasten reserviert."(ebd., 59)

Auch *in anderen orthodoxen Kirchen* gewinnt die Umweltethik rasch an Bedeutung[215]. So wurde an der *„Interorthodoxen Konferenz zum Schutz der natürlichen Umwelt"*, die auf Einladung des Ökumenischen Patriarchats im November 1991 auf Kreta stattfand, beschlossen, an der orthodoxen Akademie von Kreta ein „Institut für Theologie und Ökologie" zu gründen. Einer der profiliertesten Vertreter der griechisch-orthodoxen Umweltethik ist der Direktor der Orthodoxen Akademie von Kreta, *Alexandros Papaderos*. Er bettet die Ökologie in den diakonischen Auftrag der Kirche und sein Konzept der „liturgischen Diakonie"[216] ein. Liturgie meint die Präsenz des Himmlischen im Irdischen. Im gottesdienstlichen Rahmen, besonders in der eucharistischen Feier, wird so die Bestimmung des ganzen Kosmos gegenwärtig. Liturgie meint zudem die Lebenshaltung, die aus dieser Präsenz des Himmlischen erfolgt, eben als liturgische Diakonie an den Mitmenschen und der Mitwelt. Mit Mikro-Diakonie bezeichnet Papaderos dabei den Dienst am einzelnen, mit Makro-Diakonie den Dienst durch Gestaltung der Strukturen.[217] Bei ihm ist – verankert in der Unterdrückungserfahrung seiner Kirche in Kreta – eine Nähe zur Befreiungstheologie zu beobachten, die sich in einer eindrücklichen ökologischen Praxis auf Kreta zeigt. Man könnte seinen Ansatz als orthodoxe diakonisch-ökologische Befreiungstheologie bezeichnen. Einen etwas anderen Ansatz vertritt der griechisch-orthodoxe Sozialethiker *Georgios Mantzaridis* aus Thessaloniki. Der Beitrag der Kirche zur Lösung der Umweltkrise sei „nicht, die Welt in Ordnung zu bringen oder seine Zerstörung aufzuhalten, sondern die ‚neue Schöpfung' zu bezeugen"[218]. Ziel sei prioritär die in der Kirche selbst verwirklichte Umkehr durch „uneigennützige Liebe, asketischen Geist, die eucharistische Konzeption der Welt"[219].
Ein *spezifischer Beitrag der orthodoxen Kirchen zu einer Umweltethik* liegt sicher in der liturgisch-spirituellen Theologie und Praxis, aber auch in der Kosmologie und im Naturverständnis. Während in den Westkirchen der römische Naturbegriff – *natura* als res, als Sache, über die ein Verfügungsrecht besteht – lange Zeit stark übernommen wurde, spielte in den Ostkirchen der griechische Naturbegriff eine größere Rolle: *physis* als all das, was entsteht und vergeht, ans Licht kommt und wieder verschwindet und über das der Mensch nicht verfügen, sondern das er verstehen will.[220]

4.7 Weltethos der Weltreligionen: Maß statt Gier

Die Umweltzerstörung findet in allen Weltgegenden statt, unabhängig davon, von welcher Weltreligion sie geprägt sind. Nicht nur das Christentum scheint der Zerstörung zuwenig ethische Kraft entgegensetzen zu können, denn die treibende Kraft der Entwick-

---

215 Vgl. Orthodox Perspectives of Creation, Genf 1987 (Bericht einer Konsultation 1987 in Bulgarien); zudem die kleine Schrift, besonders mit Bezügen zu den Kirchenvätern: The Ecumenical Patriarchate: Orthodoxy and the Ecological Crisis, Gland/Genf (WWF) 1990.

216 Papaderos, A.: Ökumenische Diakonie – eine Option für das Leben, Beiheft zur Ökumenischen Rundschau 57 (1988), 104ff.

217 Papaderos, A.: Makro-Diakonia – ein Auftrag für das Volk Gottes in unserer Zeit, Una Sancta 42 (1987), 69–73.

218 Mantzaridis, G.: Perspectives orthodoxes sur la crise écologique, Orthodoxes Forum 7/1993, 105–108 (105. Übersetzung aus dem Französischen durch den Verf.).

219 Ebd., 106.

220 Zu dieser Unterscheidung von physis und natura in der Ost- und Westtradition vgl. Picht, G.: Der Begriff der Natur und seine Geschichte, Stuttgart 1989, 54ff, 89ff.

lung, die Wirtschaft, ist längst internationalisiert. Ein Beispiel: In Thailand betrachten sich 95 Prozent der Bevölkerung als Buddhisten. Sie konnten aber nicht verhindern, daß der Waldbestand durch Holzexport von 72 Prozent der Landesfläche 1938 auf 29 Prozent 1985 zurückging. In allen Weltgegenden besteht die Kluft zwischen den in den heiligen Schriften festgelegten Geboten und dem faktischen Verhalten der Menschen. Diese Beobachtung und die heute weltweite Interdependenz können aber gerade anstacheln, gemeinsames Handeln zu fördern. Nötig dafür ist, sich auf gemeinsame Werte und Ziele zu besinnen.

So wie sich Regierungen quer durch die verschiedensten politischen Systeme auf ein weltweites gemeinsames Handeln z.B. in der Klimafrage einigen müssen und an Weltkonferenzen teilweise auch können, so sind die Weltreligionen herausgefordert, bei allen Unterschieden ihrer religiösen Überzeugungen zu einem gemeinsamen Weltethos beizutragen. Diesem Ziel verpflichtet sind die *„Weltkonferenzen der Religionen für den Frieden"* WCRP, die das gemeinsame Friedensanliegen über die Unterschiede stellen[221], ebenso die *„Assisi-Erklärung"* von 1986, in der Vertreter aller fünf Weltreligionen eine gemeinsame Umweltverantwortung erkennen ließen.[222] Dieses Ziel verfolgt auch das *Projekt Weltethos*[223] von Hans Küng wie die von ihm entworfene *„Erklärung zum Welt-*

---

221 Inzwischen sind es bereits sechs WCRP-Weltversammlungen (WCRP VI, Nov. 1994 in Riva del Garda). Über frühere Weltversammlungen vgl. z.B. Lücker, M. (Hg.): Den Frieden tun. Die 3. Weltversammlung der Religionen für den Frieden, Freiburg 1980; Friedli, R.: Frieden wagen. Ein Beitrag der Religionen zur Gewaltanalyse und zur Friedensarbeit, Freiburg/CH 1981.

222 The Assisi Declarations. Messages on Man and Nature from Buddhism, Christianity, Hinduism, Islam and Judaism, Assisi 1986 (WWF 25th Anniversary).

223 Küng, H.: Projekt Weltethos, München 1990. Das Buch hat eine breite Debatte ausgelöst. Die Ansätze und Auseinandersetzungen der letzten drei Jahrzehnte um den interreligiösen Dialog werden damit nun auf ethischer Ebene weitergeführt. Vgl. z.B. Jaspert, B. (Hg.): Hans Küngs „Projekt Weltethos", Hofgeismarer Protokolle 299, 1993; Küng, H.: Auf der Suche nach einem universalen Grundethos der Weltreligionen, Concilium April 1990, 154ff; Weltethos, Kultur und Entwicklung. Zeitschrift für Kulturaustausch, 43. Jg, 1/1993 (14 Aufsätze zum Weltethos). Den Vorwurf, Küng unternehme einen „hierarchisch-autoritären Versuch der Begründung eines Weltethos" und verschärfe die Probleme nur, statt sie zu lösen (Welker, M.: Gutgemeint – aber ein Fehlschlag. Hans Küngs „Projekt Weltethos", EvKomm 6/93, 354–356), konnte Küng leicht entkräften (Küng, H.: Nicht gutgemeint – deshalb ein Fehlschlag. Zu Michael Welkers Reaktion auf „Projekt Weltethos", EvKomm 8/93, 486–489). Die feministische „Hermeneutik des Verdachts" gegen weiße akademische Männer (Praetorius, I.: „Der Mensch" als Maß? Eine Auseinandersetzung mit Hans Küngs „Projekt Weltethos", Neue Wege, 87. Jg., 12/1993, 344–353) beantwortet Küng unter Hinweis auf die Bedeutung der „Kultur der Gleichberechtigung und Partnerschaft von Mann und Frau" (Küng, H.: Verpflichtung auf eine Kultur der Gleichberechtigung und die Partnerschaft von Mann und Frau – eine kurze Antwort auf Ina Praetorius, Neue Wege, 88. Jg., 2/1994, 66f. Vgl. auch Erklärung zum Weltethos, a.a.O., 38–41). Die Forderung von Ina Praetorius, „Die Frauen der verschiedenen Religionen sollten sich, auf der Basis einer androzentrismus-kritischen Wirtklichkeitsanalyse, darüber verständigen, wie sie gemeinsam im Sinne des guten Überlebens aller handeln wollen", könnte zur Kontextualisierung des Weltethos notwendig sein. Das schwierigste zu lösende Problem beim „Projekt Weltethos" ist m.E. die notwendige Verbindung von Universalismus und Lokalismus, von globaler Verbindlichkeit und kontextueller Differenzierung. Hans Ruh, der wie Ina Praetorius das Grundanliegen von Küng teilt, kommt zur Formel: „Die Idee des Weltethos verwirklichen heißt, einseitig das allseitig Richtige und Verbindliche denken und tun." (Ruh, H.: Probleme mit dem Weltethos aus evangelischer Sicht, Zeitschrift für Kulturaustausch, a.a.O, 23–26 [25]). Das Weltethos erliegt dann der Gefahr der Welteinheitskultur nicht, wenn ein „selektiver Universalismus" (ebd.) angestrebt wird. Wir werden dieses Anliegen in Kp. 5.4.9 unter dem Stichwort „globaler und lokaler Lebensraum" nochmals aufnehmen. Dieses Ziel gelingt allerdings nur, wenn auch eine Balance zwischen Weltmarkt und lokalen resp. regionalen Märkten hergestellt wird. Weltethos und Weltwirtschaft sind engstens miteinander verbunden (vgl. Leuenberger, Th.: Weltethos und Weltwirtschaft, Zeitschrift für Kulturaustausch, a.a.O., 67–70).

ethos" des *„Parlaments der Weltreligionen"*, das 1993 zum zweiten Mal – genau hundert Jahre nach der ersten Versammlung – in Chicago stattfand.[224]
Diese Versammlungen und Erklärungen zeigen, daß durchaus fortgeschrittene Ansätze für ein *gemeinsames Weltethos und zu einem Weltethos des Maßhaltens* vorhanden sind. Es kann bei diesen Ansätzen im übrigen nicht um eine synkretistische Einheit gehen.[225] Es geht vielmehr darum, die gemeinsame Kraft der jeweiligen religiösen Überzeugungen für die Bewältigung der globalen Menschheitsprobleme einzusetzen, wie es in Hans Küngs Definition von Weltethos zum Ausdruck kommt: „Mit Weltethos meinen wir keine einheitliche Weltreligion jenseits aller bestehenden Religionen, erst recht nicht die Herrschaft einer Religion über alle anderen. Mit Weltethos meinen wir einen Grundkonsens bezüglich verbindender Werte, unbedingter Maßstäbe und persönlicher Grundhaltungen."[226]
So sieht Hans Küng in seinem „Projekt Weltethos" als eine von sechs gemeinsamen ethischen Perspektiven der Weltreligionen den „vernünftigen Weg der Mitte zwischen Libertinismus und Legalismus, ... zwischen Besitzgier und Besitzverachtung, Hedonismus und Asketismus, Sinnenlust und Sinnenfeindlichkeit, Weltverfallenheit und Weltverneinung."[227] Er fragt zu Recht: „Warum sollten sich die Weltreligionen in der Bekämpfung der Weltlaster und der Förderung der Welttugenden nicht finden können?"[228]
Einen wichtigen Beitrag dazu leistet heute eine säkulare Umweltorganisation: Der WWF International erkannte die Bedeutung des Beitrags der Weltreligionen für die Bewahrung der Schöpfung und schuf als Folge der von ihm angeregten bereits erwähnten „Assisi-Erklärung" das *„WWF-Netzwerk zu Umwelt und Religion"*, sogar mit einer eigenen Zeitschrift für interreligiöse Zusammenarbeit im Umweltschutz.[229]
In allen Weltreligionen ist das weisheitliche Wissen verankert, daß Besitz- und Raffgier Leben zerstört und Mäßigung im Gebrauch der Gaben der Schöpfung und der vom Menschen hergestellten irdischen Güter Leben fördert. Dies kommt z.B. in Schöpfungsmythen und -märchen quer durch die Religionen zum Ausdruck. *Gier* – die verbreitetste Form ist Habgier – ist *Inbegriff der Maßlosigkeit*, nämlich mehr zu wollen als einem gerechtigkeitshalber zusteht oder vernünftigerweise gut tut. Durch Gier eignet man sich etwas an, das einem nicht zusteht und meist auf Kosten der Mitmenschen oder der Mitwelt geht. Gier wird in allen Religionen als Zeichen der Gottferne negativ beurteilt. Wer die Welt gierig gewinnen will, wird sie verlieren. Nur wenn Gier durch das Loslassenkönnen überwunden wird, ist der Weg zu Gott, zur Erlösung, zur Vollkommenheit frei.[230] So lautet die erste der „vier unverrückbaren Weisungen" in der „Erklärung zum

---

224 Küng, H./Kuschel, K.-J. (Hg.): Erklärung zum Weltethos. Die Deklaration des Parlamentes der Weltreligionen, München 1993 13–45. Der Entwurf von Hans Küng nimmt viele Ansätze seines Buches Projekt Weltethos auf.

225 Diesem Vorwurf von evangelikaler Seite war auch das Parlament der Weltreligionen ausgesetzt. Küng, H./Kuschel, K.-J. (Hg.): Erklärung zum Weltethos, 111.

226 Küng, H.: Auf dem Weg zu einem Weltethos – Probleme und Perspektiven, Zeitschrift für Kulturaustausch 43. Jg, 1/1993, 11–20 (19).

227 Küng, H.: Projekt Weltethos, München 1990, 83.

228 Ebd., 88.

229 The New Road. The Magazine of WWF's Conservation and Religion Network, zweimonatlich, herausgegeben in Morges/Schweiz, 1992 aus Finanzgründen leider eingestellt.

230 Beiträge von neun Vertretern verschiedener Religionen über die Haltung ihrer Religion zur Habgier bietet: The New Road, Nr.22/1992, 2–10.

Weltethos des Parlaments der Weltreligionen“ von 1993: „Verpflichtung auf eine Kultur der Gewaltlosigkeit und der Ehrfurcht vor allem Leben“[231], die zum Maßhalten führt: „Statt einer unstillbaren Gier nach Geld, Prestige und Konsum ist wieder neu der Sinn für Maß und Bescheidenheit zu finden! Denn der Mensch der Gier verliert seine ‚Seele‘, seine Freiheit, seine Gelassenheit, seinen inneren Frieden und somit das, was ihn zum Menschen macht.“[232]

Ein paar Hinweise zum *Verhältnis der einzelnen Weltreligionen zur Natur und zum maßvollen Umgang mit ihr*[233] müssen an dieser Stelle genügen (das jüdische und christliche Verhältnis zur Natur wird hier nicht erwähnt, da es Grundlage des fünften Kapitels ist).

Der *Buddhismus* versteht sich als „Religion der Liebe, des Verstehens, des Mitfühlens und der Gewaltfreiheit“[234], wie sie besonders in der buddhistischen Achtsamkeitslehre zum Ausdruck kommt. Gier, Haß und Verblendung gelten nach buddhistischer Überzeugung als die drei Hauptübel. Gier ist das Hingezogenwerden zu einem Objekt, vom leisesten Hauch bis zum nackten Egoismus. Gier hat hier einen ähnlich hohen Stellenwert wie die Sünde im Christentum. Die Selbstbefreiung von der Begierde und die Leidenschaftslosigkeit macht frei für das Nirvana. – Andererseits beinhaltet die Lehre der Wiedergeburt die Verbundenheit mit allen Wesen. Daraus ergibt sich das Mitfühlen („Karuna“) mit allen Geschöpfen als eine von vier Grundtugenden. „Die Buddhisten betrachten das gütige Mit-Leiden deshalb als Haupttugend, weil es die Tugend des Buddha ist.“[235] Das führt zur Fürsorge für tierisches Leben und zum Tötungsverbot. Absoluter Vegetarismus ist allerdings im Buddhismus nicht geboten. So ist das Maß im Buddhismus bestimmt von zwei komplementären Bewegungen: der leidenschaftslosen Loslösung von der Welt und der fürsorglichen, gewaltfreien Hinwendung zu ihr. Der Boddhisatva verwirklicht dieses Ideal der grenzenlosen Selbstlosigkeit und Hinwendung.

Im *Hinduismus* ist „Ahimsa“ einer der Hauptpfeiler der Ethik (wie im Buddhismus). Ahimsa ist die Haltung des Nichtverletzens und der Gewaltfreiheit, „das nicht-Verursa-

---

231 Küng, H./Kuschel, K.-J. (Hg.): Erklärung …, a.a.O., 29ff.

232 A.a.O., 34.

233 Ich stütze mich auf: Umwelt. Ethik der Religionen Bd. 5, München/Göttingen 1986 (bes. Hamer, H./Neu, R. zu Buddhismus, van Dijk, A. zu Hinduismus, Tworuschka, M. zu Islam); Bischofberger, O.: Mensch und Natur – Die Sicht der Religionen des Ostens, in: ders./Stückelberger, Ch. et al.: Umweltverantwortung aus religiöser Sicht, Freiburg/Zürich 1988, 33–62; Schmid, G.: Der Bodhisattva als Mensch der Zukunft? Zur Aktualität eines Leitbildes der Selbstlosigkeit im religiösen Aufbruch der Gegenwart, in: Braun, H.-J. (Hg.): Ethische Perspektiven: ‚Wandel der Tugenden‘, Zürich 1989, 315–328; Schmithausen, L.: Buddhismus und Natur, in: Panikkar, R./Strolz, W. (Hg.): Die Verantwortung des Menschen für eine bewohnbare Welt im Christentum, Hinduismus und Buddhismus, Freiburg 1985, 100–133; Engel, J. R./Engel J. G. (eds.): Ethics of Environment and Development. Global challenge and International Response, Tucson 1990 (189–233 zu Islam, Hindusimus, Buddhismus, Konfuzianismus); Stolz, F.: Typen religiöser Unterscheidung von Natur und Kultur, in: ders. (Hg.): Religiöse Wahrnehmung der Welt, Zürich 1988, 15–33; Sundermeier, Th.: Jeder Teil dieser Erde ist meinem Volke heilig. Naturreligiöse Frömmigkeit, in: Rau, G. et al (Hg.): Frieden in der Schöpfung, Gütersloh 1987, 20–34; Zeller, D.: Die Beziehung Religion/Umwelt unter besonderer Berücksichtigung einiger Aspekte des Islams, in: Büttner, M. (Hg.): Religion – Umwelt – Forschung im Aufbruch, Bochum 1989, 142–169. Stückelberger, Ch./Brauen, M./Tworuschka, M./Guggisberg K.: Der Umgang mit der Umwelt in den Weltreligionen (Buddhismus, Islam, Christentum), Kirchenbote für den Kanton Zürich 21/1992, 5–8.

234 So der Buddhist Rinpoche, L. N.: The Buddhist Declaration on Nature, The Assisi Declaration, a.a.O., 5.

235 Dumoulin, H.: Begegnung mit dem Buddhismus, Freiburg 1978, 8.

chen von Pein gegenüber irgendeinem Lebewesen zu irgendeiner Zeit, sei es physischer oder geistiger Art oder mit Worten. Es gibt keine größere Tugend als Ahimsa."[236] „Zahlreiche Hindu-Texte geben Anweisung, alle Lebewesen wie Kinder zu behandeln."[237] Auch daraus ergibt sich größte Zurückhaltung im Töten. Im Jainismus ist Ahimsa Grundlage dafür, daß die Jainas ausnahmslos Vegetarier sind.

Vergleichbar mit Ahimsa ist die Tugend des „Wu Wei" im *Taoismus*: das Nicht-Eingreifen. Es meint nicht Passivität, sondern ist das Gegenteil von Machtausübung. „Wu Wei" meint handeln aus der Harmonie, dem Maß aller Dinge entsprechend, frei von eigenem Begehren.

Im *Islam* ist die Schöpfung ein sehr zentrales Thema, indem Allah Urheber, Schöpfer und Einheit aller Dinge ist. Alles Erschaffene ist ein wunderbares Zeichen Gottes. Der Mensch ist – in einer gewissen Nähe zur biblischen Gottebenbildlichkeit – Stellvertreter, „Khalifa", Gottes auf Erden.[238] Entsprechend ist er beauftragt, die Schöpfung zu bewahren. Die Erde ist Leihgabe auf Zeit. „Die Einheit wird gewahrt durch Balance und Harmonie. Deshalb sagen die Muslime, daß der Islam der mittlere Pfad sei und wir sind verantwortlich, wie wir ihn gehen, wie wir Balance und Harmonie in der ganzen Schöpfung um uns gewahrt haben."[239] Das Fasten und die Speisevorschriften sind ebenso Zeichen der Einordnung in diese Schöpfungsordnung wie Einzelvorschriften im Koran, z.B. jene Kriegsregel, die verbietet, Fruchtbäume umzuhauen und Wasserlöcher zu verstopfen. Die Lebensgrundlagen müssen also auch im Krieg erhalten bleiben.[240] Heute wird z.B. Allahs Gebot, „eßt und trinkt, aber schweift nicht aus, denn Allah liebt nicht die Ausschweifenden"[241], von Muslimen umweltethisch interpretiert: „Diese Koranstelle bedeutet, die Grundelemente des Lebens müssen geschützt werden, so daß ihre Nutzung nachhaltig möglich ist."[242]

Daß die Praxis der islamischen erdölexportierenden Länder dem widerspricht, zeigte sich an ihrem hartnäckigen Widerstand gegen eine verbindliche Klimakonvention an der Weltkonferenz Umwelt und Entwicklung Unced 1992. Die Spannung zwischen Politik und Ethik besteht eben in allen Weltreligionen. So wie es in allen Weltgegenden Umweltzerstörungen durch Gläubige gibt, so gibt es heute in allen Weltreligionen auch aktive, auf die erwähnten religiösen Prinzipien gegründete, gewaltfreie Umweltbewegungen, die einen maßvollen Umgang mit der Natur einfordern.

4.8 Philosophische Umweltethiken

Die zeitgenössische philosophische Umweltethik leistet sehr wichtige Beiträge für eine ökologische Ethik des Maßes. Im Rahmen meiner theologisch ausgerichteten Darstellung nimmt sie (auch aus meiner Absicht der Selbstbegrenzung) weniger Raum ein, als ihr

---

236 Kurma-Purana II, 11, 14–15a.

237 Singh, K.: The Hindu Declaration on Nature, The Assisi Declaration, a.a.O., 18.

238 Z.B. Koran, Sure 2,28ff.

239 Nasseef, A. O.: The Muslim Declaration on Nature, The Assisi Declaration, a.a.O., 24.

240 Erwähnt bei Stolz, F.: Typen religiöser Unterscheidung, a.a.O., 25.

241 Koran, Sure 7,31.

242 So Deen, M. Y. I. (Samarrai): Islamic Environmental Ethics, Law, and Society, in: Engel, J. R./Engel, J. B.: Ethics of Environment and Development, a.a.O., 189–198 (194).

von ihrer Bedeutung her gebührte. Philosophisch begründete Kriterien des Maßes im Umgang mit der Natur seien wiederum *exemplarisch an vier Ansätzen* gezeigt. Allen gemeinsam ist, daß maßvolle Selbstbegrenzung ein zentraler Wert ist. In der Begründung und in der Konkretion sind aber insbesondere zwischen anthropozentrischen und physio- resp. biozentrischen Ansätzen fundamentale Differenzen nicht überwunden.

Umweltethik kann danach eingeteilt werden, welchen Radius von Verantwortlichkeit und Respekt vor Lebewesen außerhalb von mir selbst sie einbezieht. William Frankena, Otmar Höffe, Gotthard Teutsch, Holmes Rolston III schlugen je eine fünf- bis achtstufige Typologie von Ansätzen von Egoismus bis Holismus oder globaler Verantwortung vor.[243] Am direktesten ist die sehr ähnliche Typologie von acht Formen der Rücksichtnahme, die Meyer-Abich formulierte[244]:

„1. Jeder nimmt nur auf sich selber Rücksicht.

2. Jeder nimmt außer auf sich selber auf seine Familie, Freunde und Bekannten sowie auf ihre unmittelbaren Vorfahren Rücksicht.

3. Jeder nimmt auf sich selber, die ihm Nahestehenden und seine Mitbürger bzw. das Volk, zu dem er gehört, einschließlich des unmittelbaren Erbes der Vergangenheit Rücksicht.

4. Jeder nimmt auf sich selber, die ihm Nahestehenden, das eigene Volk und die heute lebenden Generationen der ganzen Menschheit Rücksicht.

5. Jeder nimmt auf sich selber, die ihm Nahestehenden, das eigene Volk, die heutige Menschheit, alle Vorfahren und die Nachgeborenen Rücksicht, also auf die Menschheit insgesamt.

6. Jeder nimmt auf die Menschheit insgesamt und alle bewußt empfindenden Lebewesen (Individuen und Arten) Rücksicht.

7. Jeder nimmt auf alles Lebendige (Individuen und Arten) Rücksicht.

8. Jeder nimmt auf alles Rücksicht."

In der Vielfalt dieser Ansätze zeichnen sich zwei Hauptgruppen ab: Die *anthropozentrischen Ansätze* gehen vom Eigeninteresse des Menschen aus, sei es des Individuums, der eigenen Gruppe, Gesellschaft oder der Menschheit (z.B. Günther Patzig[245]) oder sei es unter Einbezug zukünftiger Generationen (z.B. Dieter Birnbacher[246]). Auch in der theologischen Umweltethik wird der anthropozentrische Ansatz vertreten[247], allerdings weniger im Sinne des Eigeninteresses denn als Betonung der besonderen Verantwortung des Menschen als Ebenbild Gottes. Diese wenigen Beispiele zeigen, daß Anthropozentrik nicht nur als Schimpfwort verurteilt werden darf, wie das immer häufiger geschieht, sondern genauer gefragt werden muß, was damit gemeint ist.

---

243 Frankena, W. K.: Ethics and the Environment, in: Good-paster, K. W./Syre, K. M. (eds.): Ethics and Problems of the 21st Century, Notre Dame/Indiana 1979, 3–20; Höffe, O.: Sittlich-politische Diskurse, Frankfurt 1981, 146–149; Teutsch, G.: Schöpfung ist mehr als Umwelt, in: Bayertz, K. (Hg.): Ökologische Ethik, München 1988, 55–65 (59ff); Rolston, H.: Environmental Ethics, Philadelphia 1988, 32–44.

244 Meyer-Abich, K. M.: Wege zum Frieden mit der Natur, München 1984, 23.

245 Patzig, G.: Ökologische Ethik – innerhalb der Grenzen der bloßen Vernunft, Göttingen 1983, z.B. 19ff.

246 Birnbacher, D.: Verantwortung für zukünftige Generationen, Stuttgart 1988. Mehr dazu im nächsten Kapitel.

247 Vgl. Kp. 4.2.5.

Unter *Bio- und Physiozentrik* werden all jene Ansätze zusammengefaßt, die den obigen Typen 5–8 von Meyer-Abich entsprechen. Sie gehen vom Eigenwert und den Rechten der nichtmenschlichen Mitwelt aus. Die einen stellen dabei die Gleichwertigkeit aller *leidensfähigen* Wesen, also von Mensch und Tier, in den Vordergrund (so die *Pathozentrik*, z.B. Tom Regan[248] oder Peter Singer[249]). Andere gehen von der Gesamtheit des Lebenden aus (*Biozentrik*) oder beziehen alles Organische und Anorganische im Sinne der „Interdependenz aller ökologischen Systeme" ein (Physiozentrik, z.B. Robert Spaemann[250] und Paul Taylor[251] oder wie in den holistischen Konzepten z.B. bei Klaus Michael Meyer-Abich[252]. Als physiozentrische Umweltethiken kann man auch die metaphysisch begründeten Verantwortungsethiken von Hans Jonas und Georg Picht bezeichnen[253]. In den theologischen Ansätzen der Biozentrik geht wohl nach wie vor Albert Schweitzer am weitesten.

Anthropozentrik und Physiozentrik wurden bereits oft gegenübergestellt[254], so daß ich dies hier nicht zu wiederholen brauche. Ich kann mich hier darauf konzentrieren, welche Konsequenzen im Sinne ethischer *Kriterien* für das Maßhalten gegenüber der Natur in diesen gegenwärtigen philosophischen Umweltethiken zur Sprache kommen.

4.8.1 Dieter Birnbacher: Nutzenoptimierung

Der deutsche Philosoph Dieter Birnbacher begründet seine Umweltethik *utilitaristisch* und damit anthropozentrisch. Er geht also von der Frage nach dem Nutzen der Bewahrung der Natur für den Menschen aus. Er weitet diesen Utilitarismus aber entscheidend über den Egoismus der einzelnen Person oder der heute lebenden Menschheit auf die *„Verantwortung für zukünftige Generationen"*[255] aus (*die Zahlen in Klammern beziehen sich auf die Seiten des gleichnamigen Buches).*

Birnbachers *Maß* für den Umgang mit der Natur ist die „Grundnorm des *intergenerationellen Nutzensummenutilitarismus*: das zu tun, was im Hinblick auf die Gesamtheit aller zukünftigen Generationen gesehen die größtmögliche Differenz von Glück (Lust) und Leiden (Unlust) verwirklicht." (103) Er wendet damit Jeremy Benthams Utilitarismusprinzip, das „das größtmögliche Glück für die größtmögliche Zahl von Menschen" anstrebt, auch auf zukünftige Generationen an. Er wendet sich zugleich gegen den Durchschnittsnutzenutilitarismus, wie er von John Stuart Mill vertreten wurde. Durchschnitts-

---

248 Regan, T.: The Case for Animal Rights, Los Angeles 1983.

249 Singer, P.: Praktische Ethik, Stuttgart 1984.

250 Spaemann, R.: Technische Eingriffe in die Natur als Problem der politischen Ethik, in: Birnbacher, D. (Hg.): Ökologie und Ethik, Stuttgart 1980, 180–206, bes. 193ff (hier 193).

251 Vgl. Kp. 4.8.3.

252 Vgl. Kp. 2.1.3.

253 Jonas, H.: Technik, Medizin und Ethik. Zur Praxis des Prinzips Verantwortung, Frankfurt 1990[3], 46–52; ders.: Das Prinzip Verantwortung, Frankfurt 1984, 94f. Vgl. Kp. 4.8.2 und 4.8.5.

254 Z.B. Meyer-Abich, K. M.: Frieden mit der Natur, a.a.O., 69ff; Auer, A.: Umweltethik, Düsseldorf 1984, 46–70; Strey, G.: Umweltethik und Evolution, Göttingen 1989, 60–81; Ruh, H.: Argument Ethik, Zürich 1991, 17–25; Irrgang, B.: Christliche Umweltethik, München 1992, 50–73; Schlitt, M.: Umweltethik, Paderborn 1992, 29–123. Als Übersicht über die amerikanische philosophische Umweltethik vgl. Nash, R. F.: The Rights of Nature, Wisconsin 1989, 121–160.

255 Birnbacher, D.: Verantwortung für zukünftige Generationen, Stuttgart 1988; vgl. auch ders.: Sind wir für die Natur verantwortlich?, in: ders. (Hg.): Ökologie und Ethik, Stuttgart 1980, 103–139.

werte seien ethisch „irrelevant" (60ff). Dieses Prinzip gilt für Birnbacher unabhängig von der Frage austeilender oder ausgleichender Gerechtigkeit, denn „eine Verpflichtung zur Zukunftsvorsorge besteht unabhängig davon, ob die Zukünftigen dieser Vorsorge auch würdig sind, sei es im Sinne ihrer moralischen Qualität oder anderer vermeintlich verteilungsrelevanter Gesichtspunkte" (121). Dies gilt zumindest für die Ebene der Idealnormen. Birnbacher unterscheidet zwischen Idealnormen (unterteilt in solche bei nahezu vollständigem oder bei begrenztem Wissen. 92ff, 140ff) und Praxisnormen. Letztere suchen durch ihre Anwendung unter Realbedingungen nicht das ideale Maximum, aber das relative Optimum zu verwirklichen (147). Sie haben auch eine „Entlastungsfunktion" (197).
Aus dem intergenerationellen Nutzensummenutilitarismus ergeben sich für Birnbacher folgende *Praxisnormen* (202–240):
1. Keine Gefährdung der Gattungsexistenz des Menschen und der höheren Tiere: kollektive Selbsterhaltung. (Die Begründung, warum die Menschheit überleben soll, liegt in der „intuitiven Überzeugung" und ein Holozid wäre eine „moralische Katastrophe". Damit zeigt sich auch bei Birnbacher, daß sich der Wert Überleben letztlich nicht rational, sondern nur biologisch als Überlebenstrieb oder metaphysisch als Verantwortung gegenüber der Unverfügbarkeit allen Lebens begründen läßt.)
2. Keine Gefährdung einer zukünftigen menschenwürdigen Existenz: Nil nocere. (Nichts schädigen. Eine Nähe zu Ahimsa, dem buddhistischen Prinzip des Nichtverletzens ist nicht genannt, aber in der Sache vorhanden.)
3. Keine zusätzlichen irreversiblen Risiken: Wachsamkeit. (Irreversible Schädigung wäre für Birnbacher zwar in der Idealnorm „im Prinzip gegen Nutzenkomponenten verrechenbar", muß aber in der Praxisnorm „unter Bedingungen beschränkter Rationalität" generell verboten werden [209f].)
4. Erhaltung und Verbesserung der vorgefundenen natürlichen und kulturellen Ressourcen: Bebauen und Bewahren. (Die Welt sollte reicher an materiellen, ideellen, natürlichen und kulturellen Ressourcen werden. Eine Nation sollte wegen der wachsenden Bevölkerung sogar weniger Ressourcen verbrauchen, als pro Kopf nachwächst [221]. Eine ethisch gerechtfertigte, aber idealistische Praxisnorm.)
5. Unterstützung anderer bei der Verfolgung zukunftsorientierter Ziele: Subsidiarität. (Dies bezieht sich insbesondere auf die Unterstützung der Entwicklungsländer in ihren Bemühungen um Zukunftsvorsorge.)
6. Erziehung der nachfolgenden Generationen im Sinne der Praxisnormen. (Hier wendet sich Birnbacher einmal mehr scharf gegen den Beitrag der Religionen zur Zukunftsbewältigung [234ff].[256] Eine unnötige Abgrenzung angesichts der Not-Gemeinschaft, die mit allen Menschen, die sich um das Überleben kümmern, heute nötig ist! Gerade für die affektive und motivationale Basis der Verhaltensänderung sind die Religionen wichtig[257].)

---

[256] B. Irrgang (Christliche Umweltethik, a.a.O., 57) versteht Birnbacher falsch, wenn er meint, dieser fordere eine „Vernunft-Religion zu pädagogischen Zwecken".

[257] Birnbacher betont selbst, daß „Umweltethik primär eine Sache von Haltungen und nicht nur von Prinzipien" ist und Haltung aus kognitiven, affektiven und willensmäßigen Aspekten bestehe (Birnbacher, D.: Attitudes as Central Components of an Environmental Ethic, in: Bourdeau, Ph. et al.: Environmental Ethics, Brüssel 1989, 137–140).

Wie ist dieser utilitaristische Ansatz zu beurteilen? Während der *Utilitarismus* z.B. in der heutigen Wirtschaftsethik[258] eine grundlegende Rolle spielt und – wenn auch in Abgrenzung zum klassischen Utilitarismus – z.B. in Rawls' Theorie der Gerechtigkeit[259] aufgenommen wird, stößt Birnbacher damit in der Umweltethik einerseits auf Interesse, andererseits aber, gerade auch in der theologischen Schöpfungsethik, auf Widerstand. Ein Grund dürfte darin liegen, daß es in der Ökonomie um einen rationalen, allen Beteiligten Nutzen bringenden und gerechten Umgang mit Gütern geht, währenddem es besonders in der biozentrischen Umweltethik um den Umgang mit Lebewesen geht, die der Verfügbarkeit und utilitaristischen Nutzenkalkulation, auch wenn diese noch so zukunftsorientiert ist, entzogen sind. Man kann utilitaristische Umweltethiken aber von ihrem „Nutzen" für die Ethik im Sinne des Ziels, daß Ethik umsetzbar sein muß, auch positiver werten, als dies manche tun: Umweltethik muß auch Verantwortliche der Wirtschaft und Politik überzeugen. Diese entscheiden im wesentlichen aufgrund von Eigeninteressen im Sinne von kurz- bis höchstens mittelfristigem Nutzen.[260] Ihnen kann eine verantwortliche utilitaristische Ethik eine Brücke sein. Sie sollten dann aber auch über die Brücke gehen und damit über den Utilitarismus hinauswachsen. Ein zweiter pragmatischer Grund für ein relatives Recht des Utilitarismus heißt: Wenn man bereits aus Nutzenerwägungen zu Kriterien wie den obigen Praxisnormen kommt, um wieviel mehr muß das dann aus Verantwortung gegenüber dem Schöpfer geschehen!

4.8.2 Hans Jonas: Verantwortung

Der deutsche jüdische Philosoph Hans Jonas (1903–1993), der lange in Amerika lehrte, setzte sich wie kaum ein anderer zeitgenössischer Philosoph mit der Verantwortung im Umgang mit der technologischen Zivilisation und gegenüber zukünftigen Generationen auseinander. Sein *„Prinzip Verantwortung*"[261] (*die Zahlen in Klammern beziehen sich auf dieses Werk*) stellt dem Fortschrittsoptimismus – sei er kapitalistisch-technologisch, marxistisch-egalitär oder religiös-eschatologisch motiviert – eine Haltung der lebensfördernden Furcht und Zurückhaltung entgegen. Sein Weg geht von der „Kritik der Utopie zur Ethik der Verantwortung" (316–393). „Dem Prinzip Hoffnung stellen wir das Prinzip Verantwortung gegenüber" (390), der technikbegeisterten Utopie stellt er die Vorsicht entgegen, die die technologischen Risiken schwer gewichtet.
Verantwortung für die Zukunft der Menschheit und entsprechend ein „Nein zum Nichtsein" ist für Jonas „die erste Pflicht menschlichen Kollektivverhaltens", die „Pflicht zum Dasein", *„der erste Imperativ, daß eine Menschheit sei"* (90, 245). Diese Pflicht ist für Jonas nur metaphysisch begründbar. Er vertritt einen physiozentrischen Standpunkt im Sinne der „Solidarität des Interesses mit der organischen Welt" und der Treue zur ganzen Schöpfung. Darin sieht er keinen Gegensatz zur Anthropozentrik, da die Eigeninteressen

---

[258] So Kaiser, H.: Die ethische Integration ökonomischer Rationalität: Grundelemente und Konkretion einer ‚modernen' Wirtschaftsethik, Bern 1992, 191–237.

[259] Rawls, J.: Eine Theorie der Gerechtigkeit, Frankfurt 1979, 211–220, 336f.

[260] Das zeigt die Studie von Ulrich, P./Thielemann, U.: Ethik und Erfolg. Unternehmerische Denkmuster von Führungskräften. Eine empirische Studie, Bern 1992.

[261] Jonas, H.: Das Prinzip Verantwortung. Versuch einer Ethik für die technologische Zivilisation, Frankfurt 1984.

des Menschen und der Mitwelt „zusammenfallen". Damit beschönigt er allerdings den Konflikt zwischen Mensch und Natur.
Die Zukunftsverantwortung entsteht primär durch die *Furcht* als „Sorge um ein anderes Sein". Die Furcht ist nicht Zaghaftigkeit oder Ängstlichkeit, sondern „Ehrfurcht und Schaudern", damit sie vor „Irrwegen unserer Macht schützt", jene Ehrfurcht, die „uns ein ‚Heiliges', das heißt unter keinen Umständen zu Verletzendes enthüllt". (392f) So verstanden will Jonas *„Furcht zur Pflicht erklären"*! Die Ehrfurcht muß zu einer Zurückhaltung bei Eingriffen in die Natur führen, besonders bei beschränktem Wissen über die Folgen. So wird „Vorsicht zur höheren Tugend" als der „Wert des Wagens".[262] Diese „neue Art von Demut" (55) prägt sein ganzes Werk. Sie führt ihn auch zu folgender Vorzugsregel: „Vorrang der schlechten vor der guten Prognose", in dubio pro malo (70). Der Unheilsprophezeiung ist mehr Gehör zu geben als der Heilsprophezeiung.
Diese von Furcht, Ehrfurcht und Demut getragene Verantwortung führt in der Konkretion bei Jonas zu einer ausgesprochenen *Ethik des Maßhaltens*. Selbstbeschränkung[263], Bescheidung, Mäßigung sind immer wieder auftauchende Stichworte. Der „Geist der Askese" wäre von innen wieder zu beleben (264), doch zweifelt er, ob das in der Überflußverwöhnung freiwillig gelingt. Voraussetzung zum Verzicht ist jedenfalls Gleichheit und Gerechtigkeit. Insofern gab er 1979 bei Abfassung des „Prinzips Verantwortung" noch kommunistischen Oststaaten mehr Chance, diese Selbstbegrenzung zu erreichen. Weil sie aber Mangel- und Zwangswirtschaften waren, erachtete er sie gleichzeitig als ungeeignet dafür. Sehr wichtig scheint mir seine Frage: „Kann Enthusiasmus für die Utopie in *Enthusiasmus für die Bescheidung* umgemünzt werden?" (265) Mit eigenen Worten gesagt: Brauchen wir nicht eine Ekstase für die Askese? Obwohl zur Zeit wenig von Enthusiasmus für Utopien zu spüren ist, schlummert die Begeisterungsfähigkeit für ein lohnendes Ziel auch in heutigen Menschen, wie fundamentalistische Kräfte zeigen. Jonas vermutet wohl zu Recht, es bedürfe „schon einer neuen religiösen Massenbewegung, um mit dem anerzogenen Hedonismus des reichlichen Lebens freiwillig zu brechen (das heißt bevor die grimmige Not dazu zwingt)" (265).
In einer Gegenüberstellung der „Werte für gestern und Werte für morgen"[264] nennt er die *Frugalität (Mäßigkeit)* als einen der zentralen Zukunftswerte[265]. Er knüpft bewußt an der alten Tugend der „Enthaltsamkeit (contingentia) und Mäßigkeit (temperantia)" an, löst sie aber vom Ziel persönlicher Vervollkommnung und erklärt sie zu einem gesamtgesellschaftlichen Ziel. Das erfordert allerdings eine neue Ökonomie (was er nicht weiter ausführt), da in unserer Marktwirtschaft „Völlerei als sozialökonomische Tugend, ja Pflicht" gilt und „Konsumsüchtigkeit" Motor des Güterkreislaufs ist.[266] Maßhalten gilt für Jonas nicht nur für den Konsumbereich, sondern ebenso als „Mäßigung in der Anstrebung menschlicher Höchstleistungen" und Maßhalten im Erwerb (nicht nur im Gebrauch) von Macht.[267]
Man kann die Verantwortungsethik von Hans Jonas nicht einfach als „wertkonservative

---

262 Jonas, H.: Technik, Medizin und Ethik. Zur Praxis des Prinzips Verantwortung, Frankfurt 1985, 67.
263 Jonas, H.: Warum wir eine Ethik der Selbstbeschränkung brauchen, in: Ströcker, E. (Hg.): Ethik der Wissenschaften? Philosophische Fragen, München 1984.
264 Jonas, H.: Technik, Medizin und Ethik, a.a.O., 53–75.
265 Ebd., 67–75.
266 Ebd., 68.
267 Ebd., 70.

Abwehrstrategie" und „vergebliche Rückzugsgefechte" abtun, als „Beschwörung des ‚Ursprungsgeheimnisses' der Natur (und des Menschen), ... um Tabus zu fordern und den Fortschritt der Wissenschaft zu blockieren", wie das Hermann Ringeling tut.[268] Jonas' Verantwortungsethik ist zunächst als Warnruf eines Erschrockenen, als eine Aufforderung zum Innehalten zu verstehen. Sie ist zudem ein ernsthafter Versuch, einer maßlos gewordenen und damit sich und die Zukunft gefährdenden Generation eine Ethik des Maßhaltens anzubieten.

4.8.3 Paul Taylor: Respekt für alles Lebende

Der amerikanische Philosoph Paul Taylor aus New York vertritt eine prägnant biozentrische Umweltethik. Er postuliert, daß alle Lebewesen den gleichen Wert und damit gleiche Rechte haben. Sein *„Respekt für die Natur"*[269] *(die folgenden Zahlen verweisen auf die Seiten dieses Werks)* führt zu einer Nivellierung des Unterschieds von Mensch und nichtmenschlicher Mitwelt. Taylor nennt vier Gründe dafür (101–168): 1. Menschen seien integrale Teile, Mitglieder, der Lebensgemeinschaft auf der Erde; 2. Die gegenseitige Abhängigkeit im Ökosystem Erde mache den Erhalt ökologischer Gesamtsysteme wünschenswert; 3. Individuelle Organismen seien teleologische Lebenszentren, jedem einzelnen sei also eine Zielgerichtetheit inhärent; 4. Eine Überlegenheit und ein Vorrang des Menschen gebe es, als Folge von 1–3, nicht.
Diese Annahme der *Gleichheit aller Lebewesen* führt Taylor zu so extremen Aussagen wie der, daß das völlige Auslöschen der Menschheit keine moralische Katastrophe wäre, sondern von den übrigen Lebewesen mit Freude als Befreiung beklatscht würde[270]! Sehr gefährlich, weil für Mißbräuche geeignet, scheint mir auch eine Aussage wie die, daß es „in manchen Situationen ein größeres Unrecht ist, eine wilde Blume zu vernichten (kill) als, in einer andern Situation, einen Menschen zu töten (kill)"[271]. Letzteres bejaht er zwar nur als Selbstverteidigung, aber das Beispiel zeigt doch, daß diese *Nivellierung von Mensch und Mitwelt* bei allem Wohlwollen für eine biozentrische Weltsicht von einem christlichen Menschenbild nicht geteilt werden kann[272]. Allerdings betont Taylor andernorts: „Tiere haben keinen höheren Wert als Menschen. So besteht keine Verpflichtung, ihre Interessen zu unterstützen auf Kosten der elementaren Interessen der Menschen." (294)
Taylor formuliert auf der Basis der grundsätzlichen Gleichheit aller Lebewesen *Vorzugsregeln für Konkurrenzsituationen zwischen Mensch und Natur*, die plausibel und pragmatisch sind. Er nennt fünf Prinzipien[273]:

---

268 Ringeling, H.: Christliche Ethik im Dialog. Beiträge zur Fundamental- und Lebensethik II, Freiburg 1991, 229.

269 Taylor, P.: Respect for Nature. A Theory of Environmental Ethics, Princeton/New Jersey 1986.

270 Taylor, P.: The Ethics of Respect for Nature, Environmental Ethics 3 (1981), 209.

271 Taylor, P.: In Defense of Biocentrism, Environmental Ethics 5 (1983), 241–243.

272 Allerdings ist auch die naturrechtlich anmutende Begründung der Sonderstellung des Menschen bei B. Irrgang, mit der dieser Taylor ablehnt, nicht unbedingt biblisch, wenn er den „höheren inhärenten Wert" darin sieht, daß der Mensch im Unterschied zum Tier sittlich sein könne (Christliche Umweltethik, München 1992, 61). Die reformatorische Anthropologie betont vielmehr die Erlösungsbedürftigkeit von Mensch *und* Tier und den besonderen Gestaltungsauftrag des Menschen.

273 Taylor, P.: Respect for Nature, a.a.O., 263–307.

1. Selbstverteidigung
2. Verhältnismäßigkeit
3. Das kleinstmögliche Übel
4. Austeilende Gerechtigkeit
5. Ausgleichende Gerechtigkeit.

Gerade die Verhältnismäßigkeit (269–280) und das kleinstmögliche Übel sind ausgesprochene *Kriterien des Maßes*. Taylor will damit Konflikte zwischen lebensnotwendigen Interessen von Tieren und Pflanzen (basic interests) und nicht-lebensnotwendigen Interessen von Menschen (nonbasic interests) lösen. „Basic" sind jene elementaren Bedürfnisse, die zur Erreichung des Lebenssinns erfüllt werden müssen und auf die ein Organismus ein Anrecht hat (272). Unverhältnismäßig ist nun für Taylor, wenn der Mensch nicht-lebensnotwendige Bedürfnisse auf Kosten lebensnotwendiger Bedürfnisse von Tieren oder Pflanzen befriedigt. Vorrang haben also immer, ob bei Mensch, Tier oder Pflanze, die elementaren Interessen. Das Recht des Menschen auf Selbstverteidigung z.B. gegen angreifende Tiere hat dabei Vorrang vor elementaren Interessen von Tieren. So gibt Taylor pointierte Anstöße auf der Suche nach dem maßvollen Umgang des Menschen mit der Mitwelt, er signalisiert aber bei seinem eindrücklichen Respekt für alles Lebendige m. E. da und dort zuwenig Respekt vor dem menschlichen Individuum.

4.8.4 Holmes Rolston: Eigenwert der Natur

Der amerikanische Philosoph Holmes Rolston III aus Colorado vertritt eine biozentrische Umweltethik[274] in deutlicher Nähe zur Tiefenökologie[275] und zu Paul Taylor. Er legt großes Gewicht auf den Eigenwert (intrinsic value) der Natur.[276] Überleben ist für ihn der höchste Wert und damit das „Maß aller Dinge". Da Individuen nur als Arten in Ökosystemen überleben, hat das Überleben einer Art Priorität vor dem Überleben von Individuen[277] und der globale Evolutionsprozeß vor der Entwicklung des Individuums. Letztere ist nur durch ersteren möglich. Was Rolston als maßvollen Umgang mit der Natur betrachtet, soll *exemplarisch* verdeutlicht werden an seinen *17 Kriterien einer Umweltethik für Unternehmer*[278]:

1. „Respektiere ein Ökosystem als eine bewährte, effiziente Ökonomie."
2. „Je seltener ein Stück Natur ist, desto weniger sollte es bearbeitet werden (um so sorgsamer sollten wir dort wirtschaftlich tätig sein)."
3. „Je schöner ein Stück Natur ist, desto weniger sollte es bearbeitet werden."
4. „Je zerbrechlicher ein Stück Natur ist, desto weniger sollte es bearbeitet werden."
5. „Je empfindungsfähiger Leben ist, desto mehr sollst du es respektieren."
6. „Respektiere Leben, Arten mehr als Individuen."

---

274 Rolston, H.: Environmental Ethics. Duties to and Values in the Natural World, Philadelphia 1988; ders.: Environmental Ethics: Values in and Duties to the Natural World, in: Bormann, F. H./Kellert, S. R. (eds.): Ecology, Economics, Ethics. The Broken Circle, New Haven/London 1991, 73–96.

275 Vgl. dazu Kp. 4.5.

276 Rolston, H.: Environmental Ethics (1988), a.a.O., 186ff. Kritisch dazu: Callicott, J. B.: Rolston on Intrinsic Value: A Deconstruction, Environmental Ethics 14 (1992), 129–143.

277 Ebd., 146–158.

278 Ebd., 301–327. Die Numerierung füge ich der leichteren Orientierung wegen bei. Übersetzung des Verf.

7. „Betrachte die Natur zuerst als Gemeinschaft, erst dann als Gebrauchsgut."
8. „Liebe deine Nachbarschaft wie sich selbst."[279]
9. „Berufe dich nicht auf die Komplexität eines Problems, um der Verantwortung auszuweichen."
10. „Mißbrauche die Öffentlichkeitsarbeit nicht, um dir oder anderen etwas vorzumachen."
11. „Moralität übertrifft oft Legalität."
12. „Erkenne die schwierige Beweislast in Umweltentscheidungen."
13. „Wende ethische Urteile in allen Bereichen an, in denen das Unternehmen tätig ist."
14. „Denke in Jahrzehnten."
15. „Mute den anderen kleinere Risiken zu als du selbst übernimmst."
16. „Setze dich für Maßnahmen ein, die gemeinsam getroffen werden müssen."
17. „Sei kritisch gegenüber Druckversuchen."

4.8.5 Georg Picht: Maß als Weltordnung

Von einer ganz anderen Seite her entwickelte der deutsche Philosoph Georg Picht seinen *„Begriff des Maßes"*[280] *(die Zahlen in Klammern beziehen sich auf diesen Aufsatz).* Er sucht hier ethische Kriterien in enger Anlehnung an die griechische Philosophie, besonders Heraklit und Plato. Ökologie als „die Erkenntnis der immanenten Maße der Natur" (418) orientiert sich daran, *„daß nichts in der Natur Bestand haben kann, was sich nicht innerhalb seiner spezifischen Maße hält, und daß die Individuen, die Gesellschaften und die Imperien zugrundegehen, wenn sie ihr Maß überschreiten."* (419) Maß bestimmt er „nicht als ein für allemal festgelegte Größe", sondern entsprechend der griechischen Proportionenlehre als „Verhältnis zwischen dem Ganzen und seinen Teilen", als Elemente der Ordnung eines oikos, als Entwurf einer *kosmischen Ordnung*, als etwas, das von den Menschen nicht gesetzt werden kann (423)! Die Emanzipation davon entfesselte die neuzeitliche Dynamik, doch „heute haben wir zu lernen, daß Leben nur in Maßen möglich ist." (421) Wachstum heißt dabei, sich nicht auf ein Maximum, sondern auf ein „relatives Optimum" zuzubewegen (424). Wachstum ist nicht ein quantitativer Prozeß, sondern das Zur-Geltung-Bringen der Physis, das Ans-Licht-Bringen des in der Welt Verborgenen. „Wenn wir so weitermachen wie bisher und nicht danach fragen, welche Maße des Wachstums in dem von der Natur uns gewährten Spielraum vorgezeichnet sind, werden wir unsere Biosphäre zerstören."[281] Diese Maße werden aber nicht wie in der biblischen Überlieferung von Gott als Schöpfer gesetzt, sondern sind für Picht in der Physis als logos inhärent.

4.9 Ökologische Ökonomie: Nachhaltige Wirtschaft

Maßhalten im Dienste der Bewahrung der Schöpfung kann nur gelingen, wenn die Produktion und der Konsum der Güter, also das gesamte wirtschaftliche Geschehen, darauf

---

279 Neighbourhood versteht er weltweit, unter Einbezug der nichtmenschlichen Mitwelt.
280 Picht, G.: Zum Begriff des Maßes, in: Eisenbart, C. (Hg.): Humanökologie und Frieden, Stuttgart 1979, 418–426.
281 Picht, G.: Der Begriff der Natur und seine Geschichte, Stuttgart 1989, 165.

ausgerichtet sind. Deshalb schließen wir unsere Auseinandersetzung mit aktuellen ethischen Ansätzen des Maßhaltens mit der Frage, welche Pfade dazu in der Wirtschaft vorhanden sind. Zwei Beispiele von Kriterienkatalogen aus der Wirtschaftsethik haben wir bereits erwähnt.[282] Auch in der Wirtschaftspraxis der Unternehmungen und in der Wirtschaftspolitik gibt es zahlreiche Ansätze. Zauberformel dafür ist zur Zeit der *Leitwert der „dauerhaften Entwicklung“*.[283] Dessen ethische Implikationen untersuchen wir im folgenden an zwei Beispielen.

Qualitatives Wachstum[284] statt quantitatives Wachstum war die Zielformel[285] seit dem Bericht „Grenzen des Wachstums“[286] des Club of Rome anfangs der siebziger Jahre. Nachhaltige, dauerhafte, langfristig lebensfähige Entwicklung (Synonyme für sustainable development) und eine ökologische Gleichgewichtswirtschaft[287] ist heute das zunehmend anerkannte Ziel wirtschaftlicher Tätigkeit. Dauerhafte Entwicklung ist zum Inbe-

---

282 Kp. 4.3.

283 Vgl. auch Kp. 5.4.1

284 Eine hilfreiche *Definition qualitativen Wachstums* ist folgende: „Nicht jedes Wachstum ist Fortschritt. Wachsen muß, was natürliche Lebensgrundlagen sichert, Lebens- und Arbeitsqualität verbessert, Abhängigkeit mindert und Selbstbestimmung fördert, Leben und Gesundheit schützt, Frieden sichert, Lebens- und Zukunftschancen für alle erhöht, Kreativität und Eigeninitiative unterstützt. Schrumpfen oder verschwinden muß, was die natürlichen Lebensgrundlagen gefährdet, Lebensqualität mindert und Zukunftschancen verbaut.“ (Grundsatzprogramm der Sozialdemokratischen Partei Deutschlands, vom 20. 12. 1989, 39.)

285 Das Ziel wurde bisher verfehlt, indem qualitatives Wachstum bisher noch keine Abkehr vom quantitativen Wachstum bewirkte. Die Hoffnung, die Informationsgesellschaft könne den Material- und Energieverbrauch gegenüber der Industriegesellschaft durch immaterielle Information wesentlich verringern, hat sich bisher nicht bewahrheitet. Am Beispiel der Informationstechnologien ist dies aufgezeigt bei Binswanger, M.: Information und Entropie. Ökologische Perspektiven des Übergangs zu einer Informationswirtschaft, Frankfurt 1992.

286 Meadows, D. et al.: Die Grenzen des Wachstums. Bericht des Club of Rome zur Lage der Menschheit, Stuttgart 1972, 141ff.

287 Einer der bedeutendsten Vertreter ökologischer Gleichgewichtswirtschaft ist der Weltbank-Ökonome H. Daly in seinen Büchern: Steady-State Economics, San Francisco 1977; ders. (ed.): Economics, Ecology, Ethics, San Francisco 1980; ders.: The Steady-State Economy: Postmodern Alternative to Growthmania, in: Griffin, D. (ed.): Spirituality and Society, New York 1988, 107–121; ders.: Steady-State Economics, Washington 1991 (in diesem Buch formuliert er z.B. als drei Bedingungen einer Gleichgewichtswirtschaft: 1. Die Nutzungsrate sich erneuernder Ressourcen darf deren Regenerationsrate nicht überschreiten. 2. Die Nutzungsrate sich erschöpfender Rohstoffe darf die Rate des Aufbaus sich regenerierender Rohstoffquellen nicht übersteigen. 3. Die Rate der Schadstoffemissionen darf die Kapazität zur Schadstoffabsorption der Umwelt nicht übersteigen); ders.: Steady-State Economics: Concepts, Questions, Policies, Gaia 1/1992, 333–338. Den Zusammenhang von Religion, Ethik und Nachhaltigkeit zeigte Daly in seinem Vortrag vor dem Ökumenischen Rat der Kirchen an der Unced-Konferenz: Sustainable Development: from religious insight to ethical principle to economic policy (Manuskr.). – Mit Daly arbeiten – nicht zuletzt durch die ökumenischen Kontakte – auch die beiden holländischen Ökonomen zusammen, die eine Gleichgewichtswirtschaft als Wirtschaft des Maßhaltens entwickelten: Goudzwaard B./de Lange, H.: Weder Armut noch Überfluß. Plädoyer für eine neue Ökonomie, München 1990. – Ein Pionier der Gleichgewichtswirtschaft im deutschsprachigen Raum ist der St. Galler Ökonom H. Ch. Binswanger, z.B. in: Wege aus der Wohlstandsfalle. Der NAWU-Report. Strategien gegen Arbeitslosigkeit und Umweltzerstörung, Frankfurt 1979. Eine an biologischen Prozessen orientierte Bioökonomie formulierte bereits 1971 Georgescu-Roegen, N.: The Entropy Law and the Economic Process, Cambridge/Mass. 1971. Zu verschiedenen Modellen vgl. Fritsch, B.: Wirtschaftswachstum und ökologisches Gleichgewicht: Modelle und Konzepte, in: Stolz, F. (Hg.): Gleichgewichts- und Ungleichgewichtskonzepte in der Wissenschaft, Zürich 1986, 97–115. Die Biokybernetik auf unternehmerisches Planen überträgt Vester, F.: Leitmotiv vernetztes Denken, München 1989², 149–174; eine „geschöpfliche Ökonomie“ in den biblischen Schöpfungsberichten zeigt Kaiser, H.: Theologische Wirtschaftsethik (Habil. Manuskript), a.a.O., 136–170.

griff des Versuchs der Versöhnung von Ökonomie und Ökologie geworden. Begriff und Anliegen steht auch in den Kirchen seit Mitte der siebziger Jahre auf dem Programm.[288] Der Begriff „nachhaltige Entwicklung" erscheint 1981 im Bericht „Global Future", dem Fortsetzungsbericht von Global 2000[289], er ist Grundlage des Brundtland-Berichts „Unsere gemeinsame Zukunft" der Weltkommission für Umwelt und Entwicklung von 1987[290], ebenso der zweiten „World Conservation Strategy" unter dem Titel „Caring for the Earth" von 1991[291], des Berichts „Die neuen Grenzen des Wachstums" an den Club of Rome von 1992[292] wie auch der UNO-Weltkonferenz für Umwelt und Entwicklung Unced in Rio de Janeiro 1992[293].

4.9.1 Der Unternehmerrat der Unced-Konferenz

Nachhaltige Entwicklung ist auch Grundbegriff und Leitwert der Unternehmensethik der Internationalen Handelskammer[294] und jener 48 Spitzenunternehmer von internationalen Konzernen, die den *„Unternehmerrat für nachhaltige Entwicklung"* an der Unced-Konferenz bildeten. Deren Perspektive für die nachhaltige Entwicklung, die unter Leitung von Stephan Schmidheiny, einem der mächtigsten Schweizer Industriellen, im Buch *„Kurswechsel"*[295] entwickelt wurde, soll im folgenden daraufhin untersucht werden, welche Ethik des Maßhaltens für den Bereich der Wirtschaft darin zum Ausdruck kommt *(die Zahlen in Klammern beziehen sich auf die Seitenzahlen von „Kurswechsel").*
Langfristig tragfähige Entwicklung wird im Brundtland-Bericht knapp und präzis so definiert: „Unter dauerhafter Entwicklung verstehen wir eine Entwicklung, die den Bedürfnissen der heutigen Generationen entspricht, ohne die Möglichkeiten künftiger Generationen zu gefährden, ihre eigenen Bedürfnisse zu befriedigen und ihren Lebensstil zu wählen."[296] Genau diese Definition liegt auch dem Buch „Kurswechsel" zugrunde (31)

---

288 Seit der fünften Vollversammlung des Ökumenischen Rates der Kirchen in Nairobi mit dem Programm der „gerechten, partizipatorischen und überlebensfähigen Gesellschaft", bezüglich der Wirtschaft explizit ausformuliert an der ÖRK-Konferenz über Glaube, Wissenschaft und die Zukunft 1979 in Boston. Vgl. dazu Abrecht, P. (ed.): Faith and Science in an Unjust World. Report of the World Council of Churches' Conference on Faith, Science and the Future, Genf 1980, bes. Bd. 2, 130ff (Economics of Sustainability. Ich selbst konnte in dieser Sektion als Studentendelegierter mitwirken).

289 Global Future. Es ist Zeit zu handeln. Die Fortschreibung des Berichts an den Präsidenten, Freiburg 1981, 152ff. Der im Auftrag der Administration Carter erarbeitete Bericht wurde von der Reagan-Administration nicht veröffentlicht.

290 Unsere gemeinsame Zukunft. Der Brundtland-Bericht der Weltkommission für Umwelt und Entwicklung, hg. von V. Hauff, Greven 1987, 9f.

291 Caring for the Earth. A Strategy for Sustainable Living, publiziert durch IUCN (World Conservation Union), UNEP (Umweltprogramm der Uno) und WWF, Gland/Genf 1991.

292 Meadows, D. et al.: Die neuen Grenzen des Wachstums, Stuttgart 1992, bes. 230–260: Übergänge zur Nachhaltigkeit. Der Bericht vergleicht die Prognosen von 1972 mit der Lage anfangs der neunziger Jahre.

293 Er ist der Leitbegriff der an der Konferenz verabschiedeten Rio-Deklaration wie der Agenda 21.

294 Internationale Handelskammer ICC: From Ideas to action. Business and Sustainable Development, Unced edition, Paris 1992; ICC: Charter für eine langfristig tragfähige Entwicklung, 1990 verabschiedet.

295 Schmidheiny, St. mit dem Business Council for Sustainable Development: Kurswechsel. Globale unternehmerische Perspektiven für Entwicklung und Umwelt, München 1992.

296 Unsere gemeinsame Zukunft, a.a.O., XV.

und Schmidheiny bekennt auch, daß „ein wichtiges Ereignis für mich die Lektüre des Brundtland-Berichtes war."[297] Die wichtigsten *Werte* und *Maße* für die nachhaltige Entwicklung, die in „Kurswechsel" genannt werden, können so zusammengefaßt werden:
– Verbindung von Ökologie und Ökonomie. „Die Erhaltung der natürlichen Umwelt und eine erfolgreiche unternehmerische Entwicklung stellen zwei Seiten ein und derselben Medaille dar, die ihrerseits das Maß für den Fortschritt der menschlichen Zivilisation ist." (26)
– Vorsorgeprinzip: Maßnahmen sollen so früh wie möglich getroffen werden. „Wissenschaftliche Unsicherheit gilt nicht als Entschuldigung für die Verzögerung von Schutzmaßnahmen gegen die weitere Umweltzerstörung"[298].
– Qualitatives Wachstum: Wirtschaftswachstum ist notwendig, muß aber qualitativ statt quantitativ sein, d.h. bei vermindertem oder höchstens gleichbleibendem Ressourcenverbrauch stattfinden. (35f)
– Öko-Effizienz[299]: Sie ist dringend, da die gegenwärtigen Grenzen weniger durch die Erschöpfung der Ressourcen als „durch die Aufnahmefähigket des Öko-Systems für Abfälle gesetzt" sind (37). Als öko-effizient werden jene Unternehmen bezeichnet, die „ihre Arbeitsmethoden verbessern, problematische Materialien substituieren, saubere Technologien und Produkte einführen und sich um die effizientere Verwendung und Wiederverwendung von Ressourcen bemühen." (38)
– Gleichheit und Solidarität: Es ist eine „kollektive Ethik gefordert, die nicht nur auf der Chancengleichheit zwischen Völkern und Nationen beruht, sondern auch auf der Solidarität der heutigen Generationen mit den künftigen." (40)
– Partizipation: „Partizipation aller Gesellschaftsmitglieder am Entscheidungsprozeß", verbunden mit einem „noch nie dagewesenen Ausmaß an internationaler Zusammenarbeit." (34)
– Komplementarität: Die Fähigkeit, „gleichzeitig zwei Ziele zu erreichen, die auf den ersten Blick entgegengesetzt scheinen". Für die Unternehmung heißt das z.B. zugleich „Qualitätsverbesserung und Kostensenkung."[300]
– „Die richtige Mischung": Nachhaltige Entwicklung braucht die richtige Mischung von nationalen und internationalen Verordnungen und Kontrollen, marktkonformen Instrumenten sowie Selbstregulierung (49–62). Das Maß wird damit in der Vermeidung plan- oder marktwirtschaftlicher Extremismen und im Zuammenwirken staatlicher Rahmenbedingungen und unternehmerischer Initiative gesehen.
Als *Schritte auf diesem Weg zu nachhaltiger Entwicklung* werden – immer aus unternehmerischer Perspektive – zahlreiche marktwirtschaftliche Instrumente der Wirtschafts-, Entwicklungs- und Umweltpolitik wie der Unternehmensführung genannt.
– Staatliche Verordnungen werden „auch in Zukunft in allen Ländern benötigt" (50), sollen aber vermehrt durch marktkonforme Instrumente ersetzt werden. Für die richtige Mischung staatlicher und marktkonformer Instrumente sollen sich Regierungen und Un-

---

297 Der Manager des Grünen. Interview mit Stephan Schmidheiny von R. Ribi u. Ch. Waefler, Brückenbauer (Zürich) Nr. 22, 27. Mai 1992, 32–35 (32).
298 Dem Buch „Kurswechsel" beigelegte Zusammenfassung, 7.
299 Sehr ähnlich fordert das Worldwatch Institut eine „Effizienzrevolution": Brown, L. et al.: Zur Rettung des Planeten Erde. Strategien für eine ökologisch nachhaltige Weltwirtschaft, Frankfurt 1992, 33–47.
300 Ebd., 21, Kurswechsel 124ff.

ternehmen an folgenden Leitlinien orientieren: Effizienz, Flexibilität, Vertrauen schaffende Rahmenbedingungen, ihre stufenweise Einführung, gleiche Rahmenbedingungen für alle, Transparenz (61f). Faktisch steht dahinter weitgehend das ordnungspolitische Konzept der Deregulierung, das die verstärkte weltweite Öffnung der Märkte und den Abbau der Handelsschranken anstrebt (112ff).[301] In diesem Punkt steht „Kurswechsel“ in einer gewissen Spannung zur Wirtschaftsethik von A. Rich, der den Deregulierungsforderungen aus wirtschaftsethischen Gründen skeptisch gegenübersteht, auch wenn er sie partiell berechtigt findet (er unterscheidet zwischen notwendiger Regulierung und unnötiger Reglementierung der Marktwirtschaft)[302]. Daß die angestrebte Weltfreihandelsordnung dem ethischen Postulat der Gerechtigkeit gerecht werden[303] und daß sie ökologisch nachhaltig sein kann, ist alles andere als gesichert.[304]

– Als wichtiges marktwirtschaftliches Instrument für nachhaltige Entwicklung wird die Internalisierung der Umweltkosten in den Preis der Produkte nach dem Verursacherprinzip genannt (44ff). E. U. von Weizsäckers Forderung, „die Preise müssen die Wahrheit sagen“, eben auch ökologisch[305], wird hier von Unternehmern akzeptiert.

– Öko-Effizienz muß auch bei der Vergabe von Krediten, durch Förderung „grüner“ Anlage-Fonds und bei der Tätigkeit der Versicherungsgesellschaften, also auf dem gesamten Kapitalmarkt ein wichtiges Kriterium werden (91ff, 317ff), ebenso

– im Handel z.B. bei der Politik des Gatt (112ff),

– bei technologischen Innovationsprozessen mit dem Ziel sauberer Produkte (141ff, 337ff) und bei der technologischen Kooperation mit Entwicklungsländern (166ff),

– bei der forst- und landwirtschaftlichen Nutzung erneuerbarer Ressourcen (186ff, 396ff).

Die meisten Postulate und Anliegen der Spitzenunternehmer im Buch „Kurswechsel“ finden sich bereits im Brundtland-Bericht und seit fast zwanzig Jahren in den Studien jener Ökonomen, die einen Weg zur Versöhnung von Ökonomie und Ökologie aufzeigten wie H. Ch. Binswanger, U. E. Simonis, E. U. von Weizsäcker, H. Daly usw. Das hoffnungsvolle an diesem Bericht ist aber, daß führende Unternehmer viele dieser Anliegen nun (endlich) aufnehmen. Die Versöhnung von Ökologie und Ökonomie geschieht dabei keineswegs widerspruchsfrei, wenn man z.B. an die Spannung zwischen dem ge-

---

301 Für die Schweiz: Schweizerische Wirtschaftspolitik im internationalen Wettbewerb. Ein ordnungspolitisches Programm, Zürich 1991, bes. 31–41. Stephan Schmidheiny ist einer der Herausgeber und Mitverfasser des Vorworts. Von der Max Schmidheiny-Stiftung wurde die Erarbeitung der theoretischen Grundlage dazu ermöglicht: Moser, P.: Schweizerische Wirtschaftspolitik im internationalen Wettbewerb. Eine ordnungspolitische Analyse, Zürich 1991. Für Lateinamerika vgl.: De Soto, H./Schmidheiny, S. (eds.): Las nuevas reglas del juego. Hacia un desarrollo sostenible en América Latina, Santafe de Bogota/Columbien 1991. Darin finden sich Reformvorschläge für eine nachhaltige Entwicklung z.B. durch Abbau institutioneller Ausweglosigkeit (151ff), Förderung der Demokratie (197ff) und Förderung von Mittel- und Kleinbetrieben (95ff).

302 Rich, A.: Wirtschaftsethik, Bd. 2 Marktwirtschaft, Planwirtschaft, Weltwirtschaft aus sozialethischer Sicht, Gütersloh 1990, 275 und 327.

303 Vgl. dazu Kessler, W.: Von einer Neuen Weltwirtschaftsordnung zu einer neuen Weltfreihandelsordnung, oder mehr Freihandel statt mehr Gerechtigkeit, ZEE 36 (1992), 32–40.

304 Eine im Auftrag der österreichischen Regierung verfaßte Studie des International Institute for Applied Systems Analysis IIASA von 1992 kommt zum Schluß, daß die Ziele eines möglichst freien Welthandels mit dem nachhaltigen Schutz der Umwelt nicht zu vereinbaren seien.

305 Weiszäcker, E.U. v.: Erdpolitik, Darmstadt 1990², 143–158; vgl. auch Binswanger, H. Ch.: Geld und Natur. Das wirtschaftliche Wachstum im Spannungsfeld zwischen Ökonomie und Ökologie, Stuttgart 1991. Er zeigt das Verhältnis von Geld und Natur insbesondere historisch auf.

forderten weiteren (rasanten) Ausbau des Welthandels und dem Ziel der Öko-Effizienz denkt. Daß die Natur wirtschaftlich nur wahrgenommen und geschützt werden kann, wenn sie „ihren Preis hat" (43ff), ist zwar ökonomisch folgerichtig und die Internalisierung externer Kosten ist ein sehr wichtiger Grundsatz, doch zeigt sich auch die Grenze dieses Ansatzes, die Ökologisierung der Wirtschaft durch die Ökonomisierung der Natur zu bewerkstelligen. Der Respekt vor der Würde der Natur darf nicht nur darin begründet liegen, daß Natur ihren Preis hat, sondern im Leih-Charakter und in der *Unverfügbarkeit von Leben*, das nicht käuflich ist. Zudem wird im Buch „Kurswechsel" die Frage des Eigentums an Boden und Bodenschätzen fast ganz ausgeklammert. Diese steht aber für den Ökonomen Binswanger wie für den Wirtschaftsethiker Rich „an der Wurzel des heutigen Raubbaus an den Naturgütern".[306]

Der Ansatz des Unced-Unternehmerrates ist in vielem beeindruckend. Wenn ihre ökologischen Postulate in Unternehmen verwirklicht werden, ist schon viel gewonnen. Die *Ökonomisierung der Natur* in diesem Ansatz bedeutet aber, daß sich nach wie vor die Wirtschaft mit ihren Marktgesetzmäßigkeiten zum Maßstab des Handelns macht und der *Eigenwert der Natur mißachtet* wird. Demgegenüber fordert z.B. Meyer-Abich zu Recht, daß nicht die Wirtschaft, sondern „die Kultur zum Maß zu wählen" ist, d.h.: „Der Wirtschaft müssen Ziele und Grenzen gesetzt werden, die nicht aus ihr selbst zu begründen sind, indem sie einen kulturellen Rahmen erhält, an dem sich bemißt, was wirtschaftliche Erfolge sind und was nicht."[307] So ist Effizienz, auch Ökoeffizienz, kein Wert in sich, sondern ein Instrument, um das Überleben in Würde für die größtmögliche Zahl von Menschen und eine größtmögliche Vielfalt nichtmenschlicher Mitwelt zu ermöglichen.

Eine weitere Anfrage an die nachhaltige Wirtschaft im Rahmen der Marktwirtschaft betrifft die *Bedürfnisweckung*. Das Ethos des Maßes besteht, wie wir gezeigt haben, immer auch darin, die Begehrlichkeit (epithymia) zu zügeln. Als Appell an den Einzelnen überfordert es diesen, solange die Wirtschaft fundamental darauf beruht, immer neue Begierden wecken zu müssen. Auch wenn man mit Calvin der Überzeugung ist, daß zu einem menschenwürdigen Leben neben dem Lebensnotwendigen durchaus auch Überflüssiges gehört, ist *ein Maß für dieses Überflüssige zu finden*. Das Maß sind für die Reformatoren die Schwachen und Armen. Daran muß sich Produktion und Konsum von Überflüssigem für die Reichen messen. Anders gesagt: Ein Wirtschaftssystem ist solange nicht genügend human, als die Güter dorthin fließen, wo die größte Kaufkraft liegt und nicht dorthin, wo der größte Bedarf besteht.

4.9.2 Wohlfahrtsindikatoren von Daly und Cobb

Was wir als Maße der Natur erkennen und beschreiben, hängt davon ab, was wir messen.[308] Dasselbe gilt für *das Messen wirtschaftlicher Entwicklung*. Hinter der Entscheidung, welche Indikatoren verwendet werden, steht die wirtschaftsethische Frage, an welchen Werten man Lebensqualität und nachhaltige Entwicklung mißt. Indem das *Bruttosozialprodukt* seit den siebziger Jahren als *unzureichend* unter Beschuß kam, wurden

306 Rich, A.: Wirtschaftsethik, Bd. 2, Gütersloh 1990, 313.
307 Meyer-Abich, K. M.: Aufstand für die Natur, München 1990, 113.
308 Vgl. Kp. 2.4.

umfassendere Indikatoren entwickelt, die auch die sozialen und ökologischen Kosten einbeziehen[309], z.B. Qualität der Umwelt, Gesundheit, Zufriedenheit am Arbeitsplatz, Mitbestimmungsmöglichkeiten, Erziehung, öffentliche Sicherheit. Diese *„Öko-Sozialprodukt-Rechnung"*[310] führt zur Feststellung, daß die Wohlfahrt nicht unablässig steigt, wie man dem Bruttosozialprodukt entnehmen müßte, sondern in den Industrieländern seit etwa Mitte der siebziger Jahre abnimmt! Diese Erkenntnis macht verständlich, warum gegen diese ökosozialen Indikatoren seit zwanzig Jahren ein so großer Widerstand besteht, der sich nun aber doch durch die Erkenntnis abzubauen scheint, daß es nichts hilft, die Augen vor den realen sozialen und ökologischen Kosten der Entwicklung zu verschließen. Auch Unternehmer anerkennen, diese „volkswirtschaftliche Gesamtrechnung … könnte effektiver als jede andere Maßnahme gewährleisten, daß Schlüsselministerien, wie das der Finanzen, der Industrie, der Energie, des Bergbaus sowie der Land- und Forstwirtschaft, Umweltbelange ernstnehmen."[311]
Das Statistische Bundesamt Deutschlands in Wiesbaden erarbeitet seit *1989 eine „Umweltökonomische Gesamtrechnung"*, die sie seit 1992 mit Zahlen erhebt.[312] Sie erweitert die Sozialproduktsberechnung um Umweltfaktoren und stellt damit einen wichtigen Beitrag zur Integration der Ökologie in die Ökonomie dar. Folgende „zehn Bausteine" (ökologische Faktoren) werden in diese Gesamtrechnung einbezogen:
1. Abbau und Verbrauch von Rohstoffen, 2. Emissionen, 3. Emissionsverbleib (Abfälle), 4. Sonstige Inanspruchnahme der Natur, 5. Immissionen (Boden, Wasser, Luft, Lärm, Strahlung u.a.), 6. Extrembelastungen der Immissionslage, 7. Kalendarium außergewöhnlicher Störungen, 8. Monetäre Aufwendungen der Sektoren und Wirtschaftsbereiche für den Umweltschutz (Emissionsvermeidungskosten, Schadenvermeidungskosten, Reparaturkosten usw.), 9./10. Expertenmodelle zur Bewertung der Veränderung der Emissionsseite und der Umweltseite.[313] Die Erhebung der benötigten Daten ist z.T. aufwendig und erfordert neue Methoden. So liefert z.B. das Statistische Informationssystem zur Bodennutzung STABIS durch Luftbildaufnahmen geographisch flächendeckende Informationen zur Veränderung der Bodennutzung.
Die Umweltökonomische Gesamtrechnung basiert auf dem *Konzept der Monetarisierung der Naturgüter*. Indem der Natur und der Naturzerstörung ein Preis gegeben wird, ist die Natur in der ökonomischen Rechnung erfaßbar und bewirkt wohl am effizientesten eine Verhaltensänderung innerhalb der Wirtschaft. Ökologisch und auch umweltethisch wird diese Monetarisierung der Natur allerdings immer wieder kritisiert. Ich halte

---

309 Vgl. z.B. Zapf, W. (Hg.): Soziale Indikatoren, 3 Bde., Frankfurt 1974f; Leipert, C.: Unzulänglichkeiten des Sozialprodukts in seiner Eigenschaft als Wohlstandsmaß, Tübingen 1975; Binswanger, G./ Geißberger, W./Ginsburg Th. (Hg.): Wege aus der Wohlstandsfalle. Der NAWU-Report: Strategien gegen Arbeitslosigkeit und Umweltzerstörung, Frankfurt 1979, 100–105, 145–153 (315f Lit!); Spiegel, Y, Wirtschaftsethik, a.a.O., 179ff; Hueting, R.: Correcting National Income For Environmental Losses: A Practical Solution. Vortrag an der internationalen Kirchentagung zur Klimafrage, Gwatt/ Schweiz Januar 1990, veröff. in.: Ahmad, Y. et al. (ed.).: Environmental Accounting for Sustainable Development, The World Bank, Washington 1989.

310 Simonis, U.E.: Ökologische Orientierungen, Berlin 1988, 40.

311 Schmidheiny, St.: Kurswechsel, a.a.O., 64.

312 Statistisches Bundesamt Wiesbaden: Wege zu einer Umweltökonomischen Gesamtrechnung, Wiesbaden 1991; Egon Hölder, Präsident des Statistischen Bundesamts: Umweltökonomische Gesamtrechnung. Vortrag 7. 2. 1992, Pressemappe; Statistisches Bundesamt Wiesbaden: Erste Ergebnisse der Sozialprodukterechnung 1991, Fachserie 18, Reihe 1.1.

313 Hölder, E.: Umweltökonomische Gesamtrechnung, a.a.O., 10.

sie dennoch für notwendig und – falls ihre Grenzen anerkannt werden – ethisch auch gerechtfertigt.[314]

In den USA haben der Weltbank-Ökonom *Herman Daly*, der auch immer wieder mit dem Ökumenischen Rat der Kirchen zusammenarbeitet, und der früher bereits vorgestellte Theologe *John Cobb* gemeinsam einen wirtschaftsethisch interessanten Index entwickelt, den *„Index dauerhafter Ökonomischer Wohlfahrt"* (Index of Sustainable Economic Welfare ISEW)[315]. Ethisch bedeutsam an diesem recht umfassenden Index ist, daß er materiellen Wohlstand, soziale Gerechtigkeit und Bewahrung der Schöpfung als Maß für Wohlfahrt zusammenbindet. Er berücksichtigt deshalb neben dem durchschnittlichen Konsum auch die Einkommensverteilung und die Schädigung der Umwelt, z.B. gemessen am Verbrauch nichterneuerbarer Rohstoffe, am Verlust von landwirtschaftlich genutztem Land durch Überbauung, am Verlust von Feuchtgebieten und an den Kosten der Luft- und Wasserverschmutzung. Einbezogen werden auch – an sich schwer meßbare, aber für die dauerhafte Wohlfahrt entscheidende – Faktoren wie die Auswirkungen der Klimaerwärmung und Schäden an der Ozonschicht.

Der *ISEW-Index* wurde auch auf *Deutschland (Bundesrepublik)* angewendet.[316] Dabei wurden einzelne Indices leicht verändert. Ein Rückgang der Wohlfahrt zeichnet sich danach seit 1980 ab.[317] Im Vergleich mit den USA „erscheint der Verlauf zunächst recht ähnlich. Dennoch zeigt ein detaillierter Vergleich sehr viele Unterschiede."[318]

Der ISEW-Index rechnet konservativ-vorsichtig. Er kann sich nur auf Faktoren stützen, wo statistische Angaben verfügbar sind. An manchen Stellen vermerken die Autoren selbst, daß die Entwicklung faktisch wohl (noch) negativer zu beurteilen wäre, wenn alle Umweltfaktoren eingerechnet würden. Der Index geht aus denselben Gründen der Berechenbarkeit anthropozentrisch vor, wobei er die zukünftigen Generationen einzubeziehen versucht. Der Eigenwert der Natur ist aber dabei nicht berücksichtigt. Der Index zeigt m.E. den richtigen Weg auf der Suche nach einem ökonomischen Maß für Wachstum und für eine maßvolle, dauerhafte Entwicklung.

Der Nachteil dieses umfassenden und ethischen Kriterien der Wohlfahrt entsprechenden ISEW-Maßes ist seine Abhängigkeit von zahlreichen Erhebungen, die nur wenige entwickelte Länder so umfassend zur Verfügung haben. Es ist aber ein wirtschaftsethisches Kriterium, Wohlfahrtsindices bereitzustellen, die auch in Ländern mit wenig statistischen Unterlagen einsetzbar sind. In vielen Ländern des Südens ist nicht einmal die Säuglingssterblichkeit als „Index menschlicher Entwicklung"[319] verwendbar, da sie nicht regelmäßig erhoben wird. Immerhin ist z.B. der Pro-Kopf-Getreideverbrauch als Maß für das Grundbedürfnis Nahrung einsetzbar. Aufwendige Indikatorenerhebungen liefern un-

---

314 Mehr zur Begründung in Kp. 5.3.11. Hölder, E., a.a.O., 5f anerkennt durchaus die Grenzen der Monetarisierung der Natur.

315 Daly, H./Cobb, J. B.: For the Common Good: Redirecting the Economy Toward Community, The Environment and a Sustainable Future, Boston 1989, 401–455; vgl. auch die knappe Zusammenfassung in Brown, L. et al.: Zur Rettung des Planeten Erde. Strategien für eine ökologisch nachhaltige Weltwirtschaft, Frankfurt 1992, 128–131.

316 Diefenbacher, H./Ratsch, U.: Verelendung durch Naturzerstörung. Die politischen Grenzen der Wissenschaft, Frankfurt a.M. 1992, 121–146, für die BRD bes. 135ff.

317 Ebd., 137.

318 Ebd., 144.

319 So heißt der Index des Entwicklungsprogramms der UNO (Human Development Index HDI).

zweifelhaft wichtige wissenschaftliche Grundlagen für wirtschafts- und umweltpolitische Entscheidungen. Aber gerade die diesbezüglichen Grenzen der Länder des Südens – und des Nordens![320] – zeigen, daß für diese Entscheidungen auch einfach die Stimme der Stimmlosen ernster genommen werden könnte. Sie können nämlich durchaus sagen, ob sich ihre Wohlfahrt verbessert oder nicht, und die Bevölkerung in den Urwäldern Borneos hat durchaus das weisheitliche Wissen, was der ökologisch dauerhaften Entwicklung dient. Wirtschaftsethik besteht deshalb auch darin, bei den wirtschaftlichen Akteuren die Bereitschaft zu stärken, auf diese Mitmenschen zu hören. So wie sich beim Risikodiskurs die Einsicht in die Notwendigkeit demokratischer Risikobeurteilung langsam durchsetzt, wäre wirtschaftsethisch gesehen ein breiter Diskurs darüber, was Wohlfahrt ausmacht, wünschbar.

4.10 Zwischenbilanz: Ein Weltethos des Maßes ist in Sicht

Es gibt naturwissenschaftlich beschreibbare, immanente Maße der Natur. Sie sind aber viel weniger eindeutig, als man aufgrund von Alltagserfahrungen vermuten würde. Dies war eines der Ergebnisse des *zweiten Kapitels*. Wir stießen immer wieder auf Entscheidungsfragen, die nicht aus der Natur beantwortbar, sondern nur ethisch lösbar sind. Diese ethische Verantwortung des Abwägens verschiedener Werte aufgrund der Ausrichtung auf ein (gemeinsames) Ziel kann dem Menschen nicht abgenommen werden. Läßt uns aber die Ethik nicht ebenfalls ratlos, weil es fast so viele Ethiken wie Menschen gibt? Zeigte nicht gerade der historische Durchgang an Beispielen im *3. Kapitel* die Gegensätzlichkeit gewisser ethischer Ansätze, ihr Eingebundensein in Zeitströmungen, ihre zeitgeschichtlichen Verengungen?

Wir haben in diesem *4. Kapitel* nun gut dreißig ausgewählte umweltethische Ansätze der Gegenwart mit einem zweifachen Interesse untersucht: 1. Darzulegen, *welche* umweltethischen *Kriterien* für einen maßvollen Umgang mit der Schöpfung und damit für ein *Ethos des Maßes* im Gespräch sind. 2. Herauszuarbeiten, wie breit die *Gemeinsamkeiten* dieser theologischen, philosophischen, ökonomischen, interreligiösen und interkulturellen Ansätze eines Ethos des Maßhaltens sind und worin die *Differenzen* bestehen. Es braucht hier nicht wiederholt zu werden, was an Kriterien, Einschätzungen und Wertungen bereits bei den einzelnen Abschnitten erfolgte. Im 5. Kapitel wird deutlich werden, welche Kriterien mit dem eigenen Ethos des Maßes korrespondieren. Folgende Gesichtspunkte seien zusammenfassend noch einmal kurz festgehalten: Gemeinsamkeiten, Unterschiede, Defizite, Weltethos.

---

[320] Die Europäische Gemeinschaft unternimmt mit ihrem Projekt S.E.R.I.E.E. erste Schritte für ein „Satellitenkonto“, in dem wenigstens effektiv getätigte Umweltschutzausgaben statistisch erhoben werden. Dabei ist der Streit noch nicht entschieden, ob diese zum Bruttosozialprodukt dazugezählt oder davon abgezogen werden sollen. Das Programm ist auch noch weit entfernt von einem umfassenden Indikator, wie ihn Daly/Cobb vorschlagen. Das Bundesamt für Statistik der Schweiz in Bern hat nur gerade eine Person, die die ganze Umweltstatistik bearbeiten muß. Ziel ist, bis 1994 wenigstens die Angaben für die Umweltschutzausgaben für ein Satellitenkonto erhoben zu haben. All das zeigt: Umweltpolitische Entscheidungen müssen auch im Norden oft gefällt werden, bevor statistische Unterlagen bestehen. Rechtzeitigkeit des Handelns ist dabei ein ethisches Kriterium des Maßhaltens.

a) Gemeinsamkeiten

Die dargelegten exemplarischen Ethiken haben gezeigt, daß ein achselzuckender ethischer Relativismus nicht berechtigt ist. Bei allen Unterschieden und Gegensätzen in den Begründungsansätzen theologischer und philosophischer Ethiken zeigt sich in der Gegenwart ein *tief verwurzeltes Wissen* darum, daß Mensch und Mitwelt nur überleben und in Würde leben können, wenn sich die Menschheit nach dem *Ethos des Maßes* richtet. Die untersuchten Ethiken des Maßes weisen – bei allen Unterschieden in den konkreten Inhalten – *gemeinsame Charakteristiken* auf:

– Der Mensch setzt sich sein Maß nicht selbst (jedenfalls nicht allein), sondern es ist ihm gegeben (durch Gott, die Vernunft, das Gegenüber der Mitwelt, die kosmische Ordnung usw.). Die daraus resultierende Unverfügbarkeit des Lebens wird im Grundsatz anerkannt, in der Konkretion allerdings sehr unterschiedlich verstanden und umgesetzt.

– Die Grundhaltung des Respekts, der Ehrfurcht, des Hinhörens, des Nichtverletzens, des Loslassens hat Vorrang vor dem Benutzen, Bemächtigen, Reden, Verändern, Besitzen.

– Die Maximierung von Werten wird abgelehnt, die Optimierung wird angestrebt.

– Absolutismen werden verneint, eine Wertbalance wird gesucht.

– Ethisches Denken in absoluten Normen und Werthierarchien wird tendenziell abgelöst durch umweltethisches Denken in Beziehungen (Ökologie als Wissenschaft der Wechselbeziehungen und vernetzten Systeme), der Relationalität von Werten.

– Ein Gleichgewicht zwischen den Eigeninteressen und den Interessen der anderen Lebewesen wird mittels Vorzugsregeln angestrebt.

– Begrenzung wird nicht als Freiheitsentzug kritisiert, sondern als Bedingung für die langfristige Freiheitserhaltung akzeptiert.

– Veränderung als Entwicklung wird bejaht, aber an die Bedingung der Permanenzfähigkeit, der Nachhaltigkeit geknüpft.

– Die Mittehaltung wird nicht zur Mittelmäßigkeit degradiert, sondern als Fähigkeit eines dynamischen Gleichgewichts geehrt.

– Maßvoll leben wird nicht als Schwäche ausgelegt, sondern es wird als Charakterstärke und höchst anspruchsvolles Ziel erkannt.

– Der Hauptstrom in den Weltreligionen strebt die Mitte zwischen Weltverfallenheit und Weltverneinung, zwischen Besitzgier und Besitzverachtung, zwischen Hedonismus und Asketismus an. Die entschiedenen hedonistischen oder asketischen Bewegungen bleiben an den Rändern der Weltreligionen, fordern diese aber zur Besinnung heraus.

– Die im historischen Überblick da und dort festgestellte individualistische Verengung des Maßhaltens auf Selbstbeherrschung, verbunden mit Leibfeindlichkeit, tritt in den Ansätzen der Gegenwart kaum auf. Die gegenwärtigen Ethiken des Maßes sind eher leibfreundlich und die Notwendigkeit von Strukturen des Maßhaltens wird mehrheitlich anerkannt.

b) Unterschiede

Nachdem ich das Gemeinsame vorangestellt und höher gewertet habe als das Trennende, gilt es auch, die *Differenzen* nicht zu verbergen. Die dargelegten anthropozentrischen, biozentrischen, physiozentrischen, holistischen und theozentrischen Ansätze der Umweltethik zeigen, daß das Maßhalten im Umgang mit der Natur sehr verschieden weit geht. Insbesondere strittig bleibt, ob aus der grundsätzlichen Gleichheit aller Lebewesen, wie sie in den biozentrischen Ansätzen (z.B. der amerikanischen philosophischen Umweltethiken)[321] vertreten wird, das Maßvolle in äußerster Zurückhaltung bei Eingriffen in die Natur besteht oder ob aus der (z.B. in katholischen Umweltethiken vertretenen)[322] anthropozentrischen Betonung des Gestaltungsauftrages des Menschen und der Verantwortung gegenüber heute lebenden und hungernden Generationen das Maßvolle auch massivere Eingriffe erfordern kann und muß. Das Spektrum der Ansätze zeigt allerdings, daß eine moderate Anthropozentrik und eine moderate Biozentrik zu durchaus sehr ähnlichen ethischen Kriterien kommen kann. Dasselbe gilt für die Differenzen zwischen utilitaristischen und verantwortungsethischen Umweltethiken.[323] In dieser Beobachtung spiegelt sich die Tatsache, daß zu den ethischen Erkenntnisquellen[324] neben Vernunft und Offenbarung auch die gemeinsame Erfahrung der gegenwärtigen Bedrohung der Schöpfung und die Gemeinschaft gehören. Diese können zu einem gemeinsamen Ethos auch aufgrund unterschiedlicher Weltbilder und theologisch-philosophischer Begründungen führen.

Deutliche Unterschiede zwischen den christlichen Konfessionen bestehen nach wie vor in der Frage, ob die Schöpfungsethik eher die Umkehr der Christen und Kirchen oder die „Bekehrung der Welt“ im Blick haben soll. Während in den protestantischen und auch katholischen Schöpfungsethiken die „Welt“ im Vordergrund steht, ist bei den Orthodoxen das eucharistische Geschehen in der Kirche Ausdruck der neuen Schöpfung und damit immer noch Zentrum umweltethischer Bemühungen.[325] Daß der Schöpfungsspiritualität mehr Beachtung zu schenken ist, wird allerdings auch in den protestantischen und katholischen Ansätzen zunehmend anerkannt und gerade in den (fast durchwegs konfessionsüberschreitenden) feministischen und befreiungstheologischen Schöpfungsethiken vorangetrieben.[326]

c) Defizite

Die breiten Diskussionen um die Begründungsmuster der Umweltethik, besonders die Auseinandersetzungen zwischen Anthropozentrik und Biozentrik, waren nötig, haben meines Erachtens aber die *ökonomischen Aspekte* in den meisten Umweltethiken zu stark in den Hintergrund treten lassen. Außer in den Wirtschaftsethiken (z.B. von Rich und Spiegel) und in den Ansätzen einer nachhaltigen Weltwirtschaft (z.B. von Daly, Binswanger)[327] wird die Bedeutung der wirtschaftlichen Strukturen (negativ für die Umweltzerstörung im Sinne der institutionalisierten Habgier resp. positiv für effiziente Wege des Maßhaltens) zu marginal behandelt.[328] Auch der eigene Entwurf der Ethik des Maßes kann die ökonomische Dimension nur punktuell aufnehmen.[329] Umweltethik muß neben der Bio-Ethik ebenso Wirtschaftsethik und politische Ethik sein.

---

321 Vgl. z.B. Kp. 4.8.3, 4.8.4.
322 Vgl. z.B. Kp. 4.2.5.
323 Vgl. z.B. Kp. 4.8.1., 4.8.2.
324 Vgl. dazu Kp. 1.4.
325 Vgl. z.B. Kp. 4.6.3.
326 Vgl. z.B. Kp. 4.4 und 4.5.
327 Vgl. z.B. Kp. 4.3, 4.9.
328 Lochbühler, W.: Christliche Umweltethik (Dissertation, erscheint 1995) entfaltet normative Kriterien zum Verhältnis von Ökologie und Ökonomie.
329 So in den Kp. 5.3.11, 5.4.1, 5.4.2, 5.4.8, 5.4.9, 5.4.12.

Die *Verbindung von Umwelt und Entwicklung* ist in vielen der untersuchten Umweltethiken noch ungenügend entfaltet. Mit großer Sorgfalt und Tiefe werden Kriterien für die Bewahrung der natürlichen Lebensgrundlagen dargelegt, aber die immensen Interessenkonflikte mit den Überlebens- und Entwicklungsbedürfnissen der sechs Milliarden gegenwärtig lebenden Menschen (also nicht nur der zukünftigen Generationen) sind mancherorts zu wenig in Blick genommen. Die Hälfte der Menschheit lebt primär vom Reis. Bis ins Jahr 2025 werden 70% mehr Reis als heute produziert werden müssen. Wie kann diese enorme Steigerung mit weniger Land, weniger Wasser, weniger Dünger und weniger Energie als heute erreicht werden? Bedrängende Fragen nachhaltiger Entwicklung, denen sich die Umweltethik zu stellen hat.

d) Weltethos

Es wird unter dem Druck der immer bedrängenderen Nöte einerseits und der immer irrationaleren Maßlosigkeit anderseits zunehmend wahrscheinlicher, *daß das Ethos des Maßhaltens zu einem Weltethos werden muß und werden kann, das von der Weltgemeinschaft als gemeinsame Wertgrundlage anerkannt wird!* Die breite Akzeptanz des Wertes der „nachhaltigen Entwicklung" nicht zuletzt seit der Weltkonferenz Umwelt und Entwicklung 1992 in Rio weist in diese Richtung. Die Selbstbegrenzung der Menschheit (das heißt insbesondere der altindustrialisierten und neuindustrialisierten Länder) wird allerdings nicht aus Einsicht in den damit verbundenen Gewinn den Durchbruch erreichen, sondern wird durch Ressourcenknappheit, Verteilungskämpfe und Teilzusammenbrüche von Ökosystemen erzwungen sein. Doch wer im Überfluß maßvoll zu sein gelernt hat, wird den kommenden Mangel besser überleben! Wer sich von der Attraktivität des Ethos des Maßes nicht verantwortungsethisch oder altruistisch überzeugen läßt, läßt sich vielleicht durch dieses egoistisch-utilitaristische Argument dafür gewinnen.
Der eigene Versuch einer Ethik des Maßes soll nun im 5. Kapitel entfaltet werden. Er möchte *aus der Sicht der christlichen Schöpfungsethik* einen Beitrag zu einem *Weltethos des Maßes* leisten. Ein solches muß und kann von den verschiedenen Religionen und Weltanschauungen gemeinsam getragen sein, da die Bewahrung der Schöpfung in der heutigen interdependenten Welt nur gemeinsam gelingen kann. Die christliche Schöpfungsethik hat dazu eigene Gesichtspunkte einzubringen.

5. Leitlinien für eine christliche Mitweltethik des Maßes

Fundamental für jede christliche Mitweltethik ist die Frage, welchen Auftrag Gott dem Menschen und der nichtmenschlichen Mitwelt zur Erhaltung und Vollendung seiner Schöpfung gibt. Die biblischen Texte bezeugen diesen Auftrag und die Antwort des Menschen in ganz unterschiedlichen Aussagen, vom Herrschaftsauftrag des dominium terrae (Gen 1,28) bis zum dankbaren Staunen, daß der ohnmächtig winzige Mensch in der Weite des Alls überhaupt eine Rolle spielen kann: „Was ist doch der Mensch, daß du seiner gedenkst?“ (Ps 8,5)
Doch vor der ethischen Frage „Wie soll ich mich gegenüber der Schöpfung verhalten?“ steht theologisch die Frage: „Wer bin ich Mensch eigentlich im Ganzen dieser Schöpfung?“[1] Unserem Ansatz liegt folgende Antwort zugrunde: *Ich bin ein Mensch, von Gott geliebt, inmitten der weltweiten Mitmenschen und der kreatürlichen Mitwelt, die ebenso von Gott geliebt sind. Ich bin ein Gast unter Gästen im gastlichen Haus Erde.* Dieser Indikativ von Gottes Angebot geht dem Imperativ von Gottes Gebot voraus. Wie ein roter Faden zieht sich durch die biblischen Texte das Angebot Gottes an den Menschen, sein Gast sein zu dürfen. „Ich bin ein Gast auf Erden“ (Ps 119,19) ist die Antwort des Menschen. Dieses Menschenbild des Gastseins liegt der eigenen Mitweltethik zugrunde. Darauf baut die Ethik des Maßes auf, die im fünften Kapitel entfaltet wird. Sie bezieht die vier im methodischen Kapitel (1.4.1) erörterten Erkenntnisquellen Offenbarung, Vernunft, Erfahrung und Gemeinschaft ein. Sie versteht sich als christlichen Beitrag zu einem Weltethos des maßvollen Umgangs mit der Mitwelt. Ausgangspunkt ist dabei eine theologisch begründete positive Wertung des „maßlosen“ Überflusses (Kapitel 5.1). Die kleine „Anthropologie des Gastseins“(Kapitel 5.2) ist Grundlage der darauf folgenden zwei Mal zwölf Leitlinien für ein Ethos des Maßes, die in der Form einer „Gästeordnung“ für das gemeinsame Haus Erde formuliert sind. Dabei steht zuerst die Frage, *wie* das Maßhalten zu erreichen ist, im Vordergrund (Kapitel 5.3), anschließend die Frage, worin das Maß besteht (Kapitel 5.4).

5.1 Am Anfang war schöpferisches Übermaß

Unsere Untersuchung begann mit dem Kapitel: Am Anfang war das Staunen. Entsprechend beginnt dieses fünfte Kapitel mit dem Staunen über die schöpferische „Maßlosigkeit“ Gottes, nämlich die Überfülle seiner Schöpfung. Maßvoll leben kann am ehesten derjenige, der aus der Fülle lebt: Wer die Überfülle der Natur staunend bewundert, wer die grenzüberschreitende Gnade Gottes erkennt, wer die Überfülle, die in der Liebe steckt, erfährt, wer wie die Mystiker in kurzen Augenblicken die Fülle Gottes geschaut hat, ist so reich beschenkt, daß er fähig wird, maßvoll zu leben. So wie die christliche Ethik das Evangelium vor das Gesetz, den Indikativ vor den Imperativ, das Angebot der Gnade vor das Gebot guten Lebens zu stellen hat und zuerst erzählt, was Gott tut, und erst nachher, was der Mensch tun soll[2], so beginnt christliche Mitweltethik nicht mit „Furcht und Zittern“[3] – so wichtig auch dies ist[4] –, sondern mit der Freude an der Überfülle.

---

1 Vgl. dazu auch Kapitel 1.4.2.
2 Betont z.B. bei Ulrich, H.: Eschatologie und Ethik, München 1988, z.B. 9.
3 Wie die Verantwortungsethik von H. Jonas. Vgl. Kapitel 4.8.2.

„Ist's nicht ein Übermaß, woran wir
Unsern Gott erkennen? Denn etwas tun, das not ist,
Liegt rein in der Natur, ist animalisch, mineralisch: aber
Perlmuttbrücken über den Regen schlagen
Und Märchenglanz über den Mond, heimliche Regenbögen
In den Schulp der Tiefseemuschel legen
Und den notwendigen Beischlaf zur Fortpflanzung
Zu Feuerschönheit anfachen,
Daß selbst das Unkraut sich nicht ohne Blüte mehrt …"

Dieses Gedicht von Robinson Jeffers[5] fängt genau dieses Staunen ein. Kurt Marti führt dieses Gedicht weiter:

„DAS, ja allerdings, ist heilige Verschwendung,
ist der Eros Gottes,
der weit über Zweck und Bedarf hinausgeht
und unsere geizigen Ichs ebenso beschämt
wie multinationale Gewinngier! …"[6]

Überfülle ist ein Charakteristikum schöpferischen Schaffens. Wenn das Herz überfließt, entsteht weit mehr, als nutzbar gemacht werden kann. Überfülle, schöpferisches Übermaß ist ein Kennzeichen von Gottes Schöpfungsschaffen, Ausdruck seiner überfließenden Freude, seiner Liebe, seines Eros, seiner Lust am Leben, seiner alle Grenzen sprengenden Großartigkeit. Die Vielfalt des Geschaffenen ist darin begründet.

Die Maßlosigkeit des Menschen ist überhaupt nur möglich wegen der „maßlosen" Überfülle, die die Schöpfung birgt. Denken wir nur an die riesigen Erdöl-, Gas- oder Kohlevorräte. Sie werden nur deshalb zum ökologischen Problem, weil der Mensch sie in so extrem kurzer Zeit verbraucht und damit die Schadstoff-Tragekapazität des Ökosystems Erde maßlos überschreitet. Ein weiteres Beispiel für die Überfülle in der Schöpfung ist die Artenvielfalt, auf deren ethische Bewertung wir später zurückkommen.[7]

Die Überfülle in der Schöpfung ist Ausdruck davon, daß der Schöpfer selbst die Fülle ist. Die Fülle, griechisch to pleroma, ist biblisch ein wichtiges Attribut Gottes und Christi. So schreibt Paulus überschwenglich vom „überströmenden Reichtum (pleroma) des Segens Christi" (Röm 15,29) und das Johannesevangelium betont: „Aus seiner Fülle haben wir ja alle empfangen." (Joh 1,17) In Christus ist die ganze Fülle Gottes gegenwärtig (Joh 1,16; Kol 1,19). In der Fülle Gottes ist übrigens auch der holistische Aspekt der Ganzheit enthalten, indem in Gottes pleroma das Ganze der Wirklichkeit enthalten ist[8]. Die Schöpfungstheologie der orthodoxen Kirche betont diese Fülle Gottes stark.[9] Sie wäre bei uns noch deutlicher aufzunehmen.

---

4 Vgl. Kapitel 5.3.9.

5 Jeffers, R.: Gedichte, Passau 1984 (aus dem Gedicht „Gottes Exzesse").

6 Marti, K.: O Gott! Essays und Meditationen, Stuttgart 1986, 62 (aus dem Gedicht „Gottes Eros").

7 Vgl. ökologisch Kapitel 2.3.4 und ethisch Kapitel 5.4.6.

8 Vgl. dazu auch Fischer, J.: Ganzheitlichkeit im Spannungsfeld zwischen Wissenschaft, Mythos und christlichem Glauben, in: Thomas, Ch. (Hg.): „Auf der Suche nach dem ganzheitlichen Augenblick". Der Aspekt Ganzheit in den Wissenschaften, Zürich 1992, 233–244. Nachdem Fischer den theologischen „Anspruch auf die Wirklichkeit im Ganzen" bejaht, fragt er zu Recht, ob die Theologie heute nicht überfordert sei, diesen Anspruch in der komplexen wissenschaftlich erschlossenen Welt einlösen zu können (236).

9 Gregorios, P.: The Human Presence. An Orthodox View of Nature, Genf 1978, 66–68.

So wie die Überfülle z.B. in der großartigen Vielfalt der Schöpfung am Anfang (creatio originalis) angelegt ist, so kommt sie in der fortgesetzten Schöpfung (creatio continua) z.B. in der *Liebe* zum Ausdruck. Liebe, in besonders eindrücklicher Weise die Feindesliebe, sprengt das Maß dessen, was vernünftigerweise von jemandem zu erwarten ist. Die Überfülle im Sinne des Pleroma zeigt sich ethisch in der Liebe als ganzer Erfüllung des Gesetzes (Röm 13,10). Liebe erschafft Neues „ex nihilo", indem sie z.B. Haß in Zuwendung verwandelt. So ist das Leben Jesu von Maßhalten und Maßlosigkeit zugleich gekennzeichnet: Er nimmt die Selbstbegrenzung menschlicher Existenz an, indem er der dreifachen Versuchung der Macht, der Außerkraftsetzung der Grenzen der Natur und der Hybris widersteht[10]. Zugleich ist er „maßlos" in der Liebe und Selbsthingabe[11]. Das diesbezügliche Sprengen des menschlichen Maßes und der Grenzen kulminiert in der Auferstehung, in der Jesus Christus die menschliche Begrenzung durch Tod und Schuld überwindet. So wird durch die Auferstehung die *Überfülle* zu einer *eschatologischen Kategorie*. Die Ewigkeit ist gekennzeichnet durch ein Übermaß (hyperbole) an Herrlichkeit. „Die kleine Last unserer gegenwärtigen Not schafft uns in maßlosem Übermaß ein ewiges Gewicht an Herrlichkeit", schreibt Paulus an die Korinther (2. Kor 4,17). Man spürt, wie es ihm hier aus der Fülle des Herzens fast die Sprache verschlägt. So ist die Schöpfung am Ende (creatio nova) in noch größerem Maß als die Schöpfung am Anfang von der Über-fülle er-füllt.

Diese Überfülle bedeutet auch, daß immer wieder Unmögliches möglich wird und so Offenheit für Unerwartetes entstehen kann: „Gott ist kraft seiner Epangelia (Verheißung) auf dem Plan und stellt damit die Konstanten unserer diesseitigen, sichtbaren, gesetzmäßig geordneten Welt in Frage. Mit seiner Verheißung langt er weit hinaus über alles Mögliche und darum auch Berechenbare! Er führt das Unmögliche herauf ..."[12] Unter diesem farbenprächtigen Regenbogen der Überfülle von Leben und Segen, der von der Schöpfung am Anfang bis zur Vollendung ausgespannt ist, können die Menschen und alle andern Geschöpfe ihr Leben gestalten. Das ist der Rahmen, die Klammer, das positive Vorzeichen der Verheißung, unter dem das christliche Ethos des Maßes steht.

Helder Camara betete einst: „Eine schlichte Wasserlache möchte ich sein und den Himmel spiegeln!"[13] Wenn der Himmel von maßloser Überfülle gekennzeichnet ist, soll sich dies *im Menschen spiegeln*. Symbol dafür ist jene biblische Frau in Bethanien, die aus dem Überfluß erfahrener Gottesliebe eine ganze Flasche kostbarsten Öls über Jesus ausgießt[14]. Etwas vom göttlichen Eros, von Gottes Leidenschaftlichkeit und überfließenden Kraft ist spürbar in der Leidenschaftlichkeit des „Alles für das Ganze riskieren"[15] von Propheten und Prophetinnen, in der Ekstase wie in der Askese (beides hat immer etwas Maßloses an sich) der vom Geist Gottes Erfüllten, in den Visionen von Mystikerinnen und Mystikern, in der Hingabefähigkeit von Märtyrern und Märtyrerinnen, in der Ver-

---

10 Mt 4,1–11. Vgl. Kapitel 3.2.2.

11 Zur Hingabe als Grundzug Jesu vgl. Stückelberger, Ch.: Vermittlung und Parteinahme, Zürich 1988, 428ff.

12 Iwand, H. J.: Glauben und Wissen. Nachgelassene Werke I, hg. von H. Gollwitzer, München 1962, 196.

13 Camara, H.: Mach aus mir einen Regenbogen. Mitternächtliche Meditationen, Zürich 1981, 1.

14 Mk 14, 3–9. Vgl. dazu Rieser, E.: Sehnsucht nach Überfluß. Auf der Suche nach dem menschlichen Maß, Teil 3, Kirchenbote für den Kanton Zürich 17/1990, 4.

15 So ein Leitthema des Konzils der Jugend der Ökumenischen Gemeinschaft von Taizé.

einigung der Liebenden, im geistlichen Wettbewerb von Gottsuchern[16], im unbändigen Forschungsdrang von Wissenschaftlern und Wissenschaftlerinnen[17], im Einsatz von Politikerinnen und Politikern für Gerechtigkeit, von Unternehmern für die Sicherung von Arbeitsplätzen, von Umweltschützern zum Schutz der Mitwelt.

So wie Mahatma Gandhi betonte, eher könne ein Soldat, der zu kämpfen gelernt hat, sich für eine gewaltfreie Welt einsetzen als ein Feigling, so gilt für das Ethos des Maßes: Eher kann jemand, der maßlos leidenschaftlich war, sich für das Ethos des Maßes einsetzen als ein zaudernd Mittelmäßiger. Wo das Ethos des Maßhaltens nicht durchdrungen ist von der – punktuellen! – freudigen Erfahrung der Überfülle und der schöpferischen Kraft der Leidenschaft, verkommt es zur Mittelmäßigkeit. Die Maßlosigkeit schleicht bei den Mittelmäßigen dann durch die Hintertür wieder herein und zeigt sich z.B. in der sanften Form des alltäglichen, unauffälligen Konsumismus, der unmerklich zur Konsumsucht anwächst. Das ist ja das Problem, daß gerade wir – die Maßen der mittelmäßigen Mittelschichten der industrialisierten Länder – die Maßlosen gegenüber der Mitwelt sind!

Das Ethos des Maßes ist nur lebensfreundlich und damit tragfähig, wenn es die *Impulse des Ekstatischen und des Asketischen integrieren* kann. Insofern ist die Kritik Nietzsches am Mittelmäßigen ernst zu nehmen[18], ohne daß man das Dionysische so verherrlichen muß, wie es bei Nietzsche geschieht. Auch Dorothee Sölle's Bejahung des Ekstatischen als einem antreibenden Element der Liebe auch zur Schöpfung[19] ist in eine Umweltethik des Maßes aufzunehmen. Auch die mystische Schau der Überfülle des Göttlichen ist nicht billige Weltflucht, sondern „nährt" so, daß der Hunger nach Besitz abnimmt und die Selbstbegrenzung beim Gebrauch irdischer Güter wie das paulinische Maß des „Haben als hätte man nicht" eine selbstverständliche Folge davon wird.

Diese leiblichen und geistlichen Grenzerfahrungen und Grenzüberschreitungen sprengen das Maßvolle, können aber das Maßhalten, so paradox es klingen mag, wesentlich fördern. Dazu sind allerdings *zwei Bedingungen* nötig: Erstens ist das Übermäßige (das in Ekstase und Askese symbolisiert ist) daran zu messen, ob es *gemeinschaftsfördernd* ist oder in die Vereinzelung und egoistische Selbstbezogenheit führt. Besonders in der paulinischen Theologie und Ethik spielt dieses Kriterium eine zentrale Rolle[20]. Zweitens ist übermäßige Fülle unter den Bedingungen der geschaffenen Welt immer *nur punktuell und kurz befristet* erfahrbar: als Moment intensivsten Glücks, als geistliche Vision, als materieller Überfluß, als sexueller Höhepunkt usw.

So lebensfördernd diese geschenkten Augenblicke schöpferischer „Maßlosigkeit" sind, so lebenszerstörend werden sie, wenn man sie besitzen und zu einem Dauerzustand machen will. Genau das aber geschieht heute. Das Außergewöhnliche wird zum Alltäglichen, der Überfluß wird von der Ausnahme zur Regel (was gerade die ökologische Dauerhaftigkeit gefährdet), die geistliche Begeisterung verkommt zum religiösen Fanatismus und die sexuelle Ekstase zur Dauerreizüberflutung im Alltag.

Das Ethos des Maßes muß dem Übermaß als dem Spiegel der göttlichen Überfülle Raum

---

16 1. Kor 9,24–27.

17 Auch die Neugierde des Forschungsdrangs, die curiositas, kann maßlos werden. Vgl. dazu Kapitel 5.4.3 zur Forschungsfreiheit.

18 Vgl. Kapitel 3.5.2.

19 Sölle, D.: lieben und arbeiten. Eine Theologie der Schöpfung, Stuttgart 1985, 169ff. Vgl. Kapitel 4.4.2.

20 Vgl. Kapitel 3.2.4.

geben. In den orthodoxen Kirchen klingt das z.B. in den überreichen Gottesdiensten an. In der katholischen Kirche hatten und haben Ekstase und Askese ihre festen Orte von Fasnacht bis Fasten. In den protestantischen Kirchen wurde, in der Reformation zu Recht, die Überfülle aus diesen institutionalisierten Ghettos befreit, damit die überfließende Liebe und Gnade Gottes im Alltag sämtliche Lebensbereiche durchdringen kann. Doch damit wurden auch die Rhythmen befristeter Maßlosigkeit als Mittel zur Maßfindung beseitigt. Wurde vielleicht gerade dadurch, verbunden mit einem säkularisierten protestantischen Arbeitsethos, unsere Kultur andauernder und demokratisierter Maßlosigkeit gefördert? Jedenfalls ist zu prüfen, ob für ein Ethos des Maßes nicht vermehrt der Rhythmus kurzer Phasen der Überfülle (Ekstase) und des freiwilligen Mangels (Askese) und langer Phasen des Maßhaltens zu fördern wäre! Innerkirchlich sind diese Rhythmen zu erproben. Damit sie jedoch für das ökologische Verhalten relevant werden, müßten sie gesamtgesellschaftlich institutionalisiert werden können.

5.2 Das Angebot Gottes: Willkommen als Gäste auf Erden!

Wie kann nun die angebotene Überfülle der Schöpfung mit einem respektvollen Umgang mit ihr und mit einer Begrenzung der Zerstörungen in Einklang gebracht werden? Der Auftrag „Macht euch die Erde untertan“ (Gen 1,28) im jüngeren der zwei biblischen Schöpfungsberichte, geschrieben vor 2500 Jahren im babylonischen Exil, ist in der Öffentlichkeit immer noch die weitaus bekannteste biblische Aussage zum Verhältnis des Menschen zur übrigen Schöpfung. Sie wird als biblische Hauptaussage verabsolutiert und oft als unterdrückende Herrschaftshaltung mißverstanden und damit abgelehnt. Mit diesem dominium terrae ist aber kein Freipaß zur Ausbeutung der Natur ausgestellt. Vielmehr ist der verantwortliche Umgang mit der Mitwelt wie derjenige eines Königs mit seinem Volk oder eines guten Verwalters (steward) mit dem ihm anvertrauten Gut gemeint. Diese Erkenntnis wurde in den Umweltethiken und exegetischen Werken der letzten Jahre so oft dargelegt, daß sie hier nicht ausgeführt werden muß.[21] Auch der ältere biblische Schöpfungsbericht verbindet das großartige Angebot an den Menschen, auf die Erde wie in einen fruchtbaren Garten gesetzt zu sein, mit dem Gebot, diesen Garten nachhaltig und respektvoll „zu bebauen und zu bewahren“ (Gen 2,15).[22]

Gottes Auftrag an den Menschen, sich in der Schöpfung respektvoll zu bewegen, ist nun aber nicht nur von den Ursprungsgeschichten her zu erhellen. Die Stellung des Menschen im Ganzen der Schöpfung und damit sein Auftrag ist vom *eschatologischen Ziel der Schöpfung* her bestimmt: von der Bundeszusage Gottes her, daß er die gefallene Schöpfung mit dem Kommen seines Reiches befreit und vollendet. Neben der notwendigen theologischen Auseinandersetzung mit der apokalyptischen Angst vor dem Weltende[23] wird in den zeitgenössischen Umweltethiken zu Recht immer wieder auf diese

---

21 Neu z.B. Irrgang, B.: Christliche Umweltethik, München 1992, 125–128; Schlitt, M.: Umweltethik, Paderborn 1992, 136–141; früher z.B. Steck, O.H.: Welt und Umwelt, Stuttgart 1978, 78–82; Zur Wirkungsgeschichte des dominium terrae: Krolzik, U.: Umweltkrise – Folge des Christentums? Stuttgart 1979, 70–80.

22 Vgl. auch Kapitel 3.2.1.

23 So z.B. bei Körtner, U.: Weltangst und Weltende. Eine theologische Interpretation der Apokalyptik, Göttingen 1988; Drewermann, E.: Der tödliche Fortschritt, Regensburg 1989; Von-Raab-Straube, A.: Erleben wir das Jahr 2000? Apokalyptik als Chance, Olten 1986; Primavesi, A.: From Apokalypse to

eschatologische Bestimmung des Auftrages des Menschen in der Schöpfung hingewiesen.[24] Wir werden auf diese Reich-Gottes-Perspektive in anderem Zusammenhang noch zurückkommen[25] Gerade in dieser eschatologischen Ausrichtung rückt nun ein Bild ins Zentrum unserer Überlegungen, das sich wie ein roter Faden durch die heilsgeschichtlichen Zeugnisse zieht: *Gott ist Gastgeber und der Mensch ist Gast auf Erden.*[26]
Gott lädt zum *großen Gastmahl* am Ende der Zeit und bereits in dieser Zeit ein. Er bietet die reiche Schöpfung seinen Gästen an und läßt sie an der Vollendung der Schöpfung teilhaben. Auf diese Zusage und dieses Angebot kann der Mensch am angemessensten doxologisch mit Freude, Lob und Dank antworten! Zugleich bildet dieses Angebot das Fundament der ethischen Neuorientierung: Aus der erfahrenen Zusage kann sich der Mensch wie ein respektvoller Gast auf Erden verhalten.
Gott selbst ist Gastgeber. Er selbst bereitet das Gastmahl vor (Jes 25,6–8). Die vollendete Schöpfung ist die gedeckte Tafel. Nicht der Gast wählt sich dabei seinen Gastgeber, sondern der Gastgeber lädt Gäste ein (Joh. 15,16).
Bei dieser *eschatologischen Ausrichtung des Gastseins in der biblischen, besonders neutestamentlichen Überlieferung* können drei Dimensionen unterschieden werden: 1. In der urchristlichen Naherwartung der baldigen Wiederkunft Christi und der Vollendung des Reiches Gottes stand das Gastsein im Zusammenhang mit der Interimsethik. Es weist auf die ewige himmlische Heimat. Das Gastsein beansprucht aber auch heute, wo das Handeln nicht mehr einer Interimsethik entspringt, ethische Gültigkeit, wie soeben zu zeigen sein wird. 2. Die gewährte Gastfreundschaft auf Erden ist Kriterium im letzten Gericht, denn mit der Aufnahme von Gästen und Fremden hat man Christus selbst aufgenommen (Mt 25,35). 3. In der eschatologischen Versöhnung vollendet sich die gegenseitige Gastfreundschaft aller Geschöpfe: „Der Wolf wird zu *Gast* sein beim Lamme" (Jes. 11,6)! Gast Gottes und Gastgeber der Mitmenschen und Mitgeschöpfe zu sein ist also eine Grundhaltung, in die sogar die nichtmenschliche Mitwelt einbezogen ist!
Die vom Neuen Testament her zentral eschatologische Ausrichtung des Menschenbildes des Gastseins kann nun aber nicht gelöst werden vom reichen *alttestamentlichen Verständnis* des Gastseins auf Erden, das insbesondere von der *Exodustradition* her geprägt ist: In der biblischen Überlieferung wie auch sonst in den Kulturen des vorderen Orients und des Mittelmeerraums[27] spielt der Gast und die Gastfreundschaft eine große Rolle.

Genesis. Ecology, Feminism and Christianity, Turnbridge Wells 1991, 67ff; Altner, G.: Bewahrung der Schöpfung und Weltende, in: ders. (Hg.): Ökologische Theologie, Stuttgart 1989, 409–423; Bischofberger O. et al: Apokalyptische Ängste – christliche Hoffnung, Freiburg/Zürich 1991.

24 Z.B. bei Link, Ch.: Schöpfung, Bd. 2, Gütersloh 1991, 372ff; Moltmann, J.: Gott in der Schöpfung. Ökologische Schöpfungslehre, München 1985, 116ff, 281ff; Schrage, W.: Bibelarbeit über Röm 8, 18–23, in: Moltmann, J. (Hg.): Versöhnung mit der Natur?, München 1986, 150–166; Irrgang, B.: Christliche Umweltethik, München 1992, 136ff, 157ff; 304ff. Die eschatologische Dimension ist allerdings verkürzt, wenn sie auf die „Vollendung der Welt im Schöpfungssabbat" reduziert wird, wie das bei Schlitt, M, Umweltethik, Paderborn 1992, 144f, geschieht.

25 In Kapitel 5.3.6.

26 Vgl. auch Stückelberger, Ch.: Ich bin ein Gast auf Erden. Naturschutz – ein Auftrag für Christen und Kirchen, Natur und Mensch 6/1991, 225f; ders.: Gott behüte. Mensch bewahre. Die Lebensgrundlagen erhalten. Grundlagentext zur Aktion 1995 von Brot für alle und Fastenopfer, Bern/Luzern 1994, 15 S.

27 Der beduinisch-palästinensische Schriftsteller und Erzähler Saslim Alafenisch schilderte mir folgende symbolträchtige Gastsitte der Beduinen: Wenn ein Gast ein Beduinenzelt betritt, werden ihm drei Schälchen mit Kaffee angeboten. Aus dem ersten, dem Gastrechtsschälchen, zu trinken heißt: Der

Dabei bedeutet das dafür geläufige Wort (hebräisch ger, griechisch xenos) Gast und Fremder zugleich[28]. Dahinter steht das religionsphänomenologisch bekannte Verhaltensmuster, den unbekannten, damit möglicherweise als feindselig eingestuften Fremden durch Gastfreundschaft und Freundschaft zu „zähmen" und zu neutralisieren[29]. Im Alten Testament ist die Hochachtung des Fremden und des Gastes heilsgeschichtlich durch die Erinnerung an die Situation des Volkes Israel in Ägypten begründet. „Mein Volk zog hinab nach Ägypten, um als Gast/Fremdling (ger) dort zu weilen, und der Assyrer hat es um nichts vergewaltigt." (Jes 52,4) Doch „den Ägypter sollst du nicht verabscheuen, denn du bist in seinem Land Gast gewesen." (Dt 23,7, ähnlich Ex 22,21; Lev.19,34; Dt 24,18) Zusammen mit der zweiten großen Fremdlingserfahrung des Volkes Israel im babylonischen Exil entwickelt sich das Gastsein auf Erden im Alten Testament zu einem anthropologischen Grundmerkmal des Menschseins. So heißt es in der Abschiedsrede des Königs David und der Übergabe an Salomo: „Wir sind Gäste und Fremdlinge vor dir wie alle unsere Väter; wie ein Schatten sind unsere Tage auf Erden" (1. Chr 29,15). Eng damit verknüpft ist die Haltung, daß das eigene Leben wie die Erde und die Güter darauf nicht Besitz, sondern *Leihgabe* sind. So heißt es in derselben Rede Davids nur wenige Verse vorher: „Alles, was im Himmel und auf Erden ist, ist dein. Dein, Herr, ist das Reich und du bist's, der über alles als Haupt erhaben ist." (V.11) Auch der Reichtum kommt von Gott und ist dazu da, weitergegeben zu werden (V.12). Ökologisch bedeutsam ist auch Psalm 24: *„Die Erde ist des Herrn und was darinnen ist, der Erdkreis und die darauf wohnen."* (Ps 24,1) Der Mensch hat also kein Verfügungsrecht, wohl aber ein Nutzungsrecht der Güter der Erde.

Das Motiv des Gastseins aus der Rede Davids taucht fast wörtlich gleich *auch im Neuen Testament* auf, z.B. in der großartigen Glaubensgeschichte im *Hebräerbrief*: Alle großen Vorbilder im Glauben „bekannten, daß sie Gäste und Fremdlinge auf Erden seien." (Hebr 11, 13) Derade hier wird deutlich, daß mit dem Gastsein immer wieder auch die Erfahrung der Heimatlosigkeit verbunden ist, denn „mit diesen Worten geben sie zu erkennen, daß sie eine Heimat suchen." (V. 14) Während im Hebräerbrief diese Heimat als die himmlische – sie wird als „die bessere" bezeichnet (V. 16) – interpretiert wird, ist im Alten Testament das Beheimatetsein in Gott auch als Gast auf dieser Erde im Blick, besonders in den Psalmen. Das Volk Israel hat als Gast Gottes zwar keine Rechtsansprüche gegenüber Gott, aber beansprucht Geborgenheit und Schutz in der Not: „Höre mein Gott, denn ich bin ein Gast bei dir ..." (Ps 39,13, ähnlich Ps 119,19; 61,5b; 1. Chr 29,15). Das Recht, Gast zu sein im Hause des Herrn, also im Tempel, bietet Heimat (Ps 15,1; 61,5a). Auch im Neuen Testament ist das Leben auf der Erde nicht nur Übergang zur ewigen Heimat, sondern selbst Ort der Beheimatung, da Gott selbst in seiner Schöpfung innewohnt.

„Ich bin ein Gast auf Erden" (Psalm 119,19) heißt also nicht weltflüchtige Sehnsucht nach dem Jenseits, sondern die Pilgerschaft auf Erden in der freudigen Erwartung des

---

Gast steht unter dem Schutz Gottes. Das zweite, das Genußschälchen bedeutet: Gast und Gastgeber genießen die Gemeinschaft. Nun gehört aber auch das dritte, das Schwertschälchen dazu. Damit verpflichtet sich der Gast, den Gastgeber im Notfall mit dem Schwert zu schützen. Und wenn der Gast über das anständige Maß ißt oder trinkt, wird ihm das Unverschämtheitsschälchen gereicht.

[28] Zum folgenden vgl. Stählin, G.: Art. xenos, Theologisches Wörterbuch zum Neuen Testament, Bd. V, 1–36.

[29] So Leeuw, G. van der: Phänomenologie der Religion, Tübingen 1970[3], 28.

kommenden Reiches Gottes und im tiefsten Respekt vor der Unverfügbarkeit des Geschaffenen. Wer sich wie ein Gast benimmt, hinterläßt das Gasthaus geordnet für die nach ihm kommenden Gäste.

Wir haben bereits festgestellt, daß Fremdsein und Gastsein religionsgeschichtlich wie biblisch eng miteinander verbunden ist. Der Fremde ist Gottes Gast und untersteht seinem Schutz. Die Liebe zu Gott zeigt sich daher in der *Liebe zum Fremden und zum Gast.* Aus diesem Grund wird die Verletzung der Gastfreundschaft im Alten Testament als Frevel bezeichnet (Gen 19,5ff; Ri 19,15ff). Der Schutz der Gäste wird in dieser Kultur sogar höher eingeschätzt als der Schutz der eigenen Familienglieder (Gen 19,8).

In den *Evangelien* spielt die Gastfreundschaft eine außerordentlich große Rolle. Besonders bei Lukas kann man von einer eigentlichen Theologie des Gastseins sprechen, die ganz im erwähnten eschatologischen Kontext steht (Lk 7,36ff; 9,51ff; 10,38ff; 11,5ff; 14,1ff; 14,12ff). Die Gastfreundschaft Gottes ist ein Grundbild für Gottes Güte, die er im Dienste der Vollendung der Schöpfung in seinem Reich anbietet (Lk 14,15ff; 12,37; 13,29; 15,20ff; Mt 6,33). Deshalb kann der Mensch als Gast vertrauen und muß sich nicht um sein Leben sorgen (Mt 6,8; 6,25; 6,34). In Entsprechung dazu ist menschliche Gastfreundschaft Ausdruck der Liebe (Röm 12, 13), insbesondere auch der Liebe zu Christus (Mt. 25,35ff). Aus Liebe soll man dem Gast Fürsorge und Schutz bieten.[30] Auch in den Tugendkatalogen hat die Gastfreundschaft als Konkretion der Liebe ihren festen Platz. 1. Petr 4,7–9 wird die Ermahnung „Seid gegenseitig gastfrei ohne Murren" in einem Atemzug mit der Tugend des besonnenen Maßhaltens genannt! Damit soll die Gastfreundschaft nicht moralisch verengt, sondern in die kosmische Weite der Schöpfung hineingestellt werden.[31]

Die *Tischgemeinschaft* mit Gästen ist – wiederum besonders in den Evangelien und bei Jesus – Inbegriff der Gastfreundschaft und Vorwegnahme der eschatologischen Versöhnung. Diese wird aber auch nicht zuletzt wegen ihrer gemeinschaftsbildenden Funktion und ihrer Bedeutung für den Gemeindeaufbau in ihrem Wert so hoch eingestuft (Röm 16,4f; Phm 22). Die alttestamentliche Zusage, daß Gott selbst den Gästen den Tisch bereitet (Ps 23,5), wird im Neuen Testament auf Jesus als den gütigen Gastgeber übertragen (Mk 6,41ff; 8,6ff). Dieser Gastgeber, der den Gästen sogar die Füße wäscht, versteht

---

30 In der mönchischen Tradition spielt dies eine wichtige Rolle. So heißt es in der Ordensregel Benedikts: „Alle Gäste, die zum Kloster kommen, sollen wie Christus aufgenommen werden; denn er wird einmal sagen: Ich war Gast, und ihr habt mich aufgenommen. Allen soll man die Ehre erweisen, die ihnen zukommt … Der Abt und ebenso die ganze Klostergemeinde wasche allen Gästen die Füße." (Die Regel Benedikts, Beuron 1978, Kap. 53.) – Migrationspolitisch und auch umweltethisch interessant bezüglich Aufnahme von Gästen ist Kant's Unterscheidung von Gastrecht und Besuchsrecht. In seinem Bemühen um eine Weltfriedensordnung lautet sein „Dritter Definitivartikel zum ewigen Frieden": „Das *Weltbürgerrecht* soll auf Bedingungen der allgemeinen *Hospitalität* eingeschränkt sein." Nach seiner Erläuterung „bedeutet *Hospitalität* (Wirtbarkeit) das Recht eines Fremdlings, seiner Ankunft auf dem Boden eines andern wegen, von diesem nicht feindselig behandelt zu werden … Es ist kein *Gastrecht*, worauf dieser Anspruch machen kann (wozu ein besonderer wohltätiger Vertrag erfordert werden würde, ihn auf eine gewisse Zeit zum Hausgenossen zu machen), sondern ein *Besuchsrecht*, welches allen Menschen zusteht, sich zur Gesellschaft anzubieten, vermöge des Rechts des gemeinschaftlichen Besitzes der Oberfläche der Erde, auf der … ursprünglich aber niemand an einem Ort der Erde zu sein mehr Recht hat, als der andere." (Kant, I.: Zum ewigen Frieden, Gesammelte Werke Bd. 6, hg. von W. Weischedel, Frankfurt 1964, 213f.)

31 Darauf verweist auch Fox, M.: Der große Segen. Umarmt von der Schöpfung, München 1991, 126–135. So betont er, Heiligkeit sei nicht als moralische Vollkommenheit, sondern „Heiligkeit als kosmische Gastfreundschaft" (126) zu verstehen.

Gastfreundschaft ganz als uneigennützigen Dienst, als Diakonie[32] am Gast (Lk 12,37; 22,37) bis hin zur Selbsthingabe Jesu am Kreuz. So besteht im neutestamentlichen Verständnis ein enger Zusammenhang zwischen dem Gastsein und dem diakonischen Handeln. Dies gilt auch für die Diakonie an der Schöpfung, wie wir noch sehen werden.
Die *eucharistische Gemeinschaft* ist Ausdruck von Gottes Gastfreundschaft und damit sichtbare Mahlgemeinschaft der von Gott selbst eingeladenen Gäste (1.Kor 10,16–18; Mk 14,22 par.).[33] Die Nähe Gottes des Gastgebers ist hier vergegenwärtigt. Bundestheologisch ausgedrückt werden die Gäste durch diesen „neuen Bund in meinem Blut" (1. Kor 11,25) zu „Dienern des neuen Bundes" (2. Kor 3,6). In diesem Gastsein ist zudem die eucharistische Gastfreundschaft, die die verschiedenen Konfessionen einander gewähren sollten, begründet.[34] Jesu Mahlzeiten mit Zöllnern und Sündern (Mk 2,15ff) sind eine Vorwegnahme des großen Gastmahles im Reich Gottes (Mt 22,1ff; Lk 14,15ff)! Dieses mit Jesus Christus bereits angebrochene eschatologische Zeichen des Gastmahls ist tiefster Grund für die Einheit der Christen, ja der Menschheit. „Die Einheit unter Menschen entsteht nicht durch ihre Produkte, Unternehmungen und Interessen, sondern sie entsteht an dem *einen Tisch* (symbolisch verwirklicht im Abendmahl), an welchem alle Menschen *nichts anderes als Gäste* sind."[35] Das wichtigste Merkmal der Gäste, die an der Tischgemeinschaft teilnehmen (Anteil nehmen), ist das *Teilen*. So wird das Abendmahl zum Ausgangspunkt des weltweiten Teilens unter Gästen, das Mitmensch und Mitwelt einschließt!
Fünf verschiedene Ausprägungen der Gastfreundschaft lassen sich in den biblischen Texten unterscheiden: 1. Die wichtigste ist die bereits erwähnte Liebe zu allen Geschöpfen. 2. Gastfreundschaft entspringt der heilsgeschichtlichen Erinnerung an die Errettung aus dem Fremdsein als Volk Israel und der Erinnerung an die Hilfe der erlebten Gastfreundschaft unter den ersten Christen in ihrer Verfolgungszeit. 3. Gastfreundschaft gilt als göttliches Charisma der Gläubigen (1. Petr 4,9f). 4. Das alte religionsgeschichtliche Motiv, daß durch Gäste Engel beherbergt werden und damit die Chance einer Begegnung mit dem Göttlichen gegeben ist, findet sich auch in der Bibel, z.B. in der Erzählung von Abrahams Gastfreundschaft (Gen 18–19), neutestamentlich aufgenommen im Logion Jesu „Wer einen dieser Kleinen aufnimmt, der nimmt mich auf" (Mt 10,40) und in der Paränese „Der Gastfreundschaft vergesset nicht! Denn durch diese haben etliche ohne ihr Wissen Götter aufgenommen" (Hebr 13,2).[36] 5. Gastfreundschaft dient auch der Ausbreitung des Evangeliums (3. Joh 8).

---

32 Diese Verbindung von Gastsein und Diakonie zeigt die Dissertation von Ch. Sigrist (vgl. Anm. 38), Kapitel 3.

33 Zum Gemeinschaftscharakter des urchristlichen Herrenmahls ausführlich: Roloff, J.: Zur diakonischen Dimension und Bedeutung von Gottesdienst und Abendmahl, in: ders.: Exegetische Verantwortung in der Kirche, Göttingen 1990, 172–200.

34 Vgl. die Lima-Dokumente: Taufe, Eucharistie und Amt. Konvergenzerklärungen der Kommission für Glauben und Kirchenverfassung des Ökumenischen Rates der Kirchen, Frankfurt 1982. Auch: Locher, G. W.: Streit unter Gästen, in: Theologische Studien 110, Zollikon 1972.

35 Weder, H.: Vorstoß zum Tragenden. Über Toleranz in der Volkskirche. Vortrag an der Aussprachesynode der Kirchensynode des Kantons Zürich vom 28. Sept. 1993, Separatdruck, 16.

36 Das Motiv des Besuchs von Göttern in Gestalt von Gästen in Gen 18–19, erscheint „in mindestens neunundzwanzig weiteren Geschichten" aus dem ägäischen Raum, Ugarit und der Bibel, untersucht in: Krieg, M.: Götter auf Besuch. Genesis 18–19 und die Tugend der Gastfreundschaft. Antrittsvorlesung am 17.1.1994 an der Universität Zürich, Manuskript, 8–17 (8).

Zusammenfassend läßt sich das jüdisch-christliche *Menschenbild, das den Menschen als Gast Gottes und als solchen zugleich auch als Gastgeber gegenüber Mitmenschen und Mitwelt* bezeichnet, folgendermaßen charakterisieren:
– *Gott* ist großzügiger Gastgeber. Der Mensch darf – zusammen mit allen andern Geschöpfen! – Gast sein auf Erden.
– Gast sein kann man nur in Relation zu einem Gastgeber/einer Gastgeberin. Der Mensch bestimmt also sein Gastsein nicht aus sich selbst, sondern es ist ihm von Gott durch dessen Bund mit den Menschen geschenkt.
– Alles Geschaffene steht den Gästen als *Leihgabe*, aber nicht als Besitz zur Verfügung. Daraus folgt der schonende, respektvolle, nachhaltige Umgang mit dem Geliehenen. Veränderungen an den Leihgaben werden äußerst zurückhaltend und nur nach Rücksprache mit dem Gastgeber vorgenommen. Daraus ergibt sich eine „Gäste-Politik" und „Gäste-Ökonomie"[37].
– Gast sein heißt, vom Gastgeber beschützt zu werden und bei ihm geborgen zu sein. Es heißt zugleich, das Leben als Gast auf dieser Erde nicht als Letztes, sondern als *Vorletztes* zu betrachten. Die Erwartung des kommenden Gottesreiches prägt durch und durch das Leben in dieser Welt. Die Hoffnung auf eine andere, ewige Heimat führt zu Gelassenheit, die die Raffgier überwindet, weil nicht alles Glück auf dieser Erde ergattert werden muß. Gast sein ist damit aber immer auch mit einem Stück *Fremdbleiben* auf dieser Erde verbunden. Zugleich ist das Reich Gottes in Jesus Christus bereits angebrochen (Mk 1,15) und es ist „in eurer Mitte" (Lk 17,21). Damit findet eine neue Qualität der Beheimatung in dieser Welt statt.
– So wie *Gott* nicht nur Gastgeber, sondern auch *selbst Gast* (und Fremder! Joh 1,11; Mt 8,20) auf dieser Erde ist, so ist der *Mensch* nicht nur Gast, sondern *auch Gastgeber, Gastgeberin.* Er ist dies aber nicht im selben Sinn wie Gott, nicht autonom, sondern theonom, das heißt er ist von Gott beauftragt, *als Gast gastgeberische Aufgaben* zu übernehmen. So wie der Mensch Gottes Ebenbild ist (im Sinne einer analogia relationis, nicht einer analogia entis), so ist er Gastgeber als Gast Gottes. Als solcher hat er z.B. folgende Regel zu beachten: Jesus fordert die Menschen auf, als Gastgeber „nicht Freunde, Verwandte und reiche Nachbarn", sondern „Arme, Lahme und Krüppel" einzuladen, „weil sie es dir nicht vergelten können" (Lk 14,14). Nicht das utilitaristische Nutzenkalkül, sondern uneigennützige Liebe und Respekt vor dem Eigenwert des Gastes unabhängig von seinem Wert für einen selbst sollen die Haltung des Gastgebers prägen. Weil nun – zumindest in der eschatologischen Perspektive – nicht nur die Mitmenschen, sondern alle Mitgeschöpfe als Gäste zu betrachten sind, führt unsere Ethik des Gastseins zum Respekt vor dem Eigenwert und der Würde aller Geschöpfe. Gastgeber sein entspricht damit auch dem neutestamentlichen diakonos, der z.B. bei der Tischgemeinschaft den Gästen uneigennützig dient. So führt die Haltung des Gastgeberseins zur Diakonie, auch zur Diakonie an der Schöpfung.[38] Es besteht ein enger Zusammenhang zwischen

---

[37] Vgl. Lutsenburg Maas, A. van: A Guest among Guests, New York 1987. Darin ist eine knappe Theologie des Gastseins wie auch eine „Politics of Guests" und eine „Guests Economics" dargelegt.

[38] Eine ganzheitliche Sicht der Diakonie bezieht heute zu Recht neben der Diakonie in der Gemeinde, zwischen den Kirchen und in der Gesellschaft auch die „ökologische Diakonie" ein, wie das bei Marc E. Kohler geschieht: Kirche als Diakonie. Ein Kompendium, Zürich 1991, 52–60. Eine ausführliche Verbindung von (im Abendmahl sichtbarem) Gastsein, Diakonie und Umweltverantwortung leistet die Dissertation von Sigrist, Ch.: Die geladenen Gäste. Diakonie und Ethik im Gespräch. Zur Vision der

der Verpflichtung des Gastgebers gegenüber den Gästen und dem Auftrag gegenüber den Armen, den anawim, die besonderen Respekt und Schutz beanspruchen können.
Von diesem Ansatz des Gastseins auf Erden erscheint auch der zweifache *Schöpfungsauftrag* in den beiden biblischen Schöpfungsberichten in einem neuen Licht (womit nur ein Aspekt dieser Texte beleuchtet wird). Der Auftrag *„Macht euch die Erde untertan“* im priesterschriftlichen Schöpfungsbericht (1. Mose 1,28) ist an den Menschen als Gast und Gastgeber auf Erden gerichtet! Objekt des dominium sind nicht Lebewesen, sondern die Erde, also die Bodenbearbeitung (V.29). „Es ist also die über die Erde verfügende Bearbeitung des Bodens, seine Nutzung zum Pflanzenbau, zu der der Mensch hier auf der ganzen Erde ermächtigt und mit Gelingen befähigt wird.“[39] Die Erde bleibt auch in dieser Ermächtigung Leihgabe. „Nehmt sie in Besitz“[40] ist also nicht possessiv zu verstehen, auch wenn die Härte des Wortes untertan machen im hebräischen Text nicht wegzudiskutieren ist. Vielmehr soll sich der Mensch so einrichten, daß er sich auch als Gast „zu Hause fühlt“ und sich dieses Haus Erde gastlich und zum Wohl aller gestaltet. Als Gast ist er Gast unter Gästen – das sind alle Geschöpfe! – und als Gastgeber hat er mit allen ihm anvertrauten Gästen so umzugehen, daß er ihnen dient statt sich von ihnen bedienen zu lassen (Mt 20,28). Das dominium terrae wird durch das *servicium terrae*, den Dienst an der Erde, ersetzt. Deshalb übersetzt „Die Gute Nachricht“ 1. Mose 1,28 sinngemäß richtig: „Ich setze euch über die Fische, die Vögel und alle andern Tiere und vertraue sie eurer Fürsorge an.“
Der Auftrag an den Menschen im zweiten, älteren Schöpfungsbericht, *„den Garten Eden zu bebauen und zu bewahren“* (1. Mose 2,15) ist ebenfalls vom Gast- und Gastgebersein her zu interpretieren. Ein afrikanisches Sprichwort besagt: „Gib dem Gast drei Tage zu essen und am vierten eine Hacke in die Hand.“ Gott schenkt, was der Mensch zum Leben braucht, aber vom vierten Tag an, d. h. wenn er bei Kräften und erwachsen ist, soll er mitarbeiten. Ein wichtiger Unterschied zwischen dem biblischen Verständnis des Gastseins und unserer Alltagserfahrung ist damit angesprochen. Wer Gast ist, läßt sich bedienen, kann ausruhen, ist eher passiv. So unser Alltagsverständnis. Für die biblischen Zeugen heißt Gastsein auf Erden dagegen zugleich veranwortliche Aktivität: die Erde „zu bebauen und zu bewahren“ (1. Mose 2,15), sie wie eine Gärtnerin zu pflegen, wie ein Hirte zu schützen, als Mitarbeiterin Gottes an der Gestaltung und Versöhnung der Schöpfung mitzuwirken. Die Verbindung von respektvollem Nichtverfügen mit engagiertem Gestaltungswillen im Dienste der Förderung gelingenden Lebens ist die ethische Grundlage für das Weltprogramm der nachhaltigen Entwicklung. Dieses Gestalten geschieht nicht autonom und „auf eigene Rechnung“, sondern im Auftrag des Gastgebers. Der Mensch bleibt auch als Co-Creator Gast auf Erden.
Das Menschenbild des Gastseins ist hier explizit christlich begründet. Es kann aber auch von Andersgläubigen oder von Menschen ohne religiösen Bezug aufgenommen werden, wenigstens insofern, als es mit der menschlichen Grunderfahrung des Getragenseins, der Unverfügbarkeit und Vorläufigkeit des Lebens, der daraus entspringenden Ehrfurcht vor

---

diakonischen Kirche, Bern 1994. (Die Arbeit erscheint nach Abschluß der Studie. Die Auseinandersetzung damit konnte deshalb nicht mehr aufgenommen werden).

39 So Steck, O.H.: Dominium terrae. Zum Verhältnis von Mensch und Schöpfung in Genesis 1, in: Stolz, F. (Hg.): Religiöse Wahrnehmung der Welt, Zürich 1988, 89–106 (96).

40 So die Übersetzung von 1. Mose 1,28a in der Übersetzung „Die Gute Nachricht“.

allem Geschaffenen und der Sehnsucht nach der gemeinschaftsbildenden Kraft der Gastfreundschaft korrespondiert.
Allerdings macht es einen deutlichen Unterschied, ob sich der Mensch zusammen mit allen andern Geschöpfen als Gast Gottes sieht (theozentrisch) oder ob er sich wie der Künstler Friedensreich Hundertwasser als „Gast der Natur“[41] versteht (biozentrisch). Als Gäste Gottes sind Mensch und nichtmenschliche Mitwelt grundsätzlich gleichwertige Partner, die sich gegenseitig Gastfreundschaft gewähren können und sollen. Bei der Redeweise „Gast der Natur“ ist die Natur Gastgeberin und der Mensch Gast. Diese einseitig biozentrische Beziehung kann leicht wieder in einseitigen Anthropozentrismus umschlagen. Deshalb ist für die christliche Umweltethik das im Angebot Gottes begründete eschatologische Fundament des Gastseins als Spezifikum unaufgebbar.
Die Einladung Gottes an den Menschen, als Gast zu leben und zu handeln, ist natürlich nicht das einzige biblische Menschenbild, aber es ist ein zentrales. Es ist gerade für die Umweltethik fruchtbar zu machen, weil es ein positiv gefülltes Bild des Maßhaltens ist, geprägt nicht von Selbstkasteiung, sondern von Würde, nicht von Pflicht, sondern von Freude, nicht von Verzicht, sondern von Fülle.
Doch wie verhält sich dieses Menschenbild zu andern in der Umweltethik zum Ausdruck gebrachten Menschenbildern? Das *Verhältnis des Gastseins zu fünf solchen biblischen anthropologischen Grundaussagen* sei zum Schluß angedeutet:
1. Das Bild des Menschen als *König/Königin und Krone der Schöpfung*[42], das aus dem dominium terrae und der Gottebenbildlichkeit hergeleitet werden kann, kann Herrschaft auch nur als Dienst (an Gott, am Volk und an der ganzen Schöpfung) verstehen, wie das im Alten Testament geschieht (z.B. 1. Sam 15,11; 16,7) und vom Neuen Testament her mit Christus als König offensichtlich ist. Die königliche Würde des Menschen widerspricht dem demütigen und ehrfürchtigen Gastsein in keiner Weise.
2. Das Bild des Menschen als *Steward*, Statthalter, Verwalter, Stellvertreter Gottes ist besonders in der englischsprachigen christlichen Umweltethik unter dem Begriff *Stewardship*[43] verbreitet. Auch hier wird der Herrschaftsauftrag nicht als eigenmächtiges Herrschen verstanden, sondern als treuhänderisches Bebauen und Bewahren im Auftrag Gottes (1. Mose 2,15). Gott ist die Verantwortungsinstanz und Mensch und Natur der Verantwortungsgegenstand. Das Bild des Menschen als Verwalter Gottes ist (wie das Bild des Gastseins) allen drei monotheistischen Weltreligionen Judentum, Christentum und Islam gemeinsam. Im Koran (Sure 2,28ff) wird der Mensch als Khalifa, Stellvertreter Gottes, bezeichnet. Khalifat und Stewardship entspringen derselben Vorstellung, daß die Erde ein anvertrautes Gut ist, das treuhänderisch zu betreuen ist, aber dem Menschen nicht gehört. Hierin ist die Übereinstimmung zum Bild des Gastseins deutlich. Der Unterschied besteht darin, daß Stewardship die aktive Verantwortung in den Vordergrund stellt und von einer klaren Hierarchie (der Fürsorge) Gott – Mensch – Natur ausgeht. Das Bild des Gastes betont demgegenüber stärker den Geschenkcharakter des Lebens, die

---

41 Hundertwasser, F.: Friedensvertrag mit der Natur, zit in: Andreas-Griesebach, M.: Eine Ethik für die Natur, Zürich 1991, 222f. Der Anfang von Punkt sechs der sieben Punkte seines Friedensvertrags lautet: „Wir sind nur Gäste der Natur und müssen uns dementsprechend verhalten.“ Hundertwasser gestaltete auch ein Bild „Noah 2000“ mit dem Text: „You are a guest of nature. Behave.“

42 Vgl. z.B. Neidhart, W./Ott, H.: Krone der Schöpfung? Humanwissenschaften und Theologie, Stuttgart 1977, bes. 21–67.

43 Vgl. Teutsch, G.: Art. Stewardship, Lexikon der Umweltethik, Göttingen/Düsseldorf 1985, 98–100.

Gleichheit von Mensch und Natur bezüglich ihres Gastseins und Gastrechts auf Erden wie auch die Vorläufigkeit und Relativität des kurzen menschlichen Lebens auf Erden.

3. Das Bild des Menschen als *Teil der Natur* steht heute für viele Menschen im Vordergrund, besonders bei physiozentrischen und holistischen Ansätzen. Die biblische Grundlage dafür liegt besonders in der elementaren Gleichwertigkeit aller Kreaturen im Blick darauf, daß sie alle Geschöpfe Gottes sind. Diese Gleichwertigkeit ist Grundlage, auf der dann – aber erst als zweites – auch die Unterschiede der Geschöpfe in Eigenschaften und Aufgaben zu sehen sind. Doch beinhaltet die Rede vom Menschen als Teil der Natur heute oft implizit eine Idealisierung der Natur und im Gegenzug ein pessimistisches Menschenbild, das dem Menschen einen speziellen Gestaltungsauftrag auf Erden abspricht, weil man ihm die Fähigkeit dazu aberkennt. Insofern kann es theologisch nicht gestützt werden, da der Mensch trotz aller Gefallenheit eine spezielle Verantwortung wahrzunehmen hat. In der Verbindung mit dieser verantwortlichen Haushalterschaft (stewardship) soll dann aber der Mensch als Teil der Natur verstanden werden, wie es die weltweite Ökumene an der siebten Vollversammlung des Ökumenischen Rates der Kirchen 1991 in Canberra eindrücklich und theologisch begründbar formulierte: „Daher ist die Menschheit sowohl Teil der geschaffenen Welt als auch damit beauftragt, Gottes Haushalter in ihr zu sein.“[44] Diese Doppelaussage respektiert die Symmetrie in der Beziehung zwischen Mensch und Mitwelt wie auch die nicht zu leugnende Asymmetrie. Ein Teil der Natur zu sein stellt das Einssein in den Vordergrund, ein Gast zu sein ist dagegen eine Beziehungsaussage. Der Respekt vor dem Anderssein der Natur wird darin besser gewahrt. Zugleich enthält sie den Auftrag, der Natur so gastfreundlich zu begegnen, wie sie uns empfängt.

4. Das Bild des Menschen als *Partner und Partnerin der Natur*[45] – verantwortliche Partnerschaft Mann-Frau und verantwortliche Elternschaft können dabei als „Urbild aller Umweltverantwortung“[46] betrachtet werden – betont den Beziehungscharakter und die Symmetrie zwischen Mensch und Natur, zugleich auch das gegenseitige aufeinander Angewiesensein. Dieses Bild hat den Vorteil, aufgrund zwischenmenschlicher Partnerschaftserfahrungen unmittelbar verständlich zu sein. Der Nachteil und die Grenze liegt darin, daß eine spezifisch menschliche Eigenschaft anthropomorph auf die nichtmenschliche Mitwelt übertragen wird. Dieselben Vorzüge und Vorbehalte gelten auch gegenüber der Rede von der *Geschwisterlichkleit* zwischen Mensch und Natur, wie sie besonders bei den Mystikern und Mystikerinnen und am bekanntesten bei Franz von Assisi mit dem Gesang von „Bruder Mond“ und „Schwester Sonne“ vorkommt.[47] Derselbe Vorbehalt wird auch gegen die Rechte der Natur vorgebracht, da die Natur nicht Rechtssubjekt sein könne. Auch das Bild, die Natur als Ganzes sei Gast auf Erden, ist ein An-

---

[44] Im Zeichen des Heiligen Geistes. Bericht aus Canberra 1991, Frankfurt 1991, 61. Ähnlich sagt T. Koch: „Der Mensch ist Teil der Natur und doch als Mensch nicht von Natur.“ (Das göttliche Gesetz der Natur, Zürich 1991, 81)

[45] Das Bild der Partnerschaft zwischen Mensch-Natur war Grundlage in meinem Buch: Aufbruch zu einem menschengerechten Wachstum, Zürich 1982^3, 51f, 71f.

[46] So Strohm, Th.: Protestantische Ethik und der Unfriede in der Schöpfung. Defizite und Aufgaben evangelischer Umweltethik, in: Rau, G. et al: Frieden in der Schöpfung, Gütersloh 1987, 194–228 (218).

[47] Vgl. z.B. Hildegard von Bingen, Franz von Assisi (Doyle, E.: Von der Brüderlichkeit der Schöpfung. Der Sonnengesang des Franziskus, Zürich 1987), heute Matthew Fox (oben Kapitel 4.5.1).

thropomorphismus. Solange man sich dessen bewußt ist, sind alle drei Versuche vertretbar.

5. Das Bild des Menschen als *Mitbürger und Mitbürgerin Gottes* taucht neutestamentlich in Abgrenzung zum Gast- und Fremdsein auf: „So seid ihr nun nicht mehr Fremde (xenoi) und Beisassen, sondern ihr seid Mitbürger der Heiligen und Hausgenossen Gottes" (Eph 2,19), also nicht mehr Fremde und Gäste, sondern Mitbewohner im Volk Gottes, Judenchristen und Heidenchristen gleichermaßen. Die Gläubigen sind durch die Beziehung zu Christus, den Empfang des Heiligen Geistes (Eph. 2,18) und das Bleiben in der Liebe zu Gott nicht mehr Kinder Gottes, „nicht mehr Knechte, sondern Freunde" (Joh 15,15), also mündige Partner und Partnerinnen Gottes. Das heißt nun aber nicht, daß alles, was wir bisher über das Gastsein festgestellt haben, außer Kraft gesetzt wäre. Vielmehr tritt der Mensch durch das Christusgeschehen in eine noch intensivere Form des Gastseins ein: Ein Gast, der zum Freund wird, bleibt Gast mit der Verpflichtung des respektvollen Umgangs mit dem ihm Anvertrauten. Er genießt aber ein besonderes Vertrauen, übernimmt volle Verantwortung und wird so zum vollwertigen Hausgenossen, zur vollwertigen Hausgenossin.

5.3 Wie das Maß finden? Die ersten zwölf Leitlinien der Gästeordnung

Jedes Gast-Haus kennt ungeschriebene Hausregeln oder hat eine geschriebene *Hausordnung*. Sie sollen ein möglichst reibungsloses Zusammenleben der Gäste ermöglichen. Diese Gästeordnung lautet in einem Fünfsternehotel anders als in einer Berghütte, in einem Naturschutzpark anders als in einem Freizeitzentrum. Doch überall gibt es entsprechende Regeln.

Das Bild von der Erde als gemeinsamem Haus steckt schon im griechischen Wort oikos (Haus, Wohnstätte) und ist aufgenommen in der *Ökonomie* (oikos + nomos) als der Lehre vom rechten Haus-halten und dem rechten Umgang mit den Gütern auf der Erde, in der *Ökologie* (oikos + logos) als der Lehre von den guten Beziehungen der Organismen auf diesem Planeten und in der *Ökumene* (oikeo = wohnen, zu ergänzen ist ge = Erde: bewohnter Erdkreis)[48] als der weltweiten Gemeinschaft der Christen, ja aller Menschen. Nicht nur die Kirchen sind das Haus Gottes, sondern alle Menschen und die ganze Schöpfung sind der „Tempel Gottes" (1. Kor 3,16)! So sind Ökonomie, Ökologie und Ökumene als drei Aspekte desselben Auftrages zu sehen, verantwortliche Haushalter im Haushalt Gottes zu werden.

Der Generalsekretär des Ökumenischen Rates der Kirchen schlägt eine ökumenische „Hausordnung im Haushalt Gottes", auch als Ausdruck der ökumenischen Gastfreundschaft, vor.[49] Die Kirchen Europas haben für das „gemeinsame Haus Europa" „einige grundlegende Hausregeln, eine Art Hausordnung, die das Zusammenleben möglich

[48] Ökumene als substantiviertes Partizip, seit Herodot im 5. Jh. v.Chr. So die Herleitung im Art Ökumene, Ökumene-Lexikon. Kirchen. Religionen. Bewegungen, Frankfurt a.M. 1983, Sp. 877ff.

[49] Raiser, K.: Ökumene im Übergang. Paradigmenwechsel in der ökumenischen Bewegung?, München 1989, 162–170, bes.167ff.

macht", formuliert.[50] Entsprechend diesen beiden Beispielen sollen im folgenden *ökologische Hausregeln für das Haus Erde* entwickelt werden, die ein maßvolles Leben in diesem gemeinsamen Haus ermöglichen könnten.
Bei den *ersten zwölf Regeln der Gästeordnung* (5.3.1–12) geht es um das Wie: *Wie* können wir das Maß erkennen, das sich angesichts evolutionärer Veränderungen in einem dynamischen Prozeß ständig wandelt, und wie können wir das Maßhalten umsetzen? Welche Grundhaltung ist dabei nötig? Dabei soll theologisch begründet aufgezeigt werden, daß dies besonders durch lebendige *Beziehungen* zu geschehen hat. Bei den *zweiten zwölf Regeln* (5.4.1–12) steht das umweltethisch konkretere *Was* im Vordergrund: Was heißt es, sich als Gast auf Erden maßvoll zu verhalten? Worin besteht das Maß? Das „Wie" ist dem „Was" vorangestellt, weil über das „Wie" weniger Klarheit besteht und diese Frage auch schwieriger zu beantworten ist.

Sieben wichtige Merkmale zur Struktur dieser Leitlinien sind zu beachten:

1. Jede Leitlinie beginnt mit der *Einladung: „Du bist willkommen als Gast auf Erden!"* Das Angebot steht vor dem Gebot, das Evangelium vor dem Gesetz. Der Mensch muß sich nicht entschuldigen, daß er auf der Welt ist, nein, der Gott des Lebens heißt menschliches Leben vorbehaltlos willkommen. Ist es aber nicht eine Anmaßung, wenn wir Menschen einander diese Einladung, die ja von Gott stammt, zusprechen? Christinnen und Christen sind ermächtigt, ja von Gott aufgefordert, *diese Einladung Gottes den Mitmenschen weiterzugeben.* Christen und Christinnen sollen in schöpferischer Nachfolge[51] aus dem Geist Christi diese Einladung als Ausdruck der Liebe Gottes und seines großen Segens weitergeben, so wie sie als „Gesandte für Christus" sein Versöhnungsangebot weitergeben sollen (2. Kor 5,20); so wie sie einander vergeben sollen, wie Gott vergeben hat (Unser Vater Mt 6,12); so wie sie durch den Beistand des Geistes einander lieben und heilen sollen, wie Christus geliebt und geheilt hat (Joh 15,12; Apg 3,6ff); so wie sie den Segen weitergeben sollen, „weil ihr dazu berufen seid" (1. Petr 3,9); so wie sie einander Gastgeber sein sollen in der Weitergabe der von Gott empfangenen Einladung.
2. Jede Leitlinie ist in *zweifacher Form* mit analogem Inhalt verfaßt. Die *erste Form* ist diejenige der *Gästeordnung* mit persönlicher Anrede. Diese Form richtet sich mit theologischer Begründung insbesondere an Christinnen und Christen. *Die zweite Form „anders gesagt"* ist als sozialethisches Kriterium und in der Regel ohne explizit theologischen Bezug formuliert. Diese Form soll eine gemeinsame Verständigung mit allen Menschen, über das christliche Bekenntnis hinaus, ermöglichen.[52] Das explizit Christliche und das allgemeinmenschlich Einsichtige ist hier zu verbinden.[53] Auch diese Form beruht aber klar auf den Prämissen theologischer Schöpfungsethik. So hat sich z.B. das „eschatologische Plus" der christlichen Sicht des Gastseins auch hier zu spiegeln. In beiden Formen geht es um einen christlichen Beitrag zu einem Weltethos des Maßes.

---

[50] Frieden in Gerechtigkeit. Die offiziellen Dokumente der Europäischen Ökumenischen Versammlung 1989 in Basel, Basel/Zürich 1989, 69.
[51] Vgl. dazu Kapitel 1.4.2.
[52] Vgl. dazu die methodischen Erwägungen zu Offenbarung und Vernunft in Kapitel 1.4.1.
[53] Ähnlich den methodischen Überlegungen bei Rich, A.:Wirtschaftsethik, Bd. 1, Gütersloh 1984, 127f.

3. Eine Haus- oder Gästeordnung regelt nur das *Minimum*, das für ein gedeihliches Zusammenleben nötig ist, so wie die zweite Tafel der zehn Gebote im Alten Testament und die meisten Haustafeln in den Pastoralbriefen des Neuen Testaments nur das ethische Minimum an Wohlanständigkeit festlegen (das ethische Maximum ist die Bergpredigt). Die folgenden Regeln einer Gästeordnung für den oikos Erde beschreiben auch nicht das ethische Maximum der Liebe zu allem Geschaffenen, sondern regeln nur ein paar grundlegende Dinge des Maßhaltens im Umgang mit der Erde. Aber so wie schon das Minimum der zehn Gebote schwer einzuhalten ist, so ist es alles andere als leicht, die folgende Gästeordnung leben zu können.

4. Der Vergleich mit den zehn Geboten könnte den Vorwurf verstärken, Ethik und gerade auch Umweltethik sei eben doch Gesetz und nicht *Evangelium*. Im Vordergrund müsse die Rechtfertigung der Gottlosen stehen. Gerade die Seligpreisungen der Bergpredigt seien doch vielmehr eine Heilszusage als ein ethisches Gebot. In der Tat befreit jesuanische und paulinische Rechtfertigung allein aus dem Glauben von der Besessenheit, durch Einhalten von Geboten das Heil erlangen zu wollen! Die Gäste Gottes sind als Gäste empfangen, lange bevor sie die Gästeordnung gelesen und befolgt haben. Damit wird die Gästeordnung aber nicht hinfällig. Die Gäste sind frei, die Ordnung, statt aus Angst um das eigene Heil, nun um des andern und um der Gemeinschaft willen einzuhalten. Das Gesetz hat somit durchaus noch die Funktion des tertius usus legis, der „Regel", nicht aber die Funktion des „Spiegels" der Sünde (usus elenchticus legis). Das Gesetz, die Gästeordnung *ist* selbst Evangelium.[54]

5. Eine Hausordnung umschreibt das Verhalten in *normalen, alltäglichen Situationen*. Sie hat meistens nur dann eine Chance, befolgt zu werden, wenn sie an bereits bekannten Gewohnheiten der Gäste anknüpfen kann und allfällig neue Regeln damit verbindet. Darin besteht das Maßvolle einer guten Hausordnung[55]. Daneben gibt es aber in jedem Gasthaus Alarmhinweise: für das Verhalten beim Ausbruch von Feuer, beim Steckenbleiben im Lift usw. In der Ethik wie der Umweltethik werden meistens Regeln für

---

54 So auch Barth, K.: Evangelium und Gesetz, München 1935, z.B. 5, 8, 11. Diesem Ansatz Karl Barths widerspricht Gerhard Ebeling in Anknüpfung an Luther. Er definiert Gesetz und Evangelium so: „Alles, was zur Forderung, zur Anklage, zur Verurteilung wird, ist dem striktesten theologischen Sprachgebrauch nach Gesetz. Alles, was Glauben weckt, aufrichtet, tröstet, Frieden schenkt, und zwar in Hinsicht auf das Sein vor Gott, das ist im Sinne Jesu Christi und gilt in seinem Namen, verdient darum, Evangelium zu heißen." (Ebeling, G.: Dogmatik des christlichen Glaubens, Bd. 3, Tübingen 1979, 291). Soweit ist Ebeling zuzustimmen. Er wird dem Evangelium aber nicht gerecht, wenn er es auf eine die Wirklichkeit wahrnehmende, denkerisch verarbeitende Haltung reduziert und die im Handeln Wirklichkeit setzende Dimension hintanstellt. Er wird auch Barth nicht gerecht, wenn er ihm im Grunde genommen eine Verkürzung des Evangeliums durch dessen Transformation in das Ethische vorwirft (Ebeling, G.: Karl Barths Ringen mit Luther, in: Lutherstudien III, Tübingen 1985, 428–573, u.a. 550f, 555). Die Durchdringung des Gesetzes und damit aller Ethik vom Evangelium her im Sinne Barths entspricht reformierter ethischer Tradition und ermöglicht m. E. eine evangeliumsgemäßere und präzisere materiale Ethik als die Trennung von Gesetz und Evangelium in der Interpretation Luthers durch Ebeling.

55 Ein Beispiel für eine solche Ethik des Maßes: Statt den Gebrauch des Privatautos ethisch völlig abzulehnen oder zu rechtfertigen, schlägt D. O. Schmalstieg eine „Halbierungsregel" vor, wonach das Auto (entsprechend den erforderlichen CO_2-Reduktionen) „nur" noch halb soviel wie bisher verwendet werden soll. (Schmalstieg, D.O.: Aussteigen und sich selbst bewegen. Mobilität. Auto-Befreiung. Ethik, Genf 1990, 103–142). „Die Halbierung stellt Gewohnheiten und Selbstverständlichkeiten in Frage und führt zu neuen Erkenntnissen. Sie tut es mit hinreichender Radikalität, aber ohne die ‚normalen' und nunmehr als relativ erkannten Gewohnheiten gänzlich in die Knie zu zwingen." (Ders.: Auto halbieren! Offene Kirche 2/1991, 5)

Normalsituationen formuliert. Auch die folgenden Leitlinien tun das. Es ist aber – wenigstens im Sinne einer Problemanzeige – die Frage zu stellen, ob nicht die heutige Umweltsituation teilweise bereits so dramatisch ist, daß eigentlich die radikaleren Verhaltensregeln für Alarmsituationen Geltung haben müßten. Das menschliche Verhalten in Streßsituationen ist dabei eigenen Gesetzmäßigkeiten unterstellt und setzt das normale ethische Entscheidungsvermögen teilweise außer Kraft oder führt zu lähmender Handlungsunfähigkeit. In Alarmregeln müßte also eine eigene Streß-Ethik oder gar Schock-Ethik (sofern es dies überhaupt geben kann und Ethik unter Schock nicht ganz außer Kraft gesetzt ist) formuliert werden[56].

6. Die Leitlinien sind allgemeine ethische *Kriterien, nicht konkrete Maximen*. Die systematische situationsbezogene Anwendung auf die am Anfang dieser Studie dargelegten Fallbeispiele würde den Rahmen dieser Untersuchung sprengen. Einzelne Verweise bei den Leitlinien müssen genügen.

7. Das *ökologische Maß* ist nicht eine absolute Größe, sondern eine *Beziehungsgröße*. Während die physiozentrischen Ansätze dieses Maß vor allem am Eigenwert der Natur und die anthropozentrischen Ansätze vor allem am Eigeninteresse des Menschen bestimmen und so ein oft kaum überbrückbarer Graben zwischen den beiden auftritt, möchte ich im folgenden das Maß als Resultat einer *lebendigen Beziehung zwischen Mensch und Mitwelt* bestimmen. Im aufeinander Angewiesensein verbinden sich Eigeninteresse, Fremdinteresse und Gemeinwohl. Das Eigeninteresse besteht gerade darin, in der Beziehung bleiben zu wollen. Die theozentrischen Ansätze, zu denen ich den eigenen zähle, bestimmen das Maß aus der Beziehung Gott-Mensch, die der Beziehung Mensch-Mitwelt vorgeordnet ist und in sie einfließt. Dabei geht es nicht um eine Subjekt-Objekt- resp. Ich-Es-Beziehung, sondern um eine Subjekt-Subjekt resp. Ich-Du-Beziehung (Martin Buber). Dieser Beziehungsansatz liegt auch der Pathozentrik zugrunde. Sie bestimmt das Maßhalten im Mitleiden des Menschen mit den Mitgeschöpfen, besonders den Tieren. Die Pathozentrik gilt es aber auszuweiten, indem nicht nur das Mitleiden, sondern auch das Mitfreuen, ja umfassende Mitfühlen und Mithandeln einzuschließen ist[57]. Ein angemessenerer Ausdruck dafür ist *Empathozentrik*, weil Empathie das umfassende Einfühlen in ein anderes Lebewesen bezeichnet.

5.3.1 Beziehung zum Schöpfergott

Leitlinie I/1 der Gästeordnung

Du bist willkommen als Gast auf Erden! Das Haus Erde steht dir offen. Entdecke Vielfalt und Reichtum des Gartens dieser Erde. Verhalte dich dabei als Gast und nicht als Besitzer. Du kannst und mußt nicht Schöpfer spielen. Als Geschöpf hast du die Chance, den Garten zu bebauen und zu bewahren und damit gegebenes Leben weiterzugeben.

---

[56] Vgl. zu diesem Problem Kapitel 6 zur Umweltpsychologie.

[57] Neu zur Pathozentrik: Schlitt, M.: Umweltethik, Paderborn 1992, 65–98. Auch er definiert pathozentrische Umweltethik rein leidensorientiert als „unmittelbare Pflichten nur gegen diejenigen Lebewesen, die Schmerz fühlen können“ mit dem Ziel, „Schmerz und Leid von Lebewesen zu verringern bzw. zu verhindern.“ (65)

Anders gesagt
Der Mensch kann Lebendes nicht aus Nichts schaffen. Er kann aber gegebenes Leben weitergeben. Maßhalten bedeutet, diese Grenze nicht zu durchbrechen, sondern als Chance anzunehmen. Der maßvoll Handelnde geht von der Unverfügbarkeit des Lebendigen – des eigenen Lebens und desjenigen der andern Lebewesen – aus.

Die *Unterscheidung von Schöpfer und Geschöpf* ist für den christlichen Glauben und die christliche Umweltethik fundamental. Die Vermischung von Schöpfer und Geschöpf ist zentrales Merkmal des Unglaubens. Es sind die Gottfernen, „die den Geschöpfen Anbetung und Verehrung darbrachten statt dem Schöpfer" (Röm 1,25). Diese Unterscheidung von Gott und Mensch ist wohl sogar der wichtigste theologische Beitrag zu einer Ethik des Maßhaltens![58] So wie es einen Gast nur gibt, wo ein Gastgeber einen Menschen zu einem Gast erklärt (man kann sich nicht selbst zum Gast machen, höchstens um eine Einladung bitten), so gibt es keine Geschöpfe ohne Schöpfer. Schon das Wort Schöpfung bringt zum Ausdruck, daß schlechterdings nichts in der Natur unabhängig vom Schöpfer sein und gedacht werden kann.[59] Nichts ist, wenn nicht aus der Beziehung zum Schöpfer. Oder wie Luther im Kleinen Katechismus sagt: „Ich glaube, daß mich Gott geschaffen hat samt allen Kreaturen."[60] Nur der Schöpfer kann aus dem Nichts etwas schaffen. Geschöpfe können „nur" Geschaffenes weitergeben und verändern. Erschreckend bewußt wird uns diese Tatsache heute z.B. bei der Zerstörung des Bodens. Der Mensch kann Humus nicht schaffen. Hochwertiger Boden ist nicht herstellbar. 10 000 Jahre alte Hochmoore übersteigen menschliche Zeitdimensionen, für die er Verantwortung übernehmen kann. Daraus muß der tiefste Respekt der Geschöpfe vor dem Geschaffenen, besonders allem Lebenden, resultieren. Der Begriff Schöpfung beinhaltet deshalb immer auch schon die Verantwortung der Geschöpfe füreinander und gegenüber dem Schöpfer. Auch wenn die Lehre der *creatio ex nihilo,* der Schöpfung aus dem Nichts[61], erst nach der Mitte des zweiten Jahrhunderts nach Christus ausformuliert wurde, ist doch ihre Grundaussage in der biblischen Schöpfungsauffassung tief verankert. Sie nimmt die ontologische Unterscheidung von Schöpfer und Geschöpf auf und radikalisiert sie. Dabei ist die Distanz und „Jenseitigkeit (die Transzendenz) des Schöpfers nicht als räumliche Diastase, sondern als weltüberlegene göttliche Präsenz im Geschaffenen zu verstehen"[62]. Die absolute Trennung von Schöpfer und Geschöpf, radikalisiert in der Aussage der Schöpfung aus dem Nichts, qualifiziert das Geschaffene in vierfacher Weise[63]: 1. Das Geschaffene ist nichts als Geschaffenes. 2. Als solches ist das Geschaffene oder Teile davon aber auch nicht nichtig (nur Schein) oder dämonisch, vielmehr ist alles von Gott Geschaffene gut. 3. Das aus dem Nichts Geschaffene ist grundsätzlich gleichwertig. 4. Geschöpflichkeit des Seienden bedeutet auch Einheit der Wirklichkeit.

---

58 So auch Huber, W.: Konflikt und Konsens, München 1990, 190f.

59 So Picht, G.: Der Begriff der Natur und seine Geschichte, Stuttgart 1989, 85 (zum Begriff Schöpfung).

60 Zur Auslegung vgl. Bayer, O.: Schöpfung als Anrede, Tübingen 1986, 80ff.

61 Vgl. dazu Geisser, H.: Schöpfung aus dem Nichts. Die philosophisch unannehmbare, wissenschaftsgeschichtlich wirksame Weltinterpretation christlicher Theologie, in: Stolz, F. (Hg.): Religiöse Wahrnehmung der Welt, Zürich 1988, 102–125.

62 Ebd., 117.

63 Ebd., 120f.

Geschöpflichkeit heißt, „mit leeren Händen vor Gott stehen“[64]. Die erste Seligpreisung in der matthäischen Fassung, „Selig sind die geistlich Armen“ (Mt 5,3), könnte so übertragen werden: „Freut euch, die ihr auf Gott und seine Schöpfung vertraut und Geschöpfe bleiben könnt. Ihr werdet mit dem Schöpfer in der neuen Welt leben.“[65] Geschöpf bleiben heißt abhängig sein können, auf den Schöpfer vertrauen können, die Welt nicht allein retten zu müssen; es bedeutet Demut im Sinn des griechischen Wortes hypomone, was wörtlich Darunterbleiben heißt. Geschöpf sein meint im weiteren, in allem Handeln vom Empfangen und Gegebensein des Lebens und der Annahme des eigenen Lebens auszugehen.[66]
Eine wesentliche Wurzel der Umweltzerstörung und der Gefahr heutiger – z.B. gentechnologischer – Grenzüberschreitungen liegt dort, wo Menschen kein sie begrenzendes Gegenüber annehmen. Sie vermeinen, sich z.B. forschend ihre Ziele selbst zu setzen und damit als Schöpfer betätigen zu können. Sie tun dies in der Regel in der ehrlichen Überzeugung, nur das Gute zu wollen, nach der faustischen Maxime: „Wer immer strebend sich bemüht, den können wir erlösen“. Ebenso überschreiten wir Ethiker das Maß der Geschöpflichkeit, wenn wir absolut zu wissen meinen, was gut und böse ist. Wo das Maß, Geschöpf zu bleiben, nicht respektiert wird, führt das immer zu zerstörerischen Abolutismen und oft anonymen „herrenlosen Gewalten“[67].
Geschöpfliche Selbstbegrenzung ist nun aber nach biblischer Einsicht nicht ein eigenmächtiger Willensakt im Sinne der Unterdrückung des eigenen Triebes zur Grenzüberschreitung, sondern Folge der lebendigen Beziehung zu Gott. Diese befreit von der Versuchung, wie Gott sein zu wollen (1. Mose 3, 5). Das menschengerechte Maß ist – aristotelisch formuliert – die Mitte zwischen unterwürfiger Selbstverleugnung und hochmütiger Selbstüberschreitung. Wer dieses Maß einhalten kann, hat nicht einen Mangel, weil er ja nach noch mehr streben könnte, sondern hat gerade im Maßhalten seinen Höhepunkt und seine volle Würde erreicht! Camus ist zuzustimmen, wenn er vom „Stolz des Menschen, der in der Treue zu seinen Grenzen besteht“, spricht[68]. Die theologische Kernaussage, daß der Mensch nicht Schöpfer, sondern Geschöpf ist, macht den Menschen nicht klein, sondern schenkt ihm höchste Würde, weil er ja Geschöpf *Gottes,* des Höchsten ist. Diese Würde empfangen nun allerdings *alle* Lebewesen als Geschöpfe, ja alles Geschaffene, also auch der unbelebte Kosmos. Gotthard Teutsch spricht deshalb zu Recht von der „geschöpflichen Würde“[69]. Hierin trifft sich die theologische Umweltethik mit der bio- und physiozentrischen Betonung des Respekts vor allem Geschaffenen. Die *Würde aller Geschöpfe,* die gerade in ihrem Geschöpfsein besteht, nenne ich hier bewußt an erster Stelle, da in der heutigen ökologischen Gefährdung, die Mensch und Mitwelt

---

64 So die Übersetzung der ersten Seligpreisung der geistlich Armen (Mt.5,3) in der ersten Übersetzung der „Guten Nachricht“.

65 Mehr zu einer umweltethischen Interpretation dieser Seligpreisung bei Stückelberger, Ch.: Gottes Weinen über die Schöpfung hören. Ökologische Auslegung der Bergpredigt I, Kirchenbote für den Kanton Zürich 19/1989, 7.

66 Auf diesem Verständnis der Geschöpflichkeit baut T. Rendtorff seine Ethik auf (Ethik, Bd. 1, Stuttgart 1980, 32–44, bes. 37ff).

67 Sehr klarsichtig bei Barth, K.: Das christliche Leben. Die Kirchliche Dogmatik IV/4. Fragmente aus dem Nachlaß, Vorlesungen 1959–1961, Zürich 1979², 363–399.

68 Vgl. Kapitel 3, Anm. 14.

69 Teutsch, G.: Lexikon der Tierschutzethik, Göttingen 1987, 69.

gemeinsam bedroht, die Betonung des Gemeinsamen Vorrang vor der Erwähnung der Unterschiede hat.

Als zweites ist nun aber auch die in der anthropozentrischen Umweltethik hervorgehobene *Sonderstellung des Menschen* zu erwähnen. Zur Würde des Menschen gehört neben dem Geschöpfsein seine *Gottebenbildlichkeit* (1. Mose 1,26). Worin diese eigentlich besteht, ist strittig.[70] Sie ist biblisch nicht in der Vernunftbegabtheit, nicht im aufrechten Gang oder der Schönheit des Körpers, nicht im Herrschaftsverhalten oder der Freiheit, zwischen gut und böse wählen zu können, begründet, also nicht in naturrechtlich festgelegten Eigenschaften des Menschen, sondern allein in der Sehnsucht Gottes, zum Menschen eine besonders intensive Beziehung pflegen zu wollen. Gottebenbildlichkeit bezeichnet nicht ein Sein, sondern eine Beziehung[71]. Die so verstandene Gottebenbildlichkeit ist durch den Sündenfall auch nicht verlorengegangen[72], wie die Reformatoren meinten. Gottes Absicht damit ist, den Menschen als Partner und Partnerin für die Aufgabe zu gewinnen, seine Schöpfungswelt ordnend[73] zu erhalten[74] und prozeßhaft seiner Vollendung zuführen zu helfen, indem „der Mensch das Geschaffene in seinem Glanze zum Leuchten bringen soll“[75]. Dabei ist diesbezüglich (!) der Unterschied des Menschen zum Tier kein absoluter, sondern nur ein gradueller, da auch die Tiere sehr wesentlich – heute möchte man sogar sagen: mehr als der Mensch – die Schöpfung ordnend zu erhalten helfen, wenn man an ihren großartigen Beitrag zur Regulierung der Ökosysteme denkt! Umweltethisch immer noch aktuell ist in diesem Zusammenhang Karl Barths Rede von der Würde der Tiere und seiner Aussage, daß die Tiere den Menschen an seine Geschöpflichkeit wie Gottebenbildlichkeit erinnern.[76] Sie helfen damit dem Menschen, Maß zu halten.

Geschöpf eines Schöpfers zu sein impliziert eine *lebendige* Beziehung zu Gott als *ansprechbare Person.* Der apersonale *Pantheismus* vertritt einen „unbekannten Gott“[77] und ist mit dem jüdisch-christlichen Glauben an den Schöpfer nicht zu vereinbaren, obwohl er da und dort auch in christlichen ökospirituellen Bewegungen vertreten wird und auch wenn sehr anzuerkennen ist, daß viele Menschen heute aus pantheistischer Überzeugung respektvoll mit der Erde umgehen. Der Pantheismus hebt eben gerade die Unterscheidung von Schöpfer und Geschöpf auf. Auch das Haltungsbild, Gast auf Erden zu sein, wird damit gegenstandslos.

Hingegen ist der *Panentheismus* – alles in Gott – mit der Geschöpflichkeit des Geschaffenen durchaus vereinbar. Er ist für die Umweltethik relevant, wie wir bereits bei der

70 Vgl. Westermann, C.: Genesis 1–11, Neukirchen-Vluyn 1972; Scheffczyk, L. (Hg.): Der Mensch als Bild Gottes, Darmstadt 1969.

71 So auch Barth, K.: Kirchliche Dogmatik III/1, Die Lehre von der Schöpfung, Zürich 1947[2], 206f.

72 Ebd., 225f.

73 Die Benennung der Tiere 1. Mose 2,20 ist Ausdruck davon.

74 So auch Steck, O.H.: Welt und Umwelt, Stuttgart 1978, 78f; Schlitt, M: Umweltethik, Paderborn 1992, 137.

75 So Heinrich Ott zur Gottebenbildlichkeit, in: Ott, H./Neidhart, W.: Krone der Schöpfung? Humanwissenschaften und Theologie, Stuttgart 1977.

76 Barth, K.: Die Kirchliche Dogmatik III/1, a.a.O., 212.

77 Die Warnung von Leonhard Ragaz (vgl. Kapitel 3.5.4), geprägt vom zweiten Weltkrieg, ist auch heute ernst zu nehmen: „Jeder unbekannte Gott wird zum Moloch, und das Fatum verschlingt in jeder Form, auch als Idee, Götter und Menschen.“ (Ragaz, L.: Die Bibel – eine Deutung, Fribourg/Brig 1990, Bd. 1, 157 [1. Aufl.1947, Bd. 1, 161).

Auseinandersetzung mit der Ökospiritualität gesehen haben.[78] Der *Panentheismus* wurde in der theologischen Tradition seit den Kirchenvätern und besonders auch in der orthodoxen Kirche immer wieder vertreten und wird heute in den Schöpfungstheologien aufgenommen. Jürgen Moltmann spricht von der „immanenten Transzendenz", indem „Gott in allen Dingen zu erfahren" und „alle Dinge in Gott zu erfahren" sind[79], und zwar durch Gott als Geist[80]. Auch Catherine Chalier verbindet in ihrer jüdischen Schöpfungstheologie Transzendenz und Immanenz Gottes.[81] Christian Link spricht von der „Transparenz der Natur für das Geheimnis der Schöpfung".[82] Sigurd Daecke nennt die Sakramentalisierung der Natur (geheiligte Natur) als christliche Alternative sowohl zur (Re-)Sakralisierung der Natur (heilige Natur) wie zur Säkularisierung der Natur (Entheiligung der Natur).[83] Die Natur ist nicht immanent heilig (holy), sondern geheiligt (sacred). Sie hat eine ihr von Gott verliehene, sekundäre Heiligkeit. Damit bleibt ihre Geschöpflichkeit gewahrt. Die Natur ist wie der Mensch das, was sie ist, nur in der *Beziehung* zu Gott. Der Panentheismus ermöglicht auch, die Spannung zwischen der Welttranszendenz und Weltimmanenz Gottes als Komplementarität[84] auszuhalten.

Die Bestimmung von Natur und Mensch als geheiligte Geschöpfe in lebendiger Beziehung zum Schöpfer führt ethisch dazu, daß die Mitwelt weder unantastbar heilig ist – der Pantheismus müßte in letzter Konsequenz Eingriffe in die Natur völlig verbieten – noch als Ding einfach dem Menschen zur Verfügung steht, sondern zurückhaltend und respektvoll im Sinne des Gastseins genutzt werden darf. Maßhalten besteht in diesem mittleren Weg.

Die Beziehung des Schöpfers zu seinen Geschöpfen ist geprägt von Treue und Konstanz, versinnbildlicht im *Bund Gottes*[85] *mit seinem Volk,* alttestamentlich mit dem Volk Israel (z.B. 1. Mose 17,7) und neutestamentlich als neuer Bund mit dem weltweiten Volk Gottes (Lk 22,20; Hebr 9). Der Bund Gottes ist jüdisch-christliches Urbild dessen, was Subjekt-Subjekt-Beziehung heißt, die nicht auf verobjektivierender Besitznahme oder Beliebigkeit basiert, sondern auf einer partnerschaftlichen, den Eigenwert der Partner wie die Dauerhaftigkeit betonenden Liebe. In der Bundestreue Gottes liegt die theologische Begründung für den ethischen Leitwert der Dauerhaftigkeit und Nachhaltigkeit (sustainability)[86]!

Gott schließt den Bund mit dem Menschen *und* mit der nichtmenschlichen Mitwelt! So lautet Gottes Bund mit Noah: „Ich richte einen Bund auf mit *euch* und *euren Nachkommen* und mit *allen lebenden Wesen,* die bei euch sind, Vögeln, Vieh und allem Wild des

---

78 Kapitel 4.5.

79 Moltmann, J.: Der Geist des Lebens. Eine ganzheitliche Pneumatologie, München 1991, 44–51 (49). Ähnlich auch ders.: Gott in der Schöpfung. Ökologische Schöpfungslehre, München 1985, 219f.

80 Mehr dazu unten Kapitel 5.3.3.

81 Chalier, C.: L'alliance avec la nature, Paris 1989, 53–92.

82 Link, Ch.: Transparenz der Natur für das Geheimnis der Schööpfung, in: Altner, G. (Hg.): Ökologische Theologie, Stuttgart 1989, 166–195. Auch ders.: Schöpfung, Bd. 2, Gütersloh 1991, 427.

83 Daecke, S.: Anthropozentrik oder Eigenwert der Natur? in: Altner, G. (Hg.): Ökologische Theologie, Stuttgart 1989, 277–299 (295ff); ders.: Natur und Schöpfung. Überlegungen zu einer ökologischen Theologie der Natur, in: Umwelt – Mitwelt – Schöpfung. Kirchen und Naturschutz. Laufener Seminarbeiträge 1/91, 35–44 (40f).

84 Im Sinne von Kapitel 2.1.4.

85 Zur Bundestheologie vgl. Bund. Bundestheologie und Bundestradition, hg. von der Theologischen Kommission des Schweiz. Evang. Kirchenbundes, Bern 1987.

86 Vgl. Kapitel 4.9. und 5.4.1.

Feldes bei euch, mit allen, die aus der Arche gekommen sind. Ich will einen Bund mit euch aufrichten, daß niemals wieder alles Fleisch von den Wassern der Sinflut soll ausgerottet werden und niemals wieder eine Sintflut kommen soll, die Erde zu verderben." (1. Mose 9,9–11) Die gegenwärtige Menschheit, die zukünftigen Generationen und die nichtmenschliche Mitwelt sind als drei gleichwertige Partner des Bundes genannt! Damit wird mit der theozentrischen Bundestheologie der Gegensatz zwischen anthropozentrischen und biozentrischen Umweltethiken überbrückt. Auch wenn alttestamentlich der Bundesgedanke primär mit der Exodus- und Exilstradition und damit mit der Befreiungsgeschichte Israels verbunden ist, schließt Gott auch den „Bund mit der Natur"[87]. Die Treue des Schöpfers zeigt sich nicht nur in der Torah, sondern auch in den Naturgesetzen[88]! Sie sind ein sichtbarer Ausdruck seiner Treue.[89] Die Naturgesetze weisen sogar den Menschen auf Gottes Bundestreue hin: „So gewiß ich Tag und Nacht geschaffen und die Ordnungen des Himmels und der Erde festgesetzt habe, so gewiß werde ich auch das Geschlecht Jakobs und meinen Knecht David nicht verwerfen." (Jer 33, 25f)

Im Bund bindet sich Gott freiwillig an den Menschen und die übrige Schöpfung; am deutlichsten wird dies in Gottes Menschwerdung in Jesus als dem Christus. Das Charakteristikum von Gottes Schöpfungsschaffen ist, daß er Begrenztes schafft (z.B. Ps 104,9) und sich dabei selbst begrenzt. Er zeigt damit dem Menschen den Weg von der grenzenlosen Freiheit zur heilenden Begrenzung. Die Gläubigen antworten aus Dankbarkeit darauf, indem sie sich freiwillig an Gott binden und so den Bund bestätigen.

Der *Machtverzicht Gottes* schenkt dem Menschen großartige Möglichkeiten und auch Verantwortung als *Co-operator und Co-evolutor.* Als Gast auf Erden ist er ja, wie wir gesehen haben, nicht mehr Kind oder Knecht, sondern Freund und Partner. Der zuerst Handelnde bleibt aber Gott mit seinem Geist. Ohne ihn kann der Mensch nicht cooperator sein.[90]

Cooperatio und coevolutio des Menschen im Bund mit Gott heißt nun aber nicht, daß der Mensch co-creator wird! Sonst würde einmal mehr die Unterscheidung zwischen Schöpfer und Geschöpf verwischt. Der Mensch bleibt auch in der cooperatio Geschöpf. Mit-Arbeiter und Mit-Planer Gottes zu sein heißt, Gottes Plan und Ordnung zu erkennen, ohne sich an Gottes Stelle zu setzen. Deshalb kann der Mensch die Welt nicht selbst retten, er kann sie aber auch nicht völlig zerstören. Beides ist eine Selbstüberschätzung.[91] So ist in diesem Punkt Hans Jonas, dessen Verantwortungsethik für eine Ethik des Maßhaltens im übrigen sehr wichtig ist, zu widersprechen, wenn er vom „Machtverzicht Gottes zugunsten kosmischer Autonomie" spricht, mit der Folge, „daß in unsere unsteten Hände, jedenfalls in diesem irdischen Winkel des Alls, das Schicksal des göttlichen Abenteuers gelegt ist und auf unseren Schultern die Verantwortung dafür ruht."[92] Auch

---

87 Eindrücklich baut Catherine Chalier ihre jüdische Schöpfungstheologie und -ethik bundestheologisch auf, wie schon ihr Titel zeigt: L'alliance avec la nature (Der Bund mit der Natur), a.a.O.

88 Ebd., 163–170.

89 So auch Pannenberg, W.: Glaube und Wirklichkeit, München 1976, 11ff.

90 Die Vorbehalte von Hans G. Ulrich gegen die Vorstellung des Menschen als cooperator Gottes ist m. E. mit der (notwendigen) Bindung an die Pneumatologie, die gerade auch Ulrich betont, nicht gerechtfertigt (Ulrich, H. G.: Eschatologie und Ethik, München 1988, 189–193).

91 So auch Huber, W.: Konflikt und Konsens, a.a.O., 190.

92 Jonas, H.: Materie, Geist und Schöpfung, Frankfurt 1988, 56 und 58. Vgl. auch ders.: Der Gottesbegriff nach Auschwitz. Eine jüdische Stimme, Frankfurt 1987.

Dorothee Sölle legt die Verantwortung allein in die Hände des Menschen: „Nach der Endlösung des nuklearen Holocaust gibt es weder Vater noch Mutter im Himmel und keinen Schöpfer mehr.“[93] Jonas wie Sölle geben damit die Treue Gottes im Bund auf, indem bei Jonas Gott sich aus dem aktiven Mitwirken zu verabschieden scheint und die Schöpfung zur autonomen Welt werden läßt und indem bei Sölle der Schöpfer wie im Pantheismus derart mit der Schöpfung identifiziert wird, daß die Zerstörung der Schöpfung den Tod Gottes bewirkt. So verständlich dies im Kontext des aufrüttelnden ethischen Appells an die menschliche Verantwortung ist, so sehr überschätzt und überfordert dies den Menschen. Es stellt zudem die lebendige Gottesbeziehung in Frage.
Mit der Schändung der Schöpfung wird dem panentheistisch verstandenen Schöpfergott schwerstes Leiden zugefügt und der Mißbrauch der Natur bedeutet ein Mißbrauch Gottes![94] Gott stirbt aber nicht mit dem Artensterben auf dem Planeten Erde. Wenn es so wäre, bliebe dem Menschen nichts anders als sich selbst zum Schöpfer zu erklären. Nietzsche hat dies in seinem Reden vom Tod Gottes in einer eigentümlichen Mischung von Erschrecken und Freude erkannt.[95]
Der säkulare, heute immer wieder zu hörende Satz „Die Natur wird den Menschen schon überleben“ ist zwar als leichtfertiger und menschenverachtender „Optimismus“ abzulehnen, aber theologisch gedeutet bedeutet er: Gottes Bundestreue zur Schöpfung bleibt bestehen, auch wenn der Mensch seinen Bund mit Gott bricht. Die Natur kann ihn nicht brechen, weil sie die Freiheit dazu nicht hat. Eine Schöpfung ohne Mensch wäre aber ein katastrophales Scheitern von Gottes Plan. So wie es keine Erlösung des Menschen ohne Erlösung der ganzen Kreatur gibt, so gibt es auch keine Vollendung der Schöpfung ohne Dabeisein des Menschen.
So ist die Grundlage einer christlichen Ethik des Maßhaltens, daß der Mensch in der lebendigen Bundes-Beziehung mit Gott Geschöpf bleibt. Dazu gehört auch, die *Vorsehung Gottes,* die providentia Dei, ethisch mit zu bedenken. Statt sich durch den Teufelskreis von apokalyptischer Angst und Appell an die Eigenverantwortung, die Welt wie Atlas auf den Schultern zu tragen, im Handeln lähmen zu lassen, kann der Glaube an Gottes Vorsehung, wie er besonders bei Calvin ausgeprägt war, Kräfte für das Handeln wecken.[96] Dazu gehört, zwischen Verantwortungslosigkeit und Selbstüberschätzung das richtige Maß der Verantwortung als cooperator zu finden.

---

93 Sölle, D.: lieben und arbeiten. Eine Theologie der Schöpfung, Stuttgart 1986³, 209f.

94 So Daecke, S.: Mißbrauch der Natur als Mißbrauch Gottes. Überlegungen zu einer ökologischen Theologie, EvKomm 23 (1990), 653–656.

95 „‚Wohin ist Gott‘, rief er (der tolle Mensch. cs), ‚ich will es euch sagen! Wir haben ihn getötet, ihr und ich! Wir alle sind seine Mörder … Ist nicht die Größe dieser Tat zu groß für uns? Müssen wir nicht selber zu Göttern werden, um nur ihrer würdig zu erscheinen?‘„ (Nietzsche, F.: Die fröhliche Wissenschaft, München 1973, 127).

96 So zu Recht auch Bühler, P.: Gottes Vorsehung und die Bewahrung der Schöpfung, in: Weder, H.: Gerechtigkeit, Friede, Bewahrung der Schöpfung, Zürich 1990, 99–121 (bes. 114ff). Sein Vorwurf, das ökumenische Programm Gerechtigkeit, Friede und Bewahrung der Schöpfung (GFS) sei abstrakt, stimmt so allerdings nicht. Man müsse sich auf kleine konkrete Schritte beschränken, meint ja auch die Umweltethik, der er zu pauschal eine Selbsterlösungstendenz unterstellt.

5.3.2 Beziehung zum kosmischen Christus

Leitlinie I/2 der Gästeordnung
Du bist willkommen als Gast auf Erden! Im Empfangen und Weitergeben der Liebe zur ganzen Schöpfung lebst du in der Nachfolge Jesu. Im Mitfühlen und Mitleiden mit aller Kreatur als deinen Mitgästen begegnest du dem kosmischen Christus.

Anders gesagt
Was ein maßvoller Umgang mit Mitmensch und Mitwelt und ein Leben in Selbstbegrenzung bedeutet, läßt sich an der Humanität und Mitgeschöpflichkeit Jesu erkennen und im eigenen Mitfühlen und Mitleiden mit der Schöpfung erfahren.

Die Selbstbegrenzung Gottes ist am eindrücklichsten sichtbar in seiner Menschwerdung in Jesus von Nazareth. Wir haben bereits anhand der Geschichte der Versuchung Jesu (Lk 4, 1–13) gesehen[97], wie Jesus der Versuchung des „sicut eritis deus", also sein zu wollen wie Gott, widerstand. Gerade im Annehmen der Begrenzung als menschlichem Maß wurde er wahrer Mensch. Damit bildet er den schärfsten Gegenpol zu Adam und Eva und uns Durchschnittsmenschen, die wie Gott sein wollten und wollen und gerade damit das Menschsein verfehlten und verfehlen.
Jesu Leben und Botschaft scheint nun allerdings alles andere als maßvoll gewesen zu sein. Seine Gleichnisse des Gastseins strahlen die überfließende Fülle der Gnade des Gastgebers aus, wie wir bereits gesehen haben. Jesus hat alles radikalisiert. Beispiele sind die Ausschließlichkeit der Beziehung zu Gott, der kompromißlose Ruf in die Nachfolge, die Auslegung der alltestamentlichen Gebote, das Verständnis von Liebe bis hin zur Feindesliebe, der leidenschaftliche Einsatz für die Schwachen, die Absage an Gewalt, das Angebot der Vergebung ohne Gegenleistung, die Verkündigung des bereits angebrochenen Gottesreiches und die vollkommene Selbsthingabe am Kreuz[98]. Auch das Ethos des Maßes in seiner christlichen Ausprägung kommt am Kreuz nicht vorbei.
Die *Gottespassion* ist unverzichtbarer Teil dieses Ethos, die Gottespassion in der vierfachen Bedeutung a) als Leidenschaftlichkeit Gottes für alles Lebende, b) als antwortende Leidenschaftlichkeit des Menschen für alles Leben, c) als Leiden Gottes, d) als Leiden an Gott und seiner Radikalität. Gerade in Gottes Leidenschaftlichkeit wird das neue Maß Jesu sichtbar. Es ist das Maß umfassender Liebe zu allem Geschaffenen. Die Liebe zur eigenen Familie und zum eigenen Volk wird entgrenzt hin zur Liebe zu den Feinden und zu allen Menschen (z.B. Mt 5,43ff; Lk 8,21; 10,25ff). Aus der Liebe zum Schöpfer erwächst das Einhalten von Einzelgeboten, die die Mitwelt schützen, wie sie in eindrücklicher Weise im Alten Testament z.B. gegenüber den Tieren bestehen (z.B. 2. Mose 23,4; 23,19; 34,25f; 3. Mose 22,27f; 5. Mose 5,14; 22,6f; Spr 12,10). Diese Liebe führt zum umfassenden Mitfühlen und Mitleiden mit allen Geschöpfen. Obwohl dies im Neuen Testament wenig explizit ausgeführt wird – die Natur zu schützen war auch nicht das vordringlichste Problem der hart verfolgten ersten Christen! – ist es implizit z.B. im Vor-

97 Kapitel 3.2.2.
98 Vgl. dazu Stückelberger, Ch.: Vermittlung und Parteinahme, Zürich 1988, 370–431.

bildcharakter der Vögel und der Lilien auf dem Felde (Mt 6,25–34)[99] und in den *Seligpreisungen der Bergpredigt*[100] (Mt 5,3–12) angelegt, die ökologisch ausgelegt einen respektvollen und mitfühlenden Umgang mit der Mitwelt zum Ausdruck bringen.[101] Die Seligpreisungen sind eine Ermutigung jener, die wie Gäste auf Erden leben!

Wer in der Liebe bleibt, bleibt in der Beziehung zu Gott (Joh 15,9ff). Mit dieser Liebe kann nicht nur die Liebe zu den Mitmenschen (1. Joh 4,7–20) gemeint sein. Die erwähnte *Entgrenzung der Liebe* im Neuen Testament führt zur umfassenden Liebe zu allem Geschaffenen, so wie der Schöpfer alles Geschaffene als gut bezeichnet und damit liebt. Doch darf die Bergpredigt und dürfen die biblischen Texte zur Liebe in dieser Art ökologisch ausgelegt werden? Wird damit nicht eine aktuelle Fragestellung unzulässig in sie hineinprojiziert? Bei einer geradlinigen Anwendung von Einzelversen auf aktuelle Fragen besteht diese Gefahr. Uns geht es hier aber um weit mehr. Immer wieder werden in den christlichen Gemeinden auch Stimmen laut, die betonen, die persönliche Erlösung stehe im Zentrum des christlichen Glaubens. Die Kirche solle sich mehr um die Verkündigung und persönliche Umkehr kümmern, statt sich ökologisch zu engagieren.

Gerade jene, die die persönliche Christusbeziehung (zu Recht) ernst nehmen, sind auf den *kosmischen Christus* hinzuweisen, der in allem ist und der die ganze Schöpfung erlöst und der in der Schöpfungstheologie heute wieder entdeckt wird.[102] Da „alles durch Christus und auf ihn hin erschaffen" ist (Kol 1,16) und „Gott in Christus die *Welt* (kosmos) mit sich selbst versöhnte" (2. Kor 5,19), sind die *ganzen* Evangelien so zu lesen, daß *der irdische Jesus kein anderer ist als der kosmische Christus.*

Biblisch ist der kosmische Christus als präexistente Weisheit bereits im Alten Testament genannt (Weisheit 7,24; 7,27; 8,1; Spr 8,22–28). Als leidender Gottesknecht ist er der All-Leidende (Jes 53). Im Neuen Testament klingt er im Philipperhymnus an (bes. Phil 2,6 und 9), auch im vielzitierten, für die Umweltethik bedeutsamen Text Röm 8,19–22, wonach Christus Befreier des ganzen Kosmos und alles Geschaffenen ist, ebenfalls Eph 1,9f und Hebr 1,2–4. In der Folge lobt ihn „jedes Geschöpf, das im Himmel und auf der Erde und unter der Erde und auf dem Meere ist, samt allem, was es darin gibt." (Offb 5,13f) Die bekanntesten und eindrücklichsten Texte für den kosmischen Christus sind der Kolosserhymnus und der Johannesprolog: „Im Anfang war das Wort ... Alle Dinge sind durch es geworden, und ohne das Wort ist auch nicht eines geworden", er war als

---

[99] Vgl. dazu die ökologische Auslegung von Lejeune, Ch.: Les oiseaux et les lis. Lecture ‚écologique' de Matthieu 6,25–34, Manuskript für die Assemblée générale de la commission nationale pour l'oecuménisme, Tournai/Brüssel 1988.

[100] Vgl. Stückelberger, Ch.: Die Bergpredigt – ökologisch ausgelegt, in: Frieden in Gerechtigkeit für die ganze Schöpfung. Drei Bibelarbeiten an der Europäischen Ökumenischen Konferenz in Basel 1989, hg. von der Ökumenischen Arbeitsgemeinschaft Kirche und Umwelt der Schweiz, Bern 1989, 1–11; verändert auch in Kirchenbote für den Kanton Zürich 19/1989, 7; 20/1989, 4; 21/1989, 4.

[101] Als Lied in: ... heute noch einen Apfelbaum pflanzen. Ökumenisches Liederbuch zur Schöpfung, hg. von der Ökumenischen Arbeitsgemeinschaft Kirche und Umwelt der Schweiz, Zürich-Luzern 1989, Nr. 54 A und B.

[102] Galloway, A.D.: The cosmic Christ, New York 1951; Fox, M.: Vision vom kosmischen Christus. Aufbruch ins dritte Jahrtausend, Stuttgart 1991; Schiwy, G.: Der Gott der Evolution. Der kosmische Christus im Werk von Teilhard de Chardin, in: Bresch, C. et al: Kann man Gott aus der Natur erkennen?, Freiburg u.a. 1990, 102–116; ders.: Der kosmische Christus. Spuren Gottes ins neue Zeitalter, München 1990; Moltmann, J.: Der Weg Jesu Christi. Christologie in messianischen Dimensionen, München 1989 (bes. 306–329).

erster vor allem (Joh 1,1f.15). Auch im Kolosserhymnus (Kol 1,15–20)[103] wird Christus als „der Erstgeborene der ganzen Schöpfung" gepriesen. „In ihm ist alles, ... Alles ist durch ihn und auf ihn hin erschaffen, und er ist vor allem und alles hat in ihm seinen Bestand." Insgesamt acht Mal kommt in diesem kurzen Hymnus das Wort „alles, ganz" vor. Der kosmische Christus ist – das kann durchaus holistisch interpretiert werden, das Ganze, die Ganzheit. Gott läßt in ihm „die ganze Fülle wohnen" (V.19). Eine besondere Rolle spielte der Hymnus an der 3. Vollversammlung des Ökumenischen Rates der Kirchen 1961 in New Delhi. Bereits 30 Jahre vor dem vieldiskutierten Buch von Matthew Fox über den kosmischen Christus[104] vertrat die Weltökumene Ansätze einer kosmischen ökologischen Theologie! „‚Kosmische Christologie' war der Grundton, die Vision, daß ‚alle Dinge' durch Christus erlöst sind und in ihm ihren Mittelpunkt finden. Die ganze Natur ist ebenso wie die ganze Menschheitsgeschichte inbegriffen in die Erlösungstat Christi und die Verheißung der Gnade."[105] Sehr ähnlich wurde an der 7. Vollversammlung des ÖRK in Canberra die Aussage gutgeheißen: „Das Erlösungswerk Jesu Christi bedeutet nicht nur eine Erneuerung des menschlichen Lebens, sondern des gesamten Kosmos."[106]

Der kosmische Christus spielte immer wieder eine Rolle in der *Schöpfungstheologie,* so z.B. beim griechischen Kirchenvater Gregor von Nyssa und besonders bei den Schöpfungsmystiker und -mystikerinnen wie Hildegard von Bingen, Franz von Assisi, Nikolaus von Kues, Meister Eckhart[107] oder heute Ernesto Cardenal[108]. Als reformatorisches Beispiel sei auch Calvin genannt. Nach ihm „ist der Sohn Gottes vom Himmel herniedergestiegen – und hat ihn doch nicht verlassen, ... er ist auf der Erde gewandelt, ja er hat mit seinem Willen am Kreuze gehangen – und doch hat er immerfort die ganze Welt erfüllt wie im Anfang!"[109] Diese panentheistische Sicht verbindet den geschichtlichen Jesus und den kosmischen Christus! Damit hat, wie Link zu Recht feststellt, „Calvin die Schöpfung sehr viel tiefer als die ihm vorausgegangenen und nachfolgenden Entwürfe mit dem Christuszeugnis des Neuen Testaments verklammert"[110]. Besonders seit der Aufklärung geriet der kosmische Christus stark in den Hintergrund, was den maßlosen Umgang mit der Natur in der Neuzeit förderte.

So wichtig die Wiederentdeckung des kosmischen Christus ist, so muß er doch mit dem

---

103 Zur Wirkungsgeschichte vgl. Gabathuler, H. J.: Der Christus-Hymnus Col 1,15–20 in der theologischen Forschung der letzten 130 Jahre, Zürich 1965. Eine Interpretation bietet auch C. F. von Weizsäcker: Der Hymnus des Kolosserbriefes, in: ders.: Bewußtseinswandel, München 1988, 227–239.

104 Anm. 86. Vgl. auch Kapitel 4.5.1 über Fox.

105 Neu-Delhi 1961. Dokumentarbericht über die Dritte Vollversammlung des Ökumenischen Rates der Kirchen, Stuttgart 1962, 22.

106 Im Zeichen des Heiligen Geistes. Offizieller Bericht der Siebten Vollversammlung des Ökumenischen Rates der Kirchen 1991 in Canberra, Frankfurt a. M. 1991, 61, Nr. 11.

107 Vgl. dazu Fox, M.: Vision vom kosmischen Christus, a.a.O., 163–192.

108 Cardenal, E.: Das Buch von der Liebe. Lateinamerikanische Psalmen, Hamburg 1972. In der klassischen Tradition der Mystik klingt bei ihm überall der kosmische Christus an: „Gott ist die Heimat aller Menschen. Er ist unsere einzige Sehnsucht. Gott ist im Innersten aller Kreatur verborgen und ruft uns. Das ist die geheimnisvolle Ausstrahlung, die von allem Wesen ausgeht ... Die Natur ist die fühlbare, die materialisierte Liebe Gottes. Seine Vorsehung ist sichtbar in allem, was wir anschauen ... Alle natürlichen Wünsche des Menschen wie Essen, Liebe und Freundschaft sind ein einziger Wunsch, sich miteinander und mit dem ganzen Weltall zu vereinen. Diese kosmische Kommunion vollzieht sich aber nur in Christus." (Ebd., 21, 35, 56)

109 Calvin, J.: Institutio, II/13,4.

110 Link, Ch.: Schöpfung, Bd. 1, Gütersloh 1991, 175.

geschichtlichen Jesus verknüpft bleiben, wie das bei Calvin der Fall ist. Fox dagegen will einen „Paradigmenwechsel im Westen ... von der Suche nach dem historischen Jesus zur Suche nach dem Kosmischen Christus" vollziehen.[111] Damit wird Christus leicht zur vagen Chiffre, in die sehr vieles hineinprojiziert werden kann, wie das schon bei den Mystikern die Gefahr war und wie das heute auch z.T. bei der in vielem hilfreichen tiefenpsychologischen Exegese der Fall ist, die kaum Interesse an der geschichtlichen Dimension zeigt. Der kosmische Christus muß immer wieder am irdischen Jesus „geeicht" werden, was bei Fox zuwenig geschieht. Das Kreuz Jesu ist im wörtlichen Sinn die „Nagelprobe" des kosmischen Christus.

Die Rede vom kosmischen Christus muß auch unterschieden werden von *Evolutionsauffassungen* wie eines Teilhard de Chardin, der fortschrittsoptimistisch die Evolution auf den Punkt Omega hin zusteuern sah oder von Fox, der in einer gewissen Nähe zur New Age-Bewegung (von der er sich gleichzeitig abgrenzt) „sicher ist, daß der kosmische Christus ein Zeitalter der Tiefenökumene einleiten wird"[112], ein neues interreligiöses Zeitalter.

Wenn Christus der kosmische, in der ganzen Schöpfung anwesende Christus ist, dann ist es eigentlich folgerichtig, das paulinische Bild der christlichen *Gemeinde als einem Leib* mit vielen Gliedern (1. Kor 12,12–30) auf den ganzen Kosmos oder zumindest die *Erde zu übertragen.* Christus ist dann das „Haupt" des einen Leibes der Erde, die ja heute auch von manchen Naturwissenschaftlern als *ein* Organismus verstanden wird.[113] Und die paulinische Erkenntnis, wenn *ein* Glied in der Gemeinde leidet, leiden alle Glieder mit (1. Kor 12,26), ist auf die heute bereits evidente Erfahrung der weltweiten ökologischen Interdependenz z.B. in der Klimaerwärmung zu übertragen. So ist die paulinische christliche Gemeinde vom kosmischen Christus her als weltweite Gemeinschaft aller Gäste auf Erden, die alle Geschöpfe umfaßt, zu verstehen.

Jesus als Christus ist kyrios der ganzen Schöpfung und mit Gott dem Schöpfer trinitarisch verbunden. So wie Schöpfung und Erlösung zusammengehören, so sind der Schöpfergott, der irdische Jesus/der erlösende Christus und der Heilige Geist eins.

Mit dieser trinitarischen Ausrichtung der Schöpfungstheologie und -ethik kann nun mit Oswald Bayer auch gesagt werden, „daß eine Schöpfungslehre von einer *Sündenlehre* ebensowenig absehen kann wie von einer Eschatologie."[114] Christliche Rede von der Verantwortung gegenüber der Mitwelt kann die Schuldfrage nicht ausklammern. Gerade die Selbstrechtfertigung des Menschen in seinem Verhalten gegenüber der Schöpfung ist Ausdruck von Sünde.[115] Worin aber besteht die Schuld? Während der Philosoph Klaus Michael Meyer-Abich meint: „Schuldig wird allemal, wer für sein Leben ein anderes Wesen sterben läßt"[116], widerspricht der Biologe Gernot Strey: „Ich halte es für eine ungeeignete Position, vom Schuldig-werden zu sprechen, wenn und weil wir auf Kosten anderer Organismen leben."[117] Der Mensch sei nicht schuldig, nur weil er Mensch sei.

---

111 Fox, M.: Vision vom kosmischen Christus, a.a.O., 115ff.

112 Ebd., 336.

113 Vgl. die Gaia-Hypothese von J. E. Lovelock in Kapitel 2.1.2.

114 Bayer, O.: Schöpfung als Anrede, Tübingen 1986, Vorwort.

115 So Gestrich, Ch.: Die Wiederkehr des Glanzes in der Welt. Die christliche Lehre von der Sünde und ihrer Vergebung in gegenwärtiger Verantwortung, Tübingen 1989, 204.

116 Meyer-Abich, K. M.: Wege zum Frieden mit der Natur, München 1984, 192.

117 Strey, G.: Umweltethik und Evolution, Göttingen 1989, 126.

Der Theologe Knud Lógstrup weist darauf hin, daß die Realität der Vernichtung ein wichtiger Teil der Schöpfungsaussagen sei. Es gebe „keine Reproduktion ohne Grausamkeit" in der Schöpfung. „Die Grausamkeit macht den Unterschied von Schöpferwerk und Gottesreich."[118] Der Mensch komme um die Ausbeutung nicht herum.
Die Tatsache, daß wir auf Kosten anderer Lebewesen und in einem ständigen Konflikt mit ihnen leben müssen, muß theologisch als *Erbschuld* bezeichnet werden.[119] Sie ist nicht individuelle Schuld, sondern hängt mit unserem Menschsein zusammen. Die Entwicklungsmöglichkeiten des Menschen sind – anders als es die Aufklärung postulierte – durch die Erbschuld auch nicht unbegrenzt offen. Der Mensch hat immer wieder irreversible Schäden produziert und tut dies heute in höchstem Maße.
Schuld ist aber primär als individuelle und strukturelle *gegenwärtig verursachte Schuld* zu erkennen und bekennen. Im Antlitz des in der guten Schöpfung sichtbaren kosmischen Christus kann der Mensch das eigene Böse erkennen. Er kann es als Schuld bekennen, wie dies z.B. Europäische Ökumenische Kirchenkonferenz zur Schöpfungszerstörung tat: „Wir bekennen unser Versagen gemeinsam und als einzelne ... Wir haben versagt, weil wir nicht entschieden genug die politischen und wirtschaftlichen Systeme kritisiert haben, die Macht und Reichtum mißbrauchen, die die natürlichen Ressourcen der Welt nur zum eigenen Nutzen ausbeuten und Armut und Marginalisierung fortbestehen lassen ... Wir haben versagt, weil wir nicht immer Zeugnis abgelegt haben von der Heiligkeit und Würde allen Lebens und von der Achtung, die wir allen Menschen gleicherweise schulden."[120] Auch die Tatsache, daß die Menschheit es offensichtlich nicht schafft, die fossile Energie noch für mehr als ein bis zwei Generationen zu erhalten und den politischen Willen nicht aufbringt, gravierende Klimaveränderungen zu verhindern (wir werden sie höchstens mildern), muß als Schuld bekannt werden. Schuldbekenntnisse sind die *Antwort* auf Gottes Angebot der Vergebung und der Versöhnung der ganzen Schöpfung. Sie haben nicht nur in der Kirche, sondern auch in der Politik ihren Ort.[121] Sie sind Teil des Prozesses der Umkehr (metanoia) auf ein Ethos des Maßhaltens hin.
Für die Umweltethik heißt all das: Sie hat sich am *irdischen Jesus im Lichte des kosmischen Christus* zu orientieren. Die heutige Wiederentdeckung des kosmischen Christus ist für die christliche Schöpfungsethik und -spiritualität notwendig und verheißungsvoll. Für unsere ökologische Ethik des Maßes heißt das: *Maßhalten wird durch die lebendige Beziehung zum kosmischen Christus* ermöglicht und gefördert. Mitfühlen als einer Grundkategorie der Schöpfungsethik heißt für Christen nicht nur Mitfühlen mit der Natur, sondern *Mitfühlen* mit dem in der Schöpfung wirkenden und leidenden kosmischen Christus. Liebe zu allen Geschöpfen bedeutet Liebe zu Christus. Es heißt auch Verbundensein mit allen Geschöpfen in *einem* Leib, mit Christus als „Haupt". Schändung der Schöpfung bedeutet erneute Kreuzigung Christi. So entspricht es dieser Christologie des

---

118 Lógstrup, K.: Schöpfung und Vernichtung, Tübingen 1990, 331f.

119 Die Erbschuld im Rahmen der Schöpfungslehre betont und zeichnet theologiegeschichtlich nach: Schupp, F.: Schöpfung und Sünde, Düsseldorf 1990. Die konkrete gegenwärtige individuelle und strukturelle Umweltschuld kommt bei ihm leider praktisch nicht zur Sprache.

120 Europäische Ökumenische Versammlung Frieden in Gerechtigkeit, Basel 1989, Schlußdokument, Abschnitt 43.

121 Vgl. dazu Stückelberger, Ch.: Vermittlung und Parteinahme. Der Versöhnungsauftrag der Kirchen in gesellschaftlichen Konflikten, Zürich 1988, 582–593 (Voraussetzungen für kollektive Schuldbekenntnisse: 592f).

kosmischen Christus, daß der Künstler Roland Litzenburger die Kreuzigung mit einem Fisch am Kreuz, der zugleich Mensch ist, darstellte.

5.3.3 Beziehung zum Schöpfergeist

Leitlinie I/3 der Gästeordnung
Du bist willkommen als Gast auf Erden! Das Zusammenleben der Gäste und das dauerhafte Bewahren der dazu nötigen Grundlagen ist am besten gewährleistet, wenn du im Geiste des Gastgebers handelst. Bitte um diese Geistkraft und laß dein Handeln von ihrem Atem durchfluten.

Anders gesagt
Alles Leben auf der Erde ist in seiner Entwicklung geleitet von einem Zentrum. Die einen nennen es Selbstorganisation des Universums, andere Weltseele oder Ganzheit, für den christlichen Glauben ist es der Heilige Geist. Diese Mitte wirkt das Maß aller Dinge und ermöglicht Maßhalten.

> „Komm, Heiliger Geist – erneuere die ganze Schöpfung!
> Spender des Lebens – erhalte deine Schöpfung!
> Geist der Wahrheit – mach uns frei!
> Geist der Einheit – versöhne dein Volk!
> Heiliger Geist – verwandle und heilige uns! Amen.“[122]

Dieses Gebet ist eine prägnante Kurzformel für die Wirkungen des Heiligen Geistes. Es umfaßt das Hauptthema (erste Bitte) und die vier Sektionsthemen der Siebten Vollversammlung des Ökumenischen Rates der Kirchen 1991 in Canberra. Dieser göttliche Geist ist für jede christliche Schöpfungstheologie und -ethik zentral. Die Trinität gehört zum gemeinsamen Fundament aller christlichen Kirchen und damit auch zur christlichen Schöpfungslehre.[123] Auch die vorliegende Schöpfungsethik als Ethik des Maßes ist trinitarisch bestimmt. Doch was ist mit diesem Geist gemeint? In welchem Verhältnis steht diese ruach, dieses pneuma, dieser Atem zum Schöpfergott und zum kosmischen Christus? Und was bedeutet dies für unser Thema?
Viele heutige naturwissenschaftliche Ansätze gehen davon aus, daß sich die Evolution auf dem Planeten Erde und das Zusammenspiel der Ökosysteme nach Prinzipien der Selbstorganisation, Selbstregulation, Selbsterneuerung, ja Selbsttranszendenz vollzieht.[124] Wir haben im zweiten Kapitel über das Maß in der Natur bereits gesehen, daß sich dahinter die Vorstellung eines der Natur immanenten Ordnungsprinzips verbirgt. Früher wurde es z.B. als Weltseele bezeichnet, heute wird es z.B. Selbst oder Geist ge-

---

[122] Im Zeichen des Heiligen Geistes. Bericht der siebten Vollversammlung des Ökumenischen Rates der Kirchen Canberra 1991, Frankfurt a. M. 1991, 47. Zu Schöpfung und Geist in der ökumenischen Diskussion vgl. auch oben Kapitel 4.6 sowie Castro, E. (Hg.): Dem Wind des Geistes Gottes. Gedanken zum Thema von Canberra, Genf 1990.

[123] Vgl. Pannenberg, W.: Systematische Theologie, Bd. 2, Göttingen 1991, 34–49; Link, Ch.: Schöpfung, Gütersloh 1991, 528–31; Moltmann, J.: Gott in der Schöpfung, München 1985, 106–110.

[124] Vgl. u.a. Kapitel 2.3.2.

nannt. Dieses ist oft mit ungeklärten religiösen Implikationen verbunden[125]. Was biblisch mit dem Schöpfergeist Gottes gemeint ist resp. nicht gemeint sein kann[126], sei in Auseinandersetzung mit dem Astrophysiker *Erich Jantsch* gezeigt[127].

Jantsch geht von der *„Selbstorganisation des Universums"* aus. „Leben erscheint nun als Prozeß der Selbstverwirklichung". Das Göttliche manifestiert sich dabei „weder in personaler noch sonstwie geprägter Form, sondern in der evolutionären Gesamtdynamik"[128]. Damit ist „Gott zwar nicht der Schöpfer, wohl aber der Geist des Universums"[129]. Statt vom Numinosen zieht Jantsch es vor, vom Sinn zu sprechen. Dieses Eingebettetsein in den sinnhaften Prozeß der Evolution nimmt die Furcht vor der Zukunft, „auch jene Furcht, die das ‚Überleben der Gattung' als höchsten Wert verteidigt. In der Selbsttranszendenz können wir nicht nur über uns selbst als Individuen, sondern auch über die Menschheit hinausgelangen"[130]! Und in derselben Richtung schreibt Peter Kafka im Vorwort zur Neuausgabe von Jantschs Werk: „Gelänge es, die Prinzipien der Schöpfungsgeschichte zu verstehen und weithin verständlich zu machen, so könnte es vielleicht gelingen, auch den menschlichen Geist so zu organisieren, daß ein lebensfähiges Gesamtsystem entsteht."[131]

So eindrücklich der naturwissenschaftliche Versuch einer monistischen Sicht der Weltentwicklung bei Jantsch in vielem ist, so bildet er doch in seinem Weltbild einen klaren Kontrapunkt zu dem, was oben über den Schöpfer und den kosmischen Christus gesagt wurde und im folgenden über den Geist zu sagen ist[132]. *Vier Differenzen* seien genannt: 1. Der jüdisch-christliche Schöpfergott ist eine ansprechbare Person, die zur persönlichen Verantwortung hinführt, und nicht ein anonymer Evolutionsprozeß. 2. Der Mensch verfehlt sein Menschsein, wenn er die Trennung zwischen Schöpfer und Geschöpf pantheistisch aufhebt, wie das Jantsch tut. 3. Gottes Bundestreue impliziert seine Treue zum Menschsein des Menschen. Auch der biblisch verheißene „neue Mensch" bleibt Mensch. Das Überleben der Gattung Mensch und der Mitwelt bleibt in christlicher Überzeugung ein unaufgebbarer Wert[133]! Er darf nicht relativiert werden durch Jantschs evolutionsgeschichtliche, letztlich von einem gnostischen Dualismus geprägte Phantasie, der physische Tod der Menschheit wäre gar nicht so schlimm, denn „der Geist der Menschheit bedurfte dieser Formen nur in der Phase der Kindheit. Mit der Fähigkeit zur Selbstreflexion sind wir der Geist eines seiner selbst sich bewußt werdenden Universums geworden."[134] 4. Statt des Menschenbildes des Gastes, der aus Weisheit seine Grenzen respektiert, kommt bei Jantsch das Menschenbild des aufklärerischen „Sein wollen wie Gott" mit dem entsprechenden Fortschrittsoptimismus zum Zug. Wenn der Mensch nur

---

125 Vgl. dazu die Kritik Kapitel 2.5, Punkt 4.

126 Vgl. dazu neu Pannenberg, W.: Systematische Theologie, Bd. 2, a.a.O., 96–137: Der Geist Gottes und die Dynamik des Naturgeschehens.

127 Jantsch, E.: Selbstorganisation des Universums. Vom Urknall zum menschlichen Geist, München 1992 (erweiterte Neuauflage. Erste deutsche Auflage 1979).

128 Ebd., 411.

129 Ebd., 412.

130 Ebd., 414.

131 Ebd., 1.

132 Eine naturwissenschaftliche Kritik am Ansatz von Jantsch äußert Altner, G.: Naturvergessenheit, Darmstadt 1991, 124–127.

133 So auch Hans Ruh, vgl. Kapitel 4.2.2.

134 Jantsch, E.: Die Selbstorganisation des Universums, a.a.O., 414f.

etwas mehr Geist hätte, könnte er die Welt schon retten, wird hier suggeriert. Nicht zuviel vom Baum der Erkenntnis habe der Mensch gegessen (wir erinnern uns: die Schlange versprach dabei dem Menschen, wie Gott sein zu können), sondern zuwenig! So schließt Jantsch sein Buch nicht zufällig mit einem Zitat von Kleist: „Mithin müßten wir wieder von dem Baum der Erkenntnis essen, um in den Stand der Unschuld zurückzufallen? Allerdings, antwortete er."[135]
Als ob es eine schöpfungstheologische Antwort auf Jantsch wäre, schrieb der Reformator Calvin über den alles durchdringenden Geist in einem Kapitel zur Unterscheidung von Schöpfer und Geschöpf: „Was soll nun aber dieses dürre Gedankenspiel von dem ‚allgemeinen Geiste' (Weltseele), der die Welt beseelt und trägt? ... Es ist nichts anderes, als daß man sich einen Schattengötzen macht, um nur ja den wahren Gott, den wir fürchten und dem wir dienen sollen, möglichst gründlich loszuwerden. Ich gebe zu: man kann auch in rechter Gesinnung sagen, die ‚Natur' sei Gott – wenn es nur aus einem frommen Herzen kommt. Aber es ist doch eine undurchdachte und unangebrachte Redeweise; denn die Natur ist doch vielmehr die von Gott gesetzte Ordnung, und deshalb ... ist es schädlich, wenn man Gott unklar mit dem ihm untergeordneten Geschehen in seinen Werken vermischt."[136]
Die *panentheistische* statt pantheistische *Sicht des Geistes Gottes* bedeutet, daß dieser in allem Geschaffenen (nicht nur im Menschen) wirkt, aber doch nicht mit dem Geschaffenen identisch ist. Mit Moltmann können wir sagen: „Durch seinen Geist ist Gott auch in den Materiestrukturen präsent. Es gibt in der Schöpfung weder geistlose Materie noch immateriellen Geist, denn es gibt nur informierte Materie. Die Informationen aber, die alle Materie- und Lebenssysteme bestimmen, sind Geist zu nennen." Dies geschieht aber nicht so, „daß alles Gott ist, wohl aber so, daß Gott in allem ist und alles in Gott."[137]
Man kann noch einen Schritt weitergehen und den Bund Gottes mit den Menschen und mit allen Geschöpfen in den hochkomplexen Steuerungsmechanismen der Natur, wie sie die Biokybernetik beschreibt[138], erkennen. Der Bund ist ja eine Metapher für das Mit-dem-Schöpfer-in-Beziehung-Bleiben. So schlage ich vor, in Erweiterung des Begriffs Biokybernetik theologisch und besonders pneumatologisch von der *Theokybernetik* in den Ökosystemen reden, denn Gott als Heiliger Geist ist der kybernetes, der Steuermann, die lenkende Weisheit in allem Evolutionsgeschehen. Auch wenn man den göttlichen Geist in Informations- und Steuerungsprozessen der Natur erkennt, ist notwendigerweise an der „Personalität des Geistes"[139] festzuhalten – eine logische Folge der Personalität des Schöpfers und Jesu Christi, mit denen der Geist trinitarisch eins ist.
In diesem erweiterten Verständnis wird der Heilige Geist aus der Engführung des „nur" auf den Menschen und seine Erlösung bezogenen Wirkens befreit und wird – in Entsprechung zum kosmischen Christus! – zum „kosmischen Geist"[140], der in der ganzen

---

135 Ebd., 416.
136 Calvin, J.: Institutio I/5,5.
137 Moltmann, J.: Gott in der Schöpfung, München 1985, 219 und 109. Zum Verhältnis von Geist und Materie vgl. auch Hollenweger, W. J.: Geist und Materie. Interkulturelle Theologie Bd. 3, München 1988, 271–300.
138 Vgl. Kapitel 2.3.1.
139 Moltmann, J.: Der Geist des Lebens. Eine ganzheitliche Pneumatologie, München 1991, 282–325.
140 Der Begriff wird verwendet bei Moltmann, J.: Gott in der Schöpfung, a.a.O., 110–116; Daecke, S.: Säkulare Welt – sakrale Schöpfung – geistige Materie, in EvTh 45 (1985), 261–276 (274ff).

Schöpfung wirkt und auf ihre Vollendung hinarbeitet. Dies hat eine Konsultation des Ökumenischen Rates der Kirchen in Malaysia so festgehalten: „Der Heilige Geist ist Gottes nicht geschaffene Energie, die in der ganzen Schöpfung lebt. Die ganze Schöpfung lebt und bewegt sich und ist in diesem göttlichen Leben. Der Geist ist in, mit und unter ‚allen Dingen' (ta panta). Der Heilige Geist strebt danach, sie zur Vollkommenheit zu führen (Erlösung). Aufgrund der Allgegenwärtigkeit des Heiligen Geistes in der ganzen Schöpfung lehnen wir nicht nur die Ansicht ab, daß der Kosmos nicht an dem Heiligen teilhat und daß die Menschen nicht Teil der Natur sind; wir bestreiten auch, daß es harte Trennlinien gibt zwischen dem Belebten und dem Unbelebten und dem Menschlichen und dem Nichtmenschlichen."[141]
Nochmals sei an Calvin erinnert, der besonders ausgeprägt das Wirken des Heiligen Geistes in der ganzen Schöpfung hervorhob.[142] „Denn er (der Geist) ist überall gegenwärtig und erhält, nährt und belebt alle Dinge im Himmel und auf Erden."[143] Derselbe Geist ist auch der „Urheber der Wiedergeburt", „unsere Rechtfertigung ist *sein* Werk"[144]. Für Calvin ist der Heilige Geist „lebendigmachendes Wasser", „Hand Gottes, durch die Gott seine Macht ausübt", „Siegel unseres Erbes (2. Kor 1,22), denn er macht uns, die wir in dieser Welt als Pilger wandern und gleich Toten sind, vom Himmel her lebendig."[145] Der Geist Gottes ist also Wegzehrung, Proviant, für unsern Weg als Gäste auf Erden!
Das Verhältnis zwischen der Personalität und Apersonalität des Geistes wie zwischen dem im Menschen wirkenden Heiligen Geist und dem kosmischen Geist, die eins sind und doch in Spannung zueinander stehen, ist allerdings spannungsvoll.[146] Diese Spannung ist wohl wie jene zwischen der Weltimmanenz und Welttranszendenz Gottes und zwischen dem irdischen Jesus und dem kosmischen Christus auszuhalten. Leonardo Boff löst sie mit der einfachen und einsichtigen Formel: „Der Heilige Geist wohnt im Kosmos und im menschlichen Herzen."[147] Der Heilige Geist als duplex spiritus hat zwei hauptsächliche Wirkungsweisen: Er macht alles Geschaffene lebendig und er heiligt den Menschen. Dieser belebende und heiligende Geist kommt im am Anfang dieses Kapitels zitierten Gebet der Weltökumene präzis zum Ausdruck: „Spender des Lebens – erhalte deine Schöpfung; Heiliger Geist – verwandle und heilige uns."[148]
Noch einmal ist zu betonen, daß der Heilige Geist in all seinem Wirken konsequent *trinitarisch* als eins gesehen werden muß mit dem Wirken Gottes als Schöpfer und dem

---

141 Zit. nach: Beschleunigter Klimawandel. Zeichen der Gefahr, Bewährung des Glaubens. Ein Studienpapier des Ökumenischen Rates der Kirchen, Genf 1994, 36.

142 Ausführlich Krusche, W.: Das Wirken des Heiligen Geistes nach Calvin, Berlin 1957. Auch Link, Ch., Schöpfung, a.a.O., 549 und Bd. 1, 125.

143 Calvin, J.: Institutio I, 13,14.

144 Ebd.

145 Ebd., III, 1,3.

146 Darauf verweist kritisch Link, Ch.: Schöpfung, Bd. 2, Gütersloh 1991, 551.

147 Boff, L.: Von der Würde der Erde. Ökologie. Politik. Mystik, Düsseldorf 1994, 54.

148 Die drei andern Hauptwirkungsweisen des Heiligen Geistes, (der Geist der Wahrheit, der Geist der Einheit/Versöhnung und der Geist der Erneuerung/Neuschöpfung) können hier vorerst beiseite gelassen werden. Mehr dazu in Stückelberger, Ch.: Vermittlung und Parteinahme. Der Versöhnungsauftrag der Kirchen in gesellschaftlichen Konflikten, Zürich 1988, 457–464.

Wirken Jesu Christi. Der Heilige Geist weht zwar frei, wo er will, aber er weht immer als Schöpfergeist des Schöpfers und[149] als richtender und versöhnender Geist Jesu von Nazareth und des kosmischen Christus.
Was heißt all das für die *Umweltethik des Maßes?*
Konkretere Folgerungen sind in Kapitel 5.4 zu ziehen. Hier nur soviel: Mit der trinitarischen Verankerung der christlichen Ethik spielt die Pneumatologie für die Ethik eine zentrale Rolle.[150] Ausgeprägt pneumatologisch begründet Paulus die Ethik.[151] Das christusgemäße und damit schöpfungsgemäße neue Handeln ist eine Gabe des Geistes (Röm 6,1ff; 8,1ff; Gal 5,13ff; 1. Kor 12,8). So werden die Menschen durch den Heiligen Geist Mitarbeiterinnen und Mitarbeiter Gottes, co-operatores Dei. Sie werden aber, auch wenn sie durchdrungen sind vom Schöpfergeist, nicht selbst co-creatores, Mitschöpfer. Der Schöpfergeist macht Menschen nicht zu Göttern, aber er hilft ihnen, endlich Mensch zu werden. Das ist das anzustrebende Maß. Sie bleiben Mensch und werden erst Mensch. Sie bleiben Gast. Zum Glück.
So ist auch die Fähigkeit, das Maß im Umgang mit der Schöpfung zu erkennen und Maß halten zu können, eine Wirkung des Heiligen Geistes. Zwar erwähnt Paulus in seiner Aufzählung dieser „Früchte des Geistes“ (Gal 5, 22f) – er nennt deren neun – das Maßhalten im Sinne der sophrosyne nicht direkt, wohl aber die mit der sophrosyne eng verbundene Selbstbeherrschung (engkrateia). Diese in der griechisch-hellenistischen Ethik zentrale Tugend ist nun aber nicht mehr der autonome Willensakt des Menschen, der zu Askese und Leibfeindlichkeit führt. Engkrateia ist hier eine Folge der Glaubensbeziehung zum dreieinigen Gott, konkretisiert in der mystischen und empathischen Beziehung zu allem Lebenden. Es bedeutet die Befreiung von der Selbstbezogenheit, die alles immer nur unter dem Aspekt des Eigennutzes beurteilt. Damit wird die Hinwendung zu den andern, auch zur nichtmenschlichen Mitwelt, und deren Interessen und Bedürfnissen möglich. Der Geist Gottes ist dabei in keiner Weise dem Leiblichen und Materiellen entgegengesetzt. Dieses wird in der jüdisch-christlichen Weltsicht sehr positiv gewertet, da ja das Geschaffene gut ist. Der creator spiritus, der Schöpfer Geist, erweckt gerade das Materielle zum Leben. Er weckt in uns auch die Kraft, für den Leib zu sorgen, hungerndes Leben zu nähren und eine gerechte Verteilung der Güter und damit der Lebenschancen zu fördern. Darin zeigt sich, daß Maßhalten nicht Selbstzweck ist, sondern um des Mitmenschen und der Mitwelt willen geschieht. Zu *solchem* Maßhalten ermächtigt der Heilige Geist. Dabei ist entsprechend der Vielfalt der Geistesgaben als Gnadengaben das richtige Maß für jeden verschieden. In der Gemeinde, ja der weltweiten Menschheitsgemeinde und Gemeinschaft der Lebewesen „unterstützt jedes Glied das andere nach dem Maß seiner Kraft“ (Eph 4,16). Diese *individuelle Angemessenheit der ethischen Forderung* ist ein Kennzeichen des Heiligen Geistes. Ein weiteres Kennzeichen

---

149 „Und des Sohnes“ ist hier nicht im Sinne des filioque des Nicaenum zu verstehen, das den Geist dem Vater und Sohn nachordnet, sondern der unlösbaren Einheit, die von der Gleichzeitigkeit und vollen Gleichwertigkeit von Vater, Sohn und Geist ausgeht. So auch Moltmann, J.: Der Geist des Lebens, a.a.O., 321.

150 So auch bei Ulrich, H. G.: Eschatologie und Ethik, München 1988. Bei seiner Betonung der Pneumatologie kommt allerdings die Verknüpfung mit der Protologie und der Christologie zu kurz.

151 Vgl. dazu Schrage, W.: Ethik des Neuen Testaments, Göttingen 1982, 167–170; Schulz, S.: Neutestamentliche Ethik, Zürich 1987, 348–357.

des Heiligen Geistes ist, daß er zur Ausdauer, zum Durchhalten, zum *langen Atem,* zur Treue (zur Schöpfung) befähigt.[152]

In all dem ist für Christinnen und Christen der erste Schritt zu einem Ethos des Maßes das geistliche Leben: die Anrufung Gottes mit der *Bitte* um den Heiligen Geist.[153]

5.3.4 Beziehung zum Mitmenschen

Leitlinie I/4 der Gästeordnung

Du bist willkommen als Gast auf Erden! Alle Menschen sind gleichwertige Gäste Gottes als seine Ebenbilder. Dein Maß findest du in der Beziehung zu den Mitmenschen als deinen Mitgästen. Dazu gehören die gegenwärtigen und die zukünftigen Generationen. Sie haben gleiche Gast-Rechte wie du.

Anders gesagt

Alle Menschen haben ein Recht auf Leben und Entfaltung. Das gilt weltweit für die gegenwärtigen wie auch für die zukünftigen Generationen. Das eigene Maß mißt sich deshalb am andern, besonders an der Beziehung zu den Schwächern als den unter den Folgen der Maßlosigkeit Leidenden.

Die Frage, wieviel Fleisch ich essen, wie oft ich per Flugzeug in die Ferien reisen oder welche neuen Medikamente eine Firma entwickeln soll, wird in der Regel nach dem Eigeninteresse beantwortet. Maßvoll ist, was mir gut tut und was ich für ein erfülltes Leben brauche resp. was einer Unternehmung für Weiterbestand und Wachstum nötig scheint. Dieses Eigeninteresse ist ethisch nicht verwerflich! Es ist positiver Ausdruck des (Über-)Lebenswillens. Wo es fehlt, kann jemand sich selbst oft zuwenig Sorge tragen. Dennoch ist das Eigeninteresse alles andere als eine genügende Basis für ein Ethos des Maßes. Es ist vielmehr eine der Ursachen für den tiefen Graben zwischen jenen, die in maßlosem Überfluß und der Mehrheit, die in maßloser Armut leben. Der Icheinzigwahn zeigt sich heute besonders in der subtilen Form narzisstischer Ichbezogenheit und abnehmender Beziehungsfähigkeit. Der immer noch steigende Anteil der Einpersonenhaushalte und die Scheidungsraten sind Indikatoren dafür.

Für den jüdisch-christlichen Glauben liegt *das Maß im andern.* Das Doppelgebot der Liebe, Gott zu lieben und den Nächsten wie sich selbst, das dem Alten wie dem Neuen Testament zugrunde liegt (3. Mose 19,18; 5. Mose 6,5; Mt 22, 37–39), erweist die liebende Beziehung zum Mitmenschen als Folge der liebenden Beziehung zu Gott. Maßstab ist nicht ein absolut und kasuistisch festgelegtes Maß, sondern das dynamische In-Beziehung-Sein zu den Mitmenschen wie zu Gott. Diese Überzeugung, die sich wie ein roter Faden durch den jüdisch-christlichen Glauben zieht, ist bei Paulus aufgenommen (und von seiner gesetzlichen Verengung befreit), wenn er den Nächsten zum Maßstab der eigenen Freiheit erklärt. In der „Freiheit des Christenmenschen" gibt es keine Tabus durch kultische Schranken im Umgang mit den Gütern der Welt. „Alles ist erlaubt, aber

---

[152] Ausführlich bei Müller-Fahrenholz, G.: Erwecke die Welt. Unser Glaube an Gottes Geist in dieser bedrohten Zeit, Gütersloh 1993, 136–144.

[153] So auch Barth, K.: Das christliche Leben. Die Kirchliche Dogmatik IV/4, Zürich 1979², 148.

nicht alles ist heilsam." (1.Kor 10,23). Das Maß in der entsakralisierten Welt ist der andere, die Gemeinschaft.[154] So fährt Paulus fort: „Alles ist erlaubt, aber nicht alles baut auf. Niemand suche das Seine, sondern jeder das des andern." (V.24) So wird „meine Freiheit von einem fremden Gewissen gerichtet" (V.29). Das Richt-Maß, der „Richter" im Sinn dieses Paulus-Verses ist nicht die „Mitte" im Sinne des Aristoteles (er braucht zu dessen Bestimmung den Nächsten nicht), auch nicht die „unsichtbare Hand" eines fiktiven „unparteiischen Zuschauers" wie bei Adam Smith oder die Vernunft als dem „angeborenen Richter" des Menschen über sich selbst wie bei Kant[155], sondern der Mitmensch. Richt-Maß ist die sichtbare Hand des Nächsten und Fernsten und – durchaus parteiisch – des Geschundenen und Leidenden. Die Randständigen und Benachteiligten werden zum Maß für einen maßvollen Lebensstil.

Dabei muß ich meine eigenen Interessen nicht völlig verleugnen, aber im Licht des andern neu gewichten, so wie er dies mir gegenüber tun soll. Dadurch entsteht eine gegenseitige Partnerschaft, auch unter Ungleichen. Die christliche „neue Ökonomie" lautet dann: „Dient *einander* als gute Verwalter (oikonómoi) der vielfältigen Gnade Gottes, jeder mit der Gabe, die er empfangen hat" (1. Petr 4,10). Das heißt *Gast sein unter Gästen!* Maßfindung ist somit ein *kommunikativer Prozeß,* wie ihn die Diskursethik methodisch erarbeitet hat und wie wir ihn am Beispiel der Erarbeitung von Umweltstandards gezeigt haben.[156] Die christliche Ethik hat dabei zu betonen, daß in diesen kommunikativen Prozeß neben der Wissenskompetenz der Fachleute und Machtkompetenz der Entscheidungsträger (Politiker/innen) die Gaben der Erfahrungskompetenz der von Umweltrisiken und -belastungen Betroffenen mit genug Gewicht eingebracht werden müssen. *Partizipation* ist Voraussetzung für eine menschengerechte Maßfindung!

Leben im Überfluß ist gemäß jesuanischem und paulinischem Freiheitsverständnis durchaus erlaubt – sofern gewährleistet ist, daß die Mitmenschen und die zukünftigen Generationen ebenso im Überfluß leben können und daß die natürlichen Lebensgrundlagen dabei nachhaltig erhalten bleiben! Das Maß meiner Freiheit oder Bedürfnisbefriedigung ist die Freiheit und Bedürfnisbefriedigung gegenwärtiger und zukünftiger Mitmenschen. Das Erbarmen Gottes gilt dabei besonders dem Armen (hebr. ani, griech. ptochos).[157] Es findet im einfühlenden und solidarischen Erbarmen des Menschen gegenüber den Mitmenschen (Mt 5,7) seine Entsprechung. In diesem Erbarmen findet der Mensch das Maß für sein Handeln gegenüber Mensch und Mitwelt.

Umweltethisch gesehen gehören zu diesen Schwachen besonders die unter der Umweltzerstörung *Leidenden:* die Kinder und die am Existenzminimum oder darunter Lebenden, die z.B. von Wasserverschmutzung, Bodenerosion, Giftmülldeponien in der Dritten Welt, allfälliger Dürre durch Klimaerwärmung sofort existentieller betroffen sind als andere. Zu den Leidenden gehören aber auch alle von Umweltgefahren oder -immissionen *Betroffenen*[158], auch wenn es nicht gleich ums Überleben geht, z.B. Anwohner von Flughäfen oder Durchfahrtsstraßen, die vom Lärm betroffen sind, aber auch jenes zu-

---

[154] Vgl. dazu Kapitel 3.2.4.

[155] Vgl. Kapitel 3.1.2, 3.4.2. und 3.4.3.

[156] Kapitel 2.4.2.

[157] Vgl. z.B. Santa Ana, J. de: Gute Nachricht für die Armen. Die Herausforderung der Armen in der Geschichte der Kirche, Wuppertal 1979.

[158] Vgl. dazu auch den Betroffenheitskonflikt im Fallbeispiel Artenvielfalt in Kapitel 1.3.2.

nehmend größere Heer von Arbeitslosen, die u.a. wegen notwendigen Strukturanpassungen der Wirtschaft an ökologisches Wirtschaften keine bezahlte Arbeit haben. Zu den Leidenden ist auch die geschwächte Natur zu zählen, worauf wir im nächsten Kapitel eingehen.

Worin liegt nun aber eigentlich die *Begründung für die Gleichheit und die gleichen Rechte aller Menschen unter Einschluß der zukünftigen Generationen?* Warum soll die Gleichheit ein Maß sein? Wir konzentrieren uns auf die Begründung der Rechte zukünftiger Generationen, da die gleichen Rechte gegenwärtig Lebender in der theologischen Menschenrechtsdiskussion zur Genüge begründet wurden (v.a. mit der Gottebenbildlichkeit).[159]

Der Philosoph Dieter Birnbacher begründet die Verantwortung für zukünftige Generationen mit dem *„intergenerationellen Nutzensummenutilitarismus“,* also dem Ziel, den größtmöglichen Nutzen (größtmögliche Differenz zwischen Glück und Leiden) für die größtmögliche Zahl von Menschen zu verwirklichen.[160] Dies ist nur möglich, wenn zukünftige Generationen einbezogen werden. Doch warum soll ich eigentlich einen abstrakten Gesamtnutzen mehren helfen, wenn ich dabei am persönlichen kurzfristigen Nutzen Abstriche machen muß? So erweist sich wohl faktisch der *Eigennutz* als eine der stärksten Triebkräfte für die Mehrzahl der Menschen: *die Erfahrung* bereits eingetretener Einschränkungen der Lebensqualität (z.B. durch Lärm, Luftbelastung, Hektik) und die *Angst* vor dem kommenden Verlust des eigenen Wohlstandes, wenn wir uns nicht freiwillig selbst begrenzen.

Für den Philosophen Hans Jonas besteht die Verantwortung gegenüber Künftigen in der letztlich nicht begründbaren „Pflicht zum Dasein und Sosein einer Nachkommenschaft“[161]. Seine Nichtbegründbarkeit ist zwar intellektuell unbefriedigend, weist aber auf einen religiös wichtigen Aspekt: Das eigene Leben ist ein winziger Abschnitt in einem Kontinuum des Lebendigen. So wie uns das Leben geschenkt ist, ohne daß wir gefragt wurden, ob wir es wollen, so ist es uns anvertraut weiterzugeben. In der Unverfügbarkeit des Lebens liegt ein Stück seiner Unbegründbarkeit, denn begründen heißt immer auch, habhaft machen zu wollen. Wenn theologisch dennoch eine Begründung gegeben wird, dann nur unter diesem Vorzeichen und in dem Sinn, daß Gott seinen Gästen seine Pläne offenbar machen will, als Zeichen seiner Freundschaft mit den Menschen.

Sieben biblisch-theologische Gründe für die gleichen Rechte zukünftiger Generationen sind zu nennen: 1. Der unüberbrückbare Unterschied zwischen Schöpfer und *Geschöpfen* führt zur grundsätzlichen Gleichwertigkeit des Geschaffenen unabhängig von der Zeit-

---

159 Z.B. Lochman, J. M./Moltmann, J. (Hg.): Gottes Recht und Menschenrechte. Studien und Empfehlungen des Reformierten Weltbundes, Neukirchen 1977², 47ff, 61f; Huber, W./Tödt, H. E.: Menschenrechte. Perspektiven einer menschlichen Welt, Stuttgart 1977, 186ff; Baur, J (Hg.): Zum Thema Menschenrechte. Theologische Versuche und Entwürfe, Stuttgart 1977; Eigel, W.: Entwicklung und Menschenrechte. Entwicklungszusammenarbeit im Horizont der Menschenrechte, hg. von der Schweiz,. Nationalkommission Justitia et Pax, Freiburg 1984, 51f; Menschenrechte. Der Auftrag der Christen für ihre Verwirklichung. Ein Werkbuch für Kirche und Unterricht, hg. von der Menschenrechtskommission des Schweiz. Evang. Kirchenbundes und der Schweiz. Nationalkommission Justitia et Pax, Bern-Stuttgart 1986, 64ff.

160 Birnbacher, D.: Verantwortung für zukünftige Generationen, Stuttgart 1988, 101ff. Vgl. oben Kapitel 4.8.1.

161 Jonas, H.: Das Prinzip Verantwortung, Frankfurt 1984, 84–90. Vgl. oben Kapitel 4.8.2.

dimension, ob es vergangen, gegenwärtig oder zukünftig ist. 2. Alle Menschen sind *Ebenbilder* Gottes, alle sechs Milliarden Lebenden wie die noch nicht Geborenen. 3. Der *Bund* Gottes mit Noah schließt ausdrücklich die Nachkommen in den Bund ein (1. Mose 9,9). 4. Das Gebot, die Eltern zu ehren (das fünfte der zehn Gebote, 2. Mose 20,12) beinhaltet einen Generationenvertrag, bei dem wir für vor und nach uns lebende Generationen sorgen. Im Sinne der goldenen Regel ist dies eine Voraussetzung, damit auch wir Umsorgtsein erfahren. 5. Das Heil *Christi* und der lebendigmachende *Geist* gelten in ihrer kosmischen Dimension für alles Geschaffene, auch das noch kommende. 6. Die Zukünftigen gehören zu den *Schwachen*[162], die besonderer Liebe bedürfen. 7. Die Grenze zwischen gegenwärtigen und künftigen Generationen ist völlig *fließend.* In unsern Kindern leben Künftige, die nach uns sein werden, bereits jetzt.

Diese religiös motivierte, in der Gottesbeziehung verankerte Verantwortung für zukünftige Generationen erweist sich m. E. als die stärkere Kraft für ein Ethos des Maßes als der Nutzensummenutilitarismus, so einleuchtend dieser tönt. Die Rechte künftiger Generationen bilden eine Grenze der Rechte Heutiger und durch diese Relationalität ein Korrektiv und ein umweltethisches *Maß.*

Beim *Inhalt* dieser Rechte kann ich mich umweltethisch voll den zehn Rechten künftiger Generationen von Saladin/Zenger, die in der Schrift an den Reformierten Weltbund zu einer Erweiterung der Allgemeinen Erklärung der Menschenrechte aufgenommen wurden[163], anschließen.[164]

Wie die Rechte Künftiger umweltpraktisch in die Entscheidungsfindung einbezogen werden können, ist noch wenig ausgereift. Der Vorschlag einer *„Nachweltverträglichkeitsprüfung"*[165] analog zur Umweltvertäglichkeitsprüfung" wäre auszugestalten. Wir können allerdings nicht mehr so tun, als ob die Rechte Künftiger auch nur einigermaßen gewährt würden. Vielmehr müssen wir dazu stehen, daß künftige Generationen solche Rechte wie das „Recht auf erhebliche Vorräte an nicht (oder nur sehr langsam) erneuerbaren Rohstoffen und Energieträgern" z.T. bereits nicht mehr haben werden. Auch wenn möglicherweise andere Energieträger entdeckt werden, haben Künftige das Erdöl, ohne das heutiger Wohlstand schlicht undenkbar ist, nicht mehr. Somit stellt sich nicht nur die Forderung, den Verbrauch nichterneuerbarer Ressourcen drastisch zu senken, sondern auch die ethische Frage, wie zukünftigen Generationen *Schadenersatz* zu leisten wäre.

Die Betonung der Rechte der nichtmenschlichen Mitwelt und der zukünftigen Generationen ist wichtig. Sie ist aber ethisch nur glaubwürdig und von der Zweidrittelwelt annehmbar, wenn die *heute Leidenden und täglich Sterbenden* ebenso ernst genommen werden wie die künftigen Menschen und die leidende Natur! In manchen Umweltethiken ist diese Verknüpfung der Aspekte Umwelt und Entwicklung noch mangelhaft. Ja manchmal entsteht das erschreckende Gefühl, im Konflikt Mensch-Natur seien die heutigen Armen eigentlich bereits aufgegeben. Im Konflikt zwischen Gegenwärtigen und Zukünftigen gilt immer noch das Kriterium, das Jürgen Moltmann bereits 1976 im Zu-

---

162 So auch Schlitt, M.: Umweltethik, Paderborn 1992, 201. Er spricht in Anlehnung an die befreiungstheologische „Option für die Armen" von der „Option für die zukünftigen Generationen".

163 Vischer, L. (Hg.): Rechte künftiger Generationen. Rechte der Natur, Bern 1990, 12f; identisch mit: Saladin, P./Zenger, Ch.: Rechte künftiger Generationen, Basel 1988, 46f.

164 Sie sind oben in Kapitel 4.6.2 vollständig wiedergegeben.

165 Saladin, P.: Rechte künftiger Generationen, in: Vischer, L., a.a.O., 26–34 (33).

sammenhang mit den Menschenrechten formulierte: „Der Mensch darf seine Gegenwart nicht auf Kosten der Zukunft ausbeuten, wie er auch nicht verpflichtet ist, seine Gegenwart der Zukunft zu opfern. Er wird sich vielmehr um einen gerechten Ausgleich der Lebens- und Freiheitschancen der gegenwärtigen und der zukünftigen Generationen bemühen."[166] Was ein gerechter Ausgleich bedeutet, wird später zu erörtern sein[167].

5.3.5 Beziehung zur Mitwelt. Ihre Würde und Rechte

Leitlinie I/5 der Gästeordnung
Du bist willkommen als Gast auf Erden! Du bist Gast unter Gästen. Dazu gehören außer den Mitmenschen auch die übrigen Mitgeschöpfe. Dein menschliches Maß findest du in der einfühlenden Beziehung zu deinen Mitgeschöpfen. Sie haben ihren Wert, ihre Würde und ihre Rechte unabhängig von dir.

Anders gesagt
Die belebte und unbelebte Mitwelt hat einen vom Menschen unabhängigen Wert und ihre eigene Würde. Alle Geschöpfe haben das Recht auf ein ihnen gemäßes Leben und auf Entfaltung. Maßvoll leben heißt, in Respekt vor der Würde der Mitwelt zu handeln.

Ein maßvoller Umgang mit der Natur ist nur möglich, wenn wir eine *Beziehung* zu ihr haben[168]. Diese Hauptaussage obiger Leitlinie soll in drei Aspekten entfaltet werden: a) die *Wahrnehmung* der Mitwelt, b) die *Würde* und der *Eigenwert* der Mitwelt, c) die *Rechte* der Mitwelt.

a) Die Wahrnehmung der Mitwelt

Wie ist eine lebendige Beziehung zur Mitwelt aufzubauen? Die Entfremdung von der Natur nimmt ständig zu und die alltagsbezogene Naturerfahrung ab, obwohl alle von Umweltschutz reden und der Drang in die Natur groß zu sein scheint. Gründe dafür sind z.B. die weltweit rasante Verstädterung[169], der Ausbau der künstlichen Welten (Einkaufszentren, künstliche Freizeitparks usw.), die Wahrnehmung der Natur durch Medien statt durch direkte ganzheitliche Sinneswahrnehmung, die zunehmende Unabhängigkeit von den Rhythmen der Natur, von der Hors-sol-„Land"wirtschaft bis zum Schnee aus Schneekanonen, die im wesentlichen in der „Abschirmung von der natürlichen Mitwelt durch Energiesysteme"[170] besteht.

---

166 Moltmann, J.: Theologische Erklärung zu den Menschenrechten, in: Lochman, J. M./Moltmann, J. (Hg.): Gottes Recht und Menschenrechte, a.a.O., 44–60 (53).

167 Kapitel 5.4.2.

168 Die alttestamentliche Wahrnehmung der Natur ist von dieser existentiellen Verbundenheit geprägt. Die exegetischen Einsichten faßt O.H. Steck so zusammen: „Wenn das Israel des Alten Testaments auf die natürliche Welt sah, hat es den Menschen nicht als Subjekt daneben und außerhalb situiert, sondern ihn inmitten, innerhalb der natürlichen Welt gesehen … Wir treffen also nicht auf eine statisch-objektivierende, sondern auf eine ganz existenzbezogene, betroffene, Mensch und Natur zusammenschließende Weltsicht." (Steck, O.H.: Bewahrung der Schöpfung. Alttestamentliche Sinnperspektiven für eine Theologie der Natur, in: Weder, H. (Hg.): Gerechtigkeit, Friede, Bewahrung der Schöpfung, Zürich 1990, 39–62 (47f).)

169 1960 lebten noch 78 % der Menschen der Dritten Welt auf dem Lande, 1990 noch 63 %, im Jahr 2000 werden es noch 55 % sein und bis zum Jahr 2030 rechnen Prognosen mit zwei Städtern auf eine Person im ländlichen Raum.

170 So Meyer-Abich, K. M.: Wege zum Frieden mit der Natur, München 1984, 255ff.

Die *Wahrnehmung* der Natur geschieht heute wesentlich durch *Information* über das Funktionieren der Ökosysteme, die Lebensbedingungen der Tiere und Pflanzen, die Gefährdungen, die Indikatoren der Wohlfahrt wie tägliche Ozon- und Luftqualitätsangaben usw. Die Wahrnehmung durch die *eigenen Sinne* – sehen, hören, riechen, schmecken, tasten – ist für eine Beziehung zur Natur aber ebenfalls unverzichtbar. Die heute verbreitete Reduktion auf den Sehsinn der Augen (Naturwahrnehmung durch das Fernsehen) läßt die vielfältigen Schöpfungsgaben Gottes, zu denen alle fünf Sinne gehören, verkümmern. Meine wenigen Erfahrungen, Hühner, Kaninchen und ein Schaf selbst getötet und für das Essen zubereitet zu haben, haben meinen Fleischkonsum reduziert. Das sinnliche Erleben der Natur fördert das *Staunen*[171], was in der Umwelterziehung von zentraler Bedeutung ist. Ohne gleich einen naturalistischen Fehlschluß zu wittern, kann man wohl Luther nur zustimmen, wenn er schreibt: „Wenn sie nur ein Körnlein oder einen Kirschkern recht ansähen, der kann sie wohl Mores lehren."[172]
Ein weiteres wichtiges Element in der Wahrnehmung der Natur ist *Empathie* als die Fähigkeit des Mitfühlens und Mitleidens. Anhand der Seligpreisungen haben wir ihre biblische Bedeutung bereits erwähnt.[173] Meyer-Abich formuliert folgende Regel: „Die natürliche Mitwelt soll unter Bedingungen bewirtschaftet werden, unter denen der damit verbundene Schmerz der Wandlung erträglich ist. Um darüber urteilen zu können, muß der Schmerz von uns empfunden werden."[174] Für Christinnen und Christen leidet in der Mitwelt der kosmische Christus selbst. Gast Christi zu sein führt deshalb zu empathischem Mitfühlen und Mitleiden mit der Schöpfung. Denn wer mitfühlt, „daß alles Geschaffene insgesamt seufzt und sich schmerzlich ängstigt" und „sehnsüchtig auf Erlösung hofft" (Röm 8,22.19)[175], sehnt sich selbst nach Befreiung von der ökologischen Zerstörung. Dieses Mitfühlen geschieht nicht passiv-erduldend, sondern im aktiven „Leiden als Leidenschaft für das Ganze"[176]. Aus diesem Mitleiden entsteht das Maß als „Augenmaß für das, was ökologisch, sozial, gesellschaftlich, wirtschaftlich und politisch getan werden muß."[177]
Das Maß erkennen geschieht oft über den *eigenen Körper*[178]. Ein Herzinfarkt signalisiert jemandem, daß er über seine Maße gearbeitet hat, manche Krankheiten dienen dazu, das eigene Maß besser zu spüren. Natur wahrnehmen heißt deshalb auch den eigenen Körper wahrzunehmen. Der Körper ist nicht feindliche Natur, die es zu zähmen und zu unterwerfen gilt, sondern zunächst gilt es, die Würde des eigenen Körpers als Teil der Würde der Natur wahrzunehmen. Sorgfältig und respektvoll mit ihm umgehen, ihn nicht zu

---

171 Stückelberger, Ch.: Staunen oder beherrschen? Eine Unterrichtshilfe des WWF-Lehrerservice, Zürich 1982. Vgl. auch Kapitel 1.1.

172 Luther, M.: WA 19/497,16f, zit. in Peters, A.: „Ein Kirschkern kann uns wohl Mores lehren". Luthers Bild der Natur, in: Rau, G. et al (Hg.): Frieden in der Schöpfung, Gütersloh 1987, 142–163 (143).

173 Kapitel 5.3.2.

174 Meyer-Abich, K. M.: Aufstand für die Natur, München 1990, 113.

175 W. Schrage (Bibelarbeit über Röm 8,18–23, in: Moltmann, J., Hg.: Versöhnung mit der Natur?, München 1986, 150–166) weist zu Recht darauf hin, daß hier nicht naturromantische Erlebnisse von Paulus beschrieben werden, sondern eine Deutung des Zustands der Schöpfung in der apokalyptischen Tradition vom Ende her (155).

176 Altner, G.: Leidenschaft für das Ganze. Zwischen Weltflucht und Machbarkeitswahn, Stuttgart 1980, 233ff.

177 Ebd., 241.

178 Vgl. Kapitel 2.3.5.

schänden (z.B. durch Suchtmittel) ist Ausdruck des Respekts vor dem Geschaffenen. Auch der eigene Körper ist wie die übrige Natur nicht mein Besitz, sondern Leihgabe. Ich bin Gast in ihm; ich bin Gast in mir. Das „Recht auf meinen Bauch“ wird damit ebenso relativiert wie das „Recht auf Sucht“ oder das „Recht auf Selbstmord“. Größere Würde kann dem Körper als einem Teil der Natur nicht zugesprochen werden als so, wie Paulus es den Korinthern gegenüber tat: „Wißt ihr nicht, daß euer Leib ein Tempel des heiligen Geistes in euch ist, den ihr von Gott habt, und daß ihr nicht euch selbst angehört?“ (1. Kor 6,19). Gerade die Mystiker und Mystikerinnen haben immer wieder beschrieben und besungen, wie die Beziehung zur Schöpfung und die Beziehung zum Körper eng zusammenhängen und wie sie darin eine Entsprechung von Mikrokosmos und Makrokosmos sehen[179]. Heute betont besonders die feministische Umweltethik mit Recht die Bedeutung des Körpersbezugs für einen respektvollen Umgang mit der Natur[180]. Schon die Frauen in den Evangelien „waren in ihren Handlungen und Worten fast immer verbunden mit Elementen der Schöpfung … und sie brauchten all ihre Sinne“[181] (Mt 26,6ff; Mk 7,24ff; Lk 8,43ff; Joh 2,1ff).

Information, Sinneswahrnehmung, Empathie, Wahrnehmung des eigenen Körpers, auch ästhetische Erziehung[182] sind wichtige Elemente der *Umwelterziehung*[183]. Zur Erziehung zu einem mitweltfreundlichen Welt- und Menschenbild gehört unabdingbar auch die *Umweltethik*. Die Wahrnehmung der Natur kann ja nie objektiv-wertneutral geschehen. Sie ist immer schon geprägt von Werthaltungen. Erleben und Erfahren der Natur sind zu unterscheiden. Dasselbe unmittelbare Erleben der Wirklichkeit führt bei verschiedenen Menschen zu verschiedenen Erfahrungen und entsprechend einem unterschiedlichen Verhalten.[184] Erleben wird erst durch Deutung, Integration und Orientierung an einem normativen Referenzrahmen zur Erfahrung. Während die einen in einer prächtigen Blume ein Geschenk Gottes sehen, ist sie für andere primär durch Verkauf ein Stück ihres Einkommens. So wie Untersuchungen über Einstellungsveränderungen von Touristen gegenüber dem Gastland gezeigt haben, daß in der Regel durch die Reise in ein Land die Vor-Urteile, die man vorher hatte, nur bestätigt werden[185], so ändert sich die Beziehung zur Natur nicht allein dadurch, daß man in das „Gastland Natur“ reist. Die Deutungsmuster müssen sich verändern. Gast sein ist ein solches neues und zugleich uraltes Paradigma.

---

179 Z.B. Hildegard von Bingen: Gott sehen, hg. von H. Schipperges, München 1990³, 117ff; Cardenal, E.: Das Buch der Liebe, Hamburg 1972, 101ff; auch Calvin, J.: Institutio I, 5,4.

180 Literatur bei Warren, K.: The Power and the Promise of Ecological Feminism, Environmental Ethics 12 (1990), 125–146 (125f); Moltmann-Wendel, E.: Wenn Gott und Körper sich begegnen, Gütersloh 1989. Vgl. auch Kapitel 4.4.

181 Jornod, D.: Les femmes de l`Evangile saisissent la nature à bra le corps, Les Cahiers Protestants, Nr. 3/1991, 32–35 (32).

182 Vgl. Kapitel 5.4.5.

183 Sehr umfassend dazu die 63 Aufsätze in Calliess, J./Lob, R. (Hg.): Handbuch Praxis der Umwelt- und Friedenserziehung, Bd. 2 Umwelterziehung, Düsseldorf 1987.

184 Strey, G.: Umweltethik und Evolution, Göttingen 1989, 49–51, unterscheidet als Stufen im Prozeß vom Wahrnehmen zum Handeln: Begegnung – Erlebnisse – Informationen – Erfahrungen – Bild der Natur – Verhältnis zur Natur – Umgang mit der Natur.

185 Meyer, W.: Erwartungen und Verhalten deutscher Ferntouristen. Erste Ergebnisse einer psychologischen Untersuchung, in: Ferntourismus, hg. vom Studienkreis für Tourismus, Starnberg 1974.

b) Würde und Eigenwert der Mitwelt

Gast sein heißt, mit den Mitgeschöpfen und den Gütern der Erde als Leihgabe umzugehen. Die belebte und unbelebte nichtmenschliche Mitwelt ist damit nicht unantastbar, aber *unverfügbar*, das heißt sie muß dem Gastgeber und den kommenden Gästen in ihrer Würde und Integrität bewahrt weitergegeben werden. Sie ist Geschaffenes wie der Mensch. Als solches ist sie vom Schöpfer, vom kosmischen Christus und vom kosmischen Heiligen Geist durchdrungen und Partner im Bund Gottes (1. Mose 9,9). Darin liegt die theologische Begründung für den Subjektcharakter der Natur! Die Natur ist nicht Objekt zur freien Verfügung, sondern *Subjekt* mit einem *Eigenwert* unabhängig vom Menschen. Dies anzuerkennen ist wesentlicher Teil der Selbstbeschränkung und des Maßhaltens, ja der Humanität[186] des Menschen. Der erste Uno-Generalsekretär Dag Hammarskjöld erkannte dies klar: „Einfachheit heißt, die Wirklichkeit nicht in Beziehung auf uns zu erleben, sondern in ihrer heiligen Unabhängigkeit."[187] Dieser Respekt vor dem Eigenwert und der Unverfügbarkeit der Natur liegt besonders den biozentrischen und physiozentrischen Ansätzen der Umweltethik zugrunde[188], läßt sich aber durchaus auch von der Anthropozentrik her begründen[189]. Wenn Bernhard Irrgang aus anthropozentrischer Sicht der Natur einen Eigenwert abspricht – „Von Natur aus kommen Teilen der Natur oder ihr selbst kein Selbstwert zu."[190] –, dann ist schöpfungstheologisch zu antworten: Würde und Eigenwert der Natur stammen nicht aus ihr selbst, da hat Irrgang recht, aber sie sind ihr durch ihre Geschöpflichkeit und ihre Teilhabe am eschatologischen Geschehen der Vollendung der Schöpfung als Gabe von Gott verliehen. „Alles, was auf Erden ist, vor allem auch sich selbst, als geschöpflich verstehen heißt: es wahrnehmen als etwas, das in sich lebendig ist und aus Gott seinen eigenen Wert hat."[191]

Der Respekt vor der Würde der Mitwelt ist insbesondere auch *eschatologisch* begründet. Im Reich Gottes werden Wolf und Lamm, Schlange und Kind als Gäste friedlich beisammen sein (Jes 11,6–9; 65,25). So hat der Mensch kein Recht zu zerstören, was auf Befreiung harrt (Röm 8) und Teil des eschatologischen göttlichen Versöhnungsgeschehens ist.

Schöpfungstheologisch wie paulinisch ist dabei der holistische Gedanke von Klaus Mi-

---

[186] Den Zusammenhang von Menschenwürde, Würde der Kreatur und Ehre Gottes zeigt sehr schön folgendes Zitat: „Renier la dignité de la créature animale, c'est renier l'humilité de la créature humaine, c'est renier la gloire inégalable du Dieu Créateur pour s'arroger une gloire humaine qui se transformera aussitôt, puisque'elle n'est pas due à l'homme, en bassesse inhumaine." (Schäfer, O.: L'experimentation sur les animaux vivants. Problème d'éthique chrétienne, Manuskript, Straßbourg 1981.)

[187] Hammarskjöld, D.: Zeichen am Weg, München-Zürich 1965, 150.

[188] So z.B. Taylor, P.: Respect for Nature, Princeton 1986 (bes.61ff: The Concept of Inherent Worth. Vgl. oben Kapitel 4.8.3); Altner, G: Naturvergessenheit, Darmstadt 1991, 68ff (vgl. oben Kapitel 4.2.1); Link, Ch.: Rechte der Schöpfung – Theologische Perspektiven, in: Vischer L. (Hg.): Rechte künftiger Generationen. Rechte der Natur, Bern 1990, 48–60 (53. Vgl. oben Kapitel 4..1.2)); Meyer-Abich, K. M.: Aufstand für die Natur. München 1990, z.B. 90f. (vgl. oben Kapitel 2.1.3); Ruh, H.: Argument Ethik, Zürich 1991, z.B. 19, 68; ders.: Zur Frage nach der Begründung des Naturschutzes, ZEE 31 (1987), 125–133 (130f, 133).

[189] Schlitt, M.: Umweltethik, Paderborn 1992, 146ff.

[190] Irrgang, B.: Christliche Umweltethik, München 1992, 85.

[191] Einverständnis mit der Schöpfung. Ein Beitrag zur ethischen Urteilsbildung im Blick auf die Gentechnik, vorgelegt von einer Arbeitsgruppe der Evangelischen Kirche in Deutschland, Gütersloh 1991, 84.

chael Meyer-Abich zu unterstützen, daß „alle Dinge und Lebewesen ihren Eigenwert nicht in ihrer jeweiligen Vereinzelung, sondern im *Ganzen der Natur* haben. Im Mittelpunkt steht die Natur, weder das einzelne Ding oder Lebewesen noch die Art … Sie erfahren ihre eigentliche Bestimmung vom Ganzen her.“[192] Komplementär zu dieser Aussage ist allerdings sogleich anzufügen, daß Eigenwert und Würde jedes einzelnen Wesens auch darin bestehen, daß Gott es einzeln „gezählt“ hat wie die Haare auf dem Haupt (Mt 10,30) und – zumindest von den Menschen des Gottesvolkes ist dies gesagt – beim Namen ruft (Jes 43,1). Die Unterscheidung von Schöpfer und Geschöpf erweitert übrigens die naturphilosophische holistische Sicht von Ganzheit. Während der Holismus vom Ganzen der Wirklichkeit ausgeht, ist dieses Ganze aus theologischer Sicht „nur“ das ganze Geschaffene. Dieses wird als Ganzes aber erst voll erkannt, wenn es vom Schöpfer als der umfassenden Ganzheit her bestimmt wird.

Die Würde des Menschen ist einerseits Folge der Gottebenbildlichkeit, andererseits auch Abglanz der *Würde, die aller Kreatur als Gottes Werk gemeinsam* ist. Die unverfügbare *Würde der Kreatur*[193] ist dabei von *allen* Menschen zu respektieren, auch den Mächtigsten. So wird dem ägyptischen König Pharao der Tod prophezeit und seinem Land, daß es zur Wüste wird, weil er in maßloser Überheblichkeit als Gott-König sich die Natur unterwerfen will und behauptet: „Mein ist der Nil, und ich habe ihn gemacht.“ (Ez 29,3.9) Statt sich hochmütig über die Mitgeschöpfe zu erheben, macht das Staunen über deren Eigenwert den Menschen demütig und bescheiden und erinnert ihn, daß er selbst Gottes Geschöpf ist. Die sehr ausführliche Beschreibung der Würde des Flußpferdes und des Krokodils führt Hiob zur Mäßigung und Demut. Auf Gottes Rede „Siehe doch das Flußpferd, das ich schuf wie dich …“ (Hiob 40,10) antwortet Hiob „Ich habe erkannt, daß *du* alles vermagst.“ (Hiob 42,2)

Konsequenz der Ehrfurcht gegenüber der Würde der Mitwelt ist, sie nicht als Gegnerin des Menschen zu betrachten, sondern in *Liebe* ihr zu begegnen und wo nötig fürsorglich sie zu schützen, so wie Gott selbst „Menschen *und* Tieren hilft.“ (Ps 36,7) So führt die Liebe zur Mitwelt zur *Diakonie an der Schöpfung*[194].

Wird bei der Betonung der Würde der Natur aber nicht ihre negative Seite übersehen? Wir erfahren die Natur als ambivalent: lebensfördernd und zerstörerisch zugleich. In der natürlichen Theologie bleibt die Natur ambivalent. Viele Religionen betrachten deshalb die Natur wegen ihrer negativen Seiten als etwas zu Überwindendes. Der jüdisch-christliche Glaube dagegen geht von Gottes Zusage aus, daß die *Schöpfung gut sei*. Die ethische Folgerung heißt: „Es geht darum, die Welt gut sein zu lassen, sie in einer vorrangigen Hinsicht als sinnvoll in sich und als sinnvoll für den Menschen zu akzeptieren“[195]! Eingriffe in die Natur werden dann maßvoll, wenn sich der Mensch vor allem Veränderungshandeln jeweils das Gutsein der Natur vergegenwärtigt! Dennoch bleibt die Erfahrung des Zerstörerischen und Bösen z.B. in Form von Krankheiten bestehen. Leiden lin-

---

192 Meyer-Abich, K. M.: Aufstand für die Natur, a.a.O., 90f.

193 Eine hilfreiche kleine Bibliographie und Zitatensammlung zum Begriff Würde der Kreatur, besonders Würde der Tiere, erarbeitete Teutsch, G.: Wovor soll die geschöpfliche Würde der Tiere geschützt werden? Unveröffentlichte Studie aus Beständen und Vorarbeiten des Archivs für Ethik im Tier-, Natur- und Umweltschutz der Badischen Landesbibliothek, Karlsruhe 1994.

194 Vgl dazu Kohler, M. E.: Kirche als Diakonie, Zürich 1991, 52–61 (Ökologische Diakonie); Schäfer-Guignier, O.: Ethique de la création et diaconie écologique, in: Foi et Vie 87 (1988), 1–30.

195 Einverständnis mit der Schöpfung, a.a.O., 62.

dern und bekämpfen gehört zur menschlichen Pflicht. Die Zusage des Gutseins kann aber zu einer Bejahung des Lebens durch das Zerstörerische hindurch führen[196].
Diese Auffassung vom Eigenwert und der Würde der Natur wird z.B. vom Sozialethiker Martin Honecker abgelehnt: „Den Menschen unterscheidet vom nichtmenschlichen Leben eine besondere Würde.“[197] Er spricht vom Wert der Natur und will den Begriff Würde dem Menschen vorbehalten, da nur er Gottes Ebenbild sei[198]. Die Menschenwürde ist Grundlage der Menschenrechte. Sie steht auch am Anfang des Grundgesetzes Deutschlands: „Die Würde des Menschen ist unantastbar. Sie zu achten und zu schützen ist die Verpflichtung aller staatlichen Gewalt.“ (Art. 1.1 GG). Ein Artikel zur Würde der Natur besteht seit 1992 in der schweizerischen Bundesverfassung: „Der Bund erläßt Vorschriften über den Umgang mit Keim- und Erbgut von Tieren, Pflanzen und anderen Organismen. Er trägt dabei der *Würde der Kreatur* sowie der Sicherheit von Mensch, Tier und Umwelt Rechnung und schützt die genetische Vielfalt der Tier- und Pflanzenarten.“[199] Bereits in der Verfassung des Kantons Aargau von 1980 hatte der Begriff Eingang gefunden, wonach in Lehre und Forschung „die Würde der Kreatur zu achten ist.“ (Art. 14)[200]
Auch wenn der Unterschied zwischen Mensch und Mitwelt nicht eingeebnet werden darf und die Sonderstellung des Menschen umweltethisch unaufgebbar ist, ist es heute meines Erachtens berechtigt und notwendig, von der Würde der Mitwelt zu sprechen. Eindrücklich hat Karl Barth bereits 1945 (!) von der Würde der Tiere gesprochen: „Das Tier geht dem Menschen voran in selbstverständlichem Lobpreis seines Schöpfers, in der natürlichen Erfüllung seiner ihm mit seiner Schöpfung gegebenen Bestimmung, in der tatsächlichen demütigen Anerkennung und Betätigung seiner Geschöpflichkeit. Es geht ihm auch darin voran, daß es seine tierische Art, ihre Würde, aber auch ihre Grenze nicht vergißt, sondern bewahrt und den Menschen damit fragt, ob und inwiefern von ihm dasselbe zu sagen sein möchte.“[201] Barth schildert liebevoll Mensch und Mitgeschöpfe als konzentrische Kreise mit je eigenem Wert und eigener Würde: „Was wissen wir, ob es sich wirklich so verhält, daß der äußere Kreis der andern Geschöpfe nur um des inneren, nur um des Menschen willen da ist? Was wissen wir, ob es sich nicht gerade umgekehrt verhält? Was wissen wir, ob nicht beide Kreise, der äußere und der innere, je ihre eigene Selbständigkeit und Würde, je ihre besondere Art des Seins mit Gott haben?“[202] Wenn Martin Honecker schreibt „Die Würde des Menschen besteht darin, daß der Mensch Selbstzweck, Zweck an sich selbst, innerer Wert, nicht aber Zweck für andere ist“[203], dann trifft aus schöpfungstheologischer Sicht genau diese Unverfügbarkeit auch auf die

---

196 Ebd., 63f.

197 Zit. nach Schubert, H. von: Evangelische Ethik und Biotechnologie, Frankfurt 1991, 180.

198 So auch Kluxen, W.: Moralische Aspekte der Energie- und Umweltfrage, in: Handbuch der christlichen Ethik, hg. von Hertz, A. et al, Freiburg 1982, 379–424 (410).

199 Schweiz. Bundesverfassung, Art. 24 novies Abs. 3, in der Volksabstimmung vom 17. Mai 1992 angenommen. (Hervorhebung durch den Verf.)

200 Zur juristischen Entwicklung des Begriffs in der Schweiz vgl. Goetschel, A. (Präsident der Vereinigung Tierschutz ist Rechtspflicht, Zürich): Zum Begriff ‚Würde der Kreatur‘, Vortragsmanuskript, Feb. 1994.

201 Barth, K.: Kirchliche Dogmatik, Bd. III/1, 1945, 198.

202 Ebd., Bd. III/2, 1948, 165.

203 Honecker, M.: Einführung in die theologische Ethik, Berlin 1990, 192 (Zur Menschenwürde 192–196).

Mitwelt zu. Sie ist nicht nur Mittel für die Bedürfnisse des Menschen, sondern selbst Zweck und hat deshalb Würde. Auch der Vorschlag einer Erweiterung der Menschenrechte um Rechte der Natur rechtfertigt den Begriff Würde der Natur. Ich teile voll die Meinung von Wolfgang Huber, der sich ja zugleich sehr um die Menschenwürde und -rechte bemüht: „Die Weisheit der Religionen kennt eine eigene Würde der Natur ... An dieser Würde der Natur findet deshalb die menschliche Entfaltungsfreiheit ebenso ihre Schranke wie, um den durchaus ergänzungsbedürftigen Artikel 2 des Grundgesetzes zu zitieren, an den Rechten anderer."[204]

Zusammenfassend läßt sich der Eigenwert der Mitwelt theologisch mit folgenden Stichworten charakterisieren: Geschöpflichkeit, Subjektcharakter, Unverfügbarkeit, Würde, Teil des eschatologischen Versöhnungsprozeßes, Gutsein trotz Zerstörerischem. Die Antwort des Menschen auf diese christliche Wahrnehmung der Natur ist Respekt, Ehrfurcht, Fürsorge, Gutseinlassen, Ausrichtung auf das Reich Gottes, das alle Kreatur einschließt. Damit sind Eingriffe in die Natur nicht verunmöglicht, sie erfordern aber umweltethische Vorzugsregeln für dabei entstehende Konflikte zwischen Mensch und Mitwelt[205].

c) Die Rechte der Mitwelt

Der Natur Rechte zuzusprechen ist ein weiterer Versuch, die Beziehung zur Natur respektvoller und damit maßvoller als bisher zu gestalten. Die Beziehung Mensch-Natur als Rechtsbeziehung zu gestalten ist kein Allheilmittel zum Maßhalten, aber ein ernstzunehmender Versuch, der Natur mehr Gewicht zu geben in einer Welt, in der der Wert von etwas stark durch Preise[206] und Rechte bestimmt wird. Jörg Leimbacher, der aus juristischer Sicht ein Standardwerk zu den Rechten der Natur verfaßte, relativiert selbst, „daß mit der Idee von Rechten der Natur nur *ein* möglicher Weg zur Diskussion gestellt wird, die Natur nicht vollends zur Müllhalde verkommen zu lassen."[207] Die Rechte der Natur sind ein Versuch, die Natur vom (Rechts-) Objekt zum (Rechts-) Subjekt zu machen.[208] „Hilft der rechtliche Objektstatus der Natur mit, sie zu zerstören, so ist die Rechtssubjektivität der Natur zu fordern."[209] Die Rechte der Natur sind also nicht Selbstzweck, sondern Mittel zur Stärkung des Respekts vor der Mitwelt.

Argumente für die Anerkennung von Rechten der Natur sind etwa:

– Die Empfindungs- und Leidensfähigkeit der belebten Natur (zumindest der höheren Tiere);
– Die Überlebensinteressen der Natur;
– Die Notwendigkeit einer Vertretung der Natur zum Schutz vor ihrer Zerstörung;

---

204 Huber, W.: Über die Würde der Natur, in: ders.: Konflikt und Konsens, München 1990, 226–235 (232, 235). Vgl. auch ders: Rights of Nature or Dignity of Nature, in: Annual of the Society for Christian Ethics, Washington 1991.

205 Solche finden sich unten z.B. in Kapitel 5.4.6.

206 Zum Preis der Natur vgl. Kapitel 5.4.11.

207 Leimbacher, J.: Die Rechte der Natur, Basel 1988, 479, ähnlich 78; ders.: Rechte der Natur, in Reformatio Okt. 1987, 348–356.

208 Ebd., 35ff, 75ff, 77f.

209 Ebd., 40.

– Seit Jahrhunderten findet in der Rechtsentwicklung eine stete Ausdehnung des Kreises der Rechtssubjekte statt[210];
– Die naturgeschichtliche Verwandtschaft des Menschen mit der Mitwelt führt zur Anwendung des Gleichheitsgrundsatzes, wonach Gleiches nach seiner Gleichheit gleich und nach seiner Verschiedenheit verschieden zu behandeln ist, auch auf die Mitwelt;[211]
– Die notwendige Umkehr der Beweislast[212] ist eher zu verwirklichen, wenn die Natur Rechte hat;
– Der Wert der Natur kann nicht nur ökonomisch über den Preis erhalten werden, sondern muß auch rechtlich geschützt werden, weil zerstörte Natur, z.B. ausgestorbene Arten, weitgehend unersetzlich ist.[213]
Argumente gegen die Anerkennung von Rechten der Natur sind etwa:
– Die Natur ist gleichgültig gegen Zerstörungsprozesse. Sie hat kein Bewußtsein, keine Moralfähigkeit[214] und kennt keine Trauer[215];
– Zu Rechten gehören Pflichten. Die Natur kann aber keine Pflichten haben;
– Die Natur kann kein verantwortliches Rechtssubjekt sein.
– Die Rechte der Natur können nur durch Menschen anwaltschaftlich wahrgenommen werden. Für die einen Lebewesen, z.B. höhere Tiere, ließen sich menschliche „Betreuer" finden, für andere Lebewesen nicht, mit der „Folge, daß die Tierwelt in zwei Klassen zerfällt: die einen Tiere, deren Rechte durch den Menschen vertreten werden, und die andern Tiere, bei denen dies nicht der Fall ist."[216]
Es ist hier nicht der Ort, sich im einzelnen mit diesen Argumenten auseinanderzusetzen. Die ethische Auseinandersetzung zu den Rechten der Natur ist zur Zeit intensiv[217], be-

---

210 Erst im Laufe einer sehr langen Rechtsentwicklung erhielten z.B. Frauen und Sklaven ihre Rechte. Es wäre aufschlußreich, die theologischen Argumente zur Überwindung der Sklaverei (z.B. Schulz, S.: Gott ist kein Sklavenhalter, Zürich 1971, 137–243) auf die durch den Menschen versklavte Natur resp. die Begründung der Rechte der Natur zu übertragen.

211 Meyer-Abich, K. M.: Wege zum Frieden mit der Natur, München 1986, 173f.

212 „Wo zweifelhafte Einwirkungen auf die Natur vorliegen, ist nicht ihre Schädlichkeit zu beweisen, sondern ihre Unschädlichkeit." (Mensch sein im Ganzen der Schöpfung. Ein ökologisches Memorandum im Auftrag und zuhanden der Arbeitsgesmeinschaft Christlicher Kirchen in der Schweiz, Zürich 1985, 12)

213 In: Einverständnis mit der Schöpfung. Ein Beitrag zur ethischen Urteilsbildung im Blick auf die Gentechnik, von einer Arbeitsgruppe der Evang. Kirche in Deutschland, Gütersloh 1991, 78, heißt es entsprechend: „Für das unersetzlich Lebensnotwendige kann es keinen Preis geben. Die Natur hat zweifellos Nutzwert und Preis, aber sie ist offensichtlich darüber hinaus unersetzlich und hat darin eigenen Wert und eigenes Recht. Sie sind auch durch die Rechtsordnung zu schützen."

214 So Irrgang, B.: Christliche Umweltethik, München 1992, 85f.

215 Koch, T.: Das göttliche Gesetz der Natur, Zürich 1991, 77f; ähnlich Patzig, G.: Der wissenschaftliche Tierversuch unter ethischen Aspekten, in: Frankfurter Beiträge zur Geschichte, Theorie und Ethik in der Medizin, Bd. 3, Hildesheim 1986, 80ff.

216 So Schlitt, M.: Umweltethik, Paderborn 1992, 96.

217 Zur Diskussion über die Rechte der Natur sei neben bereits Genanntem erwähnt: Sitter, B.: Plädoyer für das Naturrechtsdenken. Zur Anerkennung von Eigenrechten der Natur, Beiheft zur Zeitschrift für Schweizerisches Recht, H. 3, Basel 1984 (naturrechtliche Begründung der Rechte der Natur); Holzhey, H.: Der Gedanke eines „Rechts der Natur" als Resultat radikaler Kritik des Naturrechtsdenkens, in: ders./Kohler, G. (Hg.): Studia Philosophica, Suppl. 13, Verrechtlichung und Verantwortung, Bern 1987, 207–218 (kritisch zu Sitter. Die Rechte der Natur nicht als ontologische Aussage, sondern als Denkform der vernehmenden Vernunft, um die Unverfügbarkeit der Natur auszudrücken); Rèmond-Gouilloud, M.: Du droit de détruire: essai sur le droit de l'environnement, Paris 1989 (die französische Debatte, bei der die Autorin auch rechtshistorische Wurzeln der Umweltzerstörung in Frankreich aufzeigt); Link, Ch.: Rechte der Schöpfung – theologische Perspektiven, in: Vischer, L. (Hg.): Rechte

sonders heftig zu den Rechten der Tiere[218]. Von der Schöpfungsethik und von unserem Menschenbild des Gastseins aus seien aber folgende *theologisch-sozialethische Gesichtspunkte* genannt:

– Karl Barth stellte die berühmte Frage: „Gibt es eine Beziehung zwischen der Wirklichkeit der von Gott in Jesus Christus ein für allemal vollzogenen Rechtfertigung des Sünders allein durch den Glauben und dem Problem des Rechts …?"[219] Für unser Thema gefragt: Wie läßt sich die von Gott dem Menschen und der ganzen Kreatur verliehene Würde im Recht aufnehmen, so daß dadurch Respekt und dauerhaft ein maßvoller Umgang mit der Schöpfung gefördert wird? Rechte der Natur sind der Versuch einer Antwort darauf.

– Sowenig die Würde des Menschen und der Mitwelt einer ontologischen Qualität von Mensch und Mitwelt entspringt, sowenig tun es die Rechte des Menschen und der Natur. Sie gründen in der *(Bundes-) Beziehung* Gottes zu Mensch und Mitwelt und sind *funktional* bestimmt. Sie antworten auf die Frage, wozu Mensch und Natur da sind: Rechte schützen das Leben des Menschen als Gast auf Erden, damit er seinen Auftrag, die Erde treuhänderisch zu bebauen und zu bewahren, in Würde und Freiheit wahrnehmen kann. Indem der Mensch Rechte der Natur anerkennt, antwortet er auf Gottes Bund und bindet sich an die Natur so, daß er sich verpflichtet, respektvoll mit ihr umzugehen. Das schließt den Vorrang existentieller Interessen des Menschen vor solchen der Natur nicht aus, sondern ein[220], aber sie sind begründungspflichtig. Existentielle Interessen der Natur haben vor nichtexistentiellen Interessen des Menschen dabei Vorrang.

– So wie Gott besonders jene als seine Gäste einlädt, die es ihm nicht vergelten können (Lk 14,14), so soll es auch der Mensch mit den Mitgeschöpfen tun. Er soll deren Eigenwert schützen, unabhängig von Gegenleistungen der Natur. Entsprechend ist auch die Forderung nach Pflichten der Natur als Gegenleistungen für Rechte theologisch zu verneinen. Rechte werden auch juristisch nicht mehr unabdingbar an Pflichten gebunden.[221] So kann z.B. auch die UNO-Erklärung der Rechte der Kinder Rechte und Pflichten nicht

---

künftiger Generationen. Rechte der Natur, Bern 1990, 48–60 (Verankerung der Rechte in der Würde der Schöpfung); Altner, G.: Naturvergessenheit, Darmstadt 1991, 101–107 (positiv zum Vorschlag der Berner Gruppe um L. Vischer); Irrgang, B.: Christliche Umweltethik, München 1992, 82–92 (für Grundpflichten des Menschen gegenüber der Natur statt Grundrechten der Natur); Bondolfi, A.: Si puo' parlare coerentemente di „diritti della natura"?, in: Cenobio Nr.3/1992, 283–296 (im Abwägen überwiegen die kritischen Einwände gegen die Rechte der Natur, nicht zuletzt aus juristischen Gründen); Goetschel, A.F.: Tierschutz und Grundrechte, Bern 1989; ders.: Mensch und Tier im Recht – Ansätze zu einer Annäherung, Gaia 2 (1993), 199–211; ders.: Recht und Tierschutz: Hintergründe – Aussichten, Bern 1993.

218 Vgl. z.B. Feinberg, J.: Die Rechte der Tiere und zukünftiger Generationen, in: Birnbacher, D. (Hg.): Ökologie und Ethik, Stuttgart 1980, 140–179; Singer, P.: Befreiung der Tiere, München 1982 (eine radikale Position für die Lebensrechte der Tiere); Regan, T.: The Case for Animal Rights, London 1984 (ein vehementer Verfechter der Tierrechte); Hargrove, E. C. (ed.): The Animal Rights/Environmental Ethics Debate. The Environmental Perspective, New York 1992 (eine Sammlung der wichtigsten Aufsätze der amerikanischen Diskussion); Ruh, H.: Tierrechte – neue Fragen der Tierethik, in: ders.: Argument Ethik, Zürich 1991, 90–123 (auch in ZEE 1989, 59–71) (bei prinzipiell gleichen Rechten aller Lebewesen gesteht Ruh auch dem Menschen ein gewisses Maß an Tötungsrechten gegenüber dem Tier zu); Schlitt, M.: Umweltethik, Paderborn 1992, 80–98 (in der Bilanz eher kritisch zu Rechten der Tiere).

219 Barth, K.: Rechtfertigung und Recht. Christengemeinde und Bürgergemeinde, Zürich 1984[3], 5.

220 So auch Leimbacher, J.: Die Rechte der Natur, a.a.O., 239.

221 Ebd., 50f.

gegeneinander aufrechnen. Zukünftige Generationen oder Behinderte haben Rechte, obwohl sie keine entsprechenden Pflichten übernehmen können. Im übrigen sind die Leistungen der Natur für den Menschen enorm groß.
– Der Mensch ist von Gott als Verwalter/in und Fürsprecher/in der Schwachen eingesetzt. Dazu kann auch die Aufgabe gehören, die einen Teile der Natur vor andern Teilen der Natur und vor den zerstörenden Teilen der Menschheit zu schützen.[222] Bereits im Mittelalter gab es kirchliche Gerichte, bei denen Menschen die Rechte von Tieren zu vertreten hatten![223] Allerdings bestehen hier noch ernsthafte juristische und ethische Probleme, wenn Menschen die Rechte der Natur anwaltschaftlich zu vertreten haben.
– Die durch die Rechte der Natur bewirkte Umkehr der Beweislast (nicht das Verbot von Eingriffen ist begründungspflichtig, sondern der beabsichtigte Eingriff) kann das Bewußtsein, Gast auf dieser Erde zu sein, wesentlich fördern. Allerdings darf diese umgekehrte Beweislast nicht so erdrückend werden, daß das Gestalten der Mitwelt unmöglich wird.
Fazit: Rechte der Natur sind kein Allheilmittel, um das Maßhalten zu garantieren! Sie sind aber wie ein Stopsignal auf einer Straße: Sie zwingen, zuerst links und rechts zu schauen, ob keine Gefahr droht, bevor man weiterfährt oder allenfalls die Richtung ändert. Vor einem Eingriff in die Natur muß dann Rechenschaft abgelegt werden, ob der Eingriff wirklich lebensnotwendig und -förderlich ist, so wie es im Vorschlag der Rechte der Natur an den Reformierten Weltbund heißt: „Eingriffe in die Natur bedürfen einer Rechtfertigung. Sie sind nur zulässig, wenn … das Eingriffsinteresse schwerer wiegt als das Interesse an ungeschmälerter Wahrung der Rechte der Natur und wenn der Eingriff nicht übermäßig ist."[224] Wenn es andere Wege gibt, die ebenso zum Ziel der Bewahrung des Eigenwerts und der Würde der Natur führen, sind sie ernsthaft zu erwägen.
Ein Weg besteht z.B. darin, die Grundpflichten des Menschen gegenüber der Natur statt die Rechte der Natur auszubauen. So schlug die Evangelische Kirche Deutschlands EKD als Zusatz zum Grundgesetz den Artikel vor: „In Verantwortung für die Schöpfung schützt der Staat die natürlichen Grundlagen des Lebens."[225] Der Staatsrechtler Peter Saladin schlug eine Grundpflicht zum „schonenden, bewahrenden Umgang mit der natürlichen Umwelt" vor.[226]

---

222 Ebd., 399–478 zu juristischen Formen der Vertretung der Natur durch Menschen.

223 Vgl. Ferry, L.: Le nouvel ordre écologique. L'arbre, l'animal et l'homme, Paris 1992, 9–20. Nach Ferry gab es zwischem dem 13. und 18. Jahrhundert in ganz Europa Dutzende von *Gerichtsverfahren mit Tieren*. So berichtet der Schweizer Theologe Felix Hemmerlein 1497 in seinem Werk „Des exorcismes" über eine Laubkäferplage in der Umgebung von Chur, die in Chur einen Prozeß gegen Laubkäfer zur Folge hatte: „Die Bewohner brachten die zerstörerischen Insekten vor das Kantonsgericht. Sie bestellten ihnen einen Verteidiger und einen Ankläger und verfuhren nach allen üblichen Formalitäten des Gerichts. Schließlich befand der Richter, daß die Laubkäfer Kreaturen Gottes seien und ein Recht auf Leben haben. Es wäre ungerecht, sie ihrer Lebensgrundlage zu berauben. Er verbannte sie in eine wilde Waldgegend, damit sie zukünftig die Landwirtschaftskulturen nicht mehr verwüsten könnten. Und so wurde es getan"! (Ferry, L., a.a.O., 13f)

224 Vischer, L. (Hg.): Rechte künftiger Generationen. Rechte der Natur, Bern 1990,13f. Vgl. oben Kapitel 4.6.2.

225 Zit. nach Meyer-Abich, K. M.: Aufstand für die Natur, München 1990, 124.

226 Saladin, P.: Menschenrechte und Menschenpflichten, in: Böckenförde, E./Spaemann, R. (Hg.): Menschenrechte und Menschenwürde, Stuttgart 1987, 287. Zur Grundpflicht des Menschen gegenüber der Natur auf Verfassungs- und Gesetzesstufe vgl. auch Leimbacher, J.: Die Rechte der Natur, a.a.O., 261ff, 280ff.

5.3.6 Versöhnte Schöpfung im Reich Gottes

Leitlinie I/6 der Gästeordnung
Du bist willkommen als Gast auf Erden! Orientiere Dein Handeln an Gottes Verheißung der Vollendung und Versöhnung der ganzen Schöpfung und an den davon bereits sichtbaren Zeichen. So kannst Du das Maß finden.

Anders gesagt
Die Weiterentwicklung der Schöpfung geschieht nicht nach dem ziellosen Zufall. Maßvoll handelt, wer sich am Ziel der Versöhnung von Mensch und nichtmenschlicher Mitwelt orientiert.

„Ohne die Vision des Reiches Gottes ist theologische Ethik nichts.“[227] Auch die Schöpfungsethik hat eine falsche Blickrichtung, leidet an Kurzsichtigkeit und bleibt Partialinteressen verhaftet, wenn sie sich nicht *am eschatologischen Horizont orientiert*[228]. Wenn ein neues, respektvolles Verhältnis des Menschen zur Mitwelt aus der Beziehung zum *Schöpfergott,* zum *kosmischen Christus* und zum *kosmischen Heiligen Geist* entsteht, dann ist darin die *eschatologische Ausrichtung auf das Reich Gottes allerdings bereits enthalten!* Der Kolosserhymnus bringt dies klar zum Ausdruck: „Alles ist auf ihn (Christus) hin erschaffen.“ (Kol 1,16) Dennoch ist diese Ausrichtung hier nochmals explizit zu betonen. Der trinitarischen Schöpfungstheologie entspricht eine „trinitarische Reichslehre“[229], indem der trinitarische Gott die Schöpfung universal lebendig macht, versöhnt und vollendet. Ihr entspricht die trinitarisch verankerte Umweltethik, wie ich sie in meinem Ansatz wenigstens anzudeuten versuche.
Die Schöpfung bewahren bedeutet nicht, rückwärtsgewandt einen angeblichen Urzustand der Natur zu konservieren oder wiederherstellen zu wollen. Diesen gab es evolutionsgeschichtlich gesehen auch gar nicht. Die Evolution geht aber aus jüdisch-christlicher Sicht auch nicht ziellos und zufällig vor sich, sondern ist – auch als dynamischer offener Prozeß[230] – auf das *Ziel der neuen Schöpfung,* der creatio nova als Vollendung der Schöpfung, ausgerichtet. So ist das umweltethisch bestimmte Maßhalten teleologisch[231] an dieser Zukunft der neuen Schöpfung zu orientieren. Die Ausrichtung der Ethik an der Eschatologie bedeutet Ausrichtung am Handeln *Gottes* und insofern am Absoluten. Das bedeutet zugleich, daß das Handeln Gottes dem Handeln des Menschen vorangeht, das Handeln des Menschen aber als Antwort folgen muß.[232] Paulus sieht darin die sachge-

---

227 Marti, K.: O Gott!, Stuttgart 1986, 175.

228 Diese Blickrichtung ist aufgenommen z.B. bei: Ragaz, L. oben Kapitel 3.5.4.; Auer, A.: Umweltethik, Düsseldorf 1984, 262–275; Moltmann, J.: Gott in der Schöpfung, München 1985, 74–78, 116ff; Chalier, Ch.: L'alliance avec la nature, Paris 1989, 199–207; Link, Ch.: Schöpfung, Bd. 2, Gütersloh 1991, 372–383; Pannenberg, W.: Systematische Theologie, Bd. 2, Göttingen 1991, 163–202; Altner, G.: Naturvergessenheit, Darmstadt 1991, 98–100; Irrgang, B.: Christliche Umweltethik, München 1992, 157–161, 304ff.

229 Ich übernehme den Begriff von Moltmann, J.: Trinität und Reich Gottes, München 1980, 226–229.

230 Vgl. Kapitel 2.2.2.

231 Auch Thomas von Aquin bestimmt das Maßvolle teleologisch, wenn er sagt: „Das Ziel selbst ist das Maß für das, was zum Ziele hinführt.“ (Summa Theologica, II/II, q 141, a 6)

232 So Mostert, W.: Leben und Überleben als Thema der Eschatologie, in: Weder, H.: Gerechtigkeit, Friede, Bewahrung der Schöpfung, Zürich 1990, 123–138 (134): „Subjekt der Bewahrung der Schöp-

mäße Gottesverehrung: „Ich ermahne euch, ... euch nicht zu fügen in die bestehende Gestalt dieser Welt, wohl aber in ihre kommende Verwandlung durch Erneuerung eures Denkens, um also Einsicht zu bekommen in das, was der Wille Gottes ist, das Gute und Wohlgefällige und Vollkommene.“[233] Ethik wird damit insofern radikalisiert, als die Spannung zwischen dem real Möglichen und dem zukünftig Verheißenen verschärft wird. Doch nur wenn diese Spannung ausgehalten wird, bleibt die Ethik christliche Ethik[234].

Von der *neuen, versöhnten Schöpfung* ist *im Alten wie im Neuen Testament* die Rede. Neben dem Lob der guten Schöpfung in den Psalmen steht die Utopie vom eschatologischen Schöpfungsfrieden bei den Propheten (z.B. Hos. 2,20f). Besonders ausdrucksstark sind die Bilder des kommenden Friedensreichs beim *Propheten Jesaja:* „Da wird der Wolf zu Gast sein bei dem Lamme und der Panther bei dem Böcklein lagern, Kalb und Jungleu weiden beieinander, und ein kleiner Knabe leitet sie. Kuh und Bärin werden sich befreunden und ihre Jungen werden zusammen lagern; der Löwe wird Stroh fressen wie das Rind. Der Säugling wird spielen am Loch der Otter und nach der Höhle der Natter streckt das kleine Kind die Hand aus. Nichts Böses und nichts Verderbliches wird man tun ...“ (Jes 11,6–9; ähnlich 65,25).[235] Diese Texte zeigen, daß die nichtmenschliche Mitwelt trotz ihres grundsätzlichen Gutseins auch unabhängig vom schuldhaften Eingreifen des Menschen der Erlösung bedarf und auf die Befreiung wartet.

An der bedeutenden Stelle von Röm 8,19–23[236] spricht *Paulus* von der „Hoffnung, daß auch das Geschaffene selbst befreit werden wird von der Knechtschaft des Verderbens zur Freiheit der Herrlichkeit der Kinder Gottes“ (V.21). Paulus legt dabei im Unterschied zu Jesaja in Vers 20 nahe, daß die Natur „an den Folgen des menschlichen Falles zu leiden hat“[237] und *deshalb* der „Nichtigkeit“ (V.20), dem Leerlauf und der Geistferne unterworfen ist. Die Stoßrichtung von Paulus ist aber nicht, das Leiden und Seufzen der Kreatur zu beschreiben oder den Menschen seiner Schuld anzuklagen, sondern die *Hoffnung* auf Heilung des ganzen Planeten zum Audruck zu bringen. Sein „Ausgangspunkt

---

fung ist Gott, nicht der Mensch.“ Leider verknüpft Mostert diese wichtige Aussage mit der Absage an die teleologische Ausrichtung des Handelns: „Der Grund der ökologischen Krise liegt im Aufstellen absoluter und globaler Ziele.“(132) Diese These läßt sich aufgrund der heute zahlreichen Forschungen über die Ursachen der Umweltkrise m.E. nicht stützen. Auch wenn Utopien zu Ideologien verkommen, wenn sie verabsolutiert werden und das Handeln Gottes ausklammern, kann die Orientierung am Reich Gottes, das *auch* die Dimension einer Utopie für das Diesseits beinhaltet, nicht aufgegeben werden.

233 Röm 12,1f in der Übertragung von Barth, K.: Der Römerbrief, Zürich 1989[15], 447 (1. Aufl. 1922).

234 So auch Ulrich, H. G.: Eschatologie und Ethik, München 1988, 71.

235 Zur Auslegung vgl. z.B. Liedke, G.: Die Zukunft der Schöpfung (Jes 65,17–25), in: Frieden in Gerechtigkeit für die ganze Schöpfung. Drei Bibelarbeiten von der Europäischen Ökumenischen Konferenz in Basel 1989, hg. von der Ökumenischen Arbeitsgemeinschaft Kirche und Umwelt, Bern 1989, 1–21.

236 Vgl dazu Weder, H.: Geistreiches Seufzen. Zum Verhältnis von Mensch und Schöpfung in Römer 8, in: Stolz, F. (Hg.): Religiöse Wahrnehmung der Welt, Zürich 1988, 57–72; Schrage, W.: Bibelarbeit über Röm 8,18–23, in: Moltmann, J. (Hg.): Versöhnung mit der Natur? München 1986, 150–166. – Für Hasenfratz, H.-P.: Das Christentum. Eine kleine Problemgeschichte, Zürich 1992, 201, ist Röm 8,19ff „*der* kardinale Text zur Stellung des Christen in der Schöpfung“. So wichtig der Text ist, sollte sich christliche Umweltethik stärker auf das biblische Gesamtzeugnis als nur auf diesen Text stützen. Das ist eine Absicht meiner Theologie des Gastseins.

237 So Käsemann, E.: An die Römer, Handbuch zum Neuen Testament 8a, Tübingen 1974[3], 225.

ist der kommende Glanz"[238]. Deshalb erwähne ich Röm 8 hier im Zusammenhang mit der Orientierung am Reich Gottes. Von der verheißenen *Zukunft* her ist die Gegenwart der Schöpfung und unsere umweltethische Aufgabe in ihr zu beurteilen.
Nach paulinischer und gesamtbiblischer Auffassung gibt es *keine Erlösung des Menschen ohne Erlösung der ganzen Kreatur und umgekehrt keine Vollendung der Schöpfung ohne Erlösung des Menschen!* Die Versöhnung von Mensch und Mitwelt ist zentraler und unverzichtbarer Bestandteil des „neuen Himmels und der neuen Erde" (Offb 21). Wer deshalb in der Kirche die individuelle Bekehrung und Christusbeziehung als einziges Zentrum des kirchlichen Verkündigungsauftrags sieht und die Mitweltverantwortung der Christen und der Kirche als Allotria oder Hobby einiger grüner Gemeindeglieder betrachtet, verfehlt das Evangelium. Die *Versöhnung von Mensch und Natur* hat dabei seinen Ausgangspunkt nicht im Menschen, sondern in Gott. Gottes Versöhnung mit der Natur ist Grundlage für die Ethik des maßvollen Umgangs mit der Natur. Indem er „uns durch Christus mit sich selbst versöhnte" (2. Kor 5,18; auch Kol 1,20), versöhnte er auch die ganze Welt[239] (2. Kor 5,19) und schuf die Voraussetzung für die Versöhnung zwischen Mensch und Natur. Entsprechend besteht der „Dienst der Versöhnung" (V.18)[240], der uns aufgetragen ist, auch in der Versöhnung mit der Mitwelt![241]
Diese *neue Schöpfung* – sie ist ein anderer Ausdruck für Reich Gottes – hat in ihrer eschatologischen Fülle *eine jenseitige und eine diesseitige Qualität.* Die neue Schöpfung ist bis am Ende der Zeit nie voll verwirklicht. Das Geschaffene auf Erden bleibt Geschaffenes und so in der Ambivalenz des Gutseins und des Verderbtseins verhaftet. Gleichzeitig ist aber durch das Wirken des kosmischen Christus und des kosmischen Geistes Gottes diese neue Schöpfung bereits erfahrbar und kann vom Menschen als cooperator gefördert werden. Einerseits führt dieses „schon jetzt" zu entschiedenem Engagement für die Bewahrung der Zeichen der bereits sichtbaren neuen Schöpfung. Zugleich führt das „noch nicht" zur loslassenden Gelassenheit: Die Freude der Vollendung steht noch bevor. Der Mensch kann und muß sie nicht erzwingen.
Das Maßhalten in der fortgesetzten Schöpfung, in der evolutionären creatio continua, ist somit durch *zwei Pole* bestimmt: Die Maße der guten, geschaffenen Welt sollen bewahrt[242] und zugleich soll der kommenden Schöpfung der Weg bereitet werden. Die Veränderung der geschaffenen Welt ist also so vorzunehmen, daß dabei die Lebensgrundlagen (z.B. in der Vielfalt der genetischen Ressourcen), die auch die Grundlagen der neuen Schöpfung sind, bewahrt werden. Zugleich soll die Gefallenheit der alten

---

[238] Weder, H., Geistreiches Seufzen, a.a.O., 58.

[239] Paulus versteht unter dem hier verwendeten griechischen Begriff kosmos zwar meistens die Menschenwelt, doch im Kontext seiner umfassenden Versöhnungslehre und von Röm 8 her muß hier auch die nichtmenschliche Mitwelt eingeschlossen werden.

[240] Zur theologisch-ethischen Grundlegung des Dienstes der Versöhnung vgl. Stückelberger, Ch.: Vermittlung und Parteinahme. Der Versöhnungsauftrag der Kirchen in gesellschaftlichen Konflikten, Zürich 1988, 349–463.

[241] Zu den umweltethischen Konsequenzen für die Kirchen vgl. Stückelberger, Ch.: Versöhnung mit der Natur – Aufgabe und Möglichkeiten der Kirchen, in: Bischofberger, O. et al: Umweltverantwortung aus religiöser Sicht, Freiburg/Zürich 1988, 63–80.

[242] Link, Ch., Schöpfung, Gütersloh 1991, 372, verweist auch auf den Zusammenhang der Schöpfung am Anfang und der Schöpfung am Ende: „Die Maße der Schöpfung weisen ... schon auf den ‚letzten' und weitesten, dieser Welt verheißenen Horizont voraus: auf den Horizont des Reiches Gottes."

Schöpfung, sichtbar im Leiden der Schöpfung und im Konflikt Mensch – Natur, durch Verminderung des Leidens und durch Schritte zur Versöhnung von Mensch und Natur überwunden werden. Der Mensch schafft dabei nicht den Himmel auf Erden, das Reich Gottes oder die neue Schöpfung. Was er wirkt, *bleibt* unter dem Vorzeichen seiner eigenen Geschöpflichkeit und Begrenztheit! Diese Aussage ist höchst fundamental, um nicht durch ein Hintertürchen dem vom Menschen Geschaffenen wieder eine absolute eschatologische Dignität zu geben, wie das in der Neuzeit mit der Technik immer wieder geschah, indem die Verwandlung der Natur mit neuen Technologien als eschatologisches Geschehen gewertet wurde.[243]
Zeichen der neuen Schöpfung – immerhin das! – scheinen jedoch durch das Tun des Menschen, auch das technische Tun, auf. Calvin sagt es so: Das Reich Christi „läßt gewisse Anfänge des himmlischen Reiches schon jetzt auf Erden beginnen und läßt in diesem sterblichen, vergänglichen Leben gewissermaßen die unsterbliche, unvergängliche Seligkeit anfangen."[244]
Liegt aber nicht gerade in dieser eschatologischen Ausrichtung der Ethik ein Grund für Maßlosigkeit, indem das Streben nach Verwirklichung einer *Utopie* zu zerstörerischen *Absolutismen* führt, wie die Geschichte der Täuferbewegungen, des aufklärerischen Optimismus oder des Realen Sozialismus zeigt? Hat nicht Hans Jonas recht, wenn er deshalb das an der Utopie orientierte „Prinzip Hoffnung" durch sein „Prinzip Verantwortung" überwinden will?[245] Die Ausrichtung der Umweltethik an der eschatologischen Verheißung bedeutet nicht, daß eine Utopie erreicht und damit historische Realität wird oder als nicht erreicht Illusion bleibt. Verheißungen bilden vielmehr den Horizont, der unser Leben begrenzt. Es käme niemandem in den Sinn, den Horizont erreichen zu wollen. Die maßlos scheinenden prophetischen Heilsverheißungen wie die ebenfalls maßlose Kritik ihrer Gerichtsworte bilden in diesem Sinne den Horizont, der das Maßhalten unterstützt.[246]

5.3.7 Spielen

Leitlinie I/7 der Gästeordnung
Du bist willkommen als Gast auf Erden! Spielen ist erlaubt und erwünscht. Du bist eingeladen mitzuspielen. Beachte dabei die Spielregeln, damit das Spiel gelingen kann.

Anders gesagt
Maßhalten setzt ein Gleichgewicht von Freiheit und Ordnung voraus, wie es jedes Spiel kennzeichnet. Zweckfreie Dinge und Tätigkeiten, die ihren Zweck nur in sich selbst haben, brauchen Raum.

---

243 So Krolzik, U.: Umweltkrise – Folge des Christentums?, Stuttgart 1979, 66ff.
244 Calvin, J.: Institutio IV, 20,2.
245 Jonas, H.: Das Prinzip Verantwortung, Frankfurt 1984, 287ff.
246 Vgl. dazu Guggisberg, K.: Maßvoller durch maßlose Kritik? Das Maß bei den Propheten, Kirchenbote für den Kanton Zürich, Nr.16/1990, 6.

Spiel ist eine Metapher für eine zweckfreie, nicht notwendige Tätigkeit, die Sinn und Freude vermittelt und auf dem Zusammenwirken von Freiheit und Ordnung (Spielregeln) beruht.

In den *Naturwissenschaften* spielt das Bild des Spiels immer häufiger eine Rolle in den Evolutionsvorstellungen, indem die Schöpfung als Prozeß und offenes System als ein nicht zielgerichtetes Zusammenspiel von Freiheit und Ordnung verstanden wird[247], das den Lauf der Welt von Anfang an bestimmt hat[248]. Im Spiel erscheint auch die Einheit von Natur und Geist. Der Mensch ist in diesem Spiel nicht nur Zuschauer, sondern immer schon beteiligter Mitspieler. Der Lauf der Welt wird in dieser Sicht von den Naturgesetzen (als Möglichkeit, aber noch nicht als Notwendigkeit), von den Lebewesen und vom Menschen gemeinsam bestimmt.

In den *Sozialwissenschaften* und auch in der sozialwissenschaftlichen Ökologie bilden Spieltheorien Erklärungsmodelle für Phänomene und für Verhaltensweisen.[249] Viele menschliche Arbeiten sind unter anderem deshalb attraktiv, weil sie den Spieltrieb befriedigen (so z.B. der Umgang mit Computern). Spielen ist nicht nur eine Freizeitbeschäftigung, sondern eine Grundbewegung in unserer Wirklichkeit. Der Spieltrieb ist Ausdruck davon.

Theologisch kann das Spiel als Grundbewegung Gottes in seiner Schöpfung bezeichnet werden[250]. Unsere Frage ist, *inwiefern eine Theologie des Spiels zum Maßhalten gegenüber der Schöpfung beitragen kann.*

Warum wurde eigentlich das Universum und darin die kleine Erde geschaffen? Die angemessenste Antwort scheint mir, auch wenn sie anthropomorph tönt: Weil Gott gerne spielt. Der Deus ludens schuf die Welt aus purer Freude und ganzer Freiheit. Niemand zwang ihn dazu. Und doch ist das Geschaffene nicht beliebig, sondern voll Sinn. Auch die Frage, warum es eigentlich eine so überwältigende Artenvielfalt gibt, läßt sich theologisch am plausibelsten damit beantworten, daß Gott gerne spielt. Dasselbe mit der Schönheit. Sie ist ein Luxus. Zur Fortpflanzung braucht es vielleicht die Schönheit der Männlein und Weiblein. Doch die Pracht des Regenbogens? Es gibt sie, weil Gott gerne spielt. Spielerische Freiheit, spielerische Vielfalt, spielerische Schönheit gehören zu Gottes Schöpfungswirken vom Anfang bis zum Ende. Die „spielende Weisheit", die von Anfang der Welt mit dabei war, tanzte ihren kosmischen Tanz: „Als er die Fundamente der Erde abmaß, da war ich als geliebtes Kind bei ihm. Ich war seine Freude Tag für Tag und spielte vor ihm alle Zeit." (Spr 8,30f) Entsprechend spielen in der trinitarischen Einheit auch der kosmische Christus und der Heilige Geist. In der fortgesetzten Schöpfung sind alle Geschöpfe eingeladen mitzuspielen, vom gefährlichen Meerungeheuer, das Gott geschaffen hat, „um damit zu spielen" (Ps 104, 26) bis zu den Menschen, die Jesus selbst

---

247 Vgl. Kapitel 2.2.

248 Vgl. z.B. Eigen M./Winkler R.: Das Spiel. Naturgesetze steuern den Zufall, München 1979; Gilch, G.: Das Spiel Gottes mit der Welt. Aspekte zum naturwissenschaftlichen Weltbild, Stuttgart 1968.

249 Z.B. bei Mosler, H.-J.: Selbstorganisation von umweltgerechtem Handeln: Der Einfluß von Vertrauensbildung auf die Ressourcennutzung in einem Umweltspiel, Zürich 1990 (Diss.)

250 Vgl. Moltmann, J.: Die ersten Freigelassenen der Schöpfung. Versuche über die Freude an der Freiheit und das Wohlgefallen am Spiel, München 1981[6]; Fink, E.: Spiel als Weltsymbol, Stuttgart 1960; Ferrucci, F.: Die Schöpfung. Das Leben Gottes, von ihm selbst erzählt, München 1988; Stückelberger, Ch.: Gott achtet uns, wenn wir arbeiten, aber er liebt uns, wenn wir spielen. Eine kleine Theologie des Spiels, Kirchenbote für den Kanton Zürich, Nr.14/1989, 7.

zum Spiel einlädt. Doch mit einem Gleichnis bringen Mt und Lk zum Ausdruck, daß Jesu Zeitgenossen die Einladung zur Nachfolge ablehnten: „Wir haben euch aufgespielt, und ihr habt nicht getanzt." (Mt 11,16f) Spiel ist hier wie an andern Stellen eine eschatologische Metapher. Bei der Vollendung der Schöpfung wird „der Säugling spielen am Loch der Otter" (Jes 11,8) und „die Plätze der Stadt werden voll Knaben und Mädchen sein, die spielen." (Sach 8,5) So ist das Spiel als Grundzug der Schöpfung Ausdruck der Freiheit, der Vielfalt, der Freude, des Lobes („singen und spielen" in den Lobpsalmen), der Weisheit, der leistungsfreien Gnade, der Vollendung.
Für das *Ethos des Maßhaltens im Umgang mit der Schöpfung* heißt das: So wie der Mensch Mitarbeiter und Mitarbeiterin Gottes ist, so auch Mitspielerin und Mitspieler. Die geschöpfliche Freiheit besteht in der Beteiligung am Bund als einem Spiel. Dieses Spiel ist ein Wagnis, so wie Gott mit seiner Selbstentäußerung und seinem Machtverzicht ein großes Wagnis eingegangen ist.[251] Dieses wagnisreiche Spiel gelingt nur, wenn der Mensch sich an die Spielregeln hält, die er nicht geschaffen hat und nicht schaffen kann.[252] Das Maß des Menschen als Mitspieler besteht darin, daß er die *Freiheit in Begrenzung* (begrenzt durch die Maße der Schöpfung) annimmt und immer wieder *Raum schafft für das Zweckfreie im Leben.* Das von der Nützlichkeit voll verzweckte Leben zerstört Leben, weil es Freude, Vielfalt und Schönheit abtötet. Daß in unserer Gesellschaft auch das Spielen immer mehr von der Freizeitindustrie industrialisiert und vom Sport kommerzialisiert wird, ist ein Signal, daß das Zweckfreie und gerade darin Sinnstiftende immer mehr zurückgedrängt wird. Dem entgegenzutreten ist der Sinn einer Theologie des Spiels als Beitrag zur Umweltethik.

5.3.8 Loben und Feiern

Leitlinie I/8 der Gästeordnung
Du bist willkommen als Gast auf Erden! Als Gast nimmst du teil am kosmischen Fest aller Gäste. Versuche dabei das Gleichmaß zu finden mit den Rhythmen und dem Tanz der Schöpfung. Im Loben findest du dein Maß.

Anders gesagt
Die individuellen, gesellschaftlichen und religiösen Rhythmen der Menschen haben die Rhythmen der Natur zu beachten. Maßhalten gelingt eher, wenn die Rhythmen der Natur respektiert werden.

---

[251] Jonas, H.: Materie, Geist und Schöpfung, Frankfurt 1988, 54–56, spricht vom „endlosen Spiel des Endlichen" als Grund der Erschaffung der Welt und vom „göttlichen Wagnis in der Schöpfung", vom „äußerst Riskanten des Weltabenteuers". Es verbirgt sich bei ihm dahinter die Ungewißheit „nach Auschwitz", ob dieses Wagnis gelingen kann. Es ist dieselbe jüdische – von geschichtlichen Erfahrungen geprägte! – Ungewißheit, die in jenem talmudischen Text zum Ausdruck kommt, wonach Gott 26 Versuche der Welterschaffung machte, die alle zum Scheitern verurteilt waren. Als er die Welt schließlich schuf, soll Gott gerufen haben: „Möge diese gelingen!" (Erwähnt in: Prigogine, I./Stengers, I.: Dialog mit der Natur, München 1981, 294.) Auch die christliche Schöpfungseschatologie muß den Wagnischarakter des Schöpfungsspiels wahrnehmen und darf nicht einen evolutionären Heilsautomatismus vertreten, wie er z.B. bei Teilhard de Chardin anklingt. Doch gilt für Christen die Zusage, daß Gott in Christus seine ganze Liebe hingegeben hat und hingibt, damit das Wagnis der Schöpfung gelingt.

[252] Ähnlich Barth, K.: Kirchliche Dogmatik III/3, 98.

Danken und Loben ist Ausdruck der *Selbstbescheidung.* Der Dank an Gott, an Mitmenschen und an die Mitwelt ist Zeichen des Bewußtseins, daß man nicht aus sich selbst lebt und daß das Empfangene nicht selbstverständlich ist. „Was ist doch der Mensch, daß du seiner gedenkst?" (Ps 8,5) drückt diese Demut als Folge des Lobens aus. Danken und Loben ist immer Ausdruck einer Beziehung. Die Schöpfungspsalmen als Lobpsalmen fassen dies in Worte (besonders Ps 8 und 104, aber auch Hiob 38–42). Wer danken und loben kann, erinnert sich seines Gastseins auf Erden.

„Ehre sei dem Vater und dem Sohn und dem Heiligen Geist, wie es war im Anfang, jetzt und immerdar und von Ewigkeit zu Ewigkeit": Diese Doxologie als lobende Anbetung des dreieinigen Gottes[253] stellt das eigene Umwelthandeln in den weiten Horizont des Handelns Gottes und gibt ihm so sein Maß zwischen Verzweiflung und Selbstüberschätzung. Das reformatorisch so zentrale *Soli Deo gloria,* Gott allein sei Ehre, bleibt auch für die Umweltethik relevant. Die Leidenschaft für die Ehre Gottes[254] ist kein überflüssiger Luxus, sondern wichtiger Teil des christlichen Ethos des Maßhaltens. Die Gefahr, die Doxologie triumphalistisch mißzuverstehen und die theologia crucis durch eine theologia gloriae zu verdrängen, scheint mir dabei heute gering. Größer ist die Gefahr, die Doxologie angesichts der erdrückenden Umweltperspektiven zu vergessen und die Menschen mit Umweltappellen zu überfordern, als ob sie die ganze Welt auf den eigenen Schultern tragen müßten. Die Doxologie hat zudem immer auch eine ethisch sehr relevante *herrschaftskritische Funktion:* Wenn Gott allein die Ehre gebürt, dann ist jeder andere Herrlichkeits- und Herrschaftsanspruch zu überprüfen und zu überwinden.[255] So ist zum Beispiel an neue Technologien wie die Gentechnologie die Frage zu stellen: Dient sie vor allem der Stärkung der eigenen Herrschaft über Natur und Mitmenschen oder dient sie der Ehre Gottes, indem die Leiden von Menschen und Tieren vermindert werden?

Das Schöpfungslob kann angesichts der Umweltzerstörung nun allerdings nicht unkritisch erfolgen. Wo dies (wie oft in der Wiederholung traditioneller Loblieder im Gottesdienst) noch geschieht, werden die *Ängste und Fragen heutiger Menschen* nicht ernst genommen. So sind Frage, Klage, Schuldbekenntnis und Ruf zur Umkehr mit der Doxologie zu verbinden.[256] Das Lob des Schöpfers und der Schöpfung hat aber auch, es sei nochmals unterstrichen, eine eigene Widerstandskraft gegen die Zerstörung![257]

---

253 J. Moltmann spricht von einer „trinitarischen Doxologie" (Der Geist des Lebens. Eine ganzheitliche Pneumatologie, München 1991, 315ff).

254 Vom „Eifer für die Ehre Gottes" spricht Barth, K.: Das christliche Leben. Die Kirchliche Dogmatik IV/4, Zürich 1979², 180–346. Das Zitat bildet den Titel dieses Kapitels §77, das mehr als einen Drittel seiner Ethik ausmacht! Unter Eifer versteht er „die große Leidenschaft" für Gott (180–187). Die Doxologie spielt besonders auch in der Schöpfungstheologie Calvins eine zentrale Rolle. Vgl. dazu Link, Ch.: Schöpfung, Gütersloh 1991, 126–133.

255 So auch Lochman, J. M.: Reich, Kraft und Herrlichkeit. Der Lebensbezug von Glauben und Bekennen, München 1981, 59 (zur ethischen Auswirkung der Doxologie).

256 Diese Verbindung von Lob, Klage, Bitte, Information leisten zwei Publikationen der Ökumenischen Arbeitsgemeinschaft Kirche und Umwelt der Schweiz: ... heute noch einen Apfelbaum pflanzen. Ökumenisches Liederbuch zur Schöpfung, Zürich 1989 (eine Sammlung von modernen Schöpfungsliedern); Mit der Schöpfung danken, leiden, hoffen. Anregungen zum Erntedank, Bern 1990. Neuere schöpfungsliturgische Unterlagen entstehen in vielen Ländern. Z.B. Advent and Ecology, ed. by WWF United Kingdom, Manchester 1988; Creation Harvest Liturgy, ed. by International Consultancy on Religion, Education and Culture, Winchester 1987.

257 So auch Kuschel, K.-J.: Schöpfungslob im Zeitalter der erschöpften Schöpfung? in: Kirche und Kunst 4/1990, 196–200.

Das Gotteslob des Soli Deo Gloria vollzieht sich nicht nur und nicht primär im kultisch-gottesdienstlichen Raum, sondern soll sämtliche Handlungen des *Alltags* bestimmen. Darauf haben gerade die Reformatoren immer wieder Wert gelegt, so wie sie auch das Maßhalten nicht nur für bestimmte Zeiten wie Fastenzeiten, sondern täglich anzustreben predigten.[258] So wichtig diese Entgrenzung ist, so wichtig ist aber auch, spezielle Zeiten des Lobes wie des Maßhaltens zu pflegen. *Die Rhythmen von Tag und Nacht, Werktag und Sonntag, Wochen und Monaten, Jahreszeiten, Kirchenjahr, individueller Lebensphasen wie gesellschaftlicher Riten* sind wesentliche Hilfen zum Maßhalten.
Der heute maßlose Umgang mit der Natur hängt nicht zuletzt damit zusammen, daß die Rhythmen der Natur nicht mehr wahrgenommen und respektiert werden. Ein großer Teil menschlicher Innovationen ist geradezu darauf angelegt, den Menschen von diesen Rhythmen unabhängig zu machen: Die weltweite Verschiebung von Nahrungsmitteln macht unabhängig von lokalen jahreszeitlichen Begrenzungen; daß künstliche Beleuchtung vom Tag-Nacht-Rhythmus unabhängig macht, fällt schon gar nicht mehr auf; Hors-Sol-Produktion macht unabhängig von Boden und Wetter usw. Die Individualisierung der Lebensstile und die gegenwärtig heftig geforderte und auch geförderte Deregulierung der wirtschaftlichen Rahmenbedingungen führen zu einem raschen Abbau noch vorhandener Rhythmen. Ladenöffnungszeiten sieben Tage in der Woche, Sonntagsarbeit, 24-Stunden-Betriebe in Gaststätten und in der Freizeitindustrie[259] sind Stichworte dazu. Gerade die Freizeitindustrie macht sich trotz Ökoboom immer unabhängiger von der Natur und ihren Rhythmen. Jederzeit und subito dasjenige Naturerlebnis kaufen zu können, das man gerade wünscht, hat nichts mit respektvollem Umgang mit der Mitwelt zu tun. Das Maßhalten wird dadurch deutlich erschwert.
Diese Unabhängigkeit fördert den materiellen Wohlstand. Deshalb ist sie so attraktiv. Sie tut dies aber nur kurzfristig und beeinträchtigt die Dauerhaftigkeit der Naturerhaltung. Diese ist nur möglich, wenn der Mensch in seinen Aktivitäten die Rhythmen der Natur beachtet. Der Tanz der kosmischen Weisheit, des kosmischen Christus und des kosmischen Heiligen Geistes ist ein Tanz der Rhythmen. Diese Weisheit klingt auch in der biblischen Überlieferung immer wieder an und ist besonders von der mystischen Schöpfungsbeziehung tradiert. Noch einmal sei auf Ernesto Cardenal verwiesen: „Alle Lebewesen bewegen sich im gleichen kosmischen Rhythmus. Die Rotation der Atome und unsere Blutzirkulation, der Saft der Pflanzen und die Gezeiten des Meeres, die Phasen des Mondes, die Drehung der Sterne in den Galaxien und die Bewegung der Galaxien selbst, alles bewegt sich im gleichen Rhythmus, alles ist Lobgesang des Kosmos … Dieser Rhythmus ist Religion. Wie die Austern in ihrer Fortpflanzung von den Gezeiten des Meeres abhängig sind und der Palolowurm der Südsee von den Phasen des Mondes, so hängt der Mensch von den Rhythmen und liturgischen Zeitkreisen ab. Denn die Religion, sagt die Bibel, gibt dem Menschen sein Gleichmaß … Das ganze Weltall ist Gesang: Lobgesang und Festgesang und Hochzeitsgesang.“[260]
Gast sein heißt teilnehmen an diesem kosmischen Fest der Gäste. Maßhalten heißt das

---

258 Vgl. Kapitel 3.3.2.

259 „Für Verpflegungs-, Erlebnis- und Unterhaltungslokalitäten muß ein 24-Stunden-Angebot geschaffen werden, um der schon großen Nachfrage gerecht zu werden“, forderte der Wirteverein Zürich (Neue Zürcher Zeitung Nr. 164, 17. Juli 1992).

260 Cardenal, E.: Das Buch von der Liebe, Hamburg 1972, 103f.

Gleichmaß finden mit den Rhythmen und dem Lobgesang der Schöpfung. Zugegeben: Diese Vorstellung mag für nüchtern engagierte Zeitgenossen zu mystisch und die Spannung zur beschriebenen Realität schier unerträglich sein. Und doch scheint darin eine wichtige Grundlage für ein Ethos des Maßes auf. Die Aufgabe der Umweltethik ist dabei a) das Schöpfungslob in einer umweltethisch reflektierten Form zu fördern, b) auf die umweltethische Notwendigkeit der liturgischen Verknüpfung der Rhythmen der Natur mit den Rhythmen des Kirchenjahres hinzuweisen, c) in der Gestaltung der politischen und wirtschaftlichen Strukturen und im Arbeitsethos[261] mit Nachdruck darauf hinzuarbeiten, daß die Schöpfungsrhythmen beachtet und strukturell verankert werden.

Zu diesen *Schöpfungsrhythmen* gehören insbesondere jene von Arbeit und Ruhe, Aktion und Kontemplation, Bebauen und Brachliegenlassen. Die Schöpfungstheologie hat in jüngerer Zeit in diesem Zusammenhang immer wieder auf den *Sabbat* hingewiesen.[262] Es geht beim Sabbat, bei der Sonntagsheiligung, als dem Tag der Vollendung der Schöpfung einerseits um Ruhe von der Arbeit (1. Mose 2,2; 2. Mose 20,8). Noch wichtiger ist andererseits der Sonntag als Zeichen der Wiederherstellung der Schöpfung. Insofern ist er ein eschatologisches Zeichen. Der Sonntag ist nicht nur auf den Menschen, sondern auf die ganze Schöpfung bezogen! Nach alttestamentlicher Überlieferung soll in Entsprechung zum Sabbat als siebtem Tag jedes siebte Jahr ein Sabbatjahr und jedes fünfzigste Jahr (nach sieben mal sieben) ein Halljahr (Versöhnungsjahr, Jubeljahr) gefeiert werden (3. Mose 25,1–55).[263] Im Sabbatjahr soll der Boden brach bleiben, um sich zu erneuern (V.4). Im Halljahr sollen Sklaven freigegeben, Boden zurückgegeben und Schulden erlassen werden. Darin kommt die Sozialethik des Gastseins zum Ausdruck! „Grund und Boden darf nicht für immer verkauft werden, denn das Land ist mein, und ihr seid Gäste und Beisassen bei mir." (V. 23) Auch der Schuldner und der Tagelöhner sollen wie Mitgäste und „Beisassen" behandelt werden (V.35 und 40), wobei dies noch auf die israelitischen Volksgenossen beschränkt blieb und die Entgrenzung auf alle Menschen erst mit dem Neuen Testament folgte. Sabbat, Sabbatjahr und Jubeljahr bilden den Rhythmus, in dem sich die Schöpfung und der Mensch in ihr immer wieder erholen und wiederherstellen können. Die heutige Entsprechung dazu kann von Brachzeiten in der Landwirtschaft bis zur „kreativen Entschuldung" für Entwicklungsländer führen. Das *Halljahr,* das die Schweizer Kirchen 1991 feierten, kann in unserem Zusammenhang als Versuch zu einem *Jahr des Maßhaltens* bezeichnet werden.[264]

---

261 Das protestantische Arbeitsethos rastloser Berufsarbeit hat zur Mißachtung der Maße in den Rhythmen der Natur beigetragen. Vgl. Kapitel 3.3.2.1.

262 Vgl. Link, Ch.: Schöpfung, Gütersloh 1991, 384–387; Moltmann, J.: Gott in der Schöpfung, München 1985, 281–299; ders.: Gerechtigkeit schafft Zukunft, München/Mainz 1989, 82–87; Schäfer-Guignier, O.: et demain la terre. Cristianisme et écologie, Genf 1990; Schlitt, M.: Umweltethik, Paderborn 1992, 144–146.

263 Ob dies im alten Israel je verwirklicht wurde, ist strittig, hier aber auch nicht entscheidend.

264 In der Schweiz feierten die Kirchen das Jahr 1991 (700 Jahre Eidgenossenschaft) als Jubeljahr. Das Schweiz. Ökumenische Komitee für Gerechtigkeit, Frieden und Bewahrung der Schöpfung setzte das alttestamentliche Halljahr für die Gegenwart um (Schweiz. Ökumen. Komitee für Gerechtigkeit, Frieden und Bewahrung der Schöpfung: Zum Leben befreien. Das Jubiläumsjahr als Chance, Bern 1990; auch Peter, H. B. et al: Kreative Entschuldung. Diskussionsbeiträge Nr. 30 des Instituts für Sozialethik des Schweiz. Evang. Kirchenbundes, Bern 1990). Der ökumenische Rat der Kirchen hat die Jubeljahridee zu einem Schwerpunkt des Programms 1995–98 gemacht.

5.3.9 Furcht und Zittern

Leitlinie I/9 der Gästeordnung
Du bist willkommen als Gast auf Erden! Die Gästeordnung läßt viel Freiraum, doch die Grundregeln sind verbindlich. Versuche sie nicht eigenmächtig zu ändern, sonst wird das Haus Erde zerstört, was alle Gäste trifft. Du richtest dich damit selbst.

Anders gesagt
So wie die Würde des Menschen nicht angetastet werden darf, so gibt es Tabus zum Schutz der Würde der Schöpfung. Sie können nicht ungestraft verletzt werden. Ehrfurcht vor dem Leben schließt die Furcht vor der Übertretung dieser Grenzen ein.

„Unsere so völlig enttabuisierte Welt muß angesichts ihrer neuen Machtarten freiwillig neue Tabus aufrichten. Wir müssen wissen, daß wir uns weit vorgewagt haben, und wieder wissen lernen, daß es ein Zuweit gibt … Wir müssen wieder Furcht und Zittern lernen und, selbst ohne Gott, die Scheu vor dem Heiligen. Diesseits der Grenze, die es setzt, bleiben Aufgaben genug. Der menschliche Zustand ruft dauernd nach Verbesserung. Versuchen wir zu helfen. Versuchen wir zu verhüten, zu lindern und zu heilen. Aber versuchen wir nicht, an der Wurzel unseres Daseins, am Ursitz seines Geheimnisses, Schöpfer zu sein."[265] Der jüdische Philosoph Hans Jonas erklärt mit diesem Ansatz die „Furcht zur Pflicht" und geht dabei davon aus, „daß wir die verlorene Ehrfurcht vom Schaudern, das Positive vom vorgestellten Negativen zurückgewinnen müssen"[266].
Mein Ansatz der Umweltethik geht hingegen vom Positiven (vom Staunen, von der Fülle, vom Geschenk des Gastseins und von der Verheißung des Reiches Gottes) aus. Dennoch stimme ich Hans Jonas insofern zu, als es ein komplementär notwendiger Zugang ist, beim vorgestellten Unheil anzusetzen. Maßhalten gelingt oft nur aus *Furcht:* Furcht, zu dick zu werden, süchtig zu werden, der Liebe verlustig zu gehen, die eigene Lebensgrundlage zu zerstören usw. Angst und Furcht greifen das eigene Überlebensinteresse an und mobilisieren deshalb vitale Kräfte. Die Furcht vor dem kommenden Verlust des eigenen Wohlstands, wenn das Maßhalten nicht gelingt, ist wohl, seien wir ehrlich, für die meisten Menschen und auch für uns selbst eine der stärksten Motivationen zum Handeln.[267] Nicht die angstmachende unselige Tradition des Christentums, die die Irrationalität förderte, soll wiedererweckt werden, aber die Furcht[268], die als Ausdruck des Überlebenswillens Rationalität[269] erzeugt und Menschen *„zur Vernunft bringt"*.
Wenn man sich den Informationen über die in Gang befindlichen *Umweltzerstörungen*

---

265 Jonas, H.: Technik, Medizin und Ethik. Zur Praxis des Prinzips Verantwortung, Frankfurt 1990³, 218.

266 Jonas, H.: Das Prinzip Verantwortung, Frankfurt 1984, 392f. Vgl. auch oben Kapitel 4.8.2.

267 So auch Schupp, F.: Schöpfung und Sünde, Düsseldorf 1990, 566: „Die Beziehung von Angst und Religion darf nicht nur negativ beurteilt werden", da möglicherweise „in bestimmten Situationen nur die Angst die Menschen zur Vernunft und zur Übernahme ihrer Verantwortung bringt."

268 Zu unterscheiden ist zwischen Angst, die zumeist den Grund ihrer selbst nicht angeben kann und deshalb eher lähmt, und Furcht, die ein Objekt der Furcht kennt und deshalb produktiv sein kann.

269 Gemeint ist jene Rationalität, die den Menschen befähigt, sein Begehrungsvermögen und damit sein Leben zu bestimmen und die angestrebten Zwecke zu erreichen. Vgl. dazu Picht, G.: Zum philosophischen Begriff der Ethik, ZEE 22 (1978), 243–261 (255).

offen stellt, kann man sich trotz allen hoffnungsvollen Lösungsansätzen, trotz der Zusage des göttlichen Bundes und trotz den erwähnten Verheißungen des Reiches Gottes apokalyptischen Horrorvorstellungen nicht entziehen. Der „Untergang des Abendlandes“[270] war noch eine relativ harmlose Variante (das Leben ginge ja in andern Kulturen weiter) verglichen mit Berechnungen über den „atomaren Holocaust“[271] z.B. in Form des „nuklearen Winters“ bei einem großen atomaren Schlagabtausch (auch nach der gegenwärtigen atomaren Abrüstung würde die Zahl der verbleibenden Atomsprengköpfe dafür immer noch genügen). Auch Berechnungen über mögliche Folgen der Klimaerwärmung – über eine Milliarde Menschen könnten zu Umweltflüchtlingen werden, weil sie von ihren Küstengebieten durch Ansteigen des Meeresspiegels vertrieben würden – haben durchaus apokalyptischen Charakter. Der innere Zusammenhang zwischen der Möglichkeit des atomaren und des „ökologischen Holocausts“ besteht in der Unterwerfung der Natur.[272]

All diese Weltuntergangsszenarien[273] dürfen nicht verdrängt werden, sonst wirken sie um so mächtiger hinter vordergründigem Fortschrittsoptimismus. Christliche Umweltethik kann am Stachel der Apokalyptik nicht vorbeigehen. Sie kann zwar den Pessimismus z.B. eines Hoimar von Ditfurth nicht teilen, der die globale Umweltkatastrophe mit seinem „Es ist soweit“ als Faktum und Fatum hinstellt.[274] Es gibt weder einen eindeutigen Heils- noch einen entsprechenden Unheilsfahrplan.[275] In der apokalyptischen Tradition wurde allerdings aus dem Erschrecken immer wieder ein Unheilsfahrplan gemacht. Die Umweltethik muß sich aber der angstvollen Ungewißheit des Ausgangs stellen. „Es gilt ernstzumachen mit der Einsicht, daß die Menschheit keine Überlebensgarantie hat und auch der christliche Glaube eine solche Garantie nicht zu geben vermag.“[276] Vom Neuen Testament her sind alle Versuche, das Ende zeitlich vorauszuberechnen, abzulehnen. Doch gerade daraus resultiert die Forderung furchtsamer Wachsamkeit, wie das Gleichnis der zehn Jungfrauen zum Ausdruck bringt (Mt 25,1ff).

Die Doxologie „Gott allein die *Ehre“*, von der wir im letzten Kapitel sprachen, wie die bereits wiederholt erwähnte Ehrfurcht vor dem Schöpfer und der Schöpfung, haben direkt mit Furcht zu tun: mit der notwendigen Furcht, die Spielregeln zu verletzen und dic Gästeordnung zu mißachten.

Betrachten wir *als Beispiel das Weltgericht in der Jesaja-Apokalypse* (Jes 24–27). Sie zeichnet ein Bild der Furcht und des Schreckens und ruft so zur Umkehr auf. „Siehe, der Herr entleert die Erde und verheert sie; er kehrt ihre Oberfläche um und zerstreut ihre

---

270 Spengler, O.: Der Untergang des Abendlandes, Bd. 1: Gestalt und Wirklichkeit, München 1918, Bd. 2: Welthistorische Perspektiven, München 1922.

271 Schell, J.: Das Schicksal der Erde. Gefahr und Folgen eines Atomkrieges, München 1982[5].

272 „Die Bombe ist das Resultat der Profanierung der Natur“ (Liquidierung des Heiligen) und „Die Bombe ist die Antwort der Natur auf die Vergewaltigung durch den Menschen“ (späte Rache der Natur): Diese Thesen vertritt und begründet Dätwyler, Ph.: Die Bombe in uns, in: ders./Eppler E./Riedel I.: Die Bombe, die Macht und die Schildkröte. Ein Ausweg aus der Risikogesellschaft?, Olten 1991, 7–42 (20ff, 28ff).

273 Eine gute Übersicht bietet Körtner, U.: Weltangst und Weltende. Eine theologische Interpretation der Apokalyptik, Göttingen 1988, 155–277.

274 Ditfurth, H. von: So laßt uns denn ein Apfelbäumchen pflanzen. Es ist soweit, Hamburg/Zürich 1985.

275 Auch von der naturwissenschaftlichen Theorie der offenen Systeme her (vgl. oben Kapitel 2.2.2) ist ständig mit der Möglichkeit zu rechnen, daß Kippeffekte, aber auch neue Regulierungen eintreten können, die die Zukunft der Schöpfung unerwartet verändern.

276 Körtner, U.: Weltangst und Weltende, a.a.O., 325.

Bewohner. Wie dem Volke ergeht's dann dem Priester, wie dem Sklaven so seinem Herrn, wie der Magd so ihrer Gebieterin, wie dem Käufer so dem Verkäufer, wie dem Verleiher so dem Entleiher, wie dem Schuldherrn so dem Schuldner. Ausgekehrt und entleert wird die Erde, ausgeraubt und ausgeplündert; denn der Herr hat dieses Wort geredet. Es welkt, zerfällt die Erde, verwelkt, zerfällt die Welt, es verwelkt die (Himmels-) Höhe samt der Erde, da die Erde entweiht ist unter ihren Bewohnern, denn sie haben die Gebote übertreten, die Satzungen verletzt, den ewigen Bund gebrochen. Darum frißt ein Fluch die Erde und büßen, die darauf wohnen.“ (Jes 24,1–6)

Die Jesaja-Apokalypse stammt nicht vom Propheten des Jesajabuches im 8. Jahrhundert v.Chr., sondern aus spätnachexilischer oder gar hellenistischer Zeit, entstand also zwischen dem 5. und 2. Jahrhundert v.Chr.[277] Es geht hier um eine Weltzerstörung als Weltgericht, das Mensch und Mitwelt gleichermaßen umfaßt. Ein drastisches Bild der vom Menschen ausgeplünderten und schließlich menschenleeren Erde, einer „verbrannten Erde“. Ob Erdbeben (V. 1) oder Dürre (V. 4) oder Krieg (V. 5) den Erfahrungshintergrund bilden, muß offengelassen werden. Jedenfalls wird die Katastrophe nicht als Naturschicksal, sondern als Schuld der Menschen, als ihr „Verbrechertum“ (V. 20) verstanden, da sie die Erde entweiht, die Gebote übertreten, verletzt, eigenmächtig geändert[278] haben (V. 5). Die Erde entweihen meint in diesem Kontext[279] vermutlich das Blutvergießen (4. Mose, 35,33; Ps 106,38). Das Blut entweiht das Land und dem Land kann nicht Sühne erwirkt werden. Dahinter verbirgt sich die Erkenntnis des unlösbaren Zusammenhangs von Frieden und Bewahrung der Schöpfung! Da der Bund Gottes mit der ganzen Schöpfung geschlossen ist (jedenfalls der Noahbund 1. Mose 9,9), hat auch das Brechen des Bundes durch den Menschen Auswirkungen auf die ganze Schöpfung.

Die apokalyptische Schilderung des *Weltgerichts ist keine Prognose,* was kommt oder kommen kann, wie das naturwissenschaftlich gestützte Prognosen unserer Zeit tun. Die Rede vom Weltgericht ist vielmehr geradezu die *Alternative zum Weltuntergang.*[280] Indem sie Schuld aufdeckt und damit benennbar macht, will sie zur Verantwortung rufen. Die Schilderung des Weltgerichts weist auch weniger auf ein fernes Gericht Gottes am Ende der Zeit hin, sondern besagt vielmehr: Wer die Erde zerstört, ist schon gerichtet, das heißt richtet sich selbst. Wer umgekehrt auf den kosmischen Christus[281] hört, „ist aus dem Tod ins Leben hinübergegangen“ (Joh 5,24). Das Weltgericht schützt damit auch vor der Versuchung, daß der Mensch selbst den Mitmenschen richtet oder die Natur „sich schon selbst rächen wird und zurückschlägt“ wie heute oft zu hören ist. Das Richten ist Sache Gottes und nicht des Menschen oder der Natur. So wie die Armen aber vor Gott klagen werden, so tut es auch die Natur mit ihrem Schmerzruf (Röm 8,22) und ihrer

---

277 Kaiser, O. (Der Prophet Jesaja, Kp. 13–39, ATD 18, Göttingen 1973, 145) datiert zwischen 167/164 und 360/340; Wildberger, H. (Jesaja. 2. Teilband Kp. 13–27, Neukirchen 1989², 897ff) datiert auf die 1. Häfte des 5. Jahrhunderts. Er zählt wie heute die meisten Exegeten Jes. 24,1–20 zur ältesten Grundschrift der Jesaja-Apokalypse.

278 Kaiser, O., a.a.O., übersetzt „sie änderten die Satzung“, was ich oben in Leitlinie I/9 aufgenommen habe.

279 Andernorts ist damit Ehebruch (Jer 3,2) oder Götzendienst (Jer 3,9) gemeint.

280 Vgl. dazu das Dossier: Weltgericht statt Weltuntergang, Kirchenbote für den Kanton Zürich, Nr.6/1992, 7–10.

281 Der kosmische Christus ist der auferstandene Christus als Richter. Zu Christus als Richter und Versöhner vgl. Stückelberger, Ch.: Vermittlung und Parteinahme, Zürich 1988, 370–450, bes. 387–397.

Trauer (Hos 4,3).[282] Eine christlich vertretbare Apokalyptik will dabei nicht einen sich rächenden Gott zeichnen, denn Gott ist nach christlichem Verständnis in Christus „nicht gekommen zu verderben, sondern zu retten“ (Lk 9,56). Gerade um diese rettenden Kräfte zu wecken, damit die maßvolle Selbstbegrenzung der Menschen gelingt, ist Furcht und absolute Anerkennung gewisser Tabus bei Eingriffen in die Schöpfung – die Gentechnologie ist heute in vielen Umweltethiken zum Prüfstein und Symbol dafür geworden – nötig.

5.3.10 Mythen und Märchen

Leitlinie I/10 der Gästeordnung
Du bist willkommen als Gast auf Erden! Nimm die Schöpfungsmythen ernst. Sie sind nicht längst überholte alte Weltbilder, sondern enthalten Leitbilder des Maßhaltens.

Anders gesagt
Das Ethos des Maßes muß die explizite Rationalität ethischer Kriterien mit der impliziten Rationalität und Weisheit der Schöpfungsmythen verbinden, um handlungswirksam zu sein.

Weltweit enthalten Schöpfungsmythen und -märchen die Erkenntnis, daß Maßlosigkeit im Gebrauch der Gaben der Natur und Habgier die Lebensgrundlagen zerstört und die Ursache von Unglück ist. *Drei Beispiele* seien erwähnt.
Ein *nigerianischer Schöpfungsmythos* mit dem Titel „Warum der Himmel so weit weg ist“ erzählt: „Am Anfang war der Himmel noch sehr nahe bei der Erde. Zu jener Zeit mußten die Menschen die Erde nicht bearbeiten, weil sie immer, wenn sie hungrig waren, einfach ein Stück vom Himmel abschnitten und es aßen. Aber der Himmel wurde mit der Zeit böse, denn sie schnitten oft mehr ab, als sie essen konnten, und warfen den Rest auf den Abfallhaufen. Der Himmel wollte aber nicht auf den Abfallhaufen geworfen werden. Deshalb warnte er die Menschen, daß – wenn sie in Zukunft nicht achtsamer seien – er weit weg gehen würde. Eine Zeitlang beachtete jedermann diese Warnung. Eines Tages aber schnitt eine gierige Frau ein überaus großes Stück vom Himmel ab. Sie aß soviel sie konnte, konnte aber nicht alles essen. Erschrocken rief sie ihren Mann, aber auch er konnte es nicht fertig essen. So riefen sie das ganze Dorf zusammen, damit sie helfen würden, aber auch sie konnten es nicht fertig essen. So mußten sie den Rest auf den Abfallhaufen werfen. Darauf wurde der Himmel sehr böse und erhob sich weit über die Erde, so daß ihn kein Mensch erreichen konnte. Von da an mußte der Mensch für seine Nahrung arbeiten.“[283]
Dieser Ursprungsmythos erklärt den Ursprung der Notwendigkeit der Arbeit und ortet ihn in der Habgier. Implizit wird als ethisch richtiges Verhalten das Maßhalten im Um-

---

[282] Luther geht so weit, „daß am Jüngsten Tag alle Kreaturn über die Gottlosen Zeter schreien werden, daß sie ihrer hie auf Erden mißgebraucht haben, und werden sie anklagen als Tyrannen, welchen sie haben müssen unterworfen sein wider alles Recht und Billigkeit.“ (WA 41, 308,15–18)

[283] Beier, U. (Hg.): The Origin of Life and Death. African Creation Myths, London/Nairobi 1970, 51f (Übersetzung CS).

gang mit der Überfülle der Gaben der Natur resp. der Gottheit genannt. Dasselbe Grundmotiv (allerdings nicht in einen Ursprungs-, sondern einen Befreiungsmythos eingebettet und verbunden mit dem Sabbatgebot) zeigt sich in der *Erzählung von Manna und Wachteln* beim Durchzug der Israeliten durch die Wüste nach dem Auszug aus Ägypten (2. Mose 15,22–16,36). Gott schenkt soviel Manna (das tropfenartige, eßbare Gebilde an den Blättern des Wüstenbaumes Tamariske), wie jede und jeder zum Leben braucht, jedem sein Maß. Habgierig zu horten statt auf Gottes Gaben zu vertrauen führt nicht weiter: „Da hatte der, der viel gesammelt hatte, keinen Überschuß, und der, der wenig gesammelt hatte, keinen Mangel; ein jeder hatte gesammelt, so viel er brauchte. Dann sprach Mose zu ihnen: Niemand hebe etwas davon bis zum Morgen auf! Aber sie gehorchten Mose nicht, sondern etliche hoben bis zum Morgen davon auf. Da verfaulte es und wurde voller Würmer und stinkend. Mose aber ward zornig über sie." (16,18–20)
Bis in *lokale Sagen* hinein wirkt diese Mahnung zum Maßhalten im Gebrauch der Naturgaben. Der Nahrungsmittelfrevel wird bestraft. Der Mensch kann im Überfluß ebenso zugrunde gehen wie in der Hungersnot. So die innerschweizer Blüemlisalp-Sage: „Die Blüemlisalp am Uri-Rotstock war eine Alp, wie man heute keine mehr findet, voll von Kräutern, die sich direkt in Milch umsetzten. Dreimal am Tag mußten sie dort melken. Da haben sie mit Käselaiben und Butterballen Stege gebaut (um durch den Mist trockenen Fusses von der Wohnhütte zum Stall zu gelangen). Darauf begann es zu schneien. Und der Senn wollte fliehen, doch mußte er mit dem Kessel unter der Hüttentür bleiben."[284]
Helfen Erzählungen in Form von Mythen, Märchen und Sagen zur ethischen Urteilsfindung? Sind sie nicht überholt und dem rational und wissenschaftlich denkenden Menschen verschlossen und nicht evident? Nein. Mythen vermitteln Haltungsbilder wie sie für jede Tugend und so auch für das Ethos des Maßhaltens nötig sind. In der gegenwärtigen Theologie und Philosophie gewinnt die Erkenntnis an Boden, daß nach dem (mit dem Namen Rudolf Bultmann verbundenen) Entmythologisierungsprogramm nun „ein neues Verhältnis zum Mythischen gewonnen werden muß. Ein Wirklichkeitskonzept, das das Ganze der Wirklichkeit umfassen will ... wird ohne mythische Ausdrucksweisen – oder zumindest Ausdrucksweisen, die im mythischen Verstehen wurzeln – wohl nie zureichend aussagbar sein."[285] Theologie und Philosophie werden *heute mythenfreundlicher*[286], was wie die Entmythologisierung z.T. zeitgeschichtlich bedingt ist[287].

---

[284] Nach Müller, J.: Sagen aus Uri, Bonn 1978.

[285] Schmid, H. H. (Hg.): Mythos und Rationalität, Gütersloh 1988, 11 (Vorwort von H. H. Schmid). Sammelband der Vorträge des VI. Europäischen Theologenkongresses 1987 in Wien.

[286] So auch die Feststellung von Huppenbauer, M.: Mythos und Subjektivität. Aspekte neutestamentlicher Entmythologisierung im Anschluß an Bultmann und Picht, Tübingen 1992, Kp. 1.1. – Die Bedeutung des Mythos betonen in der jüngeren Diskussion z.B. Hübner, K.: Die Wahrheit des Mythos, München 1985; ders.: Der Mythos, der Logos und das spezifisch Religiöse. Drei Elemente des christlichen Glaubens, in Schmid, H. H.: Mythos und Rationalität, a.a.O., 27–43; Blumenberg, H.: Arbeit am Mythos, Frankfurt 1984[3]; Janowski, H. N.: Geschichte durch Geschichten? Zur Rehabilitation des Mythos, in: EvKomm 20 (1987), Nr.9, 498–501; Bohrer, K. H. (Hg.): Mythos und Moderne, Frankfurt 1983; Weder, H.: Der Mythos vom Logos (Johannes 1). Überlegungen zur Sachproblematik der Entmythologisierung, in: Schmid, H. H. (Hg.): Mythos und Rationalität, a.a.O., 44–80 (Weder plädiert für Beibehalten der Entmytholologisierung, nicht als Abschied vom Mythos, sondern als „Versuch, auch in säkularer Zeit ein vernünftiges Verhältnis zum Mythischen zu gewinnen." Er schlägt zudem einen „metaphorischen Umgang mit dem Mythischen" vor. 63, 68).

Mythenfreundlichkeit muß keineswegs eine Absage an die Vernunft bedeuten. Vielmehr wird heute die *„implizite Rationalität“ der Mythen* entdeckt[288], die durch Philosophie und Theologie explizit gemacht wurde und wird. Im Rationalismus löste sich allerdings die Vernunft von der Bindung an die Weisheit der Mythen. C. F. von Weizsäcker bezeichnet den religiösen Mythos zu Recht als „eine Weise, uns im Ganzen des Lebens und der Welt zu orientieren. Mythos ist in diesem Sinne das älteste Organ der Vernunft.“[289] Der Unterschied zwischen dem Mythos und Philosophie wie Theologie kann so charakterisiert werden[290]: Der Mythos – hier in allgemeinem Sinn verstanden als traditionelle Erzählung, oft mit ritueller Realisierungsmöglichkeit[291] – beinhaltet eine implizite Rationalität, ist inklusiv, stellt die Welt paradigmatisch und konkret dar und leistet Orientierung durch Identifikation. Die Philosophie (und Theologie) formuliert die Rationalität explizit, ist gegenüber andern Philosophien/Theologien exklusiv-abgrenzend, beansprucht Allgemeingültigkeit und leistet Orientierung durch Distanz.

Für die Ethik, auch die *Umweltethik,* ist nun gerade die *Orientierung durch Identifikation,* wie sie im Mythos (und im Märchen) geschieht, bedeutsam. Der tschechische Philosoph Milan Machovec weist mit seinem harten Urteil auf einen wunden Punkt der Ethik hin, wenn er schreibt: „Nachdem die Moral zu einem Gegenstand der wissenschaftlichen Forschung wurde, verlor sie die Fähigkeit, die Menschen moralisch zu beeinflussen und zu erziehen, die sie im Rahmen des Mythos noch hatte. Die mythischen Erzählungen stellen uns Modelle der moralischen Wirkung auf die breiten Schichten vor, die die Ethik als Wissenschaft nie aus sich selbst fabrizieren konnte ... Der einzelne kann moralisch besser werden nur durch eigene Emotionen, durch Sorge, Hoffnung, Angst und Trauer, und man kann nur um konkrete Menschen ängstlich sein, nie um Abstraktionen.“[292] Im Mythos erscheinen Bilder, Haltungsbilder, Vorbilder. Insofern will auch der Schöpfungsmythos als Ursprungsmythos nicht nur, wohl auch nicht primär, in der Vergangenheit Gewordenes erklären, sondern Gegenwart und Zukunft gestalten. Er hat eine ethische Funktion. Schon Eliade schrieb: „Hauptaufgabe des Mythos ist es, die vorbildhaften Muster aller bedeutungsvollen menschlichen Riten und menschlichen Tätigkeiten ‚festzusetzen‘.“[293]

Maßhalten mithilfe religiöser Mythen und Märchen bedeutet weder eine Wiederverzauberung und Resakralisierung der Natur noch eine Absage an die wissenschaftlich formu-

---

287 So wie das Entmythologisierungsprogramm Bultmanns u.a. politisch bedingt als Protest gegen Mythen des 20. Jahrhunderts zu verstehen ist, so die heutige Mythenfreundlichkeit als Folge der Krise des objektivierenden wissenschaftlichen Denkens, das auf manche Zeitprobleme keine Antwort zu geben vermag.

288 So Stolz, F.: Der mythische Umgang mit der Rationalität und der rationale Umgang mit dem Mythos, in: Schmid, H. H. (Hg.): Mythos und Rationalität, a.a.O., 81–105 (84ff).

289 Weizsäcker, C. F. von: Bewußtseinswandel, München 1988, 251.

290 Ich folge dabei Stolz, F., a.a.O., 82–92.

291 Ebd., 82. Einen viel engeren Mythosbegriff verwendet Pannenberg, W.: Die weltbegründende Funktion des Mythos und der christliche Offenbarungsglaube, in: Schmid H. H. (Hg.): Mythos und Rationalität, a.a.O., 108–123. Er distanziert das Spezifische der christlichen Botschaft, die Eschatologie, vom Mythos. Einen „fundamentalen Gegensatz zwischen christlichem Glauben und Mythos“ sieht auch M. Huppenbauer, a.a.O., Kp. 1.1.

292 Machovec, M.: Die Rückkehr zur Weisheit, Stuttgart 1988, 115. Zu Mythos und Rationalität auch 59–83.

293 Die Schöpfungsmythen. Ägypter, Sumerer, Hurriter, Hethiter, Kanaaniter und Israeliten. Mit einem Vorwort von M. Eliade, Einsiedeln/Zürich 1964, 33 (1992 erschien eine Neuauflage).

lierte Umweltethik, die nach explizit rational begründbaren, verallgemeinerungsfähigen Kriterien und Maximen sucht. Letzteres ist für die Kommunikabilität in der heutigen wissenschaftlich-technischen Welt unabdingbar. Dieser Versuch bleibt aber wirkungslos, wenn er nicht die uralte Weisheit der impliziten Rationalität der Schöpfungsmythen mit ihrer *motivierenden und erziehenden Funktion* einzubeziehen sucht. Denn diese Weisheit weiß um die Notwendigkeit des Maßhaltens, wie obige Beispiele zeigen. Eine narrative, den religiösen Mythos ernst nehmende und fruchtbar machende Umweltethik wäre erst noch zu entwickeln.[294] Hier muß eine Problemanzeige genügen. Dabei können religiöse[295] Mythen mit ihrer wirklichkeitsstiftenden und Tabugrenzen setzenden Kraft nicht einfach „gemacht" werden. Sie sind Ergebnis langer kollektiver Prozesse und – theologisch gesehen – göttlicher Offenbarung.

5.3.11 Ökologische Preisgestaltung

Leitlinie I/11 der Gästeordnung
Du bist willkommen als Gast auf Erden! Deine natürliche Mitwelt ist mehr als ein käufliches Gut. Geld ist fast unendlich vermehrbar. Die Güter der Natur sind dagegen begrenzt. Bezahle das, was du von den Leihgaben der Erde beziehst, so, daß alle ökologischen Kosten darin enthalten sind.

Anders gesagt
Wegen der dominanten Rolle des Geldes in der heutigen Form der Weltwirtschaft ist die Preisgestaltung das wirksamste und eines der schnellsten Mittel zum Maßhalten. Die Preise sind so zu gestalten, daß sie die volle ökologische Wahrheit sagen, also die ökologischen Kosten voll enthalten.

Schöpfungs- und Ursprungsmythen, von denen wir im vorigen Kapitel gesprochen haben, waren insbesondere in Gesellschaften wirkungsvoll, die noch agrarisch und vom Tauschhandel geprägt waren. Demgegenüber sind die meisten heutigen Gesellschaften durch und durch geprägt von der *Geldwirtschaft.* Auch der Umgang mit der Natur ist zum größten Teil davon bestimmt. Deshalb kommt heute dem Verhältnis von Geld und Natur, von Ökonomie und Ökologie und darin insbesondere der Preisgestaltung für die Güter der Natur eine Schlüsselrolle für das Ethos des Maßhaltens zu.
„Heute regiert das Maß des Marktes, nicht das Maß des Menschen"[296] oder das Maß der Natur. Geld kann praktisch unendlich vermehrt werden, ohne an natürliche Grenzen zu

---

[294] So ist im erwähnten Sammelband des VI. Europäischen Theologenkongresses (Schmid, H. H., a.a.O.) das Verhältnis der Ethik zur heutigen Mythosrezeption nicht resp. nur in einem kirchengeschichtlichen Beitrag aufgenommen. Ein Versuch, die Kreislauf-Mythen umweltethisch fruchtbar zu machen, findet sich bei Drewermann, E.: Der tödliche Fortschritt. Von der Zerstörung der Erde und des Menschen im Erbe des Christentums, Regensburg 1981, 111–132.

[295] Bewußt spreche ich hier von *religiösen* Mythen. Wo sie fehlen, treten an ihre Stelle leicht säkulare, z.B. nationale oder wissenschaftliche „Mythen" als Ersatzorientierung (z.B. der positivistische „Mythos" der Objektivität der Wissenschaft, bei dem Wertfragen tabuisiert sind). In solch zivilreligiösem Kontext verkommt das Ethos des Maßes immer wieder zur kleinbürgerlichen Tugend der Mäßigkeit.

[296] So Rock, M.: Theologie der Natur und ihre anthropologisch-ethischen Konsequenzen, in: Birnbacher, D. (Hg.): Ökologie und Ethik, Stuttgart 1980, 72–102 (82).

stoßen. Diese „Geld-Schöpfung" gerät nun aber in harten Konflikt mit der „Natur-Schöpfung", die begrenzt ist. Immer lauter ertönt deshalb die Forderung, die Ökonomie müsse der Ökologie untergeordnet werden. Einer der Pioniere dieses Anliegens im deutschsprachigen Raum ist der St. Galler Ökonom Christoph Binswanger: „Die Geld-Schöpfung, die im Belieben des Menschen steht, muß der Natur-Schöpfung, die nicht Sache des Menschen ist, untergeordnet werden."[297] Auch theologische Wirtschaftsethiken[298] und kirchliche Stellungnahmen[299] betonen dies immer wieder.

Nach 25jähriger Diskussion setzt sich heute die umweltethisch relevante Einsicht auch umwelt- und wirtschaftspolitisch immer mehr durch, daß die Preise die externen ökologischen Kosten voll internalisieren müssen. Daß *„die Preise die volle wirtschaftliche und ökologische Wahrheit sagen" müssen*[300], ist nun auch bei Politikern und Unternehmern – zumindest theoretisch – anerkannt. So nahm der Unternehmerrat der Unced-Konferenz das Anliegen auf, indem er postuliert: „Auch die Umwelt muß einen Preis haben."[301] Zu den Umweltkosten gehören dabei nicht nur die gegenwärtig verursachten Schäden, sondern auch zukünftige Knappheiten. Während die Marktpreise z.B. von Rohstoffen nur gegenwärtige Knappheiten spiegeln, „müßten auch die künftigen Knappheiten bei der Preisbildung miteinbezogen werden. Das würde die Beschaffungskosten von Naturgütern verteuern, so zu ihrem haushälterischen Gebrauch nötigen und käme zugleich vielen rohstoffexportierenden Entwicklungsländern zugute", meint der Wirtschaftsethiker Arthur Rich zu Recht.[302] Solche Aussagen und Entwicklungen können allerdings nicht darüber hinwegtäuschen, daß Ökonomie und Ökologie noch lange nicht versöhnt sind.

Nachdem seit Mitte der siebziger und in den achtziger Jahren die Umweltgesetze ausgebaut wurden, Maßhalten also durch Gebote und Verbote zu fördern versucht wurde, stehen seit Ende der achtziger Jahre ökonomische Instrumente im Vordergrund der Diskussion. Von den drei Grundpfeilern der Umweltpolitik – dem Vorsorgeprinzip (z.B. Risikominimierung), dem Verursacherprinzip (Vermeidungs- resp. Schadenkostenansatz) und dem Gemeinlastprinzip (Übernahme der Vermeidungs- resp. Schadenkosten durch die Allgemeinheit) – ist das Verursacherprinzip am direktesten marktwirtschaftlich orientiert.

Eine ganze *Palette von marktwirtschaftlichen Instrumenten* ist heute in Diskussion[303]: Emissionsabgaben (Lenkungsabgaben wie z.B. Fluglärmabgaben), Benutzergebühren (z.B. für Abfall), Produktabgaben (z.B. für Batterien), Verwaltungsgebühren (z.B. für die

---

297 Binswanger, Ch.: Geld und Natur. Das wirtschaftliche Wachstum im Spannungsfeld zwischen Ökonomie und Ökologie, Stuttgart 1991, 23. Im Ansatz bereits in seiner Antrittsvorlesung von 1969, ebd. 27–41.

298 Z.B. Rich, A.: Wirtschaftsethik, Bd. 2, Gütersloh 1990, 308–318.

299 Z.B. Gemeinwohl und Eigennutz. Wirtschaftliches Handeln in Verantwortung für die Zukunft. Eine Denkschrift der Evangelischen Kirche in Deutschland, Gütersloh 1991, 132.

300 Weizsäcker, E. von: Erdpolitik, Darmstadt 1990[2], 143. Zum Thema „Die Preise müssen die Wahrheit sagen" 143–158.

301 Schmidheiny, St. mit dem Business Council for Sustainable Development: Kurswechsel, München 1992, 43–66 (43).

302 Rich, A.: Marktwirtschaft – Möglichkeiten und Grenzen, ZeitSchrift/Reformatio 41 (1992), Nr.4, 260–272. Der Aufsatz erschien kurz nach dem Tod des 82jährigen A. Rich von Ende Juli 1992.

303 Vgl. dazu Weizsäcker, E. von: Erdpolitik, a.a.O., 152ff; als Übersicht für die Schweiz: Schweiz. Gesellschaft für Umweltschutz (Hg.): Umwelt und Markt, Zürich 1992; Arbeitskreis Kapital und Wirtschaft: Mehr Markt in der Energie- und Umweltpolitik, Zürich 1992, 13–24.

Registrierung neuer Produkte), handelbare Emissionszertifikate (z.B. für CO_2-Ausstoß), Erweiterung der Umwelthaftung[304], Pfandabgaben/Depots (beim Kauf eines Produkts, z.B. für Flaschen), Steuervorteile für umweltfreundliche Produkte und für Umweltinvestitionen, freiwillige Vereinbarungen einzelner Unternehmen, Firmengruppen oder Branchen, Benutzervorteile (z.B. von Autos mit Katalysator bei Smog-Alarm) und Umweltsteuern.

Umweltschäden verursachen heute jährliche *externe,* d.h. der Allgemeinheit aufgebürdete *Kosten* von 5–10 Prozent des Bruttosozialprodukts.[305] Die Umweltschutzaufwendungen betragen in Deutschland jährlich 1–1,5 Prozent des Bruttosozialprodukts. Durch die Anwendung der genannten Instrumente werden bisher nach Berechnungen von Ernst U. von Weizsäcker also nur ein Fünftel bis ein Zehntel der externen Umweltkosten internalisiert[306]. Die Zahl der Abgabesysteme nimmt aber – zumindest in den Industrieländern – rasch zu. In den OECD-Ländern hat sie sich 1987–91 verdreifacht[307].

Das Konzept der *Ökologisierung der Wirtschaft durch die Ökonomisierung der Natur* ist unter den Bedingungen unserer gegenwärtigen Weltwirtschaft unumgänglich und ein relativer Fortschritt.[308] So sind umweltethisch gesehen die marktwirtschaftlichen Instrumente im Dienst des Maßhaltens sehr zu unterstützen. Wo alles seinen Preis hat, muß auch die Natur einen angemessenen bekommen. Ohne diese ökologische Wahrheit der Preise gelingt das Maßhalten nicht. Eine ethische Bedingung dabei ist, daß die Umweltkosten sozial gerecht verteilt werden, was bei manchen Instrumenten ausgleichende Maßnahmen erfordert, insbesondere bei Steuern auf Produkten, die die Grundbedürfnisse decken.

Mit der Ökonomisierung und *Monetarisierung der Natur* sind allerdings auch etliche *ethische Probleme* verbunden: Die Verantwortung für die Natur wird vom einzelnen auf das Preissystem verschoben („Ich darf die Natur brauchen wie ich will, ich bezahle ja dafür"). Zudem entspringt die Monetarisierung der Natur einem utilitaristischen Ansatz, der in Spannung zum Ansatz des Gastseins steht. Die Natur wird damit auch sehr anthropozentrisch vom Nutzen für den Menschen her beurteilt. Wenn man der Natur als Mitwelt dagegen – ob anthropozentrisch oder bio- resp. physiozentrisch begründet ist dabei nicht so entscheidend – Subjektcharakter zubilligt und den Beziehungs- statt den Objektcharakter in den Vordergrund rückt, wie es unserem Ansatz entspricht[309], dann müßte man über die Monetarisierung der Natur hinaus den Schritt zur unverfügbaren

---

304 Der Ausbau der Umwelthaftung – nur eine Anwendung des Verursacherprinzips, ist äußerst wirksam, weil damit umweltgefährdende oder risikoreiche Technologien rasch an die finanziellen Grenzen der Versicherbarkeit stoßen. Wenn die im schweizerischen Kernenergiehaftpflichtgesetz festgelegte maximale Deckungssumme von einer Milliarde Franken für Kernenergieanlagen deutlich erhöht würde, wie dies angesichts des Risikopotentials notwendig wäre, würde z.B. Solarstrom gegenüber Atomstrom deutlich an Konkurrenzfähigkeit gewinnen.

305 Für Deutschland wurden etwa 5 Prozent errechnet von Wicke, L.: Die ökologischen Milliarden, München 1986; auf rund 10 Prozent 1988 kommt Leipert. Ch.: Die heimlichen Kosten des Fortschritts, Frankfurt 1989, ebenfalls Weizsäcker, E. von: Erdpolitik, a.a.O., 146. Für die ehemalige DDR vgl. Umweltreport DDR: Bilanz der Zerstörung, Kosten der Sanierung, Strategien für den ökologischen Umbau, Frankfurt 1990.

306 Weizsäcker, E. von: Erdpolitik, a.a.O., 147.

307 OECD: Recent Development in the Use of Economic Instruments, Environment Monographs Nr. 41, Paris 1991.

308 Vgl. auch Kapitel 4.9.2.

309 Vgl. Kapitel 5.3.5.

Würde der Natur auch tun. Umweltethisch ist dann Kants Aussage, alles habe einen Preis oder eine Würde[310], leicht abzuwandeln: Die Mitwelt hat einen Preis *und* eine Würde[311]! Ein zweites ethisches Problem liegt in der Frage nach dem *Menschenbild* hinter dem Satz, ohne die ökologische Wahrheit der Preise gelinge das Maßhalten nicht. Er beinhaltet das Eingeständnis, daß der Mensch – zumindest der durchschnittliche, an dem die Tauglichkeit und Wirksamkeit der Umweltethik schließlich zu messen ist – weniger wegen seiner Beziehung zur Natur, seiner Weisheit aus Schöpfungsmythen oder seines Glaubens an den Schöpfergott Maß hält, sondern aus dem kurzfristigen finanziellen Eigeninteresse, das durch die Preise steuerbar ist. Schon Plato betrachtete das Streben nach Geld als Inbegriff des menschlichen Begehrungsvermögens, der epithymia. Eine Ethik, die nicht mit einem Menschen rechnet, wie er sein sollte, sondern wie er ist, muß deshalb bei diesem Streben nach Geld und dem entsprechenden Streben nach Einsparen von Kosten ansetzen. Das ist ethisch nicht verwerflich, sondern unter dem ethisch wichtigen Postulat der Praktikabilität ethischer Normen sogar wünschbar – sofern dieser Weg nicht verabsolutiert, sondern das Anknüpfen am Eigeninteresse als erste Stufe ethischer Motivation gesehen wird. In demokratisch gestalteten Staaten wird die Bevölkerung einer Preisgestaltung, die die ökologische Wahrheit sagt, allerdings nur zustimmen, wenn sie eine innere Beziehung zur Natur und eine Einsicht in ihre Würde bereits entwickelt hat.

5.3.12 Relationalität und Komplementarität

Leitlinie I/12 der Gästeordnung
Du bist willkommen als Gast auf Erden! Versuche die Komplexität und Widersprüchlichkeit der Welt auszuhalten. Das Maß findest du, wenn du nicht eine Leitlinie oder einen Wert verabsolutierst, sondern sie in ihrer Vernetzung beachtest. Gleichzeitig wirst du Prioritäten setzen.

Anders gesagt
Jede ethische Leitlinie für ein Ethos des Maßes kann zu Maßlosigkeit führen, wenn sie verabsolutiert wird. Nur die Relationalität, die Vernetzung der verschiedenen Leitwerte führt zum Maß. Da nicht alle Werte gleichzeitig verwirklicht werden können, sind Vorzugsregeln zu beachten.

Das ethisch Maßvolle ist eine Beziehungsgröße und Maßhalten geschieht primär durch Beziehungen. Diese Grundthese meiner Umweltethik, besonders deutlich in den Leitlinien I/1–5, gilt in einer speziellen Weise auch für die Relation der Werte zueinander. *Relationalität* – das In-Beziehung-Sein, Aufeinander-bezogen-Sein – bedeutet: Werte

---

310 Kant, I.: Grundlegung zur Metaphysik der Sitten, BA 77, in: Werke in sechs Bänden, hg. von W. Weischedel, Bd. IV, Darmstadt 1966³, 68: „Im Reiche der Zwecke hat alles entweder einen Preis, oder eine Würde. Was einen Preis hat, an dessen Stelle kann auch etwas anderes, als Äquivalent, gesetzt werden: was dagegen über allen Preis erhaben ist, mithin kein Äquivalent verstattet, das hat eine Würde."

311 Die Spannung zwischen vorwiegend anthropozentrischen Ansätzen in der Umweltökonomie und häufig biozentrischen Ansätzen in der Umweltethik ist im Dialog weiter zu klären.

werden nicht verabsolutiert, sondern in Relation zu ihren Gegenwerten beachtet. Dieses Kriterium der Relationalität verdanke ich besonders der Ethik von Arthur Rich[312].

Zahlreiche der bisher und im folgenden Kapitel 5.4 zu nennenden umweltethisch relevanten Werte stehen in Spannung zueinander, wenn man sie gleichzeitig zu verwirklichen sucht: Freiheit und Bindung, Ekstase und Askese, Liebe und Furcht, Transzendenz und Immanenz Gottes, Jenseitshoffnung und Diesseitsverantwortung, Eigennutz und Gemeinwohl, Verantwortung für gegenwärtige und für zukünftige Generationen, Menschenschutz und Naturschutz usw. Auch Gerechtigkeit, Friede und Bewahrung der Schöpfung gehören zwar zusammen, geraten aber laufend miteinander in Konflikt, wenn es z.B. um die Verteilung von Finanzmitteln für die eine oder andere Aufgabe geht. Ein anderes Beispiel sind die vier Freiheiten, die die Grundlage des Europäischen Binnenmarktes bilden: Wenn der freie Personen- und Güterverkehr maximiert und nicht relational zum Wert der nachhaltigen Bewahrung der Schöpfung gesehen wird, führt er zu Maßlosigkeit. Wenn man einen Wert zu maximieren statt zu optimieren sucht, kann dies zu Maßlosigkeit führen, auch wenn der Wert in sich dem Maßhalten dient. Nur wenn die Werte relational aufeinander bezogen sind und damit sich gegenseitig begrenzen und vor Verabsolutierungen schützen, gelingt das Maßhalten. Das Leben als Gast auf Erden läßt sich nicht an *einem* Grundwert orientieren. Es braucht die Relationalität der Zwecke[313] und die Relationalität der Grundwerte[314].

Maßhalten durch Relationalität der Werte darf aber auch hier nicht mit Mittelmaß verwechselt werden. „Mit einem bloßen Kult der Mitte oder gar mit schierer Ausgewogenheit hat das keineswegs zu tun. Schon gar nicht meint Relationalität ein opportunistisches Lavieren zwischen gegensätzlichen Positionen, nur um möglichst ungeschoren davonzukommen."[315] Ein zeitlich begrenztes Übergewicht des einen oder andern Wertes kann oft nötig sein. Solche Asymmetrie ist aber immer als eine situationsbezogene, pragmatische, die sich ihrer Einseitigkeit bewußt ist und sich nicht zum Prinzip erklärt, zu verstehen. Rich weist zu Recht darauf hin, daß eine Aussöhnung der Werte, die die Spannung ein für allemal überwinden würde, dem Eschaton, dem Reich Gottes, vorbehalten bleibt.[316]

Statt von Relationalität könnte man auch von einer *Wert-Kybernetik* sprechen. So wie die Kybernetik die Steuerung von vernetzten Abläufen und die Biokybernetik die Steuerung von Organismen und Ökosystemen durch Vernetzung bezeichnet[317], so bedeutet Wertkybernetik, daß Werte und Normen wie ein vernetztes System betrachtet werden, die es in einem dynamischen Gleichgewicht zu steuern gilt. Die Steuerung geschieht dabei im Unterschied zur Auffassung in der Biokybernetik nicht selbsttätig, sondern durch die ethischen Entscheide der Menschen. Für die christliche Ethik ist der Geist Gottes der kybernetes, die steuernde Kraft, die das Maßhalten durch Vernetzung der Werte ermöglicht. Ohne einem naturalistischen Fehlschluß zu erliegen, wäre es lohnend zu prüfen,

---

312 Das Kriterium der Relationalität ist das grundlegendste Kriterium seiner Ethik. Vgl. Rich, A.: Wirtschaftsethik, Bd. 1, Gütersloh 1984, 184–192; Bd. 2, Gütersloh 1990, 36–40, 168–175. Vgl. auch oben Kapitel 4.3.1.

313 Ebd., Bd. 2, 36ff.

314 Ebd., 168ff.

315 Ebd., 169.

316 Ebd., 40.

317 Vgl. oben Kapitel 2.3.1.

was die Biokybernetik für eine Wertkybernetik bedeuten könnte, gerade wenn man davon ausgeht, daß der kosmische göttliche Geist und der im Menschen wirkende göttliche Geist derselbe ist.

Verwandt mit der Relationalität und zugleich von ihr unterschieden ist die *Komplementarität.* Auch sie kann wie die Relationalität als Kriterium für das Maßhalten betrachtet werden, indem sie Absolutismen überwinden will. Erinnern wir uns nochmals an die naturwissenschaftliche Definition von Komplementarität aus der Quantentheorie[318]: Komplementarität heißt die Zusammengehörigkeit verschiedener Möglichkeiten, dasselbe Objekt als verschiedenes zu erfahren. Komplementäre Erkenntnisse gehören zusammen, insofern sie Erkenntnis desselben Objekts sind. Sie schließen einander jedoch insofern aus, als sie nicht zugleich und für denselben Zeitpunkt erfolgen können.

Komplementarität wird heute als Erkenntnismethode in den verschiedensten Wissenschaften angewandt.[319] In der Theologie[320] spielte sie – noch ohne moderne quantentheoretische Erkenntnisse – besonders bei Nikolaus von Kues (1401–1464), dem kühnen spätmittelalterlichen Theologen und Kardinal, eine zentrale Rolle. Seine Gotteslehre und seine Kosmologie war geprägt von der *coincidentia oppositorum*[321]: Diese Erkenntnismethode[322] geht davon aus, daß die Welt geprägt ist von unversöhnbaren Gegensätzen. Diese sind aber nur wegen der Endlichkeit des Geschaffenen unvereinbar. In der Unendlichkeit Gottes fallen die Gegensätze zusammen und werden zur Einheit. Im Endlichen bedeutet die coincidentia oppositorum aber, daß nichts im Mittelpunkt sein kann, da dieser nur dem Absoluten zukommt. (Deshalb gelangte Nikolaus von Kues vor Kopernikus zur Auffassung, daß die Erde nicht Mittelpunkt des Universums sein könne!) Daraus entfaltet er eine ganze Kosmologie. Es ist wohl nicht zufällig, daß in der heutigen Schöpfungsspiritualität und -mystik gerade Nikolaus von Kues wieder entdeckt wird![323]

Mit Komplementarität verwandt ist die *Dialogik.* Als Dialogik bezeichnet Hermann Levin Goldschmidt[324] das Miteinander von zwei gegensätzlichen Wahrnehmungen, die erst zusammen das Ganze ausmachen. Der Widerspruch wird stehen gelassen, während er in der Dialektik in der Synthese zu überwinden versucht wird. Die Dialektik sucht Herrschaft, die Dialogik will herrschaftsfrei sein[325], frei, mit dem Widerspruch zu leben. Es gibt dennoch einen unannehmbaren Widerspruch: das Böse[326]. Hier liegt m. E. das Pro-

---

318 Vgl. Kapitel 2.1.4.

319 Vgl. dazu den Sammelband Fischer, E./Herzka, H./Reich, K. (Hg.): Widersprüchliche Wirklichkeit. Neues Denken in Wissenschaft und Alltag, München 1992 (Vorträge eines Symposiums zu Komplementarität).

320 Neuere Beiträge z.B. Heine, S.: Die Beziehung von Gott und Mensch als coincidentia oppositorum, Manuskript zum in vorheriger Anmerkung erwähnten Symposium (nicht im Sammelband); Reich, K.: Religiöse und naturwissenschaftliche Weltbilder: Entwicklung einer komplementären Betrachtungsweise in der Adoleszenz, Unterrichtswissenschaft 15 (1987), 332–343; Kaiser, C.: Christology and Complementarity. Religious Studies 12 (1976), 37–48.

321 Nikolaus von Kues: Schriften. In deutscher Übersetzung, München 1977ff.

322 Flasch, K.: Nikolaus von Kues. Die Idee der Koinzidenz, in: Speck, J. (Hg.): Grundprobleme der großen Philosophen, Göttingen 1978², 229 weist darauf hin, daß es sich weniger um eine Lehre als eine Erkenntnismethode handelt.

323 Fox, M.: Vision vom Kosmischen Christus, Stuttgart 1991, 186–189; Thiele, J.: Die mystische Liebe zur Erde. Fühlen und Denken mit der Natur, Stuttgart 1989, 130–143; Schupp, F.: Schöpfung und Sünde, Düsseldorf 1990, 389–399.

324 Goldschmidt, H. L.: Freiheit für den Widerspruch, Schaffhausen 1976.

325 Ebd., 196 und 15.

326 Ebd., 196.

blem der in vielem wichtigen Dialogik: Woher stammen die Kriterien in der Dialogik, welches gute Widersprüche sind und welches böse? Einleuchtend grenzt Goldschmidt die Dialogik von Dialogismus ab, der z.B. in Form des Pandialogismus „überall und mit allen und allem ein ‚Gespräch' führen will“[327] und damit unverbindlich wird. Das Verhältnis von Dialogik und Komplementarität bestimmt er so: „Die Komplementarität des Alls besteht, ob sie erkannt oder nicht erkannt wird, während die Dialogik in diesem All nur so lange Bestand hat, als ihre Bewährung gewagt wird und gelingt.“[328]
Was bedeuten Relationalität, Komplementarität und Dialogik für unsere Ethik des Maßes? 1. Maßvoll ist nicht von vornherein das, was statisch in der Mitte zwischen den Extremen liegt. Das Maß wird mit Relationalität, Komplementarität und Dialogik dynamisiert. Was ein maßvoller Umgang mit der Schöpfung ist, läßt sich nicht ein für allemal festlegen. Maßfindung ist ein dynamischer Prozeß, in dem verschiedene, oft gegensätzliche Werte miteinander in Beziehung gesetzt und situativ gewichtet werden. 2. So wie in der naturwissenschaftlichen Komplementarität immer nur *ein* Erkenntnisweg aktuell ist und die andern potentiell sind, so ist zwischen aktualisierten und potentiellen Werten zu unterscheiden. Die potentiellen sind an sich nicht weniger wichtig, aber zur Zeit nicht aktuell. So ist in einer Suchtgesellschaft die Askese ein wichtiger aktueller Wert im Dienste des Maßhaltens (z.B. Alkoholabstinenz zur Zeit der Gründung des Blauen Kreuzes). Ekstase bleibt aber ein Wert als potentielles Korrektiv. In einer sehr rigiden Gesellschaft kann Ekstase zum notwendigen aktuellen Wert im Dienste des Maßhaltens werden, um die Kräfte der Leidenschaftlichkeit, die zur Liebe gehören, wieder zu wecken. Askese bleibt dann aber ein potentieller Wert als mögliches Korrektiv. Dasselbe gilt für den Respekt vor der Natur: In der heutigen Zeit schamloser Naturzerstörung ist der Wert Respekt und Nachhaltigkeit aktuell unzweideutig in den Vordergrund zu stellen. Er bleibt aber relational verbunden mit dem Wert der Naturgestaltung und -veränderung im Dienste des Wohls des Menschen. Situationsbedingt muß dieser Wert zur Zeit in den Hintergrund treten. Er bleibt aber ein potentieller Wert. Dasselbe gilt für Freiheit und Solidarität usw. 3. Relationalität, Komplementarität und Dialogik sind Absagen an alle Absolutismen. Wo ein Wert verabsolutiert wird, verkehrt er sich in sein Gegenteil. Das bedeutet keinesfalls ein Relativismus der Werte, aber ständige dynamische Überprüfung und Korrektur aus lebendigen Beziehungen.

5.4 *Welches* Maß leben? Die zweiten zwölf Leitlinien der Gästeordnung

In den ersten zwölf Leitlinien der Gästeordnung, der ersten „Tafel“, stand die Frage im Vordergrund, *wie* das Maßhalten im Umgang mit der Mitwelt möglich ist, *wie* Umwelt und Entwicklung zu vereinen sind. In den folgenden zwölf Leitlinien, der zweiten „Tafel“, geht es nun um das „*Was*“. Was maßvoll leben heißt, soll an zwölf umweltethisch relevanten Grundwerten gezeigt werden. Sie sind bereits in der bisherigen Studie bei der Auseinandersetzung mit verschiedensten Ansätzen immer wieder aufgetaucht, sei

[327] Ebd., 199.
[328] Ebd., 208.

es in den Fallbeispielen, im naturwissenschaftlichen und historischen Teil sowie besonders beim Überblick über maßvolles Verhalten in den heutigen Umweltethiken. Sie werden nun im eigenen Ansatz des Ethos des Maßes systematisiert. Da in der Mitweltethik die Relationalität der Werte wie erwähnt fundamental ist, behandle ich nicht exemplarisch und vertieft ein oder zwei Grundwerte, sondern eine größere Zahl von zwölf. Damit ist an manchen Punkten nicht viel mehr als eine Problemanzeige möglich; dafür soll das Ganze der Mitweltethik in ihrer Vernetztheit unter dem Gesichtwinkel des Maßhaltens in den Blick kommen. Dies scheint mir heute vordringlicher als Monographien einzelner Grundwerte.

5.4.1 Nachhaltige Entwicklung

Leitlinie II/1 der Gästeordnung
Du bist willkommen als Gast auf Erden! Handle so, daß die Gäste, die nach dir kommen, mindestens gleichwertige Lebensbedingungen vorfinden wie du. Handle so, daß die Vielfalt menschlichen und nichtmenschlichen Lebens in Würde dauerhaft gewährleistet ist.

Anders gesagt
Maßvoll handelt, wer den Mitmenschen und der Natur nicht mehr abverlangt, als er selber zu ihrer Erhaltung beitragen kann. Dabei hat eine künstliche Verknappung der nicht erneuerbaren Ressourcen und der nicht kreislaufintegrierten Güter Vorrang vor ihrem freien Gebrauch, da sonst eine nachhaltige Entwicklung nicht gelingt.

Wir definieren nachhaltige Entwicklung[1] folgendermaßen: *Eine nachhaltige, dauerhafte Entwicklung ermöglicht Leben in Würde für die gegenwärtigen Generationen, ohne das Leben in Würde der zukünftigen Generationen und der Natur zu gefährden.*[2] Dauerhaf-

---

1 Im Brundtland-Bericht wird „sustainable development“ noch durchgängig mit „Dauerhafte Entwicklung“ auf deutsch übersetzt. Mit Rio 1992 hat sich mehrheitlich die Übersetzung „nachhaltige Entwicklung“ durchgesetzt. Seit der Weltkonferenz „Umwelt und Entwicklung“ in Rio ist eine große Fülle von Literatur zur nachhaltigen Entwicklung erschienen. Von der Ethik (z.B. Justitia et Pax, Hg.: Eine Welt mit Zukunft. Die Chance der nachhaltigen Entwicklung, Zürich 1995), über kontinentale Gesamtkonzeptionen (z.B. Commission of the European Communities, Forward Studies Unit: Promoting Sustainable Economic and Social Development. The Future of North-South Relations, Brüssel 1993) zu zahlreichen Fallstudien (z.B. Brot für die Welt et al.: „Unsere Bäume sind weg, und alles Wild ist verschwunden.“ Urwaldzerstörung, Medienkonflikte und die Suche nach einer menschlichen Entwicklung im pazifischen Raum), Länderstudien (Sustainable Netherlands 1994, Nachhaltiges Deutschland 1995, Nachhaltige Schweiz 1996), frauenspezifischen Publikationen (z.B. Frauen-Feature-Service, Hg.: The Power to Change. Frauen, Umwelt und Entwicklung, Zürich – Dortmund 1994) bis zu Unterrichtsmaterialien (z.B. Brot für die Welt: Umwelt und Entwicklung. Lesebuch, Stuttgart 1993). Vgl. auch Kapitel 4.9.

2 Diese Definition lehnt sich an jene im Brundtland-Bericht an (Unsere gemeinsame Zukunft. Der Brundtlandt-Bericht der Weltkommission für Umwelt und Entwicklung, Greven 1987, 46. Vgl. auch Kapitel 4.9, Anm. 288ff): „Dauerhafte Entwicklung ist Entwicklung, die die Bedürfnisse der Gegenwart befriedigt, ohne zu riskieren, daß künftige Gnerationen ihre eigenen Bedürfnisse nicht befriedigen können.“ Meine Definition ist um zwei wesentliche Elemente erweitert: Hinter dem Begriff „Bedarf“ steckt die sehr wichtige Grundbedürfnisstrategie des Brundtland-Berichts. „Leben in Würde“ geht über die Befriedigung (materieller) Grundbedürfnisse hinaus. Als zweites ist neben den zukünfti-

tigkeit im Sinne der heute international angestrebten sustainability[3] ist heute eines der wichtigsten Kriterien für das ökologisch und entwicklungspolitisch Maßvolle. Diese Permanenzfähigkeit bedeutet nicht Stagnation. Wachstum und Entwicklung werden weder auf die Forderung nach Nullwachstum noch auf den Ruf nach permanentem Wachstum fixiert, sondern quantitatives und qualitatives Wachstum wird daran gemessen, ob es langfristig tragfähig sei. So soll z.B. nicht mehr Holz gefällt werden, als nachwächst. Dauerhaftigkeit meint, daß man von den „Zinsen" der Natur und nicht von ihrem „Kapital" lebt. Die Weltbank allerdings hat an der Rio-Konferenz über Umwelt und Entwicklung 1992 die Ansicht vertreten, nachhaltige Entwicklung könne auch vom „Kapital" leben, nicht nur von den „Zinsen"[4], was bei Umweltorganisationen auf heftige Ablehnung stieß. Faktum ist, daß die Menschheit vom „Kapital" der Natur lebt, z.B. von den fossilen Energien. Beim Verbrauch nichterneuerbarer Ressourcen lebt man immer vom „Kapital". Das ist geradezu die Definition von Nichterneuerbarkeit. Es ist nicht durchführbar, daß unter Beibehaltung der heutigen Zahl von Menschen das „Kapital" der Natur gar nicht angetastet wird. Ethisch ist aber am Ziel festzuhalten, das „Kapital" der Natur so wenig wie möglich zu brauchen und durch menschliche Intelligenz zu neuer „Kapitalbildung" der Natur beizutragen, indem gleichwertige Substitute geschaffen werden. (Wirklich gleichwertig können sie in der Regel allerdings nicht sein, da das in langer Zeit Gewordene ökologisch und ethisch höherwertig ist als das in kurzer Zeit Geschaffene.)
Geradezu als Definition für nachhaltige Entwicklung ist auch die bereits früher erwähnte Zielformel des ÖRK zu bezeichnen: „Sinnvolle Entwicklung – wie die Strategie des Embryos – gewährleistet, daß die richtigen Dinge im rechten Maß zur rechten Zeit und im richtigen Verhältnis zueinander an den rechten Ort kommen."[5]
Nachhaltigkeit als Wert ist nicht direkt aus der Natur ableitbar.[6] Ökosysteme kennen zwar ein natürliches dynamisches Gleichgewicht, doch gehen im Laufe der Evolution auch viele Arten zugrunde. Die Natur ist aufs Ganze gesehen gegenüber Zerstörung von Leben gleichgültig.
Theologisch-ethisch hingegen gründet das Maß der Nachhaltigkeit auf folgenden Werten:

---

gen Generationen auch die Natur nicht nur implizit, sondern explizit einbezogen. – Weiter lautet eine einfache, brauchbare Definition: „Wenn eine Tätigkeit nachhaltig (sustainable) ist, kann sie für alle praktischen Zwecke unbeschränkt weitergeführt werden." (Caring for the Earth. A Strategy for Sustainable Living, published by The World Conservation Union IUCN, United Nations Enironment Programme UNEP, World Wide Fund For Nature WWF, Gland/Genf 1991, 10. Eine hilfreiche Liste von Indikatoren für nachhaltige Entwicklung findet sich ebd., 198–201.) Vgl. dazu auch Agenda für eine nachhaltige Entwicklung. Eine allgemein verständliche Fassung der Agenda 21 und der anderen Abkommen von Rio, veröffentlicht vom Centre for Our Common Future, Genf 1993; Cobb, J. B. jr.: Sustainability. Economics, Ecology and Justice, New York 1992.

3 Zur internationalen und ökonomischen Diskussion der Dauerhaftigkeit vgl. Kapitel 4.9.

4 Gemäß eines mündlichen Berichts des Schweizer Delegationsmitglieds und Energieexperten Michael Kohn gegenüber dem Verf.

5 Im Zeichen des Heiligen Geistes. Offizieller Bericht der Siebten Vollversammlung des Ökumenischen Rates der Kirchen in Canberra 1991, Frankfurt 1991, 68, Nr.33. Das Ziel der „nachhaltigen Wirtschaft" (economics of sustainability) hat der ÖRK bereits 1979 an seiner Weltkonferenz über Glaube und Wissenschaft entfaltet. Ökumenischer Rat der Kirchen: Faith and Science in an Unjust World. Report of the World Council of Churches' Conference on Faith, Science and the Future, Vol 2 Reports and Recommendations, 125–135.

6 Vgl. Kapitel 2.5.

1. Die Verpflichtung zur Nachhaltigkeit entspringt der *Liebe* zu Gott und damit zu seiner Schöpfung. Der menschliche Einsatz für eine dauerhafte Entwicklung ist Antwort auf Gottes Treue im *Bund*[7] mit seiner Schöpfung. So wie die Verheißung eines ewigen Bundes Gottes nicht primär eine zeitliche Aussage ist, sondern die Qualität des In-Beziehung-Bleibens betont, legt eine dauerhafte Entwicklung nicht einen Zeithorizont fest, sondern meint die Bewahrung der Qualität der Schöpfung in Antwort auf Gottes Handeln, bei dem erschaffen und bewahren dasselbe ist[8]. Die doppelte Einladung Gottes an den Menschen, die Erde „zu bebauen und zu bewahren" (1. Mose 2,15), faßt präzise zusammen, was nachhaltige Entwicklung heißt.

2. Eine dauerhafte, nachhaltige Entwicklung geht davon aus, daß *Überleben* ein Wert, ja der oberste Wert ist[9]. Theologisch gesehen ist der kategorische (nicht hypothetische) „Imperativ, daß eine Menschheit sei", wie ihn Hans Jonas formuliert[10], darin begründet, daß alles Leben ein Geschenk und dem Menschen vorgegeben ist. Er kann Leben nur weitergeben und gestalten, aber nicht darüber verfügen.[11] Das ist der Kern der Aussage, der Mensch sei Gast auf Erden.[12]

3. Nachhaltigkeit beruht auf der *goldenen Regel* der Gegenseitigkeit, wonach man den Mitmenschen und der Mitwelt das gewähren soll, was man selbst von ihnen erwartet (Mt 7,12). Da man selbst darauf angewiesen ist, in eine Welt hineingeboren worden zu sein, die genügend Lebensgrundlagen bietet, soll dies auch den andern gewährt werden.

4. Das Ziel der Dauerhaftigkeit basiert auf dem Wert der *gleichen Rechte gegenwärtiger und zukünftiger Generationen*[13].

5. Dauerhaftigkeit ist nicht die *Vollendung der Schöpfung* im Reich Gottes[14], aber eine *Voraussetzung* dazu.

6. Von Aristoteles bis zu den Reformatoren war das Maßhalten in eine ständische Ordnung eingebettet. Maßhalten hieß unter anderem, in seinem Stande zu bleiben.[15] So richtig der Abbau der ständischen Ordnung (von Auflösung kann man ja nicht reden) vom Menschenrecht der gleichen Rechte her ist, so ist heute doch die Menschheit als Ganze aufgerufen, *„in ihrem Stande zu bleiben"*. Dauerhafte Entwicklung bedeutet, daß

---

7 Vgl. Kapitel 5.3.1.

8 Martin Luther sagt es klar: „Bei Gott sind Schaffen und Erhalten ein und dasselbe." (WA 43, 233,24f). Beim Menschen hingegen fallen wegen der Ambivalenz all seines Tuns die beiden Aspekte der einen Tätigkeit oft auseinander.

9 So auch Ruh, H.: Argument Ethik, Zürich 1991, 25.

10 Jonas, H.: Prinzip Verantwortung, Frankfurt 1984, 90.

11 Dies ist auch in den alttestamentlichen Schöpfungstexten begründet, die O. H. Steck in folgenden Grundsätzen zusammenfaßt: „Dem Menschen ist im Umgang mit seiner natürlichen Welt und Umwelt alles eröffnet zur Fristung und Freude seines Lebens, was erstens auch anderen und künftigen Menschen die vorgegebene Schöpfungsqualität ihrer Lebenswelt bis hin zur unbelebten Natur nicht zerstört, was zweitens auch allem andern Lebendigen jetzt und künftig sein von Jahwe geschaffenes Leben und Lebensmöglichkeit in ihrem eigenständigen Daseinsrecht wahrt, und was drittens die Tötung des außermenschlichen Lebens auf den elementaren Lebensbedarf, auf die Abwehr von jedweder Gefahr für Leib und Leben des Menschen beschränkt." (Bewahrung der Schöpfung. Alttestamentliche Sinnperspektiven für eine Theologie der Natur, in: Weder, H. (Hg.): Gerechtigkeit, Friede, Bewahrung der Schöpfung, Zürich 1990, 39–62. 61.)

12 Mehr dazu Kapitel 5.2.

13 Vgl. Kapitel 5.3.4.

14 Vgl. Kapitel 5.3.6.

15 Vgl. Kapitel 3.3.2.1.

die Menschheit „in ihrem Maße“, d.h. in den Grenzen ihres Menschseins bleibt. Nachhaltigkeit ist Einsicht in das Überlebensnotwendige wie Ausdruck positiver Demut[16].

Wirtschaftlich geht es bei der nachhaltigen Entwicklung um eine *Ökonomie des Genug (für alle) statt einer Ökonomie des Immer-mehr (für wenige)!* Das Ziel ist ein genügender, nicht ein maximaler Wohlstand pro Kopf der Bevölkerung.[17] Nachhaltigkeit muß sich in einer Anspruchsstabilisierung, einer Bevölkerungsstabilisierung und einer Umweltstabilisierung zeigen.[18] Die Anspruchsstabilisierung in den industrialisierten Ländern ist eine wichtige Aufgabe einer Umweltethik des Maßes, indem sie die Bereitschaft für die Akzeptanz notwendiger Einschränkungen fördert.[19] Die Bevölkerungsstabilisierung ist eine Aufgabe der Umweltethik insbesondere in den Ländern der südlichen Erdhälfte.
Die Umweltstabilisierung muß im Zweifelsfall – das heißt wo ein Konflikt zwischen ökologischen und ökonomischen Interessen besteht – Vorrang vor der wirtschaftlichen Entwicklung haben. Wo Zweifel über die Auswirkungen einer zivilisatorischen Maßnahme auf die Umwelt bestehen, ist im Dienste der Dauerhaftigkeit von jenen Prognosen auszugehen, die die schwerwiegenderen Folgen für die Umwelt voraussagen. Der Rechtsgrundsatz „Im Zweifel für den Angeklagten“ (in dubio pro reo) heißt ökologisch übertragen „Im Zweifel für die Natur“ *(in dubio pro natura)*[20].
Dies gilt insbesondere bei möglichen *irreversiblen Schädigungen*[21]. Besondere Beachtung verdienen bei der Prüfung solcher Schädigungen mögliche ökologische Kippeffekte, die bei Übertretung gewisser ökologischer Grenzen plötzlich auftreten können und die dauerhafte Entwicklung gefährden. Allerdings sind irreversible Schädigungen nicht kategorisch verboten. Unsere Ethik des Maßes, die die Relationalität aller Werte betont und die Verabsolutierung eines einzelnen Wertes ablehnt[22], muß den hohen Wert der Vermeidung irreversibler Schäden – er steht im Dienste der Dauerhaftigkeit – in eine

---

16 Den Zusammenhang von Maßhalten und Demut zeigt Piper, J.: Zucht und Maß, München 1964[9], 89–96.

17 So auch der Weltbank-Ökonom Daly, H.: Sustainable Development: From Religious Insight to Ethical Principle to Economic Policy, Vortrag an der Konferenz des Ökumenischen Rates der Kirchen zu Unced in Rio de Janeiro, Juni 1992, (Manuskript, Pkt 3): „We should strive for sufficient per capita wealth (efficiently maintained and allocated, and equitably distributed) for the maximum number of people that can be sustained over time under these conditions. The goal is sufficient, not maximum, per capita wealth.“ Sehr ähnlich auch Goudzwaard, B./de Lange, H.: Weder Armut noch Überfluß. Plädoyer für eine neue Ökonomie, München 1990. So wie Daly strebt auch der profilierte Ökologe und amerikanische Vizepräsident Al Gore eine Gleichgewichtswirtschaft an. Er betont wie Daly die Rolle der religiösen Einstellung zur Bewältigung der ökologischen Aufgaben (Gore, Al: Wege zum Gleichgewicht. Ein Marschallplan für die Erde, Frankfurt a.M. 1992, 239ff: Kapitel „Ökologie des Geistes“).

18 So auch Rich, A.: Wirtschaftsethik, Bd. 2, Gütersloh 1990, 162–168.

19 So auch Furger, F.: Christliche Sozialethik, Stuttgart 1991, 193.

20 Dies ist einer der „berufsethischen Verhaltensgrundsätze“ des ÖkologInnenverbandes der Schweiz (Verbandsstatuten Art. 2.4). Hans Jonas spricht ähnlich von „in dubio pro malo“: Im Zweifelsfall nehmen wir den schlimmern Fall an.

21 Michael Schlitt (Umweltethik, Paderborn 1992, 207) unterscheidet zwischen „schwach irreversibel“ („voraussichtlich nach einer überschaubaren Zeit wieder rückgängig zu machen“) und „stark irreversibel“. Von Irreversibilität sollte man aber nur bei Prozessen sprechen, die vom Menschen (in dem von ihm beeinflußbaren Zeithorizont, also max. zwei bis drei Generationen) nicht rückgängig zu machen sind. Vgl. auch oben Kapitel 2.2.4.

22 Vgl. Kapitel 5.3.12.

Kosten-Nutzen-Abwägung einbeziehen[23] und in Relation zu den andern Werten setzen.

Eine langfristig tragfähige Entwicklung bedeutet z.B. bezüglich *Ressourcenverbrauch* folgendes: Die Verbrauchsrate erneuerbarer Ressourcen darf die Rate ihrer Erneuerung nicht übersteigen. Die Verbrauchsrate nichterneuerbarer Ressourcen darf die Rate neu entwickelter Alternativen nicht übersteigen. Die Rate der Verschmutzung darf die Möglichkeiten, diese zu absorbieren, nicht übersteigen. Aufgrund der Erfahrungen der Umweltpolitik der vergangenen zwanzig Jahre und besonders aufgrund der obigen Einschätzung der marktwirtschaftlichen Instrumente[24] ist solche Dauerhaftigkeit nur erreichbar, wenn eine *künstliche Verknappung* der nicht erneuerbaren Ressourcen und der nicht kreislaufintegrierten Güter vorgenommen wird. Diese Verknappung hat Vorrang vor dem freien Gebrauch dieser Güter, weil sonst eine dauerhafte Entwicklung nach heutigem Stand des Wissens nicht mehr erreicht werden kann[25] und weil Dauerhaftigkeit Vorrang hat vor der Deckung nichtelementarer Bedürfnisse. Eine Preisgestaltung, die die ökologische Wahrheit sagt, ist ein wichtiger Schritt dazu.

5.4.2 Ökologische Gerechtigkeit

Leitlinie II/2 der Gästeordnung
Du bist willkommen als Gast auf Erden! Handle so, daß die natürlichen Ressourcen, die menschliche Arbeit und die von Menschen produzierten Güter – drei Gaben des Gastgebers – wie auch die ökologischen Lasten weltweit und zwischen gegenwärtigen und zukünftigen Generationen gerecht verteilt werden. Gerecht ist dabei, was den Schwächsten am meisten nützt.

Anders gesagt
Bei Verteilungskonflikten haben die elementaren Bedürfnisse heutiger oder zukünftiger Generationen oder der nichtmenschlichen Mitwelt Vorrang vor den nichtelementaren Bedürfnissen heutiger oder zukünftiger Generationen oder der nichtmenschlichen Mitwelt. Das Recht auf das Lebensnotwendige ist dem Recht auf Entfaltung übergeordnet.

Gerechtigkeit ist einer der wichtigsten Werte christlicher Ethik. Er muß deshalb auch in der Umweltethik eine zentrale Rolle spielen. Die gerechte Verteilung der von der Mitwelt und vom Menschen produzierten Güter wie der sozialen und ökologischen Lasten ist ein bedeutender Maßstab für einen maßvollen Umgang mit der Mitwelt und eine Bedingung für eine nachhaltige Entwicklung.[26] In den biblischen Texten, besonders in der prophetischen Überlieferung, ist Mäßigung nie Selbstzweck und als fromme Übung ist

---

23 So Birnbacher, D.: Verantwortung für zukünftige Generationen, Stuttgart 1988, 80.

24 Kapitel 5.3.11.

25 Diese Aussage stützt sich auf ein Votum von Jakob Nüesch, Präsident der Eidgenössischen Technischen Hochschule ETH in Zürich, an einer Veranstaltung über 20 Jahre Club of Rome am 23.4.1992.

26 So heißt es in der „Rio-Erklärung über Umwelt und Entwicklung" der Unced-Konferenz vom Juni 1992, Grundsatz 5: „Alle Staaten und alle Völker sollen zusammenarbeiten in der wichtigen Aufgabe, Armut auszurotten, was für eine nachhaltige Entwicklung unverzichtbar ist."

sie wertlos. Sie hat im Dienst von Recht und Gerechtigkeit zu stehen[27]! Während das Kriterium der Gerechtigkeit in der Wirtschaftsethik[28] und der Ethik der Entwicklungspolitik[29] einen zentralen Platz einnimmt, spielt es in der Umweltethik bisher eine eher untergeordnete Rolle (außer in der Frage der gleichen Rechte zukünftiger Generationen). Nicht zuletzt das weltweite kirchliche Programm für „Gerechtigkeit, Friede und Bewahrung der Schöpfung“ sowie die Unced-Weltkonferenz zu Umwelt und Entwicklung in Rio 1992 machten aber deutlich, daß ein maßvoller Umgang mit der Mitwelt nicht möglich ist ohne *gerechte Verteilung der Güter* und Lebenschancen! Deshalb kann Entwicklungspolitik und Umweltpolitik nicht mehr getrennt werden und deshalb ist es Ausdruck der Sachgerechtigkeit, daß heute Hilfswerke und Umweltverbände zusammenrücken. Die ökologische Krise ist zu einem großen Teil auch ein Nord-Süd-Problem. „Bei allen Umweltfragen geht es nicht nur um die Begrenztheit von Naturressourcen im Verhältnis zur Gesamtbevölkerung, sondern auch um das Problem ihrer gerechten Verteilung.“[30]
Nehmen wir als *Beispiel* für die Frage der *gerechten Ressourcenverteilung* den *Energieverbrauch.* Weltweit werden rund 3 Mrd. Tonnen Erdöl pro Jahr gefördert. Die Schweiz braucht rund 12 Mio. Tonnen pro Jahr (1 Tonne Treibstoff und 1 Tonne Heizöl pro Kopf und Jahr bei einer Bevölkerung von gut 6 Millionen Menschen).[31] Würden alle 5,3 Milliarden Menschen auf der Erde gleich viel beanspruchen wie die Schweizer, betrüge der Weltverbrauch rund 11 Mrd. Tonnen pro Jahr, also fast das Vierfache gegenüber heute. Sogar wenn man die Heizenergie wegläßt, da die Länder der südlichen Erdhälfte aus klimatischen Gründen weniger davon brauchen, würde die Menschheit allein für die Mobilität doppelt soviel Erdöl brauchen wie heute der gesamte Erdölverbrauch beträgt, wenn eine Angleichung an das Schweizer Niveau der Mobilität stattfinden würde. (Dabei ist noch nicht berücksichtigt, daß in der Schweiz ein großer Teil der Mobilität durch öffentlichen Verkehr mit Elekrizität stattfindet, die graue Energie zur Herstellung der Verkehrsfahrzeuge zum größten Teil im Ausland anfällt und auch der Treibstoffverbrauch der Schweizer auf Reisen im Ausland mit Flugzeug und Auto nicht mitgezählt ist.) Der Norden mit einem Weltbevölkerungsanteil von 24 Prozent verschleudert 73 Prozent des Weltenergieverbrauchs, dem Süden mit einem Weltbevölkerungsanteil von 76 Prozent bleiben nur 27 Prozent des Weltenergieverbrauchs.
Der ungleiche Ressourcenverbrauch vergrößert sich noch, wenn man die innerschweizerischen Unterschiede z.B. zwischen denen, die nur öffentliche Verkehrsmittel benutzen,

---

27 Jes 1,10–17; 24,1–6; 32,16; Amos 5,1ff.

28 Z.B. in: Gegen Unmenschlichkeit in der Wirtschaft. Der Hirtenbrief der katholischen Bischöfe der USA „wirtschaftliche Gerechtigkeit für alle“, kommentiert von F. Hengsbach, Freiburg 1987; Rich, A.: Wirtschaftsethik, Bd. 1, Gütersloh 1984, 201–221.

29 Besonders im Zusammenhang mit dem gerechten Handel. Vgl. z.B.: Gerechter Preis? Materialien und Erwägungen zu einem entwicklungspolitischen und wirtschaftsethischen Problem, hg. vom Institut für Sozialethik des Schweiz. Evang. Kirchenbundes, Bern 1990.

30 Die ökologische Krise als Nord-Süd-Problem. Fallbeispiel Amazonien.Eine Studie der Kammer der Evang. Kirche Deutschlands für Kirchlichen Entwicklungsdienst, Gütersloh 1991, 63. Vgl. auch die Fallbeispiele in: Siebert, H.: Die vergeudete Umwelt. Steht die Dritte Welt vor dem ökologischen Bankrott?, Frankfurt a.M. 1990, 121ff; Wöhlcke, M.: Der ökologische Nord-Süd Konflikt, München 1993; Diefenbacher, H./Ratsch, U.: Verelendung durch Naturzerstörung? Die politischen Grenzen der Wissenschaft, Frankfurt a.M. 1992.

31 Statistisches Jahrbuch der Schweiz 1990. Zum Energieverbrauch in ganz Europa vgl. Energie Report Europa. Daten zur Lage. Strategien für eine europäische Energiewende, hg. vom Öko-Institut Freiburg, Frankfurt 1991, 17ff.

und Autofahrern berücksichtigt. Das ethische Kriterium gleicher Rechte für gegenwärtige und zukünftige Generationen[32] erfordert zudem, das Anrecht zukünftiger Generationen auf fossile, während Jahrmillionen gebildete Energieträger einzubeziehen. Die weltweiten sicheren Vorräte von konventionell gefördertem Erdöl (ohne Schieferöle) betragen nach heutigem Stand des Wissens etwa 120 Mrd. Tonnen, würden beim gegenwärtigen Verbrauch also noch etwa 40 Jahre reichen.[33] Wenn alle Menschen gleichviel wie die Schweizer brauchen würden, wären es nur noch 10 Jahre! Bezüglich Erdöl sind wir also von einer gerechten Verteilung unter gegenwärtigen Generationen weit entfernt, von zukünftigen Generationen nicht zu reden. Bei andern nicht erneuerbaren Energien wie Gas, Kohle und Uran ist die Bilanz für zukünftige Generationen positiver, doch auch hier ist die Verteilungsgerechtigkeit sehr beschränkt. Erdgas reicht gemessen am Verbrauch von 1990 noch etwa 60 Jahre und Kohle noch etwa 270 Jahre, also nur elf Generationen.[34] Das Kriterium der Dauerhaftigkeit müßte weiter reichen. In jedem Fall ist menschheitsgeschichtlich die Benutzbarkeit fossiler Energien nur wie ein kurzes Aufflackern eines Streichholzes, noch ganz abgesehen von den klimarelevanten CO_2-Emissionen, die den Verbrauch der fossilen Energie in diesen kurzen Zeiträumen nach heutigem Wissen gar nicht erlauben.

Diese Zahlen zum Energieverbrauch scheinen evident zu zeigen, was *Verteilungsgerechtigkeit als ein Maß für den Umgang mit der Natur* bedeutet, nämlich jedem Menschen das Anrecht auf gleich viel nicht erneuerbare Ressourcen zuzugestehen. Dieser Gerechtigkeitsbegriff ist nun aber ethisch und theologisch zu präzisieren.

Neben der gerechten Verteilung der Ressourcen und der produzierten Güter ist die weltweit *gerechte Verteilung der Arbeit* zu einem prioritären Problem ökologischer Gerechtigkeit geworden. 1994 waren gemäß einer Studie der Internationalen Arbeitsorganisation ILO dreißig Prozent der gesamten Arbeitnehmerschaft weltweit, das sind 820 Millionen Menschen, ohne ausreichende Beschäftigung! Eine solche Weltwirtschaft ist noch weit davon entfernt, als human bezeichnet werden zu können. „Arbeit für alle“[35] ist ein Ziel der Gerechtigkeit, das allerdings zugleich die Frage aufwirft, wie diese Arbeit weltweit so verteilt werden kann, daß die Beteiligung am Welthandel möglich ist und die ökologisch negativen Folgen dieser arbeitsteiligen Weltwirtschaft zugleich vermindert werden können.

Die ökologische Gerechtigkeit in der Verteilung der Ressourcen, der Arbeit und der produzierten Güter *umfaßt drei Dimensionen:* 1. die gerechte Verteilung zwischen den heute

---

32 Vgl. Kapitel 5.3.4.

33 Runge H.: Langfristige Perspektiven der Erölversorgung und -nutzung. Studiengruppe Energieperspektiven Baden/CH, Dok. Nr. 41/1989, 8ff. 40 Jahre prognostizierte auch der 15. Weltenergiekongreß WEC im Sept. 1992 in Madrid.

34 Erdgas: Primärenergieverbrauch weltweit 1990 2,4 Mio. t SKE, Weltvorräte 143,1 Mrd. t SKE; Kohle: Primärenergieverbrauch weltweit 1990 3,1 Mio. t SKE, Weltvorräte 844,7 Mrd. t SKE (World Energy Council, Moderate Scenario 1989, nach Ott, G.: Perspektiven der Weltenergieversorgung und insbesondere die Aussichten der Kohle, Studiengruppe Energieperspektiven, Baden/CH, Dok. Nr.49/1991, 32. Ähnlich der Weltenergiekongreß 1992 in Madrid.

35 So der Titel einer Studie mit dem Untertitel „Ein Modell zur dauerhaften Überwindung der Arbeitslosigkeit“ des Instituts für Sozialethik des Schweiz. Evang. Kirchenbundes und von Justitia et Pax, Bern 1994. Einen Gesamtentwurf einer neuen Verteilung der Arbeit skizziert Ruh, H.: Modell einer neuen Zeiteinteilung für das Tätigsein des Menschen. Strategien zur Überwindung der Arbeitslosigkeit, in: Würgler, H. (Hg.): Arbeitszeit und Arbeitslosigkeit, Zürich 1994, 135–153.

lebenden Menschen, 2. die gerechte Verteilung zwischen heutigen und zukünftigen Generationen und 3. die gerechte Verteilung der Lebenschancen zwischen Mensch und nichtmenschlicher Mitwelt. Wenn der Natur Würde, Eigenwert und Rechte zugesprochen werden, wie wir das oben begründeten[36], dann untersteht auch das Verhalten des Menschen gegenüber der Mitwelt den Forderungen der Gerechtigkeit[37].

Gerechtigkeit bedeutet die *Herstellung artspezifisch gleichwertiger Lebensverhältnisse für alle Lebewesen.* Ungleichheiten sind dabei so zu gestalten, daß sie *den Schwächsten am meisten nützen,* das heißt „den am wenigsten Begünstigten den größtmöglichen Vorteil bringen“[38]. Mit dieser Definition nehme ich die vieldiskutierte, in der theologischen Ethik weithin anerkannte Gerechtigkeitstheorie von John Rawls auf.[39] Rawls bezieht sie „nur“ auf den Menschen, darunter auch auf die zukünftigen Generationen.[40] Er begründet seinen „gerechten Spargrundsatz“ gegenüber zukünftigen Generationen vertragstheoretisch. Wieviel von den Ressourcen z.B. für kommende Generationen gespart werden soll, kann für Rawls nur „vom Standpunkt der am wenigsten Bevorzugten in jeder Generation aus festgelegt“[41] werden. Zu Recht stellt er fest, daß es „unmöglich ist, die richtige Sparrate festzulegen“[42], aber es führt bereits zu maßvollerem Umgang mit den Ressourcen, wenn bei allen entsprechenden Entscheiden die Frage gestellt wird, was denn nun wohl gegenüber heutigen und zukünftigen Mitmenschen gerecht wäre.

Rawls zwei Gerechtigkeitsgrundsätze[43] lassen sich auch auf die ökologische Gerechtigkeit gegenüber der Mitwelt anwenden. Dabei ist nicht nur das Endergebnis, sondern auch der Prozeß darauf hin nach den Gerechtigkeitsgrundsätzen zu gestalten. Neben der Frage der gerechten Verteilung gehört dabei auch die Frage des gerechten Erwerbs von Gütern zur ökologischen Gerechtigkeitstheorie. Der gerechte Erwerb besteht nicht nur in der „gerechten Übertragung“ (Bsp. Kaufvertrag) und „gerechten Aneignung“ (Besitzergreifung herrenloser Gegenstände), wie es in der Anspruchstheorie vertreten wird, sondern es gehört dazu auch der Respekt vor der Nichtverfügbarkeit der Mitwelt und die Verpflichtung zur nachhaltigen Nutzung des Erworbenen.

Die entscheidende Frage der ökologischen Gerechtigkeit ist nun, *ob der nichtmenschlichen Mitwelt gleiche Rechte wie dem Menschen* zugesprochen werden. Hier wird die Spannung zwischen anthropozentrischen und bio- resp. physiozentrischen Ansätzen er-

---

36 Kapitel 5.3.5.

37 So auch Sitter, B.: Wie läßt sich ökologische Gerechtigkeit denken?, ZEE 31 (1987), 271–295, bes. 272. Als Kriterien ökologischer Gerechtigkeit überträgt er klassische Gerechtigkeitskriterien auf den Umgang mit der Natur: Willkürverbot, rechtliches Gehör, Zumutbarkeit, Beweiszulassung, Behutsamkeit, Notwehr und die Goldene Regel (283ff).

38 Rawls, J.: Eine Theorie der Gerechtigkeit, Frankfurt a.M. 1979, 336.

39 Zur Diskussion vgl. Höffe, O. (Hg.): Über John Rawls' Theorie der Gerechtigkeit, Frankfurt a.M. 1977; Ruh, H.: Gerechtigkeitstheorien, in: Wildermuth, A./Jäger, A. (Hg.): Gerechtigkeit. Themen der Sozialethik, Tübingen 1981, 55–69; Rich, A.: Wirtschaftsethik Bd. 1, Gütersloh 1984, 202ff.

40 Rawls, J, a.a.O., 319–327.

41 Ebd., 326.

42 Ebd., 320.

43 „*Erster Grundsatz*: Jedermann hat gleiches Recht auf das umfangreichste Gesamtsystem gleicher Grundfreiheiten, das für alle möglich ist. *Zweiter Grundsatz*: Soziale und wirtschaftliche Ungleichheiten müssen folgendermaßen beschaffen sein: a) sie müssen unter der Einschränkung des gerechten Spargrundsatzes den am wenigsten Begünstigten den größtmöglichen Vorteil bringen, und b) sie müssen mit Ämtern und Positionen verbunden sein, die allen gemäß fairer Chancengleichheit offenstehen.“ (336)

neut deutlich. Für Hans Ruh haben „alle Lebewesen ethisch gesehen prinzipiell das gleiche Recht auf Leben."[44] Klaus Michael Meyer-Abich formuliert physiozentrisch den Gerechtigkeitsgrundsatz: „Mehreres gleich zu behandeln, soweit die Gleichheit reicht, und verschieden, soweit Verschiedenheit besteht."[45] Danach sind alle Lebewesen als Rechtssubjekte zu behandeln, aber nach ihrer Verschiedenheit verschieden, d.h. die Katze als Katze, der Hund als Hund. Zur Gerechtigkeit als Gleichheit gehört also auch die Respektierung *artgerechter Lebensverhältnisse.*[46] In Anknüpfung an Meyer-Abich geht Günter Altner noch einen Schritt weiter, um eine möglichst große Zurückhaltung bei Eingriffen in die Mitwelt zu gewährleisten, indem er sagt: „Die Gleichheit wiegt mehr als die Verschiedenheit."[47] Nochmals einen Schritt weiter geht Paul Taylor, indem er Kompensationsleistungen an die Natur fordert, z.B. in Form der Erweiterung der Naturschutzgebiete.[48] Er begründet dies vom physiozentrischen Ansatz her, indem er eine gleiche Verteilung der Lasten und Nutzen für *alle* Lebewesen anstrebt, als Entschädigung für zugefügte Schäden vom „Grundsatz der wiederherstellenden Gerechtigkeit" her.[49] Diesem Gleichheitsgrundsatz mit seinen Folgerungen widerspricht von seiner „geläuterten Anthropozentrik" her Bernhard Irrgang vehement. Er „bestreitet die behauptete Gleichheit ... Natur hat keine Rechte und keinen Subjektstatus"[50].

Nach meinem Ansatz des Gastseins auf Erden besteht die Gleichheit aller Lebewesen im Geborenwerden und damit im Geschenkcharakter allen Lebens, das vom Schöpfer geschenkt wird. Daraus folgt die Unverfügbarkeit. Verfügungsrechte, die aus dem Gestaltungsauftrag des Menschen (1. Mose 2,15) resultieren, sind entsprechend begrenzt und stehen immer unter dem Vorzeichen der grundsätzlichen Unverfügbarkeit. Weil der Mensch Gast ist, dem die Güter der Natur nur geliehen sind, ist er zu einer gerechten Nutzung und dem Teilen mit Mitmenschen, zukünftigen Generationen und allen Lebewesen aufgefordert. Dabei gilt der Grundsatz, daß Gleiches gleich und Verschiedenes verschieden behandelt werden soll.

Gerechtigkeit (hebräisch zedaka) bedeutet nach *alttestamentlicher Auffassung* die Respektierung des Rechts, das dem Menschen (als Menschenrecht) und der Mitwelt (als Rechte der Natur) von Gott durch seinen Bund mit der Schöpfung zugesprochen ist. Gerechtigkeit ist der Inbegriff des Maßes der Schöpfung.[51] Sie ist Ausdruck der Leben ermöglichenden Weltordnung[52], sichtbar im göttlichen Gesetz der Tora[53]. Sie ist nahe dem alttestamentlichen Verständnis von Frieden (hebräisch schalom), der auch diese umfassende Ordnung bezeichnet, wie wir später sehen werden. Deshalb sagt der Psalmist, „Gerechtigkeit und Friede umarmen sich" (Ps 85,11). Der prophetische Einsatz für Gerech-

---

44 Ruh, H.: Argument Ethik, Zürich 1991, u.a. 20.

45 Meyer-Abich, K. M.: Aufstand für die Natur. Von der Umwelt zur Mitwelt, München 1990, 48f.

46 Mit Blick auf artfremde gentechnische Eingriffe ist diese Artgerechtheit betont in: Einverständnis mit der Schöpfung. Ein Beitrag zur ethischen Urteilsfindung im Blick auf die Gentechnik, vorgelegt von einer Arbeitsgruppe der Evang. Kirche in Deutschland, Gütersloh 1991, 78f.

47 Altner, G.: Naturvergessenheit, Darmstadt 1991, 223.

48 Taylor, P.: Respect for Nature. A Theory of Environmental Ethics, Princeton 1989[2], 291ff, 304.

49 Ebd., 304ff. Vgl. auch oben Kapitel 4.8.3.

50 Irrgang, B.: Christliche Umweltethik, München 1992, 86.

51 So auch Link, Ch.: Schöpfung, Bd. 2, Gütersloh 1991, 365, 370f.

52 Schmid, H. H.: Gerechtigkeit als Weltordnung, Tübingen 1968.

53 Vgl. oben Kapitel 3.2.1.

tigkeit und Frieden[54] ist Ausdruck der Leidenschaftlichkeit, mit der Gott selbst zedaka/ schalom verwirklichen will.
Die *christliche Gerechtigkeitsauffassung* geht über die alttestamentliche Sicht hinaus noch einen Schritt weiter. Die *„bessere Gerechtigkeit“,* wie sie besonders in der Bergpredigt Jesu[55] und in der paulinischen Theologie der Gnade[56] zum Ausdruck kommt, ist Ausdruck der überfließenden Fülle und Liebe Gottes. Die Goldene Regel, wonach ich dem Nächsten dasselbe gewähre, was ich von ihm erwarte (Mt 7,12), ist zwar weiterhin gültig und, wenn verwirklicht, bereits ein hoher Wert. Doch die neue Gerechtigkeit tut das Gute unbegrenzt, über die distributive Gerechtigkeit hinaus auch gegenüber jenen, die es nicht „verdient“ haben. Feindesliebe (Mt 5,43ff) ist der klarste Ausdruck davon. Das Maß des Handelns ist nicht das Verdiente, sondern das Nötige, die Not, der Bedarf, wie es in dem (auf den ersten Blick ungerecht scheinenden und doch eine neutestamentliche „Wirtschaftsethik“ begründenden) Gleichnis von den Arbeitern im Weinberg zum Ausdruck kommt (Mt 20,1–16). Der Schwache ist das Maß der Gerechtigkeit. Gerecht ist, was dem Schwächsten am meisten nützt. Rawls zweiter Gerechtigkeitsgrundsatz nimmt diese Sicht auf. Das neutestamentliche Gerechtigkeitsdenken ist ein Denken vom andern, besonders den Opfern, her. Diese bessere Gerechtigkeit ist kreativ, indem sie festgefahrene Situationen durchbricht. Sie ermöglicht z.B., den Teufelskreis der Verschuldung der Dritten Welt, ein wesentlicher Faktor der Umweltzerstörung, durch eine „kreative Entschuldung“ zu durchbrechen.[57] Wenn die nach solcher neuer Gerechtigkeit Hungernden glücklich gepriesen werden, wie in der vierten Seligpreisung der Bergpredigt (Mt 5,6), dann ist dabei die zwischenmenschliche Gerechtigkeit wie die ökologische Gerechtigkeit als Ausdruck der Versöhnung zwischen Mensch und Natur gemeint. Ohne ungewöhnliche Schritte der „besseren Gerechtigkeit“ ist ein maßvoller Umgang mit der Mitwelt heute nicht zu erreichen.
Bei den zahlreichen Verteilungskonflikten ist für die soziale und ökologische Gerechtigkeit die Unterscheidung von überlebensnotwendigen und nicht-überlebensnotwendigen Interessen notwendig, wie sie z.B. Paul Taylor in seiner Umweltethik formulierte[58] und wie sie von Ruh, Altner u.a. aufgenommen wurde. Entsprechend kann der am Anfang dieses Kapitels bereits erwähnte Gerechtigkeitsgrundsatz formuliert werden: *Bei Verteilungskonflikten haben die elementaren Bedürfnisse heutiger oder zukünftiger Generationen oder der nichtmenschlichen Mitwelt Vorrang vor den nichtelementaren Bedürfnissen heutiger oder zukünftiger Generationen oder der nichtmenschlichen Mitwelt. Das Recht auf das Lebensnotwendige ist dem Recht auf Entfaltung übergeordnet.*
Dieser Grundsatz ist nun zu verbinden mit obigem Grundsatz, wonach Gleiches gleich

---

[54] Spieckermann, H.: Gerechtigkeit und Friede in der prophetischen Verkündigung, in: Weder, H. (Hg.): Gerechtigkeit, Friede und Bewahrung der Schöpfung, Zürich 1990, 13–37.

[55] Weder, H.: „Bessere Gerechtigkeit“ als Prinzip menschlichen Verhaltens, in: ders. (Hg.): Gerechtigkeit, Friede, Bewahrung der Schöpfung, Zürich 1990, 63–79; Lutz, U.: Das Evangelium nach Matthäus (Mt 1–7), EKK Bd. I/1, Zürich/Neukirchen-Vluyn 1985, 244–353; Stuhlmacher, P.: Die neue Gerechtigkeit in der Jesus-Verkündigung, in ders.: Versöhnung, Gesetz und Gerechtigkeit, Göttingen 1981, 43–65. Stückelberger, Ch.: Vermittlung und Parteinahme, Zürich 1988, 380–383.

[56] Stuhlmacher, P.: Die Gerechtigkeitsanschauung des Apostels Paulus, in ders.: Versöhnung, Gesetz und Gerechtigkeit, Göttingen 1981, 87–116.

[57] Vgl. Peter, H.-B./Roulin, A./Schmid, D./Villet, M.: Kreative Entschuldung. Diskussionsbeiträge 30 des Instituts für Sozialethik des Schweiz. Evang. Kirchenbundes, Bern 1990.

[58] Vgl. oben Kapitel 4.8.3.

und Verschiedenes verschieden behandelt werden soll. Das führt – auch beim grundsätzlich gleichen Recht aller Lebewesen auf Leben – in Konflikten zu einer Hierarchie der Schutzaspekte mit steigender Organisationshöhe der Lebewesen.[59] So ist ein weiterer Grundsatz der ökologischen Gerechtigkeit zu formulieren: *Bei Verteilungskonflikten zwischen gegenwärtigen oder zukünftigen Generationen oder der nichtmenschlichen Mitwelt, bei denen es bei allen Beteiligten um überlebensnotwendige Bedürfnisse geht, haben die gegenwärtigen Generationen Vorrang vor den zukünftigen und die Menschen Vorrang vor der nichtmenschlichen Mitwelt. Das Überleben einer Art hat dabei Vorrang vor dem Überleben von Individuen.*[60] Die Auswirkungen dieser Grundsätze auf die Praxis können hier nicht entfaltet werden. Sie finden Anwendung z.B. in den in den Fallbeispielen erwähnten Mittelverteilungskonflikten[61], wenn es um das Problem geht, ob Finanzmittel eher dafür eingesetzt werden sollen, Menschen vor dem Hungertod zu bewahren oder eine Tierart zu schützen.

5.4.3 Freiheit durch Selbstbegrenzung

Leitlinie II/3 der Gästeordnung
Du bist willkommen als Gast auf Erden! Gott schenkt dir und der ganzen Schöpfung Freiheit. Wenn du die Grenzen der Lebensordnung respektierst, wirst du frei vom Zerstörungszwang, frei von Habgier und frei zu einem liebenden Umgang mit der Schöpfung.

Anders gesagt
Selbstbegrenzung ist Kennzeichen eines verantwortungsvollen Umgangs mit der Freiheit. Sie befreit von Habgier als einer Wurzel der Maßlosigkeit. Sie befreit von Wissensgier und führt zu verantwortlicher Forschungsfreiheit. Das Maß aller Freiheit ist die Liebe und die Gemeinschaft.

Ein Grundthema der Ethik ist das Handeln aus Freiheit. Eine Grundfrage der Umweltethik lautet: Welches Maß menschlicher Freiheit dient dem Wohl des Menschen und zugleich dem Wohl der nichtmenschlichen Mitwelt? Wann führt die Freiheit in die zerstörerische Maßlosigkeit und wann das Maßhalten zur Unfreiheit? Freiheit ist theologisch ein sehr zentraler und umweltethisch ein sehr ambivalenter Wert. Während die einen z.B. die Einschränkung der Mobilität als Einschränkung der Freiheit ablehnen, ist sie für andere z.B. wegen der dadurch verminderten Lärm- oder Luftimmissionen ein Freiheitsgewinn. *Wieviel und welche Freiheit für wen und wozu?* Das ist die Frage[62]. Hier sind nur ein paar wenige theologische Hinweise zum Verhältnis von Maßhalten und Freiheit möglich, erläutert an den *Beispielen der Habgier und der Forschungsfreiheit.*

---

[59] So auch Altner, G.: Naturvergessenheit, Darmstadt 1991, 223f.
[60] Mehr zu diesem letzten Satz unten Kapitel 5.4.11.
[61] Oben Kapitel 1.3.
[62] Mehr zu den verschiedenen Freiheitsverständnissen bei Stückelberger, Ch.: Aufbruch zu einem menschengerechten Wachstum, Zürich 1982^3, 30–40: Umkehr zur Freiheit.

Freiheit ist eine *Gabe des Schöpfers*[63] an die Menschen als seine Ebenbilder, eine Gabe des Gastgebers an seine Gäste. Gott schenkt dem Geschaffenen Freiheit in der Ordnung.[64] Der Drang nach dem Nichtnotwendigen, nach dem Überflüssigen und nach der Grenzüberschreitung scheint Inbegriff von Freiheit und Kennzeichen des Menschseins zu sein. Doch nach christlicher Auffassung ist die angemessene Antwort des Menschen auf Gottes Freiheitsangebot das Maßhalten und die **Selbstbegrenzung** als Ausdruck eines verantwortungsvollen Umgangs mit dieser Freiheit. Gott selbst erweist seine Freiheit in seiner Selbstbegrenzung: Er bindet sich freiwillig an seine Naturgesetze resp. an die evolutionäre Dynamik offener Systeme[65], er grenzt (nach heutigem Stand des Wissens) aus der immensen Fülle des Universums das Leben auf den Planeten Erde ein und er bindet sich sogar an einen einzelnen Menschen durch die Inkarnation in Jesus von Nazareth! Diese göttliche Selbstbegrenzung aus Freiheit kommt in der Reaktion Jesu auf die Versuchung durch seinen Widersacher zeitlos gültig zum Ausdruck (Mt 4,1–11).[66] Dem Sozialethiker Wolfgang Huber ist zuzustimmen, wenn er schreibt: „Selbstbegrenzung ist nicht ein Gegensatz menschlicher Freiheit, sondern deren Ausdruck. Freiheit zeigt sich gerade darin, daß Menschen das Interesse am eigenen Leben mit demjenigen an fremdem Leben verbinden, daß sie die Durchsetzung eigener Lebensinteressen aus Achtung vor fremdem Leben begrenzen."[67] Daß Freiheit nie unbegrenzt ist, sondern seine Grenze in der Verantwortung für das Ganze der Schöpfung und in gemeinschaftlich gesetzten Rahmenbedingungen findet, wird nicht nur bei Grünen, sondern auch im Ökoliberalismus heute deutlich erkannt. Die Grenze der Freiheit liegt dort, wo sie ihre eigenen Voraussetzungen zerstört. In einer zerstörten Natur ist Freiheit nicht möglich.

Diese Freiheit durch Mäßigung ist nun aber immer wieder durch die Maßlosigkeit gefährdet. Wo Wachstum zum Wachstumszwang wird, ist Freiheit bereits aufgegeben. Wo maßvoller Genuß in maßlose **Habgier** umschlägt, ist Freiheit gefährdet. Christliche Freiheit heißt deshalb zuerst *Freiwerden von* diesen Zwängen: Befreiung von den vielfältigen Zwängen äußerer Unterdrückung (besonders in der Exodustradition im Alten Testament verankert) wie auch Befreiung von der Sünde (besonders im Neuen Testament, z.B. Röm 6,12ff) und von Süchten. Diese sucht-freie, gelassene Selbstbegrenzung kommt bildhaft in Psalm 31,1f zum Ausdruck: „Ich gehe nicht mit Dingen um, die mir zu hoch und zu wunderbar sind. Ich habe meine Seele gestillt und beruhigt ... wie ein Entwöhnter"!

Doch wie kann die Seele gestillt werden? Eine Antwort gibt der nicaraguanische Mystiker und Politiker Ernesto Cardenal: „Für alle, die nicht an das ewige Leben glauben, sind die Freuden und Vergnügungen traurig, weil sie einmal ein Ende haben. Nur wer seine Hoffnung auf die Ewigkeit setzt, kann die irdischen Freuden von Herzen genießen, weil er in ihnen eine Ankündigung der Freuden sieht, die auf ihn warten. Er freut sich, daß die irdischen Freuden flüchtig sind und bald aufhören, weil er sich nach denen sehnt, die

---

63 Ausführlich bei Bieler, M.: Freiheit als Gabe. Ein schöpfungstheologischer Entwurf, Freiburg 1991. Nach Bieler ist Freiheit die Grundgestalt des geschöpflichen Seins, nicht erst der Beziehung zwischen Gott und Mensch.

64 Vgl. Kapitel 5.3.7 zum Spiel.

65 Vgl. auch Kapitel 2.2.1 über Evolution und Freiheit.

66 Vgl. dazu Kapitel 3.2.2 über das Maßhalten bei Jesus.

67 Huber, W.: Selbstbegrenzung aus Freiheit. Über das ethische Grundproblem des technischen Zeitalters, Evang.Theol. 52 (1992), Heft 2, 128–146 (137). Vgl. auch oben Kapitel 4.2.3.

noch kommen."[68] Cardenal plädiert mit diesem Text *nicht für Weltflucht* und billigen Jenseitsglauben als Opium, um das Leben in diesem Jammertal zu ertragen. Nein, die Hoffnung auf die Fülle[69] im ewigen Leben führt gerade zu intensiverem Leben und ermöglicht das *gelassene* und respektvolle Maßhalten und *Loslassen* im Diesseits. Habgier ist die Wurzel der Maßlosigkeit[70], auch des maßlosen Umgangs mit der Natur. Die *Überwindung der Habgier* ist Ziel aller Religionen[71]. Sie ist umweltethisch zentral, wie auch Cardenal ausführt: „Nur unbegierig, nur losgelöst von allem, können wir alles besitzen … Gott besitzen heißt sich von allen Dingen lösen. Sich von allen Dingen lösen, heißt Gott umarmen."[72] Damit nimmt Ernesto Cardenal auf, was Paulus mit „haben als hätte man nicht" meint. Der maßvolle Umgang mit der Schöpfung und ihren Gütern ist eschatologisch zu gewinnen. Loslassen können führt zur Befreiung von Habgier und zur Freiheit in Selbstbegrenzung. Die Genüsse des Lebens werden damit keineswegs mit einer asketischen Ethik verboten oder vermiest, aber sie werden in den weiten Horizont der Frage nach Sinn und Ziel des eigenen Lebens und der ganzen Welt gestellt. So hat die Umweltethik nicht nur die Aufgabe zu betonen, daß der Energieverbrauch drastisch gesenkt werden muß. Sie muß das auch, aber ebenso wichtig ist, hartnäckig die Sinnfrage zu stellen: Warum und auf welche Werte hin tun wir eigentlich dies oder das? Maßhalten wird möglich, wenn wir uns lösen können von der ständigen Sorge um das eigene Seelenheil und das eigene leibliche Wohl und den Horizont frei bekommen zum Blick auf das, was Sinn stiftet, also zum Blick auf das Reich Gottes und seine Freiheit. Nur so lassen sich letztlich Sinnkonflikte angehen, wie wir sie am Fallbeispiel Mobilität erwähnt haben.[73] Das meint wohl Paulus, wenn er an die Römer schreibt: „Das Reich Gottes besteht nicht in Essen und Trinken, sondern in Gerechtigkeit und Frieden und Freude im Heiligen Geist" (Röm 14,17).

Die Überwindung der Habier kann allerdings nicht nur durch den individuellen Glauben geschehen! Es braucht dazu auch die „Bekehrung der Strukturen", weil in der heutigen Weltwirtschaft mit ihrem inhärenten Zwang zum Wachstum die *(kurzfristig orientierte*[74]*) Habgier strukturell institutionalisiert* ist. Sie ist eine Triebfeder der gegenwärtigen Wirtschaftsordnung.

Auf das „Freiwerden von" folgt das *„Freiwerden zu"*, nämlich zur Liebe. *Das Maß der*

---

[68] Cardenal, E.: Das Buch der Liebe, Hamburg 1972, 86.

[69] Der Begriff ist hier theologisch zu verstehen als volle Anteilhabe an der in Kapitel 5.1 beschriebenen Fülle Gottes.

[70] „Die Wurzel aller Übel ist die Habsucht" (1. Tim 6,10). Philargyria kann auch mit Habgier, Geiz oder Geldgier übersetzt werden.

[71] Das Verhältnis von acht Religionen zur Gier wird dargelegt im Themenheft „Focus on Greed" von The New Road, Nr. 22/1992 des WWF International.

[72] Cardenal, E., Das Buch der Liebe, a.a.O., 65f.

[73] Kapitel 1.3.1.

[74] Untersuchungen zum Verbraucherverhalten zeigen, daß besonders Konsumenten und Konsumentinnen sog. unterer Schichten sehr gegenwartsbezogen-kurzfristig entscheiden. Vgl. Wiswede, G.: Soziologie des Verbraucherverhaltens, Stuttgart 1972, 147ff; Bovay, C. et al.: Energie im Alltag. Soziologische und ethische Aspekte des Energieverbrauchs, Zürich 1989, 102f: Eine soziologische Analyse des Energiekonsums von Haushaltungen ergab, „daß die Mehrheit der Befragten nur kurzfristige oder sehr kurzfristige Überlegungen anstellt. Der Zukunftshorizont des Alltags ist dreigeteilt: Tag, Woche, Monat." Das Konsumverhalten der Mehrheit richtet sich kurzfristig nach dem Haushaltbudget per Monat. – Auch die Geschäftspolitik zahlreicher Unternehmungen ist trotz gegenteiliger Beteuerungen unter dem Konkurrenzdruck immer noch kurzfristig ausgerichtet und widerspricht damit dem Kriterium langfristiger Nachhaltigkeit.

Freiheit ist die Liebe und die Gemeinschaft! So bekennen die evangelischen Kirchen Europas gemeinsam: „Freiheit ist nicht nur ‚vereinbar' mit Liebe, sie *ist* Liebe. Freiheit wächst in der Gemeinschaft, vor allem in der Gemeinschaft mit den Opfern, die uns an unsere Verantwortung erinnern. In der Bemühung um die Harmonie mit der Schöpfung wächst Freiheit."[75] Besonders bei Paulus ist Freiheit nur denkbar in Liebe (Gal 5,13). Wenn die Freiheit nicht aus der Gemeinschaft entsteht und zur Gemeinschaft hinführt, ist sie maßlos (1. Kor 8 und 10,23ff).[76] So wie das Maßhalten aus dem In-Beziehung-Bleiben zum dreieinigen Gott, zum Mitmenschen und zur Mitwelt entsteht[77], ist das Maß der Freiheit aus diesen Beziehungen je neu zu finden. So wird Willensfreiheit nicht mehr am Grad der Autonomie gemessen, die man ausübt, sondern am Grad der Gemeinschaft und Teilhabe, die man erlebt!

Wie dieses „frei von" und „frei zu" möglich ist, ist in den Leitlinien Kapitel 5.3 skizziert. Hier sei nur nochmals die eschatologische und pneumatologische Dimension in Erinnerung gerufen. Freiheit in Selbstbegrenzung ist als Werk des schöpferischen Geistes Gottes und als Zeichen der anbrechenden neuen Schöpfung zu verstehen. Nicht jede Freiheit, aber *diese* Freiheit gehört nicht mehr zur alten Schöpfung, sondern ist der Beginn der neuen, die die ganze Schöpfung befreit.[78]

Die nach christlicher Auffassung unlösbare Verbindung von Freiheit und Maßhalten sei am Beispiel der ***Forschungsfreiheit***[79] konkretisiert: Umweltethische Fragen stellen sich heute in besonderem Maße beim raschen Vordringen der wissenschaftlichen Forschung in sämtliche Lebensbereiche des Geschaffenen. Das Christentum half wesentlich mit, dem Menschen diejenige Freiheit gegenüber der Welt zu geben, die für die wissenschaftliche Forschung Voraussetzung ist[80]. Doch wie ist vom skizzierten biblischen

---

75 Europäische Evangelische Versammlung „Christliche Verantwortung für Europa", 24.–30. März 1992, Schlußbericht der Sektion V (verantwortlicher Lebensstil), Pkt. IId, in: epd-Dokumentation 17/1992, 29.

76 Vgl. oben Kapitel 3.2.4: Paulus.

77 Vgl. oben Kapitel 5.3.1–5.

78 Die eschatologische Dimension der christlichen Freiheit ist – in Auseinandersetzung mit der Umwelt des NT – sorgfältig aufgezeigt von Vollenweider, S.: Freiheit als neue Schöpfung. Eine Untersuchung zur Eleutheria bei Paulus und in seiner Umwelt, Göttingen 1989, bes. 375ff: Freiheit als Hoffnung der Schöpfung (anhand Röm 8).

79 Aus der Fülle der Literatur (besonders im Zusammenhang mit Gentechnologie und Umweltfragen) sind drei Sammelbände hilfreich: Holzhey, H./Jauch U./Würgler, H. (Hg.): Forschungsfreiheit. Ein ethisches und politisches Problem der modernen Wissenschaft, Zürich 1991; Müller, H.-P. (Hg.): Wissen als Verantwortung, Stuttgart 1991; Shea, W./Sitter, B. (eds.): Scientists and their Responsibility, Nantucket/MA, USA, 1989; Vgl. weiter Peter, H-B.: Freiheit und Verantwortung in der Wissenschaft. Bericht und Kommentar zu einem Kolloquium der vier schweiz. wissenschaftlichen Akademien, Beiheft zum Mitteilungsblatt der vier schweiz. wiss. Akademien, 1/1990 (der volle Text der Referate findet sich bei Schea/Sitter); Steigleder, K./Mieth, D. (Hg.): Ethik in den Wissenschaften, Tübingen 1990.

80 So auch die These des Physikers Thürkauf, M.: Gedanken zur maßlosen Anwendung technischer Möglichkeiten, in: Bremi, W.: Ekstase, Maß und Askese, Basel 1967, 23–38. Naturwissenschaftliche Forschung wird z.B. bei den Reformatoren überwiegend positiv gewertet (vgl. Kapitel 3.3.2). So schrieb der europaweit wirksame Zürcher Reformator Heinrich Bullinger: „Der allerweiseste Herr will, daß immer erfinderische und mit himmlischen Gaben reich ausgestattete Menschen sich in der Erforschung und Entdeckung der Geheimnisse der Schöpfung und der Natur beschäftigen und üben." (Bullinger, H.: Dekaden, 4. Dekade, 4. Predigt, Zürich 1550, zit. nach Büsser, F.: Das Buch der Natur, Stäfa 1990, 70). Die Erforschung der Natur könnte in der Neuzeit sogar einen Zusammenhang mit christlichen Friedensbemühungen haben. So schlug der englische Quäker William Penn 1693 in visionärer Art eine europäische Friedensordnung mit gemeinsamem Parlament vor. Der Kritik, damit

Freiheitsverständnis der Freiheit in Selbstbegrenzung her die Forschungsfreiheit heute zu beurteilen?
Forschung beinhaltet per definitionem die Möglichkeit, daß Neues entdeckt wird, von dem nicht im voraus festgelegt werden kann, ob es in der Anwendung ethisch gut oder verwerflich ist. Sehr viele Forschungen sind deshalb ethisch ambivalent.[81] Ihre Ergebnisse können lebensfördernd und lebenszerstörend eingesetzt werden. Damit Forschung einen Erkenntniszuwachs bringen kann, braucht sie einen großen Freiheitsspielraum; da aber aufgrund des bisher Gesagten jede Freiheit begrenzt sein muß, kann auch die Forschungsfreiheit keine absolute sein. Wo liegt das Maß?
Um als Mensch in der Natur maßvoll-angemessen handeln und die Folgen des Tuns abschätzen zu können, braucht es große Kenntnisse der ökologischen Gesetzmäßigkeiten und Grenzen. Dafür wie generell für die Förderung menschenwürdigen Lebens besteht eine *moralische Pflicht zur Wissensbeschaffung* und damit zur Forschung.[82]
Das Erkenntnisstreben kann aber Selbstzweck werden oder in Wissensgier umschlagen. Diese widerspricht dem Maßhalten wie die Habgier und alle anderen Formen der Gier. Schon zur klassischen Tugend der Mäßigung (temperantia) gehörte (z.B. bei Augustin und Thomas von Aquin) das *Maßhalten im Erkenntnisstreben*[83]! Zügelung der Triebe beinhaltet auch, den Forschertrieb (man spricht ja nicht zufällig von Trieb) zu mäßigen, das bedeutet Selbstbegrenzung der Forschungsfreiheit aus Verantwortung. Die Wissensbegierde bedarf der grenzsetzenden Weisheit – und zwar nicht erst in der angewandten Forschung, sondern auch in der Grundlagenforschung, da „die neuzeitliche Gestalt des Wissens von seiner Realisierung nicht getrennt werden kann"[84]. In der Tat steht hinter der – grundsätzlich sehr zu bejahenden – Forschungsfreiheit nicht nur das edle Motiv, zum Wohle der Menschheit und der Natur tätig zu sein, sondern ebenso persönlicher Ehrgeiz der Forschenden, Routine oder bereits getätigte finanzielle und zeitliche Investitionen, die Forschungsmoratorien als unzumutbar erscheinen lassen.[85]
Es gibt bereits heute moralisch begründete Einschränkungen der Forschungsfreiheit. Manche Experimente an Menschen sind unbestritten tabuisiert und wissenschaftliche Tierversuche unterliegen gesetzlichen Einschränkungen. Für eine *maßvolle* Forschungs-

---

würden aber die Armeen kleiner und Soldaten würden arbeitslos, antwortete er: „Nein, denn der Handel, die Erforschung der Natur und das Handwerk sollen dafür gefördert werden." (Penn, W.: An Essay Towards the Present and Future Peace of Europe, London 1693, 40f (faksimile Hildesheim/Zürich 1983).

81 So auch Wolters, G.: Einschränkungen der Forschungsfreiheit aus ethischen Gründen?, in: Holzhey, H./Jauch U./Würgler, H. (Hg.): Forschungsfreiheit. Ein ethisches und politisches Problem der modernen Wissenschaft, Zürich 1991, 199–214 (207).

82 So Jonas, H.: Prinzip Verantwortung, Frankfurt 1984, 61ff; auch Schlitt, M.: Umweltethik, Paderborn 1992, 185–187.

83 Augustin sprach von der „Begierde des Kennens und Erfahrens" (confessiones 10,35), Thomas von Aquin von der curiositas (maßloses Erkenntnisstreben, übermäßige Neugierde), die durch studiositas (maßvolles Erkenntnisstreben) gezügelt sein soll (Summa theologica z.B. II/II, 166,2 ad 3). Vgl. zu Thomas die Interpretation von Pieper, J.: Zucht und Maß. Über die vierte Kardinaltugend, München 1939, 104–111.

84 Picht, G.: Über den Begriff der Natur und seine Geschichte, Stuttgart 1989, 9f.

85 Darauf verweist der Zürcher Sozialpsychologe Gutscher, H.: Wißbegierde? Investitionen! Professionalität! Routine! Ehrgeiz!, in: Holzhey, H./Jauch U./Würgler, H. (Hg.): Forschungsfreiheit. Ein ethisches und politisches Problem der modernen Wissenschaft, Zürich 1991, 79–84.

freiheit im Dienste der Liebe und der Gemeinschaft sind *Regulative auf drei Ebenen* möglich und zu verstärken:
– Die *einzelnen Wissenschaftler/innen* reflektieren die ethischen Implikationen ihrer Forschungen und verpflichten sich im Rahmen berufsethischer Kodizes („hippokratischer Eid“ in den verschiedensten Wissenschaften), Forschungen im Dienste des Lebens zu betreiben und auf Forschungen zu verzichten, die Mensch und Mitwelt schaden könnten. „Der einzelne Wissenschafter kann sich der Erkenntnis nicht entziehen, daß seiner Forschung prinzipiell Grenzen zu ziehen sind.“[86] Dieser individualethische Ansatz ist notwendig, stößt aber aus der Dynamik besonders der privatwirtschaftlichen Forschung rasch an Grenzen.
– Die wissenschaftliche Gemeinschaft resp. Bereiche davon setzen Rahmenbedingungen durch *Ethik-Kommissionen, Richtlinien usw.*, wie das vielerorts bereits existiert, allerdings oft noch zuwenig greift.
– Die staatliche Forschungspolitik und die *Forschungsgesetze*[87] geben demokratisch abgestützte Zielvorgaben (z.B. Forschung im Dienste eines gewaltfreien Umgangs mit der Mitwelt[88]), setzen Prioritäten oder legen für bestimmte Bereiche gar Forschungsmoratorien, also einen zeitlich limitierten Forschungsstop, fest. Die *Finalisierung* der wissenschaftlichen Forschung als Ausrichtung auf Zwecke des Lebensförderlichen ist (in der Grundlagenforschung) natürlich sehr umstritten. Obwohl sie schwer zu verwirklichen ist, wäre sie von einer Ethik des Maßhaltens her aber notwendig, damit die Forschung nicht Herrschaftswissen, sondern dienendes Wissen hervorbringt. Ob *Forschungsmoratorien* den Entwicklungsprozeß noch beinflussen können, ist allerdings fraglich. Stellt die faktische Unmöglichkeit von Moratorien (resp. das Eingeständnis, daß am ehesten finanzielle Engpässe zu einem faktischen Moratorium führen können) die Ethik der Selbstbegrenzung in Freiheit nicht grundlegend in Frage?

5.4.4 Friede für Mensch und Mitwelt

Leitlinie II/4 der Gästeordnung
Du bist willkommen als Gast auf Erden! Handle gegenüber den Mitmenschen wie gegenüber der Mitwelt möglichst gewaltfrei.

---

[86] So Ruh, H.: Freiheit und Begrenzung für den Zugriff zum Leben, in: Grenzen der Eingriffe in das menschliche Leben und die Umwelt, Wissenschaftspolitik, hg. vom Schweiz. Wissenschaftsrat, Beiheft 33/1986, 20–33 (30).

[87] Von „einer gewissen Sorge um die Forschungsfreiheit“ spricht der Direktor der Gruppe Wissenschaft und Forschung der Eidgenossenschaft: Ursprung, H.: Forschungspolitik und Forschungsfreiheit in der Schweiz, in: Holzhey, H./Jauch U./Würgler, H. (Hg.): Forschungsfreiheit. Ein ethisches und politisches Problem der modernen Wissenschaft, Zürich 1991, 145–155 (155). Demgegenüber plädiert für eine stärkere Beschränkung der Forschungsfreiheit durch staatliche Gesetze als Weiterentwicklung der Rechte der Natur sowie für eine Informationspflicht über Forschungsergebnisse mit besonderen Risiken der Berner Staatsrechtler Saladin, P.: Should Society Make Laws Governing Scientific Research?, in: Shea, W./Sitter, B (eds.): Scientists and their Responsibility, Nantucket/MA, USA 1989.

[88] So Meyer-Abich, K. M.: Wege zum Frieden mit der Natur, München 1984, 220–244 (244): Vom rechten Gebrauch der Wissenschaftsfreiheit.

Anders gesagt
Kein Friede unter den Menschen ohne Frieden mit der Natur. Kein Friede mit der Natur ohne Frieden unter den Menschen[89]**.**

Westeuropa beansprucht 20 Prozent des jährlichen Weltmineralölverbrauchs, besitzt aber nur 1,5 Prozent der Weltvorräte; die USA verbrauchen 25 Prozent und besitzen weniger als 3 Prozent. Rohstoffe sind heute die Lebensnerven der Gesellschaft. Deshalb verkündete sogar der sonst als friedensengagiert bekannte ehemalige US-Präsident Jimmy Carter 1980: „Jeder Versuch einer fremden Macht, Kontrolle über den Persischen Golf zu gewinnen, wird als Angriff auf die vitalen Interessen der USA betrachtet werden. Ein solcher Versuch soll mit allen notwendigen Mitteln zurückgeschlagen werden, militärische Macht eingeschlossen."[90] Die Besetzung Kuwaits 1990 durch den irakischen Diktator Saddam Hussein war ein solcher (nicht zu rechtfertigender) „Versuch einer fremden Macht", auf den die USA zusammen mit andern Staaten im Golfkrieg 1991 aus diesen Eigeninteressen heraus mit entsprechend großem Einsatz reagierten.
Der Friede wird in Zukunft noch mehr durch den *Verteilungskampf um die sehr ungleich verteilten und knapper werdenden Rohstoffe* – Öl, Uran, Wasser, Kupfer sind nur Beispiele – gefährdet sein. Auch die durch Umweltflüchtlinge erwachsenden Spannungen bedrohen immer wieder den Frieden in manchen Regionen.[91]
So muß *Schöpfungsethik* notwendigerweise immer auch *Friedensethik* sein. Friede ist wie Dauerhaftigkeit, Freiheit und Gerechtigkeit ein Kriterium für einen maßvollen Umgang mit der Schöpfung. Ein Lebensstil, der mit Gewalt erobert und gesichert wird, ist nicht maßvoll. Naturausbeutung kann zwar den Wohlstand einiger Teile der Menschheit erhöhen und dieser Wohlstand kann sich für die daran Teilhabenden kurz- und mittelfristig sehr spannungsmindernd und damit friedensfördernd auswirken! Langfristig ist Naturzerstörung aber eine hohe Gefährdung des Friedens mit der Natur wie unter Menschen. Der weltweite ökumenische Prozeß für Gerechtigkeit, Friede und Bewahrung der Schöpfung hat seit Mitte der achtziger Jahre[92] mit Nachdruck den inneren, unlösbaren Zusammenhang der drei Grundwerte aufgezeigt, so daß er hier nicht wiederholt werden muß.[93] Aus diesem Kontext stammt auch die obige Leitlinie Carl Friedrich von Weizsäckers: Kein Friede unter den Menschen ohne Frieden mit der Natur. Kein Friede mit der Natur ohne Frieden unter den Menschen. Im alttestamentlichen Friedensbegriff

---

89 Ein Zitat von Weizsäcker, C. F. von: Die Zeit drängt, München 1986, 116.

90 Jimmy Carter in seiner Botschaft zum Zustand der Nation, 23. Januar 1980.

91 Umfangreiche Fallstudien dazu leistet das internationale Forschungsprojekt ENCOP (Environment and Conflicts Project) unter Leitung der Schweizerischen Friedensstiftung. Fallbeispiele ökologischer internationaler Konflikte und Lösungsvorschläge finden sich u.a. in Bächler, G. u.a.: Umweltzerstörung: Krieg oder Kooperation? Ökologische Konflikte im internationalen System und Möglichkeiten der friedlichen Bearbeitung, Münster 1993.

92 Das Programm wurde an der sechsten Vollversammlung des Ökumenischen Rates der Kirchen in Vancouver 1983 beschlossen.

93 Z.B. Duchrow, U./Liedke, G.: Schalom. Der Schöpfung Befreiung, den Menschen Gerechtigkeit, den Völkern Frieden, Stuttgart 1987; Frieden in Gerechtigkeit. Die offiziellen Dokumente der Europäischen Ökumenischen Verswammlung 1989 in Basel, Basel 1989; Justice, Peace and the Integrity of Creation, The Ecumenical Review 38 (1986), Nr. 3.

schalom ist die Einheit von Gerechtigkeit, Wohlstand, Freiheit sowie Versöhnung mit Gott, Mensch und Natur enthalten.[94]

Ein möglichst *gewaltfreier Umgang mit der Mitwelt* ist ein ökologisches Maß und Ausdruck des Maßhaltens! Gewaltfreiheit ist in den Heiligen Schriften fast aller Religionen ein hoher Wert. Er gilt gegenüber den Menschen wie den übrigen Lebewesen.[95] (Daß die Praxis dem nicht entspricht, wissen wir zur Genüge.) Im Hinduismus und im Buddhismus ist Gewaltfreiheit das Nichtverletzen (ahimsa), im Taoismus das begierdefreie Nichteingreifen (wu-wei), im Christentum die Sanftmut (praytes) der Bergpredigt (Mt 5,5).[96]

Gewalt gegenüber Mitmenschen oder der Mitwelt kann als Notwehr oder zur Sicherung des eigenen Überlebens (Tiere und Pflanzen als Nahrung für den Menschen) nötig sein. Ziel des Ethos des Maßhaltens ist aber die Gewaltfreiheit. Sie entspricht dem Gastsein, denn ein Gast hat keine Verfügungs*gewalt* über das ihm Anvertraute (daß verfügen/besitzen mit Gewalt/Macht zu tun hat, zeigt schon die Sprache).

Ein konkretes Maß für die Gewalt gegenüber der Natur ist unser *Energiebudget.* Darauf haben Klaus Michael Meyer-Abich und Ulrich Duchrow/Gerhard Liedke hingewiesen.[97] Je mehr Energieumsatz vom Menschen verursacht wird, also je mehr Energie außerhalb des Sonnenenergieflusses freigesetzt wird, desto mehr Gewalt gegen die außermenschliche Schöpfung geschieht. Damit ist die Gewalt meßbar. Diese Aussage zeigt zugleich, daß wir nicht völlig gewaltfrei gegenüber der Natur leben können, aber wir können die Gewalt durch rationelle Energienutzung vermindern. So ist z.B. auch die in unserer Untersuchung im ersten Fallbeispiel[98] genannte Frage nach dem verantwortbaren Maß an Mobilität an diesem Energiemaß zu messen. Damit wird deutlich, wie stark wir durch die heutige Mobilität die Natur vergewaltigen. Das Bemühen um *Frieden mit der Natur* durch drastische Reduktion des Energieumsatzes ist nun aber zugleich in Relation zum Bemühen um *Frieden unter den Menschen* zu setzen.[99] So haben Flüge mit Hilfsgütern in Hungergebiete Priorität vor dem Energiesparen, da das Überleben dieser Menschen (gemäß den Vorzugsregeln im vorigen Kapitel Gerechtigkeit) Vorrang hat vor den elementaren Bedürfnissen der Natur. Hingegen hat das Energiesparen Vorrang vor der Mehrzahl der Freizeitflüge, weil hier das Überleben von Arten der Natur durch den Energieverbrauch und Emissionen gefährdet ist, die durch nichtelementare Bedürfnisse des Menschen verursacht werden. Ökonomische Zwänge, die als Grund für die Notwendigkeit ständig zunehmender Freizeitflüge genannt werden, sind wegen des Vorrangs der Ökologie vor der Ökonomie ethisch zuwenig stichhaltig.

---

94 Vgl. Schmid, H. H.: schalôm. „Frieden" im Alten Orient und im Alten Testament, Stuttgart 1971; Schmidt, H. P.: Schalom: die hebräisch-christliche Provokation, in: Bahr, H.-E. (Hg.): Weltfrieden und Revolution, Frankfurt a.M. 1970, 131–167.

95 Vgl. auch Kapitel 4.7.

96 Spiegel, E.: Gewaltverzicht. Grundlagen einer biblischen Friedenstheologie, Kassel 1987; Lienemann, W.: Gewalt und Gewaltverzicht. Studien zur abendländischen Vorgeschichte der gegenwärtigen Wahrnehmung von Gewalt, München 1982, 29–98. Bei beiden gründlichen Studien fehlt die Dimension der Gewaltfreiheit gegenüber der Natur. Den Beitrag der Religionen für den Weltfrieden beurteilen Vertreter der Weltreligionen in: Küng, H./Kuschel, K.: Weltfrieden durch Religionsfrieden, München 1993.

97 Meyer-Abich, K. M.: Natur und Geschichte, in: Christlicher Glaube in moderner Geselllschaft, Bd. 3, Freiburg 1981, 159–202 (192); Duchrow U./Liedke, G.: Schalom, a.a.O., 72–80.

98 Kapitel 1.3.1.

99 Kriterium der Relationalität nach Kapitel 5.3.12.

Das Maß eines möglichst gewaltfreien Umgangs mit der Natur ist wie die übrigen Maße nun aber nicht ein für allemal festzulegen. Konkrete Maximen sind situationsbezogen zu bestimmen aus der *Situationsanalyse* und aus der *lebendigen Beziehung* zu Gott, den Mitmenschen und der Mitwelt. Orientierung gewähren auch die biblischen Hoffnungsbilder der endzeitlichen Versöhnung von Mensch und Natur[100], in denen der Schalom-Friede zu seiner Vollendung gelangt.

5.4.5 Schönheit des Schöpfers und der Schöpfung

Leitlinie II/5 der Gästeordnung

Du bist willkommen als Gast auf Erden! Freue dich an der Schönheit der Schöpfung. Sie ist Zeichen der Schönheit Gottes. Verhalte dich gegenüber der Schöpfung so, daß diese Schönheit erhalten bleibt und, wo beeinträchtigt, zurückgewonnen wird.

Anders gesagt

Die Schönheit der Schöpfung ist notwendiger Teil menschlichen Lebens. Sie vermittelt Freude und Sinn und fördert die Ehrfurcht vor der Mitwelt. Zur maßvollen Gestaltung der Mitwelt gehört, ihre Schönheit zu schützen und zu fördern.

Das Maß ist ein ethischer und zugleich ein ästhetischer Begriff[101]. Wir sind der ästhetischen Dimension bereits bei der Proportionenlehre begegnet[102]. Der Tugend des Maßhaltens (temperantia) wurde besondere Schönheit zugeschrieben[103]. Welche Bedeutung hat die Schönheit für eine heutige Ethik des Maßes? Liegt ein Maß für die Bewahrung der Natur in ihrer Schönheit?

Das Kriterium der Schönheit taucht in der Schöpfungstheologie und -ethik immer häufiger auf.[104] Soll sich das Maßhalten also nach dem Kriterium des Umweltphilosophen Holmes Rolston richten: „Je schöner ein Teil der Natur ist, desto weniger sollte er verändert werden“[105]? Dabei tauchen allerdings viele *Fragen* auf: Die Wahrnehmung von Schönheit ist sehr verschieden. Was ist schön? Wie ist die Schönheit schöpfungstheologisch zu bewerten? Gibt es auch die Möglichkeit, daß der Mensch durch sein Handeln als cooperator Dei die Schöpfung noch verschönert?

Theologisch liegt die *Schönheit der Schöpfung* in der *Schönheit Gottes* begründet und weist auf diese hin[106]! Die *Schönheit Gottes* – ein paar Hinweise dazu müssen hier genü-

---

100 Jes 11,6–9; 65,25; Hos 2,21f; 2. Kor 5,19; Kol 1,20.

101 Vgl. Rücker, H.: Art. Maß als ästhetischer Begriff, Historisches Wörterbuch der Philosophie, Bd. 5, Basel 1980, Sp. 814–822; Ottmann, H.: Art. Maß als ethischer Begriff, ebd., 807–814.

102 Kapitel 2.3.5: Proportionen des menschlichen Körpers als Maß.

103 Thomas von Aquin, Summa theologica II/II, q 141.2: „Obwohl Schönheit jeder Tugend zukommt, so wird sie doch in ausgezeichnetem Sinne der Maßhaltung zugeschrieben.“

104 Z.B. bei Christian Link, Matthew Fox, Matthias Zeindler, Michael Schlitt, Günter Altner, Holmes Rolston. Quellen unten.

105 Rolston, H.: Environmental Ethics, Philadelphia 1988, 305.

106 Zu Gott und das Schöne: Eine neue, gute Übersicht bietet Zeindler, M.: Gott und das Schöne. Studien zur Theologie der Schönheit, Göttingen 1993, mit umfangreichen Literaturangaben; Moltmann-Wendel, E.: Gottes Lust an uns, Schritte ins Offene Nr. 6/1992 (Heft zum Thema „Das Maß der Schönheit!), 13–17; Bohren, R.: Daß Gott schön werde. Praktische Theologie als theologische Ästhetik,

gen – ist biblisch mit der „Ehre“ Gottes verbunden. Im Alten Testament ist *kabod Jahwe*[107] der Ausdruck für Gottes wuchtiges und machtvolles Wirken[108], seine Gewichtigkeit, Herrlichkeit, Ehrenstellung, leuchtende Pracht. Seine in Bann ziehende „umwerfende“ Schönheit zeigt sich in den Theophanien als Wolke, Licht, Blitz, Feuer. Sie sind Manifestationsweisen des kabod Jahwe (z.B. Ps 97). „Pracht und Hoheit ist dein Gewand“ bewundert der Psalmist Jahwe (Schöpfungspsalm 104,1). Dabei klingen alttestamentliche Königsattribute bei dem kabod Jahwe an. Die Schönheit Gottes hat oft eine eschatologische Dimension, z.B. als Lichterscheinung: „Mache dich auf, werde licht! denn dein Licht kommt, und die Herrlichkeit des Herrn strahlt auf über dir.“ (Jes 60,1. Auch Jes 58,8). Kabod Jahwe meint nicht einfach den ästhetischen Genuß des Anblicks der Schönheit Gottes – alttestamentlich kann er in seiner Unnahbarkeit auch gar nicht „gesehen“ werden –, sondern ruft zur staunenden Ehr-Furcht, zu Anbetung und Lobpreis Gottes. Kabod Jahwe meint Gottes Schönheit, aber noch viel mehr. Im Lobpreis Gottes kommt die Sprache an ihre Grenze!

Im *Neuen Testament* entspricht dem kabod Jahwe die doxa theou, die Herrlichkeit Gottes[109]. Durch sie wurde Christus von den Toten auferweckt (Röm 6,4) und ist nun auf Christus als den „Herrn der Herrlichkeit“ übertragen (1. Kor 2,8). Doxa hat wiederum die eschatologische Dimension und bezeichnet bei Paulus die zukünftige Existenz der Auferstandenen (Röm 5,2; 8,17). Diese ist schon gegenwärtig erfahrbar: „Wir sahen seine Herrlichkeit.“ (Joh 1,14; anders auch bei Palus 2. Kor 3,7ff). Der Ort der Rede von der Schönheit Gottes ist auch im Neuen Testament Anbetung und Lobpreis, also die Doxologie.

Besondere Bedeutung hatte und hat die Schönheit Gottes in der *orthodoxen Tradition,* die diesbezüglich auch für die Umweltethik noch fruchtbar gemacht werden könnte. So besteht ein Zusammenhang zwischen der Schönheit und dem Segen Gottes, der sich im Gesegnetsein der Schöpfung spiegelt: „Die Schönheit Gottes ist die Schönheit der Freude, der Seligpreisungen, des Gesegnetseins.“[110] In der theosis feiern die Ostkirchen die Verwandlung des ganzen Kosmos auf Gottes Herrlichkeit und Schönheit hin.

Die *Schönheit der Schöpfung* ist für die Glaubenden eine Spiegelung der Schönheit Gottes. Besonders die Schöpfungsmystiker/innen wie Hildegard von Bingen, ausgeprägt

---

München 1975; Jüngel, E.: „Auch das Schöne muß sterben“ – Schönheit im Lichte der Wahrheit. Theologische Bemerkungen zum ästhetischen Verhältnis, in: ders.: Wertlose Wahrheit. Zur Identität und Relevanz des christlichen Glaubens. Theologische Erörterungen III, München 1990, 378–396; Austin, R.: Beauty of the Lord! Awakening the Senses, Atlanta 1988; Seim, J./Stieger, L. (Hg.): Lobet Gott. Beiträge zur theologischen Ästhetik. Festschrift zum 70. Geburtstag von R. Bohren, Stuttgart 1990. Am umfassendsten: von Balthasar, H. U.: Herrlichkeit, 6 Bände, Einsiedeln 1961–69. Zentral auch bei Barth, K.: Kirchliche Dogmatik KD II/1, 733ff.

107 Vgl dazu Zeindler, M.: Gott und das Schöne, a.a.O., Teil II, B.2.1; Westermann, C.: Art. kbd, THAT I, 794–812; ders.: Das Schöne im Alten Testament, in: ders.: Erträge der Forschung am Alten Testament, München 1984.

108 „Der Gott des kabod donnert.“ (Ps 29,3)

109 Vgl. Kittel, G.: Art. doxa, ThWNT, Bd. 2, 235–258; Zeindler, M.: Gott und das Schöne, a.a.O., Teil II, B.2.2.

110 Gregorios, P.: The Human Presence. An Orthodox View of Nature, Genf 1978, 71; auch der Dominikaner Matthew Fox nimmt in seiner Betonung des kosmischen Segens und der Schönheit Gottes in starkem Maße orthodoxe Theologie auf. Fox, M.: Der große Segen. Umarmt von der Schöpfung, München 1991, 80–96, 361. Vgl. zu Fox oben Kp.4.5.

aber auch Calvin[111], Karl Barth und heutige Vertreter der Schöpfungsspiritualität wie Matthew Fox, betonen die Schönheit der Schöpfung. Biblisch ist diese vor allem in drei Zusammenhängen verankert: 1. Daß die Schöpfung gut ist (1. Mose 1,31), verweist auf ihre Schönheit. Ihre Schönheit wird damit an ihrem Sosein als von Gott Geschaffenem gemessen. 2. Insbesondere die Schöpfungspsalmen und weisheitliche Texte[112] sowie der berühmte Text der Lilien auf dem Felde in der Bergpredigt[113] besingen die Schönheit und Großartigkeit der Schöpfung. 3. In Gottes Werken ist Gott selbst zu erkennen (Röm 1,20). Gottes Schönheit und Herrlichkeit spiegelt sich deshalb in der Schönheit der Schöpfung. Dazu gehört auch die Schönheit der Menschen als imago Dei. Mit Calvin kann man anfügen, daß „die Schönheit der Welt, wie man sie jetzt erblickt, durch die Kraft des Geistes ihren Bestand hat"[114]. So besteht eine „Transparenz der Natur für das Geheimnis der Schöpfung"[115] gerade auch in deren Schönheit. Die Schönheit der Schöpfung öffnet dem Menschen aber erst durch den Geist Gottes Augen und Ohren dahin, daß sie ihn zum Lob führt und er daraus Hoffnung schöpft.

Schönheit kann mit Christian Link als ein „Maß der Schöpfung"[116] bezeichnet werden. Doch damit beginnt das *ethische Problem mit der Schönheit* erst: *Was ist denn eigentlich als schön in der Natur zu bezeichnen und entsprechend zu schützen?* Ist ein wildwuchernder Garten schöner als ein gepflegter? Ist eine hochgezüchtete Rose schöner als eine wilde? Und wie steht es mit einer genmanipulierten Maus, deren Aussehen sich möglicherweise von einer andern Maus kaum unterscheidet? Die Theorien der Ästhetik der Natur sind sehr vielfältig[117] und die ästhetische Naturerfahrung unterliegt einem geschichtlichen Wandel.[118] Die meisten der erwähnten Theologien der Schönheit geben keine Kriterien dafür, was schön ist.[119] Neuerdings haben aber z.B. die Theologen Zeindler[120] und Schlitt[121] Kriterien formuliert.

---

111 Bes. Institutio I, 5; ausführlich bei Zeindler, M.: Gott und das Schöne, a.a.O., Teil II, C.3.

112 Ps 8, Ps 104, Weish 1,14; 7,17–20; 11,21; 13,5.7.

113 Mt 6,28.30.32.

114 Calvin J.: Institutio I, 13,14.

115 Link, Ch.: Die Transparenz der Natur für das Geheimnis der Schöpfung, in: Altner, G. (Hg.): Ökologische Theologie, Stuttgart 1989, 166–195. Auch ders.: Die Welt als Gleichnis, München 1982², 338ff; ders.: Schöpfung, Gütersloh 1991, Bd. 2., 468–472.

116 Link, Ch.: Schöpfung, a.a.O., 371f.

117 Vom komplexen Begriff der Schönheit in der Kunst und den entsprechenden Theorien der Ästhetik sehe ich hier ab, obwohl sie natürlich mit dem Begriff des Schönen in der Natur vielfältig verbunden sind. Vgl. z.B. Grossi, E.: Die Theorie des Schönen in der Antike, Köln 1980; Anunto, R.: Die Theorie des Schönen im Mittelalter, Köln 1982; Seel, M.: Eine Ästhetik der Natur, Frankfurt 1991.

118 Aufgezeigt z.B. von Groh, R./Groh, D.: Von den schrecklichen zu den erhabenen Bergen. Zur Entstehung ästhetischer Naturerfahrung, in: dies.: Weltbild und Naturaneignung, Frankfurt 1991, 92–149.

119 So auch die Feststellung von Zeindler, M.: Gott und das Schöne, a.a.O., Teil I, C.6. Thomas von Aquin nannte als Kriterien Konsonanz, Proportion, Unversehrtheit, Klarheit, Farbe, Glanz (nach Pöltner, G.: Schönheit. Eine Untersuchung zum Ursprung des Denkens bei Thomas von Aquin, Wien 1978).

120 Zeindler, M.: Gott und das Schöne, Göttingen 1993, Teil II, A.2, nennt überzeugend und begründet ausführlich: 1. Interesseloses Wohlgefallen, 2. innere Harmonie des ästhetischen Subjekts, 3. äußere Harmonie zwischen ästhetischem Subjekt und ästhetischem Objekt, 4. die schöne Form, 5. Erfüllung, 6. Attraktivität, 7. das Schöne als Schein, 8. Angemessenheit des Objekts für das Subjekt, 9. Zusammenhang mit außerästhetischen Bewertungen. Im Zusammenhang mit dem 1. Kriterium spricht er auch vom „nichtmanipulativen Verhältnis zum Schönen" (Teil II, C.6.3); vgl. auch: ders.: Schönheit der Schöpfung und Schöpfungsethik, ZeitSchrift 40 (1991), Nr. 6, 425–429.

121 Schlitt, M.: Umweltethik, Paderborn 1992, 248–252, nennt 1. Einheit in der Verschiedenheit, 2.

In Auseinandersetzung mit ihnen und in Weiterführung nenne ich folgende *Kriterien des Schönen.* Schönheit ist nicht eine Eigenschaft eines Objekts, sondern *Ausdruck einer Beziehung* eines Subjekts zum wahrgenommenen Gegenüber. Die Kriterien sind in diesem Sinne zu verstehen.

1. *Das Vorgefundene* ist das Schöne! Das Menschenbild des Gastseins bedeutet: Was Gott als Gastgeber arrangiert, also das Gegebensein des Lebens, ist das Schöne, nicht was der Gast seinem eigenen ästhetischen Urteil unterwirft. Schönheit der Natur ist weitgehend nicht herstellbar. Theologisch gesagt: Schön ist, was mit der Schönheit Gottes und seinem Willen korrespondiert, nicht was der Mensch als schön erklärt. Damit ist auch das Häßliche schön, wenn es unter dem Segen Gottes steht: Die Aussätzigen, die Jesus heilt, die Armen in den Slums, die unansehnlichen, aber im Ökosystem sinnvollen Asseln usw.!

2. *Das von Eigeninteresse Befreite* ist das Schöne. Da das Schöne nicht verschönert werden muß, sondern Wohlgefallen erzeugt und in sich sinnvoll ist, ist ein verändernder Eingriff überflüssig. Das Verhältnis zum Schönen ist dadurch gekennzeichnet, daß das Subjekt das Schöne *nicht manipulieren* will[122], da das Schöne bereits *Erfüllung* ist. Allerdings gibt es ja nicht nur das Schöne und das Häßliche, sondern die ganze Skala dazwischen. Daraus ergeben sich die vielfältigen ethischen Probleme, wenn z.B. jemand seinen Körper durchaus als schön empfindet, aber doch Teile davon durch Schönheitschirurgie zu vervollkommnen versucht.

3. *Die Balance der Einheit in der Verschiedenheit, der Ordnung in der Freiheit* ist das Schöne.[123] Damit sind Form, Stil, Proportion angesprochen, die Konstanz und Varianz verbinden. Vielfalt findet ihr Maß in der Ordnung und Ordnung ihr Maß in lebendiger Variabilität. Damit ist ein wichtiger ästhetischer Grund für die Bewahrung der *Artenvielfalt* genannt. Wir kommen darauf zurück.

4. *Attraktivität* besitzt das Schöne. Das Schöne zieht an, zieht in Bann, ist eine Macht, erfüllt mit Freude, ermöglicht Bindung, stimuliert Nachahmung resp. Wiederholung der Kontaktnahme (z.B. zu einer schönen Landschaft). Theologisch verstanden ist das Schöne Ausdruck und Werkzeug des Bundes Gottes mit den Menschen und der ganzen Schöpfung! Es ist damit aber zugleich ambivalent: Das Schöne kann die Beziehung des Menschen zu Gott gewaltig stärken (man könnte gar von ekstatischer Liebe sprechen, wenn man an Psalm 104 denkt), es kann aber auch von Gott wegführen, wenn es zum Verfallensein an das schöne Geschaffene und zu Habgier und Besitzenwollen führt.

5. *Was Fülle und Leben ausstrahlt,* ist das Schöne. Wenn die Schönheit der Schöpfung Ausdruck der Schönheit Gottes ist und wenn Gott „Liebhaber des Lebens" (Weish 11,26) ist, dann ist schön, was die Fülle des Lebens spiegelt.

Umweltethisch bedeutet all das: Da Schönheit im erwähnten Sinn ein Maß der Schöpfung ist, gehört zu einem maßvollen Eingreifen in die Schöpfung der Schutz und die

---

Reichtum an Assoziationen, 3. Typische Schönheit, 4. Zuwendung und Fesselung der Aufmerksamkeit.

122 Seel, M.: Eine Ästhetik der Natur, Frankfurt 1991, nennt entsprechend die ästhetische Verhaltensweise, die nichtinstrumentell mit der Natur umgeht, Kontemplation. Er versteht dies „nachmetaphysisch" als profane Apologie des Naturschönen.

123 Im Begriff Harmonie, den Zeindler hier verwendet, klingt an, was emotional in der Begegnung mit Schönem empfunden wird. Dennoch scheint mir der Begriff Harmonie zu vage.

Wiederherstellung der Schönheit der Natur. Der Mensch als cooperator Dei kann dabei durchaus Schönheit fördern. Er kann sich aber nicht anmaßen, sie herzustellen. Die Vorzugsregel von Rolston, wonach schönere Umwelten eher zu schützen seien, scheint mir fraglich. Sie könnte sogar – was er sicher nicht meint – als Eugenik ausgelegt werden, die das Häßliche ausrotten möchte. Ökologisch wie von den Bedürfnissen der Menschen her können weniger schöne Teile der Natur ebenso wichtig sein. Paulinisch verdienen sogar die häßlichen Teile des Körpers (ein Bild für die christliche Gemeinde) besondere Beachtung und Fürsorge (1. Kor 12,23). Da das Erleben der Pracht der Natur eine Voraussetzung zu ihrem Schutz ist[124], müßte die Vorzugsregel im Dienste der *Beziehung* von Mensch und Natur lauten: *Je weniger Schönheit von etwas Geschaffenem den Menschen im unmittelbaren Erlebnisbereich zugänglich ist, desto eher ist sie zu schützen.*

5.4.6 Viel Artenvielfalt

Leitlinie II/6 der Gästeordnung
Du bist willkommen als Gast auf Erden! Schütze und fördere die Vielfalt der Arten von Pflanzen und Tieren und auch die Vielfalt unter den Menschen als deinen Mitgästen.

Anders gesagt
Die Artenvielfalt ist um ihrer selbst willen und wegen ihres Nutzens für den Menschen zu schützen. Bei Interessenkonflikten sind verschiedene Vorzugsregeln zu beachten.

Die UNO-Konvention zur Artenvielfalt, 1992 vom größten Teil der Staaten der Welt unterzeichnet[125], nennt als Ziele der Konvention: „Die Ziele dieser Konvention … sind die Bewahrung der Artenvielfalt, die nachhaltige Nutzung ihrer Teile sowie das faire und gerechte Teilen der Nutzen, die aus der Verwendung der genetischen Ressourcen entstehen. Dies schließt den angemessenen Zugang zu den genetischen Ressourcen und angemessenen Transfer relevanter Technologien – unter Berücksichtigung aller Rechte über diese Ressourcen und Technologien – sowie angemessene Finanzierung ein."[126] Diese Zielbeschreibung zeigt bereits, daß der Schutz der Artenvielfalt heute im Zusammenhang mit der Gentechnologie mit eminenten wirtschaftlichen Interessen verbunden ist. Deshalb ist der Schutz der Artenvielfalt ebenso ein Thema der Wirtschaftsethik wie der Umweltethik. Es ist hier nicht der Ort, die wirtschaftsethischen Aspekte zu untersuchen. Wir haben in Kapitel 1.3.2 das Problem skizziert und in Kapitel 2.3.4 die ökologische Notwendigkeit der Artenvielfalt thematisiert. Wie aber ist die Bewahrung der *Artenvielfalt ethisch zu begründen*[127]? Ich nenne *sieben ethische Gründe:*

---

124 Vgl. Kapitel 5.3.5a.

125 Bis Juni 1992 unterzeichneten 150 Staaten. Die USA unterzeichneten zunächst nicht, weil sie den Patentschutz für Biotechnologie der US-Industrie gefährde.

126 Convention on Biological Diversity, verabschiedet an der UNO-Konferenz über Umwelt und Entwicklung UNCED, Rio de Janeiro 5 Juin 1992, Art. 1.

127 Vgl. dazu auch Altner, G.: Naturvergessenheit, a.a.O., 219–226; Schlitt, M.: Umweltethik, Paderborn 1992, 208–218; Ruh, H.: Zwölf Thesen zur Bedeutung der Artenvielfalt im Rahmen einer ökologischen Ethik, Gaia 1 (4/1992), 246; Rolston, H.: Environmental Ethics, Philadelphia 1988, 126–159;

1. Der *Nutzen* der Artenvielfalt für den Menschen ist beträchtlich: Sie trägt viel zum ökologischen Gleichgewicht (Aufeinander-Angewiesensein der Arten), zum ökologisch richtigen Verhalten (Indikatororganismen), zur Gesundheit (Grundlage für Medikamente, Resistenz gegen Krankheiten), zur Nahrungsproduktion (inkl. Zucht), zur industriellen Produktion und zur Erholung bei[128].
2. Wir kennen lange nicht alle Nutzfunktionen, die eine Art gegenwärtig hat oder vielleicht auch erst zukünftig haben wird. Dieses *Nichtwissen* erfordert höchsten Respekt. Deshalb ist auch Dieter Birnbachers Kriterium, das Aussterben einer Art sei solange kein echter Verlust, als ihre sämtlichen ökonomischen, ökologischen und ästhetischen Funktionen von andern Arten übernommen werden[129], eigentlich irrelevant, denn trotz großem ökologischem Wissen können wir kaum je sicher sein, ob alle Funktionen von andern Arten übernommen werden. Zudem argumentiert er nur vom Nutzen und nicht vom Eigenwert der Arten her.
3. Vielfalt ist ein wichtiges Merkmal von *Schönheit.* Da Schönheit der Natur auch ethisch ein Wert ist, ist es auch die Vielfalt der Natur[130].
4. Die Arten haben einen *Eigenwert*[131] unabhängig vom Nutzen für den Menschen oder für ein Ökosystem. Sie sind Teil des Bundes Gottes mit seiner Schöpfung und Teil der eschatologischen Vollendung der Schöpfung, auf die die ganze Kreatur, also auch alle Arten, hoffen.
5. Ein wichtiger Grundsatz der Mitweltethik ist die *Ehrfurcht* vor der Würde des in langer Zeit Gewordenen[132]. Was wir an Nichtschädlichem nicht neu erschaffen können, dürfen wir nicht endgültig vernichten. Die Tatsache, daß es die Vielfalt gibt und sie vom Menschen nicht geschaffen werden kann, zeigt, daß sie dem Willen des Schöpfers entspricht.
6. Zur *Beheimatung* des Menschen und zu seiner kulturellen Identität gehören auch örtlich unverwechselbare Arten.
7. Die Bedeutung der Artenvielfalt liegt gerade im *Überflüssigen,* im sogenannt „Nutzlosen", im spielerisch „Maßlosen". So besteht das Maß der Artenvielfalt gerade in ihrer Überfülle! Leben wird lebenswert gerade durch das Überflüssige.

Das Übermaß in der Natur zu bewahren ermöglicht, die unverfügbare Fülle des eigenen Lebens und darin Sinn zu erleben. Der „Zweck" des Zwecklosen liegt darin, daß das Zwecklose Sinn stiftet. Diese Erfahrung ist aber immer noch anthropozentrisch. In der christlichen Umweltethik ist die Artenfülle theozentrisch zu begründen, wie das der Zürcher Kirchenhistoriker Fritz Blanke schon 1959 tat: „Die Natur hat einen Daseinszweck, der mit der Erhaltung der Menschheit nichts mehr zu tun hat. Aber welches könnte dieser Zweck sein? Darauf gibt die Bibel folgende doxologische Antwort: Die Natur soll Gottes

---

Johnston, L.: A Morally Deep World, Cambridge/New York 1991, 158–175; Birnbacher, D.: Verantwortung für zukünftige Generationen, Stuttgart 1988, 222–226; Gunn, A.: Preserving Rare Species, in: Regan, T. (ed.) Earthbound, 1984, 289–335.

128 Vgl. Kapitel 1.3.2 und 2.3.4. Quellen dort.

129 Birnbacher, D.: Verantwortung für zukünftige Generationen, Stuttgart 1988, 75.

130 Vgl. voriges Kapitel 5.4.5.

131 Zur theologischen Begründung des Eigenwertes der Natur vgl. Kapitel 5.3.5. Auch die Tiefenökologie betont, daß „Reichtum und Vielfalt der Lebensformen ein Wert in sich selbst ist." (Deval, B./Sessions, G.: Deep ecology, Salt Lake City 1985, 70.)

132 So auch Ruh, H.: Zur Frage nach der Begründung des Naturschutzes, Zeitschrift für Evangelische Ethik 31 (1987), 125–133 (133).

Größe, Kraft und Ehre darstellen (Ps 8, 19, 29, 104, 148)."[133] Wenn die Menschen heute gerufen sind, „Hirten der Vielfalt"[134] zu sein, so tun sie dies als Gottes-Dienst zum Lobe Gottes, als Antwort auf Gottes Leidenschaft für die Vielfalt.[135]
Die „Konvention zur Artenvielfalt", die an der UNCED-Konferenz der UNO am 5. Juni 1992 verabschiedet wurde, zeigt, daß weltweit und von ganz unterschiedlichen ethischen Grundlagen her der Wert der Artenvielfalt anerkannt wird.[136]
Nachdem wir unsererseits in Kürze ethisch begründet haben, weshalb der Schutz der Artenvielfalt richtig und notwendig ist, stellt sich aber die Frage, ob es *ein Maß für die Vielfalt* gibt. Von den 1,4 Millionen erforschten und 10–30 Millionen noch unbekannten Tier- und Pflanzenarten haben wir im zweiten Fallbeispiel bereits gesprochen.[137] Auch wenn von der Biologie her festgestellt wird, daß es keine überflüssigen Arten gibt[138] und die Vielfalt für die Resistenzbalance und die Anpassungsfähigkeit an Veränderungen der Umweltbedingungen notwendig ist[139], ist es „den Menschen gegenwärtig nicht möglich, das notwendige und wünschenswerte Maß der Vielfalt festzulegen, und es ist auch die Frage, ob sie es überhaupt wollen sollen"[140]. So gibt es kein quantitatives Maß der Anzahl zu schützender Arten, wohl aber die Norm, daß möglichst viele Arten zu schützen sind. Dabei gelten folgende *sieben Vorzugsregeln,* wenn Interessenkonflikte auftauchen.
1. Die „Frage, ob der Mensch tatsächlich verpflichtet ist, alle Tier- und Pflanzenarten dieser Erde zu erhalten"[141], ist heute ethisch irrelevant, da der Mensch ja laufend Arten ausrottet und auch mit allen erdenklichen Maßnahmen ein totaler Schutz nicht real durchführbar ist. Der Mensch soll soviel wie möglich schützen.
2. Eine Tier- oder Pflanzenart darf stark zurückgedrängt, im Extremfall ausgerottet werden, wenn sie Menschenleben andauernd und in großer Zahl gefährdet und ein ausreichender Schutz mit angemessenen Mitteln nicht möglich ist (Beispiel Tsetsefliege).
3. Je höher entwickelt ein Lebewesen resp. ein Organismus ist (von Mikroorganismen über Pflanzen zu Tieren), desto mehr nehmen die Schutzaspekte und nimmt auch die Priorität einer zu schützenden Art zu. Dabei ist zu berücksichtigen, wie vital die Bedeutung einer Art für ein Ökosystem ist. So können z.B. Bakterien, obwohl von „geringer" Organisationshöhe, für ein Ökosystem von sehr vitaler Bedeutung sein.

---

133 Blanke, F.: Unsere Verantwortlichkeit gegenüber der Schöpfung, in: Der Auftrag der Kirche in der modernen Welt. Festschrift Emil Brunner, Zürich 1959, 194–197 (197).

134 Michel Serres bezeichnet die Aufgabe des Menschen mit dem schönen Ausdruck „bergers des multiplicités".

135 Schäfer-Guignier, O.: et demain la terre … christianisme et écologie, Genf 1990, 50f spricht von „la divine passion de la diversité". Zur theologischen Begründung der Artenvielfalt vgl. auch Cobb, J.: A Christian View of Biodiversity, in: Wilson, E./Peter, F.: Biodiversity, Washington 1988, 481–486.

136 Die Konvention nennt in der Präambel als Gründe für den Schutz der Artenvielfalt den „Eigenwert (intrinsic value) der Artenvielfalt und die ökologischen, genetischen, sozialen, ökonomischen, wissenschaftlichen, erzieherischen, kulturellen, ästhetischen und Erholungs-Werte" sowie „ihre Bedeutung für Ernährung, Gesundheit und andere Bedürfnisse der wachsenden Weltbevölkerung".

137 Kapitel 1.3.2.

138 So Altner, G.: Naturvergessenheit, Darmstadt 1991, 108.

139 Vgl. die Quellen in Kapitel 2.3.4.

140 Einverständnis mit der Schöpfung. Ein Beitrag zur ethischen Urteilsbildung im Blick auf die Gentechnik, vorgelegt von einer Arbeitsgruppe der Evang. Kirche in Deutschland, Gütersloh 1991, 80 (Kapitel über Artenvielfalt).

141 Schlitt, M.: Umweltethik, Paderborn 1992, 210.

4. Dem Gewachsenen ist der Vorzug zu geben vor dem Gemachten[142]. Arten, die sich in langer Evolutionszeit entwickelt haben, haben also Vorrang vor Arten, die vom Menschen z.B. gentechnologisch erzeugt werden.
5. Zum Schutz der Artenvielfalt gehört auch der Schutz der Integrität einer Art und die Respektierung der Artgrenzen. Die Bewahrung der Integrität einer Art und die Beachtung der Artgrenzen haben Vorrang vor den Nutzungsinteressen der Menschen. Ausnahmen sind genau zu prüfen und sind begründungspflichtig (Umkehr der Beweislast: wer z.B. eine Artgrenze gentechnologisch durchbricht, muß ethisch begründen, warum sein Interesse dem Interesse der Integrität der Art übergeordnet ist)[143]. Genübertragungen von einer Art auf eine andere kommen in der Natur sehr begrenzt vor und genügen nicht, die vom Menschen bewirkte interartliche Genübertragung zu rechtfertigen.
6. Der Schutz von Arten, die für eine Gemeinschaft von Menschen oder für einen Staat vitale Bedeutung haben, hat Vorrang vor dem Schutz von Arten, die für eine andere Gemeinschaft von Menschen oder einen andern Staat weniger vitale Bedeutung haben. Der Zugang zu und die Nutzung von Arten ist entsprechend den Grundbedürfnissen der Menschen gerecht zu verteilen[144].
7. Der Schutz der Vielfalt menschlicher Daseinsweisen (kulturelle Vielfalt. Schutz von Minderheiten) ist ebenso wichtig wie der Schutz der Vielfalt von Pflanzen und Tieren. Dies ist im Konflikt der Verteilung verfügbarer finanzieller Mittel zum Schutz von Vielfalt[145] zu berücksichtigen.

5.4.7 Leiden und Tod

Leitlinie II/7 der Gästeordnung
Du bist willkommen als Gast auf Erden! Handle im Bewußtsein, daß alles Leben durch den Tod begrenzt ist. Setze dich zugleich dafür ein, daß Leiden vermindert und unnatürlicher Tod verhindert wird.

Anders gesagt
Empathie als Fähigkeit zum Einfühlen und Mitleiden mit Mitmenschen und andern Lebewesen ermöglicht wahrzunehmen, wieweit Eingriffe in die Mitwelt notwendig und wo sie nicht zu verantworten sind.

Das gewisseste Kennzeichen der Geschöpflichkeit ist die Sterblichkeit und damit die Vergänglichkeit. Diese Begrenztheit ist ein Maß für jegliches menschliche Planen und Handeln. „Tue mir kund, o Herr, mein Ende, und welches das *Maß* meiner Tage sei, daß ich erkenne, wie vergänglich ich bin.“ (Ps 39,5) Auch mit allen künstlichen Lebensver-

---

142 So auch Kluxen, W.: Moralische Aspekte der Energie- und Umweltfrage, in: Handbuch der christlichen Ethik, hg. von Hertz, A. et al, Freiburg 1982, Bd. 3, 379–424 (406).

143 Ähnlich die EKD-Studie: „Die Artgrenze stellt eine offenkundig sinnhafte Gegebenheit dar, die nicht ohne Not übergangen werden sollte.“ Einverständnis mit der Schöpfung, a.a.O (Anm. 133), 79f.

144 Vgl. den Lastenverteilungskonflikt Kapitel 1.3.2 und das Kriterium der Gerechtigkeit Kapitel 5.4.2.

145 Vgl. zum Mittelverteilungskonflikt Kapitel 1.3.2. Diese Auseinandersetzung findet konkret statt im Konflikt zwischen internationalen Finanzmitteln zum Schutz indigener Völker und zum Schutz der biologischen Artenvielfalt.

längerungsmaßnahmen bleibt die natürliche, biologisch bedingte Lebenszeit „siebzig Jahre, und wenn es hoch kommt achtzig“ (Ps 90,10). Die relativ kurze Zeitspanne eines Menschenlebens relativiert die menschlichen Allmachtswünsche, Ewiges schaffen zu können. *Alles,* was der Mensch tut, unterliegt dieser Vergänglichkeit, sogar die sogenannt objektiven Erkenntnisse der Naturwissenschaften[146] mit ihrem zum Teil noch zeitlosen Wahrheitsanspruch. Auch alle daraus resultierenden menschlichen Technologien stehen unter dem Vorzeichen dieser Vergänglichkeit und Kurzatmigkeit menschlichen Lebens. Diese Begrenztheit alles Geschöpflichen ist z.B. im Risikodiskurs und der Technologiefolgenabschätzung einzubeziehen. Vergänglichkeit erscheint heute allzuoft als Mangel, der überwunden werden muß. Maßhalten im Interesse der Mitwelt heißt demgegenüber, gerade die Vergänglichkeit hoch einzuschätzen, weil sie Kennzeichen und Ausdruck des Lebendigen ist.

In dieser Perspektive wird der Tod zum *„Bruder Tod“* wie im Sonnengesang des Franziskus[147]. Gast sein auf Erden beinhaltet immer auch diese Anfreundung mit dem natürlichen Tod, weil dieser Tod nicht Ende, sondern mit der *Auferstehung* der Anfang eines neuen Lebens und der Beginn einer neuen Heimat – die eschatologische Dimension des Gastseins – ist. Die so erlebte *Begrenztheit durch den natürlichen Tod befreit* zum Maßhalten, denn sie befreit von der Habgier, alles in diesem kurzen Leben erleben zu müssen. Sie macht frei von der Last, Ewiges schaffen zu müssen.

Nach dieser positiven Wertung des Todes ist dem Tod und dem Leiden nun aber auch der Kampf anzusagen. Ich spreche dabei im folgenden meist zugleich von Leiden und Tod, denn sie sind Zwillingsgeschwister. Leiden heißt immer ein Stück weit sterben und beides wird in der Regel als Einschränkung resp. Zerstörung von Leben erlebt.

Drei Arten von Leiden und Tod sind zu unterscheiden[148]:

1. Leiden und Tod, die Menschen andern Menschen resp. Lebewesen bewußt oder unbewußt zufügen. Sofern sie *vermeidbar* sind, sind sie Ausdruck des Bösen und vom Menschen zu verantworten. Aufgabe der Ethik ist es, solche Leiden vermindern und solche Tode verhindern zu helfen. Gegenüber Tieren gilt als ethisches Minimum der Grundsatz, daß der Mensch den Tieren nicht mehr Leiden zufügen soll, als diese durch ihre natürliche Umwelt erleiden.

2. Leiden und Tod, die Menschen und andere Lebewesen als *Schicksal* treffen. Der Mensch hat daran entweder nicht verursachend mitgewirkt (wobei z.B. bei Naturkatastrophen oder Krankheiten zu prüfen ist, wieweit anthropogene Mitverursachung mitspielt) oder diese Leiden gehören konstitutiv zum Menschsein (wie etwa Geburtsschmerzen, Altersbeschwerden oder der natürliche Tod). Solche Leiden und Tode sind oft nicht vermeidbar, als Leiden höchstens zu lindern, vor allem aber in ihrem Sinn für das Menschsein anzunehmen und in das Leben zu integrieren. Sie überwinden zu wollen oder zu verdrängen heißt, der Illusion der Möglichkeit eines leidfreien Lebens zu verfallen. Diese Illusion ist ein Aspekt der Maßlosigkeit. Solche Leiden sind aber auch nicht

---

146 So auch Üexküll, Th. v.: Organismus und Umgebung: Perspektiven einer neuen ökologischen Wissenschaft, in: Altner, G. (Hg.): Ökologische Theologie – Perspektiven zur Orientierung, Stuttgart 1989, 392–408 (405ff).

147 „Gepriesen seist du, mein Herr, durch unsern Bruder, den leiblichen Tod; ihm kann kein Mensch lebend entrinnen.“

148 Ähnlich auch Eibach, U.: Art. Leiden, Evang. Soziallexikon, hg. von Schober, Th. et al, Stuttgart 1980⁷, Sp. 816–818.

als Vergeltung für individuelle Sünden zu verstehen, wie das im Alten Testament noch geschieht (1. Mose 3,16). Die jesuanische Ethik ändert hier die Blickrichtung weg von der Schuldfrage hin zum Angebot der Heilung und zum Ruf zur Umkehr (Lk 13,1ff; Joh 9,3).

3. *Freiwillig* übernommenes Leiden oder freiwilliger Tod im Dienste des Lebens anderer. Solches Leiden und Sterben kann von hoher ethischer Bedeutung sein. Es kann in gewissen Situationen der notwendige „Preis der Liebe"[149] sein. Gott selbst wählte diesen Weg der mit-leidenden Liebe bis zum Weg Jesu Christi ans Kreuz, dem Weg der Solidarität zur Bekämpfung unnötiger Leiden und Tode.[150]

Die erstgenannte Art des Leidens ist für die Maßfindung im Rahmen der Umweltethik besonders relevant und ethisch klärungsbedürftig. „Minderung des Leidens" ist ein in der (Umwelt-)Ethik breit abgestützter Leitwert.[151] Besonders die *pathozentrisch begründete Umweltethik*[152] macht es zu ihrem zentralen Anliegen, Schmerz und Leid von Menschen und Tieren zu verhindern und zu vermindern.

Das *Ziel, Leiden und Tod zu vermindern,* muß nun aber präzisiert werden. Nicht der natürliche Tod, aber der gewaltsame ist zu bekämpfen. Nicht das wünschenswerte freiwillige, eigene Mitleiden mit andern, auch nicht ein gewisses tragbares Maß an in jedem Zusammenleben entstehendem Leiden, aber das gewaltsam andern Lebewesen zugefügte unerträgliche Leiden ist zu vermindern. Nicht die leidfreie und todfreie Gesellschaft und Natur ist nach der christlichen Ethik das anzustrebende Ziel, aber Leiden soll auf ein tragbares Maß reduziert und auf die Lebewesen gerecht verteilt werden. Wieviel Leiden ein Mensch oder ein Tier[153] ertragen kann, ohne dauerhaft geschädigt, d.h. in den Entfaltungsmöglichkeiten stark beschnitten zu sein, ist zumindest beim Menschen von Indivi-

---

149 Brantschen, J. et al.: Leiden, in: Christlicher Glaube in moderner Gesellschaft, Bd. 10, Freiburg 1980, 5–50 (40ff).

150 Diese Andeutung muß hier genügen. Ausführlicher habe ich mich zur Hingabe und zum stellvertretenden Leiden Christi geäußert in: Vermittlung und Parteinahme. Der Versöhnungsauftrag der Kirchen in gesellschaftlichen Konflikten, Zürich 1988, 410–431.

151 So z.B. bei Schulz, W.: Philosophie in der veränderten Welt, Pfullingen 1972, 738ff; Ruh, H.: Argument Ethik, Zürich 1991, z.B. 19; Altner, G.: Naturvergessenheit, Darmstadt 1991, 70; Ringeling, H.: Christliche Ethik im Dialog, Freiburg 1991, 225f, 232ff.

152 Vgl. Teutsch, G.: Lexikon der Umweltethik, Göttingen/Düsseldorf 1985, 85ff; der Ansatz ist ausführlich referiert bei Schlitt, M.: Umweltethik, Paderborn 1992, 65–98. Die pathozentrische Umweltethik begründet die Rechte der Tiere in ihrer Leidensfähigkeit, gemäß der Frage, die bereits Jeremy Bentham stellte: „The question is not, can they reason? nor, can they talk? but, can they suffer?" (Bentham, J.: An Introduction to the Principles of Morals and Legislation, hg. von L. Lafleur, New York 1948, 311.)

153 Auf die in der Tierethik zentrale Frage, ob und welcher Art Tiere leiden, kann hier nicht näher eingegangen werden. Wir können wenigstens darin von einem gewissen Konsens ausgehen, daß höher entwickelte Tiere sensorischen Schmerz empfinden (vgl. Staudinger, H.: Das Leiden in der Natur, in: Oelmüller, W. (Hg.): Leiden, Paderborn 1986, 111–118; Singer, P.: Befreiung der Tiere, München 1982). Ob tierisches Leiden gleich hoch einzustufen ist wie menschliches (so z.B. Strey, G.: Umweltethik und Evolution, Göttingen 1989, 135) oder nicht (so z.B. Patzig, G.: Der wissenschaftliche Tierversuch unter ethischen Aspekten, in: Hardegg, W./Preiser, G. (Hg.): Tierversuche und medizinische Ethik, Hildesheim 1986, 80f.) ist sehr strittig. Menschliches Leiden unterscheidet sich von tierischem durch das ganz andere Vergangenheits- und Zukunftsbewußtsein und die damit verbundene Sinnfrage beim Menschen. Leiden des Menschen ist deshalb vermutlich einerseits größer, andererseits tragbarer, weil er ihm weniger ausgeliefert ist. – Die berühmte paulinische Aussage, daß „alles Geschaffene seufzt und sich schmerzlich ängstigt" (Röm 8,22), ist natürlich nicht eine biologische Aussage über die Schmerzempfindung der Tiere, sondern eine theologische über die Einheit von Mensch und Natur im Erlösungsgeschehen.

duum zu Individuum äußerst unterschiedlich. Das hängt damit zusammen, daß Leiden aus dem komplexen Zusammenspiel von sensorischem Schmerz, affektiver Reaktion und reflexiver Verarbeitung (welcher Sinn im Leiden gesehen wird) besteht. Gerechte Verteilung von Leiden heißt also, nach dem *Maß der Belastbarkeit* zu verteilen und – dies ist die besondere Botschaft der christlichen Ethik – Leiden anderer mitzutragen als Folge der Liebe.

So gelangen wir zur Differenzierung unserer *Leitlinie: Handle so, daß unnötiges und unerträgliches Leiden vermindert, unvermeidbares Leiden nach dem Maß der Tragfähigkeit der einzelnen Lebewesen gerecht verteilt und unnatürlicher Tod verhindert wird.*

Noch eine Präzisierung zum *freiwilligen Mitleiden* ist nötig: Die Kreuz- und Leidensmystik hat in der Geschichte des Christentums oft zu einer maßlosen Verherrlichung des Leidens geführt. Auch wenn „die Passionsmystik … nachweislich die Frömmigkeit der Armen und Kranken, der Bedrückten und der Unterdrückten" war und ist[154], wirkte der Protest Nietzsches gegen die Mitleidethik reinigend. Heute aber ist die *Empathie*[155] als Fähigkeit zum Mitleiden mit den Mitmenschen neu zu entdecken und in der Umweltethik auf alle Lebewesen auszuweiten. Die Erfahrung, daß Mensch und Mitwelt unlösbar miteinander verbunden und aufeinanander angewiesen sind, läßt sich oft nur durch das Mitleiden gewinnen. Mitleiden hießt Leidenschaft für den andern. Mitleiden ist die Fähigkeit, vom andern her zu denken und zu fühlen und nimmt damit das Grundanliegen christlicher Liebe auf. Auch wenn die Liebe nicht auf das Mitleiden reduziert werden soll, wie das bei Albert Schweitzer anklingt[156], ist es doch ein unverzichtbarer Teil der Liebe. Mitleiden darf auch keinesfalls als Ersatz für Gerechtigkeit mißbraucht werden. So wie „die Gerechtigkeit die Voraussetzung für die Liebe"[157] und die Liebe der Antrieb für die Gerechtigkeit ist, so bedingen sich das Mitleiden mit der Mitwelt und die Rechte der Mitwelt gegenseitig. Nur in der mitleidenden Liebe ist das Maß gegenüber der Natur zu finden.

5.4.8 Das neue Zeit-Maß

Leitlinie II/8 der Gästeordnung

Du bist willkommen als Gast auf Erden! Handle so, daß das rasche Entwicklungstempo von Technik und Wirtschaft den langsameren Entwicklungsmöglichkeiten der biologischen Systeme, der psychischen und ethischen Entwicklung des Menschen und der gesellschaftlichen Strukturen angepaßt wird.

Anders gesagt

Das Zeit-Maß des Menschen kann sich nicht nur an technisch-industriellen Prozessen, sondern muß sich auch an den Zeit-Maßen der Natur orientieren. Zudem ist dort,

---

154 Moltmann, J.: Der gekreuzigte Gott, München 1972, 48.

155 Vgl. auch Kapitel 5.3.2 (Seligpreisung der Trauernden) und 5.3.5a (Wahrnehmung der Mitwelt).

156 „Ethik ist Mitleid. Alles Leben ist Leiden. Der wissend gewordene Wille zum Leben ist also von tiefem Mitleid mit allen Geschöpfen ergriffen … Was man in der gewöhnlichen Ethik als ‚Liebe' bezeichnet, ist seinem wahren Wesen nach Mitleid" (Schweitzer, A.: Kultur und Ethik, München 1960, 257).

157 Brunner, E.: Gerechtigkeit, Zürich 1943, 153.

wo das Zeitsparen eine zusätzliche Belastung der Umwelt zur Folge hat, individuell wie bei strukturellen Maßnahmen in der Regel darauf zu verzichten.

Auf meinem Arbeitspult steht ein Stück eines versteinerten Baumstammes. Die zu Stein gewordene Rinde ist noch gut sichtbar. Alter: 170 Millionen Jahre. Direkt daneben steht der Computer, auf dem ich die vorliegende Arbeit schreibe. Lebensdauer bis zur nächsten PC-Generation: maximal fünf Jahre. In zehn Jahren wird es dieses Modell wohl nur noch auf Abbildungen geben. Zwei Zeit-Welten! – Die Umweltprobleme sind in starkem Maße eine Folge unseres Umgangs mit der Zeit. Diese Erkenntnis gewinnt immer mehr an Boden. Fast sämtliche Lebensbereiche sind heute vom linearen *Zeitverständnis der neuzeitlichen Naturwissenschaft*[158] geprägt. Insbesondere aber ist neuzeitliches Leben von der *Monetarisierung der Zeit* – „Zeit ist Geld" – mit der Folge der Beschleunigung aller Lebensprozesse bis hin zur „Nanosekunden-Kultur"[159] gekennzeichnet. Der Zukunftsforscher Willy Bierter stellt fest: „Je kapitalintensiver die Zeitersparnis wird, desto wertvoller wird die Zeit selbst."[160] Geschwindigkeit und Beschleunigung scheinen dabei immer mehr vom Mittel zum Zweck und zum alles bestimmenden Maß zu werden. „Geschwindigkeit und Kraft" ist trotz zunehmender gesetzlicher Geschwindigkeitsbegrenzungen zum häufigsten Werbeargument der Autoindustrie aufgestiegen.[161] Das Medium, das eine Nachricht zuerst verbreiten kann, hat gewonnen. Die Unternehmung, die ein Produkt in kürzerer Zeit herstellen kann, spart Kosten und hat einen entscheidenden Vorteil im Konkurrenzkampf. So liegt auch der Hauptvorteil gentechnischer Erzeugung neuer Pflanzensorten gegenüber traditioneller Züchtung darin, daß neue Sorten in wenigen Monaten statt in sechs bis zehn Jahren entwickelt werden können.[162] Die Gentechnologie wird zum Instrument der Industrialisierung der Natur – mit all den Vorteilen, die die Instustrialisierung für die rasante Gütervermehrung und all den Nachteilen, die sie für die Natur hat.

Naturprodukte geraten unter das *Zeitmaß industrieller Produktion.* Die industriellen Zeitprinzipien prägen zunehmend auch Lebensbereiche wie die Medizin (der Patient will die Heilung so schnell wie möglich), die Eßkultur (Fast-Food), die Kommunikation (je schneller, desto besser), den Verkehr, die Bildung und auch die seelischen Problemlösungsangebote. Der ökologisch wohl bedeutsamste Vorgang unseres Umgangs mit der

---

158 Zum Wandel des Zeitverständnisses in den Naturwissenschaften vgl. z.B. Müller, A. M. K.: Die präparierte Zeit, München 1971; Zur „Zeit als gemeinsamem Horizont von Theologie und Naturwissenschaft" vgl. Link, Ch.: Schöpfung, Bd. 2, Gütersloh 1991, 446–454.

159 Den Begriff verwendet Rifkin, J.: Uhrwerk Universum. Die Zeit als Grundkonflikt des Menschen, München 1988, 21–42: Die neue Nanosekunden-Kultur.

160 Bierter, W.: Zeit. Problematiken und wichtige Fragestellungen. Syntropie, Stiftung für Zukunftsgestaltung, Liestal 1990, 5 (Manuskript).

161 Stricker, B.: Autowerbung I: Ergebnisse einer Untersuchung des Verkehrsclubs der Schweiz, VCS-Zeitung 4/1992, 18–20. 1987 stand „Prestige, Symbolgehalt, Emotion" noch an erster Stelle der Werbeargumente, 1992 „Geschwindigkeit, Kraft" mit 40 Prozent aller genannten Argumente (Analyse von 1291 Autowerbeinseraten in der Schweiz 1991/92).

162 Zu diesem Schluß komme ich aufgrund von Gesprächen mit Pflanzenzüchtern und ihrer Antwort auf meine Frage, was eigentlich der Vorteil der neuen gentechnologischen Methoden sei. Ähnlich auch Leisinger, K. M.: Gentechnologie für Entwicklungsländer – Chancen und Risiken, in: Chimia 43 (1989), 78: „Gegenüber der klassischen Saatzucht haben gentechnische Methoden den Vorteil, schneller und effizientere Ergebnisse zu erbringen." Mit der Erprobung in Freisetzungsversuchen brauchen allerdings auch gentechnisch veränderte Pflanzen bis zur Marktreife einige Jahre.

im wörtlichen Sinn kostbaren Zeit ist die *Substitution von Zeit durch Energie.* Wer das Auto nimmt, statt Velo zu fahren, spart – z.T. real, z.T. nur scheinbar – Zeit. Deshalb ist ein wesentlicher Bestandteil der Energiesparbemühungen ein neuer Umgang mit der Zeit.

Gegen diesen Umgang mit der Zeit erwächst zunehmend *Widerstand.* „Die Entdeckung der Langsamkeit“[163], die Gründung eines „Vereins zur Verzögerung der Zeit“[164], die Suche nach einer „Ökologie der Zeit“[165], die Betonung der Eigenarbeit mit eigenem Zeitrhythmus, der Protest sozialer Bewegungen und der Ausstieg oder Kollaps von Zeitgehetzten sind Signale dafür. Dahinter steht die paradoxe Erfahrung, die heute jede und jeder kennt: Je größer die Anstrengungen sind, Zeit zu gewinnen (und sie ökonomisch zu kalkulieren), desto weniger Zeit gibt es. Je mehr wir Zeit gewinnen wollen, desto größer wird die Gefahr, keine Zeit mehr zu haben.[166]

Was läßt sich *schöpfungstheologisch und umweltethisch* zur heutigen Suche nach einem Zeit-Maß für menschliches Handeln gegenüber der Natur beisteuern? Was heißt das Ethos des Maßhaltens im Umgang mit der Zeit? Neun Aspekte seien genannt:

1. Der umweltrelevante Umgang mit der Zeit wird in der *Schöpfungstheologie* vorwiegend am Thema *Sabbat/Sonntag* dargelegt.[167] Der Sonntag ist nicht nur Zeichen der Ruhe von der Arbeit, sondern „eine besonders ausgezeichnete Zeit, in welcher die ganze Schöpfung zeichenhaft und darum von jedem menschlichen Eingriff unberührt in die Gegenwart ihres Schöpfers eintreten soll: Der Schöpfunsgsabbat ist nicht begrenzt!“[168] Der Sonntag führt zu einer Rhythmisierung der Zeit[169], ist „eine Chance zur Vermehrung des Zeitwohlstands“[170] und gibt zugleich *aller* Zeit eine bestimmte Qualität: die Qualität der Präsenz Gottes in der ganzen Schöpfung und die Qualität der anbrechenden Versöhnung zwischen allen Geschöpfen. Menschliche Zeit ist erfüllte Zeit, wenn sie diese „Sonntags-Qualität“ im Alltag spiegelt. Menschliche Zeit ist verlorene Zeit, wenn sie den Graben zum Schöpfer und zwischen den Geschöpfen vergrößert.

2. *Zeit* ist wie das Leben eine *Gabe Gottes.* Die begrenzte Lebenszeit[171] ist Inbegriff der Geschöpflichkeit. Zum Gastsein auf Erden gehört die Unverfügbarkeit des Lebens wie

---

163 Nadolny, S.: Die Entdeckung der Langsamkeit, München 1983. Der Roman, in alle Weltsprachen übersetzt, erschien in deutscher Sprache bereits in einer Auflage von weit über einer viertel Million.

164 Präsidiert von Prof. Peter Heintel, Klagenfurt/Österreich. Ein Ziel des Vereins ist gemäß einer Selbstdarstellung: „Die Beschleunigung wird zum Maß aller Tätigkeiten und vergewaltigt Eigenzeit ... Wir halten eine Verzögerung der Beschleunigung für notwendig.“ (Heintel, P.: Warum ein Verein zur Verzögerung der Zeit? Kollektivbrief 7. 9. 1990.)

165 Im Zusammenhang mit der Zeitakademie der Evang. Akademie Tutzing zum Thema „Ökologie der Zeit“ erscheint 1993: Held, M./Geissler, K. (Hg.): Ökologie der Zeit – Vom Finden der rechten Zeitmaße, edition universitas.

166 Vgl. dazu umweltpädagogisch dargestellt: Waldvogel, M./Nagel U./Stückelberger, Ch.: Unsere Welt wird anders. Texte, Projekte, Planspiele für einen neuen Umgang mit der Umwelt, in Zusammenarbeit mit dem WWF Schweiz Lehrerservice, Zug 1984, 9–20: Zeit gewinnen – Zeit verlieren.

167 Moltman, J.: Gott in der Schöpfung, a.a.O., 179ff; Link, Ch.: Schöpfung, a.a.O., 384ff; Schäfer-Guignier, O.: Et demain la terre ... Christianisme et écologie, Genf 1990, 45ff.

168 Link, Ch., a.a.O., 386.

169 Vgl. oben Kapitel 5.3.8 über feiern und loben, Aktion und Kontemplation.

170 Schweiz. Nationalkommission Justitia et Pax (Hg.): Zeit, Zeitgestaltung und Zeitpolitik. Eine Thesenreihe zum Thema Arbeitszeit – Freizeit, Bern 1990, 47–50. Justitia et Pax will „ – unter dem Vorbehalt der Sicherung der Grundbedürfnisse für alle – dem Zeitwohlstand Priorität vor dem Güterwohlstand und dem quantitativen Wachstum einräumen.“ (ebd., 24)

171 Vgl. dazu voriges Kapitel 5.4.7.

die Unverfügbarkeit der Zeit. „Meine Zeit steht in Deinen Händen" (Ps 31,16) ist klassischer biblischer Ausdruck dafür. Deshalb sollen wir die Zeit nicht als Besitz und als Herrschaftsinstrument einsetzen, sondern als Leihgabe des Gebers der Zeit.[172]

3. Mit der Zeit als Leihgabe verantwortlich umzugehen schließt durchaus ein, die Zeit rationell zu nutzen, wie das die christliche Arbeitsethik immer wieder betont hat. Doch wie die Habgier das Maßhalten im Umgang mit den Gütern dieser Erde verhindert, so verhindert die *Zeitgier,* die Gier nach dem Gut Zeit, den maßvollen Umgang mit der geschenkten Zeit. Die heutige Beschleunigung fast sämtlicher Lebensprozesse und Handlungsabläufe ist Ausdruck kollektiver Zeitgier. Habgier wird biblisch als Sünde bezeichnet. Dasselbe gilt für die Zeitgier.

4. Theologisch gesehen ist nicht „chronos" als lineare (Uhr-) Zeit entscheidend, sondern der *kairos,* der richtige Augenblick, die erfüllte, heilige Zeit.[173] Die Orientierung am kairos führt auch zur Tugend der Gelassenheit als Fähigkeit, den rechten Zeitpunkt des Handelns abzuwarten und das rechte Maß des Tuns einzuschätzen[174]. Die *chronobiologische Zeit*[175] – die natürlichen und kosmischen Zeitabläufe einschließlich der biologischen Rhythmen der Menschen – ist als Gabe der Schöpfung ein Teil des kairos und damit schöpfungsethisch zu beachten.

5. Zur Geschöpflichkeit gehört, daß jede Art und zumindest beim Menschen jedes Individuum einen *eigenen Lebensrhythmus* hat[176]. Die Vielfalt der Zeitrhythmen ist wie die Artenvielfalt als Ausdruck göttlichen Reichtums positiv, ja für Ökosysteme lebensnotwendig. Sie ist deshalb zu schützen. Der Mensch kann und darf die nichtmenschliche Mitwelt nur begrenzt den eigenen Rhythmen und dem eigenen Tempo unterwerfen. Dies gar nicht zu tun, ist unmöglich, wenn man nur schon an die Nutztiere denkt, deren Zeitrhythmen der Mensch stark mitprägt. Heute wird aber die Natur und der Mensch selbst den primär technisch bestimmten Beschleunigungsprozessen unterworfen. Respekt gegenüber der Mitwelt bedeutet, die Entwicklungszeiten und den Zeithaushalt der Arten und Organismen zu respektieren.

6. Es gibt keine allgemeingültige Antwort auf die Frage, welches Zeit-Maß das richtige sei. Wenn das Maßhalten eine Frage der *Beziehung* zu Gott, zum Mitmenschen und zur Mitwelt ist, dann ist auch die Frage der Schnelligkeit von Prozessen eine Frage der

---

172 Ein eigenes Untersuchungsthema wäre, die Ungeduld des Menschen im Verhältnis zu Gottes Geduld (und Ungeduld?) darzulegen.

173 „Die Kirchen müssen den Begriff der ‚heiligen Zeit' wiederentdecken, nicht nur um Gottes, sondern auch um des Wohlergehens aller Menschen (man müßte anfügen: und der ganzen Schöpfung. Der Verf.) willen. Gottes Zeit, der *kairos*, tritt in den *chronos* der säkularen Welt ein, eröffnet neue Visionen und schenkt neue Möglichkeiten." (Im Zeichen des Heiligen Geistes. Offizieller Bericht der Siebten Vollversammlung des Ökumenischen Rates der Kirchen in Canberra 1991, Frankfurt 1991, 119.)

174 So Höffe, O.: Art. Tugend, in ders.: Lexikon der Ethik, München 1986³, 258.

175 Die Zusammenhänge dieser „biologischen Uhren" untersucht das Institute of Chronobiology in New York. Eine Gesamtschau des Zusammenhangs der Monats- und Jahreszeiten mit den menschlichen Zeitrhythmen zeigte z.B. die Mystikerin Hildegard von Bingen (z.B. in: Gott sehen, München 1990, 77–93). Dabei wird allerdings auch eine gewisse Starrheit dieser geschlossenen Weltbilder deutlich, die alle Phänomene widerspruchsfrei in ein Gesamtsystem einzuordnen versuchen.

176 Zum Humanbereich vgl. Schweiz. Nationalkommission Justitia et Pax: Zeit, Zeitgestaltung und Zeitpolitik, a.a.O., 16f, These 5: Vielfalt von Lebensrhythmen.

Rücksichtnahme auf das Entwicklungstempo der andern[177]. Wo dies mißachtet wird, ist der Friede gefährdet, da es zu *Ungleichzeitigkeiten* kommt! Diese sind zu einem großen Teil verantwortlich für die politischen Spannungen zwischen Nord und Süd wie für die ökologischen Spannungen. Die Natur kann die Anpassungsprozesse nicht in der kurzen Zeit leisten, die der Mensch z.B. mit seinen Emissionen von ihr verlangt, wie die rasche Erwärmung der Erdatmosphäre zeigt.

7. Maßvoller Umgang mit der Zeit heißt *Koordinierung des Entwicklungstempos!* Diese hat horizontal (zwischen den Weltregionen) wie vertikal (zwischen den verschiedenen Stufen von Lebewesen) zu geschehen. Langsamkeit ist dabei ebenso wenig ein Wert an sich wie Geschwindigkeit (obwohl als Gegenbewegung zum Geschwindigkeitsrausch das Ethos der Langsamkeit situationsbedingt zu unterstützen ist). Gewisse (besonders technisch-industrielle) Prozesse müssen verlangsamt werden, andere (z.B. politische und erzieherische) müssen beschleunigt werden, dritte (die meisten biologischen) können nicht beschleunigt werden. Auf diese „schwächsten Glieder“ hat ökologisch wie ethisch gesehen das menschliche Entwicklungstempo und Veränderungspotential Rücksicht zu nehmen. Die zunehmenden Klagen, technische und wirtschaftliche Entscheidungsprozesse würden heute durch Prüf- und Bewilligungsverfahren unverantwortlich verzögert, sind verständlich und berechtigt, wo unnötige bürokratische Hürden bestehen. Die meisten solchen Hürden sind heute aber notwendig, nicht nur wegen der Technikfolgenabschätzung und berechtigter demokratischer Partizipation, sondern nicht zuletzt im Dienste der ökologisch absolut notwendigen Verlangsamung gewisser Prozesse. Daß *Moratorien* ein zwar wichtiges[178], aber leider kaum durchführbares Instrument zur ökologisch notwendigen Verlangsamung sind, wurde bereits erwähnt.[179]

8. *Zeiteinsparungen auf Kosten der Umwelt* sind sowohl individuell wie strukturell *nur in Ausnahmefällen,* nach gründlicher Güterabwägung und wenn der Verzicht auf die Zeiteinsparung zu große Opfer erfordern würde, gerechtfertigt.[180] Bei der Innovation und Beschleunigung der Produktionsweise in der Wirtschaft wie beim Konsumverhalten des einzelnen Konsumenten ist das Kriterium der Zeitersparnis dem Kriterium der ökologischen Nachhaltigkeit unterzuordnen, denn im Konfliktfall besteht ethisch gesehen (jedenfalls in industrialisierten Ländern) der Vorrang der Ökologie vor der Ökonomie, auch der Zeitökonomie. Produktion und Konsum sind so zu verlangsamen resp. zu verändern, daß der Natur Zeit zum Erneuern verbrauchter Ressourcen bleibt.

9. Von eminenter umweltethischer Relevanz auf der Suche nach einem Zeit-Maß ist das Problem der *Rechtzeitigkeit*[181]. Je länger z.B. mit Maßnahmen zur CO_2-Reduktion zuge-

---

[177] Jeremy Rifkin (Uhrwerk Universum, a.a.O., 270) spricht von Empathie in den Zeitrhythmus der Natur: „In einer empathischen Zeitwelt entspricht unsere Realität der Natur. Wir tauschen Parteilichkeit für Partnerschaft ein und rühmen uns unserer Gemeinschaft mit den vielen Zeitwelten, die das Universum erfüllen.“

[178] Insofern ist Günter Altner im Grundsatz zuzustimmen, daß die Spannung zwischen der Dynamik der Menschengeschichte und der langsameren Naturgeschichte durch demokratisch legitimierte Moratorien abzubauen sei (Naturvergessenheit, a.a.O., 108).

[179] Vgl. Kapitel 5.4.3, Anm. 80 zu Forschungsmoratorien.

[180] Ähnlich Schweiz. Nationalkommission Justitia et Pax: Zeit, Zeitgestaltung und Zeitpolitik, a.a.O., 18–20, auch 33f und 45f.

[181] Vgl. z.B. Höffe, O.: Beginnt der Flug der moralischen Vernunft erst am Abend? Plädoyer für eine Kultur der Rechtzeitigkeit, in: Holzhey, H. et al. (Hg.): Forschungsfreiheit. Ein ethisches und politisches Problem der modernen Wissenschaft, Zürich 1991, 7–24.

wartet wird, desto größer sind die Opfer. Donella und Dennis Meadows zeigen in ihren Zukunftsmodellen zwanzig Jahre nach ihrem Buch „Die Grenzen des Wachstums", was zwanzig Jahre ausmachen können: Wenn die von ihnen vorgeschlagenen Maßnahmen statt 1995 erst im Jahr 2015 ergriffen werden, „muß bereits einer Milliarde Menschen mehr der erwünschte Lebensstandard geboten werden"[182]. Ethik kann sich nicht damit begnügen, Postulate zu formulieren, sondern muß sich auch mit ihrer rechtzeitigen Umsetzung auseinandersetzen! Nicht das zeitunabhängig Gute, sondern das zur rechten Zeit Gute ist Aufgabe der Umweltethik. Dabei ist das richtige Maß zu finden zwischen der Unruhe des „Die Zeit drängt" und dem nachdenkenden „Nehmt euch Zeit"[183].

5.4.9 Der lokale und der globale Lebensraum

Leitlinie II/9 der Gästeordnung
Du bist willkommen als Gast auf Erden! Handle so, daß du ein Gleichgewicht zwischen dem ökologisch ausgerichteten Leben am Ort und weltweiter Verbundenheit und Integration findest.

Anders gesagt
Möglichst große weltweite Offenheit und Solidarität ist mit möglichst großer regionaler ökologischer Autonomie nach dem Grundsatz der Subsidiarität zu verbinden.

Zeit und Raum sind die zwei Grunddimensionen der Wirklichkeit. So wie ein maßvoller Umgang mit der Zeit ökologisch notwendig ist, so ist ein *Maß für den Umgang mit dem Raum* der Erde zu finden, das den Kriterien der ökologischen Dauerhaftigkeit, der Freiheit im Dienst der Gemeinschaft wie auch der gerechten Verteilung entspricht.
Keine Generation vor uns lebte mit einer so ausgeprägten weltweiten Integration wie wir heute. Der Anschluß praktisch sämtlicher Staaten an den *Weltmarkt,* wie er seit anfangs der neunziger Jahre mit der Überwindung der Polarisierung in zwei Weltblöcke besteht, und die sich weiter ausbauende Weltkommunikation sind nur zwei Stichworte dazu. Diese Integration der Menschheit zu einer Weltgemeinschaft ist für den Weltfrieden wie auch für die Einheit der Christen bedeutsam. Sie könnte zudem der weltweiten Mehrung des Wohlstands wie der gerechten Verteilung der Güter dienen. Letzteres geschieht durch die heutigen Weltmarktbedingungen allerdings nicht. Auch ökologisch ist es nicht abwegig, die Erde als einen gemeinsamen Lebensraum der Menschheit zu betrachten, wenn man an die in der Klimafrage besonders offensichtliche Interdependenz des Ökosystems Erde[184], das in manchem einem Organismus gleicht, denkt. Die weltweite Integration bewirkt andererseits, jedenfalls heute noch, ökologische Zerstörungen z.B. durch maßlose Mobilität, die mit dem Kriterium der Dauerhaftigkeit nicht zu vereinbaren sind. Auch Verfechter eines weiteren Ausbaus der Weltfreihandelsordnung gestehen ein, daß die Spannung zwischen Welthandel und nachhaltiger Entwicklung nicht gelöst ist[185].

---

182 Meadows, D. und D./Randers J.: Die neuen Grenzen des Wachstums, Stuttgart 1992, 246.

183 Vgl. Weizsäcker, C. F. von: Die Zeit drängt, München 1986; Rendtorff, T.: Nehmt euch Zeit, in: Das Ende der Geduld. C. F. von Weizsäckers „Die Zeit drängt" in der Diskussion, München 1987, 25–34.

184 Vgl. Kapitel 2.3.

185 So Schmidheiny, St.: Kurswechsel. Globale unternehmerische Perspektiven für Entwicklung und Umwelt, München 1992, 120ff.

Ist also statt der Integration die Isolation resp. die Autarkie als ökologisches Leitziel anzustreben? Neben der Entwicklung zu mehr *Integration* ist die Entwicklung zu stärkerer *Regionalisierung* unübersehbar: Gleichzeitig mit der europäischen *Integration* ertönt der Ruf nach dem „Europa der Regionen" und weltweit brechen neue Nationalismen und Ethnozentrismen auf. Das soziale System der „kleinen Netze"[186] wird an Bedeutung gewinnen, je mehr der Sozialstaat an seine Grenzen stößt. Der entwicklungspolitische Ruf der siebziger Jahre nach Abkoppelung[187] und Selfreliance[188] der Entwicklungsländer ist zwar verstummt und der berühmte Slogan „small is beautiful", der ein ganzes Programm der „Rückkehr zum menschlichen Maß"[189] beinhaltete, konnte die weitere wirtschaftliche Konzentration der Weltkonzerne durch Fusionen nicht aufhalten. Gleichzeitig hat jedoch die Idee der räumlichen und organisatorischen Dezentralisierung von Unternehmungen Fuß gefaßt und das Anliegen einer gewissen Autonomie geographischer Einheiten wird neu unter ökologischen Gesichtpunkten aktuell: Der *Bioregionalismus,* wie er z.B. in der Tiefenökologie[190] und von vielen Umweltbewegungen besonders in den USA vertreten wird, strebt die „Verwurzelung am Ort (living in place) mit dem Bewußtsein der ökologischen, kulturellen und ökonomischen Eigenart einer Region" an[191]. Vielleicht wird damit gar die alte benediktinische Regel der *stabilitas loci,* der örtlichen Beständigkeit und Ausdauer, wieder aktuell.[192] Das Leben in *einer* Region schränkt die Mobilität und den weltweiten Güteraustausch ein und fördert die Verantwortung für die nächste Umgebung und deren Produkte. Der umweltethische Grundsatz der Nachhaltigkeit, daß der Mensch der Natur nicht mehr abverlangen soll, als er selber zu ihrer Erhaltung beitragen kann[193], gilt nicht nur für einen weltweiten Durchschnitt, sondern muß nach dem Konzept des Bioregionalismus auch in lokalen und regionalen Einheiten zutreffen.

Weltmarkt und Bioregionalismus sind zwei sich widerstrebende Konzepte. Wie ist ein ökologisch und ökonomisch verantwortbares Maß von beiden zu finden?

Die weltweite Integration ist ethisch ambivalent. Während sie friedensethisch, ekklesiologisch und von der Verteilungsgerechtigkeit her wünschbar ist, ist sie in der bisher praktizierten Art umweltethisch und von der Gerechtigkeit her sehr fragwürdig. Aber auch der Bioregionalismus ist ethisch ambivalent. Während er umweltethisch wünschbar ist, beinhaltet er die Gefahr einer weltweiten Entsolidarisierung und neuer Ethnozentris-

---

186 Dargelegt in: Binswanger, H./Geissberger, W./Ginsburg, Th.: Wege aus der Wohlstandsfalle. Der NAWU-Report. Strategien gegen Arbeitslosigkeit und Umweltzerstörung, Frankfurt a.M. 1979, 222–260.

187 Senghaas, D.: Weltwirtschaft und Entwicklungspolitik. Plädoyer für Dissozation, Frankfurt 1977.

188 Prominent vom früheren tansanischen Staatschef Julius Nyerere vertreten.

189 Schumacher, E. F.: Die Rückkehr zum menschlichen Maß. Alternativen für Wirtschaft und Technik. „Small is beautiful", Hamburg 1977.

190 Vgl. Kapitel 4.5.2.

191 So Spretnak, Ch.: Postmodern Directions, in: Griffin, D. (ed.): Spirituality and Society, New York 1988, 33–40 (37). Vgl. auch Sale, K.: Dwellers in the Land: The Bioregional Vision, San Franzisco 1985.

192 Vgl. Abt Holzherr, G.: Stabilitas Loci – eine säkulare Tugend?, in: Ruhe und Bewegung. Vom schwindenden Nutzen wachsender Mobilität, Arbeitsblätter 2/92 des Schweiz. Arbeitskreises für ethische Forschung, Zürich 1992, 32–34. Indem Benedikt die stabilitas loci als ein Kriterium für die Aufnahme ins Kloster einführte (Benediktinerregel 58), strebte er nicht Immobilismus an, aber eine Gegenbewegung gegen das zeitweise sehr beliebte Unterwegssein der Mönche.

193 So unsere Leitlinie II/1.

men. So geht es um die *„Suche nach einer neuen Balance von Weltmarkt und Region“*[194]. Ein völliger Rückzug auf Regionen ist weder möglich noch wünschbar. Ein weiterer Ausbau des Weltmarktes ohne starke zusätzliche soziale und ökologische Maßnahmen führt zur ökologischen Katastrophe.
Das Maß liegt im in der Ethik anerkannten Prinzip der *Subsidiarität,* wonach so viel wie möglich so weit unten wie möglich entschieden, produziert und kulturell verankert werden soll. Das wohl wichtigste Mittel, dieses Maß zu erreichen, ist wiederum die Preisgestaltung: Wenn die Produkte die volle ökologische Wahrheit sagen würden[195], die Transportkosten also entsprechend vervielfacht würden, würden automatisch so viele Produkte wie möglich so nahe wie möglich am Ort des Verbrauchs produziert.

5.4.10 Das Maß der Weltbevölkerung

Leitlinie II/10 der Gästeordnung
Du bist willkommen als Gast auf Erden! Setze dich für eine Stabilisierung der Weltbevölkerung und des Ressourcenverbrauchs ein, damit dein persönliches Maßhalten nicht ständig wirkungslos gemacht wird.

Anders gesagt
Individuelles Maßhalten und der gleichzeitige Einsatz für die Stabilisierung der Weltbevölkerung wie die Stabilisierung des Ressourcenverbrauchs durch Massenproduktion und -konsum gehören zusammen.

Der Durchschnittsschweizer braucht jährlich rund 1000 Liter Erdöl als Treibstoff (Benzin).[196] Nehmen wir an, er tanke in einem Jahr ausnahmsweise ein einziges Mal mehr als üblich und brauche damit 50 Liter mehr. Damit gehört er sicher weiterhin zu jenen Schweizern, die im Durchschnitt liegen. Durchschnittlich leben ist nach allgemeinem Empfinden gleichbedeutend mit maßvoll leben. Niemand würde auf die Idee kommen, ihn deshalb als maßlos zu bezeichnen. Wenn nun aber alle 5,4 Milliarden Menschen der Erde je einen 50-Liter-Tank mehr pro Jahr brauchen würden, ergäbe das mit insgesamt 270 Mio Tonnen eine Steigerung des Erdölverbrauchs (er beträgt weltweit jährlich rund 3 Mrd Tonnen) um 9 Prozent in einem einzigen Jahr (wenn man nur die Hälfte der Menschheit, die Erwachsenen, zählt, wären es immer noch 4,5 Prozent). Das Beispiel soll verdeutlichen: *Maßvoll scheinendes Verhalten kann zur Maßlosigkeit werden, wenn es eine Masse von Menschen praktiziert!* Zudem wird individuelles Maßhalten durch die Zunahme der Weltbevölkerung in der Wirkung laufend zunichte gemacht.
Die ökologische Belastung und Zerstörung ist nicht nur ein Problem der Qualität der Güter und Handlungen, sondern in hohem Maße auch ein *Problem der Quantität.* Solange in der Neuzeit ein paar Wohlhabende rege durch Europa reisten, war das ökologisch

---

194 So der Titel des Zukunftsszenarios von Jans Pirmin, Basel, eines von vielen in der Region Basel in einem Prozeß entwickelten Modells, in: Arras, H./Bierter, W. (Hg.): Welche Zukunft wollen wir? Drei Scenarien im Gespräch. Ein Beitrag des Basler Regio Forum, Liestal/Basel 1989, 211–217.
195 So das Kriterium in Kapitel 5.3.11.
196 Mehr dazu Kapitel 5.4.3.

kein Problem. Nicht die fünf Prozent der Reichen und nicht die fünfzehn Prozent der Armen, sondern die achtzig Prozent der maßvoll scheinenden Mittelschichten in den Industrieländern machen die ökologische Belastung aus. Die Maßlosigkeit entstand primär durch die (den heutigen materiellen Wohlstand erst ermöglichende) *Massenproduktion,* also den marktwirtschaftlichen Zwang, ein Produkt in möglichst großer Stückzahl zu produzieren, und durch den *Massenkonsum,* also die (von der Gerechtigkeit her natürlich wünschbare) breite Verteilung des Wohlstands.

So stellen sich zwei Fragen: 1. Wird in einer ökologisch nachhaltigen Wirtschaft das *Wohlstandsgefälle zunehmen,* weil z.B. der heutige Massentourismus ökologisch nicht haltbar ist und bei massiv höheren Transportkosten sich wie früher nur noch die Reichen das Reisen werden leisten können? 2. Wie ist *umweltethisch* mit dem *Bevölkerungswachstum* umzugehen?

Die erste Frage deutet eine reale Gefahr an. Umweltethisch ist sie mit einem klaren Nein zu beantworten. Aufgrund des Kriteriums der Relationalität[197] sind die Leitwerte dauerhafte Entwicklung, ökologische Gerechtigkeit und demokratische Partizipation in ihrer Beziehung zueinander zu sehen. Sie sind gleichzeitig umzusetzen. Eine weitere Zunahme des Wohlstandsgefälles zwischen Nord und Süd wie auch innerhalb der Industrieländer ist zwar zu befürchten, wenn alle externen ökologischen Kosten internalisiert werden. Deshalb sind gleichzeitig sozialpolitische Maßnahmen zur Umverteilung der ökologischen Lasten notwendig. Für diese Verteilung ist das Kriterium der Gerechtigkeit formuliert, wonach gerecht ist, was den am meisten Benachteiligten am meisten nützt.[198]

Das Wachstum der Weltbevölkerung ist neben dem Lebensstil in den überentwickelten Ländern ein bedeutendes ökologisches Problem. Daß die Bevölkerungsentwicklung mit dem Wohlstandsgefälle zusammenhängt, ist eine Binsenwahrheit, die hier nicht erläutert werden muß. So ist es eine umweltethische Notwendigkeit, die Weltbevölkerung durch Verminderung des Wohlstandsgefälles, durch Förderung der Frauen[199] wie auch durch direkte Familienplanung zu stabilisieren. Der Einsatz für die Stabilisierung der Weltbevölkerung (besonders im Süden) ist umweltethisch aber nur glaubwürdig, wenn er gleichzeitig mit der Stabilisierung resp. Senkung des Ressourcenverbrauchs (besonders im Norden) verbunden ist[200]. All dies ist auch eine Aufgabe der Kirchen in ihrer Mission, Entwicklungszusammenarbeit und Umwelttätigkeit. Auf die Auseinandersetzung der Kirchen damit, u.a. anläßlich der Weltbevölkerungskonferenz in Kairo 1994, kann hier nur verwiesen werden.[201] Dabei ist eine gewisse protestantische Kritik an der Posi-

---

[197] Kapitel 5.3.12.

[198] Kapitel 5.4.2.

[199] Das war eine der Folgerungen der Weltbevölkerungskonferenz im Sept. 1994 in Kairo.

[200] Dies ist die Stoßrichtung der 17 Aufsätze von Frauen in: Brot für alle/Erklärung von Bern/Fastenopfer (Hg.): Wenig Kinder – viel Konsum? Stimmen zur Bervölkerungsfrage von Frauen aus dem Süden und Norden, Bern 1994, bes. bei: Shiva, V.: Die wahren Günde der Umweltzerstörung im Süden, ebd. 42–47; Mies, M.: Nicht Übervbevölkerung – Konsumismus im Norden ist das Problem, ebd., 48–55.

[201] Vgl. Weltbevölkerungswachstum als Herausforderung an die Kirchen. Eine Studie der Kammer der EKD für kirchlichen Entwicklungsdienst, Gütersloh 1984; Wie viele Menschen trägt die Erde? Eine Studie der Kammer der EKD für kirchlichen Entwicklungsdienst, 1994; Skriver, A.: Zu viele Menschen? Die Bevölkerungskatastrophe ist vermeidbar. München 1986; Power Bratton, S.: Six Billion and More: Human Population Regulation and Christian Ethics, John Knox/Westminster Press 1992; Peter, H.-B.: Bevölkerungswachstum kontra nachhaltige Entwicklung? Sozialethische Erwägungen aus protestantischer Sicht, ISE-Texte 12/94, Bern 1994.

tion des Vatikans nötig, weil dieser immer wieder – sowohl an den Weltbevölkerungskonferenzen in Bukarest 1974, Mexiko 1984, Kairo 1994 wie auch an der Unced-Konferenz Umwelt und Entwicklung in Rio 1992 – die Diskussion immer wieder auf die Fragen der künstlichen Verhütungsmittel und der Abtreibung verengte und damit manche, auch protestantische, Programme zur Bevölkerungsstabilisierung zu verhindern versuchte.[202]

5.4.11 Der Einzelne im Ganzen

Leitlinie II/11 der Gästeordnung

Du bist willkommen als Gast auf Erden! Liebe Gott, die Menschheit und alle Arten wie dich selbst. Setze dich für das versöhnte Zusammenspiel aller Lebewesen im Dienste des Lebens ein.

Anders gesagt

Das Lebensrecht von Arten und das Lebensrecht von Individuen ist zu schützen. Im Konfliktfall hat die Wahrung der Funktionsfähigkeit der Ökosysteme Vorrang vor dem Überleben von Individuen.

In heutigen Umweltethiken, besonders in den biozentrischen Ansätzen, besteht eine breite *Tendenz, dem Überleben einer Art Vorrang vor dem Überleben von Individuen zu geben.* Wir haben darauf bereits beim Holismus besonders von Klaus Michael Meyer-Abich[203], bei den philosophischen Ansätzen von Paul Taylor, Holmes Rolston und der Tiefenökologie[204] wie bei der theologischen Umweltethik von Hans Ruh[205] hingewiesen. Schon Aldo Leopold, der Pionier amerikanischer Umweltethik, ging in seiner Landethik davon aus, daß das Gemeinwohl des Ganzen Vorrang vor dem Wohl der Teile habe. Diese Haltung geht bis auf Aristoteles zurück, der bereits das ethische Kriterium formuliert hat, daß das Gemeinwohl göttlicher ist als das Einzelwohl. Nochmals höheren Wert als einzelne Arten haben in den biozentrischen und holistischen Umweltethiken die Ökosysteme als Verkörperung des „Ganzen". Als Hauptargument für diese Werthierarchie wird zumeist angeführt, daß das Funktionieren des Ökosystems und das Vorhandensein einer Art Voraussetzung für das Leben der Individuen ist, wie z.B. Holmes Rolston sagt: „Der Prozeß des Systems[206] ist ein übergeordneter Wert, nicht weil er gegenüber Individuen gleichgültig ist, sondern weil der Prozeß früher ist als Individualität und diese erst hervorbringt."[207]
Gegen diesen Vorrang des Ganzen vor dem Einzelnen erregt sich aber auch Widerspruch. Vier Motivstränge seien exemplarisch erwähnt. 1. Keine Opfer: Das Individuum

---

202 Vgl. dazu Skriver, A.: Zu viele Menschen?, a.a.O., 129–138; Brot für alle/Institut für Sozialethik des Schweiz. Evang. Kirchenbundes: Weltkonferenz über Bevölkerung und Entwicklung. Eine potestantische Gegenposition zum Vatikan, Bern, 15. Aug. 1994.

203 Kapitel 2.1, bes. 2.1.3.

204 Kapitel 4.8.3, 4.8.4 und 4.5.

205 Kapitel 4.2.1 und 4.2.2. Altner betont zugleich das „Lebensrecht der Arten ... *und* das Lebensrecht von Individuen" (Naturvergessenheit, Darmstadt 1991, 108).

206 Gemeint sind die Ökosysteme.

207 Rolston, H.: „Is there an Ecological Ethic?", Ethics 85 (Jan. 1975), 101.

dürfe nicht dem Überleben eines Kollektivs geopfert werden, betont etwa Traugott Koch in seiner Schöpfungstheologie[208]. 2. Gegen Herrschaft: Hinter der Wertpyramide vom Einzelnen zum Ganzen stehe ein hierarchisches Weltbild, eine „feudalklerikale Universalienpyramide“ (Ernst Bloch), meint etwa der Philosoph Markus Waldvogel[209]. 3. Keine Durchschnittswerte: Währenddem sich der Durchschnittsnutzenutilitarismus am durchschnittlichen Nutzen einer Entwicklung für die einzelnen orientiert, strebt der Nutzensummenutilitarismus eine Erhöhung der Gesamtsumme des Nutzens für alle einzelnen an. Dieter Birnbacher bejaht letzteren und spricht von der „Irrelevanz von Durchschnittswerten“[210] für den einzelnen. Ist die Rede von Arten für das Individuum ein abstrakter Durchschnittswert, wenig hilfreich, wenn es um das Überleben geht? 4. Zuwenig Motivation für die Umwelterziehung: „Für das bewußt handelnde menschliche Individuum ist das Überleben der Gattung keine ernsthaft wahrgenommene Handlungsmotivation.“[211] Man setzt sich eher für den Schutz konkreter Tiere oder Pflanzen als allgemein von Arten ein.

Hinter solchen Einsprüchen gegen den Vorrang der Art und des Ganzen vor dem Einzelnen ist auch die *Angst vor einem neuen Kollektivismus* spürbar, der zwar ökologisch motiviert ist, aber wieder politisch im Sinne des Totalitarismus umgemünzt werden könnte.[212] Die Einwände sind wegen dieser berechtigten Angst ernstzunehmen. Dennoch löst die einseitige Betonung des Individuums den ethischen Konflikt zwischem dem Überleben einer Art und eines Individuums nicht.

Das Problem wird dadurch noch komplexer, daß in der Praxis nicht nur ein Konflikt zwischen dem Lebensrecht von Arten und von Individuen besteht, sondern oft zwischen Arten (von Pflanzen und Tieren), Individuen (von Pflanzen, Tieren und Menschen) und *Gattungen* (von Menschen). Die Menschheit als Art besteht biologisch gesprochen ja aus zahlreichen Gattungen (Gattungen sind Untergruppen einer Art). Angesprochen ist damit das *Lebensrecht akut bedrohter Völker und Volksstämme!* Diese haben nicht nur ein ein Recht auf Leben als Individuen, sondern auf Respekt der kulturellen Identität als Volk. So sind die Yanomani-Indianer im Amazonasgebiet im Norden Brasiliens von der Ausrottung bedroht[213] und der Führer der Muslime in Bosnien, Imam Mustafa Ceric aus Zagreb, sagte zur ethnischen Säuberung gegen Muslime in Bosnien: „Wir würden am licbsten eine vom Aussterben bedrohte Hunde- oder Vogelrasse sein, vielleicht würde Europa sich dann endlich tatsächlich mit unserem Schicksal befassen.“[214] Diese bittere Stimme gibt die Stimmung breiter Teile der Dritten Welt gegenüber den Umweltschutzbemühungen der Industrieländer wieder.

Um das Maß zu finden im Verhältnis von Individuum, Gattung und Art, vom Einzelnen und dem Ganzen, möchte ich *theologisch-umweltethisch* auf *fünf Aspekte* hinweisen:

---

208 Koch, T.: Das göttliche Gesetz der Natur, Zürich 1991, 83. Vgl. auch oben Kapitel 4.1.3.

209 Waldvogel, M.: Das einzigartige und die Sprache. Ein Essay, Wien 1990, 89ff.

210 Birnbacher, D.: Verantwortung für zukünftige Generationen, Stuttgart 1988, 60ff. Vgl. auch oben Kapitel 4.8.1.

211 Akademie der Wissenschaften zu Berlin: Umweltstandards. Forschungsbericht 2, Berlin 1992, 33 (Im Zusammenhang mit Überlegungen zum „Gedanken der Individualwürde“. Anm. 18).

212 So Christofer Frey: „In der Rede vom Schöpfer vom *Ganzen* zu sprechen erfordert eine politisch wache Übersetzung in die gegenwärtige Situation.“ (ZEE 32 [1988], 53)

213 Vgl. die Fallstudie: Die ökologische Krise als Nord-Süd-Problem. Fallbeispiel Amazonien. Eine Studie der Kammer der EKD für kirchlichen Entwicklungsdienst, Gütersloh 1991, 37ff.

214 Glaube in der Zweiten Welt, Nr.9/1992, 8.

1. Die in der Schöpfung angelegte wunderbare *Vielfalt und Fülle von Leben* gilt es treuhänderisch zu *bewahren.* Sie ist Ausdruck von Gottes Absicht mit seiner Schöpfung.[215] Damit verbunden ist die ethische Verpflichtung, so vielfältiges Leben wie möglich zu ermöglichen.
2. In Konflikten zwischen Arten, menschlichen[216] Gattungen und Individuen gelten zunächst die Gerechtigkeitsregeln, wonach die elementaren Bedürfnisse Vorrang haben vor nichtelementaren Bedürfnissen[217]. Wo elementare Bedürfnisse miteinander in Konflikt geraten, wo es also um das *Überleben* von Arten, Gattungen und Individuen geht, hat der *Fortbestand des Ganzen, also die Gewährleistung der Funktionsfähigkeit der Ökosysteme, Vorrang vor dem Überleben einzelner Teile,* denn Gott als der Schöpfer und der im *ganzen* Kosmos präsente Christus und Heilige Geist[218] will die Bewahrung und Vollendung der *ganzen* Schöpfung. Das bedeutet aber nicht automatisch und in jedem Fall den Vorrang einer Art vor dem Einzelnen, denn im Einzelnen ist in geheimnisvoller Weise ja auch das Ganze präsent.
3. Bei aller Betonung des Ganzen der Schöpfung mißt die jüdisch-christliche Offenbarung dem *einzelnen Wesen eine große Würde* zu. Jeden einzelnen Menschen ruft Gott bei seinem Namen (Jes 43,1), ja auch jedes einzelne Tier und jede Pflanze. Die Milliarden von Fliegen oder von Sternen bleiben nicht anonyme Arten, sondern Gott ruft sie „alle mit Namen" (Jes 40,26). Die Verantwortlichkeit des Menschen gegenüber Gott und der Weg von Schuldigwerden und Befreiung beruht auf diesem persönlichen Gerufensein.
4. Die Zusammengehörigkeit von Individuum und Art zeigt sich in der Auffassung der Entsprechung von *Mikro-Kosmos und Makro-Kosmos,* wonach im Einzelnen das Ganze enthalten ist.[219] Auch im einzelnen Menschen ist die ganze Menschheit präsent. Umgekehrt gesagt: Jede Person muß Menschheit werden. Urbild dieser Beziehung zwischen dem einzelnen und seiner Art (sie gilt für Mensch, Tier und Pflanze) ist Gott selbst in seiner *Trinität.*[220] In jeder Person der Trinität ist Gott als Ganzer. In einem ewigen Lebensprozeß findet ein Austausch zwischen den Personen der Trinität statt.[221]
5. Der anfangs erwähnte biozentrische Grundsatz, das Überleben der Art habe Vorrang vor dem Überleben des Individuums, ist zwar ökologisch richtig, aber ethisch unbarmherzig. Im Klartext bedeutet er nämlich, daß eine Frau in Indien eher verhungern soll, als daß sie die letzten Holzreserven zum Kochen abholzt und damit das Aussterben weiterer Arten fördert. Es ist aber nicht zulässig, vom *andern* zu *verlangen,* daß er sein Leben zu-

---

215 Vgl. Kapitel 5.1. und 5.4.6.

216 Die Gattungen von Tieren und Pflanzen sind hier bewußt nicht erwähnt, weil es m.E. genügt, wenn bei Tieren und Pflanzen das Überleben der Arten, aber nicht unbedingt jeder einzelnen Gattung, gewährleistet ist, währenddem beim Menschen die Vielfalt der Völker wichtig ist. Letztlich ist es aber nur eine Definitionsfrage, was man unter Art und Gattung subsumiert.

217 Ausgeführt in Kapitel 5.4.2.

218 Vgl. Kapitel 5.3.2 und 5.3.3.

219 Über den philosophie- und theologiegeschichtlichen Weg dieser Lehre (von Aristoteles über Nikolaus von Cues und Hildegard von Bingen bis zur Gegenwart) vgl. Lanczkowsi, G. et al.: Art. Makrokosmos/Mikrokosmos, TRE Bd. 21, 745–754.

220 Diesen Gedanken verdanke ich dem Gespräch mit dem griechisch-orthodoxen Theologen Georgios Mantzaridis aus Thessaloniki, der ihn seiner Ethik zugrundelegt. Vgl. Mantzaridis, G.: Christianike ethike (Christliche Ethik), Thessaloniki 1991[3], 262; vgl. auch Sophrony, A.: Voir Dieu tel qu'il est, Genf 1984, 140f..

221 Davon spricht die alte trinitarische Lehre der perichoresis/circumincessio. Vgl. Moltmann, J.: Trinität und Reich Gottes, München 1980, 191f.

gunsten eines höheren Wertes aufzugeben habe. Man kann nur *selbst* als *freiwilliges* Opfer sein Leben zugunsten des Lebens der Gemeinschaft, der Art oder des Ökosystems einschränken oder gar hingeben! Solche *freiwillige Hingabe des einzelnen für das Ganze* ist der in Christus vorgezeichnete Weg.
So gilt es, die Einseitigkeit des Kollektivismus wie die Einseitigkeit des Individualismus zu überwinden. Relationalität[222] bedeutet, das Lebensrecht von Arten *und* das Lebensrecht von Individuen zu schützen, oder wie Nicholas Georgescu-Roegen humoristisch-tiefgründig das Gebot der Nächstenliebe auf die Arten erweitert: „Love thy species as thyself!" – *„Liebe die Menschheit wie Dich selbst."*[223]

5.4.12 Macht und Verantwortung

Leitlinie II/12 der Gästeordnung
Du bist willkommen als Gast auf Erden! Laß dich von Ohnmacht nicht lähmen. Setze dich dafür ein, daß du genügend Macht erhältst, um verantwortlich deinen Beitrag zu einer nachhaltigen Entwicklung leisten zu können. Handle gleichzeitig so, daß deine Macht durch andere begrenzt und kontrolliert ist und du sie zum Dienst an andern einsetzest.

Anders gesagt
Verantwortlich maßhalten kann nur, wer überhaupt einen Handlungs- und Entscheidungsspielraum hat. Dazu ist das richtige Maß an Macht nötig. Diese muß gerecht verteilt sowie demokratisch begrenzt und kontrolliert sein, um nicht mißbraucht zu werden. Das Maß der Verantwortung soll dem Maß der Macht, die eine Person oder eine Institution hat, entsprechen.

„Macht repräsentiert die Fähigkeit des Menschen, an Gottes Schöpfung teilzuhaben."[224] Diese theologische Definition von Macht des Ökumenischen Rates der Kirchen zeigt, daß Macht notwendig ist, um die Verantwortung gegenüber der Schöpfung wahrnehmen zu können. Macht ist die Fähigkeit, bei Entscheidungen seine Anliegen gegenüber sich selbst, Mitmenschen oder Institutionen wirksam zu vertreten und teilweise durchzusetzen. Macht ist nicht an sich gut oder schlecht, sondern kann zum Wohl wie zur Zerstörung eingesetzt werden. Die sozialethische Diskussion um Macht weist immer wieder auf diese Ambivalenz der Macht hin. Wer zuwenig Macht hat, kann seine Verantwortung nicht wahrnehmen. Wer zuviel Macht hat, ist der Gefahr ausgesetzt, sie zu mißbrauchen. Deshalb ist *das richtige Maß an Macht* ein wichtiger Teil des verantwortlichen Umgangs mit Mitmensch und Mitwelt. Vier Fragen stellen sich hierbei.
1. *Welches ist das richtige Maß an Macht, damit das Maßhalten gelingt?* Theologisch ist der Ausgangspunkt aller Überlegungen zur Macht die Macht Gottes[225]. Seine Macht ist

---

[222] Vgl. Kapitel 5.3.12.
[223] Nachwort in: Rifkin, J.: Entropy into the Greenhouse World, New York 1989², 307.
[224] Bericht aus Vancouver. Offizieller Bericht der Sechsten Vollversammlung des Ökumenischen Rates der Kirchen, Frankfurt 1983, 112.
[225] Vgl. dazu z.B. Schrey, H. H.: Art. Macht, TRE Bd. 21, 652–657.

Grundlage der Schöpfung wie der (Befreiungs-) Geschichte[226]. Seine Macht begrenzt alle menschliche Macht. Gleichzeitig verzichtet er freiwillig auf einen Teil seiner Macht zugunsten der Freiheit der Geschöpfe. Dieser Machtverzicht, „Gottes Selbstbeschränkung“[227], angelegt bereits in der Tatsache der Erschaffung einer Schöpfung und sichtbar in seiner Menschwerdung in Jesus Christus, ist Ausdruck seiner Liebe zu allem Geschaffenen und Merkmal seines Bundes mit seinen Geschöpfen[228]. Gott teilt seine Macht insbesondere mit den nach menschlichen Maßstäben Schwachen, die er damit stark macht (Lk 1,52; 1. Kor 1,25). Alle widergöttlichen Mächte sind am Ende der Zeit der Macht Gottes unterstellt (1. Kor 15,24–28).

Diese wenigen Andeutungen verweisen darauf, daß aus christlicher Perspektive die Menschen bevollmächtigt sind, als Gast Gottes und von seinem Geist geleitet in der Welt zu handeln. Sie sollen die ihm zugesprochene Macht wahrnehmen. Sie sollen sie auch einfordern, wo sie ihnen von Mitmenschen vorenthalten und verweigert wird![229] Sie sollen sie aber auch teilen[230], so wie Gott selbst seine Macht mit seinen Geschöpfen teilt. (In geheimnisvoller Weise ist auch Gottes Trinität eine Teilung seiner Macht.) Machtbegrenzung geschieht durch Machtteilung und Machtkontrolle. Beides ist für das Maßhalten im Umgang mit der Mitwelt notwendig.

2. *Welches ist das richtige Maß der Verantwortung?* Das Maß der Veranwortung sollte dem Maß an Macht entsprechen, das eine Person, eine Institution oder ein Staat hat.[231] So gilt es auch, das richtige Maß der Verantwortung zwischen einem Zuwenig und einem Zuviel zu finden. Macht auszuüben, ohne daß eine entsprechende Verantwortung wahrgenommen wird, schädigt und zerstört Mitmenschen und Mitwelt. Deshalb sind menschliche Tätigkeiten, z.B. Technologien, für die der Mensch nicht die volle Verantwortung übernehmen kann, zu begrenzen. Ein *Übermaß an Verantwortungsbewußtsein,* dem keine Macht in Form von Handlungsmöglichkeiten entspricht, ist aber ebenfalls lebensfeindlich, nämlich selbstzerstörerisch. Es ist Aufgabe der Ethik, Machtträgern ihre Verantwortung aufzuzeigen und zugleich die vielen, die sich heute durch das Wissen und die Sensibilität für die globalen Probleme psychisch überfordern und schließlich im Handeln lähmen, zu entlasten. Es ist auch eine Aufgabe der Ethik, die verbreitete „seelische Lähmung“[232], die gegenüber den globalen Gefahren besteht, zu überwinden. Nicht jeder und jede ist für alles auf der Welt verantwortlich. Zum Maßhalten gehört, das rechte Maß der Verantwortung zu finden!

Für die christliche Ethik ist menschliche Verantwortung „nur“ Antwort auf Gottes Han-

---

[226] Beides ist eindrücklich verbunden in Ps 136: V. 4–9 geht es um die Schöpfung, V. 10–24 um die Geschichte Gottes mit seinem Volk.

[227] So Moltmann, J.: Trinität und Reich Gottes, München 1980, 123ff.

[228] Mehr dazu in Kapitel 5.3.1.

[229] Damit ist z.B. das Anliegen von Frauen im Rahmen der Ökumenischen Dekade der Frau, in der Kirche einen gerechten Anteil an Macht wahrnehmen zu können, theologisch unterstützt.

[230] Vgl. dazu am Beispiel des Verhältnisses von Nord und Süd: Hieber, A.: Macht teilen – gemeinsam leben. Grundlagentext zur Kampagne 1993 der Schweizer Hilfswerke Brot für alle und Fastenopfer, Ökumenisches Kursbuch 1993 zur Aktion, Bern/Luzern, 6–16.

[231] Zum Verhältnis von Macht und Verantwortung vgl. Jonas, H.: Das Prinzip Verantwortung, Frankfurt 1984, 172ff. Bedeutsam ist insbesondere, daß er die Verantwortung auf das Zukünftige ausweitet (199ff).

[232] Eine eindrückliche pneumatologische Antwort darauf gibt Müller-Fahrenholz, G.: Erwecke die Welt. Unser Glaube an Gottes Geist in dieser bedrohten Zeit, Gütersloh 1993, 78–87, 119ff.

deln[233]. Christliche Verantwortungsethik schließt deshalb das Vertrauen in Gottes Heilshandeln, das allem menschlichen Handeln vorausgeht und die Welt retten will, ein[234]. Darin liegt das Fundament der Verantwortung.

3. *Wodurch zeichnet sich ein verantwortbarer Gebrauch der Macht aus?* Macht ist nicht ein Besitz des Menschen, mit dem er machen kann, was er will, sondern eine *Leihgabe,* die ihm bei Mißbrauch von Gott weggenommen wird. Auch die Mächtigsten sind davon nicht ausgenommen und sind ebenso dem göttlichen Gesetz unterstellt (z.B. 5. Mose 17,14–20). Darauf beruhen theologisch die dem positiv gesetzten Recht übergeordneten Grundrechte wie die Menschenrechte. Die Kriterien für einen verantwortbaren Gebrauch von Macht können hier nur angedeutet werden[235]:

Hauptmerkmal jüdisch-christlicher Ausprägung von Macht ist, diese als *Dienst* einzusetzen. Die neutestamentlichen Aussagen, die Herrschaft durch Dienst ersetzen, sind sehr klar, so z.B. Mk 10, 43: „Wer unter euch groß sein will, sei euer Diener."[236] Sie sind im erwähnten Machtverzicht Gottes begründet, wenn von Jesus gesagt wird, er sei nicht gekommen, daß er bedient werde, sondern daß er diene (Mk 10, 45). So ist die Gestaltung der Welt, die Gott und Mensch gemeinsam vollziehen (condominium) als gemeinsamer Dienst (conservitium) zu verstehen. Der Dienstcharakter ist auch bei der verantwortlichen Haushalterschaft hervorgehoben, wie sie in der ökumenischen Umweltethik unter dem Begriff „stewardship" vertreten wird.[237]

4. *Wie gewinnt eine ökologische Politik der Selbstbegrenzung Macht und Durchsetzungsfähigkeit?* Diese Frage ist die eigentliche Knacknuß heutiger Umweltethik. Sie ist diesbezüglich ein Teil der politischen Ethik[238]. *Braucht es die Macht einer Ökodiktatur im Jahrhundert der Umwelt, um dem ethischen Kriterium der Rechtzeitigkeit[239] ökologischer Maßnahmen genügen zu können?* Sind Demokratien wegen ihrer langsamen Entscheidungsprozesse und wegen der Abhängigkeit ihrer Politiker und Politikerinnen vom Wiedergewähltwerden nicht genug fähig, mit griffigen Maßnahmen die Umweltkrise rechtzeitig in Griff zu bekommen? Diese Frage stellt auch Ernst Ulrich von Weizsäcker

---

233 Der Begriff Verantwortung ist aus der Säkularisierung eines ursprünglich christlich-eschatologischen Begriffs hervorgegangen, wie Picht aufzeigt. Picht, G.: Wahrheit, Vernunft, Verantwortung, Stuttgart 1969, 318–342.

234 Auf die Grenzen der Verantwortungsethik zu Recht hingewiesen hat Fischer, J.: Christliche Ethik als Verantwortungsethik? EvTheol 52/1992, 114–128. Unter der Voraussetzung, daß Verantwortung nicht als Fundament, aber als (eschatologische) Perspektive des Handelns verstanden wird und der jeweilige Umfang der Verantwortung präzisiert und damit der „Imperialismus der Verantwortung" für die ganze Welt (ebd. 125) vermieden wird, sollte m. E. auf das Motiv der Verantwortung in der Ethik, auch in der theologischen, nicht verzichtet werden, gerade in Korrelation zur Macht. Es ist in der Tat in der Ethik klarer hervorzuheben, welche Ebene von Verantwortung jeweils angesprochen ist. Ein Delegierter der Weltkommission für Umwelt und Entwicklung hat eine andere Umweltverantwortung als ein Kind, aber beide haben eine. Das von Fischer als Alternative vorgeschlagene „Motiv der Sorge" (ebd. 124f) ist ein wichtiger Aspekt der Verantwortung.

235 Zur ethischen Beurteilung der Machtmittel und der Ohnmacht habe ich mich andernorts ausführlicher geäußert: Vermittlung und Parteinahme, Zürich 1988, 529–549.

236 Vgl. auch Kapitel 5.2 zum Verständnis des Gastseins als Diakonie.

237 Vgl. z.B. Hall, D. C.: Imaging God: Dominion as stewardship, Eerdmans, Michigan 1986.

238 Zu solchen Fragen findet die Internationale Konferenz über Ethik und Umweltpolitik statt. Die Vorträge der ersten finden sich in: Poli, C./Timmermann, P. (ed.): L'Etica nelle politiche ambientali, Padua 1992; Die zweite Konferenz fand 1992 in Georgia/USA statt.

239 Vgl. dazu Kapitel 5.4.8.

bei seiner Suche nach einer wirksamen ökologischen Realpolitik. Er beantwortet die Frage mit einem „klaren Nein zur Ökodiktatur“[240].

Auch wenn Gerechtigkeit, Dauerhaftigkeit, Freiheit im Dienst der Gemeinschaft und demokratische Partizipation gleichzeitig anzustreben sind, hat im Konfliktfall in der Güterabwägung der Schutz der Lebensgrundlagen Vorrang vor dem Schutz der Demokratie, da das Überleben Voraussetzung für die Demokratie ist. Ethisch hat der Wert Überleben Vorrang vor dem Wert Demokratie. Das rechtfertigt aber noch lange keine Ökodiktatur, da *vielfältige parlamentarische und nichtparlamentarische Wege* zum Ausbau des demokratischen Rechtsstaats wie zum Beispiel der Beschleunigung gewisser Entscheidungsprozesse nicht ausgeschöpft und noch gehbar sind. Auch selektive, zeitlich befristete und als Instrument im demokratischen Rechtsstaat vorgesehene *Notrechtsmaßnahmen* sind im Interesse der ökologischen Rechtzeitigkeit als einem wichtigen ethischen Wert zu unterstützen. Verschiedene *Widerstandsformen* können ebenfalls demokratische Prozesse beschleunigen. Sie sind nicht von vornherein als undemokratisch abzulehnen, da es auch innerhalb des demokratischen Rechtsstaats ein *Widerstandsrecht* gibt, sofern der Widerstand nicht den Rechtsstaat abzuschaffen versucht (Systemwiderstand), sondern nur lebendig erhalten und im Dienste des Schutzes von Leben auch für künftige Generationen weiterentwickeln will (Appell-, Kontroll- und Erneuerungsfunktion des Widerstands[241]) und sofern bei solchem begrenztem Widerstand staatliche Sanktionen in Kauf genommen werden[242].

Die *Ethik der internationalen Umweltpolitik* wird sich vermehrt auch mit der Frage auseinandersetzen müssen, wie das Instrumentarium des Völkerrechts weiterzuentwickeln ist, damit jene Staaten, die die Umwelt in besonderer Weise belasten, nach dem Verursacherprinzip von der internationalen Gemeinschaft zur Rechenschaft gezogen werden können. Voraussetzung dafür ist, internationale Institutionen wie die UNO und ihre Fachorganisationen weiterzuentwickeln, so daß im Sinne obiger Kriterien über die Teilung der Macht eine gerechte Partizipation aller Staaten möglich wird. Die Umweltethik des Maßes erfordert Maßnahmen auf allen Ebenen, vom Handeln des einzelnen über die Stärkung von Nichtregierungsorganisationen (die im Sinne der Machtteilung und Kontrolle gerade im Umweltbereich eine wichtige Funktion haben[243]) bis zur internationalen Rechtssetzung.

---

240 Weizsäcker, E. U. v.: Erdpolitik. Ökologische Realpolitik an der Schwelle zum Jahrhundert der Umwelt, Darmstadt 1990[2], 269.

241 So Rhinow, R.: Widerstandsrecht im Rechtsstaat?, Bern 1984, 35ff.

242 In diesem Sinn wird ein begrenzter Widerstand im Rechtsstaat von den meisten Autoren der folgenden Aufsätze bejaht: Saladin, P./Sitter, B. (Hg.): Widerstand im Rechtsstaat, Freiburg 1988. Darin auf die Ökologie bezogen z.B. Mayer-Tasch, P. C.: Widerstandsrecht und Widerstandspflicht im Zeichen der sozioökologischen Krise, 29–43; Gruner, E.: Widerstand als Veränderungspotential im Kampf gegen die Naturzerstörung, 57–70; Ruh, H.: Widerstand im Rechtsstaat – pragmatische Strategien in ethischen Perspektiven, 277–284; Schweiz. Evang. Kirchenbund: Widerstand? Christen, Kirchen und Asyl, Bern 1988.

243 Analysen und Vorschläge dazu finden sich in: United Nations Development Programme UNDP: Human Development Report 1993. Er ist speziell dem Thema Partizipation der Bevölkerung gewidmet (Kapitel 5 zu den Nichtregierungsorganisationen).

6. Ausblick: Die Lust am Verbotenen und die Grenzen der Ethik

Ist die Lust am Verbotenen nicht viel stärker als der Wille, Maß zu halten? Hilft die Erkenntnis des Guten, das Gute auch zu tun? Was kann die Ethik für die Bewahrung der Schöpfung wirklich beitragen? Wo liegen die Grenzen normativer Zielbestimmung, wie sie mit obigen Leitlinien beschrieben ist, in der Praktikabilität eines Ethos des Maßhaltens? Diese selbstkritischen Fragen an die Ethik, die zugleich weitere umweltethische Forschungsthemen anzeigen, sollen zum Schluß unserer Untersuchung wenigstens aufgeworfen werden. Sie sind Teil der „Adäquanzkontrolle" der Ethik[1]. Diese fragt – in der Regel rückblickend – danach, ob die ethischen Antworten eine adäquate Problemlösung ermöglichten. Hier ist das Gespräch mit der Umweltpsychologie wichtig. Schließlich folgen ein paar Bemerkungen zur ethischen Adäquanzkontrolle.

Die Umweltethik muß großes Interesse an den *Umweltsozialwissenschaften* haben. Zur Frage der Praktikabilität, der Umsetzbarkeit umweltethischer Normen können die *Umweltsoziologie*, die *Umweltpädagogik* und die *Umweltpsychologie* Wesentliches beitragen. Welche soziologischen Voraussetzungen müssen gegeben sein, damit jemand seinen Energieverbrauch auf das ökologische Maß reduziert[2]? Wie läßt sich eine Ethik der Selbstbegrenzung in einer „Pädagogik der Selbstbegrenzung" umsetzen[3]? Für unser Thema steht auch die brennende Frage an, weshalb wir denn eigentlich nicht maßvoll handeln, obwohl wir längst dessen Wert und Notwendigkeit eingesehen haben? Hier können nur ein paar wenige diesbezügliche Problembereiche und Forschungsansätze aus der Umweltpsychologie angezeigt werden.

Die Psychologie erhellt die individuellen und kollektiven psychischen Bedingungen der Möglichkeit ethischen Handelns. Die *ökologische Psychologie*[4] – auch Umweltpsychologie oder psychologische Ökologie genannt – bearbeitet ein breites Feld von Fragen, insbesondere das Verhältnis von Umweltbewußtsein und Umweltverhalten, die Faktoren, die Umweltlernen ermöglichen, die Wahrnehmung von Natur, bis hin zu den vielen Einzelaspekten von Medienpsychologie bis Stadtplanung, von Verkehrspsychologie bis zur Umweltästhetik.

---

1 Vgl. den sechsten Schritt unserer Methodik nach Kapitel 1.4.6.

2 Vgl. dazu z.B. die soziologische Untersuchung des Energieverhaltens von Mieter/innen in Mehrfamilienhäusern und ihre ethischen Implikationen bei Bovay, C. et al.: Energie im Alltag. Soziologische und ethische Aspekte des Energieverbrauchs, Zürich 1989.

3 Vgl. Dietz, H.: Pädagogik der Selbstbegrenzung, Freiburg 1978. Die zur Zeit umfassendste Übersicht über die Umwelterziehung bieten Calliess, J./Lob R. (Hg.): Handbuch Praxis der Umwelt- und Friedenserziehung, Bd. 1 Grundlagen, Bd. 2 Umwelterziehung (mit 63 z.T. ausführlichen Aufsätzen), Bd. 3 Friedenserziehung, Düsseldorf 1987/1988. Erfolgreich in Schulen: Gugerli, B./Vontobel, J./Brugger, F.: Arche Nova. Umwelthandbuch. Pro Juventute und Pestalozzianum Zürich, Zürich 1990.

4 Die momentan wohl beste Übersicht bieten Kruse, L./Graumann, C./Lantermann, E. (Hg.): Ökologische Psychologie. Ein Handbuch in Schlüsselbegriffen, München 1990; Sozialpsychologisch: Fietkau, H.-J.: Bedingungen ökologischen Handelns. Gesellschaftliche Aufgaben der Umweltpsychologie, Weinheim 1984. Zur Entwicklung der Ökologischen Psychologie: Kaminski, G.: Umweltpsychologie. Herausforderungen und Angebote, in: Calliess, J./Lob, R.: Handbuch Praxis der Umwelt- und Friedenserziehung, a.a.O., Bd. 1, 127–139.

Für die Umweltethik besonders wichtig ist das *Verhältnis von Wertorientierung und faktischem Umweltverhalten*, wozu empirische Untersuchungen wichtige Beiträge liefern. Eine Untersuchung in der Stadt Bern 1987 ergab: Wissensvermehrung führt nicht unbedingt zu umweltgerechterem Verhalten. „Nicht Wissen, sondern Sensibilität gegenüber Problemen führt zu umweltgerechtem Verhalten ... Je affektiver eine Person gegenüber der Umwelt reagiert, desto umweltgerechter ist deren Verhalten.“[5] Weiter hat die Fragebogenuntersuchung ergeben: Eine Person verhält sich um so umweltgerechter, je mehr sie an der Umweltzerstörung leidet, je mehr sie die Diskrepanz zwischen dem eigenen Alltagsverhalten und dem idealen Verhalten erlebt[6], je stärker sie postmaterialistische Werte vertritt, je bereiter eine Person ist, neue Lösungsmöglichkeiten zur Bewältigung von Problemen für sich in Betracht zu ziehen und je weniger sie auf materielle Werte ausgerichtet ist[7]. Eine andere empirische Untersuchung zum Umweltverhalten in Bern und München attestierte zwar freundlich, „daß zwischen dem Umweltbewußtsein und dem Verhalten immerhin eine moderate, positive Korrelation existiert“, daß aber „Anreizlösungen wesentlich wirkungsvoller sein können als das Vertrauen auf die Selbstdisziplin umweltbewußter Verbraucher“; immerhin wird zu Recht darauf verwiesen, man dürfe „neben Anreizlösungen die Umweltmoral nicht aus den Augen verlieren“, weil diese in Demokratien für die Akzeptanz und politische Durchsetzbarkeit von Umweltmaßnahmen und von Anreizlösungen notwendig sei.[8] Eine andere Studie untersuchte das Umweltverhalten anhand eines Umweltspiels. Sie stellte fest, „daß es nicht notwendig ist, das Umweltbewußtsein von Personen zu verändern, um sie zu vermehrtem umweltgerechtem Handeln zu bewegen. Vielmehr muß dem einzelnen die Möglichkeit geboten werden, sich auf Gegenseitigkeit im umweltgerechten Handeln verlassen zu können“, was durch Vertrauen in die „Mitspieler“ resp. durch eine „kontrollierte öffentliche Verpflichtung“ zu umweltgerechtem Verhalten geschieht.[9]

Ob es gelingt, als richtig erkannte Umweltwerte in umweltgerechtes Verhalten umzusetzen, hängt von vielen Faktoren ab. Ich nenne zehn Punkte[10]:

---

5 Grob, A.: Einstellungen und Verhalten im Umweltbereich, Psychoscope. Zeitschrift der Föderation der Schweizer Psychologinnen und Psychologen 9/1991, 13–17 (15). Zum Verhältnis von Umweltwissen und Einbettung in den gesamten Lebenszusammenhang vgl. auch die Untersuchung über die Entwicklung der Einstellung von Schweizern und Schweizerinnen zum Waldsterben: Reichert, D./ Zierhofer, W.: Umwelt zur Sprache bringen, Zürich 1992.

6 Eine Aufgabe der Ethik ist es gerade, durch Nennung der normativen Ziele diese Diskrepanz zu erzeugen und bewußt zu machen. Die Diskrepanz ist eine Voraussetzung für eine Verhaltensveränderung. Wenn sie allerdings zu groß wird, kann sie lähmend statt handlungsleitend werden. Darauf hingewiesen hat Schmidbauer, W.: Alles oder nichts. Über die Destruktivität von Idealen, Reinbek 1980.

7 Ebd., 15f.

8 Dieckmann, A.: Umweltbewußtsein und Umweltverhalten. Eine empirische Untersuchung in Bern und München, Unipress Bern Nr. 71/1991, 22–25 (25), ausführlich in der Schweiz. Zeitschrift für Soziologie Nr. 2/1991.

9 Mosler, H.-J.: Selbstorganisation von umweltgerechtem Handeln: Der Einfluß von Vertrauensbildung auf die Ressourcennutzung in einem Umweltspiel, Zürich 1990 (Diss., hektographiert), 91. Vgl. auch ders.: Selbstorganisation von umweltgerechtem Handeln, unizürich 2/1990, 12–14; Gutscher, H./ Mosler, H.-J.: Menschliche Einfalt gegen natürliche Vielfalt? Ein Beitrag der Sozialpsychologie zu einer umfassenden Umweltwissenschaft, unizürich 3/1992, 25–27. Das Simulationsspiel am Beispiel des Verhaltens von Fischern bei der Nutzung der Fischbestände eines Sees untersuchte die Mechanismen zur „Selbstregulation“ des Umweltverhaltens. Jene Spieler und Spielerinnen verhielten sich deutlich umweltgerechter, deren Fischfangquoten öffentlich sichtbar kontrolliert wurden.

10 Ich stütze mich dabei u.a. auf Lantermann, E./Döring-Seipel, E.: Umwelt und Werte, in: Kruse, L. et al.: Ökologische Psychologie, a.a.O., 632–639, bes. 635–637.

1. Die erwähnten Untersuchungen wie auch Alltagserfahrungen, die jeder und jede selbst macht, zeigen, daß trotz aller ethischen Diskussionen über Physiozentrik, Anthropozentrik und Theozentrik das anthropozentrische *Eigeninteresse* für die Steuerung des faktischen Verhaltens weit im Vordergrund steht! Die Umweltethik, auch die christliche, kommt nicht darum herum, dieses Eigeninteresse ebenfalls zu betonen.
2. Wenn bisher Selbstverständliches nicht mehr greift, wenn Störungen auftreten und man nicht mehr weiß, welche Folgen Handlungen nach sich ziehen, wächst die Bereitschaft, Werte in die Handlungsplanung einzubeziehen. Die erwähnte Spannung zwischen Alltagsverhalten und ethischem Ideal kann dabei produktiv motivierend, sie kann aber auch negativ lähmend sein und zu emotionaler Belastung, zu *Umweltstress*[11], führen. Der hohe Einsatz von Ressourcen des eigenen Organismus zur Bewältigung aktueller Anpassungskrisen ist das wichtigste Merkmal von Streß. Die heute notwendige Anpassungsleistung des Menschen an die belastete Umwelt führt zu Umweltstreß, indem dafür viele physische und psychische Kräfte des Menschen erforderlich sind. Umgekehrt ist auch die Natur selbst unter Umweltstreß, indem von ihr eine Anpassungsleistung an die Belastungen durch den Menschen gefordert ist. Ein gewisses Maß an Streß kann positiv handlungsfördernd sein (Eustress), eine Überbelastung führt zu Überforderung und wird negativ als Distress bezeichnet. Entscheidend für das Umweltverhalten des Menschen ist, wie die emotionale Belastung – das schlechte Gewissen ist nur ein Stichwort dazu – bewältigt wird. Schuld und Vergebung wären ein wichtiges, aber in diesem Zusammenhang noch wenig bearbeitetes gemeinsames Thema ökologischer Psychologie wie theologischer Umweltethik. Der durch die Diskrepanz zwischen hohem Problembewußtsein und mangelnder Handlungsfähigkeit erzeugte Umweltstreß kann auch durch konkrete Handlungsangebote vermindert werden.[12]
3. Das Umweltverhalten wird nicht nur von den bewußten, sondern mindestens ebenso von den *nicht bewußten Wertentscheidungen* geprägt. So wird die Tugend des Maßhaltens von vielen im Bewußtsein bejaht, unbewußt aber boykottiert.
4. Von großer Bedeutung ist die *„affektive Signifikanz umweltbezogener Werte"*, also der Grad, mit dem z.B. das Maßhalten mit „selbstwertbezogenen Emotionen korrespondiert". Selbstwertgefühl, Selbstachtung und Identität müssen durch diese Werte gefördert werden, damit sie handlungsrelevant werden können. Die *Motivationsforschung*[13] kann dazu viel beitragen. Die Kompetenzmotivation („Ich bin fähig, meine Umwelt zu gestalten") ist dabei ethisch gesehen tragfähiger als die – nicht nur negativ zu beurteilenden! – anderen Motivationen wie die Mangelmotivation („Ich will aus dieser unerträglichen Situation heraus"), die kognitive Motivation („Ich sehe einen Widerspruch, den ich lösen

---

11 Dazu Schönpflug, W.: Umweltstreß, in: Kruse, L. et al.: Ökologische Psychologie, a.a.O., 176–180.

12 Eine persönliche Erfahrung: In der Wohnsiedlung, in der ich mit der Familie wohne (städtische Mietwohnungen), regten wir die Einrichtung von Sonnenkollektoren für Warmwasser- und Stromerzeugung an. Wir schlugen der Stadt Zürich als Vermieterin vor, daß die Mieter/innen einen Teil der Kosten durch freiwillige Erhöhung der Mietzinsen übernehmen würden. Eine Umfrage zeigte zu unserer eigenen Überraschung, daß auch ältere Mieter/innen, wo wir am ehesten Widerstand erwarteten, größtenteils einwilligten, obwohl der Gegenwert ein rein ideeller war (Ersatz fossiler Energie durch Sonnenenergie), mit der Begründung: „Jetzt können wir wenigstens einmal konkret etwas tun. Man liest ja soviel von dem, was man tun sollte."

13 Als kurze Übersicht und sozialethische Beurteilung der Motivationen bezüglich Umweltverhalten vgl. Stückelberger, Ch.: Aufbruch zu einem menschengerechten Wachstum. sozialethische Ansätze für einen neuen Lebensstil, Zürich 1982³, 65–71.

will“) oder die Leistungsmotivation („Ich will stärker sein als der andere“). In der Ökospiritualität besonders betont wird die humanistische und soziale Motivation („Ich suche Selbstverwirklichung für mich und die andern“). Umweltwerte sind im weiteren nur motivierend und affektiv signifikant, wenn sie in einer konkreten Situation *symbolisch präsent* sind. Gerade zu dieser Symbolik könnte auch die Schöpfungsspiritualität und können die Kirchen beitragen.

5. In besonders *bedrohlichen und dramatischen Situationen*, wie das Umweltkatastrophen sind, aber auch schon ein Smogalarm sein kann, *verschärft sich die Diskrepanz* zwischen bewußten Wertentscheidungen und faktischem Umweltverhalten. Lantermann/ Döring vermuten begründet, daß „unter solchen Bedingungen die Handlungsregulation unter die Kontrolle emotionaler Steuerungsprozesse gerät, deren Funktion primär in einer raschen, momentanen, nur das ‚Hier und Jetzt‘ berücksichtigenden Wiederherstellung der Handlungs- und Funktionsfähigkeit der Person besteht – auch um den Preis einer Verletzung ansonsten subjektiv bedeutsamer umweltbezogener Werte“[14]. Eine kollektive Streß- oder Schock-Ethik wäre noch zu entwickeln, die untersucht, wie ethische Werte auch unter Streß und Schock wenigstens teilweise aufrechterhalten werden können.

6. So wie Ökosysteme sehr komplexe, vernetzte Systeme sind, so muß das Umweltverhalten einem sehr komplexen System gerecht werden. „Erfolgreiche Steuerung komplexer, dynamischer Systeme ... setzt die simultane Beachtung einer Vielzahl von Parametern voraus, deren Interdependenzen und Dynamiken nur partiell faßbar sind ... Anstelle einer Strategie der einseitigen Wert-Maximierung wäre eine Strategie der *Wert-Balancierung* angemessen.“[15] Das deckt sich mit unserem Kriterium der Relationalität und Komplementarität.[16]

7. Jede Ethik, insbesondere aber die Umweltethik als eine Ethik des Maßhaltens, setzt Grenzen und wertet sie positiv. Damit ist ihr wie allen Verboten und Geboten die Möglichkeit der Grenzüberschreitung inhärent. Von jeher ist das Verbot auch Anlaß gewesen, es zu überschreiten. Psychologisch kann von einer eigentlichen *Lust am Verbotenen* gesprochen werden.[17] Die Grenzüberschreitung geschieht dabei nicht nur um eines bestimmten Zieles willen, sondern die Überschreitungen selbst schaffen Befriedigung, ja oft ist es sogar so, daß sich am vermeintlichen Ziel aller Wünsche eine Enttäuschung einstellt, weil der Anreiz nächster Überschreitungen wegfällt[18]. Das Ethos des Maßes, das nicht nur von einer kleinen Minderheit „Ich-starker, sittlich gebildeter Persönlichkeiten“[19], sondern von einer Mehrheit gelebt wird – und ohne diesen Anspruch verfehlt die

---

14 Lantermann, E./Döring-Seipel, E.: Umwelt und Werte, a.a.O., 637. Vgl. dazu auch Bettelheim, B.: Erziehung zum Überleben. Zur Psychologie der Extremsituationen, Stuttgart 1980. Es wäre lohnend, seine Beobachtungen bei KZ-Inhaftierten, zu denen er selber gehörte, und seiner therapeutischen Erfahrung mit Schizophrenie und Autismus (als Reaktionen auf Extremsituationen) unter dem Aspekt der „Extremsituation“ heutiger Umweltgefährdung auszuwerten.

15 Lantermann, E./Döring-Seipel, E.: Umwelt und Werte, a.a.O., 637.

16 Vgl. oben Kapitel 5.3.12.

17 Vgl. Widmer, P.: Die Lust am Verbotenen und die Notwendigkeit, Grenzen zu überschreiten, Stuttgart 1991.

18 Ebd., 166.

19 Nach O. Höffe (Lexikon der Ethik, München 1986^3, Art. Tugend, 257) ist Tugend jener Charakter, der das Gute „aus dem Können und der (Ich-)Stärke einer sittlich gebildeten Persönlichkeit heraus“ vollbringt. Damit erweist sich diese Tugendlehre zwangsläufig als Zweistufenethik, denn nach diesem

Umweltethik ihre Aufgabe! –, muß die menschliche Triebstruktur ernst nehmen. Damit stellt sich die Frage, wie auch beim Maßhalten der Lust nach Grenzüberschreitungen Raum geschaffen werden kann. Es geht um *Überschreitungen, die lebensfördernd und nicht lebenszerstörend sind.*[20] Der Anreiz zu technischer oder organisatorischer Innovation – also z.B. neue Energiespartechniken oder ressourcenschonendere Abläufe zu entwickeln und damit das bisherige ressourcenverschleißende Verhalten zu überwinden – kann durchaus einen solchen Lustgewinn bringen. „Nur“ der Todestrieb, der im Umweltverhalten offensichtlich wirkmächtig ist, steht dem entgegen.
8. Unsere Industrie- und Informationsgesellschaft, ja mittlerweile die ganze Weltgesellschaft, ist fundamental auf Wachstum und auf *institutionalisierter Grenzüberschreitung* aufgebaut (zumindest im wirtschaftlichen Bereich mit dem Zwang zur ständigen Erschließung neuer Märkte und neuer Technologien). In diesem Umfeld wird das Maßhalten und das Beachten von Grenzen, auch in der Form nachhaltiger Wirtschaft, zunächst als Verlust von Erfolg, von Selbstwert und von Entfaltungsmöglichkeit erlebt. Eine gemeinsame Aufgabe von Umweltethik und Umweltpsychologie ist es nun, das Maßhalten so als Wert aufzeigen und symbolisch-emotional attraktiv machen zu können, daß es nicht als Verlust, sondern als *Gewinn*, nicht als Ich-Schwäche, sondern *Ich-Stärke*, nicht als Versagen gegenüber dem Erwartungsdruck ständiger Grenzüberschreitung, sondern als vorausschauende pionierhafte Erkenntnis des zukünftig sowieso Unumgänglichen erlebt werden kann!
9. Als Korrektiv zur institutionalisierten Grenzüberschreitung ist es die *institutionalisierte Grenzsetzung mittels Umweltpolitik* notwendig. Zahlreiche Untersuchungen stellen immer wieder die Diskrepanz zwischen einem hohen Umweltbewußtsein und diesem nicht entsprechendem Umweltverhalten fest. Deshalb ist staatliche Umweltpolitik als Krücke auch für jene Menschen nötig, die ein hohes Umweltbewußtsein haben.[21]
10. Die Maßlosigkeit in den industrialisierten Ländern trägt Kennzeichen von *kollektivem Suchtverhalten.* Sucht läßt sich aber nicht einfach mit moralischen Appellen überwinden. So ist das Ethos des Maßhaltens herausgefordert, nach therapeutischen Ansätzen zur Lösung der kollektiven Konsumsucht – sie ist auch in Zeiten der wirtschaftlichen Rezession vorhanden – zu suchen.

Die rückblickende *Adäquanzkontrolle* über die Rolle der Ethik für die Bewahrung der Schöpfung und für die Steuerung globaler Entwicklung und der Weltwirtschaft macht bescheiden. Das Ethos des Maßhaltens war im Laufe der Kirchengeschichte zwar immer präsent, wie wir in Kapitel drei gesehen haben. Doch hat christliche Ethik das Verhältnis von Mensch und nichtmenschlicher Mitwelt sehr unterschiedlich gesehen. Entsprechend haben die einen Ethiken der Naturzerstörung klaren Widerstand entgegengesetzt, während andere die Naturausbeutung und ungezügelten Fortschrittsoptimismus geradezu gerechtfertigt haben. In den neueren Umweltethiken steht allerdings das Bemühen um eine

---

Verständnis kann nur eine vorbildhafte Minderheit tugendhaft sein. Zweistufenethiken müssen aber überwunden werden, wie das protestantische Ethik immer wieder versucht hat.

20 Zu lebensfördernden und lebensbehindernden Grenzüberschreitungen im Zusammenhang mit der Umwelt aus kinderpsychotherapeutischer Sicht vgl. Schärli, B.: Bedrohter Morgen. Kind, Umwelt und Kultur, Zürich 1992, 109–175.

21 So aufgezeigt von Kirsch, G.: Umweltmoral – ein Ersatz für staatliche Umweltpolitik? Universitas Friburgensis, Okt. 1993–1994, 25–29.

schonungsvolle, nachhaltige Nutzung der Schöpfung eindeutig im Vordergrund, wie wir im vierten Kapitel aufgezeigt haben.
Die Ethik kann dabei in Wertkonflikten um „Umwelt und Entwicklung“ notwendige Orientierungshilfen leisten. Trotz dieser wichtigen Aufgabe muß die Ethik insgesamt aber ihren Beitrag zur Lösung der Umweltbedrohungen und globaler Entwicklungen als sehr begrenzt bezeichnen. Sie ist im interdisziplinären Bemühen ein Mosaikstein im Ganzen. In der Eigendynamik der technisch-wirtschaftlichen Entwicklung scheint sie manchmal nicht mehr als die Rolle einer „Fahrradbremse am Interkontinentalflugzeug“ zu spielen.[22] Entsprechend bescheiden und selbstkritisch äußern sich auch viele Ethiker.[23]
Christliche Sozialethik, sei sie Umwelt-, Wirtschafts- oder Entwicklungsethik, wird aber trotz dieser nüchternen Analyse nicht resignieren, da sie ihre Kraft nicht aus dem starken oder eben meistens weniger starken Willen des einzelnen Menschen zum Gutsein bezieht, sondern aus der Ermutigung der Gemeinschaft[24] und aus dem Glauben als dem „eigentlich Tragenden“ der Ethik[25], also aus der Schöpfer- und Befreierkraft Gottes. Schon Luther erkannte, daß Ethik nichts bewirkt, wo nicht „Christus uns ziehet“. Für die christliche Ethik von „Umwelt und Entwicklung“ gilt entsprechend, daß es der kosmische Christus selbst ist, der uns zu einem maßvollen, respektvollen Umgang mit der Mitwelt und den Mitmenschen „hinzieht“.

---

22 So Beck, U.: Gegengifte. Die organisierte Unverantwortlichkeit, Frankfurt a.M. 1988, 194.

23 Z.B. Huber, W.: Selbstbegrenzung aus Freiheit, Evang.Theol. 52 (1992), 128–146 (135: „Für eine Gesellschaft bleibt die Wirkung der Moral äußerst begrenzt, solange sie nicht zum Recht wird.“); Ruh, H.: Argument Ethik, Zürich 1991, 15 („Mobilität ist stärker als Ethik“); Machovec, M.: Die Rückkehr zum menschlichen Maß. Philosophie angesichts des Abgrunds, Stuttgart 1988, 115 („Das einzige, was den Menschen moralisch bilden kann, sind konkrete moralische Erlebnisse“); wegen der beobachtbaren begrenzten Wirkung postulierter ethischer Normen meint Kenneth Sayre, es sei viel wirkungsvoller, mit der Umweltethik die (zerstörerische) Wirkung gegenwärtig dominanter Normen aufzuzeigen als wünschbare Normen zu postulieren (Sayre, K.: An Alternative View of Environmental Ethics, in: Environmental Ethics 13 [1991], 195–213); zu den Grenzen der Ethik im technischen Zeitalter vgl. auch: Wils, J.-P./Mieth, D. (Hg.): „Ethik ohne Chance?“ Erkundungen im technologischen Zeitalter, Tübingen 1989; Johnson, L.: A morally deep world. An essay on moral significance and environmental ethics, Cambridge/New York 1991, 184–202; Auf theologische Grenzen der Ethik in der Sinn- und Theodizeefrage, in Schuld und Leiden verweist Honecker, M.: Einführung in die theologische Ethik, Berlin 1990, 357–375.

24 Ähnlich auch Fischer, J.: Handeln als Grundbegriff christlicher Ethik. Zur Differenz von Ethik und Moral, Zürich 1983, 46ff.

25 So Lange, D.: Ethik in evangelischer Perspektive, Göttingen 1992, 522 (Kapitel: Die Grenzen des Ethischen).

7. Literaturverzeichnis

Lexikonartikel und Beiträge in Zeitungen sind nur vereinzelt aufgenommen. Bei mehreren Erscheinungsorten ist in der Regel nur der erste genannt.

Abrecht, P. (ed.): Faith and Science in an Unjust World. Report of the World Council of Churches' Conference on Faith, Science and the Future, Genf 1980.

Abt, T.: Fortschritt ohne Seelenverlust. Versuch einer ganzheitlichen Schau gesellschaftlicher Probleme am Beispiel des Wandels im ländlichen Raum, Bern 1984.

Advent and Ecology, ed. by WWF United Kingdom, Manchester 1988.

Allgemeine Erklärung der Menschenrechte der UNO.

Allgemeine Islamische Menschenrechtserklärung von 1981, in: CIBEDO-Dokumentation 15/16, 1982.

Altner, G. (Hg.): Die Welt als offenes System. Eine Kontroverse um das Werk von Ilya Prigogine, Frankfurt 1986.

Altner, G. (Hg.): Ökologische Theologie. Perspektiven zur Orientierung, Stuttgart 1989.

Altner, G.: Bewahrung der Schöpfung und Weltende, in: ders. (Hg.): Ökologische Theologie, Stuttgart 1989, 409–423.

Altner, G.: Grammatik der Schöpfung, Stuttgart 1971.

Altner, G.: Leidenschaft für das Ganze. Zwischen Weltflucht und Machbarkeitswahn, Stuttgart 1980.

Altner, G.: Naturvergessenheit. Grundlagen einer umfassenden Bioethik, Darmstadt 1991.

Altner, G.: Schöpfung am Abgrund. Die Theologie vor der Umweltfrage, Neukirchen 1974.

Amery, C.: Das Ende der Vorsehung. Die gnadenlosen Folgen des Christentums, Hamburg 1972.

Ammann, K. et al: Bioindikatoren – Das Lebendige als Beurteilungsmaß von Umweltschäden, in: Ascom Holding Bern: Die Menschen und das Klima. Vortragsreihe Winter/Frühjahr 1991, 20–30.

Anglemyer, M./Seagraves E. R.: The Natural Environment. An Annotated Bibliography on Attitudes and Values, Washington 1984.

Andreas-Griesebach, M.: Eine Ethik für die Natur, Zürich 1991.

Anunto, R.: Die Theorie des Schönen im Mittelalter, Köln 1982.

Apel, K.-O.: Transformation der Philosophie II. Das Apriori der Kommunikationsgemeinschaft, Frankfurt 1985.

Arbeitskreis Kapital und Wirtschaft: Mehr Markt in der Energie- und Umweltpolitik, Zürich 1992.

Arens, E.: Befreiungsethik als Herausforderung, Orientierung 18/1991, 193–196.

Aristoteles: Nikomachische Ethik, übersetzt und kommentiert von F. Dirlmeier, Berlin 1964[3].

Arras, H./Bierter, W. (Hg.): Welche Zukunft wollen wir? Drei Scenarien im Gespräch. Ein Beitrag des Basler Regio Forum, Liestal/Basel 1989.

Assmann, J.: Ma'at. Gerechtigkeit und Unsterblichkeit im Alten Ägypten, München 1990.

Auer, A.: Anthropozentrik oder Physiozentrik? Vom Wert eines Interpretaments, in: Bayertz, K. (Hg.): Ökologische Ethik, München 1988, 31–54.

Auer, A.: Umweltethik. Ein theologischer Beitrag zur ökologischen Diskussion, Düsseldorf 1984.

Austin, R.: Beauty of the Lord! Awakening the Senses, Atlanta 1988.

Baccini, P. et al: Die Deponie in einer ökologisch orientierten Volkswirtschaft, Gaia 1 (1992), 34–49.

Ballmer, Th./Weizsäcker, E. v.: Biogenese und Selbstorganisation, in: Weizsäcker, E. v.(Hg.): Offene Systeme I, a.a.O., 229–264.

Balsiger, Ph.: Begriffsbestimmungen Ökologie und Interdisziplinarität. Bericht zuhanden der Kommission Ökologie/Umweltwissenschaften der Schweiz. Hochschulkonferenz, Bern 1991.

Balthasar, H. U.: Herrlichkeit, 6 Bände, Einsiedeln 1961–69.

Barros Souza, M. de/Caravias, J. L.: Theologie der Erde, Düsseldorf 1990.

Barth, K.: Das christliche Leben. Die Kirchliche Dogmatik IV/4. Fragmente aus dem Nachlaß, Vorlesungen 1959–1961, Zürich 1979[2].
Barth, K.: Der Römerbrief, Zürich 1989[15], 447 (1. Aufl. 1922).
Barth, K.: Die protestantische Theologie im 19. Jahrhundert, Zollikon/Zürich 1947.
Barth, K.: Ethik, Bd. I und II, Zürich 1973 und 1978.
Barth, K.: Evangelium und Gesetz, München 1935.
Barth, K.: Kirchliche Dogmatik (KD), Bd. 1/1–IV/4, Zollikon/Zürich 1955–1970.
Barth, K.: Rechtfertigung und Recht. Christengemeinde und Bürgergemeinde, Zürich 1984[3].
Bartolommei, S.: Etica e ambiente, Milano 1989.
Baur, J. (Hg.): Zum Thema Menschenrechte. Theologische Versuche und Entwürfe, Stuttgart 1977.
Bayer, O.: Schöpfung als Anrede, Tübingen 1986.
Bayertz, K.: Ökologische Ethik, Freiburg 1988.
Beaulieu-Gruppe (Hg.): Aufbruch von innen. Manifest für eine Ethik der Zukunft. Entwurf einer ökospirituellen Kultur, Frankfurt 1991.
Beck, U.: Gegengifte. Die organisierte Unverantwortlichkeit, Frankfurt a.M. 1988.
Beck, U.: Risikogesellschaft, Frankfurt a.M. 1986.
Beier, U. (Hg.): The Origin of Life and Death. African Creation Myths, London/Nairobi 1970.
Bericht aus Vancouver 1983. Offizieller Bericht der Sechsten Vollversammlung des ÖRK, Frankfurt a.M. 1983.
Bericht der Regenzkommission MGU über den Ausbau von Lehre und Forschung im Bereich Mensch-Gesellschaft-Umwelt an der Universität Basel, Basel 1987.
Bericht der Schweiz zur Konferenz über Umwelt und Entwicklung der Vereinten Nationen, hg. vom Bundesamt für Umwelt, Wald und Landschaft BUWAL, Bern April 1992.
Bericht des Club of Rome 1991: Die globale Revolution, Spiegel Spezial, Berlin 1991.
Berkaloff, A.: Loss of Biodiversity. Effects of the release of bioengineered organisms, in: Bourdeau, Ph. (ed.): Environmental Ethics, Brüssel 1990, 67–71.
Beschleunigter Klimawandel. Zeichen der Gefahr, Bewährung des Glaubens. Ein Studienpapier des Ökumenischen Rates der Kirchen, Genf 1994.
Bettelheim, B.: Erziehung zum Überleben. Zur Psychologie der Extremsituationen, Stuttgart 1980.
Bieler, A.: La pensé économique et sociale de Calvin, Genf 1961.
Bieler, M.: Freiheit als Gabe. Ein schöpfungstheologischer Entwurf, Freiburg 1991.
Bieri, E.: Die Menschlichkeit unserer technischen Zivilisation, Siemens Aktiengesellschaft 1980.
Bierter, W.: Zeit. Problematiken und wichtige Fragestellungen. Syntropie, Stiftung für Zukunftsgestaltung, Liestal 1990 (Manuskript).
Biervert, B./Held, M. (Hg.): Das Menschenbild der ökonomischen Theorie. Zur Natur des Menschen, Frankfurt 1991.
Biervert, B.: Menschenbilder in der ökonomischen Theoriebildung. Historisch-genetische Grundzüge, in: Biervert, B./Held, H. (Hg.): Das Menschenbild der ökonomischen Theorie. Zur Natur des Menschen, Frankfurt 1991, 42–55.
Binswanger, H.Ch./Geißberger, W./Ginsburg Th. (Hg.): Wege aus der Wohlstandsfalle. Der NAWU-Report: Strategien gegen Arbeitslosigkeit und Umweltzerstörung, Frankfurt a.M. 1979.
Binswanger, H.Ch.: Geld und Natur. Das wirtschaftliche Wachstum im Spannungsfeld zwischen Ökonomie und Ökologie, Stuttgart 1991.
Binswanger, M.: Information und Entropie. Ökologische Perspektiven des Übergangs zu einer Informationswirtschaft, Frankfurt 1992.
Birch, B. C./Rasmussen, L. L.: Bibel und christliche Ethik, München 1992.
Birch, B.C./Rasmussen, L.L.: Bibel und Ethik im christlichen Leben, Gütersloh 1993.
Birch, Ch./Cobb, J. B.: The Liberation of Life, Cambridge/Mass. 1981.
Birch, Ch.: Nature, Humanity and God in Ecological Perspective, in: Shinn, R. (ed.): Faith and Science in An Unjust World. Report of the WCC's Conference on Faith, Science and the Future, Genf 1980, Bd. 1, 62–73.

Birch, Ch.: Schöpfung, Technik und Überleben der Menschheit, in: Jesus befreit und eint. Vorträge von der Fünften Vollversamlung des Ökumenischen Rates der Kirchen in Nairobi, Beiheft zur Ökumen. Rundschau Nr. 30, 1976, 95–111.

Birkner, H. J.: Schleiermachers christliche Sittenlehre, Berlin 1964.

Birnbacher, D.: Attitudes as Central Components of an Environmental Ethic, in: Bourdeau, Ph. et al (ed.): Environmental Ethics, Brüssel 1989, 137–140.

Birnbacher, D.: Prolegomena zu einer Ethik der Quantitäten, Ratio 28 (1986), 30–45.

Birnbacher, D.: Sind wir für die Natur verantwortlich?, in ders. (Hg.): Ökologie und Ethik, Stuttgart 1980, 103–139.

Birnbacher, D.: Verantwortung für zukünftige Generationen, Stuttgart 1988.

Bischofberger, O.: Mensch und Natur – Die Sicht der Religionen des Ostens, in: ders./Stückelberger, Ch. et al: Umweltverantwortung aus religiöser Sicht, Freiburg/Zürich 1988, 33–62.

Blanke, F.: Unsere Verantwortlichkeit gegenüber der Schöpfung, in: Der Auftrag der Kirche in der modernen Welt. Festgabe zum 70. Geburtstag von Emil Brunner, Zürich 1959, 193–198.

Bleischwitz, R./Etzbach, M.: Der Treibhauseffekt im Spannungsfeld der Nord-Süd-Beziehungen, ZEE 36 (1992), Nr. 1, 19–31.

Blumenberg, H.: Arbeit am Mythos, Frankfurt 1984[3].

Böckle, F.: Wiederkehr oder Ende des Naturrechts?, in: ders./Böckenförde, E. W.: Naturrecht in der Kritik, Mainz 1973, 304–311.

Boff, L.: Eine neue Erde in einer neuen Zeit. Plädoyer für eine planetarische Kultur, Düsseldorf 1994.

Boff, L.: Von der Würde der Erde: Ökologie. Politik. Mystik, Düsseldorf 1994.

Boff, L.: Zärtlichkeit und Kraft. Franz von Assisi mit den Augen der Armen gesehen, Düsseldorf 1983.

Bohm, D.: Die implizite Ordnung. Grundlagen eines dynamischen Holismus, München 1985.

Böhme, G.: Verwissenschaftlichung der Erfahrung, in: Böhme, G./von Engelhardt, M. (Hg.): Entfremdete Wissenschaft, Frankfurt 1979, 114–136.

Bohren, R.: Daß Gott schön werde. Praktische Theologie als theologische Ästhetik, München 1975.

Bohrer, K. H. (Hg.): Mythos und Moderne, Frankfurt 1983.

Bolte, G. (Hg.): Unkritische Theorie. Gegen Habermas, Lüneburg 1989.

Bondolfi, A.: Si puo' parlare coerentemente di „diritti della natura"?, in: Cenobio Nr.3/1992, 283–296.

Bonhoeffer, D.: Ethik, München 1975[8].

Bonifazi, C.: The Soul of the World, Lanham 1978.

Bourdeau, Ph. (ed.): Environmental Ethics. Man's Relationship with Nature, Commission of the European Communities, Luxembourg 1990.

Bovay, C./Campiche, R./Ruh, H. et al: Energie im Alltag. Soziologische und ethische Aspekte des Energieverbrauchs, Zürich 1989.

Brantschen, J. et al: Leiden, in: Christlicher Glaube in moderner Gesellschaft, Bd. 10, Freiburg 1980, 5–50.

Bratton, S.: Loving Nature: Eros or Agape?, Environmental Ethics 14 (1992), 3–25.

Braun, H. J.: Umwertung der Tugenden: F. Nietzsche, in ders. (Hg.): Ethische Perspektiven: „Wandel der Tugenden", Zürich 1989, 237–246.

Breitmaier, I.: Das Thema der Schöpfung in der ökumenischen Bewegung 1948–1988, Bern 1995.

Bresch, C.: Das Alpha-Prinzip der Natur, in: Bresch, C./Daecke, S. M./Riedlinger, H. (Hg.): Kann man Gott aus der Natur erkennen? Evolution und Offenbarung, Freiburg 1990, 72–87.

Bresch, C.: Zwischenstufe Leben – Evolution ohne Ziel? München 1977.

Brot für die Welt: Umwelt und Entwicklung. Lesebuch, Stuttgart 1993.

Brot für die Welt et al.: „Unsere Bäume sind weg, und alles Wild ist verschwunden." Urwaldzerstörung, Medienkonflikte und die Suche nach einer menschlichen Entwicklung im pazifischen Raum, Stuttgart 1995.

Brot für alle/Erklärung von Bern/Fastenopfer (Hg.): Wenig Kinder – viel Konsum? Stimmen zur Bervölkerungsfrage von Frauen aus dem Süden und Norden, Bern 1994.

Brot für alle/Institut für Sozialethik des Schweiz. Evang. Kirchenbundes: Weltkonferenz über Bevölkerung und Entwicklung. Eine protestantische Gegenposition zum Vatikan, Bern, 15. Aug. 1994.

Brown, L. et al: Zur Rettung des Planeten Erde. Strategien für eine ökologisch nachhaltige Weltwirtschaft. Eine Publikation des Worldwatch Instituts, Frankfurt a.M. 1992.

Brun E.: Hierarchien von Gleichgewichtszuständen selbstordnender Systeme. Experiment und Theorie, in: Stolz, F. (Hg.): Gleichgewichts- und Ungleichgewichtskonzepte in der Wissenschaft, Zürich 1986, 21–40.

Brunner, E.: Gerechtigkeit, Zürich 1943.

Brunner, H. H.: Mein Vater und sein Ältester. Emil Brunner in seiner und meiner Zeit, Zürich 1986.

Brunner, H.: Die Weisheitsbücher der Ägypter. Lehren für das Leben. Zürich 1991.

Bubmann, P.: Naturrecht und christliche Ethik, ZEE 37/1993, 267–280.

Bühler, P.: Gottes Vorsehung und die Bewahrung der Schöpfung, in: Weder, H.: Gerechtigkeit, Friede, Bewahrung der Schöpfung, Zürich 1990, 99–121.

Bullinger, H.: Dekaden, 4. Dekade, 4. Predigt, Zürich 1550.

Bund. Bundestheologie und Bundestradition, hg. von der Theologischen Kommission des Schweiz. Evang. Kirchenbundes, Bern 1987.

Büsser, F.: Das „Buch der Natur". Große Theologen über Schöpfung und Natur, Stäfa bei Zürich 1990.

Büscher, M.: Gott und Markt. Religionsgeschichtliche Wurzeln A. Smiths, in: Meyer-Faje, A./Ulrich, P. (Hg.): Der andere Adam Smith, Bern 1991, 123–144.

Büttner, M.: Kant und die Überwindung der physikotheologischen Betrachtung der geographisch-kosmologischen Fakten, in: ders. (Hg.): Religion/Umwelt/Forschung im Aufbruch, Bochum 1989, 17–29.

Callicott, J. B.: Rolston on Intrinsic Value: A Deconstruction, Environmental Ethics 14 (1992), 129–143.

Calliess, J./Lob R. (Hg.): Handbuch Praxis der Umwelt- und Friedenserziehung, Bd. 1 Grundlagen, Bd. 2 Umwelterziehung, Bd. 3 Friedenserziehung, Düsseldorf 1987/1988.

Calvin, J.: Auslegung der Genesis, übersetzt und bearbeitet von D. Goeters und D. Simon, Neukirchen 1956.

Calvin, J.: Unterricht in der christlichen Religion (Institutio Christianae Religionis), übersetzt und bearbeitet von O. Weber, Neukirchen 1988[5].

Camara, H.: Mach aus mir einen Regenbogen. Mitternächtliche Meditationen, Zürich 1981.

Camus A.: L'exil d'Hélène, in der Essayssammlung l'été, in: Essays d'Albert Camus, Paris 1965, 851–857.

Camus, A.: La culture indigène. La nouvelle culture méditerranéenne, in: Essays d`Albert Camus, Paris 1965, 1321–1327.

Capra, F.: Wendezeit, Bern 1983[6].

Cardenal, E.: Das Buch von der Liebe. Lateinamerikanische Psalmen, Hamburg 1972.

Caring for the Earth. A Strategy for Sustainable Living, published by The World Conservation Union IUCN, United Nations Enironment Programme UNEP, World Wide Fund For Nature WWF, Gland/Genf 1991.

Castro, E. (Hg.): Dem Wind des Geistes Gottes. Gedanken zum Thema von Canberra, Genf 1990.

Chalier, C.: L'alliance avec la nature, Paris 1989.

Chambon, J.: Der Puritanismus. Sein Weg von der Reformation bis zum Ende der Stuarts, Zürich 1944.

Chastel, A. (Hg.): Leonardo da Vinci: Sämtliche Gemälde und die Schriften zur Malerei, Darmstadt 1990.

Christsein in der Schweiz – weltweit herausgefordert. Anstöße aus den Weltversammlungen San Antonio, Manila, Seoul, Seoul, Canberra 1989–1991, Texte der Evangelischen Arbeitsstelle Ökumene Schweiz Nr. 13, Bern 1992.

Chung Hyun Kyung: Komm, Heiliger Geist – erneuere die ganze Schöpfung, in: Im Zeichen des Heiligen Geistes. Offizieller Bericht aus Canberra 1991, Frankfurt 1991, 47–56.

Churches on Climate Change. A Collection of Statements and Resolutions on Global Warming and Climate Change, on behalf of the World Council of Churches Unit on Justice, Peace and Creation, ed. by L. Vischer. Texte der Evang. Arbeitsstelle Ökumene Schweiz 18, Bern 1992.

Clark, St. R.: Gaia and the Forms of Life, in: Elliot, R./Gare, A.: Environmental Philosophy, A Collection of Readings, University Parks 1983.

Club of Rome (King, A./Schneider B.): Die erste globale Revolution. Ein Bericht des Rates des Club of Rome, Frankfurt a.M. 1992.

Cobb, J. B. jr./Birch, Ch.: The Liberation of Life: From the Cell to the Community, Cambridge/GB 1981.

Cobb, J. B. jr./Griffin, D. R.: Prozeß-Theologie, Göttingen 1979.

Cobb, J. B. jr.: A Christian Natural Theology: Based on the Thougt of A. N. Whitehead, Philadelphia 1965.

Cobb, J. B. jr.: Der Preis des Fortschritts, München 1972.

Cobb, J. B. jr.: Postmodern Social Policy, in: Griffin, D. R. (ed.): Spirituality and Society, New York 1988, 99–106.

Cobb, J.: A Christian View of Biodiversity, in: Wilson, E./Peter, F.: Biodiversity, Washington 1988, 481–486.

Commission of the European Communities, Forward Studies Unit: Promoting Sustainable Economic and Social Development. The Future of North-South Relations, Brüssel 1993.

Craemer-Ruegenberg, I.: Aristoteles, in: Böhme, G. (Hg.): Klassiker der Naturphilosophie, München 1989, 45–60.

Creation Harvest Liturgy, ed. by International Consultancy on Religion, Education and Culture, Winchester 1987.

Crutzen, P./Müller, M. (Hg): Das Ende des blauen Planeten? Der Klimakollaps, Gefahren und Auswege, München 1989.

d'Eaubonne, F.: Le féminisme ou la mort, Paris 1974.

Daecke, S. M.: Anthropozentrik oder Eigenwert der Natur? in: Altner, G. (Hg.): Ökologische Theologie, Stuttgart 1989, 277–299.

Daecke, S. M.: Gott der Vernunft, Gott der Natur und persönlicher Gott. Natürliche Theologie im Gespräch zwischen Naturphilosophie und Worttheologie, in: Bresch, C./Daecke, S. M./Riedlinger, H. (Hg.): Kann man Gott aus der Natur erkennen? Evolution als Offenbarung, Freiburg 1990, 135–155.

Daecke, S. M.: Mißbrauch der Natur als Mißbrauch Gottes. Überlegungen zu einer ökologischen Theologie, EvKomm 23 (1990), 653–656.

Daecke, S. M.: Natur und Schöpfung. Überlegungen zu einer ökologischen Theologie der Natur, in: Umwelt – Mitwelt – Schöpfung. Kirchen und Naturschutz. Laufener Seminarbeiträge 1/91, 35–44.

Daecke, S. M.: Säkulare Welt – sakrale Schöpfung – geistige Materie. Vorüberlegungen zu einer trinitarisch begründeten Praktischen und Systematischen Theologie der Natur, Evang.Theol. 45 (1985), 261–276.

Daecke, S. M.: Theologie der Natur jenseits einer natürlichen Theologie, EvKomm 7 (1974), 656ff.

Daly H. (ed.): Economics, Ecology, Ethics, San Francisco 1980.

Daly H.: Steady State Economics, Washington 1991.

Daly H.: Steady-State Economics, San Franzisco 1977.

Daly H.: The Steady-State Economy: Postmodern Alternative to Growthmania, in: Griffin, D. (ed.): Spirituality and Society, New York 1988, 107–121.

Daly, H./Cobb, J. B.: For the Common Good: Redirecting the Economy Toward Community, The Environment and a Sustainable Future, Boston 1989.

Daly, H.: Steady-State Economics: Concepts, Questions, Policies, Gaia 1/1992, 333–338.

Daly, H.: Sustainable Development: From Religious Insight to Ethical Principle to Ecnomomic Policy, Vortrag an der Konferenz des Ökumenischen Rates der Kirchen zu Unced in Rio de Janeiro, Juni 1992 (Manuskript).

Damaskinos, Metropolit: The Ecological Problem: Its Positive and Negative Aspects, Journal of the Moscow Patriachate 3/1990, 46.

Dannemann, Ch. (Hg.): Zukunft der Schöpfung. Messianische Utopie und ökologisches Ethos. Ein Seminar des Leonhard-Ragaz-Instituts Darmstadt, Darmstadt 1990.

Dannemann, Ch. (Hg.): Zukunft der Schöpfung. Messianische Utopie und ökologisches Ethos, Darmstadt 1990.

Dannemann, Ch. und U.: Befreiung aller Kreatur. Das Bibelwerk von Leonhard Ragaz. Wegbereitung ökologischer Theologie, Darmstadt 1987.

Dannemann, Ch. und U.: Die Startbahn West ist überall. Christliche Existenz heute, erlebt in den Auseinandersetzungen um den Frankfurter Flughafen, München 1982.

Dätwyler, Ph.: Die Bombe in uns, in: ders./Eppler E./Riedel I.: Die Bombe, die Macht und die Schildkröte. Ein Ausweg aus der Risikogesellschaft?, Olten 1991, 7–42.

Davies, P.: Gott und die moderne Physik, München 1986.

Davis, D. E.: Ecophilosophy. A Field Guide to the Literature, San Pedro/California 1989.

De Tavernier, J./Vervenne M. (eds.): De mens: hoeder of verrader van de schepping?, Leuven-Amersfoort 1991. De Tavernier: Ecology and Ethics, Vortragsmanuskript, 1994.

Deen, M. Y. I. (Samarrai): Islamic Environmental Ethics, Law, and Society, in: Engel, J. R./Engel, J. B.: Ethics of Environment and Development, Tucson 1990, 189–198.

Dein Wille geschehe. Mission in der Nachfolge Jesu Christi, Weltmissionskonferenz 1989 in San Antonio, Frankfurt 1989.

Deutscher Bundestag (Hg.): Schutz der Erdatmosphäre. Eine internationale Herausforderung. Zwischenbericht der Enquete-Kommission des Deutschen Bundestages, Zur Sache 5/88, Bonn 1989[2]; ders.: Schlußbericht 1990.

Deval, B./Sessions, G.: Deep ecology, Salt Lake City 1985.

Diamond, J.: Der Körper lügt nicht, Freiburg 1983.

Die Kairoer Erklärung der Menschenrechte im Islam, in: Gewissen und Freiheit 36/1991, 93–98.

Die Lage der Umwelt 1972–1992: Die Rettung unseres Planeten. Bericht der UNO-Umweltbehörde Unep, Nairobi 1992.

Die ökologische Krise als Nord-Süd-Problem. Fallbeispiel Amazonien. Eine Studie der Kammer der Evang. Kirche Deutschlands für Kirchlichen Entwicklungsdienst, Gütersloh 1991.

Die Regel Benedikts, Beuron 1978.

Die Rolle der Kirchen beim Schutz der Erdatmosphäre. Bericht einer ökumenischen Konsultation von Kirchen aus Industrienationen der nördlichen Hemisphäre, auf Einladung von Schweiz. Evang. Kirchenbund, Schweiz. Bischofskonferenz und Christkath. Kirche der Schweiz, Bern 1991.

Die Schöpfungsmythen. Ägypter, Sumerer, Hurriter, Hethiter, Kanaaniter und Israeliten. Mit einem Vorwort von M. Eliade, Einsiedeln/Zürich 1964.

Die Zeit ist da. Schlußdokument und andere Texte der Weltversammlung für Gerechtigkeit, Frieden und Bewahrung der Schöpfung in Seoul 1990, Genf 1990.

Dieckmann, A.: Umweltbewußtsein und Umweltverhalten. Eine empirische Untersuchung in Bern und München, Unipress Bern Nr. 71/1991, 22–25.

Diefenbacher, H./Ratsch, U.: Verelendung durch Naturzerstörung. Die politischen Grenzen der Wissenschaften, Frankfurt a.M. 1992.

Diels, H.: Die Fragmente der Vorsokratiker, Bd. 1, Berlin 1960[10].

Dietz, H.: Pädagogik der Selbstbegrenzung, Freiburg 1978.

Ditfurth, H. von: So laßt uns denn ein Apfelbäumchen pflanzen. Es ist soweit, Hamburg/Zürich 1985.

Dokumente und Berichte der Generalversammlung des Reformierten Weltbundes, Genf 1990.

Doyle, E.: Von der Brüderlichkeit der Schöpfung. Der Sonnengesang des Franziskus, Zürich 1987.

Drewermann, E.: Der tödliche Fortschritt. Von der Zerstörung der Erde und des Menschen im Erbe des Christentums, Regensburg 1981.

Dryzek, J. S.: Green Reason: Communicative Ethics for the Biosphere, Environmental Ethics 12 (1990), 195–210.

Duchrow, U./Liedke, G.: Schalom. Der Schöpfung Befreiung, den Menschen Gerechtigkeit, den Völkern Frieden, Stuttgart 1987.

Dumoulin, H.: Begegnung mit dem Buddhismus, Freiburg 1978.

Dürer, A.: Schriftlicher Nachlaß, hg. von R. Rupprich, Bd. 3: Die Lehre von menschlicher Proportion, 1969.

Dürr, H.-P.: Physik und Transzendenz. Die großen Physiker unseres Jahrhunderts über ihre Begegnung mit dem Wunderbaren, Bern 1986.

Ebeling, G.: Dogmatik des christlichen Glaubens, Bd.1, Tübingen 1987[3], Bd. 3 Tübingen 1979.

Ebeling, G.: Karl Barths Ringen mit Luther, in: Lutherstudien III, Tübingen 1985, 428–573.

Ebeling, G.: Zum Verhältnis von Dogmatik und Ethik, ZEE 26 (1982), 10–18.

Egli, M.: Logotope. Geschichten zur Geschichte der Naturgeschichte, Zürich 1986.

Egli, R.: Staatliche Flugverkehrs-Förderung trotz massiver Umweltbelastung. Zur Umweltbilanz der Swissair, Natur und Mensch 6/1991.

Eidg. Bundesamt für Umwelt, Wald und Landschaft.: Die Bedeutung der Immissionsgrenzwerte der Luftreinhalteverordnung, Schriftenreihe Nr. 180, Bern 1992.

Eidg. Bundesamt für Umweltschutz: Immissionsgrenzwerte für Luftschadstoffe. Schriftenreihe Umweltschutz Nr. 52, Bern 1986.

Eigel, W.: Entwicklung und Menschenrechte. Entwicklungszusammenarbeit im Horizont der Menschenrechte, hg. von der Schweiz,. Nationalkommission Justitia et Pax, Freiburg 1984.

Eigen M./Winkler R.: Das Spiel. Naturgesetze steuern den Zufall, München 1979.

Einverständnis mit der Schöpfung. Ein Beitrag zur ethischen Urteilsbildung im Blick auf die Gentechnik, vorgelegt von einer Arbeitsgruppe der Evangelischen Kirche in Deutschland, Gütersloh 1991.

Enderle, G.: Auf dem Weg zu einer ökologischen Wirtschaftsethik, in: Seifert, E. K./Pfriem, R. (Hg.): Wirtschaftethik und ökologische Wirtschaftsforschung, Bern 1989, 237–249.

Energie Report Europa. Daten zur Lage. Strategien für eine europäische Energiewende, hg. vom Öko-Institut Freiburg, Frankfurt 1991.

Engel, J. R./Engel J. G. (eds.): Ethics of Environment and Development. Global Challenge and International Response, Tucson 1990.

Equipo Pastoral de Bambamarca: Vamos Caminando. Machen wir uns auf den Weg! Glaube, Gefangenschaft und Befreiung in den peruanischen Anden, Freiburg 1983.

Europäische Evangelische Versammlung „Christliche Verantwortung für Europa“, 24.–30 März 1992, Schlußbericht, epd-Dokumentation 17/1992.

Faber, M./Manstetten, R.: Ihr werdet sein wie Gott. Das faustische Streben als Ursprung der Umweltkrise, Neue Zürcher Zeitung 30./31. März 1991, 9.

Faulstich, M./Lorber, K. E. (Hg.): Ganzheitlicher Umweltschutz, Stuttgart 1990.

Feinberg, J.: Die Rechte der Tiere und zukünftiger Generationen, in: Birnbacher, D. (Hg.): Ökologie und Ethik, Stuttgart 1980, 140–179.

Ferrucci, F.: Das Leben Gottes, von ihm selbst erzählt, München 1988.

Ferry, L.: Le nouvel ordre écologique. L'arbre, l'animal et l'homme, Paris 1992.

Fietkau, H.-J.: Bedingungen ökologischen Handelns. Gesellschaftliche Aufgaben der Umweltpsychologie, Weinheim 1984.

Fink, E.: Spiel als Weltsymbol, Stuttgart 1960.

Fischer, E./Herzka, H./Reich, K. (Hg.): Widersprüchliche Wirklichkeit. Neues Denken in Wissenschaft und Alltag, München 1992.

Fischer, J.: Christliche Ethik als Verantwortungsethik? EvTheol 52/1992, 114–128.

Fischer, J.: Ganzheitlichkeit im Spannungsfeld zwischen Wissenschaft, Mythos und christlichem Glauben, in: Thomas, Ch. (Hg.): „Auf der Suche nach dem ganzheitlichen Augenblick“. Der Aspekt Ganzheit in den Wissenschaften, Zürich 1992, 233–244.

Fischer, J.: Handeln als Grundbegriff christlicher Ethik. Zur Differenz von Ethik und Moral, Zürich 1983.

Fischer, J.: Leben aus dem Geist. Zur Grundlegung christlicher Ethik, Zürich 1994.

Fischer, J.: Zum Wahrheitsanspruch der Theologie. Antrittsvorlesung an der Universität Basel vom 14. 1. 1994, Manuskript.

Flasch, K.: Nikolaus von Kues. Die Idee der Koinzidenz, in: Speck, J. (Hg.): Grundprobleme der großen Philosophen, Göttingen 1978[2].

Fleming, P./Macy, J./Naess, A.: Denken wie ein Berg. Ganzheitliche Ökologie, Freiburg 1989.

Fox, M.: A Spirituality Named Compassion, Winston Press 1979.
Fox, M.: Der große Segen. Umarmt von der Schöpfung. Eine spirituelle Reise, München 1991.
Fox, M.: Original Blessing: A Primer in Creation Spirituality, Santa Fe 1983.
Fox, M.: Vision vom Kosmischen Christus. Aufbruch ins dritte Jahrtausend, Stuttgart 1991.
Frankena, W. K.: Ethics and the Environment, in: Goodpaster, K. W./Syre, K. M.:(eds.): Ethics and Problems of the 21st Century, Notre Dame/Indiana 1979, 3–20.
Frauen-Feature-Service, Hg.: The Power to Change. Frauen, Umwelt und Entwicklung, Zürich-Dortmund 1994.
Franz von Assisi: Geliebte Armut. Ausgewählt und eingeleitet von G. und Th. Sartory, Freiburg 1977.
Frey, Ch.: Die Ethik des Protestantimus von der Reformation bis zur Gegenwart, Gütersloh 1989.
Frey, Ch.: Humane Erfahrung und selbstkritische Vernunft, ZEE 22 (1978), 200–213.
Frey, Ch.: Theologie und Ethik der Schöpfung. Ein Überblick. ZEE 32 (1988).
Frey, Ch.: Vernunftbegründung in der Ethik. Eine protestantische Sicht, ZEE 37/1993, 22–32.
Frieden in Gerechtigkeit. Die offiziellen Dokumente der Europäischen Ökumenischen Versammlung 1989 in Basel, Basel/Zürich 1989.
Friedli, R.: Frieden wagen. Ein Beitrag der Religionen zur Gewaltanalyse und zur Friedensarbeit, Freiburg/CH 1981.
Fritsch, B.: Mensch – Umwelt – Wissen. Evolutionsgeschichtliche Aspekte des Umweltproblems. Zürich 1990.
Fritsch, B.: Wirtschaftswachstum und ökologisches Gleichgewicht: Modelle und Konzepte, in: Stolz, F. (Hg.): Gleichgewichts- und Ungleichgewichtskonzepte in der Wissenschaft, Zürich 1986, 97–115.
Fuchs, E.: La morale selon Calvin, Paris 1986.
Fulljames, P.: God and Creation in Interkultural Perspective: Dialogue between theologies of Barth, Dickson, Pobee, Nyamiti and Pannenberg, Bern 1993.
Furger, F.: Christliche Sozialethik, Stuttgart 1991.

Gabathuler, H. J.: Der Christus-Hymnus Col 1,15–20 in der theologischen Forschung der letzten 130 Jahre, Zürich 1965.
Gaber, H./Natsch, B.: Gute Argumente: Klima, München 1989.
Galloway, A.D.: The cosmic Christ, New York 1951.
Gegen Unmenschlichkeit in der Wirtschaft. Der Hirtenbrief der katholischen Bischöfe der USA „wirtschaftliche Gerechtigkeit für alle", kommentiert von F. Hengsbach, Freiburg 1987.
Geisser, H.: Schöpfung aus dem Nichts. Die philosophisch unannehmbare, wissenschaftsgeschichtlich wirksame Weltinterpretation christlicher Theologie, in: Stolz, F. (Hg.): Religiöse Wahrnehmung der Welt, Zürich 1988, 102–125.
Geisser, H.F.: Wieder einmal zur Frage der natürlichen Theologie bei Calvin, in: Stauffer, R. (Hg.): In Necessariis Unitas. Mélanges offerts à J.L. Leuba, Paris 1984, 163–181.
Gemeinwohl und Eigennutz. Wirtschaftliches Handeln in Verantwortung für die Zukunft. Eine Denkschrift der Evangelischen Kirche in Deutschland, Gütersloh 1991.
Georgescu-Roegen, N.: The Entropy Law and the Economic Process, Cambridge/Mass. 1971.
Gerechter Preis? Materialien und Erwägungen zu einem entwicklungspolitischen und wirtschaftsethischen Problem, hg. vom Institut für Sozialethik des Schweiz. Evang. Kirchenbundes, Bern 1990.
Gesprächskreis Kirche-Wirtschaft: Bedrohung Treibhauseffekt. Notwendigkeit neuer Handlungsorientierung für ökologisches Wirtschaften, Bern 1992.
Gestrich, Ch.: Die Wiederkehr des Glanzes in der Welt. Die christliche Lehre von der Sünde und ihrer Vergebung in gegenwärtiger Verantwortung, Tübingen 1989.
Gestrich, Ch.: Neuzeitliches Denken und die Spaltung der dialektischen Theologie. Zur Frage der natürlichen Theologie, Tübingen 1977.
Gethmann, C. F./Klöpfer, M. (Hg.): Handeln unter Risiko im Umweltstaat, Berlin 1990.
Gethmann, C.F./Mittelstrass, J.: Maße für die Umwelt, Gaia 1 (1992) Nr. 1, 16–25.
Gilch, G.: Das Spiel Gottes mit der Welt. Aspekte zum naturwissenschaftlichen Weltbild, Stuttgart 1968.

Glaeser, B. (Hg.): Humanökologie. Grundlagen präventiver Umweltpolitik, Opladen 1989.
Global 2000. Der Bericht an den US-Präsidenten, Frankfurt 1980, 49. Aufl. 1983.
Global Future. Es ist Zeit zu handeln. Die Fortschreibung des Berichts an den Präsidenten, Freiburg 1981.
Glogger, B.: Die Schweiz im Treibhaus, Zürich 1992.
Goetschel, A.: Zum Begriff ‚Würde der Kreatur', Vortragsmanuskript, Feb. 1994.
Goetschel, A.: Tierschutz und Grundrechte, Bern 1989.
Goetschel, A.: Mensch und Tier im Recht – Ansätze zu einer Annäherung, Gaia 2 (1993), 199–211.
Goetschel, A.: Recht und Tierschutz: Hintergründe – Aussichten, Bern 1993.
Goldschmidt, H. L.: Freiheit für den Widerspruch, Schaffhausen 1976.
Gore, Al: Wege zum Gleichgewicht. Ein Marschallplan für die Erde, Frankfurt a.M. 1992.
Gosling, D.: Auf dem Weg zu einer glaubwürdigen ökumenischen Theologie der Natur, Ökumenische Rundschau 1986, 129–143.
Gössmann, E. et al: Wörterbuch der feministischen Theologie, Gütersloh 1991.
Goudzwaard B./de Lange, H.: Weder Armut noch Überfluß. Plädoyer für eine neue Ökonomie, München 1990.
Granberg-Michaelson, W.: Redeeming the Creation. The Rio Earth Summit: Challenges for the Churches, Genf 1992.
Granberg-Michaelson, W.: Tending the Garden, Grand Rapids/Mich. 1987.
Gregorios, P.: The Human Presence. An Orthodox view of nature, Genf 1978.
Griffin, D. R. (ed.): Spirituality and Society. Postmodern Visions, New York 1988.
Griffin, D. R./Altizer, Th. (eds.): John Cobbs's Theology in Process, Philadelphia 1977.
Grob, A.: Einstellungen und Verhalten im Umweltbereich, Psychoscope. Zeitschrift der Föderation der Schweizer Psychologinnen und Psychologen 9/1991, 13–17.
Groh, R./Groh, D.: Von den schrecklichen zu den erhabenen Bergen. Zur Entstehung ästhetischer Naturerfahrung, in: dies.: Weltbild und Naturaneignung, Frankfurt a.M. 1991, 92–149.
Groh, R./Groh, D.: Weltbild und Naturaneignung. Zur Kulturgeschichte der Natur, Frankfurt a.M. 1991.
Grossi, E.: Die Theorie des Schönen in der Antike, Köln 1980.
Grossmann, S.: Schöpfer und Schöpfung in der feministischen Theologie, in: Altner, G. (Hg.): Ökologische Theologie, Stuttgart 1989, 213–233.
Gruner, E.: Widerstand als Veränderungspotential im Kampf gegen die Naturzerstörung, in: Saladin, P./Sitter, B. (Hg.): Widerstand im Rechtsstaat, Freiburg 1988, 57–70.
Gugerli, B./Vontobel, J./Brugger, F.: Arche Nova. Umwelthandbuch. Pro Juventute und Pestalozzianum Zürich, Zürich 1990.
Guggisberg, K.: Maßvoller durch maßlose Kritik? Das Maß bei den Propheten, Kirchenbote für den Kanton Zürich, Nr.16/1990, 6.
Gunn, A.: Preserving Rare Species, in: Regan, T. (ed.) Earthbound, 1984, 289–335.
Gustafson, J.: Der Ort der Schrift in der christlichen Ethik. Eine methodologische Studie, in: Ulrich, H.G. (Hg.): Evangelische Ethik. Diskussionsbeiträge zu ihrer Grundlegung und ihren Aufgaben, München 1990, 246–279.
Gutscher, H./Mosler, H.-J.: Menschliche Einfalt gegen natürliche Vielfalt? Ein Beitrag der Sozialpsychologie zu einer umfassenden Umweltwissenschaft, unizürich 3/1992, 25–27.
Gutscher, H.: Wißbegierde? Investitionen! Professionalität! Routine! Ehrgeiz!, in: Holzhey, H./ Jauch U./Würgler, H. (Hg.): Forschungsfreiheit. Ein ethisches und politisches Problem der modernen Wissenschaft, Zürich 1991, 79–84.

Habermas, J.: Erläuterungen zur Diskursethik, Frankfurt 1991.
Habermas, J.: Theorie des kommunikativen Handelns, Frankfurt a.M., Bd. 1 1981, Bd.2 1988.
Halkes, C.: Das Antlitz der Erde erneuern. Mensch, Kultur, Schöpfung, Gütersloh 1990.
Halkes, C.:Gott hat nicht nur starke Söhne, Gütersloh 1980.
Hall, D. C.: Imaging God: Dominion as stewardship, Eerdmans, Michigan 1986.
Hallmann, D. (ed.): Ecotheology. Voices from South and North, WCC, Genf/New York, 1994.
Hallmann, D.: Caring for Creation. The Environmental Crisis: A Canadian Christian Call to Action, Winfield 1989.

Halter, H.: Theologie, Kirchen und Umweltproblematik. Der Beitrag der Theologie zu einer Ökologischen Ethik, in: Katholische Soziallehre in neuen Zusammenhängen, Zürich 1985.
Hammarskjöld, D.: Zeichen am Weg, München 1965.
Hargrove, E. C. (ed.): The Animal Rights/Environmental Ethics Debate. The Environmental Perspective, New York 1992.
Hartmann, N.: Die Wertdimensionen der Nikomachischen Ethik, Berlin 1944.
Hasenfratz, H.-P.: Das Christentum. Eine kleine Problemgeschichte, Zürich 1992.
Hasler, U.: Beherrschte Natur. Die Anpassung an die bürgerliche Naturauffassung im 19. Jahrhundert (Schleiermacher, Ritschl, Herrmann), Bern 1982.
Hauser, J.:Bevölkerungslehre, Bern 1982.
Heine, S.: Die Beziehung von Gott und Mensch als coincidentia oppositorum, Vortragsmanuskript 1991.
Held, M. (Hg.): Ökologische Folgen des Flugverkehrs. Zwölf Referate, Materialien der Evang. Akademie Tutzing Nr.50/1988.
Held, M./Geissler, K. (Hg.): Ökologie der Zeit – Vom Finden der rechten Zeitmaße, edition universitas, 1993.
Held, M.: „Die Ökonomik hat kein Menschenbild“ – Institutionen, Normen, Menschenbild, in: Biervert, B./Held, H. (Hg.): Das Menschenbild der ökonomischen Theorie. Zur Natur des Menschen, Frankfurt 1991, 10–41.
Held, M.: Tutzinger Erklärung zur umweltorientierten Unternehmenspolitik, Tutzinger Materialien Nr. 59, Tutzing 1989.
Hermanns, W.: Über den Begriff der Mäßigung in der patristisch-scholastischen Ethik von Clemens von Alexandrien bis Albertus Magnus, 1913.
Herzig, R. et al: Flechten als Bioindikatoren der Luftverschmutzung in der Schweiz. Methoden-Evaluation und Eichung mit wichtigen Luftschadstoffen, VDI-Bericht 609 Bioindikation, 1987, 619–639.
Heute noch einen Apfelbaum pflanzen. Ökumenisches Liederbuch zur Schöpfung, hg. von der Ökumenischen Arbeitsgemeinschaft Kirche und Umwelt der Schweiz, Zürich – Luzern 1989.
Hieber, A.: Macht teilen – gemeinsam leben. Grundlagentext zur Kampagne 1993 der Schweizer Hilfswerke Brot für alle und Fastenopfer, Ökumenisches Kursbuch 1993 zur Aktion, Bern/Luzern, 6–16.
Hildegard von Bingen: Gott sehen, hg. und eingeleitet von H. Schipperges, München 1990[3].
Hirsch, E.: Ethos und Evangelium, Berlin 1966.
Höffe, O. (Hg.): Über John Rawls' Theorie der Gerechtigkeit, Frankfurt a.M. 1977.
Höffe, O.: Beginnt der Flug der moralischen Vernunft erst am Abend? Plädoyer für eine Kultur der Rechtzeitigkeit, in: Holzhey, H. et al (Hg.): Forschungsfreiheit. Ein ethisches und politisches Problem der modernen Wissenschaft, Zürich 1991, 7–24.
Höffe, O.: Bemerkungen zu einer Theorie ethischer Urteilsfindung (H.E. Tödt), ZEE 22 (1978), 181–188.
Höffe, O.: Lexikon der Ethik, München 1986[3].
Höffe, O.: Naturrecht ohne naturalistischen Fehlschluß. Ein rechtsphilosophisches Programm, Wien 1980.
Höffe, O.: Sittlich-politische Diskurse, Frankfurt 1981.
Hollenweger, W. J.: Geist und Materie. Interkulturelle Theologie III, München 1988.
Holland, J.: A Postmodern Vision of Spirituality and Society, in Griffin, D.R. (Hg.): Spirituality and Society. Postmodern Visions, Ney York 1988, 41–62.
Holzhey, H.: Der Gedanke eines „Rechts der Natur“ als Resultat radikaler Kritik des Naturrechtsdenkens, in: ders./Kohler, G. (Hg.): Studia Philosophica, Suppl. 13, Verrechtlichung und Verantwortung, Bern 1987, 207–218.
Holzherr, G.: Stabilitas Loci – eine säkulare Tugend?, in: Ruhe und Bewegung. Vom schwindenden Nutzen wachsender Mobilität, Arbeitsblätter 2/92 des Schweiz. Arbeitskreises für ethische Forschung, Zürich 1992, 32–34.
Holzhey, H./Jauch U./Würgler, H. (Hg.): Forschungsfreiheit. Ein ethisches und politisches Problem der modernen Wissenschaft, Zürich 1991.
Holzhey, H.: Art. interdisziplinär, in: Hist. Wörterbuch der Philosophie, Bd. 4, Basel 1976, 476–478.

Honecker, M.: Einführung in die Theologische Ethik, Berlin 1990.
Honecker, M.: Ethikkrise – Krisenethik. Die Hinterfragung der Vernunft im ethischen Urteil, in: Germann, H.U. et al: Das Ethos der Liberalität. Festschrift für Hermann Ringeling, Freiburg 1993, 81–94.
Honecker, M.: Kirche als Gestalt und Ereignis, München 1963.
Honnefelder, L.: Die ethische Rationalität der Neuzeit, HCE Bd. 1, 19–45.
Honnefelder, L.: Welche Natur sollen wir schützen?, Gaia 2/1993, 253–264.
Hösle, V.: Zur Dialektik von strategischer und kommunikativer Rationalität, in: Orientierung durch Ethik? Eine Zwischenbilanz, Paderborn u.a. 1993, 11–35.
Huber, W./Tödt, H. E.: Menschenrechte. Perspektiven einer menschlichen Welt, Stuttgart 1977.
Huber, W.: Die Verbindlichkeit der Freiheit. Über das Verhältnis von Verbindlichkeit und Freiheit in der evangelischen Ethik, ZEE 37/1993, 70–81.
Huber, W.: Folgen christlicher Freiheit. Ethik und Theorie der Kirche im Horizont der Barmer theologischen Erklärung, Neukirchen-Vluyn 1983.
Huber, W.: Friedensethik, Stuttgart 1990.
Huber, W.: Kirche und Öffentlichkeit, Stuttgart 1973.
Huber, W.: Konflikt und Konsens. Studien zur Ethik der Verantwortung, München 1990.
Huber, W.: Rights of Nature or Dignity of Nature, in: Annual of the Society for Christian Ethics, Washington DC 1991.
Huber, W.: Selbstbegrenzung aus Freiheit. Über das ethische Grundproblem des technischen Zeitalters, Evang.Theol. 52 (1992), Heft 2, 128–146.
Hübner, H. (Hg.): Der Dialog zwischen Theologie und Naturwissenschaft. Ein bibliographischer Bericht, München 1987.
Hübner, J./Schubert H. von (Hg.): Biotechnologie und evangelische Ethik. Die internationale Diskussion, Frankfurt a.M. 1992.
Hübner, K.: Der Mythos, der Logos und das spezifisch Religiöse. Drei Elemente des christlichen Glaubens, in: Schmid, H. H.: Mythos und Rationalität, Gütersloh 1988, 27–43.
Hübner, K.: Die Wahrheit des Mythos, München 1985.
Hueting, R.: Correcting National Income For Environmental Losses: A Practical Solution. Vortrag an der internationalen Kirchentagung zur Klimafrage, Gwatt/Schweiz Januar 1990, veröff. in.: Ahmad, Y. et al (ed.).: Environmental Accounting for Sustainable Development, The World Bank, Washington 1989.
Hunold, G./Kappes, C. (Hg.): Aufbrüche in eine neue Verantwortung. Annotierte Bibliographie zur Humangenetik und Embryonenforschung (zur katholischen Diskussion), Freiburg 1992.
Huppenbauer, M.: Poiesis als Problem einer Humanökologie, in: Braun, H.-J. (Hg.): Martin Heidegger und der christliche Glaube, Zürich 1990, 115–158.
Huppenbauer, M.: Mythos und Subjektivität. Aspekte neutestamentlicher Entmythologisierung im Anschluß an Bultmann und Picht, Tübingen 1992.
Hutcheson, F.: Über den Ursprung unserer Ideen von Schönheit und Tugend. Einleitung von W. Leidhold, Hamburg 1986 (1. Aufl. 1725).
Hütter, R.: Evangelische Ethik als kirchliches Zeugnis. Interpretationen zu Schlüsselfragen theologischer Ethik in der Gegenwart, Neukirchen-Vluyn 1993.

Illich, I.: Selbstbegrenzung, Hamburg 1975.
Im Zeichen des Heiligen Geistes. Offizieller Bericht der Siebten Vollversammlung des ÖRK in Canberra 1991, Frankfurt 1991.
Internationale Handelskammer ICC: From Ideas to action. Business and Sustainable Development, Unced edition, Paris 1992.
Irrgang, B.: Christliche Umweltethik, München 1992
Iwand, H. J.: Glauben und Wissen. Nachgelassene Werke I, hg. von H. Gollwitzer, München 1962.

Jäger, H.U.: Leonhard Ragaz, in: Leimgruber, St./Schoch, M. (Hg.): Gegen die Gottvergessenheit. Schweizer Theologen im 19. und 20. Jahrhundert, Freiburg 1990, 164–179.
Janowski, H. N.: Geschichte durch Geschichten? Zur Rehabilitation des Mythos, in: EvKomm 20 (1987), Nr.9, 498–501.

Jantsch, E.: Die Selbstorganisation des Universums, München 1992.
Jaspert, B. (Hg.): Hans Küngs „Projekt Weltethos", Hofgeismarer Protokolle 299, 1993.
Jeffers, R.: Gedichte, Passau 1984.
John's, D.: The Relevance of Deep Ecology to the Third World, Environmental Ethics 12 (1990), 233–252.
Johnson, L.: A morally deep world. An Essay on moral significance and environmental ethics, Cambridge 1991.
Johnston, R.: Wisdom Literature and Its Contribution to a Biblical Environmental Ethics, in: Granberg-Michaelson, W.: Tending the Garden, Grand Rapids/Mich. 1987, 66–82.
Jonas H.: Der Gottesbegriff nach Auschwitz. Eine jüdische Stimme, Frankfurt 1987.
Jonas, H.: Das Prinzip Verantwortung. Versuch einer Ethik für die technologische Zivilisation, Frankfurt 1984.
Jonas, H.: Materie, Geist und Schöpfung, Frankfurt 1988.
Jonas, H.: Technik, Medizin und Ethik. Zur Praxis des Prinzips Verantwortung, Frankfurt 1990[3].
Jonas, H.: Warum wir eine Ethik der Selbstbeschränkung brauchen, in: Ströcker, E. (Hg.): Ethik der Wissenschaften? Philosophische Fragen, München 1984.
Jornod, D.: Les femmes de l`Evangile saisissent la nature à bra le corps, Les Cahiers Protestants Nr. 3/1991, 32–35.
Jüngel, E.: „Auch das Schöne muß sterben" – Schönheit im Lichte der Wahrheit. Theologische Bemerkungen zum ästhetischen Verhältnis, in: ders.: Wertlose Wahrheit. Zur Identität und Relevanz des christlichen Glaubens. Theologische Erörterungen III, München 1990, 378–396.
Jüngel, E.: Gelegentliche Thesen zum Problem der natürlichen Theologie, in: Entsprechungen: Gott – Wahrheit – Mensch, München 1980.
Junker, R./Scherer, S.: Entstehung und Geschichte der Lebewesen, Gießen 1988[2].
Justice, Peace and the Integrity of Creation, The Ecumenical Review 38 (1986), Nr. 3.
Justitia et Pax, Hg.: Eine Welt mit Zukunft. Die Chance der nachhaltigen Entwicklung, Zürich 1995.

Kaiser, C.: Christology and Complementarity. Religious Studies 12 (1976), 37–48.
Kaiser, H.: Die ethische Integration der ökonomischen Rationalität: Grundelemente und Konkretion einer „modernen" Wirtschaftsethik, Bern 1992.
Kaiser, H.: Theologische Wirtschaftsethik: Das Modell einer ethischen Integration ökonomischer Rationalität – eine Grundlegung, Zürich/Spiez 1989 (Manuskript Habilitation).
Kaiser, K./Weizsäcker, E.U. von: Internationale Konvention zum Schutz der Erdatmosphäre. Studienkomplex E der Enquête-Kommission des Deutschen Bundestages, Endbericht 19.6.1990, vervielf.
Kaminski, G.: Umweltpsychologie. Herausforderungen und Angebote, in: Calliess, J./Lob, R.: Handbuch Praxis der Umwelt- und Friedenserziehung, Düsseldorf 1987, Bd. 1, 127–139.
Kant I.: Kritik der reinen Vernunft, hg. von R. Schmidt, Hamburg 1990[3].
Kant, I.: Die Metaphysik der Sitten, in: Werke in sechs Bänden, hg. von W. Weischedel, Bd. 4, Darmstadt 1963, 309–634.
Kant, I.: Grundlegung der Metaphysik der Sitten, in: Werke in sechs Bänden, hg. von W. Weischedel, Bd. 4, Darmstadt 1963, 11–102.
Kant, I.: Kritik der praktischen Vernunft, hg. von K. Vorländer, Hamburg 1990[10].
Kant, I.: Kritik der Urteilskraft, hg. von Karl Vorländer, Hamburg 1990[7].
Kant, I.: Zum ewigen Frieden, Gesammelte Werke Bd. 6, hg. von W. Weischedel, Frankfurt 1964.
Kapp, K.: Soziale Kosten der Marktwirtschaft. Das klassische Werk der Umwelt-Ökonomie, Frankfurt 1979.
Käsemann, E.: An die Römer, Tübingen 1974[3].
Kaule, G.: Arten- und Biotopschutz, Stuttgart 1991[2].
Keppler, E.: Die Luft, in der wir leben. Physik der Atmosphäre, München 1988.
Kessler, H.: Das Stöhnen der Natur. Plädoyer für eine Schöpfungsspiritualität und Schöpfungsethik, Düsseldorf 1990.

Kessler, W.: Von einer Neuen Weltwirtschaftsordnung zu einer neuen Weltfreihandelsordnung, oder mehr Freihandel statt mehr Gerechtigkeit, ZEE 36 (1992), 32–40.

Kirsch, G.: Umweltmoral – ein Ersatz für staatliche Umweltpolitik? Universitas Friburgensis, Okt. 1993, 25–29.

Klaus Demmer. Vernunftbegründung und biblische Begründung in der Ethik, ZEE 37/1993, 10–21.

Klima – Wetter – Mensch. GEO-Wissen Nr. 2/1987.

Kluxen, W.: Ethik des Ethos, Freiburg 1974.

Kluxen, W.: Moralische Aspekte der Energie- und Umweltfrage, in: Handbuch der christlichen Ethik, hg. von Hertz, A. et al, Freiburg 1982, 379–424.

Koch, T.: Das göttliche Gesetz der Natur. Zur Geschichte des neuzeitlichen Naturverständnisses und zu einer gegenwärtigen theologischen Lehre von der Schöpfung, Theol. Studien 136, Zürich 1991.

Kohler, M. E.: Kirche als Diakonie, Zürich 1991.

Koller, E.: Varianz und Konstanz physiologischer Systeme, in: Stolz, F.: Gleichgewichts- und Ungleichgewichtskonzepte in der Wissenschaft, Zürich 1986, 41–56.

Kolmer, P./Korten, H. (Hg.): Grenzbestimmungen der Vernunft. Philosophische Beiträge zur Rationalitätsdebattte, Freiburg 1993.

Korff, W.: Wirtschaft vor der Herausforderung der Umweltkrise, ZEE 36 (1992), 163–174.

Kortenkamp, A./Grahl, B./Grimme, L. (Hg.): Die Grenzenlosigkeit der Grenzwerte. Zur Problematik eines politischen Instruments im Umweltschutz, Karlsruhe 1989.

Körtner, U.: Weltangst und Weltende. Eine theologische Interpretation der Apokalyptik, Göttingen 1988.

Kreck, W.: Grundfragen christlicher Ethik, München 1975.

Krieg, M.: Götter auf Besuch. Genesis 18–19 und die Tugend der Gastfreundschaft. Antrittsvorlesung am 17.1.1994 an der Universität Zürich, Manuskript, 8–17.

Krolzik, U.: Säkularisierung der Natur. Providentia-Dei-Lehre und Naturverständnis der Frühaufklärung, Neukirchen 1988.

Krolzik, U.: Umweltkrise – Folge des Christentums?, Stuttgart 1979.

Krolzik, U.: Vorläufer ökologischer Theologie, in: Altner, G (Hg.): Ökologische Theologie, Stuttgart 1989, 14–29.

Krolzik, U.: Zur Wirkungsgeschichte von Gen. 1,28, in: Altner, G. (Hg.) Ökologische Theologie, Stuttgart 1989, 149–163.

Krusche, W.: Das Wirken des Heiligen Geistes nach Calvin, Berlin 1957.

Kruse, L./Graumann, C./Lantermann, E. (Hg.): Ökologische Psychologie. Ein Handbuch in Schlüsselbegriffen, München 1990.

Kuchler, W.: Sportethos. Beitrag zu einer Phänomenologie der Ethosformen, München 1969.

Kuhn, U. et al.: Naturschutz-Gesamtkonzept für den Kanton Zürich. Entwurf im Auftrag des Regierungsrates, Zürich 1992.

Kultermann, U.: Kleine Geschichte der Kunsttheorie, Darmstadt 1987.

Kündig, J.: Die Mäßigkeitssache nach der Heiligen Schrift, Basel 1885.

Küng, H./Kuschel, K.-J. (Hg.): Erklärung zum Weltethos. Die Deklaration des Parlamentes der Weltreligionen, München 1993.

Küng, H.: Auf dem Weg zu einem Weltethos – Probleme und Perspektiven, Zeitschrift für Kulturaustausch, 43. Jg, 1/1993, 11–20.

Küng, H.: Auf der Suche nach einem universalen Grundethos der Weltreligionen, Concilium April 1990, 154ff.

Küng, H.: Nicht gutgemeint – deshalb ein Fehlschlag. Zu Michael Welkers Reaktion auf „Projekt Weltethos", EvKomm 8/93, 486–489.

Küng, H.: Projekt Weltethos, München 1990.

Küng, H.: Verpflichtung auf eine Kultur der Gleichberechtigung und die Partnerschaft von Mann und Frau – eine kurze Antwort auf Ina Praetorius, Neue Wege, 88. Jg., 2/1994, 66f.

Kuschel, K.-J.: Schöpfungslob im Zeitalter der erschöpften Schöpfung? in: Kirche und Kunst 4/1990, 196–200.

La Chapelle, D.: Weisheit der Erde. Eine spirituelle Ökologie, Saarbrücken 1990.
Lange, D.: Ethik in evangelischer Perspektive, Göttingen 1992.
Lantermann, E./Döring-Seipel, E.: Umwelt und Werte, in: Kruse, L. et al: Ökologische Psychologie, München 1990, 632–639.
Laszlo, E.: Evolution. Die neue Synthese. Wege in die Zukunft, Club of Rome Information Series 3, Wien 1987.
Lattmann, C. (Hg.): Ethik und Unternehmensführung, Heidelberg 1988.
Leatherman, St.: Impact of Climate-Induced Sea Level Rise on Coastal Areas, Vortrag auf der l. Konferenz des Global Greenhouse Network, Washington Okt. 1988 (Manuskript).
Leben und volle Genüge für alle. Der christliche Glaube und die heutige Weltwirtschaft. Ein Studiendokument des Ökumenischen Rates der Kirchen, verabschiedet vom Zentralausschuß im Aug. 1992.
Lehmann, P.: Ethik als Antwort. Methodik einer Koinonia-Ethik, München 1963.
Leisinger, K. M.: Gentechnologie für Entwicklungsländer – Chancen und Risiken, in: Chimia 43 (1989), 77–86.
Leimbacher, J.: Die Rechte der Natur, Basel 1988.
Leimbacher, J.: Rechte der Natur, Reformatio Okt. 1987, 348–356.
Leimgruber, St./Schoch, M. (Hg.): Gegen die Gottvergessenheit. Schweizer Theologen im 19. und 20. Jahrhundert, Freiburg 1990.
Leipert, C.: Unzulänglichkeiten des Sozialprodukts in seiner Eigenschaft als Wohlstandsmaß, Tübingen 1975.
Leipert. Ch.: Die heimlichen Kosten des Fortschritts, Frankfurt 1989.
Lejeune, Ch.: Les oiseaux et les lis. Lecture ‚écologique' de Matthieu 6,25–34, Manuskript für die Assemblée générale de la commission nationale pour l'oecuménisme, Tournai/Brüssel 1988.
Leu, U.: Conrad Gesner als Theologe, Bern 1990.
Leuenberger, Th.: Weltethos und Weltwirtschaft, Zeitschrift für Kulturaustausch, 43. Jg, 1/1993, 67–70.
Leuthold Ch.: Die Erdatmosphäre – „Haut" eines lebenden Organismus?, Kirchenbote für den Kanton Zürich Nr.9, 24. April 1989, 5f.
Liedke, G.: Die Zukunft der Schöpfung (Jes 65,17–25), in: Frieden in Gerechtigkeit für die ganze Schöpfung. Drei Bibelarbeiten von der Europäischen Ökumenischen Konfernez in Basel 1989, hg. von der Ökumenischen Arbeitsgemeinschaft Kirche und Umwelt, Bern 1989, 1–21.
Liedke, G.: Im Bauch des Fisches, Ökologische Theologie, Stuttgart 1979.
Lienemann, W.: Gewalt und Gewaltverzicht. Studien zur abendländischen Vorgeschichte der gegenwärtigen Wahrnehmung von Gewalt, München 1982.
Link, Ch.: Die Transparenz der Natur für das Geheimnis der Schöpfung, in: Altner, G. (Hg.): Ökologische Theologie, Stuttgart 1989, 166–195.
Link, Ch.: Die Welt als Gleichnis, München 1982[2].
Link, Ch.: Rechte der Schöpfung – Theologische Perspektiven, in: Vischer L. (Hg.): Rechte künftiger Generationen. Rechte der Natur, Bern 1990, 48–60.
Link, Ch.: Schöpfung, Bd. 1 Schöpfungstheologie in reformatorischer Tradition, Bd. 2 Schöpfungstheologie angesichts der Herausforderungen des 20. Jahrhunderts, Gütersloh 1991.
Link, Ch.: Überlegungen zum Problem der Norm in der theologischen Ethik, ZEE 22 (1978), 188–199.
Lips, H. von: Weisheitliche Traditionen im Neuen Testament, Neukirchen-Vluyn 1990.
Locher, G.W.: Streit unter Gästen, Theologische Studien 110, Zollikon 1972.
Lochbühler, W.: Christliche Umweltethik, Bern 1995.
Lochman, J. M./Moltmann, J. (Hg.): Gottes Recht und Menschenrechte. Studien und Empfehlungen des Reformierten Weltbundes, Neukirchen 1977[2].
Lochman, J. M.: Reich, Kraft und Herrlichkeit. Der Lebensbezug von Glauben und Bekennen, München 1981.
Lógstrup, K.: Schöpfung und Vernichtung, Tübingen 1990.
Lorenz, S.: Art. Physikotheologie, in: Hist. Wörterbuch der Philosophie, Bd. 7, Basel 1989, 948–55.

Lovelock, J. E.: Gaia: A New Look at Life on Earth, New York 1979; ders.: The Ages of Gaia: A Biography of Our Living Earth, New York 1988.

Lovelock, J. E.:: Gaia and the Balance of Nature, in: Bourdeau, Ph. et al: Environmental Ethics. Man's Relationship with Nature. Interactions with Science, Commission of the European Communities, Brüssel 1989, 241–252.

Lücker, M. (Hg.): Den Frieden tun. Die 3. Weltversammlung der Religionen für den Frieden, Freiburg 1980.

Luhmann, N.: Ökologische Kommunikation, Opladen 1986.

Luther, M.: Werke, Weimarer Ausgabe WA.

Lutsenburg Maas, A. van: A Guest among Guests, New York 1987.

Lutz, U.: Das Evangelium nach Matthäus (Mt 1–7), EKK Bd. I/1, Zürich/Neukirchen-Vluyn 1985.

Machovec, M.: Die Rückkehr zur Weisheit. Philosophie angesichts des Abgrunds, Stuttgart 1988.

MacIntyre, A.: Der Verlust der Tugend. Zur moralischen Krise der Gegenwart, Frankfurt/M. 1987

Mandeville, B.: Die Bienenfabel oder Private Laster, Öffentliche Vorteile. Einleitung von W. Euchner, Frankfurt 1968 (1. Aufl. 1714).

Manifest von Manila. Schlußpapier des Internationalen Missionskongresses des Lausanner Komitees für Weltevangelisation in Manila, hg. von idea Schweiz, Luzern 1989.

Mantzaridis, G.: Perspectives orthodoxes sur la crise écologique, Orthodoxes Forum 7/1993, 105–108.

Margalef, R.: Is there a ‚Balance of Nature'?, in: Bouredau, Ph. et al (ed.): Environmental Ethics, Brüssel 1990, 225–232.

Märke, E.: Feminismus, Ökologie und Entwicklung, Widerspruch Nr. 22/1991, 77–82.

Markl, H.: Evolution und Freiheit. Das schöpferische Leben, in: Maier-Leibnitz, H. v. (Hg.): Zeugen des Wissens, Mainz 1986, 433–466.

Marschall, D. R.: The Advantages und Hazards of Genetic Homogeneity, Annuals New York Academy of Sciences, 1977.

Marti, K.: O Gott! Essays und Meditationen, Stuttgart 1986.

Mattmüller, M.: Leonhard Ragaz als ökologischer Theologe, in: Dürr. H./Ramsein Ch.: Basileia. Festschrift für Eduard Buess, Basel 1993.

Maurer, W.: Luthers Lehre von den drei Hierarchien und ihr mittelalterlicher Hintergrund, 1970

Mayer-Tasch, P. C.: Recht auf bürgerlichen Ungehorsam?, in: Amery, C. et al: Energie-Politik ohne Basis, Frankfurt 1979, 40–45.

Mayer-Tasch, P. C.: Widerstandsrecht und Widerstandspflicht im Zeichen der sozioökologischen Krise, in: Saladin, P./Sitter, B. (Hg.) Widerstand im Rechtsstaat, Freiburg 1988, 29–43.

McGrath, A.: Johann Calvin. Eine Biographie, Zürich 1991.

Meadows, D. und D./Randers J.: Die neuen Grenzen des Wachstums. Die Lage der Menschheit: Bedrohung und Zukunftschancen, Stuttgart 1992.

Meadows, D.: Die Grenzen des Wachstums. Bericht des Club of Rome zur Lage der Menschheit, Stuttgart 1972.

Mensch sein im Ganzen der Schöpfung. Ein ökologisches Memorandum im Auftrag und zuhanden der Arbeitsgemeinschaft Christlicher Kirchen in der Schweiz, verfaßt von P. Hafner, E. Meili, H. Ruh, P. Siber, Ch. Stückelberger, L. Vischer, E. Wirth, in: Bischofberger, O./Stükkelberger, Ch. et al: Umweltverantwortung aus religiöser Sicht, Zürich/Freiburg 1988, 123–150.

Menschenrechte. Der Auftrag der Christen für ihre Verwirklichung. Ein Werkbuch für Kirche und Unterricht, hg. von der Menschenrechtskommission des Schweiz. Evang. Kirchenbundes und der Schweiz. Nationalkommission Justitia et Pax, Bern-Stuttgart 1986.

Merchant, C.: Der Tod der Natur, München 1987.

Meyer, W.: Erwartungen und Verhalten deutscher Ferntouristen. Erste Ergebnisse einer psychologischen Untersuchung, in: Fertourismus, hg. vom Studienkreis für Tourismus, Starnberg 1974.

Meyer-Abich, A.: Naturphilosophie auf neuen Wegen, Stuttgart 1948.

Meyer-Abich, K. M.: Aufstand für die Natur. Von der Umwelt zur Mitwelt, München 1990.
Meyer-Abich, K. M.: Der Holismus im 20. Jahrhundert, in: Böhme, G. (Hg.): Klassiker der Naturphilosophie, München 1989, 313–329.
Meyer-Abich, K. M.: Natur und Geschichte, in: Christlicher Glaube in moderner Geselllschaft, Bd. 3, Freiburg 1981, 159–202.
Meyer-Abich, K. M.: Philosophie der Ganzheit, in Thomas, Ch. (Hg.): „Auf der Suche nach dem ganzheitlichen Augenblick". Der Aspekt Ganzheit in den Wissenschaften, Zürich 1992, 205–223.
Meyer-Abich, K. M.: Von der Wohlstandsgesellschaft zur Risikogesellschaft. Die gesellschaftliche Bewertung industriewirtschaftlicher Risiken, in: Aus Politik und Zeitgeschichte. Beilage der Wochenzeitung Das Parlament 36/1989, 31–42.
Meyer-Abich, K. M.: Wege zum Frieden mit der Natur, München 1984.
Meyer-Abich, K. M.: Wissenschaft für die Zukunft. Holistisches Denken in ökologischer und gesellschaftlicher Verantwortung, München 1988.
Meyer-Faye, A./Ulrich, P. (Hg.): Der andere Adam Smith. Beiträge zur Neubestimmung von Ökonomie als Politischer Ökonomie, Bern 1991.
Mies, M.: Nicht Überbevölkerung – Konsumismus im Norden ist das Problem, in: Brot für alle/Erklärung von Bern/Fastenopfer (Hg.): Wenig Kinder – viel Konsum? Stimmen zur Bevölkerungsfrage von Frauen aus dem Süden und Norden, Bern 1994, 48–55.
Mieth, D.: Dichtung, Glaube und Moral. Studien zur Begründung einer narrativen Ethik, Mainz 1976
Mieth, D.: Die neuen Tugenden. Ein ethischer Entwurf, Düsseldorf 1984; ders.: Wiederbelebung und Wandel der Tugenden, in: Braun, H. J. (Hg.): Ethische Perspektiven: „Wandel der Tugenden", Zürich 1989, 5–23.
Mieth, D.: Moral und Erfahrung, Freiburg 1977.
Mieth, D.: Norm und Erfahrung. Die Relevanz der Erfahrung für die ethische Theorie und die sittliche Praxis, ZEE 37/1993, 33–45.
Mindell, A.: Das Jahr eins. Ansätze zur Heilung unseres Planeten. Globale Prozeßarbeit, Olten 1991.
Mit der Schöpfung danken, leiden, hoffen. Anregungen zum Erntedank, Bern 1990.
Mittelstrass, J. (Hg): Enzyklopädie Philosophie und Wissenschaftstheorie, 3 Bände, Mannheim 1984.
Mohr, H.: Art. Evolutionäre Ethik, in: Stoeckle, B. (Hg.): Wörterbuch der ökologischen Ethik, Freiburg 1986, 52–56.
Mohr, H.: Natur und Moral. Ethik in der Biologie, Darmstadt 1987.
Moltmann, J./Giesser, E.: Menschenrechte, Rechte der Menschheit und Rechte der Natur, in: Vischer, L. (Hg.): Rechte künftiger Generationen, Rechte der Natur. Vorschlag zu einer Erweiterung der Allgemeinen Erklärung der Menschenrechte, Bern 1990, 15–25.
Moltmann, J.: Der Geist des Lebens. Eine ganzheitliche Pneumatologie, München 1991.
Moltmann, J.: Der gekreuzigte Gott, München 1972.
Moltmann, J.: Der Weg Jesu Christi. Christologie in messianischen Dimensionen, München 1989.
Moltmann, J.: Die ersten Freigelassenen der Schöpfung. Versuche über die Freude an der Freiheit und das Wohlgefallen am Spiel, München 1981[6].
Moltmann, J.: Gerechtigkeit schafft Zukunft. Friedenspolitik und Schöpfungsethik in einer bedrohten Welt, München/Mainz 1989.
Moltmann, J.: Gott in der Schöpfung. Ökologische Schöpfungslehre, München 1985.
Moltmann, J.: Kirche in der Kraft des Geistes. Ein Beitrag zur messianischen Ekklesiologie, München 1975.
Moltmann, J.: Menschenbild zwischen Evolution und Schöpfung, in: Altner, G. (Hg.): Ökologische Theologie, Stuttgart 1989, 196–212.
Moltmann, J.: Theologische Erklärung zu den Menschenrechten, in: Lochman, J. M./Moltmann, J. (Hg.): Gottes Recht und Menschenrechte, Neuikirchen 1977[2], 44–60.
Moltmann, J.: Trinität und Reich Gottes, München 1980.
Moltmann, J.: Zukunft der Schöpfung, München 1977.

Moltmann-Wendel, E.: Art. Ganzheit, Wörterbuch der feministischen Theologie, Gütersloh 1991, 136–142.
Moltmann-Wendel, E.: Gottes Lust an uns, Schritte ins Offene Nr. 6/1992, 13–17.
Moltmann-Wendel, E.: Wenn Gott und Körper sich begegnen, Gütersloh 1989.
Monod, J.: Zufall und Notwendigkeit. Philosophische Fragen der modernen Biologie, München 1971.
Moser, P.: Schweizerische Wirtschaftspolitik im internationalen Wettbewerb. Eine ordnungspolitische Analyse, Zürich 1991.
Mosler, H.-J.: Selbstorganisation von umweltgerechtem Handeln: Der Einfluß von Vertrauensbildung auf die Ressourcennutzung in einem Umweltspiel, Zürich 1990 (Diss., hektographiert)
Mostert, W.: Leben und Überleben als Thema der Eschatologie, in: Weder, H.: Gerechtigkeit, Friede, Bewahrung der Schöpfung, Zürich 1990, 123–138.
Müller, A. M. K.: Die präparierte Zeit, München 1971.
Müller, H.-P. (Hg.): Wissen als Verantwortung, Stuttgart 1991.
Müller, J.: Sagen aus Uri, Bonn 1978.
Muller, R.: Die Neuerschaffung der Welt. Auf dem Weg zu einer globalen Spiritualität, München 1985.
Müller-Fahrenholz, G.: Erwecke die Welt. Unser Glaube an Gottes Geist in dieser bedrohten Zeit, Gütersloh 1993.
Münk, H.J.: Umweltkrise – Folge und Erbe des Christentums? Historisch-systematische Überlegungen zu einer umstrittenen These im Vorfeld ökologischer Ethik, in: Jahrbuch für christliche Sozialwissenschaften 28 (1987), 133–206.
Mützenberg, G.: L'éthique sociale dans l'histoire du mouvement oecuménique, Genf 1992.

Nachhaltige Schweiz, Zürich 1996.
Nachhaltiges Deutschland, Bonn 1995.
Nadolny, S.: Die Entdeckung der Langsamkeit, München 1983.
Naess, A.: Basic Principles of Deep Ecology, in: Devall, B./Sessions, G. (eds.): Deep Ecology, Salt Lake City 1985, 69–76.
Naess, A.: Ecology, Community and Lifestyle: Ecosophy, Cambridge/Engl. 1987.
Nash, R. F.: The Rights of Nature. A History of Environmental Ethics, Madison, Wisconsin 1989.
Nasseef, A. O.: The Muslim Declaration on Nature, The Assisi Declaration 1986.
Neidhart, W./Ott, H.: Krone der Schöpfung? Humanwissenschaften und Theologie, Stuttgart 1977.
Neu-Delhi 1961. Dokumentarbericht über die Dritte Vollversammlung des Ökumenischen Rates der Kirchen, Stuttgart 1962.
Niebuhr, R.: The Responsible Self, New York 1978[2].
Niemann, P.: Ein Ansatz zur Bewertung von Ackerunkrautarten, in: Auswirkungen von Ackerschonstreifen. Mitteilungen aus der biologischen Bundesanstalt für Land- und Forstwirtschaft Berlin-Dahlem, Heft 247, 1988, 124ff.
Nietzsche, F.: Die fröhliche Wissenschaft, München 1973.
Nietzsche, F.: Sämtliche Werke in zwölf Bänden (Ausgabe Kröner), Stuttgart 1964f.
Nikolaus von Kues: Schriften. In deutscher Übersetzung, München 1977ff.
Norton, B.: Commodity, Amenity, and Morality: The Limits of Quantification in Valuing Biodiversity, in: Wilson, E./Peter, F.: Biodiversity, Washington 1988, 200–205.
Noth, M.: Überlieferungsgeschichte des Pentateuch, Stuttgart 1948.

OECD: Recent Development in the Use of Economic Instruments, Environment Monographs Nr. 41, Paris 1991.
Oechsle, M.: Der ökologische Naturalismus. Zum Verhältnis von Natur und Gesellschaft im ökologischen Diskurs, Frankfurt a.M. 1988.
Oekumenische Arbeitsgemeinschaft Kirche und Umwelt der Schweiz OeKU: Die Haut der Erde retten. Aktion zum Schutz der Erdatmosphäre, Bern 1990.

Oelmüller, W. (Hg.): Leiden, Paderborn 1986.
Oeser, K./Beckers J. H. (Hg.) Fluglärm. Ein Kompendium für Betroffene, Karlsruhe 1987.
Ökumene-Lexikon. Kirchen. Religionen. Bewegungen, Frankfurt a.M. 1983.
Orthodox Perspectives of Creation, Genf 1987 (Bericht einer Konsultation 1987 in Bulgarien.
Ott, G.: Perspektiven der Weltenergieversorgung und insbesondere die Aussichten der Kohle, Studiengruppe Energieperspektiven, Baden/CH, Dok. Nr.49/1991.
Ott, H./Neidhart, W.: Krone der Schöpfung? Humanwissenschaften und Theologie, Stuttgart 1977.
Ott, H.: Die Antwort des Glaubens. Systematische Theologie in 50 Artikeln, Stuttgart 1972.
Ottmann, H.: Art. Maß als ethischer Begriff, Historisches Wörterbuch der Philosophie Bd. 5, Basel 1980, Sp. 807–814.
Ovsyannikov, V.: Spiritual Dimensions of the Global Energy Issues, Journal of the Moscow Patriarchate 2/91, 58f.

Pachlatko, Ch.: Wertfragen im Management der Versicherung. Zur Rolle der Versicherung in der Wohlstandsgesellschaft, St. Gallen 1988.
Pannenberg, W.: Ethik und Ekklesiologie. Gesammelte Aufsätze, Göttingen 1977.
Pannenberg, W.: Glaube und Wirklichkeit, München 1976.
Pannenberg, W.: Schöpfungstheologie und moderne Naturwissenschaft, in: Gottes Zukunft – Zukunft der Welt (Festschrift J. Moltmann), München 1987, 276–291.
Pannenberg, W.: Systematische Theologie, Bd. 2, Göttingen 1991.
Panofsky, E.: Die Entwicklung der Proportionslehre als Abbild der Stilentwicklung, in: ders.: Aufsätze zu Grundfragen der Kunstwissenschaft, Berlin 1985, 169–204.
Papaderos, A.: Makro-Diakonia – ein Auftrag für das Volk Gottes in unserer Zeit, Una Sancta 42 (1987), 69–73.
Papaderos, A.: Ökumenische Diakonie – eine Option für das Leben, Beiheft zur Ökumenischen Rundschau 57 (1988), 104ff.
Pater, S.: Das grüne Gewissen Brasiliens: José Lutzenberger, Göttingen 1989.
Patzig, G.: Der wissenschaftliche Tierversuch unter ethischen Aspekten, in: Hardegg, W./Preiser, G. (Hg.): Tierversuche und medizinische Ethik, Hildesheim 1986, 80f.
Patzig, G.: Ökologische Ethik – innerhalb der Grenzen der bloßen Vernunft, Göttingen 1983.
Pechmann, A. v.: Die Kategorie des Maßes in Hegels „Wissenschaft der Logik“, Köln 1980.
Penn, W.: An Essay Towards the Present and Future Peace of Europe, London 1693 (faksimile Hildesheim/Zürich 1983).
Peter, H.-B./Roulin, A./Schmid, D./Villet, M.: Kreative Entschuldung. Diskussionsbeiträge 30 des Instituts für Sozialethik des Schweiz. Evang. Kirchenbundes, Bern 1990.
Peter, H.-B.: Bevölkerungswachstum kontra nachhaltige Entwicklung? Sozialethische Erwägungen aus protestantischer Sicht, ISE-Texte 12/94, Bern 1994.
Peter, H.-B.: Freiheit und Verantwortung in der Wissenschaft. Bericht und Kommentar zu einem Kolloquium der vier schweiz. wissenschaftlichen Akademien, Beiheft zum Mitteilungsblatt der vier schweiz. wiss. Akademien, 1/1990.
Peters, A.: Ein Kirschbaum kann uns wohl Mores lehren. Luthers Bild der Natur, in: Frieden in der Schöpfung. Das Naturverständnis protestantischer Theologie, hg. von G. Rau et al Hg.), Gütersloh 1987, 142–163
Pfister, Ch. (Hrsg.): Das 1950er Syndrom, Bern 1994.
Pfriem, R.: Das Ökologieproblem als Gegenstand einer möglichen Unternehmensethik, in: Seifert, E. K./Pfriem, R. (Hg.): Wirtschaftsethik und ökologische Wirtschaftsforschung, Bern 1989, 111–128.
Picht, G.: Der Begriff der Natur und seine Geschichte, Stuttgart 1989.
Picht, G.: Zum Begriff des Maßes, in: Eisenbart C.(Hg.): Humanökologie und Frieden, Heidelberg 1979.
Picht, G.: Zum philosophischen Begriff der Ethik, ZEE 22 (1978), 243–261.
Pieper, J.: Zucht und Maß. Über die vierte Kardinaltugend, München 1939 (1964[9]).
Plant, J. (ed.): Healing our Wounds: The Power of Ecological Feminism, Boston 1989.
Poli, C./Timmermann, P. (ed.): L'Etica nelle politiche ambientali, Padua 1992.

Power Bratton, S.: Six Billion and More: Human Population Regulation and Christian Ethics, John Knox/Westminster Press 1992.

Praetorius, I. et al: Art. Schöpfung/Ökologie, in: Wörterbuch der feministischen Theologie, hg. von E. Gössmann et al, Gütersloh 1991, 354–360.

Praetorius, I./Schiele, B.: Art. Moral/Ethik in: Wörterbuch der feministischen Theologie, hg. von E. Gössmann et al, Gütersloh 1991, 289–296.

Praetorius, I.: „Der Mensch" als Maß? Eine Auseinandersetzung mit Hans Küngs „Projekt Weltethos", Neue Wege, 87. Jg., 12/1993, 344–353.

Preuß, H. D.: Einführung in die alttestamentliche Weisheitsliteratur, Stuttgart 1987.

Priddat, B. P./Seifert, E. K.: Gerechtigkeit und Klugheit – Spuren aristotelischen Denkens in der modernen Ökonomie, in: Biervert, B./Held, M. (Hg.): Ökonomische Theorie und Ethik, Frankfurt 1987, 51–77.

Prigogine, I./Stengers, I.: Dialog mit der Natur. Neue Wege naturwissenschaftlichen Denkens, München 1981.

Primas, H.: Die Einheit der Wissenschaften: Ein gebrochener Mythos, in: Thomas, Ch. (Hg.): Auf der Suche nach dem ganzheitlichen Augenblick. Der Aspekt Ganzheit in den Wissenschaften, Zürich 1992, 267–271.

Primas, H.: Umdenken in der Naturwissenschaft. Gaia 1 (1992), 5–15.

Primavesi, A.: From Apocalypse to Genesis. Ecology, Feminism and Christianity, Turnbridge Wells 1991.

Raab-Straube, A. von: Erleben wir das Jahr 2000? Apokalyptik als Chance, Olten 1986.

Radtke, Ch.: Von Stockholm nach Rio. Ein Überblick über die internationale Öko-Debatte vor der UN-Konferenz für Umwelt und Entwicklung UNCED 1992, in: Widerspruch 11 (1991), Nr. 22, 63–76.

Ragaz, L.: Autobiographie: Mein Weg, 2 Bände, Zürich 1952.

Ragaz, L.: Der Kampf um das Reich Gottes in Blumhardt, Vater und Sohn – und weiter!, Zürich 1922.

Ragaz, L.: Die Bibel – eine Deutung. Neuauflage der siebenbändigen Originalausgabe in vier Bänden, Fribourg/Brig 1990.

Ragaz, L.: Die Botschaft vom Reich Gottes, Bern 1942.

Raiser. K.: Ökumene im Übergang. Paradigmenwechsel in der ökumenischen Bewegung?, München 1989.

Raphael, D. D.:Adam Smith, Frankfurt 1991.

Rapp, F. (Hg.): Naturverständnis und Naturbeherrschung, München 1981.

Rau, G. et al Hg.): Frieden in der Schöpfung. Das Naturverständnis protestantischer Theologie, Gütersloh 1987.

Rawls, J.: Eine Theorie der Gerechtigkeit, Frankfurt a.M. 1979.

Rèmond-Gouilloud, M.: Du droit de détruire: essai sur le droit de l'environnement, Paris 1989.

Recktenwald, H. C.: Ethik, Wirtschaft und Staat. Adam Smiths politische Ökonomie heute, Darmstadt 1985.

Regan, T.: The Case for Animal Rights, Los Angeles 1983.

Reich, K.: Religiöse und naturwissenschaftliche Weltbilder: Entwicklung einer komplementären Betrachtungsweise in der Adoleszenz, Unterrichtswissenschaft 15 (1987), 332–343.

Reichert, D./Zierhofer, W.: Umwelt zur Sprache bringen, Zürich 1992.

Remmert, H.: Ökologie. Ein Lehrbuch, 1989[4].

Rendtorff, T.: Ethik Bd. 1, Stuttgart 1980, Bd. 2 1981.

Rendtorff, T.: Nehmt euch Zeit, in: Das Ende der Geduld. C. F. von Weizsäckers „Die Zeit drängt" in der Diskussion, München 1987, 25–34.

Rendttorff, T.: Kirche und Theologie. Die systematische Funktion des Kirchenbegriffs in der neueren Theologie, Gütersloh 1966.

Renn, O./Webler, Th.: Anticipating Conflicts: Public Participation in Managing the Solid Waste Crisis, Gaia 1 (1992), Nr. 2, 84–94.

Rhinow, R.: Widerstandsrecht im Rechtsstaat?, Bern 1984.

Rich, A.: Christliche Existenz in der industriellen Welt, Zürich 1964.

Rich, A.: Die Anfänge der Theologie Huldrych Zwinglis, Zürich 1949.
Rich, A.: Die institutionelle Ordnung der Gesellschaft als sozialethisches Problem, ZEE 4 (1960), 233–244.
Rich, A.: Leonhard Ragaz, in: Schultz, J (Hg.): Tendenzen der Theologie im 20. Jahrhundert, Stuttgart 1966, 109–113.
Rich, A.: Marktwirtschaft – Möglichkeiten und Grenzen, ZeitSchrift/Reformatio 41 (1992), Nr.4, 260–272.
Rich, A.: Wirtschaftsethik Bd.1, Gütersloh 1984.
Rich, A.: Wirtschaftsethik, Bd. 2. Marktwirtschaft, Planwirtschaft, Weltwirtschaft aus sozialethischer Sicht, Gütersloh 1990.
Richter, H.E.: Der Gotteskomplex, Hamburg 1979.
Rieser, E.: Sehnsucht nach Überfluß. Auf der Suche nach dem menschlichen Maß, Teil 3, Kirchenbote für den Kanton Zürich 17/1990, 4.
Rifkin, J.: Entropy: Into the Greenhouse World, New York 1989.
Rifkin, J.: Uhrwerk Universum. Die Zeit als Grundkonflikt des Menschen, München 1988.
Ringeling, H.: Christliche Ethik im Dialog, Freiburg 1991.
Ringeling, H.: Christliche Ethik im Dialog. Beiträge zur Fundamental- und Lebensethik II, Freiburg 1991.
Rinpoche, L. N.: The Buddhist Declaration on Nature, The Assisi Declaration 1986.
Rio-Erklärung über Umwelt und Entwicklung der Unced-Konferenz vom Juni 1992.
Rock, M.: Theologie der Natur und ihre anthropologisch-ethischen Konsequenzen, in: Birnbacher, D. (Hg.): Ökologie und Ethik, Stuttgart 1980, 72–102.
Rohls, J.: Geschichte der Ethik, Tübingen 1991.
Roloff, J.: Zur diakonischen Dimension und Bedeutung von Gottesdienst und Abendmahl, in: ders.: Exegetische Verantwortung in der Kirche, Göttingen 1990, 172–200.
Rolston, H.: Environmental Ethics. Duties to and Values in the Natural World, Philadelphia 1988.
Rolston, H.: Environmental Ethics: Values in and Duties to the Natural World, in: Bormann, F. H./Kellert, S. R. (eds.): Ecology, Economics, Ethics. The Broken Circle, New Haven/London 1991, 73–96.
Rotzetter, A.: Leidenschaft für Gottes Welt. Aspekte einer zeitgemäßen Spiritualität, Zürich 1988.
Rotzetter, A.: Neue Innerlichkeit. Reihe Unterscheidung. Christliche Orientierung im religiösen Pluralismus, Mainz 1992.
Rücker, H.: Art. Maß als ästhetischer Begriff, Historisches Wörterbuch der Philosophie, Bd. 5, Basel 1980, Sp. 814–822.
Ruether, R. R.: Sexismus und die Rede von Gott. Schritte zu einer andern Theologie, Gütersloh 1985.
Ruether, R. R.: Unsere Wunden heilen, unsere Befreiung feiern. Rituale in der Frauenkirche, Stuttgart 1988.
Ruether, R.: Gaia und Gott. Eine ökofeministische Theologie der Heilung der Erde, Luzern 1994.
Ruh, H.: Anders, aber besser. Die Arbeit neu erfunden – für eine solidarische und überlebensfähige Welt, Frauenfeld 1995.
Ruh, H.: Argument Ethik. Orientierung für die Praxis in Ökologie, Medizin, Wirtschaft, Politik, Zürich 1991.
Ruh, H.: Freiheit und Begrenzung für den Zugriff zum Leben, in: Grenzen der Eingriffe in das menschliche Leben und die Umwelt, Wissenschaftspolitik, hg. vom Schweiz. Wissenschaftsrat, Beiheft 33/1986, 20–33.
Ruh, H.: Gerechtigkeitstheorien, in: Wildermuth, A./Jäger, A. (Hg.): Gerechtigkeit. Themen der Sozialethik, Tübingen 1981, 55–69.
Ruh, H.: Modell einer neuen Zeiteinteilung für das Tätigsein des Menschen. Strategien zur Überwindung der Arbeitslosigkeit, in: Würgler, H. (Hg.): Arbeitszeit und Arbeitslosigkeit, Zürich 1994, 135–153.
Ruh, H.: Probleme mit dem Weltethos aus evangelischer Sicht, Zeitschrift für Kulturaustausch, 43. Jg, 1/1993, 23–26.
Ruh, H.: Sozialethischer Auftrag und Gestalt der Kirche, Zürich 1971.

Ruh, H.: Tierrechte – neue Fragen der Tierethik, in: ders.: Argument Ethik, Zürich 1991, 90–123, auch in ZEE 33 (1989), 59–71.

Ruh, H.: Wandel im christlichen Tugendverständnis, in: Braun, H.J.: Ethische Perspektiven: Wandel der Tugenden, Zürich 1989, 71–81.

Ruh, H.: Widerstand im Rechtsstaat – pragmatische Strategien in ethischen Perspektiven, in: Saladin, P./Sitter, B. (Hg.): Widerstand im Rechtsstaat, Freiburg 1988, 277–284.

Ruh, H.: Zur Frage nach der Begründung des Naturschutzes, ZEE 31 (1987), 125–133.

Ruh, H.: Zwölf Thesen zur Bedeutung der Artenvielfalt im Rahmen einer ökologischen Ethik, Gaia 1 (1992), 246.

Runge, H.C.: Langfristige Perspektiven der Erdölversorgung und -nutzung, Dokumentation Nr. 41 der Studiengruppe Energieperspektiven, Baden 1989.

Rust, A.: Ist ein normativer Naturbegriff möglich? In: Ökologie. Unizürich. Informationsblatt der Universität Zürich 2/1990, 14–17.

Saint-Pierre, A.: La vertu chrétienne de tempérance dans la vie religieuse, Montreal 1951.

Saladin, P./Sitter, B. (Hg.): Widerstand im Rechtsstaat, Freiburg 1988.

Saladin, P./Zenger, Ch.: Rechte künftiger Generationen, Basel 1988.

Saladin, P.: Menschenrechte und Menschenpflichten, in: Böckenförde, E./Spaemann, R. (Hg.): Menschenrechte und Menschenwürde, Stuttgart 1987.

Saladin, P.: Rechte künftiger Generationen, in: Vischer, L., Rechte künftiger Generationen. Rechte der Natur, Bern 1990, 26–34.

Saladin, P.: Should Society Make Laws Governing Scientific Research?, in: Shea, W./Sitter, B (eds.): Scientists and their Responsibility, Nantucket/MA, USA 1989.

Sale, K.: Dwellers in the Land: The Bioregional Vision, San Franzisco 1985.

Salleh, A.: The Ecofeminism/Deep Ecology Debate: A Reply to Patriarchal Reason, Environmental Ethics 14 (1992), 195–216.

Santa Ana, J. de: Gute Nachricht für die Armen. Die Herausforderung der Armen in der Geschichte der Kirche, Wuppertal 1979.

Sayre, K.: An Alternative View of Environmental Ethics, in: Environmental Ethics 13 (1991), 195–213.

Schaefer, M./Tischler, W.: Ökologie (Wörterbuch der Biologie), Stuttgart 1983.

Schäfer, L.: Kants Metaphysik der Natur, Berlin 1966.

Schäfer, O.: L'experimentation sur les animaux vivants. Problème d'éthique chrétienne, Manuskript, Straßbourg 1981.

Schäfer-Guignier, O.: Et demain la terre … Christianisme et écologie, Genf 1990.

Schäfer-Guignier, O.: Ethique de la création et diaconie écologique, Foi et Vie 87 (1988), 3–30.

Schäfer-Guignier, O.: Habiter la création, Bulletin du Centre Protestant d'Etudes No. 3 4, Genf 1987.

Schärli, B.: Bedrohter Morgen. Kind, Umwelt und Kultur, Zürich 1992.

Scheffczyk, L. (Hg.): Der Mensch als Bild Gottes, Darmstadt 1969.

Schefold, K.: Ekstase, Maß und Askese in der griechischen Kultur, in: Bremi, W. et al: Ekstase, Maß und Askese als Kulturfaktoren, Basel 1967, 91–106.

Schell, J.: Das Schicksal der Erde. Gefahr und Folgen eines Atomkrieges, München 1982^5.

Scherer, G.: Welt – Natur oder Schöpfung?, Darmstadt 1990.

Scheuchzer, J. J.: Jobi Physica sacra Oder Hiobs Natur-Wissenschaft verglichen mit der Heutigen, Zürich 1721.

Schiesser, W.: Die ökologische Herausforderung. Bescheidenheit als Chance, Zürich 1990.

Schilling, H.: Das Ethos der Mesotes, Tübingen 1930.

Schipperges, H.: Paracelsus, in: Böhme, G. (Hg.): Klassiker der Naturphilosophie, München 1989, 99–116.

Schiwy, G. ders.: Der kosmische Christus. Spuren Gottes ins neue Zeitalter, München 1990.

Schiwy, G.: Der Gott der Evolution. Der kosmische Christus im Werk von Teilhard de Chardin, in: Bresch, C. et al: Kann man Gott aus der Natur erkennen?, Freiburg 1990, 102–116.

Schleiermacher, F.: Die christliche Sitte nach den Grundsätzen der evangelischen Kirche im Zusammenhang dargestellt (1832).

Schleiermacher, F.: Ethik, hg. von H.-J. Birkner, Hamburg 1981 (1812/13).

Schlitt, M.: Umweltethik. Philosophisch-ethische Reflexionen – theologische Grundlagen – Kriterien, Paderborn 1992.

Schmalstieg, D. O.: Aussteigen und sich selbst bewegen. Mobilität. Auto-Befreiung. Ethik, Genf 1990.

Schmid, G.: Der Bodhisattva als Mensch der Zukunft? Zur Aktualität eines Leitbildes der Selbstlosigkeit im religiösen Aufbruch der Gegenwart, in: Braun, H.-J. (Hg.): Ethische Perspektiven: ‚Wandel der Tugenden', Zürich 1989, 315–328.

Schmid, H. H. (Hg.): Mythos und Rationalität. Sammelband der Vorträge des VI. Europäischen Theologenkongresses 1987 in Wien, Gütersloh 1988.

Schmid, H. H.: Gerechtigkeit als Weltordnung, Tübingen 1968.

Schmid, H. H.: Interdisziplinarität der Wissenschaften, in: Ökologie. Unizürich. Informationsblatt der Universität Zürich 2/1990, 10f.

Schmid, H. H.: schalôm. „Frieden" im Alten Orient und im Alten Testament, Stuttgart 1971.

Schmid-Ammann, P.: Die Natur im religiösen Denken von Leonhard Ragaz, Zürich 1973.

Schmidbauer, W.: Alles oder nichts. Über die Destruktivität von Idealen, Reinbek 1980.

Schmidheiny, S.: Die unternehmerische Mission im Konzept des dauerhaften Wachstums, in: Klimaänderung. Umwelttag am 26. Juni 1990 der Eidg. Tech. Hochschule Zürich, hg. vom Forum für Umweltfragen der ETH Zürich, 18–37.

Schmidheiny, St. mit dem Business Council for Sustainable Development: Kurswechsel. Globale unternehmerische Perspektiven für Entwicklung und Umwelt, München 1992.

Schmidt, H. P.: Schalom: die hebräisch-christliche Provokation, in: Bahr, H.-E. (Hg.): Weltfrieden und Revolution, Frankfurt a.M. 1970, 131–167.

Schmied-Kowarzik, W.: F. W. J. Schelling, in: Böhme, G. (Hg.): Klassiker der Naturphilosophie, München 1989, 241–262.

Schmithausen, L.: Buddhismus und Natur, in: Panikkar, R./Strolz, W. (Hg.): Die Verantwortung des Menschen für eine bewohnbare Welt im Christentum, Hinduismus und Buddhismus, Freiburg 1985, 100–133.

Schneider, St.: Global Warming. Are we Entering the Greenhouse Century, San Franzisco 1989.

Schönpflug, W.: Umweltstreß, in: Kruse, L. et al: Ökologische Psychologie, München 1990, 176–180.

Schrage, W.: Bibelarbeit über Röm 8,18–23, in: Moltmann, J. (Hg.): Versöhnung mit der Natur?, München 1986, 150–166.

Schrage, W.: Ethik des Neuen Testaments, Göttingen 1982.

Schreiber, H.-P.: Der Wandel des Naturverständnisses. Philosophische Aspekte, in: Verhandlungen der Naturforschenden Gesellschaft Basel Bd.98, 1988, 1–10.

Schubert, H. von: Evangelische Ethik und Biotechnologie, Frankfurt a.M. 1991

Schubert, M.: Schöpfungstheologie bei Kohelet, Frankfurt 1989.

Schulz, S.: Gott ist kein Sklavenhalter, Zürich 1971.

Schulz, S.: Neutestamentliche Ethik, Zürich 1987.

Schulz, W.: Philosophie in der veränderten Welt, Pfullingen 1972.

Schumacher, E. F.: Die Rückkehr zum menschlichen Maß. Alternativen für Wirtschaft und Technik. „Small is beautiful", Hamburg 1977.

Schupp, F.: Schöpfung und Sünde, Düsseldorf 1990.

Schweidlenka, R.: Liebe die Erde wie dich selbst. Die neue Tiefenökologie, Esotera 6/1991, 24–29.

Schweiz. Evang. Kirchenbund: Widerstand? Christen, Kirchen und Asyl, Bern 1988.

Schweiz. Gesellschaft für Umweltschutz SGU (Hg.): Umwelt und Markt, Zürich 1992.

Schweiz. Nationalkommission Justitia et Pax (Hg.): Zeit, Zeitgestaltung und Zeitpolitik. Eine Thesenreihe zum Thema Arbeitszeit – Freizeit, Bern 1990.

Schweiz. Ökumenisches Komitee für Gerechtigkeit, Frieden und Bewahrung der Schöpfung: Zum Leben befreien. Das Jubiläumsjahr als Chance, Bern 1990.

Schweiz. Physikalische Gesellschaft: Energie und Umwelt, Zürich 1990.

Schweizerische Wirtschaftspolitik im internationalen Wettbewerb. Ein ordnungspolitisches Programm, Zürich 1991.

Schwemmer, O.: Über Natur. Philosophische Beiträge zum Naturverständnis, Frankfurt a.M. 1987.

Seel, M.: Eine Ästhetik der Natur, Frankfurt 1991.
Seim, J./Stieger, L. (Hg.): Lobet Gott. Beiträge zur theologischen Ästhetik. Festschrift zum 70. Geburtstag von R. Bohren, Stuttgart 1990.
Senghaas, D.: Weltwirtschaft und Entwicklungspolitik. Plädoyer für Dissozation, Frankfurt 1977.
Shea, W./Sitter, B. (eds.): Scientists and their Responsibility, Nantucket/MA, USA, 1989.
Sheldon, J. (ed.): Rediscovery of Creation. A Bibliographical Study of the Churche's Response to the Environmental Crisis, Scarcrow Press/USA.
Shiva, V.: Das Geschlecht des Lebens. Frauen, Ökologie und Dritte Welt, Berlin 1989.
Shiva, V.: Die wahren Günde der Umweltzerstörung im Süden, in: Brot für alle/Erklärung von Bern/Fastenopfer (Hg.): Wenig Kinder – viel Konsum? Stimmen zur Bervölkerungsfrage von Frauen aus dem Süden und Norden, Bern 1994, 42–47.
Siebert, H.: Die vergeudete Umwelt. Steht die Dritte Welt vor dem ökologischen Bankrott?, Frankfurt a.M. 1990.
Sigrist, Ch.: Die geladenen Gäste. Diakonie und Ethik im Gespräch. Zur Vision der diakonischen Kirche, Bern 1994.
Simmons, D. A.: Environmental Ethics: A Selected Bibliography for the Environmental Professional, CLP Bibliography Chicago 1988.
Simonis, U.E.: Ökologische Orientierungen, Berlin 1988.
Singer, P.: Befreiung der Tiere, München 1982.
Singer, P.: Praktische Ethik, Stuttgart 1984.
Singh, K.: The Hindu Declaration on Nature, The Assisi Declaration 1986.
Sitter, B.: Plädoyer für das Naturrechtsdenken. Zur Anerkennung von Eigenrechten der Natur, Beiheft zur Zeitschrift für Schweizerisches Recht, H. 3, Basel 1984.
Sitter, B.: Wie läßt sich ökologische Gerechtigkeit denken?, ZEE 31 (1987), 271–295.
Skriver, A.: Zu viele Menschen? Die Bevölkerungskatastrophe ist vermeidbar. München 1986.
Smith, A.: Der Wohlstand der Nationen. Eine Untersuchung seiner Natur und seiner Ursachen. Einleitung H. C. Recktenwald, München 1978 (1. Aufl. 1776).
Smith, A.: Theorie der ethischen Gefühle, mit Einleitung hg. von W. Eckstein, Hamburg 1977 (1. Aufl. 1759).
Sölle, D.: Leiden, Stuttgart 1973.
Sölle, D.: Lieben und arbeiten. Eine Theologie der Schöpfung, Stuttgart 1985.
Sölle, D.: Sympathie. Theologisch-politische Traktate, Stuttgart 1978.
Song, Ch.-S.: Die Tränen der Lady Meng. Ein Gleichnis für eine politische Theologie des Volkes. Basel 1982.
Sophrony, A.: Voir Dieu tel qu'il est, Genf 1984.
Spaemann, R.: Technische Eingriffe in die Natur als Problem der politischen Ethik, in: Birnbacher, D. (Hg.): Ökologie und Ethik, Stuttgart 1980, 180–206.
Spieckermann, H.: Gerechtigkeit und Friede in der prophetischen Verkündigung, in: Weder, H. (Hg.): Gerechtigkeit, Friede und Bewahrung der Schöpfung, Zürich 1990, 13–37.
Spiegel, E.: Gewaltverzicht. Grundlagen einer biblischen Friedenstheologie, Kassel 1987.
Spiegel, Y.: Hinwegzunehmen die Lasten der Beladenen. Einführung in die Sozialethik 1, München 1979.
Spiegel, Y.: Wirtschaftsethik und Wirtschaftspraxis – ein wachsender Widerspruch? Stuttgart 1992.
Spretnak, Ch.: Postmodern Directions, in: Griffin, D. (ed.): Spirituality and Society, New York 1988, 33–40.
Stahmann, Ch.: Islamische Menschenrechtskonzepte, ZEE 38/1994, 142–152.
Stampfli, A. et al: Artenrückgang in Magerwiesen. Wissenschaftlicher Naturschutz am Monte San Giorgio, Gaia 1 (1992), 105–109.
Statistisches Bundesamt Wiesbaden: Erste Ergebnisse der Sozialprodukterechnung 1991, Fachserie 18, Reihe 1.1.
Statistisches Bundesamt Wiesbaden: Wege zu einer umweltökonomischen Gesamtrechnung, Wiesbaden 1991.
Stauffer, R.: Dieu, la création et la Providence dans la prédication de Calvin, 1977.
Steck, O. H.: Bewahrung der Schöpfung. Alttestamentliche Sinnperspektiven für eine Theologie

der Natur, in: Weder, H. (Hg.): Gerechtigkeit, Friede, Bewahrung der Schöpfung, Zürich 1990, 39–62.
Steck, O. H.: Dominium terrae. Zum Verhältnis von Mensch und Schöpfung in Genesis 1, in: Stolz, F. (Hg.): Religiöse Wahrnehmung der Welt, Zürich 1988, 89–106.
Steck, O.H.: Welt und Umwelt, Stuttgart 1978.
Steigleder, K./Mieth, D. (Hg.): Ethik in den Wissenschaften, Tübingen 1990.
Steiner, D.: „Wissenschaft mit Liebe" als transwissenschaftliche Ganzheitlichkeit, in: Thomas, Ch. (Hg.): Auf der Suche nach dem ganzheitlichen Augenblick. Der Aspekt Ganzheit in den Wissenschaften, Zürich 1992, 273–279.
Stenflo, J. O.: Evolution des Weltalls – Gleichgewichtsbetrachtungen in der Astronomie, in: Stolz, F. Hg.): Gleichgewichts- und Ungleichgewichtskonzepte in der Wissenschaft, Zürich 1986, 5–19.
Stoeckle, B. (Hg.): Wörterbuch der ökologischen Ethik, Freiburg 1986.
Stolz F. (Hg.): Gleichgewichts- und Ungleichgewichtskonzepte in der Wissenschaft, Zürich 1986.
Stolz, F.: Der mythische Umgang mit der Rationalität und der rationale Umgang mit dem Mythos, in: Schmid, H. H. (Hg.): Mythos und Rationalität, Gütersloh 1988, 81–105.
Stolz, F.: Typen religiöser Unterscheidung von Natur und Kultur, in: ders. (Hg.): Religiöse Wahrnehmung der Welt, Zürich 1988, 15–32.
Störig, H. J.: Kleine Weltgeschichte der Wissenschaft, 2 Bände, Frankfurt a.M. 1982.
Streit, B.: Umweltlexikon, Freiburg 1992.
Strey, G.: Umweltethik und Evolution, Göttingen 1989.
Strohm, H.: Erziehung zum Umweltschutz, Göttingen 1977.
Strohm, Th.: Protestantische Ethik und der Unfriede in der Schöpfung. Defizite und Aufgaben evangelischer Umweltethik, in: Rau, G. et al Hg.): Frieden in der Schöpfung, Gütersloh 1987, 194–228.
Strohm, Th.: Wirtschaft und Ethik. Leitlinien der evangelischen Sozialethik für modernes wirtschaftliches Handeln, in: Kramer, W./Spangenberger, M. (Hg.): Gemeinsam für die Zukunft. Kirchen und Wirtschaft im Gespräch, Köln 1984.
Stückelberger, Ch. et al: Mensch sein im Ganzen der Schöpfung. Ein ökologisches Memorandum im Auftrag und zuhanden der Arbeitsgemeinschaft Christlicher Kirchen in der Schweiz, verfaßt von P. Hafner, E. Meili, H. Ruh, P. Siber, Ch. Stückelberger, L. Vischer, E.Wirth, in: Bischofberger, O et al: Umweltverantwortung aus religiöser Sicht, Zürich/Freiburg 1988, 123–150.
Stückelberger, Ch. mit einer Arbeitsgruppe: ... heute noch einen Apfelbaum pflanzen. Ökumenisches Liederbuch zur Schöpfung, hg. von der Ökumenischen Arbeitsgemeinschaft Kirche und Umwelt der Schweiz, Zürich/Luzern 1989.
Stückelberger, Ch./Brauen, M./Tworuschka, M./Guggisberg, K.: Mensch und Umwelt in den Weltreligionen, Kirchenbote für den Kanton Zürich 21/1992, 5–8.
Stückelberger, Ch./Waldvogel M./Nagel, U.: Unsere Welt wird anders. Texte. Projekte. Planspiele für einen neuen Umgang mit der Umwelt. Mit dem WWF Lehrerservice, Zug 1984.
Stückelberger, Ch.: Aufbruch zu einem menschengerechten Wachstum. Sozialethische Ansätze für einen neuen Lebensstil, Zürich 1982[3].
Stückelberger, Ch.: Der Mensch zwischen Allmacht und Ohnmacht, Ex Libris Nr.3/1983 (Zürich), 9–14.
Stückelberger, Ch.: Die Bergpredigt – ökologisch ausgelegt, in: Frieden in Gerechtigkeit für die ganze Schöpfung. Drei Bibelarbeiten an der Europäischen Ökumenischen Konferenz in Basel 1989, hg. von der Ökumenischen Arbeitsgemeinschaft Kirche und Umwelt der Schweiz, Bern 1989, 1–11; verändert auch in Kirchenbote für den Kanton Zürich 19/1989, 7; 20/1989, 4; 21/1989, 4.
Stückelberger, Ch.: Gott achtet uns, wenn wir arbeiten, aber er liebt uns, wenn wir spielen. Eine kleine Theologie des Spiels, Kirchenbote für den Kanton Zürich, Nr.14/1989, 7.
Stückelberger, Ch.: Gottes Weinen über die Schöpfung hören. Ökologische Auslegung der Bergpredigt I, Kirchenbote für den Kanton Zürich 19/1989, 7.
Stückelberger, Ch.: Ich bin ein Gast auf Erden. Naturschutz – ein Auftrag für Christen und Kirchen, Natur und Mensch 6/1991, 225f.

Stückelberger, Ch.: Interview mit A. Rich: Welches Wirtschaftssystem ist menschengerecht?, Tages-Anzeiger Zürich, 28. April 1990, 2.

Stückelberger, Ch.: Konsumverzicht: Befreiung für Mensch und Natur, in: Der neue Konsument. Der Abschied von der Verschwendung und die Wiederentdekcung des täglichen Bedarfs, Frankfurt 1979, 7–15.

Stückelberger, Ch.: Perspektiven für Kirche und Naturschutz, in: Umwelt – Mitwelt – Schöpfung. Kirchen und Naturschutz. Laufener Seminarbeiträge 1/91, hg. von der Bayrischen Akademie für Naturschutz und Landschaftspflege, 73–77.

Stückelberger, Ch.: Schöpfung und Evolution. Interview mit G. Altner, C. Bresch, R. Junker, Kirchenbote für den Kanton Zürich Nr. 21/1991, 5–8.

Stückelberger, Ch.: Staunen oder beherrschen? Eine Unterrichtshilfe des WWF-Lehrerservice, Zürich 1982.

Stückelberger, Ch.: Vermittlung und Parteinahme. Der Versöhnungsauftrag der Kirchen in gesellschaftlichen Konflikten, Zürich 1988 (660 S.).

Stückelberger, Ch.: Versöhnung mit der Natur – Aufgabe und Möglichkeiten der Kirchen, in: Bischofberger, O. et al: Umweltverantwortung aus religiöser Sicht, Freiburg/Zürich 1988, 63–80.

Stückelberger, Ch.: Wer haftet wofür? Ausstieg aus der Ethik? in: Sondersitzung zum Thema „Tschernobyl" der Studiengruppe Energieperspektiven. Dokumentation Nr. 25, Baden 1986, 1–6.

Stuhlmacher, P.: Die Gerechtigkeitsanschauung des Apostels Paulus, in: ders.: Versöhnung, Gesetz und Gerechtigkeit, Göttingen 1981, 87–116.

Stuhlmacher, P.: Die neue Gerechtigkeit in der Jesus-Verkündigung, in: ders.: Versöhnung, Gesetz und Gerechtigkeit, Göttingen 1981, 43–65.

Sundermeier, Th.: Jeder Teil dieser Erde ist meinem volke heilig. Naturreligiöse Frömmigkeit, in: Rau, G. et al (Hg.): Frieden in der Schöpfung, Gütersloh 1987, 20–34.

Sustainable Netherlands, Amsterdam 1994.

Tanner, K.: Der lange Schatten des Naturrechts. Eine fundamentaltheologische Untersuchung, Stuttgart 1993.

Taufe, Eucharistie und Amt. Konvergenzerklärungen der Kommission für Glauben und Kirchenverfassung des Ökumenischen Rates der Kirchen, Frankfurt 1982.

Taylor, P.: In Defense of Biocentrism, Environmental Ethics 5 (1983), 241–243.

Taylor, P.: Respect for Nature. A Theory of Environmental Ethics, Princeton 1989[2].

Taylor, P.: The Ethics of Respect for Nature, Environmental Ethics 3 (1981), 209.

Teutsch, G.: Lexikon der Tierschutzethik, Göttingen 1987.

Teutsch, G.: Lexikon der Umweltethik, Göttingen 1985.

Teutsch, G.: Schöpfung ist mehr als Umwelt, in: Bayertz, K. (Hg.): Ökologische Ethik, München 1988, 55–65.

Teutsch, G.: Wovor soll die geschöpfliche Würde der Tiere geschützt werden? Unveröffentlichte Studie aus Beständen und Vorarbeiten des Archivs für Ethik im Tier-, Natur- und Umweltschutz der Badischen Landesbibliothek, Karlsruhe 1994.

The Assisi Declarations. Messages on Man and Nature from Buddhism, Christianity, Hinduism, Islam and Judaism, Assisi 1986.

The Ecumenical Patriarchate: Orthodoxy and the Ecological Crisis, Gland/Genf (WWF) 1990.

The Global Partnership for Environment and Development. A Guide to Agenda 21, UNCED, Genf 1992.

The Importance of Biological Diversity. A Statement by the WWF, Gland/Genf o. J.

Thiele, J.: Die mystische Liebe zur Erde. Denken und Fühlen mit der Natur, Stuttgart 1989.

Thomas, Ch. (Hg.) Auf der Suche nach dem ganzheitlichen Augenblick. Der Aspekt Ganzheit in den Wissenschaften, Zürich 1992.

Thomas von Aquin: Summa Theologica. Vollständige deutsch-lateinische Ausgabe, Heidelberg u.a., 36 Bände.

Thürkauf, M.: Gedanken zur maßlosen Anwendung technischer Möglichkeiten, in: Bremi, W.: Ekstase, Maß und Askese, Basel 1967, 23–38.

Tödt, E.: Perspektiven theologischer Ethik, München 1988.
Tödt, H. E.: Versuch zu einer Theorie ethischer Urteilsfindung, ZEE 21 (1977), 81–93.
Topping, W.: Körperenergien in der Balance, Freiburg 1986.

Üexküll, Th. v.: Organismus und Umgebung: Perspektiven einer neuen ökologischen Wissenschaft, in: Altner, G. (Hg.): Ökologische Theologie – Perspektiven zur Orientierung, Stuttgart 1989, 392–408.
Ulrich, H.G.: Eschatologie und Ethik, München 1988.
Ulrich, H.G.: Ethische Rechenschaft als Praxis der Freiheit. Bemerkungen zu ‚Norm und Erfahrung' in der Ethik, ZEE 37/1993, 46–58.
Ulrich, P./Thielemann, U.: Ethik und Erfolg. Unternehmerische Denkmuster von Führungskräften. Eine empirische Studie, Bern 1992.
Ulrich, P.: Lassen sich Ökonomie und Ökologie wirtschaftsethisch versöhnen?, in: Seifert, E. K./Pfriem, R. (Hg.): Wirtschaftethik und ökologische Wirtschaftsforschung, Bern 1989.
Ulrich, P.: Tranformation der ökonomischen Vernunft. Fortschrittsperspektiven der modernen Industriegesellschaft, Bern/Stuttgart 1986.
Ulrich, P.: Warten auf einen neuen Adam Smith, Reflexionen Nr.25/1991 des Liberalen Instituts Zürich, 13–25.
Umwelt. Ethik der Religionen Bd. 5, München/Göttingen 1986.
Umweltreport DDR: Bilanz der Zerstörung, Kosten der Sanierung, Strategien für den ökologischen Umbau, Frankfurt 1990.
Umweltstandards. Grundlagen, Tatsachen und Bewertungen am Beispiel des Strahlenrisikos, Akademie der Wissenschaften zu Berlin, Forschungsbericht 2, Berlin/New York 1992.
United Nations Development Programme UNDP: Human Development Report 1993.
Unsere gemeinsame Zukunft. Der Brundtland-Bericht der Weltkommission für Umwelt und Entwicklung, hg. von V. Hauff, Greven 1987.
Ursprung, H.: Forschungspolitik und Forschungsfreiheit in der Schweiz, in: Holzhey, H./Jauch U./Würgler, H. (Hg.): Forschungsfreiheit. Ein ethisches und politisches Problem der modernen Wissenschaft, Zürich 1991, 145–155.

Van den Daele, W.: Mensch nach Maß? Ethische Probleme der Genmanipulation und der Gentherapie, München 1985.
Veeraraj, A.: Gott ist grün, in: Gott ist grün. Ökotheologie aus dem Süden, hg. von Brot für Brüder/Fastenopfer der Schweizer Katholiken, Bern/Luzern 1989, 15–23.
Veeraraj, A.: Towards an Authentic Global Eco-Theology and Mission of the Church. A Search for Eco-sensible Religious Resources in Judeo-Christian und Hindu Religious Systems and Traditions, Bangalore 1986 (Manuskript).
Velder, Ch. (Hg.): Märchen aus Thailand, München 1968.
Vester, F.: Leitmotiv vernetztes Denken, Münchend 1989[2].
Vester, F.: Neuland des Denkens. Vom technokratischen zum kybernetischen Zeitalter, Stuttgart 1985[3].
Vischer, E. P.: Sowohl als auch. Denkerfahrungen der Naturwissenschaften, Hamburg 1987.
Vischer, L. (Hg.): Rechte künftiger Generationen. Rechte der Natur. Vorschlag zu einer Erweiterung der Allgemeinen Erklärung der Menschenrechte, erarbeitet von E. Giesser, A. Karrer, J. Leimbacher, Ch. Link, J. Moltmann, P. Saladin, O. Schäfer, L. Vischer, Bern 1990.
Vollenweider, S.: Freiheit als neue Schöpfung. Eine Untersuchung zur Eleutheria bei Paulus und in seiner Umwelt, Göttingen 1989.
von Rad, G.: Das formgeschichtliche Problem des Hexateuch, 1938, in: Gesammelte Studien, München 1958, 9ff.
von Rad, G.: Weisheit in Israel, Neukirchen 1970.

Waldvogel, M./Nagel U./Stückelberger, Ch.: Unsere Welt wird anders. Texte, Projekte, Planspiele für einen neuen Umgang mit der Umwelt, in Zusammenarbeit mit dem WWF Schweiz Lehrerservice, Zug 1984.
Waldvogel, M.: Das einzigartige und die Sprache. Ein Essay, Wien 1990.

Warren, K.: The Power and the Promise of Ecological Feminism, Environmental Ethics 12 (1990), 125–146.
Weber, H.-D.: Vom Wandel des neuzeitlichen Naturbegriffs, Konstanz 1989.
Weber, M.: Die protestantische Ethik I, München 1969[2].
Weber, M.: Die protestantische Ethik II. Kritiken und Antikritiken, München 1968.
Weder, H.: „Bessere Gerechtigkeit" als Prinzip menschlichen Verhaltens, in: ders. (Hg.): Gerechtigkeit, Friede, Bewahrung der Schöpfung, Zürich 1990, 63–79.
Weder, H.: Der Mythos vom Logos (Johannes 1). Überlegungen zur Sachproblematik der Entmythologisierung, in: Schmid, H. H. (Hg.): Mythos und Rationalität, Güterlsoh 1988, 44–80.
Weder, H.: Die Abwesenheit der Tugend. Neutestamentliche Überlegungen zum Problem der Tugendhaften, in Braun, H.-J., (Hg.): Ethische Perspektiven: Wandel der Tugenden, Zürich 1989, 61–70.
Weder, H.: Geistreiches Seufzen. Zum Verhältnis von Mensch und Schöpfung in Römer 8, in: Stolz, F. (Hg.): Religiöse Wahrnehmung der Welt, Zürich 1988, 57–72.
Wehrt, H.: Über Irreversibilität, Naturprozesse und Zeitstruktur, in Weizsäcker, E. von: Offene Systeme I. Beiträge zur Zeitstrutktur von Information, Entropie und Evolution, Stuttgart 1974 114–199.
Weinrich, H.: Narrative Theologie, Concilium 9/1973, 329–334; Metz, J.B.: Kleine Apologie des Erzählens, Concilium 9/1973, 334–341.
Weissmahr, B.: Evolution als Offenbarung der freiheitlichen Dimension der Wirklichkeit, in: Bresch, C. et al: Kann man Gott aus der Natur erkennen?, Freiburg 1990, 87–101.
Weizsäcker, C. F. von: Der Hymnus des Kolosserbriefes, in: ders.: Bewußtseinswandel, München 1988, 227–239.
Weizsäcker, C. F. von: Die Zeit drängt, München 1986
Weizsäcker, C. F. von: Möglichkeit und Bewegung. Eine Notiz zur aristotelischen Physik, in: ders.: Die Einheit der Natur, München 1972[4], 428–440.
Weizsäcker, C.F. von: Die Einheit der Natur, München 1971.
Weizsäcker, E. U. von: Erdpolitik. Ökologische Realpolitik an der Schwelle zum Jahrhundert der Umwelt, Darmstadt 1990[2].
Weizsäcker, E. U. von: Offene Systeme I. Beiträge zur Zeitstrutktur von Information, Entropie und Evolution, Stuttgart 1974.
Welker, M.: Gutgemeint – aber ein Fehlschlag. Hans Küngs „Projekt Weltethos", EvKomm 6/93, 354–356.
Welker, M.: Universalität Gottes und Relativität der Welt. Theologische Kosmologie im Dialog mit dem amerikanischen Prozeßdenken nach Whitehead, Neukirchen 1981.
Weltbevölkerungswachstum als Herausforderung an die Kirchen. Eine Studie der Kammer der EKD für kirchlichen Entwicklungsdienst, Gütersloh 1984.
Weltethos, Kultur und Entwicklung. Zeitschrift für Kulturaustausch, 43. Jg, 1/1993.
Wendland, H.D.: Über Ort und Bedeutung des Kirchenbegriffs in der Sozialethik, ThLZ 87/1962, 175–182.
Werner, D.: Die Bundesordnung des einen Haushalts des Lebens als ökologisches Programm der Ökumene. Bericht zu Sektion I der Vollversammlung des ÖRK in Canberra, Ökumenische Rundschau 3/1991, 270–287.
Westermann, C.: Das Schöne im Alten Testament, in: ders.: Erträge der Forschung am Alten Testament, München 1984.
Westermann, C.: Genesis 1–11, Neukirchen-Vluyn 1972.
Wicke, L.: Die ökologischen Milliarden, München 1986.
Wickert, U.: Das Buch der Tugenden, Hamburg 1995.
Widmer, P.: Die Lust am Verbotenen und die Notwendigkeit, Grenzen zu überschreiten, Stuttgart 1991.
Wie viele Menschen trägt die Erde? Eine Studie der Kammer der EKD für kirchlichen Entwicklungsdienst, Gütersloh 1994.
Wils, J.-P./Mieth, D. (Hg.): „Ethik ohne Chance?" Erkundungen im technologischen Zeitalter, Tübingen 1989.
Wilson, E. O./Peter, F. M. (eds): Biodiversity, Washington 1988.

Wiswede, G.: Soziologie des Verbraucherverhaltens, Stuttgart 1972.
Wolf, E.: Artenverlust, in: Zur Lage der Welt 88/89. Worldwatch Institute Report, Frankfurt 1988, 171–199.
Wolf, E.: Sozialethik, Göttingen 1975.
Wolters, G.: Einschränkungen der Forschungsfreiheit aus ethischen Gründen?, in: Holzhey, H./Jauch U./Würgler, H. (Hg.): Forschungsfreiheit. Ein ethisches und politisches Problem der modernen Wissenschaft, Zürich 1991, 199–214.
Wolters, G.: Immanuel Kant, in: Böhme, G (Hg.): Klassiker der Naturphilosophie, München 1989, 203–219.
WWF International: The Importance of Biological Diversity, Gland/Genf 1989.

Young, J.: Post Environmentalism, London 1990.

Zapf, W. (Hg.): Soziale Indikatoren, 3 Bände., Frankfurt 1974f.
Zeindler, M.: Gott und das Schöne. Studien zur Theologie der Schönheit, Göttingen 1993.
Zeller, D.: Die Beziehung Religion/Umwelt unter besonderer Berücksichtigung einiger Aspekte des Islams, in: Büttner, M. (Hg.): Religion-Umwelt-Forschung im Aufbruch, Bochum 1989, 142–169.
Zwingli, H.: Die freie Wahl der Speisen (1522), Schriften I, Zürich 1995, 13–73.
Zwingli, H.: Kommentar über die wahre und falsche Religion (1525), Schriften III, Zürich 1995, 31–452.
Zwingli, H.: Von göttlicher und menschlicher Gerechtigkeit (1523), Schriften I, Zürich 1995, 155–213.
Zwingli, H.: Wer Ursache zum Aufruhr gibt (1524), Schriften I, Zürich 1995, 331–426.

Personenregister

Sachregister